Liste der Abkürzunge

~	Wiederholung des Stichworts
K	Konstruktion
≈	Synonym
↔	Antonym
abk	Abkürzung
adj	Adjektiv
adv	Adverb
AGR	Landwirtschaft
akk	Akkusativ
ANAT	Anatomie
ASTR	Astronomie
attr	attributiv
BAU	Bauwesen
BERG	Bergbau
BIO	Biologie
BOT	Botanik
CH	Schweizerdeutsch
CHEM	Chemie
dat	Dativ
DV	Datenverarbeitung
EL	Elektrotechnik
etw	etwas
f	feminin
FILM	Film
FOT	Fotografie
geh	gehoben
gen	Genitiv
GEOG	Geografie
HIST	Geschichte
inf	Infinitiv
interj	Interjektion, Ausruf
itr	intransitiv
jd	jemand
jdm	jemandem
jdn	jemanden
jds	jemandes
JUR	Recht
KFZ	Kfz-Wesen
Komp	Kompositum/-a
komp	Komparativ
konj	Konjunktion
LING	Linguistik
LIT	Literatur(wissenschaft)
m	maskulin
MAR	Schifffahrt

nom	Nominativ
n	neutral
num	Zahlwort
o. Ä.	oder Ähnliches
ÖKOL	Ökologie
ÖKON	Wirtschaft
ÖSTERR	Österreichisch
part perf	Partizip Perfekt
pej	abwertend
pers	Person
PHIL	Philosophie
PHYS	Physik
pl	Plural
POL	Politik
präd	prädikativ
präp	Präposition
präs	Präsens
prät	Präteritum
pron	Pronomen
PSYCH	Psychologie
refl	reflexiv
REL	Religion
SD	Süddeutsch
sing	Singular
SPORT	Sport
superl	Superlativ
TECH	Technik
TELKOM	Telekommunikation
THEAT	Theater
tr	transitiv
TV	Fernsehen
u. a.	unter anderem
u. Ä.	und Ähnliches
umg	umgangssprachlich
umg!	eingeschränkt gesprochen
Wobi	Wortbildung
z. B.	zum Beispiel
ZOOL	Zoologie

Basiswörterbuch Deutsch als Fremdsprache

Das einsprachige Lernerwörterbuch

Ernst Klett International
Stuttgart

Basiswörterbuch Deutsch als Fremdsprache

Das einsprachige Lernerwörterbuch

Bearbeitet von: Dörthe Hecht, Annette Schmollinger

Unter Mitwirkung und Leitung der Redaktion PONS Wörterbücher
und Klett Edition Deutsch

Sprachdatenverarbeitung: Andreas Lang conTEXT AG für Informatik und Kommunikation, Zürich

Warenzeichen
Wörter, die unseres Wissens eingetragene Warenzeichen darstellen, sind als solche gekennzeichnet. Es ist jedoch zu beachten, dass weder das Vorhandensein noch das Fehlen derartiger Kennzeichnungen die Rechtslage hinsichtlich eingetragener Warenzeichen berührt.

Die Deutsche Bibliothek - CIP - Einheitsaufnahme

Ein Titeldatensatz für diese Publikation
ist bei der Deutschen Bibliothek erhältlich

1. Auflage 1999 – Nachdruck 2002 (1,02)

Internet: www.pons.de
www.klett-international.de

Redaktion: Daniela Blech, Dr. Andreas Cyffka, Andreas Jäger
Zeichnungen: Annalisa Scarpa
Einbandgestaltung: Erwin Poell, Heidelberg, Ira Häußler, Stuttgart
Fotosatz: Dörr + Schiller GmbH, Stuttgart
Druck: Clausen & Bosse, Leck
Printed in Germany
ISBN 3-12-517203-9

Vorwort

Liebe Deutschlernerin, lieber Deutschlerner,

im **Basiswörterbuch** Deutsch als Fremdsprache finden Sie ca. 8.000 wichtige Wörter der deutschen Sprache. Das ist weit mehr, als Sie für Alltagsgespräche und die meisten Texte brauchen.

- Jedes Wort ist in einfacher Sprache erklärt. Konkrete Beispiele zeigen, wie man das Wort richtig benutzt.
- Über 400 Illustrationen helfen Ihnen, die Bedeutung der Wörter zu verstehen.
- Informationen über kulturelle Besonderheiten in Deutschland, Österreich und der Schweiz werden extra angegeben.
- Wenn Sie weitere nützliche Tipps und Hinweise brauchen, sehen Sie im Anhang nach (ab Seite 468).

Das Basiswörterbuch Deutsch als Fremdsprache ist ein **Lernerwörterbuch.**

- Grammatik: Sie können systematisch grammatische Formen lernen – sie stehen unter dem jeweiligen Stichwort. Übersichtliche Tabellen finden Sie im Anhang.
- Rechtschreibung: Wichtige Regeln sind aufgeführt.
- Aussprache: Ein Blick auf die Umschrift genügt.
- Prüfungsvorbereitung: Der gesamte Wortschatz des *Zertifikats Deutsch* ist mit einem Punkt markiert.

Viel Spaß und Erfolg beim Lernen mit dem **Basiswörterbuch Deutsch als Fremdsprache** wünschen Ihnen

Ihre
Redaktion PONS

Ihre
Redaktion Klett Edition Deutsch

Guten Tag!

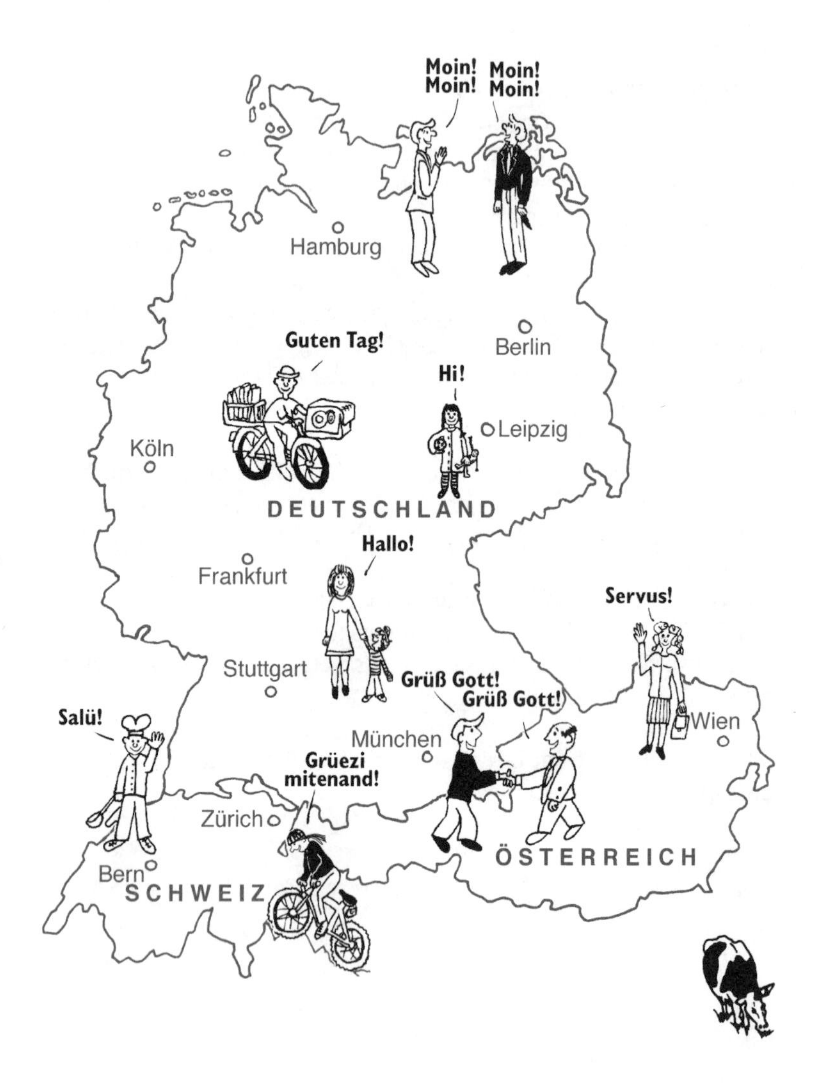

Moin! Moin!
Moin! Moin!
Hamburg
Guten Tag!
Berlin
Hi!
Leipzig
Köln
DEUTSCHLAND
Hallo!
Frankfurt
Servus!
Stuttgart
Grüß Gott!
Grüß Gott!
Salü!
Wien
München
Grüezi mitenand!
Zürich
ÖSTERREICH
Bern
SCHWEIZ

Inhalt

Politische Karte der deutschsprachigen Staaten und Bundesländer bzw. Kantone

Das deutsche Alphabet

Das deutsche Alphabet hat 26 Buchstaben:

A B C D E F G H I J K L M N O P Q R S T U V W X Y Z
a b c d e f g h i j k l m n o p q r s t u v w x y z

Umlaute: Ä Ö Ü
ä ö ü

außerdem: ß

Hinweis: Wörter mit *ä, ö* und *ü* finden Sie unter *A, O* bzw. *U.*
Beispiele: Das Wort *ähnlich* steht hinter *ahnen, öffnen* hinter *Offizier.*

Liste der Lautschriftzeichen

Vokale

Laut	deutsches Beispiel	englisches Beispiel	spanisches Beispiel
[a]	m**a**tt, h**a**t	etwa wie: b**u**t, s**o**n	etwa wie: p**a**ta
[a:]	h**a**ben, F**a**hne	etwa wie: pl**a**nt, **a**rm, f**a**ther	–
[ɐ]	Vat**er**, Bau**er**, Met**er**	–	–
[ã]	C**en**time, R**en**devouz	–	–
[ã:]	Abonnem**ent**, Mel**an**ge	–	–
[e]	**E**tage, G**e**ografie	etwa wie: g**e**t, b**e**d	–
[e:]	S**ee**le, M**eh**l	–	–
[ɛ]	W**ä**sche, B**e**tt	f**a**t	etwa wie: m**e**, sab**e**r
[ɛ:]	z**äh**len, qu**ä**len	etwa wie: s**a**d, m**a**n	–
[ɛ̃:]	Cous**in**, Po**in**te	–	–
[ə]	mach**e**, G**e**päck	**a**go, bett**er**	–
[ɪ]	K**i**ste, m**i**t	etwa wie: **i**t, w**i**sh	–
[i]	pr**i**vat, B**i**ologie	**ea**gle, **e**qual	f**i**no, p**i**ntar
[i:]	Z**ie**l, pr**i**ma, Biolog**ie**	s**ee**, m**e**	–
[o]	**O**ase, Pr**o**jekt	–	–
[o:]	**oh**ne, **O**fen	–	–
[õ]	F**on**due, B**on**bon, Ann**on**ce	–	–
[õ:]	Kart**on**	–	–
[ɔ]	**o**ft, K**o**sten	etwa wie: n**o**t, l**o**ng	caca**o**, **o**nce, **o**bra
[ø]	**ö**kologisch	–	–
[ø:]	bl**ö**d, H**öh**le	–	–
[œ]	G**ö**tter, **ö**ffnen	–	–
[u]	z**u**letzt, K**u**rier	etwa wie: tw**o**	t**u**, **u**no, **ú**til
[u:]	M**u**t, g**u**t	etwa wie: y**ou**, d**o**, sch**oo**l	–
[ʊ]	M**u**tter, l**u**stig	etwa wie: p**u**sh, l**oo**k	etwa wie: de**u**da
[y]	T**y**p, Z**y**presse	–	–

Vokale

Laut	deutsches Beispiel	englisches Beispiel	spanisches Beispiel
[yː]	Mühle, physisch	–	–
[ʏ]	Sünde, Rhythmus	–	–
[̯]	Abitur, aktuell	–	–

Doppelvokale (Diphthonge)

Laut	deutsches Beispiel	englisches Beispiel	spanisches Beispiel
[ai̯]	weit, bei	life	baile
[au̯]	Haus, laufen	house	auto
[ɔy̯]	Heu, Häuser	etwa wie boy, oil	hoy

Konsonanten

Laut	deutsches Beispiel	englisches Beispiel	spanisches Beispiel
[b]	Ball, Nebel	been, rob	etwa wie: ambiente, envidia
[ç]	mich, Licht, zwanzig, Chemie	–	etwa wie: religion
[d]	denn, bedenken	do, bad	donde, aldea, andar
[f]	Freund, vielfach, Philosophie	father, wolf	falta, favor
[g]	gern, gegen	go, beg	angustia, ángulo
[h]	Hand	house	–
[j]	ja , Million	youth, Indian	ayer, ya
[k]	Kind, schicken, SD: Honig, Chemie	keep, milk	casa, kilo
[l]	links, Pult	lamp, ill	lámpara, alma
[l̩]	Achsel	–	–
[m]	matt, Kamm	man, am	me, amor
[n]	Nest, nennen	no, manner	niño, antes
[n̩]	Abend	–	–
[ŋ]	lang, fangen	long, sing	tengo, lengua
[p]	Paar, Pappe, Lob	paper, happy	pero, época
[r]	rennen	–	SD, A, CH: padre, caro
[s]	fassen, Glas, groß	stand, yes	etwa wie: quizas, seña
[ʃ]	Stein, Schlag	ship, station	sherry, show
[t]	Tafel, Hütte, und	tell, fat	todo, antes
[v]	wer, Qual, Klavier	voice, live	etwa wie: lavar, vivir
[x]	Loch, Bach	loch	bajar, gente
[z]	Singen, Rose	zeal, these	etwa wie: mismo, isla
[ʒ]	genieren, Garage	pleasure	etwa wie argentinisch: yo
[͜]	Pflanze, zehn	–	–
[ʔ]	Knacklaut	–	–
[ˈ]	Hauptakzent	–	–

Die reformierte deutsche Rechtschreibung – Neuerungen und Gültigkeit

Am 1. Juli 1996 unterzeichneten die vier deutschsprachigen Staaten (Deutschland, Österreich, Schweiz, Liechtenstein) und weitere vier Staaten mit deutschsprachigen Minderheiten (Belgien, Italien, Ungarn, Rumänien) das Wiener Abkommen zur Reform der deutschen Rechtschreibung. Damit wurde die langjährige Überarbeitung der deutschen Rechtschreibung abgeschlossen, die seit 1901/1902 galt.
Die Neuregelung trat offiziell am 1. August 1998 in Kraft. Das bedeutet, dass Schulen die neue Rechtschreibung lehren und Ämter sie anwenden. In einer Übergangsphase bis zum 31. Juli 2005 sollen aber Schreibungen nach den alten und den neuen Regeln gelten. In der Schule sollen alte Schreibungen angestrichen, nicht aber gewertet werden. Verantwortlich für die Richtlinien der deutschen Rechtschreibung ist eine spezielle Kommission am Institut für deutsche Sprache (IDS) in Mannheim.
Insgesamt verändert sich mit der neuen Rechtschreibung relativ wenig. Am auffälligsten ist die neue Doppel-s-Schreibweise für das bisherige „ß" nach kurzem Vokal (z.B. „Fluss", bisher: „Fluß"; „dass", bisher: „daß"). Weniger häufig sind die neuen Getrenntschreibungen (z.B. „kennen lernen", bisher: „kennenlernen"; „Rad fahren", bisher: „radfahren").
Neben den eindeutigen Änderungen gibt es nun auch Wörter, die man auf zwei Arten schreiben darf. Dies kommt meist bei Fremdwörtern vor, die jetzt sowohl eingedeutscht als auch wie bisher geschrieben werden können (z.B. „Geografie"/„Geographie"). Das **Basiswörterbuch Deutsch als Fremdsprache** zeigt Ihnen in der Regel die neue Schreibweise.
Wenn Sie einen Brief schreiben, sollten Sie beachten, dass jetzt „du" und „ihr" sowie die dazugehörigen Formen „dein", „dir", „dich", „euch" usw. kleingeschrieben werden. „Sie", „Ihnen", „Ihr" usw. als Anredeform schreibt man nach wie vor groß.

Orthografische Unterschiede in den deutschsprachigen Staaten

Nicht alles wird in Deutschland, Österreich und der Schweiz gleich geschrieben. Grundsätzlich schreibt man in der Schweiz „ss" statt „ß" („Fuss", „giessen"). Daneben gibt es zwei Besonderheiten: Mit der neuen Rechtschreibung können Sie in Österreich das „Geschoß" weiterhin entsprechend der regionalen (langen) Aussprache mit „ß" schreiben, wohingegen Sie in Deutschland „Geschoss" schreiben sollten. Außerdem ist in Österreich und der Schweiz die Schreibweise „nachhause" und „zuhause" richtig, in Deutschland ist ausschließlich „nach Hause" und „zu Hause" korrekt.

A, a [aː] <-, -> *das* der 1. Buchstabe des Alphabets *‚Andreas' schreibt man mit ~.;* **das ~ und O** das Wichtigste, das Notwendigste *Schreiben ist das ~ und O im Beruf eines Journalisten.;* **Wer ~ sagt, muss auch B sagen.** Wer eine Sache beginnt, muss sie auch zu Ende führen. *Mach jetzt weiter, bis du fertig bist. Wer ~ sagt, muss auch B sagen.;* **von ~ bis Z** von Anfang bis Ende *ein Ereignis von ~ bis Z beschreiben*

Ä, ä [ɛː] <-, -> *das* der Umlaut des ‚a' *Das Wort ‚Ärmel' schreibt man mit ~.*

Aal ['aːl] <-(e)s, -e> *der* langer schlangenähnlicher Fisch *ein frischer ~;* **sich winden wie ein ~** versuchen, einer schwierigen Situation auszuweichen *Er windet sich wie ein ~, wenn er helfen soll.*

• **ab** [ap] **I.** *adv* weg, los *Er kam rechts vom Weg ~., Und jetzt ~ in die Schule!;* **~ und zu** manchmal *Es regnet ~ und zu.;* **London ~ 8.35 Uhr** verwendet, um den Zeitpunkt der Abfahrt eines Zugs, Busses oder Schiffs/des Abflugs eines Flugzeugs auszudrücken *Stuttgart ~ 15 Uhr 12* **II.** *präp +dat* drückt aus, ab wo etw gilt *~ hier Betreten verboten;* **von nun ~, von jetzt ~, ~ heute** bezeichnet den Zeitpunkt einer Veränderung *von nun ~ nicht mehr rauchen, ~ heute Urlaub haben*

Ab·bau ['apbau̯] <-(e)s> *kein pl der* **1.** Verringerung, Reduzierung *~ von Lehrstellen* **2.** (BERG: *≈Förderung*) Gewinnung von Bodenschätzen *der ~ von Braunkohle*

ab|bau·en <baut ab, baute ab, abgebaut> *tr* **1.** [K] ***jd baut etw** akk* ***ab*** verringern, reduzieren *staatliche Subventionen ~* **2.** [K] ***jd baut etw** akk* ***ab*** (BERG: *≈fördern*) Bodenschätze gewinnen *Braunkohle ~*

ab|bei·ßen <beißt ab, biss ab, abgebissen> *tr* [K] ***jd beißt** [**von etw** dat]* ***ab*** mit den Zähnen ein Stück von etw abtrennen *von einem Apfel ~*

ab|be·stel·len <bestellt ab, bestellte ab, abbestellt> *tr* [K] ***jd bestellt etw** akk/**jdn ab*** einen Auftrag/ein Abonnement zurücknehmen *die Zeitung/den Handwerker ~*

• **ab|bie·gen** <biegt ab, bog ab, abgebogen> *itr* <*sein*> die Richtung ändern *von der Hauptstraße ~;* (**nach**) **links/rechts ~** die Richtung nach links/rechts ändern *an der Kreuzung links ~*

abbiegen

ab|bil·den <bildet ab, bildete ab, abgebildet> *tr* [K] ***jd bildet jdn/etw** akk* ***ab*** etw/jdn darstellen *Auf Seite 15 ist ein Schloss abgebildet.* ***Wobi: Abbildung***

ab|bre·chen <bricht ab, brach ab, abgebrochen> **I.** *tr* [K] ***jd bricht etw** akk* ***ab*** etw abtrennen *Brich dir ruhig ein Stück Schokolade ab!* **II.** *itr* aufhören, beenden, unterbrechen *Mitten im Telefongespräch brach plötzlich die Verbindung ab.*

ab|bren·nen <brennt ab, brannte ab, abgebrannt> *itr* <*sein*> durch Feuer zerstört werden *Das Gebäude ist völlig abgebrannt.;* **abgebrannt sein** *(umg)* kein Geld mehr haben *Kannst du vielleicht* *mein Bier bezahlen? Ich bin völlig abgebrannt.*

ab|bu·chen <bucht ab, buchte ab, abgebucht> *tr* [K] ***jd bucht etw*** *akk* ***ab*** dem Konto eine Geldsumme entnehmen *100 Euro ~;* **etw ~ lassen** Art der Bezahlung, bei der eine Geldsumme von einem Konto auf ein anderes übertragen wird *die monatlichen Stromzahlungen vom Konto ~ lassen*

Abc [abe'tse:] <-, -> *das* das Alphabet *Schon im Kindergarten kannte das Mädchen das ganze ~.*

ab|de·cken <deckt ab, deckte ab, abgedeckt> *tr* [K] ***jd deckt etw*** *akk* ***ab*** *(↔decken)* das Geschirr vom Tisch wegnehmen *den Tisch ~*

• **ab|dre·hen** <dreht ab, drehte ab, abgedreht> *tr* **1.** [K] ***jd dreht [jdm] etw*** *akk* ***ab*** ausmachen *das Licht ~* **2.** [K] ***jd dreht [jdm] etw*** *akk* ***ab*** zumachen *den Wasserhahn ~*

• **A·bend** ['a:bn̩t] <-s, -e> *der* Zeit von Sonnenuntergang bis Mitternacht *Am ~ lese ich gern ein gutes Buch.* ***Komp: -dämmerung, -nachrichten, Montag-, Sommer-***

Abendessen
Die meisten Deutschen und viele Schweizer essen abends kalt. Es gibt Brot, Butter, dazu Wurst und Käse. Daher sagt man statt ‚Abendessen' auch oft ‚Abendbrot'.

A·bend·es·sen <-s, -> *das* Mahlzeit am Abend *Bei uns gibt es meist gegen 18 Uhr ~.*

A·bend·kas·se <-, -n> *die (= ÖSTERR Abendkassa)* Stelle, an der man abends, direkt vor Veranstaltungsbeginn, noch Eintrittskarten kaufen kann *Konzertkarten an der ~ bekommen*

• **a·bends** [a:bn̩ts] *adv* am Abend, etwa zwischen 18 und 24 Uhr *spät ~ noch telefonieren*

A·ben·teu·er ['a:bn̩tɔyɐ] <-s, -> *das* aufregendes, nicht alltägliches Erlebnis *Die Fahrt durch Sibirien war ein großes ~.*

• **a·ber** ['a:bɐ] *konj* **1.** verwendet, um einen Gegensatz auszudrücken *Schönes Wetter! – ~ ziemlich kalt!* **2.** verwendet, um das, was man sagt, zu verstärken *Du bist ~ dünn geworden!*

• **ab|fah·ren** <fährt ab, fuhr ab, abgefahren> *itr <sein>* eine Fahrt beginnen *Der Zug ist pünktlich abgefahren.*

• **Ab·fahrt** <-, -en> *die* **1.** Beginn einer Fahrt *die Fahrkarte vor ~ des Zuges kaufen, Vorsicht bei der ~ des Zuges!* **2.** (ÖSTERR) Ausfahrt *Es sind noch 2 km bis zur ~ Graz.*

Abfalltrennung

• **Ab·fall** <-s, -fälle> *der (≈Müll)* unbrauchbarer Rest, den man wegwirft *Für diesen ~ haben wir einen extra Eimer., Brauchst du es noch oder ist es ~?*

Ab·fall·ei·mer <-s, -> *der (≈Mülleimer)* besonderer Behälter für Abfall *etw in den ~ werfen*

• **ab|flie·gen** <fliegt ab, flog ab, abgeflogen> *itr <sein>* einen Flug beginnen *in Frankfurt ~* ***Wobi: Abflug***

ab|fra·gen <fragt ab, fragte ab, abgefragt> *tr* [K] ***jd fragt jdn/etw*** *akk* ***ab*** Wissen kontrollieren *Vokabeln ~*

ab|fül·len <füllt ab, füllte ab, abgefüllt> *tr* [K] ***jd füllt etw*** *akk* ***ab*** ein kleineres Gefäß mit etw aus einem größeren füllen *Wein in Flaschen ~*

Autoabgase

• **Ab·gas** <-es, -e> *meist pl das* Gas, das bei der Verbrennung entsteht *~e von Autos sind besonders schädlich für Kinder.*

• **ab|ge·ben** <gibt ab, gab ab, abgegeben> *tr* **1.** [K] ***jd gibt [bei jdm] etw*** *akk* ***ab*** etw abliefern, irgendwo lassen *Der Postbote kann das Päckchen bei den Nachbarn ~.* **2.** [K] ***jd gibt [jdm] etw*** *akk* ***ab*** teilen *Gib mir etw von deiner Schokolade ab!*

ab|ge·hen <geht ab, ging ab, abgegangen> *itr* <*sein*> **1.** etw verlassen *von der Bühne ~, von der Schule ~* **2.** sich von etw abtrennen *Der oberste Knopf an meinem Hemd geht immer wieder ab.*

ab·ge·macht *interj* verwendet, um auszudrücken, dass man mit einem Vorschlag einverstanden ist *A~! – Wir treffen uns vor dem Kino.*

Ab·ge·ord·ne·te(r) ['apgəʔɔrdnətə] <-n, -n> *der/die* Mitglied des Parlaments *eine ~ der Bürgerpartei*

• **ab·ge·schlos·sen** **I.** *part perf von* **abschließen** **II.** *adj* **1.** so, dass es eine eigene Einheit darstellt *ein ~er Bereich* **2.** fertig *eine ~e Ausbildung*

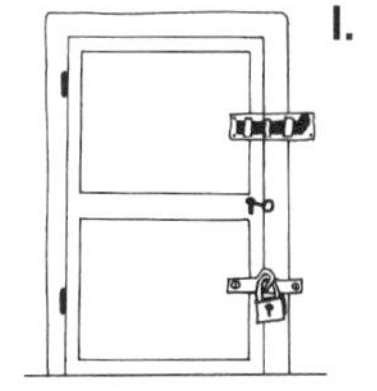

I.

abgeschlossen

ab|ge·wöh·nen <gewöhnt ab, gewöhnte ab, abgewöhnt> *refl* K ***jd gewöhnt sich** dat **etw** akk **ab*** mit einer (schlechten) Gewohnheit aufhören *sich das Rauchen ~*

ab|gren·zen <grenzt ab, grenzte ab, abgegrenzt> *tr* K ***jd grenzt etw** akk **ab*** ein Gebiet von einem anderen deutlich trennen *den Garten durch einen Zaun ~*

ab|gu·cken <guckt ab, guckte ab, abgeguckt> *itr (umg)* etw bei jd anderem sehen und in der gleichen Weise übernehmen *Eure Aufsätze sind identisch, wer hat von wem abgeguckt?*

ab|ha·ken <hakt ab, hakte ab, abgehakt> *tr* K ***jd hakt etw** akk **ab*** Namen oder Bezeichnungen auf einer Liste mit Haken markieren *Jetzt habe ich auf meiner Liste alle außer Thomas abgehakt, weiß jemand, ob er noch kommt?*

Ab·hang <-s, -hänge> *der* schräge Seite eines Hügels oder Berges *Das Auto kam von der Straße ab und stürzte den ~ hinunter.*

• **ab|hän·gen[1]** <hängt ab, hängte ab, abgehängt> *tr* K ***jd hängt jdn ab*** jdn hinter sich lassen, schneller sein *die Verfolger ~*

• **ab|hän·gen[2]** <hängt ab, hing ab, abgehangen> *itr* K ***etw/jd hängt von etw** dat/**jdm ab*** durch etw/jdn bestimmt sein *vom Wetter ~*

• **ab·hän·gig** <-er, abhängigst-> *adj* **1.** *(↔unabhängig, selbstständig)* so, dass man die (meist finanzielle) Hilfe von jdm braucht *Er ist noch von seinen Eltern ~.* **2.** so, dass jd/etw von jdm/etw bestimmt ist *Ob wir morgen grillen, ist vom Wetter ~.* **3.** so, dass man regelmäßig Drogen nehmen muss; süchtig *von Alkohol ~ sein* ***Komp: alkohol-, drogen-***

Ab·hän·gig·keit <-, -en> *die* **1.** *(↔Unabhängigkeit, Selbstständigkeit)* das Abhängigsein von jds Hilfe *die ~ von den Eltern* **2.** Zustand, in dem jd regelmäßig Drogen nehmen muss *die ~ vom Alkohol*

• **ab|he·ben** <hebt ab, hob ab, abgehoben> *tr* K ***jd hebt etw** akk **ab*** Geld vom Konto holen *200 Euro vom Konto ~*

• **ab|ho·len** <holt ab, holte ab, abgeholt> *tr* K ***jd holt jdn/etw** akk [**von irgendwoher**] **ab*** hingehen und herbringen *die Freundin vom Bahnhof ~, die bestellten Bücher ~*

• **A·bi·tur** [abi'tu:ɐ̯] <-s, -e> *das (≈Hochschulreife)* Abschlussprüfung an deutschen Schulen, die für die Universität qualifiziert *das ~ machen*

A·bi·tu·ri·ent(in) [abitu'ri̯ɛnt] <-en, -en> *der* jd, der das Abitur gemacht hat *~ sein*

ab|kau·fen <kauft ab, kaufte ab, abgekauft> *tr* K ***jd kauft***

> *Abitur*
> Das deutsche Abitur macht man am Ende vom 13. Schuljahr, in einigen östlichen Bundesländern auch schon im 12. In der Schweiz legt man die Maturität je nach Kanton und Schultyp ebenso nach 12 oder 13 Schuljahren ab. Die österreichische Matura erlangt man nach 12 Jahren.

jdm etw *akk* ***ab*** gegen Geld etw von jdm übernehmen *dem Freund ein Auto ~*

ab|ko·chen <kocht ab, kochte ab, abgekocht> *tr* [K] ***jd kocht etw*** *akk* ***ab*** so lange kochen, bis etw steril/ganz sauber ist *Trinkwasser ~*

Ab·kom·men <-s, -> *das* (MIL POL: ≈*Vertrag*) schriftliche Erklärung, besonders zwischen Staaten *ein ~ treffen*

ab|kom·men <kommt ab, kam ab, abgekommen> *itr* <*sein*> sich vom eigentlichen Weg oder Thema entfernen *Komm nicht vom Thema ab!*

ab|küh·len <kühlt ab, kühlte ab, abgekühlt> *itr* kälter werden *Am Abend hat es (sich) stark abgekühlt.*

ab|kür·zen <kürzt ab, kürzte ab, abgekürzt> *tr* **1.** [K] ***jd kürzt etw*** *akk* ***ab*** einen kürzeren Weg gehen *den Weg ~* **2.** [K] ***jd kürzt etw*** *akk* ***ab*** ein Wort kürzer schreiben *‚Zum Beispiel' kürzt man mit ‚z. B.' ab.*

Ab·kür·zung <-, -en> *die* **1.** wenige Buchstaben, meist mit Punkt dahinter, die für ein bestimmtes Wort stehen *‚Usw.' ist die ~ für ‚und so weiter'.* **2.** Weg, auf dem man schneller ans Ziel kommt *eine ~ nehmen*

Ab·lauf <-s, -läufe> *der* Folge von Ereignissen *Der genaue ~ des Unfalls ist noch unklar.*

ab|le·gen <legt ab, legte ab, abgelegt> **I.** *tr* **1.** [K] ***jd legt etw*** *akk* ***ab*** zur Seite legen *Ihre Tasche können Sie hier ~!* **2.** [K] ***jd legt etw*** *akk* ***ab*** den Mantel/die Jacke ausziehen *Leg doch ab! Oder willst du gleich wieder gehen?* **II.** *itr* das Abfahren von Schiffen *Das Schiff legte pünktlich ab.*

etwas ablehnen

• **ab|leh·nen** <lehnt ab, lehnte ab, abgelehnt> *tr* **1.** [K] ***jd lehnt etw*** *akk* ***ab*** *(↔annehmen)* nein sagen zu etw *eine Einladung ~, einen Antrag ~, die Verantwortung für etw ~, Ich lehne das Rauchen ab.* **2.** [K] ***jd lehnt etw*** *akk* ***ab*** etw nicht wollen *Ich lehne es ab, darüber zu sprechen.*

ab|len·ken <lenkt ab, lenkte ab, abgelenkt> *tr* [K] ***jd/etw lenkt jdn*** [***von etw*** *dat*] ***ab*** die Gedanken vom Thema wegführen *Ich kann mich nicht auf den Brief konzentrieren, die laute Musik lenkt mich ab.*

• **ab|ma·chen¹** <macht ab, machte ab, abgemacht> *tr* [K] ***jd macht etw*** *akk* ***ab*** *(= ÖSTERR herunternehmen)* entfernen *den Kaugummi von der Hose ~*

• **ab|ma·chen²** <macht ab, machte ab, abgemacht> *tr* [K] ***jd macht etw*** *akk* [***mit jdm***] ***ab*** eine Sache verabreden oder vereinbaren *~, sich vor dem Kino zu treffen*

Ab·ma·chung <-, -en> *die* Verabredung, Vereinbarung *eine ~ treffen*

ab|ma·len <malt ab, malte ab, abgemalt> *tr* [K] ***jd malt etw*** *akk* [***von etw*** *dat*] ***ab*** eine Kopie von etw malen *ein Bild ~*

• **ab|mel·den** <meldet ab, meldete ab, abgemeldet> *tr* [K] ***jd meldet jdn/sich/etw*** *akk* ***ab*** *(↔anmelden)* eine Person/sich/etw bei einer Behörde aus dem Register streichen lassen *Ich muss das alte Auto noch ~., Ich melde mich beim Chef ab., sich vom Deutschkurs ~*

A

ab|mes·sen <misst ab, maß ab, abgemessen> *tr* K ***jd misst etw** akk **ab*** Länge/Breite/Höhe von etw feststellen *den Tisch ~*

• **ab|neh·men** <nimmt ab, nahm ab, abgenommen> **I.** *itr* **1.** Gewicht verlieren *Bei Stress nimmt sie immer ab.* **2.** kleiner werden *Die Zahl der Touristen hat weiter abgenommen.* **II.** *tr* **1.** K ***jd nimmt etw** akk **ab*** den Telefonhörer hochheben *den Hörer ~* **2.** K ***jd nimmt etw** akk **ab*** entfernen *den Verband/Gips ~*

abnehmen/den Hörer abnehmen

Ab·nei·gung <-, -en> *die (↔Zuneigung)* das Gefühl, etw/jdn nicht zu mögen *Sie hat eine ~ gegen Katzen.*

A·bon·ne·ment [abɔnə'mãː] <-s, -s> *das* regelmäßiges Erhalten einer Zeitschrift/von Theaterkarten usw. *ein ~ der Tageszeitung*

A·bon·nent(in) [abɔ'nɛnt] <-en, -en> *der* jd, der eine Zeitung etc. regelmäßig erhält *Es gibt viele ~en von Tageszeitungen.*

a·bon·nie·ren [abɔ'niːrən] <abonniert, abonnierte, abonniert> *tr* K ***jd abonniert etw** akk* eine Zeitung/eine Zeitschrift/Theaterkarten regelmäßig erhalten *Theaterkarten ~*

ab|räu·men <räumt ab, räumte ab, abgeräumt> *tr* K ***jd räumt etw** akk **ab*** Geschirr vom Tisch wegtragen *den Tisch ~*

• **ab·rech·nen** <rechnet ab, rechnete ab, abgerechnet> *tr* K ***jd rechnet etw** akk **ab*** eine Rechnung über etw machen *mit der Firma die Reisekosten ~*

Ab·rei·se <-, -n> *pl selten die* das Wegfahren, Beginn einer Reise *Nur noch wenige Tage bis zur ~!*

ab|rei·sen <reist ab, reiste ab, abgereist> *itr <sein>* einen Ort verlassen *nach München ~*

Ab·rüs·tung <-> *kein pl die* MIL POL Verringerung von Waffen *Die ~ ist ein wichtiges Thema auf der Konferenz.*

Ab·sa·ge <-, -n> *die (↔Zusage)* nein sagen zu einem Vorschlag oder Angebot *jdm eine ~ erteilen, Er hat eine ~ auf seine Bewerbung bekommen.*

ab|sa·gen <sagt ab, sagte ab, abgesagt> *tr* K ***jd sagt** [**jdm**] **etw** akk **ab*** Bescheid sagen, dass man zu einem Termin nicht kommen kann *eine Einladung ~*

ab|schal·ten <schaltet ab, schaltete ab, abgeschaltet> *tr* K ***jd schaltet etw** akk **ab*** *(≈ausmachen ↔anschalten)* die Funktion von etw beenden *das Radio ~*

ab|schi·cken <schickt ab, schickte ab, abgeschickt> *tr* K ***jd schickt etw** akk **ab*** etw mit der Post absenden *das Paket ~*

ab|schie·ben <schiebt ab, schob ab, abgeschoben> *tr* K ***jd schiebt jdn ab*** POL dem Staat unerwünschte Personen über die Staatsgrenze ins Ausland schicken *Flüchtlinge ~*

Ab·schied ['apʃiːt] <-(e)s, (-e)> *der (↔Begrüßung)* die Trennung von jdm *~ nehmen*

ab|schlep·pen <schleppt ab, schleppte ab, abgeschleppt> *tr* K ***jd schleppt etw** akk **ab*** KFZ ein Fahrzeug wegtransportieren *ein Auto ~*

• **ab|schlie·ßen** <schließt ab, schloss ab, abgeschlossen> *tr* **1.** K ***jd schließt etw** akk **ab*** *(≈absperren)* mit einem Schlüssel zumachen *die Haustür ~* **2.** K ***jd schließt etw** akk **ab*** einen Vertrag unterschreiben *eine Lebensversicherung ~*

Abschied

• **Ab·schnitt** <-s, -e> *der* ein Teil von einem Ganzen *ein wichtiger ~*

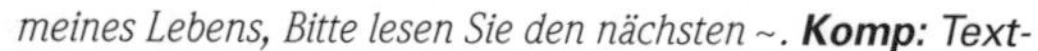
meines Lebens, Bitte lesen Sie den nächsten ~. ***Komp:* *Text-***

Absender

• **Ạb·sen·der** <-s, -> *der* **1.** jd, der einen Brief/ein Paket etc. losschickt *Ist Ihnen der ~ bekannt?* **2.** Name und Adresse der Person, die einen Brief/ein Paket etc. abschickt *Vergessen Sie Ihren ~ nicht!*

• **Ạb·sicht** ['apzɪçt] <-, -en> *die* der Wille, etw zu tun *die ~ haben, ein Studium zu beginnen, Das hast du mit ~ getan!*

ạb·sicht·lich ['apzɪçtlɪç] <-, -> *adj (↔unabsichtlich)* gewollt, bewusst *Das habe ich dir ~ nicht gesagt.*

ạb|stam·men <stammt ab, stammte ab, abgestammt> *itr* Nachkomme von jdm sein *von einem Adelsgeschlecht ~*

• **ạb|stim·men** <stimmt ab, stimmte ab, abgestimmt> *tr* [K] ***jd stimmt über etw*** *akk/* ***jdn ab*** wählen/seine Stimme abgeben *über das Parteiprogramm ~*

Ab·teil [ap'tai̯l] <-s, -e> *das* Raum in einem Eisenbahnwagen *Das vorderste ~ des Wagens ist reserviert.*

• **Ab·tei·lung** [ap'tai̯lʊŋ] <-, -en> *die* Bereich einer Firma mit bestimmten Aufgaben *In unserer ~ werden die Projekte geplant.* ***Komp:* *Personal-, -sleiter***

sich abtrocknen

• **ạb|trock·nen** <trocknet ab, trocknete ab, abgetrocknet> *tr* [K] ***jd trocknet sich/ etw*** *akk* [***mit etw*** *dat*] ***ab*** Wasser mit einem Handtuch entfernen *die Hände ~, das Geschirr ~*

• **Ạb·wart** <-(e)s, -e> *der* (CH) Hausmeister *eine Anstellung als ~ annehmen*

• **ạb·wärts** ['apvɛrts] *adv* nach unten *dem Weg ~ folgen*

• **ạb|wa·schen** <wäscht ab, wusch ab, abgewaschen> **I.** *itr* Geschirr sauber machen *Du musst noch ~.* **II.** *tr* Geschirr sauber machen *Töpfe ~*

• **ạb·we·send** ['apve:zn̩t] <-, -> *adj (↔anwesend)* nicht da, weg *~ sein, mit den Gedanken ~ sein*

Ạb·we·sen·heit <-, -en> *die (↔Anwesenheit)* Fernbleiben von einer Veranstaltung etc. *Während meiner ~ passierte viel.*

• **ạch** [ax] *interj* verwendet, um Verwunderung/Überraschung auszudrücken *A~, du bist das! – Ich dachte schon, es ist ein Dieb im Haus.;* **A~ ja!** verwendet, um einen Seufzer auszudrücken oder wenn man an etw erinnert wird, dass man (fast) vergessen hätte *A~ ja! – Das Leben ist nicht leicht., A~ ja! Gut, dass du mich daran erinnerst.;* **A~ so!** verwendet, um auszudrücken, dass man etw plötzlich verstanden hat *A~ so! – Du kennst sie gar nicht.*

Ạch·sel ['aksl̩] <-, -n> *die* der Übergang vom Oberarm zum Körper *unter den ~n schwitzen;* **mit den ~n zucken** Geste, um auszudrücken, dass man etw nicht weiß *Als ich ihn nach der Lösung fragte, zuckte er nur mit den ~n.*

• **Ạcht**[1] [axt] <-, -en> *die* die Ziffer 8 *eine ~ an die Tafel malen;* **mit der ~ fahren** Bus-/Straßenbahnlinie 8 nehmen *Zur Universität musst du mit der ~ fahren.*

• **Ạcht**[2] [axt] <-> *kein pl die* **außer ~ lassen** etw nicht beachten/berücksichtigen *Mich kannst du außer ~ lassen, ich bin verreist.;* **sich in ~ nehmen** besonders vorsichtig sein *Nimm dich in ~! – Es ist glatt auf den Straßen.*

ạcht [axt] *num* Schreibung der Ziffer 8 *vor ~ Tagen, es ist kurz vor ~*

Ạch·tel ['axtl̩] <-s, -> *das* achter Teil *Ihnen steht ein ~ des Erbes zu.*

ạch·tel ['axtl̩] <-, -> *adj* verwendet, um den achten Teil einer Menge zu bezeichnen *ein ~ Liter Wasser*

• **ạch·ten** ['axtn̩] <achtet, achtete, geachtet> **I.** *itr* **auf etw** ~ besonders aufmerksam sein *auf saubere Schuhe ~* **II.** *tr* K ***jd achtet etw*** *akk*/***jdn*** respektieren/schätzen *Ich achte ihn sehr.*

ạcht·jäh·rig ['axtjɛːrɪç] <-, -> *adj* acht Jahre alt *das ~e Mädchen*

• **Ạch·tung** ['axtʊŋ] <-> *kein pl die* **1.** Aufmerksamkeit *~, jetzt geht's los!; ~!* Vorsicht! *~! Ein Loch in der Straße!; ~, ~!* verwendet, um einen Aufruf einzuleiten *~, ~! Alle mal herhören ...!* **2.** Respekt, Wertschätzung *eine hohe ~ genießen*

Ạ·cker ['akɐ] <-s, Äcker> *der* Boden, auf dem Getreide etc. angebaut wird *Der Bauer arbeitet auf dem ~.;* **den ~ bestellen** pflügen und säen *Der Bauer hat den ~ schon bestellt.* ***Komp: -bau, -land, Kartoffel-, Getreide-***

Adel

Zum Adel gehört man auf Grund von Geburt, Besitz oder auch Leistung. Dieser ehemals privilegierte Stand war in der europäischen Geschichte politisch sehr wichtig. Die Adelsprivilegien wurden 1918 in Deutschland und 1919 in Österreich abgeschafft.

A̲·del ['aːdl̩] <-s> *kein pl der* soziale Gruppe/Schicht von Menschen mit besonderen Rechten *dem ~ angehören* ***Komp: -sfamilie, -stitel, Land-***

A̲·der ['aːdɐ] <-, -n> *die* Gefäß, durch das das Blut durch den Körper fließt *Wegen der Hitze sind meine ~n geschwollen.;* **eine musikalische ~ haben** besonders musikalisch sein *Er hat wohl eine musikalische ~, so viele Instrumente, wie er spielt!*

Ạd·jek·tiv ['atjɛktiːf] <-s, -e> *das* LING eine Wortart, die Substantive näher beschreibt, Eigenschaftswort *‚Schön' ist ein ~.*

Ad·jụnkt [at'jʊŋkt] <-en, -en> *der* (ÖSTERR, CH) Assistent, Titel unterer Beamter *Mein Sohn ist ~ in Wien.*

A̲d·ler ['aːdlɐ] <-s, -> *der* Greifvogel mit großem Schnabel und großen Krallen *~ über die Felsen fliegen sehen*

• **Ad·rẹs·se** [a'drɛsə] <-, -n> *die* Anschrift *Kannst du mir mal deine ~ geben?*

adres·sie̲·ren [adrɛ'siːrən] <adressiert, adressierte, adressiert> *tr* K ***jd adressiert etw*** *akk* [***an jdn***] die Anschrift auf etw schreiben *einen Brief ~*

Adresse

Ad·vẹrb [at'vɛrp] <-s, -verbien> *das* LING Wortart, die das Wo, Wann, Wie etc. in einem Satz ausdrückt *‚Heute' ist ein ~ und gibt Antwort auf das ‚Wann'.*

Ạf·fe ['afə] <-n, -n> *der* Säugetier, das dem Menschen sehr ähnlich ist *In unserem Zoo gibt es verschiedene ~n.;* **ein eingebildeter ~** (*umg pej*) verwendet, um auszudrücken, dass man jdn arrogant findet *Dein Chef ist ein eingebildeter ~.*

Affe

A·gen·tu̲r [agɛn'tuːɐ̯] <-, -en> *die* Büro zur Vermittlung von etw *einen Partner durch die ~ finden* ***Komp: Partnervermittlungs-, Werbe-***

a·ha̲ [a'haː/a'ha] *interj* verwendet, um eine neue Erkenntnis auszudrücken *A~, das ist also dein neuer Freund!;* **ein A~-Erlebnis haben** (endlich) einen Zusammenhang verstehen *Am Ende hatte ich dann doch das A~-Erlebnis und verstand den Witz.*

äh̲·neln ['ɛːnl̩n] <ähnelt, ähnelte, geähnelt> *itr* fast genau so sein, ähnlich sein *Die beiden Schwestern ~ sich sehr.*

ah̲·nen ['aːnən] <ahnt, ahnte, geahnt> *tr* K ***jd ahnt etw*** *akk* voraussehen *Ich konnte ja nicht ~, dass ich krank werde.*

• **äh̲n·lich** ['ɛːnlɪç] <ähnlicher, ähnlichst-> *adj* fast gleich *Sie sieht* *ihrer Mutter ~., Meine Situation ist ganz ~.* **Wobi:** *Ähnlichkeit*

Ah·nung <-, -en> *die* Vorgefühl, Vermutung *eine böse ~ haben;* **Keine ~!** verwendet, um auszudrücken, dass man etw nicht weiß *Keine ~, wo er schon wieder ist!*

• **Aids** [eɪdz] <-> *kein pl das* MED Immunschwächekrankheit *~ haben*

A·ka·de·mi·ker(in) [aka'de:mikɐ] <-s, -> *der* Person mit Hochschulabschluss *Viele ~ finden nur schwer Arbeit.*

Ak·ku·sa·tiv ['akuzati:f] <-s, -e> *der* LING Fall/Kasus in der Deklination *‚Für' steht mit ~.*

Akt [akt] <-(e)s, -e> *der* **1.** THEAT Teil in einem Theaterstück *nach dem 1. ~ gehen* **2.** Darstellung des nackten menschlichen Körpers *In der Galerie hängt ein schöner ~.* **3.** Tat *ein ~ der Verzweiflung* **Komp:** *-malerei*

Ak·tie ['aktsi̯ə] <-, -n> *die* Schein über den Anteil am Kapital einer Aktiengesellschaft *Geld in ~n anlegen*

Ak·ti·on [ak'tsi̯o:n] <-, -en> *die* **1.** verbilligtes Angebot *~! Alles zum halben Preis!* **2.** Handlung (um ein bestimmtes Ziel zu erreichen) *Das war keine gut überlegte ~ von dir!*

Ak·tiv ['akti:f] <-s, -e> *pl selten das* (LING: ↔*Passiv*) Form, die ausdrückt, dass das Subjekt etw tut *Die meisten Verben können sowohl im ~ als auch im Passiv stehen.*

• **ak·tiv** [ak'ti:f] <aktiver, aktivst-> *adj (↔passiv)* unternehmungslustig, voller Energie, engagiert *ein ~er Mensch*

• **ak·tu·ell** [ak'tu̯ɛl] <aktueller, aktuellst-> *adj* ganz neu, modern *die ~e Mode*

Ak·zent [ak'tsɛnt] <-(e)s, -e> *der* LING Betonung *Der ~ liegt auf der zweiten Silbe., Sie spricht mit französischem ~.*

• **A·larm** [a'larm] <-(e)s, -e> *der* Signal, das vor einer Gefahr warnt *~ schlagen* **Komp:** *-anlage, -system, Feuer-*

a·lar·mie·ren [alar'mi:rən] <alarmiert, alarmierte, alarmiert> *tr* [K] *jd alarmiert jdn/etw akk* zu Hilfe rufen *Der Nachbar alarmierte sofort die Polizei.*

Alb·traum <-(e)s, -träume> *der* Traum, der große Angst macht *einen ~ haben*

• **Al·ko·hol** ['alkoho:l] <-s> *kein pl der* **1.** Getränke wie Bier oder Wein, die betrunken machen *An Jugendliche unter 16 Jahren wird kein ~ verkauft.* **2.** chemischer Stoff, der z.B. zum Desinfizieren benutzt wird *eine Wunde mit ~ reinigen* **Komp:** *-missbrauch, -test, -verbot*

• **al·ko·hol·frei** <-, -> *adj* ohne Alkohol *~es Bier*

al·l(-e, -es) ['al(ə, əs)] *pron* **1.** *meist pl* sämtliche, ohne Ausnahme *A~e sind gekommen.* **2.** *meist sing* vollständig, gesamt *Das ist ~es für dich.;* **A~es Gute!** verwendet, um einen Wunsch auszudrücken *A~s Gute zum Geburtstag!;* **auf ~e Fälle** unbedingt, auf jeden Fall, egal, was dazwischenkommt *Ich muss auf ~e Fälle morgen zum Arzt.*

• **al·lein** [a'lai̯n] *adv* ohne jdn anders *~ sein, eine Aufgabe ~ lösen*

• **al·ler-** ['alɐ] verwendet bei Adjektiven, um etw besonders zu betonen *Du bist meine ~beste Freundin!, Vergiss deinen Pass nicht, das ist das A~wichtigste!*

• **al·ler·dings** ['alɐ'dɪŋs] *adv* **1.** etw einschränkend, aber *Sein Vortrag war nicht schlecht, ~ hat er sehr undeutlich gesprochen.* **2.** verwendet, wenn man sein ‚Ja' betonen will *Glaubst du wirklich, dass er gelogen hat? – A~!* **3.** verwendet, um eine Aussage zu betonen *Dieser Urlaub wäre ~ ziemlich teuer. Gibt es keine Alternative?*

Al·ler·gie [alɛr'giː] <-, n> *die* MED Überempfindlichkeit gegenüber bestimmten Stoffen *eine ~ gegen Getreide haben* ***Wobi:** allergisch* ***Komp:** -test, Sonnen-*

• **ạll·ge·mein** ['algəmain] <allgemeiner, allgemeinst-> *adj* grundsätzlich, ohne Ausnahme *Es ist ~ üblich, höflich zu sein.*; **im A~en** fast immer, normalerweise *Im A~en ist er fleißig.*

• **all·mäh·lich** [al'mɛːlɪç] *adv* langsam, nach und nach *Ihr Deutsch wird ~ besser.*

• **Ạll·tag** ['altaːk] <-s> *kein pl der* ein normaler Tag, ein Tag wie jeder andere *Am Montag nach den Ferien begann wieder der ~.*

all·täg·lich [al'tɛːklɪç] <-, -> *adj* gewöhnlich, üblich *den ~en Pflichten nachgehen*

Al·pha·bet [alfa'beːt] <-(e)s, -e> *das (≈Abc)* Folge aller Buchstaben einer Sprache *das ~ lernen*

• **ạls** [als] *konj* **1.** verwendet, um etw zu vergleichen *Er ist größer ~ ich.* **2.** verwendet in Nebensätzen zum Ausdruck der Vor- oder Gleichzeitigkeit *A~ ich nach Hause kam, war er schon da.* **3.** ~ **ob** in Vergleichssätzen verwendet zum Ausdruck einer Annahme oder Täuschung *Du tust so, ~ ob du es nicht selbst könntest.*

• **ạl·so** ['alzo] *adv* verwendet zum Ausdruck einer Schlussfolgerung *Nun hast du es ~ doch geschafft!*; ~ **gut!** sagt man, wenn man nachgibt *A~ gut, ich komme mit ins Kino!*

• **ạlt** [alt] <älter, ältest-> *adj* **1.** *(↔jung)* so, dass jd/etw schon viele Jahre existiert *Meine Oma ist schon ~, aber immer noch gesund., Dieser riesige Baum ist sehr ~., Wie ~ bist du? – Ich bin zehn Jahre ~.* **2.** *(↔neu)* früher, vorherig *Die ~en Regeln sind ungültig, jetzt gibt es neue.* **3.** seit langer Zeit *Er ist ein ~er Bekannter.*

Ạlt·bau <-s, -bauten> *der (↔Neubau)* altes Haus, meist mit sehr hohen Räumen *in einem ~ wohnen* ***Komp:** -wohnung*

• **Ạl·ter** ['altɐ] <-s> *kein pl das* **1.** Gesamtheit der Lebensjahre *Sie ist in meinem ~.* **2.** das Altsein *im ~ noch Rad fahren*; **im ~ von ...** verwendet, um auszudrücken, wie alt man war, als etw passiert ist *Im ~ von 80 Jahren ist sie gestorben.*

• **al·ter·na·tiv** <-, -> *adj* **1.** so, dass es zwei Möglichkeiten gibt *~ zwei Lösungen vorschlagen* **2.** besser für die Umwelt *~e Energien*

Ạl·ters·heim <-(e)s, -e> *das (≈Altenheim)* Wohnhaus mit Betreuung für alte Menschen *Unsere Nachbarin kann nicht mehr alleine einkaufen, sie zieht in ein ~.*

Ạlt·stadt ['altʃtat] <-, -städte> *die* Teil der Stadt mit den ältesten Häusern *Wir wohnen in der ~.*

ạm [am] *präp* = an + dem *~ Mittwoch, ~ Bahnhof*; ~ **besten** ohne bessere Möglichkeit *A~ besten gehen wir gleich los.*

A·mei·se ['aːmaizə] <-, -n> *die* kleines Insekt *~n errichten Ameisenhügel.*

• **Ạm·mann** ['aman] <-s, -männer> *der* (CH) Bürgermeister in einem Dorf *jdn zum ~ wählen*

Am·nes·tie [amnɛs'tiː] <-, -n> *die* POL Aufhebung einer Strafe (für Gefangene) *eine ~ erlassen*

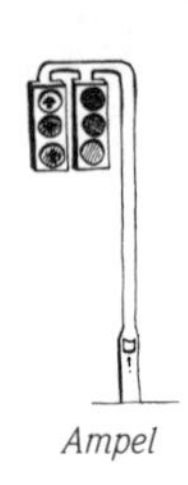

Ampel

- **Ạm·pel** ['ampl̩] <-, -n> *die* Verkehrssignal, das durch Farben angibt, wann man halten muss und wann man fahren darf *Als die ~ auf Grün schaltete, fuhr er los.*
- **Ạmt** [amt] <-(e)s, Ämter> *das* **1.** Verwaltungsinstitution, Behörde *seine Anschrift beim ~ melden* **2.** Aufgabe, Pflicht *das ~ des Bürgermeisters übernehmen;* **von ~s wegen** verwendet, um auszudrücken, dass etw offiziell in einer bestimmten Art und Weise funktioniert *Von ~s wegen müsstest du jetzt Strafe zahlen.* ***Komp:*** ***Arbeits-, Einwohnermelde-, Finanz-***

ạmt·lich <-> *adj* offiziell, rechtmäßig *Dieses Auto hat kein ~es Kennzeichen.*

a·mü·sạnt [amy'zant] <amüsanter, amüsantest-> *adj* lustig, fröhlich *ein ~er Abend*

- **a·mü·sie·ren** [amy'ziːrən] <amüsiert, amüsierte, amüsiert> *refl* [K] ***jd amüsiert sich*** *akk* Spaß haben *sich auf einer Party ~*
- **ạn** [an] **I.** *präp* **1.** *+dat auf die Frage ‚wo?', +akk auf die Frage ‚wohin?'* verwendet, um auszudrücken, dass etw irgendwo ist *Das Bild hängt ~ der Wand., Sie hängt das Bild ~ die Wand., der Laden ~ der Ecke;* **~s Telefon gehen** das Telefon läuten hören und den Hörer abnehmen *Kannst du mal ~s Telefon gehen?* **2.** *+dat* zu einer bestimmten Zeit *~ einem kalten Wintertag* **3.** *+dat auf die Frage ‚wo?', +akk auf die Frage ‚wohin?'* verwendet, um einen bestimmten Ort zu bezeichnen *Er macht einen Kurs ~ dieser Sprachschule.* **II.** *adv* zur Angabe der Ankunftszeit von Zügen etc. *Stuttgart ~ 16.25;* **~ sein** in Betrieb sein, eingeschaltet sein *Das Licht ist ~.*

Ạn·al·pha·bet(in) ['analfabeːt] <-en, -en> *der* jd, der nicht lesen und schreiben kann *Es gibt Schreib- und Lesekurse für ~en.*

- **a·na·ly·sie·ren** <analysiert, analysierte, analysiert> *tr* [K] ***jd analysiert etw*** *akk* genau untersuchen *einen Text/ein Problem ~*

Ạn·bau[1] <-(e)s, -ten> *der* Gebäudeteil, der erst später dazugebaut wurde *im ~ wohnen*

Ạn·bau[2] <-(e)s> *kein pl der* AGR Anpflanzung von Getreide, Gemüse etc. *Der ~ von Kartoffeln bringt nur wenig Gewinn.*

ạn|bau·en <baut an, baute an, angebaut> *tr* **1.** [K] ***jd baut etw*** *akk* ***an*** ein Gebäude erweitern/vergrößern *für die Kinder ~* **2.** AGR [K] ***jd baut etw*** *akk* ***an*** anpflanzen *Getreide ~*

ạn|be·ten <betet an, betete an, angebetet> *tr* [K] ***jd betet jdn/etw*** *akk* ***an*** bewundern oder verehren *den Vater ~*

- **ạn|bie·ten** <bietet an, bot an, angeboten> *tr* [K] ***jd bietet [jdm] etw*** *akk* ***an*** jdm etw geben wollen und ihm das sagen *jdm Hilfe ~, Kann ich Ihnen etw zu trinken ~?, Diese Firma hat mir eine Stelle angeboten.*

etwas anbieten

ạn|bin·den <bindet an, band an, angebunden> *tr* [K] ***jd bindet etw*** *akk/****jdn [irgendwo] an*** mit einem Strick/Seil etw festmachen *den Hund vor dem Geschäft ~*

Ạn·bot <-(e)s, -e> *das* (ÖSTERR) die Waren, die zum Verkauf bestimmt sind; Angebot *ein gutes ~ an frischem Obst*

ạn|bren·nen <brennt an, brannte an, angebrannt> *itr* <*sein*> sich am Boden des Kochtopfes festsetzen *Die Milch ist angebrannt.*

Ạn·den·ken <-s, -> *das* Gegenstand zur Erinnerung an etw/jdn *aus dem Urlaub ein ~ mitbringen;* **zum ~ an ...** in Erinnerung an ... *zum*

~ an die Mutter ein Foto bei sich tragen ***Komp:*** ***Reise-***

an·de·rer·seits ['andərɐ'zaits] *adv* aber, auf der anderen Seite *Einerseits würde ich gern in Urlaub fahren, ~ muss meine Arbeit noch fertig werden.*

• **an·de·re** ['andərə] <-, -> *adj* nicht diese(-r, -s), verschieden *Nicht dieser Mann, sondern der ~ hat mich bestohlen.; ~* **Saiten aufziehen** jdn strenger behandeln *Wenn du so frech bist, muss ich wohl ~ Saiten aufziehen.*

• **än·dern** ['ɛndɐn] <ändert, änderte, geändert> **I.** *tr* [K] ***jd ändert sich/etw*** *akk* eine andere Form/ein anderes Aussehen geben, anders werden *die Frisur/die Meinung ~* **II.** *refl* [K] ***etw ändert sich*** [***an etw*** *dat*] anders werden *An meiner Situation hat sich noch nichts geändert.*

• **an·ders** ['andɐs] *adv* verschieden *Es war nicht ~ möglich.*

an·ders·wo ['andɐs'vo:] *adv* nicht hier, an einem anderen Ort *A~ ist man höflicher.*

an·dert·halb ['andɐt'halp] *num* eineinhalb *Wir treffen uns in ~ Stunden.* ***Komp:*** ***-fach***

Än·de·rung <-, -en> *die* Umgestaltung von Form/Aussehen oder Inhalt *die ~ des Programms*

an|deu·ten <deutet an, deutete an, angedeutet> *tr* [K] ***jd deutet*** [***jdm***] ***etw*** *akk* ***an*** einen versteckten Hinweis geben *Er hat angedeutet, dass er bald heiratet.*

An·deu·tung <-, -en> *die* versteckter Hinweis *eine ~ machen*

an|eignen <eignet an, eignete an, angeeignet> *refl* [K] ***jd eignet sich*** *dat* ***etw*** *akk* ***an*** lernen *sich viel Wissen ~*

an·ein·an·der *adv* **1.** in einer Reihe *Die Häuser stehen dicht ~.* **2.** in gegenseitiger Beziehung *sich ~ erinnern*

an|er·ken·nen ['anɛɐ̯kɛnən] <erkennt an, erkannte an, anerkannt> *tr* **1.** [K] ***jd erkennt etw*** *akk* ***an*** als gut beurteilen, loben *gute Leistungen ~* **2.** [K] ***jd erkennt etw*** *akk* ***an*** etw für gültig erklären *Urkunden/Zeugnisse ~*

an|fah·ren <fährt an, fuhr an, angefahren> **I.** *itr* <*sein*> die Fahrt beginnen, starten *Der Zug fuhr gerade an, als sie ankam.* **II.** *tr* [K] ***jd fährt jdn/etw*** *akk* ***an*** mit einem Fahrzeug gegen jdn/etw fahren *Ich hatte einen Unfall. Ein Auto hat mich angefahren.*

• **An·fang** <-(e)s, Anfänge> *der* Beginn *Wir sehen uns ~ Mai., Sie ist ~ dreißig.;* **am ~** zu Beginn, zuerst *Am ~ kannte ich noch niemanden.;* **von ~ an** von Beginn an *den Film von ~ an sehen;* **den ~ machen** als erster etw tun *Ich habe den ~ gemacht und mich bei ihm entschuldigt.*

• **an|fan·gen** <fängt an, fing an, angefangen> *itr* beginnen *Der Kurs fängt bald an., Du willst wohl mit mir einen Streit ~!;* **bei einer Firma ~** eine Stelle/einen Dienst antreten *als Koch ~*

An·fän·ger(in) <-s, -> *der* jd, der gerade begonnen hat, etw zu lernen *~ im Autofahren sein*

• **an·fangs** *adv* zu Beginn, zuerst *A~ hatte ich einige Probleme.*

• **an|fas·sen** <fasst an, fasste an, angefasst> *tr* [K] ***jd fasst jdn/etw*** *akk* ***an*** *(≈anlangen, berühren)* mit der Hand berühren *den kalten Schnee ~*

an|fer·ti·gen <fertigt an, fertigte an, angefertigt> *tr* [K] ***jd fer-***

tigt etw** akk **an herstellen, schaffen *einen Tisch ~;* **etw ~ lassen** jdm den Auftrag geben, etw herzustellen *ein Kleid ~ lassen*

ạn|for·dern <fordert an, forderte an, angefordert> *tr* [K] ***jd fordert etw** akk **an*** bestellen *einen Katalog ~*

Ạn·fra·ge <-, -n> *die* Bitte (um Auskunft/Lieferung/Reparatur etc.) *etw auf ~ erhalten*

ạn|fra·gen <fragt an, fragte an, angefragt> *itr* um Auskunft bitten, sich erkundigen *Ich muss ~, ob man noch Theaterkarten bekommen kann.*

ạn|füh·ren <führt an, führte an, angeführt> *tr* [K] ***jd führt etw** akk **an*** leiten *die Gruppe ~*

Ạn·füh·rer <-s, -> *der* jd, der anderen sagt, was sie tun sollen *der ~ einer Bande*

Ạn·ga·be ['angabə] <-, -n> *die* Mitteilung, Information *die genaue ~ der Adresse;* **genaue ~n über etw machen** Details nennen *genaue ~n über den Überfall machen*

ạn|ge·ben¹ <gibt an, gab an, angegeben> *tr* [K] ***jd gibt etw** akk **an*** Auskunft geben über etw *sein Geburtsdatum ~*

ạn|ge·ben² <gibt an, gab an, angegeben> *itr* sich wichtig machen *mit seinem schnellen Auto ~* ***Wobi:** Angeber(in)*

- **ạn·geb·lich** ['ange:plɪç] <-> *adj* wie behauptet wird *der ~e Diebstahl*

- **Ạn·ge·bot** <-s, -e> *das* **1.** Gesamtheit der Waren, die verkauft werden *das große ~, Das ~ ist kleiner als die Nachfrage.* **2.** Preisvorschlag *Er hat mir ein günstiges ~ gemacht.;* **im ~ sein** billiger verkauft werden *Zur Zeit sind Sommerschuhe im ~.* ***Komp:** Sonder-, Waren-*

Das Essen ist angebrannt.

ạn·ge·brannt **I.** *part perf von* **anbrennen** **II.** *adj* durch zu viel Hitze am Kochtopf festgesetzt *Leider ist mir das Essen ~.*

- **ạn·ge·hen** <geht an, ging an, angegangen> *itr* <*sein*> funktionieren *Das Licht geht nicht an. Ist die Birne kaputt?;* **jdn nichts ~** nicht jds Angelegenheit/Sache sein *Das geht dich gar nichts an!*

ạn|ge·hö·ren <gehört an, gehörte an, angehört> *itr* Mitglied von etw sein *einer Organisation ~*

- **Ạn·ge·hö·ri·ge(r)** <-n, -n> *der/die* **1.** Verwandte(r) *Die ~n trauern um den Verstorbenen.* **2.** Mitglieder z. B. einer Organisation *Alle ~n der Firma sind betroffen.*

Ạn·ge·klag·te(r) <-n, -n> *der/die* jd, der wegen eines Verbrechens vor Gericht steht *Der ~ wird befragt.*

Ạn·gel ['aŋl̩] <-, -n> *die* langes Gerät mit einer Schnur zum Fangen von Fischen *eine stärkere ~ für große Fische brauchen*

Ạn·ge·le·gen·heit <-, -en> *die* Problem, Aufgabe, Sache *eine schwierige ~*

angeln

ạn·geln ['aŋl̩n] <angelt, angelte, geangelt> *tr* [K] ***jd angelt etw** akk* mit der Angel einen Fisch aus dem Wasser holen *einen großen Hecht ~*

ạn|ge·lo·ben <gelobt an, gelobte an, angelobt> *tr* (ÖSTERR) [K] ***jd gelobt etw** akk **an*** versprechen, vereidigen *Treue ~* ***Wobi:** Angelobung*

ạn·ge·mes·sen <angemessener, angemessenst-> *adj* zu einem bestimmten Zweck/Anlass passend *~e Kleidung*

• **ạn·ge·nehm** <angenehmer, angenehmst-> *adj (↔unangenehm)* so, dass es gut tut oder erwünscht ist *eine ~e Unterhaltung, keine ~e Temperatur*

ạn·ge·se·hen *adj* geachtet, geehrt *ein ~er Wissenschaftler*

• **Ạn·ge·stell·te(r)** <-n, -n> *der/die* jd, der eine feste Arbeitsstelle hat *~ bei der Stadt*

ạn|ge·wöh·nen <gewöhnt an, gewöhnte an, angewöhnt> *refl* [K] ***jd gewöhnt sich** dat **etw** akk **an**,* [K] ***jd gewöhnt sich** akk **an etw** akk* etw zur Selbstverständlichkeit werden lassen *sich ~, regelmäßig Schwimmen zu gehen*

Ạn·ge·wohn·heit <-, -en> *die* etw, das man regelmäßig und ohne darüber nachzudenken tut *eine komische ~ haben, Ich habe die ~, nach dem Essen einen Kaffee zu trinken.*

• **ạn|grei·fen** <greift an, griff an, angegriffen> *tr* **1.** (ÖSTERR) [K] ***jd greift jdn/etw** akk **an*** anfassen *Die Tiere bitte nicht ~!* **2.** [K] ***jd greift jdn/etw** akk **an*** den Kampf beginnen *den Gegner ~* ***Wobi: Angreifer(in), Angriff***

ạn|gren·zen <grenzt an, grenzte an, angegrenzt> *itr* eine gemeinsame Grenze haben *Unser Garten grenzt an einen Park an.*

• **Ạngst** [aŋst] <-, Ängste> *die* Furcht *~ vor der Prüfung; ~* **haben um jdn/etw** in Unruhe sein wegen jdm/etw *~ haben um den Arbeitsplatz* ***Komp: -hase, -schweiß, -zustände, Prüfungs-, Todes-***

• **ạ̈ngst·lich** ['ɛŋstlɪç] <ängstlicher, ängstlichst-> *adj (↔mutig)* so, dass man schnell Angst hat *die ~e Mutter*

ạn|gur·ten <gurtet an, gurtete an, angegurtet> *refl* [K] ***jd gurtet sich** akk **an** (≈anschnallen)* zur größeren Sicherheit im Auto oder Flugzeug den Körper mit einem Gurt am Sitz befestigen *sich beim Abflug ~*

• **ạn·ha·ben** <hat an, hatte an, angehabt> *tr* [K] ***jd hat etw** akk **an*** (Kleidung) tragen *Gestern hatte er einen dicken Pullover an.*

ạn|hal·ten <hält an, hielt an, angehalten> **I.** *tr* [K] ***jd hält etw** akk/**jdn an** (≈stoppen)* Gang/Fahrt von jdm/etw unterbrechen *das Auto ~;* **die Luft** ~ für eine kurze Zeit aufhören zu atmen *Vor Schreck hielt er die Luft an.* **II.** *itr (≈halten)* stehen bleiben *An dieser Haltestelle hält der Bus an.*

Ạn·hal·ter(in) ['anhaltɐ] <-s, -> *der (≈Tramper)* jd, der an der Straße steht und von einem Auto mitgenommen werden möchte *Ein müder ~ steht an der Autobahn.;* **per ~ fahren** ein Auto stoppen und mitgenommen werden, ohne dass man bezahlen muss *Er ist per ~ gefahren.*

Ạn·hang <-s, -hänge> *der* **1.** zusätzlicher Teil von etw *der ~ des Buches* **2.** *(umg)* Familie, enge Freunde *seinen ganzen ~ mitbringen*

ạn|hän·gen <hängt an, hängte an, angehängt> *tr* [K] ***jd hängt etw** akk **an*** durch einen Haken einen Gegenstand an einem anderen befestigen *den Wohnwagen an das Auto ~;* **jdm etw** ~ jdm ohne Beweise die Schuld geben *Der Diebstahl wurde ihm angehängt.*

Ạn·hän·ger(in)[1] <-s, -> *der* jd, der die Interessen einer Partei/Organisation/Person unterstützt *ein treuer ~*

Ạn·hän·ger[2] <-s, -> *der* Wagen, der von einem anderen Fahrzeug gezogen wird *den ~ mit Koffern beladen*

Angestellter
Angestellte arbeiten meist geistig und bekommen dafür ein Gehalt, Arbeiter arbeiten meist körperlich und erhalten dafür Lohn.

eine Anhalterin

anketten

an|hö·ren <hört an, hörte an, angehört> *tr* [K] ***jd hört*** [***sich*** *dat*] ***etw*** *akk* ***an*** (konzentriert) zuhören *sich Musik ~*

an|ket·ten <kettet an, kettete an, angekettet> *tr* [K] ***jd kettet jdn/etw*** *akk* [***an etw*** *akk*] ***an*** mit einer Kette festmachen *den Hund am Tor ~*

an|kla·gen <klagt an, klagte an, angeklagt> *tr* [K] ***jd klagt jdn*** [***wegen etw*** *gen*] ***an*** jdm vor Gericht die Schuld an einem Verbrechen geben *jdn wegen Diebstahls ~*

an|kle·ben <klebt an, klebte an, angeklebt> *tr* [K] ***jd klebt etw*** *akk* [***irgendwo***] ***an*** mit Klebstoff festmachen *ein Plakat an der Säule ~*

- **an|kom·men**[1] <kommt an, kam an, angekommen> *itr* <*sein*> den Zielort einer Reise erreichen *Morgen um neun Uhr kommen wir an.;* **bei jdm gut** (**schlecht**) ~ bei jdm (keinen) Erfolg haben *Meine Idee ist beim Chef gut angekommen.*
- **an|kom·men**[2] <kommt an, kam an, angekommen> *itr* <*sein*> (≈*abhängen*) durch etw bestimmt sein *Es kommt auf das Wetter an, ob wir baden gehen.*

an|kün·di·gen <kündigt an, kündigte an, angekündigt> *tr* [K] ***jd kündigt etw*** *akk*/***jdn an*** im Voraus sagen, was geschehen wird bzw. geplant ist *schlechtes Wetter ~*

- **An·kunft** ['ankʊnft] <-> *kein pl die* Zeitpunkt, zu dem man/etw an einem Ort ankommt *bei ~ des Zuges*
- **An·la·ge** <-, -n> *die* **1.** mehrere Geräte, die zusammengehören *Die technische ~ in unserer Firma ist neu.* **2.** etw, das aus mehreren Gebäuden besteht *militärische ~n* **3.** etw, das man einem Brief beilegt *In der ~ zu diesem Brief finden Sie …* ***Komp: Stereo-***

An·lass ['anlas] <-es, -lässe> *der* Ursache, Grund *Der ~ für diesen Streit war nicht erkennbar.*

an·läss·lich ['anlɛslɪç] *präp +gen* wegen, aufgrund von *A~ unserer Hochzeit laden wir euch ein.*

An·laut <-(e)s, -e> *der* LING erster Laut eines Wortes oder einer Silbe *Im ~ wird das ‚D' stimmhaft ausgesprochen.*

an|leh·nen <lehnt an, lehnte an, angelehnt> **I.** *tr* [K] ***jd lehnt etw*** *akk* ***an*** etw nicht ganz zumachen *die Tür ~* **II.** *refl* [K] ***jd lehnt etw/sich*** *akk* ***an jdn/etw*** *akk* ***an*** als Stütze/Halt benutzen *sich an die Wand ~, ein Fahrrad an die Mauer ~*

An·lei·tung <-, -en> *die* Erklärung, wie man etw Bestimmtes machen soll *eine ~ zum Bau von Möbeln, Ich weiß nicht, wie das Gerät funktioniert. Hast du die ~ irgendwo gesehen?* ***Komp: Betriebs-***

An·lie·ger(in) <-s, -> *der* (= ÖSTERR *Anrainer*) jd, der in einer bestimmten Straße wohnt, Nachbar eines Grundstücks *Parkplätze nur für ~;* ~ **frei** nur zur Benutzung durch diejenigen, die dort wohnen *Auf dem Schild steht ‚~ frei'.* ***Komp: -staat***

an|ma·chen <macht an, machte an, angemacht> *tr* **1.** [K] ***jd macht etw*** *akk* ***an*** (≈*anschalten, einschalten*) in Betrieb setzen *das Licht ~* **2.** [K] ***jd macht etw*** *akk* [***an etw*** *dat*] ***an*** (*umg*) festmachen *die Klingel am Fahrrad ~*

- **an|mel·den** <meldet an, meldete an, angemeldet> *tr* **1.** [K] ***jd meldet jdn*** [***irgendwo***] ***an*** einen Platz als Teilnehmer organisieren, einen Termin machen *jdn zum Sprachkurs/beim Arzt ~* **2.** [K] ***jd*** *meldet etw* akk *an* einer Behörde etw mitteilen, um eine Erlaubnis zu bekommen *den Fernseher/das Auto/sich beim Einwohnermeldeamt ~*

• **An·mel·dung** <-, -en> *die* **1.** Bitte um einen Platz in einem Kurs/einen Arzttermin etc. *die ~ zum Deutschkurs* **2.** Mitteilung der Anwesenheit bei den Behörden/der Polizei *polizeiliche ~*

an|nä·hen <näht an, nähte an, angenäht> *tr* [K] *jd näht etw* akk [*an etw* dat/akk] *an* etw mit Nadel und Faden festmachen *einen Knopf ~*

• **an|neh·men** <nimmt an, nahm an, angenommen> *tr* **1.** [K] *jd nimmt etw* akk *an* akzeptieren, was jd jdm gibt *Das Geschenk kann ich nicht ~.;* **einen Auftrag** ~ sich verpflichten, eine bestimmte Aufgabe für jdn zu erledigen *Ich habe den Auftrag angenommen.* **2.** [K] *jd nimmt an, dass ...* vermuten, glauben, voraussetzen *Ich nehme an, dass du kommst.*

an·no ['ano] *adv* (ÖSTERR) im Jahr(e) ~ *1999*

• **An·non·ce** [a'nõːsə] <-, -n> *die* (≈*Inserat*) Anzeige in einer Zeitung/Zeitschrift *eine ~ aufgeben*

a·no·nym [ano'nyːm] <-, -> *adj* so, das man seinen Namen nicht bekannt gibt *der ~e Autor*

an|ord·nen <ordnet an, ordnete an, angeordnet> *tr* **1.** [K] *jd ordnet etw* akk *an* befehlen *eine Maßnahme ~* **2.** [K] *jd ordnet etw* akk *an* in eine bestimmte Ordnung bringen *die Schachfiguren auf dem Schachbrett ~*

An·ord·nung <-, -en> *die* Befehl, dringender Rat *Auf ~ meines Arztes mache ich jetzt mehr Sport.*

an|pas·sen <passt an, passte an, angepasst> *refl* [K] *jd passt sich* akk [*an etw* akk] *an* an etw gewöhnen *sich schnell an das Klima ~*

an|pro·bie·ren <probiert an, probierte an, anprobiert> *tr* [K] *jd probiert etw* akk *an* ein Kleidungsstück anziehen, um zu sehen, ob es passt *das Kleid ~*

An·rai·ner(in) <-s, -> *der* (ÖSTERR, SD) Anlieger *Die ~ der Straße dürfen hier parken.* ***Komp: -staat***

an|rech·nen <rechnet an, rechnete an, angerechnet> *tr* [K] *jd rechnet jdm etw* akk *an* in Rechnung stellen, bewerten *Das Ferngespräch muss ich Ihnen extra ~.;* **jdm etw hoch** ~ jdm sehr dankbar für etw sein, jds Verhalten sehr gut finden *Ich rechne Ihnen hoch an, dass Sie meinem Sohn so geholfen haben.*

an|re·den <redet an, redete an, angeredet> *tr* **jdn mit ‚du'/‚Sie'** ~ ‚du'/‚Sie' zu jdm sagen *Sie redete ihn schon beim ersten Mal mit ‚du' an.*

jemanden anreden

An·rei·se <-, -n> *meist sing die* Fahrt zum Zielort *Die ~ erfolgt mit Bus oder Pkw.*

• **An·ruf** <-s, -e> *der* Telefongespräch *einen ~ erwarten*

• **An·ruf·be·ant·wor·ter** <-s, -> *der* TELKOM eine Art Kassettenrekorder am Telefon, der die Nachricht eines Anrufers aufnehmen kann *den ~ einschalten/abhören*

• **an|ru·fen** <ruft an, rief an, angerufen> *tr* [K] *jd ruft jdn an* (= CH *anläuten*) jdn per Telefon sprechen *Ich rufe dich morgen an.*

An·sa·ge <-, -n> *die* eine wichtige Information während einer Radio-

oder Fernsehsendung *eine ~ im Radio*

ạn|sa·gen <sagt an, sagte an, angesagt> *tr* [K] ***jd sagt etw*** *akk* ***an*** ankündigen *gutes Wetter ~*

• **ạn|schaf·fen** <schafft an, schaffte an, angeschafft> *tr* [K] ***jd schafft sich*** *dat* ***etw*** *akk* ***an*** kaufen *sich einen neuen Fernseher ~*

ạn|schal·ten <schaltet an, schaltete an, angeschaltet> *tr* [K] ***jd schaltet etw*** *akk* ***an*** (EL TELKOM: *≈anmachen, einschalten*) etw in Betrieb setzen *das Licht ~*

• **ạn|schau·en** <schaut an, schaute an, angeschaut> *tr* [K] ***jd schaut jdn/etw*** *akk* ***an*** die Augen auf etw/jdn richten, ansehen *das Bild genau ~*

ạn·schau·lich <anschaulicher, anschaulichst-> *adj* deutlich, verständlich, bildhaft *ein ~es Beispiel bringen*

• **ạn·schei·nend** *adv* scheinbar; es sieht so aus, als ob *Ich habe mich ~ erkältet.*

Ạn·schlag <-(e)s, -schläge> *der* **1.** Überfall mit Waffen *Bei dem grausamen ~ auf die U-Bahn gab es 20 Tote.* **2.** Aushang *Hast du den ~ gelesen?* ***Komp: Bomben-, Mord-, Terror-***

ạn|schlie·ßen <schließt an, schloss an, angeschlossen> **I.** *tr* [K] ***jd schließt etw*** *akk* [***an etw*** *akk/dat*] ***an*** etw so mit einem Schloss festmachen, dass es keiner mitnehmen kann *das Fahrrad ~* **II.** *refl* **sich jdm ~** mit jdm etw gemeinsam machen *sich der Gruppe ~*

Ạn·schluss ['anʃlʊs] <-es, -schlüsse> *der* **1.** Verbindung auf einer Reise, wenn man das Verkehrsmittel wechseln muss *einen guten ~ haben;* **den ~ verpassen** den Zug/das Flugzeug zum Umsteigen nicht mehr erreichen *Ich habe den ~ verpasst.;* **im ~ an** nach, auf etw folgend *im ~ an die Versammlung;* **~ finden** Freunde finden *In der neuen Stadt habe ich schnell ~ gefunden.* **2.** TELKOM technische Voraussetzung, damit man telefonieren kann *sich einen neuen ~ legen lassen* ***Komp: -flug, -zug***

• **ạn|schnal·len** <schnallt an, schnallte an, angeschnallt> *refl* [K] ***jd schnallt sich*** *akk* ***an*** *(≈angurten)* sich im Auto/Flugzeug mit einem Gurt am Sitz festmachen *sich während der Fahrt ~*

ạn|schrei·ben <schreibt an, schrieb an, angeschrieben> *tr* **1.** [K] ***jd schreibt jdn an*** jdm einen Brief senden *die Bank ~* **2.** [K] ***jd schreibt etw*** *akk* ***an*** etw an eine Wandtafel schreiben *Der Lehrer schreibt ein Beispiel an.*

Ạn·schrift <-, -en> *die (≈Adresse)* Ort, Straße und Hausnummer, wo jd wohnt *Können Sie mir Ihre ~ geben?*

• **ạn|se·hen** <sieht an, sah an, angesehen> *tr* [K] ***jd sieht jdn/etw*** *akk* ***an*** *(≈anschauen)* die Augen auf jdn/etw richten , *sich einen Film ~*

• **Ạn·sicht** <-, -en> *die* **1.** Meinung, Überzeugung *Meiner ~ nach ist das falsch.;* **der ~ sein, dass ...** der Meinung sein, dass ... *Ich bin der ~, dass ich dir alles gesagt habe.* **2.** Darstellung/Abbildung von etw *eine schöne ~ von Dresden* ***Komp: -skarte***

Ạn·spra·che <-, -n> *die* Rede, die eine Person zu einem bestimmten Anlass hält *eine ~ halten*

ạn|spre·chen <spricht an, sprach an, angesprochen> *tr* [K] ***jd spricht jdn an*** das Wort an jdn richten *Er sprach mich in der Disko an.*

A

An·spruch <-(e)s, -sprüche> *der* Forderung bzw. Erwartung an jdn/etw *ein hoher ~*

an·spruchs·los <anspruchsloser, anspruchslosest-> *adj* **1.** *(↔anspruchsvoll)* einfach; so, dass es nichts Besonderes ist *ein ~es Buch* **2.** bescheiden *ein ~er Mensch*

An·stalt ['anʃtalt] <-, -en> *die* öffentliche Institution für Bildung oder zur Pflege psychisch kranker Menschen *Der Verrückte ist in einer geschlossenen ~.*; *~***en machen** anfangen, etw zu tun *Er macht keine ~en, für die Prüfungen zu lernen.*

An·stand <-(e)s> *kein pl der* ordentliches Verhalten *keinen ~ haben*

an·stän·dig <anständiger, anständigst-> *adj* höflich, ordentlich *sich immer ~ verhalten*

• **an·statt** [an'ʃtat] *präp +gen* an Stelle von etw/jdm *Du hättest ~ der Schokolade vielleicht lieber Blumen kaufen sollen.*

an|ste·cken <steckt an, steckte an, angesteckt> **I.** *tr* [K] ***jd steckt** [jdm] **etw** akk **an*** etw mit einer Nadel an der Kleidung festmachen *eine Brosche ~* **II.** *tr* MED [K] ***jd steckt jdn/sich** akk [**mit etw** dat] **an*** eine Krankheit übertragen/bekommen *Steck dich nicht an. Ich habe Grippe.*

an·ste·ckend <-, -> *adj* so, dass eine Krankheit sich leicht auf andere Personen überträgt *eine ~e Krankheit*

an|ste·hen <steht an, stand an, angestanden> *itr <sein/haben>* in einer Schlange stehen und auf etw warten *für Theaterkarten lange ~*

an·stel·le *präp +gen* verwendet, um auszudrücken, dass eine Sache eine andere ersetzt, anstatt *Es kam der Direktor ~ der Lehrerin.*

an|stel·len <stellt an, stellte an, angestellt> **I.** *tr* [K] ***jd stellt etw** akk **an*** ein Gerät einschalten *das Radio ~* **II.** *tr* [K] ***jd stellt jdn an*** jdm einen Arbeitsplatz geben *Die Firma könnte noch zehn Arbeiter ~.* **III.** *refl* [K] ***jd stellt sich** akk **an*** sich in eine Reihe stellen *Ich habe mich beim Brot angestellt.*

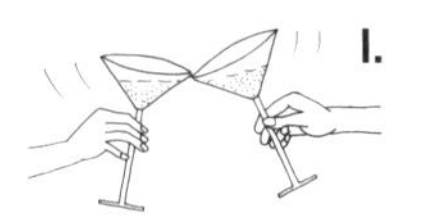
anstoßen

an|sto·ßen <stößt an, stieß an, angestoßen> **I.** *itr* vor dem Trinken die Gläser leicht gegeneinander schlagen und einen Wunsch sagen *auf das neue Jahr ~* **II.** *tr* [K] ***jd stößt etw** akk **an*** gegen etw schlagen und sich dabei wehtun *den Kopf ~* **III.** *tr* [K] ***jd stößt jdn an*** jdm einen Stoß geben, um ihm heimlich etw zu sagen *Sie stieß ihn an und sagte leise: ‚Komm, lass uns gehen.'*

• **an|stren·gen** <strengt an, strengte an, angestrengt> **I.** *refl* [K] ***jd strengt sich** akk **an*** sich bemühen, gute Leistungen zu erbringen *sich beim Sport ~* **II.** *tr* [K] ***etw strengt jdn an*** viel Kraft von jdm erfordern *Diese Arbeit strengt mich an.*

an·stren·gend *adj* so, dass etw Mühe und Kraft erfordert *ein ~er Tag*

An·teil ['antai̯l] <-s, -e> *der* der Teil vom Besitz oder von einer Geldsumme, der für eine bestimmte Person bestimmt ist *mein ~ am Erbe*

An·teil·nah·me ['antai̯lnaːmə] <-> *kein pl die* Mitgefühl *~ ausdrücken*

An·ten·ne [an'tɛnə] <-, -n> *die* technisches Gerät zum Empfang von Radio- oder Fernsehsendern *eine ~ auf dem Dach haben*

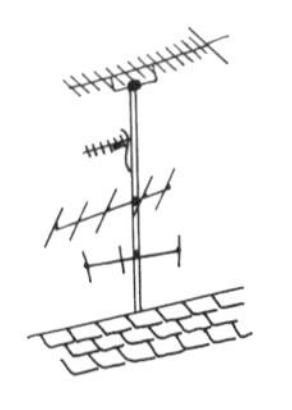
Antenne

An·ti·bi·o·ti·kum [anti'bi̯oːtikʊm] <-s, -ka> *das* MED starkes Medikament z. B. gegen Infektionen *ein ~ verschreiben*

an·tik [an'tiːk] <-, -> *adj* alt und wertvoll *~e Möbel lieben*

An·ti·ke [an'tiːkə] <-> *kein pl die* das klassische Altertum *Museum der ~*

An·ti·qua·ri·at [antikva'ri̯aːt] <-s, -e> *das* Geschäft, in dem man alte Bücher kaufen kann *Bücher in einem ~ suchen*

An·ti·qui·tät [antikvi'tɛːt] <-, -en> *die* alter, kostbarer Gegenstand *ein Liebhaber von ~en*

• **An·trag** ['antraːk] <-(e)s, -träge> *der* (meist) schriftliche Bitte *einen ~ stellen* ***Komp:* Heirats-**

an|tref·fen <trifft an, traf an, angetroffen> *tr* [K] ***jd trifft jdn*** [***irgendwo***] ***an*** vorfinden, auf jdn stoßen *zufällig die Tante zu Hause ~*

An·tritt <-s> *kein pl der* Beginn *vor ~ der Reise*

• **Ant·wort** ['antvɔrt] <-, -en> *die* das, was man auf eine Frage sagt *eine ~ geben*

• **ant·wor·ten** ['antvɔrtn̩] <antwortet, antwortete, geantwortet> *itr* erwidern *auf eine Frage ~*

an|ver·trau·en <vertraut an, vertraute an, anvertraut> *tr* **1.** [K] ***jd vertraut jdm etw*** *akk* ***an*** jdm etw mitteilen, was kein anderer wissen soll *dem Freund ein Geheimnis ~* **2.** [K] ***jd vertraut jdm etw*** *akk* ***an*** jdm etw geben, auf das er aufpassen soll *dem Kollegen die Unterlagen ~*

• **An·walt, -wäl·tin** ['anvalt] <-s, Anwälte> *der (≈Rechtsanwalt)* Jurist, der jdn in einem Rechtsstreit berät oder (besonders vor Gericht) vertritt *sich einen ~ nehmen* ***Komp:* -skanzlei, Rechts-**

An·wei·sung <-, -en> *die* **1.** Befehl, Auftrag *strenge ~en haben* **2.** Erlaubnis für die Bank, Überweisungen/Auszahlungen von Geldbeträgen zu machen *eine ~ unterschreiben* ***Komp:* Zahlungs-**

an|wen·den <wendet an, wendete an, angewendet/angewandt> *tr* [K] ***jd wendet etw*** *akk* ***an*** in die Tat umsetzen, gebrauchen *die Regel richtig ~*

• **an·we·send** <-> *adj (↔abwesend)* an Ort und Stelle, da *in der Schule ~ sein*

An·we·sen·heit <-> *kein pl die (↔Abwesenheit)* Vorhandensein, Dasein *die ~ überprüfen* ***Komp:* -sliste**

An·zahl <-> *kein pl die* eine bestimmte Menge *eine ~ Kinder*

an|zah·len <zahlt an, zahlte an, angezahlt> *tr* [K] ***jd zahlt etw*** *akk* [***auf etw*** *akk*] ***an*** einen Teil von einer Geldsumme zahlen *50 Euro auf den Schrank ~* ***Wobi:* Anzahlung**

• **An·zei·ge** <-, -n> *die* **1.** Mitteilung bei der Polizei, dass jd gegen ein Gesetz verstoßen hat *wegen etw ~ erstatten* **2.** Mitteilung in der Zeitung, Annonce *eine ~ aufgeben* ***Komp:* Heirats-, Todes-**

an|zei·gen <zeigt an, zeigte an, angezeigt> *tr* [K] ***jd zeigt jdn*** [***wegen etw*** *gen*] ***an*** der Polizei mitteilen, dass jd gegen ein Gesetz verstoßen hat *den Nachbarn wegen Ruhestörung ~*

• **an|zie·hen** <zieht an, zog an, angezogen> **I.** *tr* [K] ***jd zieht*** [***sich*** *dat*] ***etw*** *akk* ***an*** *(↔ausziehen)* Kleidung anlegen, ankleiden *Schuhe ~, Zieh dir eine Jacke an!* **II.** *tr* [K] ***jd zieht jdn/sich an*** jdn/sich ankleiden *Ich ziehe mich an.*

• **An·zug** <-(e)s, -züge> *der* (elegante) Kleidungskombination aus Hose und Jackett *einen ~ kaufen* ***Komp:* -hose**

• **an|zün·den** <zündet an, zündete an, angezündet> *tr* [K] ***jd***

A

zündet etw akk an anbrennen, in Brand setzen *ein Feuer/eine Zigarette ~*

• **Ap·fel** ['apfl̩] <-s, Äpfel> *der* runde, grüne, gelbe oder rote Frucht mit kleinen Kernen *einen ~ essen* ***Komp: -baum, -kuchen, -mus, -saft***

Apfel

• **Ap·fel·si·ne** [apfl̩ 'ziːnə] <-, -n> *die (≈Orange)* orangefarbene Zitrusfrucht *eine ~ schälen*

Ap·fel·schor·le <-, -n> *die* Getränk aus Apfelsaft und Mineralwasser *eine ~ trinken*

A·po·stroph [apos'troːf] <-s, -e> *der* LING Zeichen für einen weggelassenen Buchstaben *Die Schreibung ‚ist's' enthält einen ~.*

• **A·po·the·ke** [apo'teːkə] <-, -n> *die* Geschäft, in dem man Medikamente bekommt *ein Rezept für die ~ haben*

• **Ap·pa·rat** [apa'raːt] <-(e)s, -e> *der* Gerät *den ~ einschalten;* **Bleiben Sie am ~!** Aufforderung am Telefon, den Hörer nicht aufzulegen und zu warten *Bleiben Sie am ~, ich verbinde Sie!* ***Komp: Fernseh-, Foto-, Rasier-***

• **Ap·pe·tit** [ape'tiːt] <-(e)s> *kein pl der* Verlangen nach einer Speise *~ auf Eis haben;* **Guten ~!** Wunsch, den man vor dem gemeinsamen Essen sagt *Guten ~ zusammen!*

Ap·plaus [a'plaus] <-es, -e> *pl selten der* das Händeklatschen nach einem Konzert/Theaterstück etc., Beifall *viel ~ bekommen*

• **Ap·ri·ko·se** [apri'koːzə] <-, -n> *die (=* ÖSTERR *Marille)* kleine, weiche, orangefarbene Frucht mit großem Kern, die man mit Schale essen kann *eine ~ essen* ***Komp: -nmarmelade, -nschnaps***

A·pril [a'prɪl] <-(s), (-e)> *der* der 4. Monat des Jahres *im ~ geboren werden;* **der 1. ~** Tag, an dem man anderen Streiche spielt *sich zum 1. ~ einen Streich ausdenken;* **~, ~!** Ausruf nach einem Aprilscherz *Du hast ein Loch in der Hose! ~, ~!* ***Komp: -scherz***

a·pro·pos [apro'poː] *adv* ~ übrigens (was ich noch sagen wollte) *A~ Gesundheit, wie geht es deiner Mutter?*

Ä·ra ['ɛːra] <-, (Ären)> *die* Zeitabschnitt, Amtszeit eines Politikers *die ~ Gorbatschow*

• **Ar·beit** ['arbait] <-, (-en)> *die* **1.** körperliche oder geistige Tätigkeit *eine interessante ~ haben* **2.** Arbeitsstelle *gern zur ~ gehen, eine ~ suchen* **3.** Leistungstest im Schulunterricht *eine ~ schreiben* ***Komp: -stag, -szeit***

• **ar·bei·ten** ['arbaitn̩] <arbeitet, arbeitete, gearbeitet> *itr* eine körperliche oder geistige Tätigkeit machen *in einer Firma ~, als Sekretärin ~*

Ar·bei·ter(in) <-s, -> *der* jd, der gegen Lohn eine körperliche Tätigkeit macht *ein fleißiger ~* ***Komp: -familie, -kind, -viertel, Bau-, Fabrik-***

• **Ar·beit·ge·ber(in)** <-s, -> *der* jd, der andere gegen Lohn/Gehalt beschäftigt *ein strenger ~*

• **Ar·beit·neh·mer(in)** <-s, -> *der* jd, der bei einer Firma arbeitet *Die Gewerkschaft vertritt die ~.*

Ar·beits·amt <-(e)s, -ämter> *das* staatliche Institution, die hilft, Arbeit zu finden *auf das ~ gehen*

• **ar·beits·los** <-, -> *adj* ohne Arbeit *Es gibt viele ~e Lehrer.* ***Wobi: Arbeitslose(r), Arbeitslosigkeit***

Arbeitsamt
Das Arbeitsamt sucht Arbeit für Arbeitslose, hilft bei der Orientierung auf dem Arbeitsmarkt und organisiert berufliche Weiterbildung.

Armee
Die deutsche Armee heißt ‚Bundeswehr'. Sie ist eine Armee mit Wehrpflichtigen. Das heißt, jeder junge Mann gehört für die Zeit seiner Wehrpflicht (ein Jahr) der Armee an. Auch das österreichische ‚Bundesheer' besteht aus Wehrpflichtigen. Die ‚Schweizerische Armee' ist eine Milizarmee. Das heißt, alle (männlichen) Bürger werden regelmäßig (ca. einmal pro Jahr für drei Wochen) für den Kriegsfall ausgebildet.

Ạr·beits·lo·sen·geld <-(e)s, -er> *das* Geldbetrag, den der Staat für eine begrenzte Zeit an Arbeitslose zahlt *~ erhalten*

Ạr·beits·platz <-es, -plätze> *der* **1.** Ort, an dem man arbeitet *einen bequemen/hellen ~ haben* **2.** Anstellung, Arbeitsstelle *den ~ verlieren* ***Komp: -wechsel***

Ar·chi·tẹkt(in) [arçiˈtɛkt] <-en, -en> *der* jd, der Pläne für Häuser etc. entwirft *Der ~ besichtigt den Bau.* ***Wobi: Architektur***

Ạ̈r·ger [ˈɛrgɐ] <-s> *kein pl der* leichte Wut, starke Unzufriedenheit *~ verspüren;* **jdm ~ machen** jdm Schwierigkeiten machen *Sie hat ihm viel ~ gemacht.*

• **ạ̈r·ger·lich** <ärgerlicher, ärgerlichst-> *adj* **1.** so, dass man eine leichte Wut hat *Ich bin ~ über ihn.* **2.** so, dass man etw negativ/unangenehm/unerfreulich findet *Sie kommt nicht? Wie ~!*

• **ạ̈r·gern** [ˈɛrgɐn] <ärgert, ärgerte, geärgert> **I.** *tr* K ***jd/etw ärgert jdn*** wütend machen, belästigen *Das Geschrei ärgert die Nachbarn.* **II.** *refl* K ***jd ärgert sich** akk* [***über jdn/etw** akk*] ein Gefühl leichter Wut haben *sich über einen Fehler ~*

• **Ạrm** [arm] <-(e)s, -e> *der* Körperteil zwischen Oberkörper und Hand *den ~ bewegen;* **jdn auf den ~ nehmen** einen Scherz mit jdm machen *Du hast mich ja ganz schön auf den ~ genommen!;* **den längeren ~ haben** mehr Macht/Einfluss haben *Der Lehrer hat immer den längeren ~.* ***Komp: Ober-, Unter-***

• **ạrm** [arm] <ärmer, ärmst-> *adj* **1.** *(↔reich)* ohne oder mit nur wenig Geld *~ sein* **2. etw/jd ist ~ an etw** bei etw/jdm gibt es wenig von etw *~ an Ideen*

Ar·mee [arˈmeː] <-, -n> *die* Militär, bewaffnete Truppe/Streitkräfte *bei der ~ sein*

Ạ̈r·mel [ˈɛrml̩] <-s, -> *der* für den Arm bestimmter Teil des Kleidungsstückes *ein Hemd mit langen ~n;* **etw aus dem ~ schütteln** etw schnell und leicht können/schaffen *eine Geschichte aus dem ~ schütteln*

Ạr·mut [ˈarmuːt] <-> *kein pl die (↔Reichtum)* Mangel an lebensnotwendigen Dingen *in ~ leben* ***Komp: -sgrenze***

ar·ro·gạnt [aroˈgant] <arroganter, arrogantest-> *adj* so, dass man denkt, man ist besser als andere *~ wirken* ***Wobi: Arroganz***

• **Art** [aːɐ̯t] <-, (-en)> *die* **1.** Charaktereigenschaft, Benehmen, Wesen *eine angenehme ~ haben* **2.** BIO Gattung, Sorte *eine neue Tier~ entdecken*

Arm

• **Ar·tị·kel** [arˈtiːkl̩/arˈtɪkl̩] <-s, -> *der* **1.** LING Begleitwort des Substantives *‚Der', ‚die', ‚das' sind ~.* **2.** kleiner Aufsatz/Bericht in einer Zeitung/Zeitschrift *einen ~ schreiben* **3.** Ware *verschiedene ~ zum Kauf anbieten*

Arz·nei [aːɐ̯tsˈnai̯] <-, -en> *die* (MED: *≈Medikament*) Mittel gegen Krankheiten *eine ~ einnehmen* ***Komp: -mittel***

• **Arzt, Ärz·tin** [aːɐ̯tst] <-es, Ärzte> *der* Beruf von jdm, der Medizin studiert hat *zum ~ gehen;* **praktischer ~** ein Arzt, der sich nicht auf ein Fachgebiet spezialisiert hat *einen Termin beim praktischen ~ vereinbaren* ***Komp: -besuch, -termin, Fach-***

Arzt

• **Arzt·pra·xis** <-, -praxen> *die (= ÖSTERR Ordination)* Räume des Arztes, wohin die Patienten kommen *Hat die ~ heute geöffnet?*

Ạ·sche [ˈaʃə] <-, (-n)> *die* Rest, der bei der Verbrennung übrig bleibt *die ~ der Zigarette* ***Komp:*** *-nbecher*

aß [aːs] *prät von* **essen**

Ast [ast] <-(e)s, Äste> *der* der Teil eines Baumes/Strauches, der aus dem Stamm hervorgeht *einen ~ absägen;* **sich einen ~ lachen** *(umg)* sehr lachen *Bei dem Witz habe ich mir einen ~ gelacht.*

äs·the·tisch [ɛsˈteːtɪʃ] <ästhetischer, ästhetischst-> *adj (↔un-ästhetisch)* geschmackvoll, schön *besonders ~ sein* ***Wobi:*** *Ästhetik*

As·tro·lo·ge, -gin [astroˈloːgə] <-n, -n> *der* jd, der den Einfluss der Sterne auf den Menschen deutet *sich an einen ~n wenden*

As·tro·lo·gie [astroloˈgiː] <-> *kein pl die (≈Sterndeutung)* Lehre vom Einfluss der Sterne auf das menschliche Schicksal *an ~ glauben*

As·tro·nom(in) [astroˈnoːm] <-en, -en> *der* Wissenschaftler, der sich mit Sternkunde beschäftigt *Ein ~ benötigt Kenntnisse der Mathematik und Physik.* ***Wobi:*** *Astronomie*

• **A·syl** [aˈzyːl] <-(e)s, -e> *das* POL Schutzort für politisch Verfolgte *jdm ~ gewähren* ***Komp:*** *-antrag, -bewerber, -recht*

A·sy·lant(in) [azyˈlant] <-en, -en> *der (≈Asylbewerber)* politisch Verfolgter, der Schutz in einem anderen Land bekommen hat *~en aufnehmen* ***Komp:*** *-enwohnheim*

A·tem [ˈaːtəm] <-s> *kein pl der* Luft, die ein Mensch oder ein Tier aufnimmt und ausstößt *~ holen* ***Komp:*** *-zug*

A·the·ist(in) [ateˈɪst] <-en, -en> *der* Mensch, der nicht an Gott glaubt *~ sein* ***Wobi:*** *atheistisch*

Ath·let(in) [atˈleːt] <-en, -en> *der* Sportler *ein guter ~ sein* ***Wobi:*** *athletisch*

Athlet

At·las [ˈatlas] <-, Atlanten> *der* Buch mit einer Sammlung von Landkarten *etw im ~ nachschlagen*

• **at·men** [ˈaːtmən] <atmet, atmete, geatmet> *itr* Luft mit den Lungen einziehen und ausstoßen *tief ~* ***Wobi:*** *Atmung*

• **At·mo·sphä·re** [atmoˈsfɛːrə] <-, -n> *die* **1.** Stimmung, Gefühlssituation zwischen Menschen *eine nette ~* **2.** Lufthülle um die Erde *die ~ zerstören*

A·tom [aˈtoːm] <-s, -e> *das* sehr kleines Teilchen der Materie *Spaltung von ~en* ***Komp:*** *-bombe, -energie, -kraftwerk, -krieg, -test, -waffe*

ätsch [ɛːtʃ] *interj* Ausruf zum Ausdruck von Schadenfreude *Ä~, ich war zuerst hier!*

At·ten·tat [ˈatn̩taːt] <-(e)s, -e> *das* Mordversuch *ein ~ verüben*

At·test [aˈtɛst] <-(e)s, -e> *das* schriftliche Erklärung vom Arzt, dass man krank/gesund ist *Ich brauche ein ~ für die Firma.*

At·tri·but [atriˈbuːt] <-(e)s, -e> *das* LING Wort, das andere Wörter näher bestimmt *Das Wort ‚schöne' in ‚die schöne Blume' ist ein ~.*

au(a) [ˈau̯(a)] *interj* Ausruf bei plötzlichem Schmerz *A~, jetzt habe ich mir in den Finger geschnitten!*

• **auch** [au̯x] *adv* **1.** ebenso, genauso, gleichermaßen *~ zur Schule gehen* **2.** wirklich, tatsächlich *Sagst du ~ die Wahrheit?;* **nicht nur ..., sondern ~ ...** das eine ebenso wie das andere *nicht nur backen, sondern ~ kochen können;* **wie dem ~ sei** egal, wie es ist *Wie dem ~ sei, ich komme nicht mit.;* **Wozu ~?** Welchen Sinn hat es? *Sie arbeitet nicht. – Wozu ~? Bei den reichen Eltern.*

• **auf** [au̯f] **I.** *präp* **1.** *+dat auf die Frage ‚wo?', +akk auf die Frage ‚wo-*

hin?' örtlich, unmittelbar, direkt an der Oberfläche von etw *das Glas ~ den Tisch stellen, sich ~ den Boden setzen, ~ dem Boden sitzen* **2.** *+dat auf die Frage ,wo?', +akk auf die Frage ,wohin?'* örtlich, in, bei *Ich gehe ~ die Bank., Ich sitze ~ dem Stuhl.;* ~ **dem Land** außerhalb einer Stadt *Erholung ~ dem Land suchen* **3.** *+akk* nach *~ eine Frage antworten;* ~ **Besuch sein bei …** als Gast bei jdm sein *Sie ist gerade ~ Besuch bei uns.;* ~ **Deutsch** in deutscher Sprache *Kannst du das noch mal ~ Deutsch sagen?;* ~ **jeden Fall** ganz sicher *Ich rufe dich ~ jeden Fall an.* **II.** *adv* offen *Die Tür ist ~.;* **Augen ~!** Sei aufmerksam/vorsichtig! *Augen ~, die Straße ist glatt!;* ~ **haben** offen sein *Dieser Supermarkt hat bis 20 Uhr ~.;* **etw ~ haben** eine Kopfbedeckung tragen *einen Hut ~ haben;* **noch/schon ~ sein** noch nicht/schon im Bett sein *Bist du immer noch ~?* **III.** *interj* **A~!** Aufforderung zu kommen *A~, wir gehen los!*

auf|bau·en <baut auf, baute auf, aufgebaut> *tr* **1.** [K] ***jd baut etw*** *akk* ***auf*** errichten *eine Stadt ~* **2.** [K] ***jd baut jdn auf*** motivieren *jdn nach einer Enttäuschung wieder ~*

auf|be·wah·ren <bewahrt auf, bewahrte auf, aufbewahrt> *tr* [K] ***jd bewahrt etw*** *akk* ***auf*** lagern *wichtige Dokumente sicher ~*

Auf·be·wah·rung <-, -en> *die* das Lagern von etw *~ von Lebensmitteln* ***Komp: Gepäck-***

einen Luftballon aufblasen

auf|bla·sen <bläst auf, blies auf, aufgeblasen> *tr* [K] ***jd bläst etw*** *akk* ***auf*** mit Luft füllen *einen Luftballon ~*

auf|blei·ben <bleibt auf, blieb auf, aufgeblieben> *itr* <*sein*> **1.** offen bleiben *Die Tür bleibt auf.* **2.** nicht schlafen gehen *Die Kinder bleiben bis zehn Uhr auf.*

auf|bli·cken <blickt auf, blickte auf, aufgeblickt> *itr* den Blick heben, hochschauen *vom Buch ~;* **zu jdm ~** jdn als überlegen/Vorbild sehen *zu den Eltern ~*

auf|bre·chen <bricht auf, brach auf, aufgebrochen> **I.** *tr* [K] ***jd bricht etw*** *akk* ***auf*** etw mit Gewalt öffnen *die Tür ~* **II.** *itr* <*sein*> abreisen, fortgehen, losgehen *zu einer Wanderung ~*

auf·dring·lich <aufdringlicher, aufdringlichst-> *adj* so, dass jd immer und überall dabei sein will und dadurch stört *eine ~e Person* ***Wobi: Aufdringlichkeit***

auf·ein·an·der [a͜ufʔa͜iˈnandɐ] *adv* eines auf/über dem anderen *Die Bücher liegen alle ~.*

• **Auf·ent·halt** [ˈa͜ufʔɛnthalt] <-(e)s, -e> *der* Zeit, während der man an einem bestimmten Ort ist *der ~ in einem Hotel, Der Zug hat in Berlin zehn Minuten ~.*

Auf·ent·halts·er·laub·nis <-, -se> *die* offizielle Erlaubnis, für begrenzte Zeit in einem Land zu leben *eine ~ beantragen*

auf|es·sen <isst auf, aß auf, aufgegessen> *tr* [K] ***jd isst etw*** *akk* ***auf*** alles essen, was da ist *den Kuchen ~*

auf|fal·len <fällt auf, fiel auf, aufgefallen> *itr* <*sein*> die Aufmerksamkeit erwecken *Die neue Frisur fällt sofort auf.*

auf·fäl·lig <auffälliger, auffälligst-> *adj (↔unauffällig)* so, dass man sofort hinschaut *~e Farben*

Auf·fas·sung <-, -en> *die* Meinung *eine andere ~ haben;* **nach meiner ~** so wie ich meine/glaube *Nach meiner ~ hast du Recht.*

• **auf|for·dern** <fordert auf, forderte auf, aufgefordert> *tr*

1. [K] ***jd fordert jdn auf, etw zu tun*** sehr deutlich bitten *den Gast ~ zu gehen* **2.** [K] ***jd fordert jdn auf*** zum Tanzen bitten *jdn zum Tanzen ~* ***Wobi: Aufforderung***

auf|fres·sen <frisst auf, fraß auf, aufgefressen> *tr* [K] ***jd frisst etw*** *akk* ***auf*** alles fressen, was da ist *Die Katze wollte das ganze Futter ~.*

auf|füh·ren <führt auf, führte auf, aufgeführt> *tr* THEAT [K] ***jd führt etw*** *akk* ***auf*** auf der Bühne spielen *eine Komödie ~* ***Wobi: Aufführung***

auf|fri·schen <frischt auf, frischte auf, aufgefrischt> *tr* [K] ***jd frischt etw*** *akk* ***auf*** wiederholen, in Erinnerung rufen *Vokabeln ~*

• **Auf·ga·be** <-, -n> *die* **1.** Übungsstück im Unterricht *eine schwierige ~ lösen* **2.** Arbeit, die man von jdm bekommt *Ich muss noch ein paar ~n erledigen* **3.** Schließung, Beendigung *die ~ des Geschäfts*

Auf·gang <-(e)s, -gänge> *der* **1.** *(↔Untergang)* das Erscheinen *der ~ der Sonne* **2.** Eingang/Weg nach oben *den rechten ~ hinaufgehen*

• **auf|ge·ben** <gibt auf, gab auf, aufgegeben> **I.** *itr* nicht bis zum Ende schaffen *Kurz vor dem Ziel musste der Rennfahrer ~.* **II.** *tr* **1.** [K] ***jd gibt [jdm] etw*** *akk* ***auf*** Aufgaben stellen *viele Hausaufgaben ~* **2.** [K] ***jd gibt etw*** *akk* ***auf*** etw transportieren lassen *den Koffer am Bahnhof ~, den Brief bei der Post ~* **3.** [K] ***jd gibt etw*** *akk* ***auf*** etw nicht machen/schaffen *einen Plan ~;* **eine Anzeige** ~ eine Anzeige drucken lassen *Ich habe die Heiratsanzeige aufgegeben.*

auf·ge·regt <aufgeregter, aufgeregtest-> *adj* nervös, unruhig *~ umherlaufen*

auf·grund [auf'grʊnt] *präp +gen* wegen, veranlasst durch *~ des Regens*

auf|hän·gen <hängt auf, hängte auf, aufgehängt> **I.** *tr* [K] ***jd hängt etw*** *akk* ***auf*** einen Gegenstand durch Hängen festmachen *ein Bild ~* **II.** *refl* [K] ***jd hängt sich*** *akk* ***auf*** sich einen Strick um den Hals legen und sich selbst töten *Er hat keinen Ausweg mehr gesehen und hat sich aufgehängt.*

ein Bild aufhängen

• **auf|he·ben** <hebt auf, hob auf, aufgehoben> *tr* **1.** [K] ***jd hebt etw*** *akk* ***auf*** mit den Händen vom Boden hochnehmen *das Papier ~* **2.** [K] ***jd hebt etw*** *akk* ***auf*** nicht wegwerfen, (als Erinnerung) behalten *Briefe ~*

• **auf|hö·ren** <hört auf, hörte auf, aufgehört> *itr* **1.** *(↔anfangen)* Schluss machen, beenden *~ zu lachen, ~ zu arbeiten* **2.** *(↔anfangen)* Schluss sein, zu Ende sein *Dort hört der Weg auf., Das Seminar hört am Freitag auf.*

• **auf|klä·ren** <klärt auf, klärte auf, aufgeklärt> *tr* [K] ***jd klärt etw*** *akk* ***auf*** die Hintergründe untersuchen, Unwissenheit beseitigen *ein Verbrechen ~;* **jdn (sexuell)** ~ jdn über Sexualität informieren *die Kinder rechtzeitig ~*

Auf·klä·rung <-, (-en)> *die* **1.** Untersuchung von Hintergründen und Zusammenhängen *die ~ des Verbrechens* **2.** Information über Sexualität *die sexuelle ~ in der Schule* **3.** europäisches Denken im 18. Jahrhundert gegen Normen und Traditionen, die man unvernünftig fand *ein Vertreter der ~ sein*

auf|knöp·fen <knöpft auf, knöpfte auf, aufgeknöpft> *tr* [K] *jd*

ein Hemd aufknöpfen

knöpft etw** akk **auf die Knöpfe öffnen *den Mantel ~*

auf|lö·sen <löst auf, löste auf, aufgelöst> *tr* **1.** [K] ***jd löst etw** akk **auf*** flüssig machen *eine Tablette in Wasser ~* **2.** [K] ***jd löst etw** akk **auf*** etw schließen *ein Geschäft ~, ein Konto ~* **3.** eine Lösung finden *das Geheimnis ~* ***Wobi:** **die Auflösung***

• **auf|ma·chen** <macht auf, machte auf, aufgemacht> **I.** *tr* [K] ***jd macht etw** akk **auf*** *(↔zumachen)* öffnen *das Fenster ~* **II.** *itr* [K] ***etw macht auf*** öffnen *Das Geschäft macht schon um acht Uhr auf.*

• **auf·merk·sam** <aufmerksamer, aufmerksamst-> *adj (↔unaufmerksam)* so, dass man gut beobachtet und alles merkt *~ zuhören, jdn auf etw ~ machen*

Auf·merk·sam·keit <-, -en> *die* Beobachtung, Konzentration *~ im Straßenverkehr*

Auf·nah·me <-, -n> *die* **1.** Zulassung *~ in die Musikschule* **2.** Empfang *die freundliche ~* **3.** Foto *eine ~ von jdm machen* ***Komp:** **-gebühr, -prüfung, Farb-, Schwarzweiß-***

• **auf|neh·men** <nimmt auf, nahm auf, aufgenommen> *tr* **1.** [K] ***jd nimmt jdn** [**irgendwo**] **auf*** einen Platz geben *jdn in die Hochschule ~* **2.** [K] ***jd nimmt jdn** [**irgendwo**] **auf*** empfangen *jdn herzlich ~, jdn bei sich zu Hause als Gast ~* **3.** [K] ***jd nimmt jdn/etw** akk [**irgendwo**] **auf*** auf Tonband/Kassette/Video spielen *die Hochzeit auf Video ~*

• **auf|pas·sen** <passt auf, passte auf, aufgepasst> *itr* aufmerksam sein *genau ~;* **auf jdn** ~ jdn beaufsichtigen *auf den kleinen Bruder ~*

Auf·preis <-es, -e> *der* zusätzlich zu zahlende Geldsumme, Zuschlag *Gegen ~ wird das Sofa sofort geliefert.*

• **auf|räu·men** <räumt auf, räumte auf, aufgeräumt> *tr* [K] ***jd räumt etw** akk **auf*** Ordnung machen *das Zimmer ~*

auf·recht ['aufrɛçt] <aufrechter, aufrechtest-> *adj* gerade, senkrecht *~ gehen*

• **auf|re·gen** <regt auf, regte auf, aufgeregt> **I.** *tr* [K] ***etw regt jdn auf*** ärgern *Der Lärm regt mich auf.* **II.** *refl* [K] ***jd regt sich** akk [**über etw** akk] **auf*** unruhig/zornig werden *sich über die Politik ~*

• **auf|re·gend** <aufregender, aufregendst-> *adj* spannend, sehr interessant *ein ~es Abenteuer, eine ~e Frau*

Auf·re·gung <-, -en> *die* Unruhe, Spannung *vor ~ rot werden*

Auf·ruf <-(e)s, -e> *der* Aufforderung *der ~ zur Spende*

auf|ru·fen <ruft auf, rief auf, aufgerufen> *tr* **1.** [K] ***jd ruft jdn auf*** beim Namen nennen *einen Schüler ~* **2.** [K] ***jd ruft jdn** [**zu etw** dat] **auf*** zu einer bestimmten Sache auffordern *zu einer Demonstration ~*

auf|run·den <rundet auf, rundete auf, aufgerundet> *tr* [K] ***jd rundet etw** akk **auf*** zu einer Zahl etw addieren, um die nächste runde Zahl zu erreichen *3,85 Euro auf 4,00 Euro ~*

auf|rüs·ten <rüstet auf, rüstete auf, aufgerüstet> *tr* [K] ***jd rüstet etw** akk **auf*** *(↔abrüsten)* die Anzahl an Soldaten und Waffen erhöhen *die Armee ~* ***Wobi:** **Aufrüstung***

auf|sa·gen <sagt auf, sagte auf, aufgesagt> *tr* [K] ***jd sagt etw** akk **auf*** einen Text vortragen, ohne ihn abzulesen *ein Gedicht ~*

Auf·satz <-es, -sätze> *der* schriftliche Darstellung eines bestimmten Themas *einen ~ schreiben*

auf|schlie·ßen <schließt auf, schloss auf, aufgeschlossen> *tr* [K] ***jd schließt etw** akk **auf*** mit einem Schlüssel öffnen *die Tür ~*

Auf·schluss <-es, -schlüsse> *pl selten der* konkrete Informationen *jdm ~ über etw geben*

Auf·schnitt <-(e)s> *kein pl der* in Scheiben geschnittene Wurst oder Käse *frischen ~ kaufen*

• **auf|schrei·ben** <schreibt auf, schrieb auf, aufgeschrieben> *tr* [K] ***jd schreibt** [**jdm/sich** dat] **etw** akk **auf*** auf einem Blatt Papier notieren *eine Telefonnummer ~*

auf|schrei·en <schreit auf, schrie auf, aufgeschrien> *itr* einen Schrei von sich geben *vor Schreck ~*

Auf·schrift <-, -en> *die* eine Beschriftung *die ~ auf der Flasche*

Auf·schwung <-(e)s, -schwünge> *der* Verbesserung der wirtschaftlichen/finanziellen Lage *auf einen ~ hoffen*

auf|set·zen <setzt auf, setzte auf, aufgesetzt> *tr* **1.** [K] ***jd setzt etw** akk **auf*** den Kopf mit etw bedecken *einen Hut ~* **2.** [K] ***jd setzt etw** akk **auf*** etw noch nicht endgültig schriftlich formulieren *einen Beschwerdebrief ~* **3.** auf den Herd stellen und erwärmen *Teewasser ~*

Auf·sicht <-, -en> *die* Überwachung, Kontrolle *~ führen, Er hat heute ~ über die Schüler.*

auf|sper·ren <sperrt auf, sperrte auf, aufgesperrt> *tr* [K] ***jd sperrt etw** akk **auf*** *(↔zusperren)* aufschließen *die Tür ~;* **Sperr deine Ohren auf!** *(umg)* Hör genau zu! *Sperr deine Ohren auf! Was ich dir jetzt sage, ist wichtig!*

Auf·stand <-(e)s, -stände> *der* große Demonstration/Revolte gegen eine Regierung/Herrschaft *der ~ des Volkes*

• **auf|ste·hen** <steht auf, stand auf, aufgestanden> *itr* <*sein*> **1.** sich auf die Füße stellen *vom Sessel ~* **2.** das Bett verlassen *morgens früh ~*

auf|stei·gen <steigt auf, stieg auf, aufgestiegen> *itr* <*sein*> **1.** in die Höhe gehen *Der Nebel steigt auf.* **2.** in eine bessere Position kommen *in die 1. Bundesliga ~, beruflich ~*

auf|stel·len <stellt auf, stellte auf, aufgestellt> **I.** *tr* **1.** [K] ***jd stellt etw** akk **auf*** aufbauen *ein Gerüst ~* **2.** [K] ***jd stellt jdn auf*** für eine Wahl vorschlagen *einen Kandidaten ~* **3.** [K] ***jd stellt etw** akk **auf*** festlegen *strenge Regeln ~* **II.** *refl* [K] ***jd stellt sich** akk **auf*** sich nach einer bestimmten Ordnung hinstellen *Die Schüler stellen sich im Kreis auf.*

auf|stüt·zen <stützt auf, stützte auf, aufgestützt> **I.** *tr* [K] ***jd stützt etw** akk **auf etw** akk* etw auf etw lehnen *Er stützt den Kopf auf die Hände.* **II.** *refl* [K] ***jd stützt sich** akk **auf etw** akk **auf*** sich an etw festhalten *sich auf den Tisch ~*

auf|su·chen <sucht auf, suchte auf, aufgesucht> *tr* [K] ***jd sucht jdn auf*** zu jdm gehen *den Arzt ~*

auf|tau·chen <taucht auf, tauchte auf, aufgetaucht> *itr* <*sein*> plötzlich erscheinen *nach langer Zeit wieder ~*

auf|tau·en <taut auf, taute auf, aufgetaut> *tr* [K] ***jd taut etw** akk **auf*** etw Gefrorenes aufwärmen *den Braten ~*

Käse- und Wurstaufschnitt

auf|tei·len <teilt auf, teilte auf, aufgeteilt> *tr* **1.** [K] ***jd teilt etw** akk* ***auf*** etw so an verschiedene Personen verteilen, dass dann nichts mehr übrig ist *die Torte ~* **2.** [K] ***jd teilt etw** akk* ***auf*** unterteilen *das Buch in verschiedene Kapitel ~* ***Wobi:** Aufteilung*

• **Auf·trag** ['au̯ftraːk] <-(e)s, -träge> *der* **1.** größere Aufgabe *jdm einen ~ geben* **2.** Bestellung bei einer Firma *einen ~ bearbeiten* ***Komp:** -geber, -ssumme*

auf|tre·ten <tritt auf, trat auf, aufgetreten> *itr* <*sein*> **1.** den Fuß auf den Boden setzen *leicht ~* **2.** sich verhalten *immer höflich ~* **3.** auf der Bühne erscheinen *in einem Theaterstück ~*

Auf·tritt <-(e)s, -e> *der* Erscheinen (auf einer Bühne) *der ~ des Bundeskanzlers*

• **auf|wa·chen** <wacht auf, wachte auf, aufgewacht> *itr* <*sein*> aufhören zu schlafen *spät ~*

auf|wach·sen <wächst auf, wuchs auf, aufgewachsen> *itr* <*sein*> seine Kindheit verbringen, groß werden *sorgenfrei ~*

Auf·wand ['au̯fvant] <-(e)s> *kein pl der* Einsatz von Kraft und Mitteln *viel ~ erfordern* ***Wobi:** aufwändig*

aufwärts

• **auf·wärts** ['au̯fvɛrts̮] *adv (↔abwärts)* nach oben *~ steigen, Nach großen Verlusten geht es mit der Firma jetzt wieder ~.*

auf|we·cken <weckt auf, weckte auf, aufgeweckt> *tr* [K] ***jd/etw weckt jdn auf*** jdn wach machen *das Kind ~*

auf|wi·schen <wischt auf, wischte auf, aufgewischt> *tr* [K] ***jd wischt etw** akk* ***auf*** mit Wasser und Lappen sauber machen *den Boden ~*

auf|zäh·len <zählt auf, zählte auf, aufgezählt> *tr* [K] ***jd zählt etw** akk* ***auf*** nacheinander einzeln nennen *alle Geschwister ~* ***Wobi:** Aufzählung*

Auf·zeich·nung <-, -en> *die* TV Aufnahme von etw *die ~ des gestrigen Fußballspiels anschauen*

• **Auf·zug** <-(e)s, -züge> *der* **1.** *(≈Lift, Fahrstuhl)* Gerät zum Transportieren in die verschiedenen Etagen eines Hauses *den ~ nehmen* **2.** *(pej)* Art und Weise der Kleidung *in einem komischen ~ erscheinen*

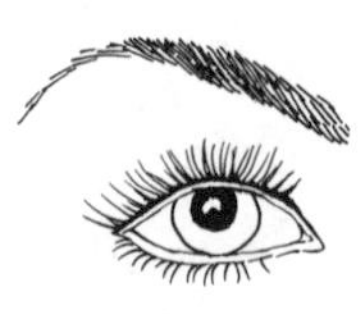

Auge

• **Au·ge** ['au̯gə] <-s, -n> *das* Organ zum Sehen *mit den ~n zwinkern;* **ein ~ zudrücken** großzügig über einen Fehler hinwegsehen *Dieses Mal hat er noch mal ein ~ zugedrückt.;* **jdn aus den ~n verlieren** jdn lange nicht treffen *Nach der Schulzeit haben wir uns aus den ~n verloren.;* **unter vier ~n** ohne Zeugen, zu zweit *jdn unter vier ~n sprechen* ***Komp:** -nlid, -nbraue, -nwimper*

• **Au·gen·blick** ['au̯gn̩blɪk] <-(e)s, -e> *der* kurzer Moment *einen ~ warten*

• **au·gen·blick·lich** ['au̯gn̩blɪklɪç] <-, -> *adj* **1.** umgehend, sofort *etwas ~ erledigen* **2.** zur Zeit, momentan *~ krank sein*

Au·gust [au̯'gʊst] <-(e)s, (-e)> *der* der 8. Monat des Jahres *im ~ in den Urlaub fahren*

• **aus** [au̯s] **I.** *präp* **1.** *+dat* von einem Ort *mit dem Zug ~ Mannheim kommen* **2.** *+dat* von innen *~ dem Haus kommen* **3.** *+dat* aus einem Ort stammen *~ Deutschland kommen* **4.** *+dat* aus einer bestimmten Zeit stammen *ein Schrank ~ dem 18. Jh* **5.** *+dat* infolge von *etw nur ~ Spaß sagen* **6.** *+dat* zur Angabe, aus welchem Material etw ist *Der Schrank ist ~ Holz.;* ~ **Versehen** nicht mit Absicht *jdm ~ Versehen* *auf den Fuß treten* **II.** *adv* ~ **sein** zu Ende sein, abgeschaltet sein *Das Spiel ist ~., Die Heizung ist ~.;* **von mir** ~ ich habe nichts dagegen *Von mir ~ können wir ins Kino gehen.*

aus|ar·bei·ten <arbeitet aus, arbeitete aus, ausgearbeitet> *tr* K ***jd arbeitet etw*** *akk* ***aus*** etw schriftlich vorbereiten, zusammenstellen *einen Plan ~* ***Wobi:** Ausarbeitung*

aus|at·men <atmet aus, atmete aus, ausgeatmet> *itr* Luft durch Mund oder Nase ausstoßen *kräftig ~*

Aus·bau <-(e)s> *kein pl der* Erweiterung, Vergrößerung eines Gebäudes *der ~ des Daches*

aus|bau·en <baut aus, baute aus, ausgebaut> *tr* **1.** K ***jd baut etw*** *akk* [***aus etw*** *dat*] ***aus*** TECH mit der Hilfe von Werkzeugen etw aus etw herausnehmen *den Motor aus dem Auto ~* **2.** K ***jd baut etw*** *akk* ***aus*** erweitern, vergrößern, bewohnbar machen *das Dach ~*

aus|bil·den <bildet aus, bildete aus, ausgebildet> *tr* K ***jd bildet jdn aus*** einen Beruf lehren/unterrichten *Lehrlinge ~*

• **Aus·bil·dung** <-, -en> *die* **1.** das Erlernen eines Berufes *eine ~ zur Verkäuferin beginnen* **2.** Lehr- oder Studienzeit *während der ~* ***Komp:** -sbetrieb*

Aus·blick <-(e)s, -e> *der* **1.** *(≈Aussicht)* Fernsicht *einen guten ~ auf die Stadt haben* **2.** kurze Vorschau *einen ~ auf die nächsten Jahre geben*

• **aus|bor·gen** <borgt aus, borgte aus, ausgeborgt> *siehe* **ausleihen**

aus|bre·chen <bricht aus, brach aus, ausgebrochen> *itr* *<sein>* **1.** fliehen, davonlaufen *aus dem Gefängnis ~* **2.** entstehen *Dort ist ein Krieg ausgebrochen.;* **in Tränen** ~ plötzlich anfangen zu weinen *Als sie von dem Unfall hörte, brach sie in Tränen aus.* ***Wobi:** Ausbruch*

aus|bür·gern ['au̯sbʏrgɐn] <bürgert aus, bürgerte aus, ausgebürgert> *tr* K ***jd bürgert jdn aus*** die Staatsangehörigkeit wegnehmen *einen Verbrecher ~* ***Wobi:** Ausbürgerung*

Aus·dau·er <-> *kein pl die* Fähigkeit, sich lange auf eine körperliche oder geistige Tätigkeit zu konzentrieren *die ~ trainieren*

Aus·deh·nung <-, -en> *die* Größe, Umfang *Das Land hat eine ~ von …*

aus|den·ken <denkt aus, dachte aus, ausgedacht> *tr* K ***jd denkt sich*** *dat* ***etw*** *akk* ***aus*** erfinden *sich eine Überraschung ~, sich eine Geschichte ~*

• **Aus·druck** <-(e)s, -drücke> *der* **1.** äußerliches Zeichen (im Gesicht), wie man sich fühlt *einen fröhlichen ~ haben* **2.** Art und Weise, wie man spricht und schreibt *eine Eins im mündlichen ~ haben;* **etw zum ~ bringen** in Worte fassen *seinen Dank zum ~ bringen* **3.** Ergebnis eines Druckvorgangs *einen sauberen ~ haben*

aus|drü·cken <drückt aus, drückte aus, ausgedrückt> **I.** *tr* **1.** K ***jd drückt etw*** *akk* ***aus*** auspressen *eine Zitrone ~* **2.** K ***jd drückt etw*** *akk* ***aus*** seine Gedanken in Worte fassen *seine Meinung klar und deutlich ~* **II.** *refl* K ***jd drückt sich*** *akk* ***irgendwie aus*** seine Gedanken in Worte fassen *sich unmissverständlich ~*

aus·drück·lich *adv* besonders betont *~ auf etw hinweisen*

aus·ein·ạn·der [au̯sʔai̯'nandɐ] *adv* eines vom anderen getrennt *weit ~ liegen, etw ~ schreiben;* **jd setzt sich mit jdm/etw** ~ sich intensiv mit jdm/etw beschäftigen *Mit diesem Problem müssen wir uns mal ~ setzen.*

Aus·ein·ạn·der·set·zung [a͜usʔa͜iˈnandɐzɛt͜sʊŋ] <-, -en> *die* Streit *eine ernste ~ mit jdm haben*

• **Aus·fahrt** <-, -en> *die* **1.** *(↔Einfahrt)* Weg für Autos aus einem Grundstück heraus *die ~ frei halten* **2.** *(=* ÖSTERR *Abfahrt)* Weg von der Autobahn weg *Jetzt kommt die ~ Stuttgart., Ich fahre an der nächsten ~ raus.*

Aus·fall <-(e)s, -fälle> *der* **1.** TECH das Versagen einer Maschine *der ~ des Motors* **2.** Verlust *der plötzliche ~ der Haare* **3.** das Nichtstattfinden *ein hoher ~ von Arbeitsstunden*

aus|fal·len <fällt aus, fiel aus, ausgefallen> *itr* <*sein*> **1.** TECH nicht funktionieren *Die Heizung ist ausgefallen.* **2.** verlieren *Mir fallen vorne alle Haare aus.* **3.** nicht stattfinden *Wegen Krankheit fällt der Unterricht aus.*

• **Aus·flug** <-(e)s, -flüge> *der* kurze Reise, kleine Wanderung *einen ~ machen* ***Komp: Tages-***

aus|fra·gen <fragt aus, fragte aus, ausgefragt> *tr* [K] ***jd fragt jdn*** [***über etw*** *akk*] ***aus*** etw genau von jdm wissen wollen *jdn über die Nachbarn ~*

Aus·fuhr <-, -en> *die (≈Export)* der Verkauf von Waren ins Ausland *zur ~ bestimmt sein* ***Komp: -bestimmungen***

aus|füh·ren <führt aus, führte aus, ausgeführt> *tr* **1.** [K] ***jd führt etw*** *akk* ***aus*** *(≈exportieren)* Waren ins Ausland verkaufen *Autos ~* **2.** erledigen, erfüllen *einen Auftrag ~* **3.** genau darstellen *ein Thema bis ins Detail ~*

aus·führ·lich <ausführlicher, ausführlichst-> *adj* sehr genau *eine ~e Beschreibung, etw ~ erklären*

Aus·füh·rung <-, -en> *die* **1.** das Erledigen/Erfüllen *die genaue ~ des Plans* **2.** Erklärung, Darstellung *lange ~en machen*

• **aus|fül·len** <füllt aus, füllte aus, ausgefüllt> *tr* [K] ***jd füllt etw*** *akk* ***aus*** eintragen, beantworten *ein Formular ~*

• **Aus·gang** <-(e)s, -gänge> *der (↔Eingang)* Tür nach außen *den ~ suchen*

• **aus|ge·ben** <gibt aus, gab aus, ausgegeben> *tr* **1.** [K] ***jd gibt etw*** *akk* ***aus*** bezahlen *viel Geld ~* **2.** (zum Verkauf) herausgeben *Fahrkarten ~;* **sich für etw** ~ so tun, als ob man jd/etw sei *sich für einen Helden ~;* **einen** ~ (*umg*) die Getränke für alle zahlen *Ich gebe einen aus.*

• **aus|ge·hen** <geht aus, ging aus, ausgegangen> *itr* <*sein*> **1.** nicht zu Hause bleiben *abends noch ~* **2.** enden *Der Film ist gut ausgegangen.* **3.** aufhören zu leuchten *Vom Wind ist die Kerze ausgegangen.* **4.** alles aufbrauchen *Mir ging das Geld aus.;* **davon ~, dass …** annehmen, dass … *Wir können also davon ~, dass du kommst?*

aus·ge·las·sen <ausgelassener, ausgelassenst-> *adj* fröhlich, unbeschwert *~ feiern*

aus·ge·nom·men **I.** *präp +akk* wenn nicht, außer *Wir alle kamen, ihn ~.* **II.** *konj* außer *Es wird ein sonniger Tag, ~ es kommt ein Gewitter.*

aus·ge·rech·net [ˈa͜usgərɛçnət] *adv* genau so, wie man es nicht

wünscht *A~ ich musste den Ausweis vergessen., A~ ich habe meinen Fotoapparat verloren.*

- **aus·ge·schlos·sen** <-, -> *nur präd adj* **~!** unmöglich, nicht wahr *A~, das kann gar nicht stimmen!, Es ist ~, dass du noch mehr bekommst.*
- **aus·ge·zeich·net** ['a͜usgətsa͜içnət] <-, -> *adj* sehr gut, prima *Es geht mir ~!*

Aus·gleich <-(e)s, -e> *der* Beseitigung/Entfernen eines Unterschieds/Ungleichgewichts *Er sucht im Sport einen ~ für die Arbeit im Büro.*

aus|hal·ten <hält aus, hielt aus, ausgehalten> *tr* [K] ***jd hält etw** akk* **aus** ertragen *große Schmerzen ~*

Aus·hang <-(e)s, -hänge> *der* öffentliche Bekanntmachung *einen ~ machen*

aus|hän·gen <hängt aus, hing aus, ausgehängt> *tr* [K] ***jd hängt etw** akk* **aus** öffentlich bekannt machen *eine Mitteilung am schwarzen Brett ~*

Aus·he·bung <-, -en> *die* (CH) Einberufung zur Armee *Die ~ traf den Studenten unerwartet.*

Aus·hil·fe <-, -n> *die* **1.** Unterstützung in einer Notlage *um ~ bitten* **2.** Person, die für eine bestimmte Zeit mitarbeitet *in einer Kneipe als ~ arbeiten* ***Wobi:** aushelfen*

aus|ken·nen <kennt aus, kannte aus, ausgekannt> *refl* [K] ***jd kennt sich** akk* [***in etw** dat*]/[***mit etw** dat*] **aus** Bescheid wissen, kennen *sich gut in einer Stadt ~*

- **Aus·kunft** ['a͜uskʊnft] <-, -künfte> *die* **1.** Information *jdm eine ~ geben* **2.** TELKOM Stelle, an der man Telefonnummern erfragen kann *bei der ~ anrufen, eine Nummer von der ~ haben*

aus|la·chen <lacht aus, lachte aus, ausgelacht> *tr* [K] ***jd lacht jdn aus*** sich über jdn lustig machen *den Lehrer ~*

aus|la·den <lädt aus, lud aus, ausgeladen> *tr* [K] ***jd lädt etw** akk* **aus** etw aus einem Auto/Wagen etc. herausholen *Gepäck ~*

- **Aus·land** ['a͜uslant] <-(e)s> *kein pl das* Gebiet, das nicht zum eigenen Staat gehört *ins ~ fahren, aus dem ~ sein*
- **Aus·län·der(in)** ['a͜uslɛndɐ] <-s, -> *der* jd, der aus einem fremden Staat stammt *einen ~ heiraten* ***Komp:** -beauftragte(r), -feindlichkeit*
- **aus·län·disch** ['a͜uslɛndɪʃ] <-> *adj* zu einem fremden Staat gehörend *~e Journalisten*

aus|las·sen <lässt aus, ließ aus, ausgelassen> *tr* [K] ***jd lässt jdn/etw** akk* **aus** jdn/etw übersehen, vergessen, nicht machen *einen Namen auf der Liste ~, ein Kapitel aus dem Buch ~;* **seine Laune an jdm** ~ jdn seine schlechte Laune spüren lassen *Du sollst nicht immer deine Laune an mir ~!*

aus|lau·fen <läuft aus, lief aus, ausgelaufen> *itr* <*sein*> **1.** Flüssigkeit verlieren *Die Milch läuft aus, die Flasche ist wohl kaputt.* **2.** aus dem Hafen hinausfahren *Das Schiff läuft gerade aus.*

Aus·laut <-(e)s, -e> *der* LING letzter Laut eines Wortes *im ~ stehen*

aus|le·gen <legt aus, legte aus, ausgelegt> *tr* **1.** [K] ***jd legt etw** akk* **aus** interpretieren *einen Text falsch ~* **2.** Geld leihen *jdm ein paar Euro ~* **3.** ausbreiten *ein Zimmer mit Teppich ~*

Aus·le·gung <-, -en> *die* Interpretation *Es gibt verschiedene ~en der Bibel.*

ausleihen
Wenn jemand aus Deutschland, Österreich oder der Schweiz jemandem etwas ausleiht (ausborgt), erwartet er es auch wieder zurück. Bekommt er es nicht zurück, kann das die Freundschaft belasten.

aus|lei·hen <leiht aus, lieh aus, ausgeliehen> *tr* [K] ***jd leiht*** [***jdm/sich*** *dat*] ***etw*** *akk* ***aus*** *(≈ausborgen)* etw für eine begrenzte Zeit jdm geben/von jdm haben und dann wieder zurückbekommen/ zurückgeben *ein Buch ~*

• **aus|ma·chen** <macht aus, machte aus, ausgemacht> *tr* **1.** [K] ***jd macht etw*** *akk* ***aus*** verabreden, vereinbaren *einen Termin ~* **2.** (EL: = ÖSTERR *abdrehen ↔anmachen*) den Stromfluss unterbrechen, ausschalten *das Licht ~, das Radio ~;* **Macht es Ihnen etw aus, wenn ...?** Haben Sie etw dagegen, wenn ...? *Macht es Ihnen etw aus, wenn ich hier rauche?*

Aus·maß <-es, -e> *das* Umfang *ein größeres ~ annehmen als befürchtet*

• **Aus·nah·me** ['au̯snaːmə] <-, -n> *die* Anderssein als die Regel *Das ist eine ~.;* **~n bestätigen die Regel.** es gibt immer Abweichungen von der Regel *Heute ist er mal pünktlich gekommen. ~n bestätigen die Regel.;* **mit ~ von** außer, bis auf *Mit ~ von Thomas fahren alle mit.* ***Komp:*** *-fall, -zustand*

aus·nahms·wei·se *adv* nur in diesem einen Fall *~ länger arbeiten*

aus|nut·zen <nutzt aus, nutzte aus, ausgenutzt> *tr* [K] ***jd nutzt jdn/etw*** *akk* ***aus*** aus jdm/etw seinen Vorteil ziehen *das schöne Wetter ~, den Freund ~*

aus|nüt·zen <nützt aus, nützte aus, ausgenützt> *tr* (SD, ÖSTERR, CH) *s.* **ausnutzen**

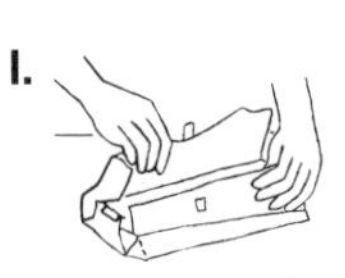
auspacken

• **aus|pa·cken** <packt aus, packte aus, ausgepackt> **I.** *tr* [K] ***jd packt etw*** *akk* ***aus*** *(↔einpacken)* aus der Verpackung herausnehmen *das Geschenk ~* **II.** *itr (umg)* Neuigkeiten/Geheimnisse verraten *bei einem Verhör ~*

aus|pro·bie·ren <probiert aus, probierte aus, ausprobiert> *tr* [K] ***jd probiert etw*** *akk* ***aus*** testen *ein Kuchenrezept ~*

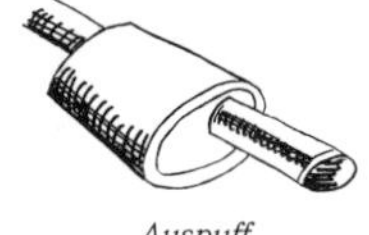
Auspuff

Aus·puff <-(e)s, -e> *der* KFZ Teil zum Ausstoß von Abgasen *den ~ reparieren* ***Komp:*** *-rohr, -topf*

• **aus|rech·nen** <rechnet aus, rechnete aus, ausgerechnet> *tr* [K] ***jd rechnet etw*** *akk* ***aus*** durch Rechnen herausfinden *einen Geldbetrag ~*

Aus·re·de <-, -n> *die* nicht wirklicher Grund, Entschuldigung *eine ~ suchen*

• **aus|rei·chen** <reicht aus, reichte aus, ausgereicht> *itr* genug sein *Das Essen reicht für alle aus.*

• **aus|rei·chend** <-, -> *adj (↔unzureichend)* genug *eine ~e Portion Essen, ~e Kenntnisse*

Aus·rei·se <-, -n> *die* das Verlassen eines Staates *bei der ~ einen Ausweis brauchen* ***Komp:*** *-antrag, -genehmigung, -verbot*

aus·rei·sen <reist aus, reiste aus, ausgereist> *itr* <*sein*> einen Staat verlassen, über die Grenze gehen *aus Deutschland ~*

aus|rich·ten <richtet aus, richtete aus, ausgerichtet> *tr* **1.** [K] ***jd richtet*** [***jdm***] ***etw*** *akk* ***aus*** Gruß/Nachricht weitergeben/ übermitteln *jdm die besten Wünsche zum Geburtstag ~* **2.** [K] ***jd richtet etw*** *akk* ***aus*** etw vorbereiten und durchführen *eine Hochzeit ~*

Aus·ruf <-(e)s, -e> *der* plötzlicher Schrei *ein erschrockener ~*

aus|ru·fen <ruft aus, rief aus, ausgerufen> *tr* **1.** K ***jd ruft etw*** *akk* ***aus*** öffentlich bekannt machen *die Republik ~* **2.** sich plötzlich laut äußern *Plötzlich rief sie aus: ‚Ich hab's!'*

Aus·ru·fe·zei·chen <-s, -> *das* LING Satzzeichen zur Markierung von Ausrufen *‚!' ist ein ~., ein ~ setzen*

Aus·ru·fungs·zei·chen <-s, -> *das* (CH) *s.* **Ausrufezeichen**

• **aus|ru·hen** <ruht aus, ruhte aus, ausgeruht> *refl* K ***jd ruht sich*** *akk* ***aus*** sich erholen *sich von der Arbeit ~*

aus|rut·schen <rutscht aus, rutschte aus, ausgerutscht> *itr* *<sein>* hinfallen, weil es glatt ist *auf dem Eis ~*

ausrutschen

Aus·sa·ge <-, -n> *die* mündliche Äußerung, Feststellung *eine ~ machen* ***Komp:*** ***-satz, Zeugen-***

aus|sa·gen <sagt aus, sagte aus, ausgesagt> *tr* K ***jd sagt etw*** *akk* ***[gegen jdn] aus*** berichten, feststellen *vor Gericht als Zeuge ~*

• **aus|schal·ten** <schaltet aus, schaltete aus, ausgeschaltet> *tr* K ***jd schaltet etw*** *akk* ***aus*** *(↔anschalten, einschalten)* ein Gerät ausmachen, den Stromkreis unterbrechen *das Licht ~*

Aus·schank ['au̯sʃaŋk] <-s> *kein pl der* Ausgabe von Getränken *~ von alkoholischen Getränken*

aus|schei·den <scheidet aus, schied aus, ausgeschieden> *itr* *<sein>* nicht mehr mitmachen/teilnehmen *aus dem Berufsleben ~*

aus|schimp·fen <schimpft aus, schimpfte aus, ausgeschimpft> *tr* K ***jd schimpft jdn [wegen etw*** *gen*\] ***aus*** jdn als Strafe laut tadeln *die Kinder ~*

aus|schla·fen <schläft aus, schlief aus, ausgeschlafen> *itr* so lange schlafen, bis man richtig erholt ist *am Wochenende endlich ~ können*

aus·schlag·ge·bend <ausschlaggebender, ausschlaggebendst-> *adj* entscheidend *von ~er Bedeutung sein*

• **aus|schlie·ßen** <schließt aus, schloss aus, ausgeschlossen> *tr* **1.** K ***jd schließt etw*** *akk* ***aus*** nicht für möglich halten *einen Fehler ~* **2.** K ***jd schließt jdn/etw*** *akk* ***aus*** nicht mitmachen lassen *den Sportler vom Wettkampf ~*

aus·schließ·lich ['au̯sʃliːslɪç] <-, -> *adj* einzig, ohne Einschränkung *das ~e Recht an etw besitzen*

Aus·schnitt <-(e)s, -e> *der* Teil von einem Ganzen *nur einen ~ von dem Film gesehen haben;* **einen tiefen ~ haben** ein Kleid/eine Bluse anhaben, in das/die man tief hineinsehen kann *Sie hatte einen tiefen ~.*

Aus·schluss <-es, -schlüsse> *der* Verbot, an etw teilzunehmen/von etw zu wissen *~ aus der Partei, unter ~ der Öffentlichkeit*

Aus·schreitung <-, -en> *die* Anwendung von Gewalt *Während der Demonstration ist mit ~en zu rechnen.*

Aus·schuss <-es, -schüsse> *der* öffentliche Kommission *in einem ~ mitarbeiten*

• **aus|se·hen** <sieht aus, sah aus, ausgesehen> *itr* ein bestimmtes Äußeres haben *gut/schlecht ~, wie der Vater ~;* **Es sieht so aus, als ob …** es ist sehr wahrscheinlich, dass … *Es sieht so aus, als ob das Wetter wieder schön wird.*

• **au·ßen** ['au̯sn̩] *adv (↔innen)* die äußere Seite, Straßenseite *die Tür nach ~ öffnen, ein Gebäude nur von ~ betrachten*

• **au·ßer** ['au̯sɐ] **I.** *präp +dat* mit Ausnahme von, ohne *alle ~ mir; ~* **Betrieb** so, dass es nicht funktioniert; ausgeschaltet *Der Aufzug ist ~ Betrieb.; ~* **sich sein** etw ganz besonders stark fühlen *~ sich sein vor Freude* **II.** *konj* es sei denn, (dass) ... *Wir können uns heute nicht treffen, ~ du kommst zu mir.*

• **au·ßer·dem** ['au̯sɐdeːm] *adv* darüber hinaus, auch *Sie kann singen und ~ noch malen.*

• **au·ßer·halb** *präp +gen* nicht in/an einem bestimmten Zeitraum/Ort *~ der Geschäftsstunden, ~ des Gartens spielen; ~* **wohnen** nicht in der Stadt, sondern auf dem Land wohnen *Ich wohne ~.*

äu·ßern ['ɔysɐn] <äußert, äußerte, geäußert> **I.** *tr* K ***jd äußert etw*** *akk* etw ausdrücken, sagen *seine Wünsche ~* **II.** *refl* K ***jd äußert sich*** *akk* [***zu etw*** *dat*] eine Bemerkung machen *Ich will mich dazu nicht ~.* ***Wobi: Äußerung***

• **Aus·sicht** <-, -en> *die* **1.** weite/gute Sicht *von hier oben eine schöne ~ haben* **2.** Chance *gute berufliche ~en*

aus·sichts·los <aussichtsloser, aussichtslosest-> *adj (↔aussichtsreich)* ohne Hoffnung, hoffnungslos *ein ~er Versuch, eine ~e Lage*

aus|sie·deln <siedelt aus, siedelte aus, ausgesiedelt> *tr* <*sein*> K ***jd siedelt jdn aus*** aus einem Wohngebiet/Land etc. in ein anderes schicken *die Dorfbewohner ~* ***Wobi: Aussiedler(in), Aussiedlung***

aus|span·nen <spannt aus, spannte aus, ausgespannt> *itr* sich erholen, entspannen *in der Sauna ~*

Aus·spra·che <-, -n> *die* LING Art und Weise, wie man Laute produziert *eine korrekte ~ haben*

• **aus|spre·chen** <spricht aus, sprach aus, ausgesprochen> **I.** *tr* **1.** K ***jd spricht etw*** *akk* ***aus*** (offen) sagen *einen Verdacht ~, Dank ~* **2.** LING K ***jd spricht etw*** *akk* [***irgendwie***] ***aus*** Laute produzieren *ein Wort richtig ~* **II.** *itr* zu Ende sprechen *Lass mich doch mal ~!* **III.** *refl* K ***jd spricht sich*** *akk* ***für etw*** *akk* ***aus*** dafür sein *sich für den Vorschlag ~*

Aus·stat·tung <-, -en> *die* äußere Gestaltung, Einrichtung *Das Hotel hatte eine gute ~.*

• **aus|stei·gen** <steigt aus, stieg aus, ausgestiegen> *itr* <*sein*> (*↔einsteigen*) ein Verkehrsmittel verlassen *aus dem Bus ~*

• **aus|stel·len** <stellt aus, stellte aus, ausgestellt> *tr* **1.** K ***jd stellt etw*** *akk* ***aus*** öffentlich zeigen *Gemälde in einer Galerie ~* **2.** schreiben *ein Rezept/eine Rechnung/einen Pass ~*

• **Aus·stel·lung** <-, -en> *die* **1.** öffentliche Sammlung von Kunstobjekten, z.B. Bildern *die ~ eröffnen* **2.** Fertigstellen eines amtlichen Dokuments *die ~ des Reisepasses*

• **aus|su·chen** <sucht aus, suchte aus, ausgesucht> *tr* K ***jd sucht etw*** *akk* ***aus*** zwischen verschiedenen Möglichkeiten wählen *ein Buch ~*

Aus·tausch <-(e)s> *kein pl der* gegenseitiges Mitteilen/Besuchen *~ von Ideen* ***Komp: Schüler-, Studenten-***

aus|tau·schen <tauscht aus, tauschte aus, ausgetauscht> **I.**

tr **1.** [K] ***jd tauscht etw*** *akk* [***gegen etw*** *akk*] ***aus*** ersetzen *Batterien ~* **2.** [K] ***jd tauscht etw*** *akk* ***aus*** sich gegenseitig etw mitteilen *Gedanken ~* **II.** *refl* [K] ***jd tauscht sich*** *akk* ***mit jdm*** [***über etw*** *akk*] ***aus*** sich unterhalten, sich etw mitteilen *Wir tauschen uns regelmäßig über die Neuigkeiten aus.*

aus|tei·len <teilt aus, teilte aus, ausgeteilt> *tr* [K] ***jd teilt etw*** *akk* ***aus*** mehreren Personen etw geben *Essen ~, Spielkarten ~, Schläge ~*

aus|tra·gen <trägt aus, trug aus, ausgetragen> *tr* **1.** [K] ***jd trägt etw*** *akk* ***aus*** verteilen *Briefe ~* **2.** durchführen, machen *einen Wettkampf ~*

aus|tre·ten <tritt aus, trat aus, ausgetreten> *itr* <*sein*> **1.** eine Vereinigung/Organisation verlassen *aus der Kirche ~* **2.** *(umg)* zur Toilette gehen *Ich muss mal ~.*

Aus·tritt <-(e)s, -e> *der* *(↔Eintritt)* das Verlassen einer Organisation oder Vereinigung *der ~ aus der Partei*

Aus·ver·kauf <-(e)s, -verkäufe> *der* Verkauf zu besonders günstigen Preisen, um die Lager zu leeren *der ~ von Schuhen*

Aus·wahl <-> *kein pl die* Vielfalt von Möglichkeiten, für die man sich entscheiden kann *zur ~ stehen*

aus|wäh·len <wählt aus, wählte aus, ausgewählt> *tr* [K] ***jd wählt*** [***aus etw*** *dat*] ***etw*** *akk* ***aus*** sich zwischen verschieden Dingen für etw Bestimmtes entscheiden *einen Film ~*

aus|wan·dern <wandert aus, wanderte aus, ausgewandert> *itr* <*sein*> (*≈emigrieren*) die Heimat verlassen, um in einem anderen Land zu leben *aus Deutschland ~* ***Wobi:*** *Auswanderer, -wand(r)erin*

aus·wär·tig ['ausvɛrtɪç] <-, -> *adj* nicht im gleichen Ort lebend *die ~en Schüler;* **das A~e Amt** Behörde, die für die Beziehungen zum Ausland verantwortlich ist *der Leiter des A~en Amtes*

aus·wärts ['ausvɛrts] *adv* nicht am Wohnort, nicht zu Hause *~ essen*

aus|wa·schen <wäscht aus, wusch aus, ausgewaschen> *tr* [K] ***jd wäscht etw*** *akk* ***aus*** mit Wasser Schmutz entfernen *den Fleck ~*

aus|wech·seln <wechselt aus, wechselte aus, ausgewechselt> *tr* [K] ***jd wechselt jdn/etw*** *akk* ***aus*** etw gegen etw anderes austauschen *die Batterien ~*

Aus·weg <-(e)s, -e> *der* einzige noch mögliche Lösung aus einer kritischen Situation *einen ~ finden;* **keinen ~ mehr wissen** ratlos sein, keine Lösung wissen *Ich weiß keinen ~ mehr aus dieser Situation.*

aus·weg·los <-, -> *adj* ohne Hoffnung auf eine Lösung *eine ~e Situation*

aus|wei·chen <weicht aus, wich aus, ausgewichen> *itr* <*sein*> jdm/etw aus dem Weg gehen *dem Auto ~;* **jdm ~** versuchen, jdm möglichst nicht zu begegnen *Nach unserem Streit wich er mir aus.*

• **Aus·weis** ['ausvais] <-es, -e> *der* Dokument, mit dem man seine Identität/Mitgliedschaft etc. belegt *den ~ zeigen* ***Komp:*** *Mitglieder-, Personal-, Studenten-*

Ausweis

aus|wei·sen <weist aus, wies aus, ausgewiesen> **I.** *tr* K *jd* ***weist jdn*** [***aus etw*** *dat*] ***aus*** jdm den Aufenthalt in einem Land verbieten *Asylbewerber* ~ **II.** *refl* K *jd* ***weist sich*** *akk* ***aus*** den Personalausweis/Reisepass vorzeigen *sich an der Grenze* ~

Aus·wei·sung <-, -en> *die* Verbot, sich in einem Staat aufzuhalten *die* ~ *aus der Bundesrepublik*

aus·wen·dig <-, -> *adj* so, dass man etw im Kopf hat *die Vokabeln* ~ *können, ein Gedicht* ~ *lernen*

aus|wer·ten <wertet aus, wertete aus, ausgewertet> *tr* K *jd* ***wertet etw*** *akk* ***aus*** untersuchen, analysieren, um es zu nutzen *Daten* ~

Aus·wer·tung <-, -en> *die* die Untersuchung von etw auf nützliche Erkenntnisse hin *die* ~ *der Interviews*

aus|wir·ken <wirkt aus, wirkte aus, ausgewirkt> *refl* K ***etw wirkt sich*** *akk* [***auf etw*** *akk*] ***aus*** Folgen haben *Der Stress wirkt sich negativ auf sein Privatleben aus.* ***Wobi: Auswirkung***

aus|zah·len <zahlt aus, zahlte aus, ausgezahlt> *tr* K *jd* ***zahlt jdm etw*** *akk* ***aus*** jdm für seine Arbeit Geld geben *den Lohn* ~ ***Wobi: Auszahlung***

aus|zäh·len <zählt aus, zählte aus, ausgezählt> *tr* K *jd* ***zählt etw*** *akk* ***aus*** die genaue Anzahl von etw feststellen *nach der Wahl die Stimmen* ~

Aus·zeich·nung <-, -en> *die* **1.** Beschriftung von Produkten mit einem Preis *die* ~ *von Obst und Gemüse* **2.** Ehrung wegen besonderer Leistungen *eine* ~ *erhalten*

• **aus|zie·hen** <zieht aus, zog aus, ausgezogen> **I.** *tr* K *jd* ***zieht etw*** *akk* ***aus*** Kleidung ablegen *die Schuhe* ~ **II.** *refl* K *jd* ***zieht sich*** *akk* ***aus*** sich entkleiden *sich vor dem Duschen* ~ **III.** *itr* <*sein*> die Wohnung/das Haus wechseln *Er ist gestern ausgezogen.*

• **Aus·zu·bil·den·de(r)** <-n, -n> *der/die* (≈*Azubi, Lehrling*) jd, der gerade einen Beruf lernt ~ *in einer Bank sein*

Aus·zug <-(e)s, -züge> *der* **1.** ausgewählte Stelle aus einem Buch/einem Artikel etc. *der* ~ *aus einem Bericht* **2.** Aufstellung aller Ein- und Auszahlungen für ein Konto *einen* ~ *von der Bank holen* ***Komp: Konto-***

• **Au·to** ['au̯to] <-s, -s> *das* Kraftfahrzeug, Automobil ~ *fahren* ***Komp: -abgase, -atlas***

Autobahn

• **Au·to·bahn** <-, -en> *die* Schnellstraße mit zwei oder mehr Spuren in jede Richtung, die durch einen Streifen voneinander getrennt sind *die Nord-Süd-*~ ***Komp: -ausfahrt, -dreieck, -gebühr, -kreuz***

Au·to·bi·o·gra·fie [au̯tobiogra'fiː] <-, -n> *die* Bericht über das eigene Leben *gern* ~*n lesen*

Au·to·fah·rer(in) <-s, -> *der* Fahrer eines Kraftfahrzeuges *ein aufmerksamer* ~

• **Au·to·mat** [au̯to'maːt] <-en, -en> *der* Gerät, das selbstständig arbeitet *Fahrkarten am* ~*en kaufen* ***Komp: Fahrkarten-, Spiel-***

Au·to·ma·tik [au̯to'maːtɪk] <-, -en> *die* selbstständige mechanische Regelung/Steuerung von etw *eine komplizierte* ~ ***Komp: -schaltung***

• **au·to·ma·tisch** [au̯to'maːtɪʃ] <-, -> *adj* so, dass es sich selbstständig regelt und steuert *Die Tür schließt sich* ~.

au·to·nom [auto'no:m] <autonomer, autonomst-> *adj* relativ unabhängig und durch eigene Gesetze bestimmt *eine ~e Region*

Au·to·no·mie [autono'mi:] <-, -n> *die* POL Selbstverwaltung von Regionen/Ländern/Gemeinden *die rechtliche ~*

• **Au·tor(in)** ['auto:ɐ̯] <-s, -en> *der* jd, der Bücher schreibt *Mein Lieblings~ ist Goethe.*

au·to·ri·tär [autori'tɛ:ɐ̯] <autoritärer, autoritärst-> *adj (↔antiautoritär)* streng *~e Erziehung*

Au·to·ri·tät [autori'tɛ:t] <-, -en> *die* **1.** Person mit großem Einfluss und allgemein anerkanntem Wissen *Dieser Professor ist eine ~.* **2.** Durchsetzungskraft *Er besitzt eine große ~.*

Axt [akst] <-, Äxte> *die* scharfes Gerät zum Fällen von Bäumen *mit der ~ arbeiten*

A·zu·bi [a'tsu:bi/'a:tsubi] <-s, -s> *der* Abkürzung für ‚Auszubildende(r)' *Unser ~ hat gerade Urlaub.* *siehe* **Auszubildende(r)**

Axt

B

B, b [beː] <-, -> *das* der 2. Buchstabe des Alphabets *Das Wort ‚Buch' beginnt mit dem Buchstaben ~.*

• **Ba·by** ['beːbi] <-s, -s> *das (= CH Bébé)* neugeborenes Kind *Wie alt ist denn dein ~?*

Ba·by·sit·ter(in) ['beːbizɪtɐ] <-s, -> *der* meist ein Mädchen, das gegen Bezahlung auf ein Baby aufpasst *Die ~in passte abends auf das Kind auf.*

Bach [bax] <-(e)s, Bäche> *der* kleiner Fluss *Der ~ fließt in den See.*

Backe

Ba·cke ['bakə] <-, -n> *die (≈Wange)* Gesichtsteil links und rechts von der Nase *Ihre ~n leuchten rot.*

• **ba·cken** ['bakn̩] <bäckt/backt, backte, gebacken> **I.** *tr* K *jd backt etw akk* etw aus Teig in einem Ofen herstellen *einen Kuchen ~* **II.** *itr* etw aus Teig in einem Ofen herstellen *Der Kuchen muss noch 30 Minuten ~.*

Bä·cker(in) ['bɛkɐ] <-s, -> *der* jd, der Backwaren herstellt *Der ~ bäckt das Brot.*

• **Bä·cke·rei** [bɛkə'rai] <- ,-en> *die* Laden, in dem Backwaren verkauft werden *Sie kaufte ihr Brot in der ~.*

Back·o·fen ['bakoːfn̩] <-s, -öfen> *der* Teil des Herdes, in dem gebacken wird *Sie schob den Kuchen in den ~.*

• **Bad** [baːt] <-(e)s, Bäder> *das (≈Badezimmer)* Raum, in dem man sich wäscht *Das ~ hat eine Badewanne und ein Waschbecken., ein Zimmer mit ~ reservieren;* **ein ~ nehmen** in die Badewanne gehen *Heute nehme ich mal ein heißes ~.*

Ba·de·an·zug <-(e)s, -anzüge> *der* einteiliges Kleidungsstück, das Frauen zum Baden tragen *einen ~ tragen, einen ~ anziehen*

Ba·de·ho·se <-, -n> *die* Hose, die Männer zum Baden tragen *eine ~ tragen*

Ba·de·man·tel <-s, -mäntel> *der* Kleidungsstück, das man morgens nach dem Aufstehen oder nach dem Baden trägt *Morgens zieht sie ihren ~ an.*

• **ba·den** ['baːdn̩] <badet, badete, gebadet> **I.** *tr* K *jd badet jdn* sauber machen *Die Mutter badet ihr Baby.* **II.** *itr* **1.** schwimmen *Sie haben im Mittelmeer gebadet.* **2.** ein Bad in der Badewanne nehmen *einmal die Woche ~;* **~ gehen** *(umg)* verwendet, um auszudrücken, dass etw erfolglos ist *Mit seiner chaotischen Arbeitsweise geht er ~.*

• **Ba·de·wan·ne** <-, -n> *die* Einrichtung im Badezimmer, in der man den ganzen Körper wäscht *Wasser in die ~ einlaufen lassen*

Ba·de·zim·mer <-s, -> *siehe* **Bad**

Bag·ger ['bagɐ] <-s, -> *der* Maschine, die große Erdmassen bewegen kann *Der ~ hebt ein großes Loch auf der Baustelle aus.*

• **Bahn** ['baːn] <-, -en> *die (≈Eisenbahn)* Verkehrsmittel auf Schienen *Die ~ fährt jede Stunde., bei der ~ arbeiten, jdn zur ~ bringen, mit der ~ fahren* ***Komp:*** ***-gleis, -steig, -verbindung, Eisen-,***

Straßen-, U-

Bahn·Card <-, -s> *die* Ausweis für verbilligte Fahrkarten bei der Deutschen Bahn *Mit der ~ bezahlt man nur den halben Preis.*

Bahn·fahrt <-, -en> *die* Fortbewegung in einem Zug *Die ~ nach München war schön.*

• **Bahn·hof** <-(e)s, -höfe> *der* Ort, an dem Züge halten *am/vom ~ abholen;* **nur ~ verstehen** nichts verstehen *Wenn mir der Lehrer etw erklärt, verstehe ich immer nur ~.* ***Komp:*** *-shalle, Haupt-*

• **Bahn·steig** <-(e)s, -e> *der (= CH Perron)* Ort, an dem man in den Zug ein- und aussteigt *am ~ stehen*

Bah·re ['ba:rə] <-, -n> *die* Gerät, das zum Tragen von kranken oder toten Menschen benutzt wird *den Patienten auf der ~ tragen*

• **bald** [balt] *adv* **1.** in naher Zukunft *Ich brauche das Geld möglichst ~., Bis ~!* **2.** fast *Der Zug hat ~ 30 Minuten Verspätung.*

Bal·ken ['balkn̩] <-s, -> *der* langes, starkes Stück Holz *ein Dach mit ~ abstützen*

Bal·kon [bal'kɔŋ/bal'ko:n] <-s, -s/-e> *der* Außenvorbau an einem Haus *auf dem ~ sitzen*

• **Ball** [bal] <-(e)s, Bälle> *der* **1.** rundes Spielzeug aus Plastik oder Leder, mit Luft gefüllt *~ spielen;* **am ~ bleiben** eine Sache konsequent verfolgen *Er blieb am ~, um den Auftrag zu bekommen.* **2.** festliche Tanzveranstaltung *auf einen ~ gehen* ***Komp:*** *-spiel, Fuß-, Hand-, Tennis-*

Bal·lett [ba'lɛt] <-(e)s, -e> *das* Tanzvorführung *ein ~ zur Musik von Tschaikovskij*

Bal·lon [ba'lɔŋ/ba'lo:n] <-s, -s/-e> *der* Gummiblase, die mit Luft oder Gas gefüllt wird *einen ~ steigen lassen* ***Komp:*** *Luft-*

Ba·na·ne [ba'na:nə] <-, -n> *die* essbare längliche Frucht mit gelber Schale *Affen essen gern ~n.* ***Komp:*** *-nschale*

Ba·nau·se [ba'nau̯zə] <-n, -n> *der* Mensch, der sich nicht für Kultur interessiert *Er ist ein ~, der Musik nicht zu schätzen weiß.* ***Komp:*** *Kunst-*

Band[1] [bant] <-(e)s, Bänder> *das* langer Streifen, meist aus Stoff *Ihr Kleid war mit roten Bändern verziert.;* **am laufenden ~** verwendet, um auszudrücken, dass etw immer wieder passiert *Das passiert mir am laufenden ~.* ***Komp:*** *-nudeln , Fließ-, Maß-, Ton-*

Band[2] [bant] <-(e)s, Bände> *der* Buch, meist Teil einer Ausgabe mit mehreren Bänden *Goethes gesammelte Werke in zwölf Bänden;* **Bände sprechen** sehr viel aussagen *Ihr Blick sprach Bände.*

Band[3] [bɛnt] <-, -s> *die* Gruppe von Musikern *Heute Abend spielen zwei ~s.*

band [bant] *prät von* **binden**

bang(e) ['baŋ(ə)] <banger/bänger, bangst-/bängst-> *adj* ängstlich *jdn ~e machen, eine ~e Ahnung*

• **Bank**[1] [baŋk] <-, Bänke> *die* Sitzplatz im Freien *Auf der ~ im Park saßen alte Leute.;* **etw auf die lange ~ schieben** etw Notwendiges lange nicht machen *Er schob die Entscheidung auf die lange ~.* ***Komp:*** *Park-*

• **Bank**[2] [baŋk] <-, -en> *die* Geldinstitut *Geld auf die/zur ~ bringen* ***Komp:*** *-überweisung*

Bank·au·to·mat <-en, -en> *der (≈Bankomat, Geldautomat)* Automat, an dem man Geld abheben kann *Mit der EC-Karte bekommt man an jedem ~en Geld.*

Bank·kauf·mann, **-kauf·frau** <-(e)s, -kaufmänner> *pl auch: Bankkaufleute der* Angestellter in einer Bank *~ sein*

Bank·ver·bin·dung <-, -en> *siehe* **Konto**

• **Bar** [baːɐ̯] <-, -s> *die* **1.** Nachtlokal *sich in einer ~ treffen* **2.** Tresen *in der Kneipe an der ~ stehen*

• **bar** [baːɐ̯] <-, -> *adj* (ÖKON: *↔per Scheck, per Karte*) mit Geld *~ zahlen, ~ auf die Hand;* **etw für ~e Münze nehmen** etw für wahr halten *seine Erklärungen für ~e Münze nehmen*

Bär

Bär [bɛːɐ̯] <-en, -en> *der* großes Raubtier, das in den Wäldern lebt *In Mitteleuropa gibt es kaum noch ~en.;* **jdm einen ~en aufbinden** jemanden anlügen *Er band ihr einen ~en auf.*

Bar·bar(in) [bar'baːɐ̯] <-s/-en, -en> *der* Mensch ohne Kultur *sich wie ein ~ benehmen*

bar·fuß ['baːɐ̯fuːs] <-, -> *nur präd adv* ohne Schuhe und Strümpfe *~ laufen*

Bar·geld <-(e)s> *kein pl das (↔Scheck/Kreditkarte)* Münzen und Geldscheine *mit ~ zahlen*

bar·geld·los <-, -> *adj* ohne Münzen oder Geldscheine *~en Zahlungsverkehr bevorzugen*

Ba·rock [ba'rɔk] <-s> *kein pl das* Epoche im 17. Jahrhundert *Bach war ein Musiker des ~.*

Bar·ri·e·re [ba'ri̯eːrə] <-, -n> *die* **1.** Hindernis, Sperre *eine ~ überwinden* **2.** (CH) Bahnschranke *vor der ~ halten*

Bar·ri·ka·de [bari'kaːdə] <-, -n> *die* Absperrung, Hindernis *~n errichten;* **auf die ~n gehen** gegen etw ankämpfen *Bei Unrecht ging er auf die ~n.*

• **Bart** [baːɐ̯t] <-(e)s, Bärte> *der* die Haare, die Männern im Gesicht wachsen *sich einen ~ wachsen lassen* ***Komp: Backen-, Damen-, Schnauz-, Schnurr-, Voll-***

ba·sie·ren [ba'ziːrən] <basiert, basierte, basiert> *itr* [K] ***etw basiert auf etw*** *dat* etw als Grundlage haben *Die Forschung basierte auf den Ergebnissen der Vorgänger.*

Bass [bas] <-es, Bässe> *der* **1.** tiefe Stimme *Er singt den ~., im tiefsten ~ antworten* **2.** Musikinstrument oder Sänger mit tiefer Stimmlage *Er spielt den ~., Der ~ singt falsch.*

bas·teln ['bastl̩n] <bastelt, bastelte, gebastelt> **I.** *tr* [K] ***jd bastelt etw*** *akk* etw aus Einzelteilen zusammensetzen *Er bastelt gerne Modellflugzeuge.* **II.** *itr* sich handwerklich betätigen *In seiner Freizeit bastelt er gern an seinem Motorrad.*

bat [baːt] *prät von* **bitten**

Bat·te·rie [batə'riː] <-, -n> *die* EL kleines Gerät, das Strom produziert *Meine Uhr braucht eine neue ~.*

Batterie

• **Bau** [bau̯] <-(e)s, -ten> *der* **1.** das Errichten von Gebäuden *der ~ einer Schule* **2.** Gebäude *ein kunstvoller ~* **3.** Platz, auf dem ein neues Gebäude errichtet wird *auf dem ~ arbeiten* **4.** Behausung eines Tieres, Höhle *Kaninchen leben in einem ~.*

Bau·ar·bei·ter(in) <-s, -> *der* jd, der neue Gebäude errichtet *Die ~ wurden mit der Arbeit rechtzeitig fertig.*

• **Bauch** [baux] <-(e)s, Bäuche> *der* Teil zwischen Brust und

Becken *einen flachen ~ haben, sich den ~ vollschlagen* ***Komp: -nabel, -schmerzen***

- **bau·en** ['bauən] <baut, baute, gebaut> **I.** *tr* K ***jd baut etw*** ein Gebäude errichten *Die Stadt baut hier eine neue Schule.* **II.** *itr* an einem Gebäude arbeiten *An der Kirche wird seit Jahren gebaut.*
- **Bau·er, Bäu(e)rin** ['bauɐ] <-n/(-s), -n> *der (≈Landwirt)* jd, der beruflich Getreide/Gemüse etc. anbaut und oft auch Tiere züchtet *Der ~ besitzt zehn Kühe und fünfzehn Schweine.*

Bau·ern·hof <-(e)s, -höfe> *der* Haus und Land eines Bauern *ein großer ~*

Bau·jahr <-(e)s, -e> *das* das Jahr, in dem etw hergestellt wurde *Mein Auto ist ~ 95.*

- **Baum** [baum] <-(e)s, Bäume> *der* große Pflanze mit festem Holzstamm *Im Garten wachsen viele alte Bäume.* ***Komp: -schule, Apfel-, Obst-***

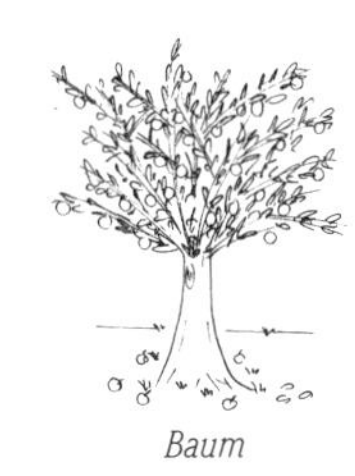
Baum

Baum·stamm <-(e)s, -stämme> *der* kräftigster Teil eines Baumes *Der ~ war so glatt, dass niemand daran hochklettern konnte.*

Baum·wol·le <-> *kein pl die* Pflanze, aus der Kleidung hergestellt wird *Im Süden der USA wird viel ~ angebaut.*

Bau·stel·le <-, -n> *die* Platz, an dem gebaut wird *Auf dieser ~ entsteht ein Hochhaus., Auf der Autobahn ist ein Stau vor einer ~.*

Bau·werk <-(e)s, -e> *das* (architektonisch interessanter) Bau *ein schönes ~*

be·ab·sich·ti·gen [bə'ʔapzɪçtɪgn̩] <beabsichtigt, beabsichtigte, beabsichtigt> *tr* K ***jd beabsichtigt etw*** *akk* vorhaben *Er beabsichtigte, nach Rom zu fahren.*

- **be·ach·ten** <beachtet, beachtete, beachtet> *tr* **1.** K ***jd beachtet jdn*** seine Aufmerksamkeit auf jdn lenken *Er beachtete sie nicht.* **2.** K ***jd beachtet etw*** *akk* etw berücksichtigen, respektieren *die Regeln ~*

be·acht·lich <beachtlicher, beachtlichst-> *adj* besonders gut, so dass es einen sehr guten Eindruck macht *Die Leistungen der Schülerin sind ganz ~.*

- **Be·am·te(r)** [bə'ʔamtə] <-en, -en> *der* jd, der im Auftrag des Staates arbeitet *~r im Ministerium sein*

Beamter
Deutschland beschäftigte 1998 etwa zwei Millionen Beamte, in Österreich waren es etwa 700.000. Beamte arbeiten in der öffentlichen Verwaltung, als Lehrer, Richter, im Militär und (noch) bei der Bahn und der Post. Beamten kann nicht gekündigt werden.
In Deutschland dürfen sie dafür nicht streiken.

be·an·spru·chen [bə'ʔanʃprʊxn̩] <beansprucht, beanspruchte, beansprucht> *tr* K ***jd beansprucht etw*** *akk* [***für sich*** *akk*] etw für sich haben wollen *Er beanspruchte die Hälfte des Geldes für sich.*

be·an·stan·den [bə'ʔanʃtandn̩] <beanstandet, beanstandete, beanstandet> *tr* K ***jd beanstandet etw*** *akk* etw kritisieren *Der Polizist beanstandete den Zustand des Autos.* ***Wobi: Beanstandung***

- **be·an·tra·gen** <beantragt, beantragte, beantragt> *tr* K ***jd beantragt etw*** *akk* [***bei jdm***] offiziell um etwas bitten *Sie beantragte einen neuen Pass.*

be·ant·wor·ten <beantwortet, beantwortete, beantwortet> *tr* K ***jd beantwortet etw*** *akk* Antwort auf etw geben *Er beantwortete das Schreiben sofort.*

be·ar·bei·ten <bearbeitet, bearbeitete, bearbeitet> *tr* **1.** K ***jd bearbeitet etw*** *akk* etw erledigen *Anfragen ~* **2.** K ***jd bearbeitet***

***etw** akk* ein Material formen *Der Künstler bearbeitete Stein, Plastik und Eis.*

Be·ar·bei·tung <-, -en> *die* Erledigung *Die ~ des Vorganges nahm Zeit in Anspruch.* ***Komp:** -sgebühren*

be·auf·sich·ti·gen [bə'ʔaufzɪçtɪgn̩] <beaufsichtigt, beaufsichtigte, beaufsichtigt> *tr* K ***jd beaufsichtigt jdn/etw** akk* auf etw/jdn aufpassen *Der Babysitter beaufsichtigt die Kinder.* ***Wobi:** Beaufsichtigung*

be·auf·tra·gen <beauftragt, beauftragte, beauftragt> *tr* K ***jd beauftragt jdn** [**mit etw** dat]* jdm eine Aufgabe geben *Der Chef hat ihn damit beauftragt.*

Bé·bé [be'beː] <-s, -s> *das* (CH) Baby *Hat Ihr ~ schon Zähne?*

be·ben ['beːbn̩] <bebt, bebte, gebebt> *itr* erzittern, sich bewegen *Die Erde bebte, als der Vulkan ausbrach.*

Be·cher ['bɛçɐ] <-s, -> *der* Trinkgefäß meist ohne Henkel *aus dem ~ trinken* ***Komp:** Kaffee-, Zahnputz-*

• **be·dan·ken** <bedankt, bedankte, bedankt> *refl* K ***jd bedankt sich** akk* [***für etw** akk*] jdm für etw danke sagen *Ich möchte mich bei Ihnen für Ihre Hilfe ~.*

• **Be·darf** [bə'darf] <-(e)s> *kein pl der* Notwendigkeit einer Sache *bei ~, an etw ~ haben, je nach ~*

be·deckt <-, -> *adj* wolkig *Der Himmel ist ~.*; **sich ~ halten** seine Meinung nicht laut sagen *Er hielt sich in dieser Angelegenheit ~.*

be·den·ken <bedenkt, bedachte, bedacht> *tr* **1.** K ***jd bedenkt etw** akk* etw berücksichtigen *Er hat alle Aspekte der Angelegenheit bedacht.* **2.** K ***jd bedenkt jdn** [**mit etw** dat]* jdm etw schenken, zukommen lassen *Er bedachte ihn in seinem Testament.* ***Wobi:** -swert*

• **be·deu·ten** <bedeutet, bedeutete, bedeutet> *itr* meinen, ausdrücken *Was bedeutet dieses Wort?, Dieses Schild bedeutet, dass man hier nicht parken darf., Das bedeutet gar nichts.*

Be·deu·tung <-, -en> *die* **1.** Inhalt, Sinn eines Zeichens *Sie kannte die ~ dieses Wortes., Das Wörterbuch erklärt die ~ der Wörter.* **2.** Wichtigkeit *von ~ sein, nichts von ~*

• **be·die·nen** <bedient, bediente, bedient> **I.** *tr* **1.** K ***jd bedient jdn*** jdm bringen, was er haben will *Der Kellner bedient die Gäste im Restaurant.* **2.** K ***jd bedient etw** akk* eine Maschine kontrollieren, mit einer Maschine arbeiten *Er bedient den Computer.* **II.** *refl* K ***jd bedient sich** akk* [***mit etw** dat*] sich etw nehmen *Sie bedient sich mit Kuchen.*

• **Be·die·nung** <-, -en> *die* **1.** das Bedienen eines Kunden, Gastes, einer Maschine *schlechte/gute ~* **2.** Servicepersonal in einer Gaststätte *die ~ rufen* ***Komp:** -sanleitung*

be·dingt <-, -> *adj* abhängig *Die politische Situation ist ~ durch die wirtschaftliche Lage.*

• **Be·din·gung** <-, -en> *die* Voraussetzung, Kondition *~en stellen, Geld zu günstigen ~en bekommen, etw nur unter einer ~ machen*

be·dro·hen <bedroht, bedrohte, bedroht> *tr* K ***jd bedroht jdn** [**mit etw** dat]* jdm große Angst machen *Sie bedrohte ihn mit einem Messer.*

Be·dro·hung <-, -en> *die* Gefahr *Die Fabrik ist eine ~ für die Um-*

welt.

be·drü·cken <bedrückt, bedrückte, bedrückt> *tr* [K] ***etw bedrückt jdn*** deprimieren, traurig machen *Dass er sie verlassen hatte, bedrückte sie.*

Be·dürf·nis [bə'dʏrfnɪs] <-ses, -se> *das* Verlangen *Ich hatte das dringende ~, ihm zu helfen.*

• **be·ei·len** <beeilt, beeilte, beeilt> *refl* [K] ***jd beeilt sich*** *akk (= CH pressieren)* möglichst schnell machen/sein *Sie beeilte sich, um noch rechtzeitig zu kommen.*

be·ein·dru·cken [bə'ʔaindrʊkn̩] <beeindruckt, beeindruckte, beeindruckt> *tr* [K] ***jd/etw beeindruckt jdn*** Eindruck machen *Das Buch hat mich sehr beeindruckt.*

• **be·ein·flus·sen** [be'ʔainflʊsn̩] <beeinflusst, beeinflusste, beeinflusst> *tr* [K] ***jd/etw beeinflusst jdn/etw*** *akk* besondere Wirkung auf jdn haben, manipulieren *Er wurde stark von seinen Eltern beeinflusst.*

be·en·den <beendet, beendete, beendet> *tr* [K] ***jd beendet etw*** *akk (↔beginnen)* aufhören mit etw *Sie beendete das Gespräch.*

be·er·di·gen [bə'ʔeːɐ̯dɪgn̩] <beerdigt, beerdigte, beerdigt> *tr* [K] ***jd beerdigt jdn*** *(≈begraben)* einen Toten (auf dem Friedhof) begraben *Der verstorbene Großvater wurde beerdigt.* ***Wobi:*** *Beerdigung*

Bee·re ['beːrə] <-, -n> *die* BOT kleine, runde Frucht an Sträuchern oder kleinen Pflanzen *~n sammeln, ~n pflücken* ***Komp:*** *Brom-, Erd-, Him-*

Beeren

Beet ['beːt] <-(e)s, -e> *das* kleines Stück Land, auf dem Obst, Gemüse oder Blumen gepflanzt werden *Sie hatten auf ihrem ~ nur Erdbeeren angepflanzt.* ***Komp:*** *Blumen-, Gemüse-*

be·fahl [bə'faːl] *prät von* **befehlen**

Be·fehl [bə'feːl] <-(e)s, -e> *der* Anordnung, Zwang, Anweisung *Sie hatten den ~ zu gehorchen., auf ~ handeln*

be·feh·len [bə'feːlən] <befiehlt, befahl, befohlen> **I.** *tr* [K] ***jd befiehlt etw*** *akk* etw anordnen *Er befahl ihnen, still zu sein.* **II.** *itr* anordnen *Der Kapitän befiehlt, die Mannschaft gehorcht.*

be·fes·ti·gen <befestigt, befestigte, befestigt> *tr* [K] ***jd befestigt etw*** *akk* [***an etw*** *dat*] festmachen, sichern *Er befestigte den Kindersitz im Auto.*

be·fin·den <befindet, befand, befunden> **I.** *refl* [K] ***jd/etw befindet sich*** *akk* ***irgendwo*** sein *Die Abbildung befindet sich auf der nächsten Seite.* **II.** *itr* entscheiden *Die Richter ~ über das Schicksal des Angeklagten.*

be·foh·len [bə'foːlən] *part perf von* **befehlen**

be·fol·gen <befolgt, befolgte, befolgt> *tr* [K] ***jd befolgt etw*** *akk* etw berücksichtigen *Befolge meinen Rat!*

be·för·dern <befördert, beförderte, befördert> *tr* **1.** [K] ***jd befördert etw*** *akk/****jdn*** transportieren, fahren, chauffieren *etw mit Luftpost ~* **2.** [K] ***jd befördert jdn*** jdm eine höhere Stellung geben *den Mitarbeiter aufgrund guter Leistungen ~* ***Wobi:*** *Beförderung*

be·frei·en <befreit, befreite, befreit> *tr* [K] ***jd befreit jdn*** [***von etw*** *dat*] jdn aus einer schwierigen Situation herausholen *Er befreite ihn aus der Gefangenschaft.*

be·freun·det <-, -> *adj* in Freundschaft verbunden *miteinander ~ sein, schon lange ~ sein*

• **be·frie·di·gend** [bəˈfriːdɪgn̩t] <befriedigender, befriedigendst-> *adj* **1.** zufrieden stellend, in Ordnung *eine ~e Situation* **2.** mittlere Note in der Schule *Seine Leistungen im Deutschunterricht sind nur ~.*

be·fris·ten <befristet, befristete, befristet> *tr* [K] ***jd befristet etw*** *akk* [***auf etw*** *akk*] zeitlich begrenzen, beschränken *Das Angebot ist auf zehn Tage befristet.*

be·fugt [bəˈfuːkt] <-, -> *adj (geh)* so dass man das Recht zu etw hat *~ (dazu) sein, etw zu tun*

be·fürch·ten <befürchtet, befürchtete, befürchtet> *itr* Sorge haben, ahnen *das Schlimmste ~*

be·für·wor·ten [bəˈfyːɐ̯vɔrtn̩] <befürwortet, befürwortete, befürwortet> *tr* [K] ***jd befürwortet etw*** *akk* zustimmen, unterstützen *Der Plan wurde vom Vorstand befürwortet.*

be·gabt [bəˈgaːpt] <begabter, begabtest-> *adj* so, dass man etw besonders leicht lernt und gut kann *musikalisch ~ sein* ***Wobi: Begabung***

be·gann [bəˈgan] *prät von* **beginnen**

• **be·geg·nen** [bəˈgeːgnən] <begegnet, begegnete, begegnet> **I.** *itr <sein>* jdn treffen *Er ist ihr zufällig begegnet.* **II.** *refl* [K] ***sie begegnen sich*** *dat* sich treffen *Sie waren sich schon einmal begegnet.*

be·geis·tern <begeistert, begeisterte, begeistert> **I.** *tr* [K] ***jd/etw begeistert jdn/etw*** *akk* jdm sehr große Freude machen *Die Musik begeisterte sie.* **II.** *refl* [K] ***jd begeistert sich*** *akk* [***für etw*** *akk*] sich sehr stark für etw interessieren *Sie begeistert sich für alte Bücher.* ***Wobi: Begeisterung***

Be·ginn [bəˈgɪn] <-(e)s> *kein pl der* Anfang *Bei ~ des Filmes wird das Licht ausgeschaltet.*

• **be·gin·nen** [bəˈgɪnən] <beginnt, begann, begonnen> **I.** *tr* [K] ***jd beginnt etw*** *akk/* ***mit etw*** *dat (↔beenden)* anfangen, starten *Er beginnt seine Lehre.* **II.** *itr* anfangen *Du beginnst!, Wir ~ mit dem Spiel., Seine Lehre beginnt am 1. Januar.*

be·glei·ten <begleitet, begleitete, begleitet> *tr* [K] ***jd/etw begleitet jdn*** mit jdm irgendwohin gehen *Er begleitete sie nach Hause.* ***Wobi: Begleiter***

be·glück·wün·schen <beglückwünscht, beglückwünschte, beglückwünscht> *tr* [K] ***jd beglückwünscht jdn*** [***zu etw*** *dat*] gratulieren *Er beglückwünschte sie zu dem gelungenen Auftritt.*

be·gon·nen [bəˈgɔnən] *part perf von* **beginnen**

be·gra·ben <begräbt, begrub, begraben> *tr* **1.** [K] ***jd begräbt jdn*** beerdigen *Der tote Großvater wurde ~.* **2.** [K] ***etw begräbt jdn*** [***unter sich*** *dat*] verschütten *Die Lawine begrub die Touristen.*

Be·gräb·nis [bəˈgrɛːpnɪs] <-es, -se> *das (≈Beerdigung)* Bestattung, Beerdigung eines Toten *ein feierliches ~*

be·grei·fen <begreift, begriff, begriffen> *tr* [K] ***jd begreift etw*** *akk* verstehen *Ich begreife dich nicht., Er hatte nicht begriffen, dass ...*

Be·griff <-(e)s, -e> *der* Ausdruck, abstraktes Wort *Was bedeutet der*

~ *‚Demokratie'?;* **für meine ~e** meiner Ansicht nach *Für meine ~e ist der Preis zu hoch.;* **schwer von ~ sein** *(umg)* nur sehr langsam verstehen *Hast du es immer noch nicht verstanden? Bist du schwer von ~!*

• **be·grün·den** <begründet, begründete, begründet> *tr* **1.** K ***jd begründet etw*** *akk* Gründe nennen *Sie konnte nicht ~, warum sie so handelte.* **2.** K ***jd begründet etw*** *akk* gründen *Romulus begründete der Sage nach die Stadt Rom.* ***Wobi: Begründung***

• **be·grü·ßen** <begrüßt, begrüßte, begrüßt> *tr* **1.** K ***jd begrüßt jdn*** jdm ‚guten Tag'/‚hallo' etc. sagen *Der Gastgeber begrüßte die Gäste.* **2.** K ***jd begrüßt etw*** *akk* sich über etw freuen *Die Regierung begrüßt die wirtschaftliche Entwicklung.*

Be·grü·ßung <-, -en> *die* das Willkommen *Die ~ war sehr herzlich.*

Begrüßung

be·gut·ach·ten <begutachtet, begutachtete, begutachtet> *tr* K ***jd begutachtet etw*** *akk* sein Urteil zu etw abgeben *Der Experte begutachtete das Material.*

be·haart [bəˈhaːɐ̯t] <behaarter, behaartest-> *adj* so, dass man am Körper viele Haare hat *eine stark ~e Männerbrust*

• **be·hal·ten** <behält, behielt, behalten> *tr* **1.** K ***jd behält etw*** *akk* nicht wieder hergeben *Er behielt alles für sich.* **2.** K ***jd behält etw*** *akk* etw nicht vergessen *Sie behielt die Telefonnummer im Kopf.* **3.** K ***jd behält etw*** *akk* immer noch haben *Er behält immer seine gute Laune., im Stress die Nerven ~, jdn in guter Erinnerung ~*

• **be·han·deln** <behandelt, behandelte, behandelt> *tr* **1.** K ***jd behandelt jdn/etw*** *akk* mit jdm/etw auf eine bestimmte Art umgehen *Er behandelte das Porzellan vorsichtig., Sie behandelten ihr Kind immer gut.* **2.** K ***jd behandelt jdn/etw*** *akk* sich medizinisch um jdn kümmern *einen Patienten ~, seine Zähne ~ lassen;* K ***jd behandelt etw*** besprechen, zum Thema machen *Dieses Thema müssen wir extra ~.*

Be·hand·lung <-, -en> *die* ärztliche Maßnahmen gegen eine Krankheit;Therapie *Wegen ihrer Rückenschmerzen ist sie in ständiger ~.*

• **be·haup·ten** [bəˈhau̯ptn̩] <behauptet, behauptete, behauptet> **I.** *tr* **1.** K ***jd behauptet etw*** *akk* seinen Platz/seine Position verteidigen *Er behauptete seine Stellung in der Firma.* **2.** K ***jd behauptet etw*** *akk* als richtig darstellen, ohne es zu beweisen *Er behauptet, dass er unschuldig sei.* **II.** *refl* K ***jd behauptet sich*** *akk* seinen Platz, Rang verteidigen *Er behauptete sich in der Mannschaft.*

Be·haup·tung <-, -en> *die* nicht bewiesene Äußerung, These *eine ~ aufstellen*

be·hel·fen <behilft, behalf, beholfen> *refl* K ***jd behilft sich*** *dat* [***mit etw*** *dat*] einen Ersatz nehmen *Er behalf sich mit einem Nagel, weil er keine Schraube fand.*

be·herr·schen <beherrscht, beherrschte, beherrscht> **I.** *tr* **1.** K ***jd beherrscht jdn/etw*** *akk* Macht über jdn/etw haben *ein Land ~, den Markt ~* **2.** K ***jd beherrscht etw*** *akk* etw sicher unter Kontrolle haben *die Situation ~* **3.** K ***jd beherrscht etw*** *akk* sehr gut können *Er beherrschte die Kunst des Schweigens.* **II.** *refl* K ***jd beherrscht sich*** *akk* sich selbst unter Kontrolle haben *sich nur mit Mühe ~ können* ***Wobi: Beherrschung***

Be·herr·schung <-> *kein pl die* **1.** Kontrolle über die eigene Person *Er hatte überhaupt keine ~.* **2.** Können *die ~ einer Fremdsprache*

be·hilf·lich [bə'hɪlflɪç] <behilflicher, behilflichst-> *adj* so, dass man hilft *jdm beim Aussteigen ~ sein*

• **be·hin·dern** <behindert, behinderte, behindert> *tr* K ***jd behindert jdn/etw** akk* [***bei etw** dat*] stören, aufhalten *Er behinderte den Polizisten bei der Verfolgung des Verbrechers., Der Regen behindert meine Sicht.*

• **be·hin·dert** <-, -> *adj* körperlich oder geistig durch eine Krankheit eingeschränkt *Seit seinem Unfall ist er ~.* ***Wobi:** Behinderte(r)* ***Komp:** geh-, seh-*

Be·hin·de·rung <-, -en> *die* **1.** etw, das behindert *Die ~ von Amtspersonen ist strafbar., Der Unfall stellte für den Verkehr eine ~ dar.* **2.** dauerhafte körperliche oder geistige Einschränkung *mit seiner ~ leben lernen*

Be·hör·de [bə'hø:ɐ̯də] <-, -n> *die* offizielles Verwaltungsorgan, Amt *Die zuständige ~ ist das Arbeitsamt.*

• **bei** [bai̯] *präp* **1.** *+dat* in der Nähe *Sankt Gallen liegt ~ Zürich.* **2.** *+dat* an einem bestimmten Ort *~ meinem Onkel, ~ mir zu Hause, Er arbeitet ~ der Bank., Hast du etwas Geld ~ dir?* **3.** *+dat* während *~ Tag, ~ Nacht, ~ Beginn der Vorstellung*

bei|brin·gen <bringt bei, brachte bei, beigebracht> *tr* **1.** K ***jd bringt jdm etw** akk* **bei** lehren *Der Lehrer bringt den Kindern das Rechnen bei.* **2.** K ***jd bringt jdm etw** akk* **bei** mitteilen *Sie brachte ihm die traurige Nachricht schonend bei.*

• **bei·de** ['bai̯də] *pron* zwei Personen/Dinge gemeinsam *B~ Kinder wollten Schokolade., Er kaufte sich ~ Hemden.*

bei·ein·an·der [bai̯ʔai̯'nandɐ] *adv* zusammen *Sie wollten immer ~ sein.;* **nicht alle ~ haben** *(umg)* geistig verwirrt sein *Du hast wohl nicht mehr alle ~!*

Bei·fall <-s> *kein pl der* Applaus *Der ~ im Theater wollte nicht enden.*

bei·läu·fig <-, -> *adj* nebenbei *etw ~ sagen*

Bei·leid <-(e)s> *kein pl das* Mitgefühl bei einem Unglück *Mein herzliches ~!*

• **beim** [bai̯m] = bei + dem *~ Frühstück, ~ Vater sein*

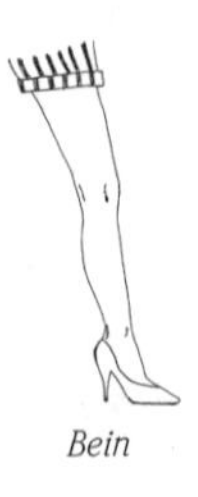

Bein

• **Bein** [bai̯n] <-(e)s, -e> *das* Körperteil, mit dem man geht *Der Mensch hat zwei ~e, der Hund vier.;* **jdm ein ~ stellen** jdm eine Hürde in den Weg legen *Er stellte ihm ein ~.;* **jdm ~e machen** jdn antreiben *Er machte seinem Lehrling ~e.;* **etw auf die ~e stellen** etw verwirklichen, realisieren *Er hat wirklich etw auf die ~e gestellt.*

bei·na·he ['bai̯na:ə] *adv (≈fast)* so, dass es erst im letzten Moment verhindert wird *Ich hätte das Auto ~ gekauft.*

Bein·bruch <-(e)s, -brüche> *der* Bruch eines Beines *Sein ~ heilt nur langsam.;* **Das ist kein ~!** Das ist nicht weiter schlimm. *Das ist kein ~, dass du eine schlechte Note geschrieben hast.*

be·in·hal·ten [bə'ʔɪnhaltn̩] <beinhaltet, beinhaltete, beinhaltet> *tr* K ***etw beinhaltet etw** akk* enthalten, haben *Das Buch beinhaltet ein Register.*

bei|pflich·ten ['bai̯pflɪçtn̩] <pflichtet bei, pflichtete bei, beigepflichtet> *itr (geh)* zustimmen *Er konnte ihr nur ~.*

bei·sam·men [bai̯'zamən] *adv* zusammen *Das Paar blieb bis zum Tod ~.;* **gut ~ sein** dick/kräftig sein *Da er viel und gut aß, war er gut ~.;* **nicht alle ~ haben** *(umg)* geistig verwirrt sein *Wer so etw macht, kann nicht alle ~ haben.*

Bei·sein <-s> *kein pl das (geh)* Anwesenheit *Im ~ des Präsidenten wurde die neue Schule eingeweiht.*

• **Bei·sel** ['bai̯zl̩] <-s, -> *das* (ÖSTERR) Kneipe *ins ~ gehen*

bei·ßen ['bai̯sn̩] <beißt, biss, gebissen> **I.** *tr* [K] ***jd beißt jdn/etw*** *akk* mit den Zähnen packen *Der Hund beißt das Kind.* **II.** *itr* die Zähne in etw hineingraben *in einen Apfel ~*

bei|set·zen <setzt bei, setzte bei, beigesetzt> *tr* [K] ***jd setzt jdn bei*** *(geh)* beerdigen, begraben *Der Staatspräsident wird morgen beigesetzt.*

• **Bei·spiel** ['bai̯ʃpiːl] <-s, -e> *das* ein typischer Fall, den man benutzt, um ein allgemeines Prinzip zu erklären *zum ~, jdm ein ~ geben, sich ein ~ an jdm nehmen*

bei·spiels·wei·se *adv* zum Beispiel, als Beispiel *Denken Sie ~ an die Entwicklung der Dampfmaschine.*

bei|ste·hen <steht bei, stand bei, beigestanden> *itr <sein/haben>* unterstützen, helfen *Wahre Freunde stehen sich immer bei.*

• **Bei·trag** ['bai̯traːk] <-(e)s, -träge> *der* **1.** regelmäßig zu zahlende Geldsumme *Er zahlt seinen ~ immer pünktlich an den Verein.* **2.** Mitarbeit *Jeder Gast soll einen ~ zur Hochzeitsfeier leisten.* **3.** längerer Artikel, Aufsatz, z. B. in einer Zeitschrift *Hast du schon den ~ über den Euro gelesen?*

bei|tre·ten <tritt bei, trat bei, beigetreten> *itr <sein>* in etw eintreten, Mitglied werden *Er ist nie einer Partei beigetreten.*

Bei·tritt <-s, -e> *der* das Beitreten, Mitglied werden *seinen ~ erklären*

be·ja·hen [bə'jaːən] <bejaht, bejahte, bejaht> *tr* **1.** [K] ***jd bejaht etw*** *akk* ja sagen zu etw *eine Frage ~* **2.** [K] ***jd bejaht etw*** *akk* dafür sein *ein Vorhaben ~*

be·kämp·fen <bekämpft, bekämpfte, bekämpft> *tr* [K] ***jd bekämpft jdn/etw*** *akk* mit Gewalt gegen jdn/etw vorgehen *Schädlinge im Garten mit Gift ~, das organisierte Verbrechen ~*

• **be·kannt** [bə'kant] <bekannter, bekanntest-> *adj* **1.** von vielen gekannt, berühmt *eine ~e Schauspielerin* **2.** so, dass man es weiß *Das ist mir ~.;* **~ geben** mitteilen, öffentlich sagen *Termin und Treffpunkt geben wir rechtzeitig ~.*

• **Be·kann·te(r)** <-n, -n> *der/die* jd, den man kennt *einen ~n treffen*

Be·kannt·schaft <-, (-en)> *die* **1.** persönlicher Kontakt *jds ~ machen, mit etw ~ machen* **2.** Gruppe von Personen, zu der man einen persönlichen Kontakt hat *In seiner ~ gab es keine Künstler.*

be·ken·nen <bekennt, bekannte, bekannt> **I.** *tr* [K] ***jd bekennt etw*** *akk* offen sagen, bereuen *Sie bekennt ihren Fehler.* **II.** *refl* [K] ***jd bekennt sich*** *akk* [***zu etw*** *dat*] öffentlich ja sagen zu etw *sich schuldig ~, sich zur Demokratie ~*

be·kla·gen <beklagt, beklagte, beklagt> **I.** *tr* [K] ***jd beklagt etw*** *akk* öffentlich um etw trauern *den Tod des Vaters ~* **II.** *refl* [K] ***jd beklagt sich*** *akk* [***bei jdm über etw*** *akk*] sich beschweren *Ich kann mich nicht ~., Er beklagte sich über den schlechten Service.*

B

Be·klei·dung <-> *kein pl die* Kleider *unzweckmäßige/praktische ~*

• **be·kom·men** <bekommt, bekam, bekommen> *tr* [K] ***jd bekommt etw** akk (≈kriegen)* erhalten *eine Glatze ~, etw zu essen ~, ein Kind ~, Besuch ~, Bauchschmerzen ~, Ich bekomme von jedem noch vier Euro., etw nur in der Apotheke ~*

be·kräf·ti·gen <bekräftigt, bekräftigte, bekräftigt> *tr* [K] ***jd bekräftigt etw** akk* nachdrücklich bestätigen, betonen *einen Entschluss ~*

be·las·ten <belastet, belastete, belastet> **I.** *tr* **1.** [K] ***jd/etw belastet jdn/etw** akk* eine schädliche Wirkung auf etw haben *die Umwelt durch Abgase ~* **2.** [K] ***etw belastet jdn*** etw bereitet jdm Probleme *Ihre schlechten Noten in der Schule ~ sie sehr.* **3.** [K] ***jd/etw belastet jdn** (↔entlasten)* vor Gericht gute Gründe für jds Schuld sagen *Seine Frau belastete ihn in dem Prozess schwer.* **II.** *refl* [K] ***jd belastet sich** akk **mit etw** dat (↔entlasten)* etw Schwieriges auf sich nehmen *Damit möchte ich mich nicht ~.*

be·läs·ti·gen [bəˈlɛstɪgn̩] <belästigt, belästigte, belästigt> *tr* **1.** [K] ***jd/etw belästigt jdn*** lästig/zu nahe sein *Die Fliegen ~ uns besonders im Sommer.* **2.** [K] ***jd belästigt jdn*** zu nahe kommen, jdn nicht in Ruhe lassen *Der Mann belästigte die Frau auf offener Straße.*

be·le·gen <belegt, belegte, belegt> *tr* **1.** [K] ***jd belegt etw** akk* nachweisen *Sie konnte ihre Leistungen ~.* **2.** [K] ***jd belegt etw** akk* einen Platz einnehmen *im Wettbewerb den ersten Platz ~* **3.** [K] ***jd belegt etw** akk **mit etw** dat* bedecken *Butterbrote mit Wurst ~*

be·leh·ren <belehrt, belehrte, belehrt> *tr* [K] ***jd belehrt jdn*** jd korrigieren *jdn eines Besseren ~, sich eines anderen ~ lassen*

• **be·lei·di·gen** [bəˈlaidɪgn̩] <beleidigt, beleidigte, beleidigt> *tr* [K] ***jd/etw beleidigt jdn*** jdn durch Worte verletzen *Bist du jetzt beleidigt?, Ich wollte Sie nicht ~.* ***Wobi:* Beleidigung**

Be·lei·di·gung <-, -en> *die* das Beleidigen, Verletzung von Gefühlen *etw als ~ auffassen*

Be·leuch·tung <-, -en> *die* Lichtanlage *die ~ einschalten, eine schlechte ~*

be·lie·big [bəˈliːbɪç] <-, -> *adj* irgendein *zu jeder ~en Zeit, von ~er Größe, in ~er Reihenfolge*

• **be·liebt** [bəˈliːpt] <beliebter, beliebtest-> *adj* gern gesehen, geschätzt *Er ist ein ~er Gast., sich bei jdm ~ machen*

bel·len [ˈbɛlən] <bellt, bellte, gebellt> *itr* die Laute produzieren, die für einen Hund typisch sind *Die Hunde bellten in der Nacht.*

be·loh·nen <belohnt, belohnte, belohnt> *tr* [K] ***jd belohnt jdn*** [***mit etw** dat*] jdm als Lob/Dank etw geben *Die Firma belohnt ihre Mitarbeiter mit einer Urkunde.*

Be·loh·nung <-, -en> *die* Anerkennung *Zur ~ für dein gutes Zeugnis gibt es ein kleines Geschenk.*

be·lü·gen <belügt, belog, belogen> *tr* [K] ***jd belügt jdn*** nicht die Wahrheit sagen *Hast du mich etwa belogen?*

• **be·mer·ken** <bemerkt, bemerkte, bemerkt> *tr* **1.** [K] ***jd bemerkt etw** akk* merken, registrieren *Sie bemerkte, dass sie ihre Schlüssel vergessen hatte.* **2.** [K] ***jd bemerkt etw** akk* sagen *Nebenbei bemerkt: Das Essen war sehr schlecht.* ***Wobi:* bemerkenswert**

Be·mer·kung <-, -en> *die* Aussage *Sie machte eine entsprechende ~.*

be·mit·lei·den [bəˈmɪtlaidn̩] <bemitleidet, bemitleidete, bemitleidet> *tr* [K] ***jd bemitleidet jdn*** um jdn besorgt sein *einen Kranken ~*

• **be·mü·hen** <bemüht, bemühte, bemüht> **I.** *tr* [K] ***jd bemüht jdn*** um Hilfe bitten *Ich bemühe Sie nur ungern.* **II.** *refl* **1.** [K] ***jd bemüht sich*** *akk* sich anstrengen, sich Mühe geben *Bitte ~ Sie sich nicht!, Bemühe dich doch ein bisschen, dann klappt es schon.* **2.** [K] ***jd bemüht sich*** *akk* ***um jdn/etw*** *akk* sich um jdn/etw kümmern *sich um den Kranken/einen Termin ~*

Be·mü·hung <-, -en> *die* Anstrengung *Vielen Dank für Ihre ~en.*

be·nach·bart [bəˈnaxbaːɐ̯t] <-, -> *adj* so, dass man nebeneinander wohnt/steht *das ~e Haus*

be·nach·tei·li·gen [bəˈnaːxtailɪgn̩] <benachteiligt, benachteiligte, benachteiligt> *tr* [K] ***jd benachteiligt jdn*** [***gegenüber jdm***] jdn schlechter behandeln als andere *Der Vater benachteiligte seine Tochter gegenüber seinem Sohn.*

be·neh·men <benimmt, benahm, benommen> *refl* [K] ***jd benimmt sich*** *akk* ***irgendwie*** sich verhalten *Sie benimmt sich tadellos., Benimm dich!* ***Wobi: Benehmen***

be·nei·den <beneidet, beneidete, beneidet> *tr* [K] ***jd beneidet jdn*** [***um etw*** *akk*] neidisch sein *Er ist nicht zu ~., Sie beneidete ihre Freundin um ihre Schönheit.*

be·nen·nen <benennt, benannte, benannt> *tr* [K] ***jd benennt etw*** *akk* ***nach etw*** *dat* einen Namen geben *Diese Straße wurde nach Otto von Bismarck benannt.*

be·nö·ti·gen <benötigt, benötigte, benötigt> *tr* [K] ***jd benötigt jdn/etw*** *akk* brauchen *Medikamente ~, Hilfe ~*

• **be·nut·zen** <benutzt, benutzte, benutzt> *tr* [K] ***jd benutzt jdn/etw*** *akk* nehmen, um etw Bestimmtes zu tun; gebrauchen *ein Handtuch ~, etw als Vorwand ~*

be·nüt·zen <benützt, benützte, benützt> *siehe* **benutzen**

Be·nut·zer(in) <-s, -> *der* jd, der etw benutzt *Jeder ~ eines Computers hat ein Passwort.*

be·nut·zer·freund·lich <benutzerfreundlicher, benutzerfreundlichst-> *adj* einfach in der Bedienung *Die meisten Softwareprogramme sind nicht sehr ~.*

Be·nut·zer·hand·buch <-(e)s, -bücher> *das* DV eine Art Bedienungsanleitung *Das ~ für die neue Textverarbeitung ist sehr dick.*

Be·nut·zer·o·ber·flä·che <-, -n> *die* DV Bildschirmaufbau eines Softwareprogramms *Die ~ der Textverarbeitung ist übersichtlich gestaltet.*

• **Ben·zin** [bɛnˈtsiːn] <-s, -e> *das* flüssiger Stoff, um Motoren zum Laufen zu bringen *Die meisten Autos fahren mit ~.* ***Komp: Normal-, Super-***

• **be·o·bach·ten** [bəˈʔoːbaxtn̩] <beobachtet, beobachtete, beobachtet> *tr* [K] ***jd beobachtet jdn/etw*** *akk* längere Zeit aufmerksam anschauen *den Patienten den ganzen Tag ~* ***Wobi: Beobachtung***

• **be·quem** [bəˈkveːm] <bequemer, bequemst-> *adj* **1.** komforta-

Benzin

bel, angenehm *ein ~er Sessel* **2.** leicht *Er geht immer den ~sten Weg.*

- **be·ra·ten** <berät, beriet, beraten> **I.** *tr* [K] ***jd berät jdn*** einen Rat geben *eine Kundin ~* **II.** *itr* [K] ***jd berät über etw*** *akk* über etw diskutieren *Wir müssen noch ausführlich darüber ~.* **III.** *refl* [K] ***jd berät sich*** *akk* [***mit jdm über etw*** *akk*] sich besprechen *sich mit seinem Anwalt ~* ***Wobi: Beratung***

Be·rech·nung <-, -en> *die* Kalkulation *Nach meiner ~ sind wir falsch gesegelt.*

be·rech·ti·gen [bəˈrɛçtɪgn̩] <berechtigt, berechtigte, berechtigt> *tr* [K] ***jd/etw berechtigt jdn*** [***zu etw*** *dat*] erlauben *Eltern sind berechtigt, für ihre nicht erwachsenen Kinder zu entscheiden.* ***Wobi: Berechtigung***

Be·reich <-(e)s, -e> *der* **1.** abgegrenztes Gebiet *der ~ zwischen Tür und Wand* **2.** Teilgebiet *Er hat sich auf einen bestimmten ~ spezialisiert.*

- **be·reit** [bəˈrai̯t] <-, -> *adj* **1.** fertig *Bist du ~ zu gehen?* **2.** willig *Er ist ~, etw an seiner Situation zu ändern.*

be·reits [bəˈrai̯ts] *adv* schon *~ am nächsten Tag*

be·reu·en <bereut, bereute, bereut> *tr* [K] ***jd bereut etw*** *akk* etw rückgängig machen wollen *Er bereute, dass er sie schlecht behandelt hatte.*

- **Berg** [bɛrk] <-(e)s, -e> *der* **1.** Teil eines Gebirges *Der Mont Blanc ist der höchste ~ der Alpen., in die ~e fahren* **2.** eine große Menge von etw *einen ~ Arbeit vor sich haben*

berg·ab [bɛrkˈap] *adv* (↔*bergauf*) hinunter *Von hier oben geht es nur noch ~.;* **es geht mit jdm** ~ (*umg*) es geht jdm immer schlechter *Von den Drogen rutschte er in die Kriminalität, mit ihm geht es ~.*

berg·auf [bɛrkˈau̯f] *adv* (↔*bergab*) einen Berg hinauf *Aus dem Tal fahren wir ~ bis zur Passhöhe.;* **es geht** (**mit jdm**) ~ eine Schwierigkeit/Krankheit ist (für jdn) vorbei *Nach der Krise geht es jetzt wieder ~.*

Bergbahn

Berg·bahn <-, -en> *die* eine Bahn, die auf einen Berg fährt *Die ~ in Heidelberg fährt auf den Königsstuhl.*

- **Be·richt** [bəˈrɪçt] <-(e)s, -e> *der* eine sachliche Darstellung über ein Geschehen *einen ~ schreiben, jdm über etw ~ erstatten*
- **be·rich·ten** <berichtet, berichtete, berichtet> *tr* [K] ***jd berichtet von etw*** *dat*/***über etw*** *akk* sachlich erzählen *Die Tagesschau berichtet Neues vom Tage.*

be·rich·ti·gen [bəˈrɪçtɪgn̩] <berichtigt, berichtigte, berichtigt> *tr* [K] ***jd berichtigt etw*** *akk* korrigieren *Sie berichtigte ihre frühere Aussage.* ***Wobi: Berichtigung***

Ber·li·ner [bɛrˈliːnɐ] <-s, -> *der* **1.** Bewohner von Berlin *Ich bin ein ~.* **2.** (≈*Krapfen*) in Fett fritiertes, gefülltes Gebäck *~ sind mit Marmelade gefüllt.*

- **be·rück·sich·ti·gen** [bəˈrʏkzɪçtɪgn̩] <berücksichtigt, berücksichtigte, berücksichtigt> *tr* **1.** [K] ***jd berücksichtigt etw*** *akk* beachten *Man muss auch die Entwicklung ~.* **2.** [K] ***jd berücksichtigt jdn*** an jdn denken, jdn bedenken *Der Chef berücksichtigte sie bei der Vergabe der neuen Stellen.*
- **Be·ruf** [bəˈruːf] <-(e)s, -e> *der* Arbeit *Was sind Sie von ~?, einen ~ ausüben*

be·ruf·lich <-, -> *adj* im Rahmen des Berufs *Was machen Sie ~?*

Be·rufs·schu·le <- ,-n> *die* Schule, die während der Lehre besucht wird *die ~ besuchen, auf die ~ gehen*

Berufsschule
Jeder Auszubildende in Deutschland und in der Schweiz sowie jeder Lehrling in Österreich muss in der Regel ein- bis zweimal pro Woche zur Berufsschule gehen. Dort hat er allgemeine und berufsspezifische Fächer.

• **be·rufs·tä·tig** <-, -> *adj* so, dass man eine Arbeitsstelle hat *~ sein* ***Wobi:*** *Berufstätige*

Be·ru·fung <-> *kein pl die* **1.** besondere Befähigung, die jd als Auftrag verspürt *Er spürte die ~ zum Priester in sich.* **2.** JUR Einspruch *~ einlegen, in ~ gehen*

• **be·ru·hi·gen** [bə'ruːɪgn̩] <beruhigt, beruhigte, beruhigt> **I.** *tr* [K] ***jd beruhigt jdn*** ruhiger machen *Ich kann Sie (da) ~!, Na, dann bin ich ja beruhigt!* **II.** *refl* [K] ***jd/etw beruhigt sich*** *akk* ruhiger werden *Nach diesem Schock konnte sie sich nur schwer ~.*; ruhiger, weniger hektisch werden *Der Verkehr beruhigt sich wieder., Hat sich dein Magen jetzt beruhigt?*

• **be·rühmt** [bə'ryːmt] <berühmter, berühmtest-> *adj* sehr bekannt *Er war ein ~er Schauspieler.*

be·rüh·ren <berührt, berührte, berührt> *tr* **1.** [K] ***jd berührt etw*** *akk* anfassen *Sie berührte das Bild, und der Alarm ging los.* **2.** [K] ***etw berührt jdn*** nahe gehen, emotional bewegen *Das Unglück berührt mich tief.*

• **be·schä·di·gen** <beschädigt, beschädigte, beschädigt> *tr* [K] ***jd beschädigt etw*** *akk* teilweise kaputt machen, zerstören *Der Junge hat das Auto beschädigt.*

be·schaf·fen¹ <beschafft, beschaffte, beschafft> *tr* [K] ***jd beschafft etw*** *akk* besorgen, organisieren *alles Notwendige ~* ***Wobi:*** *Beschaffung*

be·schaf·fen² <-, -> *adj* so, dass etw eine bestimmte Eigenschaft hat *Das Material ist so ~, dass es leicht bricht.*

• **be·schäf·ti·gen** [bə'ʃɛftɪgn̩] <beschäftigt, beschäftigte, beschäftigt> **I.** *tr* [K] ***jd beschäftigt jdn*** jdm Arbeit geben *Die Firma beschäftigt 500 Angestellte.* **II.** *refl* [K] ***jd beschäftigt sich*** *akk* [***mit jdm/etw*** *dat*] sich mit etw auseinander setzen *Ich beschäftige mich gerade mit meinem Hobby.*

• **be·schäf·tigt** [bə'ʃɛftɪçt] <-, -> *adj* **1.** angestellt *Er war 20 Jahre bei dieser Firma ~.* **2.** so, dass man viel Arbeit hat *Mein Mann ist zur Zeit sehr ~.*

Be·schäf·tig·te(r) <-n, -n> *der/die* (↔*Arbeitslose(r)*) jd, der eine Arbeit(sstelle) hat *Die Firma hat 500 ~.*

Be·schäf·ti·gung <-, -en> *die* **1.** Tätigkeit *Ihr wird selten langweilig, sie findet immer eine ~.* **2.** Beruf, Arbeit, Job, Anstellung *Er war froh, eine ~ gefunden zu haben.*

• **Be·scheid** [bə'ʃai̯t] <-(e)s, -e> *der* **1.** Mitteilung *Ich warte noch auf einen ~ vom Wohnungsamt., Sagst du noch ~, wann du kommst?* **2.** Kenntnis/Wissen haben *Weißt du darüber ~?*

be·schei·ni·gen [bə'ʃai̯nɪgn̩] <bescheinigt, bescheinigte, bescheinigt> *tr* [K] ***jd bescheinigt*** [***jdm***] ***etw*** *akk* schriftlich bestätigen *den Empfang eines Briefes ~, Hiermit wird bescheinigt, dass …*

be·schen·ken <beschenkt, beschenkte, beschenkt> *tr* [K] ***jd beschenkt jdn*** [***mit etw*** *dat*] jdm etw schenken *Zu Weihnachten werden alle Kinder beschenkt.*

Be·sche·rung <-, -en> *die* **1.** Zeitpunkt, wo man sich die Weih-

Bescherung
Am Heiligen Abend (24.12.) liegen Geschenke unter dem Weihnachtsbaum (auch: Christbaum). Wenn das Christkind oder der Weihnachtsmann geklingelt hat, dürfen die Kinder den Weihnachtsbaum sehen und die Geschenke auspacken.

nachtsgeschenke gibt *Wir freuen uns auf die ~.* **2.** *(umg)* unangenehme Überraschung *Das ist ja eine schöne ~!, Da haben wir die ~!*

be·scheu·ert <bescheuerter, bescheuertst-> *adj (umg!)* dumm, blöd *Mensch, ist der ~!*

be·schimp·fen <beschimpft, beschimpfte, beschimpft> *tr* [K] ***jd beschimpft jdn*** auf jdn schimpfen, ärgerlich mit jdm reden *Die beiden Nachbarinnen ~ sich gegenseitig.*

be·schla·gen <beschlägt, beschlug, beschlagen> **I.** *tr* [K] ***jd beschlägt etw*** *akk* Hufeisen an etw nageln *Der Schmied muss die Pferde neu ~.* **II.** *itr* kondensieren, voller Wassertröpfchen sein *Bei Regen ~ die Scheiben im Auto.*

• **be·schlie·ßen** <beschließt, beschloss, beschlossen> **I.** *tr* **1.** [K] ***jd beschließt etw*** *akk* eine Entscheidung treffen *Er beschloss, vorzeitig in Rente zu gehen.* **2.** [K] ***jd beschließt etw*** *akk* ***mit etw*** *dat* beenden *Sie ~ das Essen mit einem Gebet.* **II.** *itr* [K] ***über etw*** *akk* ~ entscheiden *Über diesen Punkt haben wir bereits beschlossen.*

Be·schluss <-es, Beschlüsse> *der* Entscheidung *Der Kanzler informierte über die Beschlüsse der Regierung.*

be·schmut·zen <beschmutzt, beschmutzte, beschmutzt> *tr* **1.** *(geh)* [K] ***jd beschmutzt etw*** *akk* dreckig machen *Das Kind beschmutzte seine Hose in der Pfütze.* **2.** *(geh)* [K] ***jd beschmutzt jdn/etw*** *akk* negativ reden *Er beschmutzte ihre Ehre durch seine Lügen.*

be·schö·ni·gen [bəˈʃøːnɪgn̩] <beschönigt, beschönigte, beschönigt> *tr* [K] ***jd beschönigt etw*** *akk* schöner machen, als es ist *Die Partei beschönigt ihre Rolle im Finanzskandal.*

be·schrän·ken <beschränkt, beschränkte, beschränkt> **I.** *tr* [K] ***jd beschränkt etw*** *akk* [***auf etw*** *akk*] begrenzen, limitieren, einschränken *Wir müssen die Anzahl der Teilnehmer ~.* **II.** *refl* [K] ***jd beschränkt sich*** *akk* [***auf etw*** *akk*] sich konzentrieren *sich auf das Wesentliche ~* ***Wobi: Beschränkung***

• **be·schrei·ben** <beschreibt, beschrieb, beschrieben> *tr* **1.** [K] ***jd beschreibt jdn/etw*** *akk* erklären, genau darstellen *den Weg ~, den Täter ~* **2.** [K] ***jd beschreibt etw*** *akk* auf etw schreiben *Papier ~* ***Wobi: Beschreibung***

be·schrif·ten [bəˈʃrɪftn̩] <beschriftet, beschriftete, beschriftet> *tr* [K] ***jd beschriftet etw*** *akk* etikettieren *Marmeladengläser ~, Ordner ~*

be·schul·di·gen [bəˈʃʊldɪgn̩] <beschuldigt, beschuldigte, beschuldigt> *tr* [K] ***jd beschuldigt jdn*** [***einer Sache*** *gen*] jdm die Schuld geben *Sie beschuldigte ihn des Diebstahls.* ***Wobi: Beschuldigung***

be·schüt·zen <beschützt, beschützte, beschützt> *tr* [K] ***jd beschützt jdn*** [***vor etw*** *dat*] jdn in Schutz nehmen, Gefahr abhalten *die kleine Schwester ~*

Be·schwer·de [bəˈʃveːɐ̯də] <-, -n> *die* **1.** Klage, Einspruch *eine ~ gegen die Gerichtsentscheidung einlegen* **2.** *nur pl* Schmerzen *~n beim Laufen haben*

• **be·schwe·ren** [beˈʃveːrən] <beschwert, beschwerte, beschwert> **I.** *tr* [K] ***jd beschwert etw*** *akk* ***mit etw*** *dat* etw schwerer machen *das Papier wegen des Windes ~* **II.** *refl* [K] ***jd be-***

schwert sich *akk* [**über jdn/etw** *akk*] klagen *Er beschwerte sich über den Lärm der Nachbarn.*

be·schwi̩pst [bəˈʃvɪpst] <beschwipster, beschwipstest-> *adj (umg ≈angeheitert)* leicht angetrunken *Nach der zweiten Flasche Sekt waren alle ziemlich ~.*

be·sei·ti·gen [bəˈzaitɪgn̩] <beseitigt, beseitigte, beseitigt> *tr* **1.** K **jd beseitigt etw** *akk* entfernen *Würden Sie den Müll bitte ~?* **2.** K **jd beseitigt jdn** töten *Der Verbrecher beseitigte die Zeugin.* **Wobi: Beseitigung**

Be·sen [ˈbeːzn̩] <-s, -> *der* Gerät zum Kehren/Fegen *mit dem ~ Schmutz zusammenfegen;* **Ich fresse einen ~.** *(umg)* verwendet, um auszudrücken, dass man etw für sehr unwahrscheinlich hält *Ich fresse einen ~, wenn er die Wahrheit sagt.*

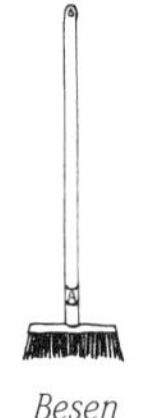

Besen

• **be·se̩tzt** <-, -> *adj* **1.** *(↔frei)* belegt, nicht (mehr) frei *Dieser Platz ist ~., Das Flugzeug ist vollständig ~.* **2.** TELKOM nicht frei *Die Leitung ist ~.*

• **be·si̩ch·ti·gen** [bəˈzɪçtɪgn̩] <besichtigt, besichtigte, besichtigt> *tr* K **jd besichtigt etw** *akk* anschauen *Haben Sie das Schloss schon besichtigt?* **Wobi: Besichtigung**

be·sie·gen <besiegt, besiegte, besiegt> *tr* K **jd besiegt jdn** unterwerfen *Er besiegte seinen Gegner im Schach.*

Be·si̩tz [bəˈzɪts] <-es> *kein pl der* **1.** etw, das jdm gehört *von etw ~ ergreifen, etw in ~ nehmen, im ~ von Dokumenten sein* **2.** Stück Land, das jdm gehört *Ihr ~ umfasst 20 Hektar.* **Wobi: Besitzer**

• **be·si̩t·zen** <besitzt, besaß, besessen> *tr* K **jd besitzt etw** *akk (≈haben)* als Eigentum haben *Häuser ~*

• **be·so̩n·de·re** (**-r, -s**) [bəˈzɔndərə] <-, -> *adj* groß, extra *eine ~ Überraschung zum Geburtstag*

Be·so̩n·der·heit <-, -en> *die* Eigenart *die ~ dieses Baustils*

• **be·so̩n·ders** [bəˈzɔndɐs] *adv* **1.** vor allem *B~ sei darauf hingewiesen, dass ...* **2.** sehr *Das ist nicht ~ lustig!*

• **be·sor·gen** <besorgt, besorgte, besorgt> *tr* **1.** K **jd besorgt etw** *akk* kaufen, organisieren *Er besorgte das Nötigste.* **2.** K **jd besorgt etw** *akk* erledigen *Sie besorgte den Einkauf.*

Be·sor·gung <-, -en> *die* Einkauf *~en machen*

be·spre̩·chen <bespricht, besprach, besprochen> *tr* **1.** K **jd bespricht etw** *akk* [**mit jdm**] über etw sprechen, diskutieren *Der Sohn besprach seine Pläne mit dem Vater.* **2.** K **jd bespricht etw** *akk* etw kritisch kommentieren *Der Kritiker bespricht den Film.*

Be·spre̩·chung <-, -en> *die* **1.** Gespräch *Sie hatte eine ~ mit dem Chef.* **2.** Sitzung *Der Vorstand kam geschlossen zur ~.* **3.** kritischer Kommentar *eine Buch~ in der Zeitung lesen*

be̩s·ser [ˈbɛsɐ] <best-> *komp von gut adj* von höherer Qualität *Ihr Deutsch wird immer ~.*

• **Be̩s·se·rung** [ˈbɛsərʊŋ] <-> *kein pl die* das Besserwerden, Erholung nach einer Krankheit *Gute ~!*

Be·sta̩nd <-(e)s, -stände> *der* **1.** Fortdauer *von ~ sein* **2.** Vorrat *in den ~ aufnehmen*

• **be·stä·ti·gen** [bəˈʃtɛːtɪgn̩] <bestätigt, bestätigte, bestätigt> **I.** *tr* **1.** K **jd bestätigt** [**jdm**] **etw** *akk* für richtig erklären *Der Pressesprecher bestätigte die Vermutung.* **2.** K **jd bestätigt** [**jdm**] **etw** *akk* quittieren, bescheinigen *den Empfang des Briefes ~* **3.** [K] ***etw bestätigt jdn*** [***in etw*** *dat*] bestärken *Diese Information bestätigt mich in meiner Annahme.* **II.** *refl* [K] ***etw bestätigt sich*** etw erweist sich als richtig *Meine Vermutungen haben sich bestätigt.*

be·stat·ten [bəˈʃtatn̩] <bestattet, bestattete, bestattet> *tr* [K] ***jd bestattet jdn*** (≈*beerdigen, beisetzen*) jdn auf dem Friedhof begraben *Sie bestatteten ihn feierlich.*

bes·te [ˈbɛstə] <besser> *superl von gut adj* nicht zu übertreffen *Sie war die ~ Schwimmerin ihrer Klasse., B~n Dank!, mit den ~n Grüßen, Ich hielte es für das B~, wenn ..., Das B~ wäre, wir ..., Wir wollen das B~ hoffen!, Es ist zu deinem B~n.*

• **Be·steck** [bəˈʃtɛk] <-(e)s, -e> *das* Messer, Gabeln und Löffel *Das ~ fehlt noch auf dem Tisch.*

Be·ste·hen <-s> *kein pl das* **1.** Existenz *Das weitere ~ des Theaters ist gefährdet.* **2.** das erfolgreiche Durchführen von etw *das ~ einer Prüfung*

• **be·ste·hen** <besteht, bestand, bestanden> **I.** *tr* [K] ***jd besteht etw*** *akk* schaffen *eine Prüfung mit ‚befriedigend' ~* **II.** *itr* existieren *Die Häuser ~ seit 300 Jahren., Daran besteht kein Zweifel.;* ~ **aus** zusammengesetzt sein *Wasser besteht aus Wasserstoff und Sauerstoff.;* ~ **auf** an etw festhalten, nicht locker lassen *auf seinem Recht ~*

• **be·stel·len** <bestellt, bestellte, bestellt> *tr* **1.** [K] ***jd bestellt etw*** *akk* anfordern *einen Schrank ~, ein Bier ~* **2.** [K] ***jd bestellt etw*** *akk* bepflanzen *den Acker ~* **3.** [K] ***jd bestellt jdn*** jdn auffordern zu kommen *Man hat mich für zehn Uhr bestellt.* **4.** [K] ***jd bestellt jdm etw*** *akk* mitteilen *B~ Sie ihm einen herzlichen Gruß von mir!*

• **be·stim·men** <bestimmt, bestimmte, bestimmt> *tr* [K] ***jd bestimmt etw*** *akk* festlegen, anordnen *Der Chef bestimmt die Regeln., Er hat hier nichts zu ~!*

be·stim·mend <bestimmender, bestimmendst-> *adj* entscheidend *für etw ~ sein*

• **be·stimmt** [bəˈʃtɪmt] <-, -> **I.** *adj* **1.** festgelegt, speziell, gewiss *eine ~e Anzahl, Über ~e Dinge spricht man nicht.* **2.** (LING: ≈*definit*) so, dass es auf eine bekannte Information verweist *‚Der', ‚die' und ‚das' sind ~e Artikel.* **II.** *adv* sicher *Du weißt es ~!, Das Paket ist ~ für dich!*

Be·stim·mung <-, -en> *die* **1.** Vorschrift *Wir richten uns nach den ~en.* **2.** Schicksal, Berufung *Seine ~ war die Seefahrt.*

• **be·stra·fen** <bestraft, bestrafte, bestraft> *tr* [K] ***jd bestraft jdn*** über jdn eine Strafe verhängen *jdn hart ~, jdn mit Gefängnis ~*

be·strei·ten <bestreitet, bestritt, bestritten> *tr* **1.** [K] ***jd bestreitet etw*** *akk* leugnen *die Tat ~* **2.** [K] ***jd bestreitet etw*** *akk* für etw aufkommen, bezahlen *seinen Lebensunterhalt ~*

be·stürzt <bestürzter, bestürztest-> *adj* betroffen *Er war ~ über ihren Tod.*

Be·stür·zung <-> *kein pl die* Betroffenheit *Zu unserer ~ mussten wir feststellen, dass wir kein Geld mehr hatten.*

Besuch

• **Be·such** [bəˈzuːx] <-(e)s, -e> *der* **1.** das Besuchen *der ~ meiner Tante, bei jdm zu ~ sein, von jdm ~ erhalten* **2.** Teilnahme *der ~ der Messe* **3.** Gast *Der ~ kam später als erwartet.*

• **be·su·chen** <besucht, besuchte, besucht> *tr* **1.** [K] ***jd besucht*** *jdn* vorbeikommen *eine Freundin ~* **2.** [K] ***jd besucht etw*** *akk* regelmäßig irgendwohin gehen *die Universität ~* **3.** [K] ***jd besucht etw*** *akk* teilnehmen *einen Kurs ~*

Be·su·cher(in) <-s, -> *der* Teilnehmer, Gast *Die Ausstellung hatte 5.000 ~.*

be·tä·ti·gen <betätigt, betätigte, betätigt> **I.** *tr* [K] ***jd betätigt etw*** *akk (geh)* benutzen *die Bremsen ~* **II.** *refl* [K] ***jd betätigt sich*** *akk* ***irgendwie*** sich engagieren, etw tun/ausüben *sich literarisch ~, sich politisch ~*

be·tei·li·gen [bə'tailɪgn̩] <beteiligt, beteiligte, beteiligt> **I.** *tr* [K] ***jd beteiligt jdn*** [***an etw*** *dat*] teilhaben lassen an etw, zum Teilhaber/Partner machen *jdn an einer Firma ~* **II.** *refl* [K] ***jd beteiligt sich*** *akk* [***an etw*** *dat*] einen Anteil an etw übernehmen *sich an den Kosten ~*

• **be·ten** ['beːtn̩] <betet, betete, gebetet> *itr* ein Gebet sprechen *zu Gott ~*

be·teu·ern [bə'tɔyɐn] <beteuert, beteuerte, beteuert> *tr* [K] ***jd beteuert etw*** *akk* versichern *seine Unschuld ~*

Be·ton [be'tɔŋ/be'toːn] <-s, -s/-e> *der* Baustoff aus Zement *Häuser aus ~*

be·to·nen <betont, betonte, betont> *tr* **1.** [K] ***jd betont etw*** *akk* akzentuieren *Er betonte dieses deutsche Wort anders als der Lehrer.* **2.** [K] ***jd betont etw*** *akk* etw besonders hervorheben *Sie ~ die Wichtigkeit ihrer Aufgabe.*

be·tont **I.** *part perf von* **betonen** **II.** *adj* mit einem Akzent versehen *Bei manchen Fremdwörtern ist die letzte Silbe ~.*

Be·to·nung <-, -en> *die* **1.** Akzent *Die ~ liegt auf der ersten Silbe.* **2.** Schwerpunkt *die ~ bestimmter Aspekte*

be·trach·ten <betrachtet, betrachtete, betrachtet> *tr* [K] ***jd betrachtet etw*** *akk* anschauen, ansehen *ein Bild lange ~; ~* **als ...** denken, ansehen als *Er betrachtete das Buch als Geschenk.*

Be·trag [bə'traːk] <-(e)s, -träge> *der* Höhe einer Summe *den ~ von 300 Euro bezahlen, ~ dankend erhalten*

• **be·tra·gen** <beträgt, betrug, betragen> **I.** *itr* sein, machen *Die Summe beträgt 10.000 Euro.* **II.** *refl* [K] ***jd beträgt sich*** *akk* ***irgendwie*** sich benehmen *Er konnte sich nicht anständig ~.*

be·tref·fen <betrifft, betraf, betroffen> *tr* [K] ***etw betrifft jdn/etw*** *akk* angehen *Diese Sache betrifft uns alle.*

be·tref·fend <-, -> *adj* so, dass es jdn/etw angeht/mit jdm/etw zu tun hat *die ~en Personen anschreiben*

be·treu·en [bə'trɔyən] <betreut, betreute, betreut> *tr* [K] ***jd betreut jdn/etw*** *akk* sich um jdn/etw kümmern *Sie betreut ihren kranken Vater.*

• **Be·trieb** [bə'triːp] <-(e)s, -e> *der* **1.** Funktion *Der Fahrstuhl ist außer ~., die Maschine in ~ nehmen* **2.** Firma *Wann kommst du heute aus dem ~?* **3.** viel Leben/Verkehr *In der Stadt war viel ~.*

• **Be·triebs·rat** <-(e)s, -räte> *der* **1.** Vertretung aller Arbeitnehmer in einer Firma *Der ~ stimmte dem Vorschlag der Betriebsleitung zu.* **2.** Angehöriger des Betriebsrates *Die Betriebsräte werden auf vier Jahre gewählt.*

be·trin·ken <betrinkt, betrank, betrunken> *refl* [K] ***jd betrinkt***

Betriebsrat
In Deutschland können Firmen mit mindestens fünf Arbeitnehmern einen Betriebsrat wählen. Dieser hat die Aufgabe, die Interessen der Arbeitnehmer gegenüber dem Arbeitgeber zu vertreten. Bei Entlassungen, Einstellungen oder Fragen der Sicherheit am Arbeitsplatz darf der Betriebsrat mitreden.

sich akk sehr viel Alkohol trinken *Er betrank sich mit Wodka.*

be·trọf·fen I. *part perf von* **betreffen II.** *adj* **1.** bestürzt *Er war ~ über die negative Entwicklung.* **2.** so, dass es jdn hart trifft *Verschiedene Mitarbeiter sind vom Stellenabbau ~.*

be·trü̲bt <betrübter, betrübtest-> *adj* traurig *sehr ~ über etw sein*

• **be·trü̲·gen** <betrügt, betrog, betrogen> *tr* [K] ***jd betrügt jdn*** [***um etw*** *akk*] bewusst täuschen, lügen *Er betrog sie mit einer anderen Frau., Der Anwalt betrog sie um ihr Erbe.* ***Wobi: Betrug***

be·trụn·ken [bəˈtrʊŋkn̩] <betrunkener, betrunkenst-> *adj* alkoholisiert *Der Fahrer war ~.*

• **Bẹtt** [bɛt] <-(e)s, -en> *das* Möbel zum Schlafen *das ~ machen, zu/ins ~ gehen;* **mit jdm ins ~ gehen** Sex haben mit jdm *Sie gingen miteinander ins ~.* ***Komp: Ehe-***

bẹt·teln [ˈbɛtl̩n] <bettelt, bettelte, gebettelt> *itr* jdn um Geld/Essen bitten *aus Not ~* ***Wobi: Bettler***

• **Bẹtt·zeug** <-s> *kein pl das* Überzug für das Bett *frisches ~*

Beule

Beu̲·le [ˈbɔ͜ylə] <-, -n> *die* **1.** Schwellung *eine ~ am Kopf haben* **2.** Delle/Schaden im Blech etc. *eine ~ im Auto haben*

be·ụn·ru·hi·gen [bəˈʔʊnruːɪgn̩] <beunruhigt, beunruhigte, beunruhigt> *tr* [K] ***jd/etw beunruhigt jdn*** in Unruhe versetzen *Er wollte sie nicht ~.*

be·u̲r·lau·ben [bəˈʔuːɐ̯la͜ubn̩] <beurlaubt, beurlaubte, beurlaubt> *tr* [K] ***jd beurlaubt jdn*** jdm Urlaub geben *Sie wurde für drei Wochen beurlaubt.*

be·u̲r·tei·len <beurteilt, beurteilte, beurteilt> *tr* [K] ***jd beurteilt jdn/etw*** *akk* [***nach etw*** *dat*] kritisch einordnen *jdn nach der Kleidung ~*

Beu̲·tel [ˈbɔ͜ytl̩] <-s, -> *der* Tasche aus Stoff oder Kunststoff *Sie trug ihre Einkäufe in einem ~.*

• **Be·vọ̈l·ke·rung** <-> *kein pl die* alle Einwohner *Die ~ der Erde wächst ständig.*

• **be·vo̲r** [bəˈfoːɐ̯] *konj* verwendet, um auszudrücken, dass etw vor einer anderen Handlung geschieht *B~ sie losfuhren, tankten sie noch schnell.*

be·vo̲r·zu·gen [bəˈfoːɐ̯t͜suːgn̩] <bevorzugt, bevorzugte, bevorzugt> *tr* **1.** [K] ***jd bevorzugt jdn*** jdm Vorteile geben *Er bevorzugte seinen Sohn.* **2.** [K] ***jd bevorzugt etw*** *akk* etw lieber haben als anderes *Ich bevorzuge Tee.*

be·wạ·chen <bewacht, bewachte, bewacht> *tr* [K] ***jd bewacht jdn/etw*** *akk* auf jdn/etw aufpassen *Der Wärter bewacht die Gefangenen.*

be·wä̲hrt <bewährter, bewährtest-> *adj* seit langem als gut/hilfreich bekannt *ein ~es Mittel*

Be·wä̲h·rung <-> *kein pl die* Haftstrafe ohne Aufenthalt in einem Gefängnis *eine Strafe auf/zur ~ aussetzen, zu zwei Jahren Gefängnis auf ~ verurteilt werden*

be·wạ̈l·ti·gen [bəˈvɛltɪgn̩] <bewältigt, bewältigte, bewältigt> *tr* **1.** [K] ***jd bewältigt etw*** *akk* schaffen, lösen *Diese Aufgabe ist nicht zu ~.* **2.** [K] ***jd bewältigt etw*** *akk* mit etw innerlich fertig werden *Ich werde den Schock ~.*

- **be·we̲·gen** [bəˈveːgn̩] <bewegt, bewegte, bewegt> **I.** *tr* **1.** [K] ***jd bewegt jdn/etw*** *akk* von einer Stelle an die andere setzen/schieben *Sie konnte die schwere Maschine nicht ~.* **2.** [K] ***jd bewegt jdn zu etw*** *dat* beeinflussen *Er konnte ihn zur Teilnahme ~.* **3.** [K] ***etw bewegt jdn*** beeindrucken *Das Bild bewegte ihn.* **II.** *refl* **1.** [K] ***jd/etw bewegt sich*** *akk* von der Stelle rühren *Im Gebüsch bewegt sich etw.* **2.** [K] ***jd bewegt sich*** *akk* sich körperlich betätigen *Er bewegte sich regelmäßig beim Tennis.*
- **Be·we̲·gung** [bəˈveːgʊŋ] <-, -en> *die* **1.** Veränderung der Position *die ruhigen ~en einer Katze beobachten* **2.** gesunde körperliche Aktivität *Ich habe genug ~, Herr Doktor.*
- **Be·we̲i̲s** [bəˈva̲i̲s] <-es, -e> *der* Faktum, das zeigt, dass etw so ist, wie man angenommen hat *Das Gericht hatte keine ~e.*
- **be·we̲i̲·sen** <beweist, bewies, bewiesen> *tr* [K] ***jd/etw beweist etw*** *akk* durch Fakten zeigen, dass etw richtig ist *Er konnte seine Unschuld ~.*
- **be·wẹr·ben** <bewirbt, bewarb, beworben> *refl* [K] ***jd bewirbt sich*** *akk* [***um etw*** *akk*] sich um etw bemühen *sich bei einer Firma um eine Stelle ~*

Be·wẹr·ber(in) <-s, -> *der* jd, der sich bewirbt *Auf die Anzeige meldeten sich viele ~.*

- **Be·wẹr·bung** <-, -en> *die* meist schriftlicher Antrag auf eine Arbeitsstelle/ein Stipendium etc. *seine ~ einreichen* ***Komp: -sgespräch, -unterlagen***

be·wẹr·ten <bewertet, bewertete, bewertet> *tr* [K] ***jd bewertet etw*** *akk* sein Urteil über etw abgeben *Leistung ~* ***Wobi:*** **Bewertung**

be·wịl·li·gen [bəˈvɪlɪgn̩] <bewilligt, bewilligte, bewilligt> *tr* [K] ***jd bewilligt*** [***jdm***] ***etw*** *akk* jdm auf Bitten hin etw geben *Urlaub ~, Geld ~*

be·wịr·ken <bewirkt, bewirkte, bewirkt> *tr* [K] ***jd bewirkt etw*** *akk* ein bestimmtes Ziel erreichen *eine Veränderung ~*

be·wịr·ten <bewirtet, bewirtete, bewirtet> *tr* [K] ***jd bewirtet jdn*** jdn mit Essen und Trinken versorgen *Sie ~ ihre Gäste ausgezeichnet.*

- **Be·wo̲h·ner(in)** <-s, -> *der* eine oder mehrere Personen, die in etw wohnen/leben *Die ~ des Hauses sind nicht da.*

be·wọ̈lkt <bewölkter, bewölktest-> *adj* *(↔wolkenlos)* mit Wolken bedeckt *Der Himmel ist heute dicht ~.*

be·wụn·dern <bewundert, bewunderte, bewundert> *tr* [K] ***jd bewundert jdn*** [***wegen etw*** *gen*] verehren, schätzen *Sie bewunderte ihren Mann wegen seiner Ruhe.* ***Wobi:*** **Bewunderung**

be·wụsst [bəˈvʊst] <bewusster, bewusstest-> *adj* **1.** so, dass man etw weiß und daran denkt *sich einer Gefahr ~ sein, sich etw ~ machen* **2.** *(↔unbewusst)* willentlich, absichtlich *Es war eine ~e Lüge.*

Be·wụsst·sein <-s> *kein pl das* wacher Verstand *bei vollem ~ sein, das ~ verlieren, zu ~ kommen*

- **be·za̲h·len** <bezahlt, bezahlte, bezahlt> *tr* [K] ***jd bezahlt jdn/etw*** *akk* Geld geben für etw *Hallo, ich möchte ~.*

be·ze̲i̲ch·nen <bezeichnet, bezeichnete, bezeichnet> *tr* [K] ***jd***

bezeichnet jdn/etw *akk* [***als etw*** *akk*] jdm einen Namen geben *Sie bezeichnete ihn als Idioten.*

Be·zeich·nung <-, -en> *die* Ausdruck, Name *eine zutreffende ~*

• **be·zie·hen** <bezieht, bezog, bezogen> **I.** *tr* **1.** [K] ***jd bezieht etw*** *akk* Stoff über etw legen und fest machen *die Betten ~, einen Sessel mit einem neuen Stoff ~* **2.** [K] ***jd bezieht etw*** *akk* in ein Haus/eine Wohnung einziehen *eine neue Wohnung ~* **3.** [K] ***jd bezieht etw*** *akk* regelmäßig bekommen *eine Zeitung ~, Rente ~* **II.** *refl* **1.** [K] ***etw bezieht sich*** *akk* sich mit Wolken bedecken *Der Himmel bezieht sich.* **2.** [K] ***etw bezieht sich*** *akk* ***auf etw*** *akk* Bezug nehmen, sich berufen *Der Kommentar bezieht sich auf Kapitel 2.*

• **Be·zie·hung** [bə'tsi:ʊŋ] <-, -en> *die* **1.** Kontakt *Wir haben gute ~en ins Ausland., keine ~ zu etw haben* **2.** Verhältnis *Zwischen diesen Dingen besteht keine ~.* **3.** zwischenmenschliches Verhältnis *freundschaftliche/partnerschaftliche ~, Diese ~ hält ein ganzes Leben.;* **in jeder** ~ in jeder Hinsicht, immer *Ich kann mich in jeder ~ auf ihn verlassen.*

Be·zirk [bə'tsɪrk] <-(e)s, -e> *der* Teil einer Verwaltungseinheit *Jeder ~ hat einen Vertreter im Stadtrat.* ***Komp: Stadt-***

Be·zug [bə'tsu:k] <-(e)s, Bezüge> *der* **1.** Überzug *der ~ für die Autositze* **2.** Kauf *der ~ neuer Waren* **3.** innere Verbindung *Er hat keinen ~ zu klassischer Musik.;* **in ~ auf** bezüglich, hinsichtlich *In ~ auf das neue Projekt kann ich noch nicht viel sagen.* ***Komp: Bett-***

be·zwei·feln <bezweifelt, bezweifelte, bezweifelt> *tr* [K] ***jd bezweifelt etw*** *akk* in Zweifel ziehen, an etw zweifeln *Sie ~ die Richtigkeit der Aussage.*

Bi·bel ['bi:bl̩] <-, -n> *die* Heilige Schrift der christlichen Religion *in der ~ lesen*

• **Bib·li·o·thek** [biblio'te:k] <-, -en> *die* große Sammlung von Büchern, meist für die Öffentlichkeit, Bücherei *Jede Universität hat eine ~.* ***Komp: Leih-, Staats-, Universitäts-***

bie·gen ['bi:gn̩] <biegt, bog, gebogen> **I.** *tr* [K] ***jd biegt etw*** *akk* etw aus seiner Form in eine andere bringen *Er bog den Draht zu einem Kreis.* **II.** *itr* <*sein*> eine Kurve machen *mit dem Auto um die Ecke ~* **III.** *refl* [K] ***jd/etw biegt sich*** *akk* krumm/schief werden *Die Kerze biegt sich bei Hitze.;* **sich vor Lachen** ~ (*umg*) sich sehr amüsieren *Ich habe mich vor Lachen gebogen.*

Bie·gung <-, -en> *die* Kurve *Die Straße macht hier eine ~.*

Bie·ne ['bi:nə] <-, -n> *die* Insekt, das Honig gibt *~n sind fleißig.* ***Komp: -nhonig, -nstock, -nwachs***

Biene

• **Bier** [bi:ɐ̯] <-(e)s, -e> *das* alkoholisches Getränk aus Hopfen und Gerste *~ brauen*

Bier·zelt <-(e)s, -e> *das* Zelt, in dem Bier ausgeschenkt wird *Auf dem Oktoberfest gibt es viele ~e.*

• **bie·ten** ['bi:tn̩] <bietet, bot, geboten> **I.** *tr* **1.** [K] ***jd bietet*** [***jdm***] ***etw*** *akk* geben *Wir ~ Ihnen eine einmalige Chance!, Wir ~ Ihnen die Gelegenheit zu ...* **2.** [K] ***jd bietet*** [***jdm***] ***etw*** *akk* präsentieren, darbieten *ein Schauspiel ~* **II.** *itr* ein finanzielles Angebot machen *Wer bietet mehr?* **III.** *refl* [K] ***etw bietet sich*** [***jdm***] sich zeigen/darstellen *Ein schrecklicher Anblick bot sich uns.*

Bi·ki·ni [bi'ki:ni] <-s, -s> *der* Badebekleidung für Frauen aus zwei

Teilen *einen ~ tragen*

• **Bild** [bɪlt] <-(e)s, -er> *das* **1.** Gemälde *Das ist ein schönes ~.* **2.** Foto *Hast du die ~er von unserem Urlaub?* **3.** Eindruck *sich von etw ein ~ machen;* **im ~e sein** über etw Bescheid wissen *Sie ist darüber nicht im ~e.* ***Komp:*** *-band, -errahmen*

bil·den ['bɪldn̩] <bildet, bildete, gebildet> **I.** *tr* [K] ***jd bildet etw*** *akk* formen, sich zu etw zusammenschließen *einen Kreis ~, einen Staat/eine Gemeinschaft ~* **II.** *refl* **1.** [K] ***etw bildet sich*** sich entwickeln *Aus den Knospen ~ sich Blüten.* **2.** [K] ***jd bildet sich*** *akk* sich Allgemeinbildung aneignen *Er bildet sich mit Hilfe von Büchern.*

• **Bild·schirm** <-s, -e> *der* TV DV Monitor *Der ~ ist zu klein.* ***Komp:*** *-auflösung, Computer-, Fernseh-*

Bil·dung <-, (-en)> *die* **1.** großes Allgemeinwissen *eine hohe ~ haben* **2.** Entstehung, Formung *die ~ einer neuen Gruppe*

Bil·dungs·we·sen <-s> *kein pl das* Sammelbegriff für alle Institutionen, die Bildung vermitteln *das ~ der Bundesrepublik Deutschland*

• **Bil·lett** [bɪl'jɛt] <-s, -e/-s> *das* **1.** (CH) Eintrittskarte *Haben Sie ein ~ für den Film?* **2.** (CH) Fahrkarte *Ein ~ nach Zürich, bitte.* **3.** (ÖSTERR) Glückwunschkarte *ein ~ zum Hochzeitstag bekommen* ***Komp:*** *-retour*

• **bil·lig** ['bɪlɪç] <billiger, billigst-> *adj* **1.** *(≈preiswert, preisgünstig, günstig)* zu einem niedrigen Preis zu bekommen *Das Buch war ~.* **2.** primitiv *eine ~e Ausrede* **3.** **recht und ~** gerecht *Das ist nur recht und ~, dass auch du Verantwortung übernimmst.*

Bin·de ['bɪndə] <-, -n> *die* **1.** MED Verband *Die ~ muss gewechselt werden., eine ~ anlegen* **2.** Armschlinge *eine ~ am Oberarm tragen* **3.** Hygieneartikel für Frauen *Während der Menstruation benutzen Frauen oft ~n.* ***Komp:*** *Arm-, Augen-, Damen-*

bin·den ['bɪndn̩] <bindet, band, gebunden> **I.** *tr* **1.** [K] ***jd bindet etw*** *akk* etw aneinander festmachen *Blumen zu einem Strauß ~* **2.** [K] ***jd/etw bindet jdn*** verpflichten *Der Vertrag bindet sie.* **II.** *refl* [K] ***jd bindet sich*** *akk* heiraten *Sie will sich nicht so früh ~.*

Bin·de·strich <-(e)s, -e> *der* LING Querstrich, der zwei Wörter verbindet *ein Wort mit ~ schreiben*

Bind·fa·den <-s, -fäden> *der* Faden zum Nähen *Sie nahm einen ~ und nähte die Hose.*

Bin·nen·ge·wäs·ser <-s, -> *das* Gewässer im Landesinneren *Der Bodensee ist ein großes ~.*

Bin·nen·markt <-s, -märkte> *der* Handel im Inland *Der ~ wird durch den Zoll geschützt., europäischer ~*

Bi·o·gra·fie [biogra'fiː] <-, -en> *die* Lebensgeschichte *eine interessante ~ haben*

• **Bi·o·lo·gie** [biolo'giː] <-> *kein pl die* Lehre vom Leben der Pflanzen und Tiere *~ studieren* ***Wobi:*** *Biologe, Biologin*

Bi·o·top [bio'toːp] <-s, -e> *das* Lebensraum, in dem bestimmte Tiere und Pflanzen leben *In diesem ~ wachsen Orchideen.*

• **Bir·ne** ['bɪrnə] <-, -n> *die* **1.** BOT Baumfrucht *~n und Äpfel wachsen an Bäumen.* **2.** EL Leuchtkörper in Lampen *Die ~ hat 60 Watt.* ***Komp:*** *Glüh-*

• **bis** [bɪs] **I.** *präp +akk* **1.** verwendet, um Entfernungen anzugeben *von der Tür ~ zur Wand, ~ hierher und nicht weiter* **2.** verwendet, um

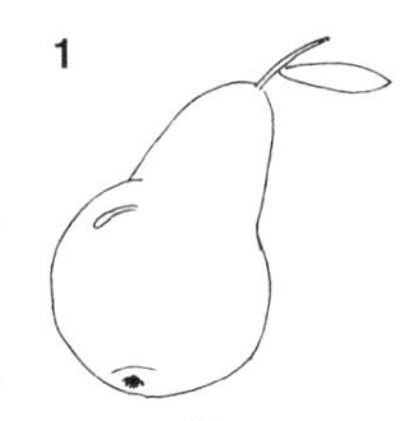

Birne

zeitliche Abstände anzugeben *von acht ~ zehn Uhr, Ich werde ~ Ende der Woche zurück sein., B~ wann?;* **B~ bald!** verwendet, um sich zu verabschieden *Sie sagte „~ bald!" und ging.;* ~ **zu ...** verwendet, um auszudrücken, dass etw lang, aber maximal ... dauert *Auf eine Antwort muss man ~ zu zwei Wochen warten.* **II.** *konj* **1.** verwendet, um eine zeitliche Grenze anzugeben *Ich warte, ~ er kommt.* **2.** bevor nicht *Ich zahle nicht, ~ er mir eine Rechnung geschickt hat.*

Bischof
Ein katholischer Bischof wird vom Papst ernannt. Über dem Bischof steht der Erzbischof und über diesem der Kardinal. Der evangelische Bischof untersteht in Deutschland dem Landesbischof. Über diesem steht der Vorsitzende der Evangelischen Kirche in Deutschland.

Bi·schof ['bɪʃɔf/'bɪʃoːf] <-s, Bischöfe> *der* oberster Geistlicher in einem Bistum *Der ~ von Mainz hat den Dom erbauen lassen.* ***Komp:** -skonferenz, -ssynode, Erz-*

• **bis·her** [bɪs'heːɐ̯] *adv* bis jetzt *B~ kamen sie immer montags., B~ wusste ich das noch nicht.*

bis·he·rig [bɪs'heːrɪç] <-, -> *adj* bis zu diesem Zeitpunkt *Sie änderte ihre ~e Meinung.*

bis·lang [bɪs'laŋ] *adv* bis jetzt *B~ hatte er ihr vertraut.*

Biss [bɪs] <-es, -e> *der* das Beißen *Der ~ einer giftigen Schlange ist gefährlich.*

biss [bɪs] *prät von* **beißen**

• **biss·chen** ['bɪsçən] *pron* ein wenig *Möchten Sie noch ein ~ von dem Gemüse?, Warten Sie ein ~.*

bis·sig ['bɪsɪç] <bissiger, bissigst-> *adj* **1.** so, dass ein Tier oft beißt *Der Hund ist ganz schön ~.* **2.** so, dass etw/jd mit Wörtern verletzt *eine ~e Bemerkung*

Bit [bɪt] <-(s), -(s)> *das* DV Größeneinheit in der Datenverarbeitung *Acht ~ plus ein Prüfbit ergeben ein Byte.*

• **Bit·te** ['bɪtə] <-, -n> *die* höfliche Frage, etw für jdn anders zu tun *Ich habe eine ~ an Sie., Auf meine ~ hin passierte nichts.*

• **bit·te** ['bɪtə] *interj* **1.** verwendet, um ein Anliegen höflich zu formulieren *Könnten Sie mir das Buch ~ als Geschenk einpacken?* **2.** verwendet als Antwort, wenn jd danke sagt *Vielen Dank! – B~!* **3.** verwendet, um nachzufragen, wenn man etw nicht richtig gehört hat *Wie ~?*

• **bit·ten** ['bɪtn̩] <bittet, bat, gebeten> *tr* K ***jd bittet jdn** [**um etw** akk]* höflich nach etw fragen *Er bittet die Dame zum Tanz., Sie hat mich um Hilfe gebeten.*

• **bit·ter** ['bɪtɐ] <bitterer, bitterst-> *adj* **1.** herb *Der Kaffee schmeckt ~.* **2.** schmerzlich *eine ~e Wahrheit*

bla·mie·ren [bla'miːrən] <blamiert, blamierte, blamiert> *tr* K ***jd blamiert jdn/sich** akk* in peinliche Verlegenheit bringen *Damit hast du uns schön blamiert!, Damit hast du dich unsterblich blamiert!* ***Wobi:** Blamage*

bla·sen ['blaːzn̩] <bläst, blies, geblasen> *tr* K ***jd bläst etw** akk* Luft aus dem Mund ausstoßen *das Horn ~*

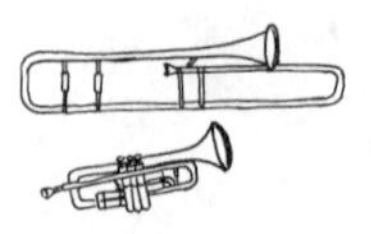

Blasinstrumente

Blas·ins·tru·ment <-s, -e> *das* MUS ein Musikinstrument, das mit Luft zum Klingen gebracht wird *Die Flöte ist ein ~.*

• **blass** [blas] <blasser/blässer, blassest-/blässest-> *adj (≈bleich)* mit wenig Farbe; so, dass jd ungesund aussieht; bleich *~ aussehen, ~ werden* ***Wobi:** Blässe*

• **Blatt** [blat] <-(e)s, Blätter> *das* **1.** BOT grüner Pflanzenteil *Im Sommer sind die Bäume voller Blätter., Im Herbst werden die Blätter gelb.* **2.** Papier *Er nahm ein ~ und fing an zu schreiben.*

blät·tern ['blɛtɐn] <blättert, blätterte, geblättert> *itr* eine Seite nach der anderen umschlagen *in einer Zeitschrift ~*

• **blau** [blau̯] <blauer, blau(e)st-> *adj* **1.** himmelfarben *~e Augen, ~er Himmel* **2.** *(umg)* betrunken *Nach dem sechsten Bier war er ~.*

blau·äu·gig <-, -> *adj* **1.** mit blauen Augen *ein ~er Mensch* **2.** naiv *In seiner Jugend war er wirklich ~.*

Blau·licht <-(e)s, -er> *das* Signallicht z. B. auf Polizeiautos *Vorsicht, da kommt ein Krankenwagen mit ~.*

Blech ['blɛç] <-(e)s, -e> *das* **1.** dünnes, flaches Metall *Autos sind aus ~ gemacht.* **2.** *(≈Backblech)* Einsatz aus Metall für den Backofen, Backblech *Auf dem ~ bäckt man Kekse.* **3.** *(umg)* Blödsinn *Red kein ~!*

• **blei·ben** ['blai̯bn̩] <bleibt, blieb, geblieben> *itr* <*sein*> **1.** nicht weggehen *Er wollte noch länger ~.* **2.** sich nicht verändern *Er blieb unverheiratet.* **3.** [K] ***etw bleibt jdm*** haben *Neben der Arbeit bleibt ihm keine Zeit mehr für seine Familie.*

• **bleich** [blai̯ç] <bleicher, bleichest-> *adj (≈blass)* blass, mit wenig Farbe *ein ~es Gesicht, ein ~er Mond*

• **Blei·stift** <-(e)s, -e> *der* Schreibgerät mit Bleimine *Was mit ~ geschrieben ist, kann man ausradieren.*

blen·den ['blɛndn̩] <blendet, blendete, geblendet> **I.** *tr* **1.** [K] ***jd/etw blendet jdn*** durch zu viel Licht die Sicht behindern *Die Sonne blendete ihn., Der Gegenverkehr blendet sie nachts.* **2.** [K] ***jd/etw blendet jdn*** beeindrucken, faszinieren *Er war geblendet von ihrer Intelligenz und Schönheit.* **II.** *itr* durch zu viel Licht die Sicht behindern *Lampenlicht blendet.*

blen·dend ['blɛndn̩t] <-, -> *adj* sehr gut, ausgezeichnet *Du siehst ~ aus!*

• **Blick** [blɪk] <-(e)s, -e> *der* **1.** das Ansehen/Angucken *ein kritischer ~;* **Liebe auf den ersten ~** sich beim ersten Sehen verlieben *Bei uns war es Liebe auf den ersten ~.;* **ohne jdn eines ~es zu würdigen** ohne jdn anzusehen *Sie ging durch den Saal, ohne ihn eines ~es zu würdigen.* **2.** Ausblick *ein Zimmer mit ~ auf den Park*

bli·cken ['blɪkn̩] <blickt, blickte, geblickt> *itr* schauen *in die Ferne ~*

blieb [bliːp] *prät von* **bleiben**

blies [bliːs] *prät von* **blasen**

• **blind** [blɪnt] <blinder, blindest-> *adj* so, dass man nicht sehen kann *von Geburt an ~ sein;* **Liebe macht ~.** wenn man verliebt ist, sieht man manche Fehler der geliebten Person nicht *Ihr fällt gar nicht auf, dass er sie nur benutzt. – Ja, Liebe macht ~.* ***Wobi:*** *Blinde(r)*

blin·ken ['blɪŋkn̩] <blinkt, blinkte, geblinkt> *itr* **1.** aufblitzen *Nachts ~ die Sterne.* **2.** KFZ einen Richtungswechsel anzeigen *Er blinkte und bog links ab.*

Blin·ker ['blɪŋkɐ] <-s, -> *der* KFZ Leuchte, die blinkt *der ~ am Auto*

blin·zeln ['blɪnt͡sl̩n] <blinzelt, blinzelte, geblinzelt> *itr* **1.** die Augenlider schnell auf und ab bewegen *Er blinzelte in die Sonne.* **2.** Augenzeichen geben *Sie blinzelte ihm zu.*

• **Blitz** [blɪt͡s] <-es, -e> *der* **1.** Naturereignis bei Gewitter, elektrische Entladung *Der ~ schlug in das Haus ein., vom ~ getroffen werden* **2.** FOT Apparat, der Blitzlicht produziert *den ~ einschalten*

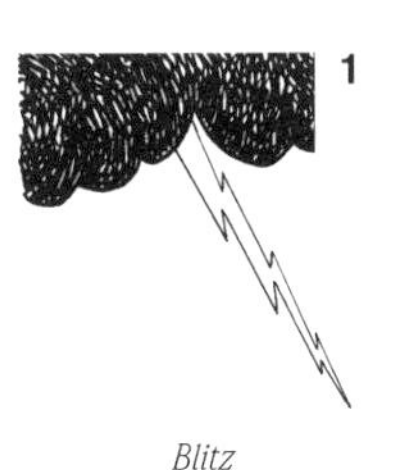

Blitz

Blitz·licht <-(e)s, -er> *das* FOT starkes Licht, das im Moment des Fotografierens aufleuchtet *Die ~er der Fotografen leuchteten auf, als der Präsident erschien.* ***Komp:*** *-gewitter*

• **Block** [blɔk] <-(e)s, (-s)/Blöcke> *der* **1.** großes Stück aus hartem Material *ein ~ aus Marmor* **2.** *(≈Wohnblock)* großes Wohnhaus *Er wohnt in einem ~ in der Nachbarstraße.* **3.** viele Papierblätter, die an einer Seite zusammengefasst sind *Er nahm den ~ und schrieb einen Brief.* ***Komp:*** *Notiz-, Wohn-*

blo·ckie·ren [blɔ'ki:rən] <blockiert, blockierte, blockiert> **I.** *tr* **1.** [K] ***jd/etw blockiert etw*** *akk* versperren *Der Baum blockierte die Straße.* **2.** [K] ***jd/etw blockiert jdn*** jd an etw hindern *Die Krankheit blockierte sie in ihrer Entwicklung.* **II.** *itr* funktionsunfähig werden *Die Lenkung am Auto blockiert.*

blö·d(e) [blø:t ('blø:də)] <blöder, blödest-> *adj* **1.** *(umg)* dumm *ein ~er Mensch* **2.** *(umg)* schlecht *ein ~es Gefühl*

Blöd·sinn <-(e)s> *kein pl der* Unsinn, Quatsch *So ein ~!*

• **blond** [blɔnt] <blonder, blondest-> *adj* von sehr heller Haarfarbe *~e Menschen*

• **bloß** [blo:s] <-, -> **I.** *adj* **1.** nackt *~ dastehen* **2.** schon, bereits *Der ~e Gedanke macht mir schon Angst., mit ~en Fäusten* **II.** *adv* nur *Es handelt sich ~ um einige Tage., B~ nicht!* **III.** verwendet, um etw zu betonen *Mach das ~ nicht!, Wenn ich ~ nicht krank werde!*

• **blü·hen** ['bly:ən] <blüht, blühte, geblüht> *itr* **1.** die Knospen entfalten *Die Blumen ~.* **2.** sich gut entwickeln *Die Wirtschaft blüht.* **3.** bevorstehen *Die Strafe blüht ihm noch.*

• **Blu·me** ['blu:mə] <-, -n> *die* BOT kleinere blühende Pflanze *Rosen und Tulpen sind ~n.* ***Komp:*** *-nbeet*

Blu·men·kohl <-s> *kein pl der* weiße Gemüseart *Zum Essen gibt es ~.*

Blumenkohl

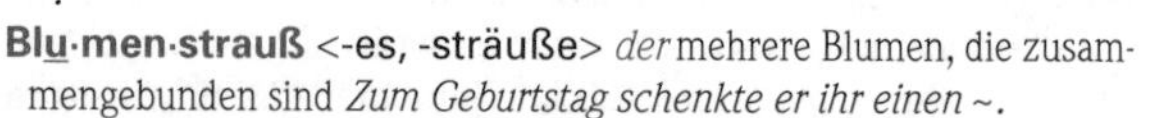

Blu·men·strauß <-es, -sträuße> *der* mehrere Blumen, die zusammengebunden sind *Zum Geburtstag schenkte er ihr einen ~.*

• **Blu·se** ['blu:zə] <-, -n> *die* von Frauen getragenes Kleidungsstück mit Knöpfen für den Oberkörper *Sie trug eine ~ und einen Rock.*

• **Blut** [blu:t] <-(e)s> *kein pl das* rote Körperflüssigkeit *Jeder Mensch hat ca. sechs Liter ~ in seinem Körper., ~ verlieren, ~ spenden* ***Komp:*** *-konserve, -spender, -transfusion, -vergiftung*

Blü·te ['bly:tə] <-, -n> *die* **1.** BOT blühender Teil einer Pflanze *Blumen haben ~n.* **2.** *(umg)* gefälschte Banknote *Der Geldfälscher machte neue ~n.*

• **blu·ten** ['blu:tn̩] <blutet, blutete, geblutet> *itr* Blut verlieren *Seine Wunde blutete stark.*

blu·tig ['blu:tɪç] <blutiger, blutigst-> *adj* **1.** voll Blut *Das Hemd war ganz ~.* **2.** halb roh *ein ~es Steak*

• **Bo·den** ['bo:dn̩] <-s, Böden> *der* **1.** AGR Erde *sandiger ~, fruchtbarer ~* **2.** die Fläche, auf der man steht *Der ~ im Zimmer war mit Teppich belegt., auf den ~ fallen, auf dem ~ liegen/stehen* **3.** *(≈Dachboden, Speicher)* nicht bewohnter Raum zwischen dem obersten Stock eines Hauses und dem Dach *Sie hängen ihre Wäsche auf dem ~ zum Trocknen auf.* **4.** der Grund eines Gefäßes/Behälters *den ~ der Kuchenform einfetten* ***Komp:*** *Fuß-, Teppich-*

Bo·dy ['bɔdi] <-, -s> *der* einteiliges Dessous *einen ~ tragen*

Bo·dy·buil·ding ['bɔdibɪldɪŋ] <-s> *kein pl das* Krafttraining *Er macht ~.* ***Wobi:** Bodybuilder(in)*

bog *prät von* **biegen**

• **Boh·ne** ['boːnə] <-, -n> *die (= ÖSTERR Fisole)* längliche oder nierenförmige Gemüseart *Es gibt grüne, rote und weiße ~n.* ***Komp:** -nkaffee, -nsuppe*

boh·ren ['boːrən] <bohrt, bohrte, gebohrt> *tr* K ***jd bohrt etw** akk* [***in etw** akk*] ein Loch machen *Er bohrte ein Loch in die Wand.*

Boh·rer <-s, -> *der* Gerät zum Bohren von Löchern *Mit dem ~ kann man Löcher in Wände bohren.*

bom·bar·die·ren [bɔmbar'diːrən] <bombardiert, bombardierte, bombardiert> *tr* **1.** MIL K ***jd bombardiert etw** akk* aus der Luft Bomben auf etw werfen *eine Stadt ~* **2.** K ***jd bombardiert jdn mit etw** dat* jdm plötzlich und heftig sehr viel sagen *jdn mit Fragen ~*

• **Bom·be** ['bɔmbə] <-, -n> *die* Behälter, der mit Sprengstoff gefüllt ist *Die ~ explodierte in einem Auto.* ***Komp:** -nleger, Atom-, Auto-*

bom·big ['bɔmbɪç] <bombiger, bombigst-> *adj (umg)* fantastisch *Die Stimmung auf der Party war ~.*

• **Bon·bon** [bɔŋ'bɔŋ/bõ'bõː] <-s, -s> *der/das* kleine Süßigkeit zum Lutschen *Du sollst doch keine ~s essen!*

Boom [buːm] <-s, -s> *der* plötzliches Anwachsen, Hochkonjunktur *Es gab einen unerwarteten ~ in der Baubranche.* ***Komp:** Baby-*

boo·men <boomt, boomte, geboomt> *itr* ÖKON einen Aufschwung haben *Die Wirtschaft boomt.*

• **Boot** [boːt] <-(e)s, -e> *das* kleines Wasserfahrzeug *Sie überquerten den See in einem ~.* ***Komp:** -sverleih, Ruder-, Segel-, Tret-*

Boot

Bord·stein <-(e)s, -e> *der* Abgrenzung zwischen Gehsteig und Straße *Er fuhr mit dem Reifen gegen den ~.*

bor·gen ['bɔrgn̩] <borgt, borgte, geborgt> **I.** *tr* K ***jd borgt jdm etw** akk* etw (ver)leihen *Er borgte ihm sein Auto.* **II.** *refl* K ***jd borgt sich** dat **jdm etw** akk* [***von jdm***] sich etw ausleihen *Er borgte sich 100 Euro von seiner Mutter.*

Bör·se ['bœrzə] <-, -n> *die* **1.** Geldbeutel *Wie viel Geld hattest du in deiner ~?* **2.** Markt, auf dem mit Aktien gehandelt wird *Die Frankfurter ~ ist nicht so berühmt wie die New Yorker.*

bös·ar·tig <bösartiger, bösartigst-> *adj* **1.** hinterhältig und gefährlich *ein ~er Mensch* **2.** MED lebensbedrohlich *ein ~er Tumor, eine ~e Krankheit* ***Wobi:** Bösartigkeit*

• **bö·s(e)** [bøːs/'bøːzə] <böser, bösest-> *adj* **1.** *(↔gut)* so, dass man einen schlechten Charakter hat *Er war von Grund auf ~.* **2.** schlimm, unangenehm *eine ~ Überraschung, ein ~es Erwachen* **3.** wütend, ärgerlich *Bist du mir noch ~?*

bos·haft ['boːshaft] <boshafter, boshaftest-> *adj* so, dass man Freude am Bösen hat *ein ~er Mensch*

bös·wil·lig <böswilliger, böswilligst-> *adj* so, dass man böse Absichten hat, bösartig *eine ~e Beschädigung, eine ~e Verleumdung* ***Wobi:** Böswilligkeit*

Bo·ta·nik [bo'taːnɪk] <-> *kein pl die* Wissenschaft von den Pflanzen *Die ~ ist ein Teilgebiet der Biologie.* ***Wobi:** botanisch*

bot [boːt] *prät von* **bieten**

Bo·te, Botin ['bo:tə] <-n, -n> *der* jd, der etw bringt *Der ~ brachte einen wichtigen Brief.*

Bot·schaft ['bo:tʃaft] <-, -en> *die* **1.** Nachricht *eine ~ übermitteln* **2.** POL diplomatische Vertretung eines Staates im Gastland *Als der Reisende sein Geld verlor, wandte er sich an seine ~.*

Bot·schaf·ter(in) <-s, -> *der* höchster Diplomat im Gastland *Der ~ war beim Empfang anwesend.*

Bow·le ['bo:lə] <-, -n> *die* alkoholisches Getränk mit frischen Früchten *Die ~ war aus Wein, Sekt und Erdbeeren gemacht., die ~ ansetzen*

boxen

bo·xen ['bɔksn̩] <boxt, boxte, geboxt> *itr* mit den Fäusten kämpfen *Cassius Clay boxte großartig.*

boy·kot·tie·ren [bɔykɔ'ti:rən] <boykottiert, boykottierte, boykottiert> *tr* K ***jd boykottiert etw** akk* konsequent ignorieren, meiden *Das neue Geschäft wurde von den Leuten boykottiert.*

brach [bra:x] *prät von* **brechen**

brach·te ['braxtə] *prät von* **bringen**

Brain·stor·ming ['breɪnstɔ:mɪŋ] <-s> *kein pl das* Sammeln spontaner Ideen zu einem Thema *Am Anfang des Projektes stand ein ~.*

Bran·che ['brã:ʃə] <-, -n> *die* bestimmter Geschäftszweig *In welcher ~ arbeiten Sie?* ***Komp:** Lebensmittel-, Textil-*

Brand [brant] <-(e)s, Brände> *der* Feuer *Der ~ hat das ganze Haus erfasst., in ~ geraten*

brand·neu ['brant'nɔy] <-, -> *adj* ganz neu *Das Fahrrad ist ~.*

brann·te ['brantə] *prät von* **brennen**

• **Bra·ten** ['bra:tn̩] <-s, -> *der* ein großes Stück Fleisch, das gebraten wird *Der ~ wurde mit Gemüse und Kartoffeln serviert.;* **den ~ riechen** *(umg)* ahnen, dass etw Negatives auf einen zukommt *Er hatte sofort den ~ gerochen.* ***Komp:** -duft, Kalbs-, Rinder-, Schweine-*

• **bra·ten** ['bra:tn̩] <brät, briet, gebraten> **I.** *tr* etw in Fett erhitzen *Schnitzel werden meist in der Pfanne gebraten.* **II.** *itr (umg)* sich sonnen *Die Touristen liegen am Strand und braten in der Sonne.*

Brathähnchen

Brat·hähn·chen <-s, -> *das (= ÖSTERR Brathendl)* Hähnchen, das auf dem Grill gebraten wird *Er bestellte ein ~ mit Kartoffelsalat.*

Brat·pfan·ne <-, -n> *die* eine Art flacher Topf zum Braten *Schnitzel werden in einer ~ gebraten.*

Brat·sche ['bra:tʃə] <-, -n> *die* Musikinstrument mit Saiten *~ spielen, Eine ~ ist größer als eine Geige.*

Brauch [braux] <-(e)s, Bräuche> *der* Sitte, Tradition *Das ist bei uns so ~.*

• **brau·chen** ['brauxn̩] <braucht, brauchte, gebraucht> *tr* **1.** K ***jd braucht jdn/ etw** akk* nötig haben, bedürfen *Hilfe ~, Zum Hacken von Brennholz braucht er eine Axt.* **2.** müssen, nötig sein *Er braucht heute nicht in die Schule zu gehen., Ihr braucht keine Angst zu haben.*

brau·en ['brauən] <braut, braute, gebraut> *tr* K ***jd braut etw** akk* Bier herstellen *Die Mönche ~ das Bier nach altem Rezept.* ***Wobi:** Brauerei*

• **braun** [braun] <brauner, braunst-> *adj* von dunkler, erdiger Farbe *Wer in der Sonne liegt, bekommt ~e Haut.*

bräu·nen <bräunt, bräunte, gebräunt> **I.** *tr* [K] ***jd bräunt etw*** *akk* etw in Fett braun werden lassen *Zwiebeln ~* **II.** *refl* [K] ***jd bräunt sich*** *akk* sich sonnen, um die Hautfarbe zu ändern *Sie bräunte sich in der Sonne.*

Braut [brau̯t] <-, Bräute> *die* Frau am Tag ihrer Hochzeit *Die ~ wartete vor der Kirche.*

Braut

Bräu·ti·gam ['brɔy̯tigam] <-s, -e> *der* Mann am Tag seiner Hochzeit *Der ~ gab der Braut einen Kuss.*

Braut·paar <-(e)s, -e> *das* Frau und Mann, die heiraten *Das ~ stand vor dem Altar.*

• **bre·chen** ['brɛçn̩] <bricht, brach, gebrochen> **I.** *tr* **1.** [K] ***jd bricht etw*** *akk* etw mit Kraft in mehrere Stücke teilen *Er brach das Brot.* **2.** [K] ***jd bricht mit jdm/etw*** *dat* eine Beziehung radikal beenden *für immer mit seinen alten Freunden ~* **3.** [K] ***jd bricht sich*** *dat* ***etw*** *akk* sich am Knochen verletzen *Er brach sich beim Skifahren ein Bein.* **II.** *refl* [K] ***etw bricht sich*** von etw abprallen, zurückgeworfen werden *Die Wellen ~ sich an den Felsen.* **III.** *itr* sich übergeben *Vor Übelkeit musste sie ~.*

Brei [brai̯] <-(e)s, -e> *der* dickflüssige Speise *~ kochen;* **um den (heißen) ~ herumreden** *(umg)* verwendet, um auszudrücken, dass man ein schwieriges Thema meidet *Er redete nur um den heißen ~ herum, statt direkt zu sagen, was er wollte.* ***Komp:* Baby-, Gries-**

• **breit** [brai̯t] <breiter, breitest-> *adj (↔schmal)* weit, groß *eine ~e Straße;* **die ~e Masse** der größere Teil der Bevölkerung *Die ~e Masse stimmte gegen den Vorschlag der Umweltschützer.*

• **Brei·te** ['brai̯tə] <-, -n> *die* **1.** seitliche Ausdehnung *eine ~ von zehn Metern haben* **2.** GEOG Abstand eines Ortes zum Äquator *Frankfurt am Main liegt auf 50 Grad nördlicher ~.* ***Komp:* -ngrad**

• **Brem·se** ['brɛmzə] <-, -n> *die* Mechanik, um Fahrzeuge/Motoren zu stoppen *Die ~n funktionierten nicht.* ***Komp:* Bremslicht, Bremspedal**

• **brem·sen** [: 'brɛmzn̩] <bremst, bremste, gebremst> **I.** *tr* [K] ***jd bremst jdn*** jdn aufhalten, behindern *Er ist nicht zu ~.* **II.** *itr* die Fahrt verlangsamen, anhalten *Er sah einen Fußgänger vor sich und bremste.*

• **bren·nen** ['brɛnən] <brennt, brannte, gebrannt> **I.** *tr* **1.** [K] ***jd brennt etw*** *akk* etw in einem Feuer hart machen *Lehmziegel werden in einem Ofen gebrannt.* **2.** [K] ***jd brennt etw*** *akk* etw destillieren *Er brannte seinen Schnaps selber.* **II.** *itr* **1.** in Flammen stehen *Das Feuer brannte hell.* **2.** EL Funktionieren des Lichts *Lass das Licht nicht ~!* **3.** brennende Schmerzen bereiten *Die Seife brennt in den Augen!*

Brett [brɛt] <-(e)s, -er> *das* dickeres, breiteres und längliches Stück Holz *~er für ein Regal;* **ein ~ vor dem Kopf haben** *(umg)* verwendet, um auszudrücken, dass jd etw nicht versteht *Da hatte ich ein ~ vor dem Kopf!;* **schwarzes ~** Ort, an dem wichtige Mitteilungen aufgehängt werden *etw am schwarzen ~ aufhängen* ***Komp:* -erbude, Holz-, Regal-**

Bre·zel ['bre:t͡sl̩] <-, -n> *die* typisches salziges Gebäck aus Süddeutschland *Die Schwaben essen gerne ~n.*

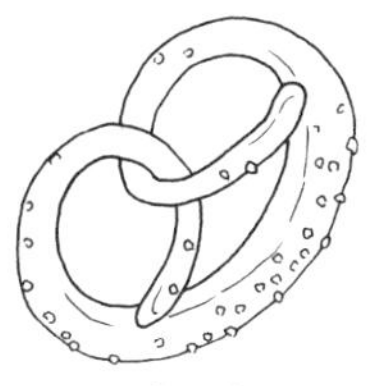

Brezel

• **Brief** [bri:f] <-(e)s, -e> *der* Nachricht, die in einem Umschlag verschickt wird *einen ~ bekommen, einen ~ schreiben* ***Komp:*** ***-papier, -taube, Geschäfts-, Liebes-***

- **Brief·kas·ten** <-s, -kästen> *der* Behälter, in den man Post einwirft *Jede Wohnung hat einen eigenen ~.*
- **Brief·mar·ke** <-, -n> *die (≈Marke)* Wertmarke, die man auf einen Brief klebt *eine ~ auf den Brief kleben*
- **Brief·ta·sche** <-, -n> *die* kleine Tasche für Pass, Ausweise, Geld usw. *In der ~ hatte er ein Foto seiner Tochter.*
- **Brief·trä·ger(in)** <-s, -> *der (≈Postbote)* Angestellter bei der Post, der Briefe austrägt *Der ~ wurde vom Hund gebissen.*
- **Brief·um·schlag** <-(e)s, -schläge> *der (≈Briefkuvert)* kleine Papiertüte, in die man einen Brief steckt *den ~ zukleben, den ~ adressieren*

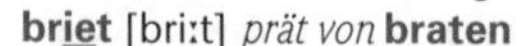

Briefumschlag

Brief·wahl <-> *kein pl die* POL das Wählen auf dem Postweg *Wer nicht persönlich zur Wahl geht, kann per ~ wählen.*

briet [briːt] *prät von* **braten**

- **Bril·le** ['brɪlə] <-, -n> *die* Augengläser, die helfen, besser zu sehen *eine ~ tragen* ***Komp: Sonnen-***
- **brin·gen** ['brɪŋən] <bringt, brachte, gebracht> *tr* **1.** [K] ***jd bringt etw*** *akk* herbeitragen *Der Ober brachte das Essen.* **2.** [K] ***jd bringt jdn irgendwohin*** jdn von A nach B transportieren *Sie brachte ihn zum Bahnhof.* **3.** veröffentlichen *Darüber wurde ein Bericht in den Nachrichten gebracht.*

Bro·cken <-s, -> *der* abgebrochener Teil eines Ganzen *ein ~ Käse;* **ein harter ~ sein** *(umg)* verwendet, um auszudrücken, dass jd/etw in einer bestimmten Situation sehr schwierig ist *Der Verhandlungspartner erwies sich als harter ~.*

Bron·chi·en ['brɔnçi̯ən] <-> *kein sing pl* Teil der Lunge *Bei Husten sind die ~ oft verschleimt.*

Bro·sche ['brɔʃə] <-, -n> *die* Schmuck zum Anstecken *eine ~ aus Gold und Diamanten*

- **Bro·schü·re** [brɔ'ʃyːrə] <-, -n> *die (≈Prospekt)* Informationsheft *die neue ~ über Flugreisen*
- **Brot** [broːt] <-(e)s, -e> *das* Grundnahrungsmittel aus Getreide *Bei uns gibt es abends immer ~., belegte ~e* ***Komp: -zeit, Misch-, Roggen-, Vollkorn-***
- **Bröt·chen** ['brøːtçən] <-s, -> *das (=* ÖSTERR *Semmel, Wecken)* kleines, rundliches Gebäck *Samstags gab es immer frische ~ zum Frühstück.* ***Komp: Mohn-, Sesam-, Vollkorn-***

Brötchen

Bruch [brʊx] <-(e)s, Brüche> *der* **1.** das Kaputtgehen, das Brechen *Die Vase ist hinuntergefallen und zu ~ gegangen.* **2.** MED Fraktur eines Knochens *ein komplizierter ~* **3.** MATH Darstellung der Division einer Zahl durch eine andere mit Hilfe eines Striches *0,75 als ~ dargestellt ist ¾.* ***Komp: -rechnen***

- **Brü·cke** ['brʏkə] <-, -n> *die* Bauwerk, das von einem Flussufer zum anderen führt *die ~ über den Rhein;* **die ~n hinter sich abbrechen** verwendet, um auszudrücken, dass jd seine Beziehungen zur Vergangenheit beendet *Er brach alle ~n hinter sich ab und wanderte aus.*
- **Bru·der** ['bruːdɐ] <-s, Brüder> *der* weiteres männliches Kind der eigenen Eltern *Peter und Klaus sind Brüder.*

brü·der·lich <brüderlicher, brüderlichst-> *adj* wie Brüder, gerecht *Sie teilten alles ~.*

Brü·he ['bry:ə] <-, -n> *die* **1.** klare Suppe, Boullion *Aus dem Knochen machen wir eine ~.* **2.** trübe Flüssigkeit *Das ist kein See mehr, das ist eine dreckige ~.* **3.** *(umg)* dünnes, trübes Getränk *Was ist denn das für eine ~?*

brül·len ['brʏlən] <brüllt, brüllte, gebrüllt> *itr* laut schreien *Das Kind brüllte.*; **zum B~ sein** *(umg)* verwendet, um auszudrücken, dass etw sehr komisch ist *Der Clown war wirklich zum ~.*

Brun·nen ['brʊnən] <-s, -> *der* senkrechtes Loch in der Erde, das bis zum Grundwasser geht *Der ~ war die einzige Wasserversorgung.*

• **Brust** [brʊst] <-, Brüste> *die* **1.** Busen der Frau *einem Kind die ~ geben* **2.** vordere Seite des menschlichen Oberkörpers *Seine ~ hebt und senkt sich., Der Mann hat viele Haare auf der ~.*

bru·tal [bru'ta:l] <brutaler, brutalst-> *adj* gewalttätig *ein ~er Kerl* ***Wobi:** Brutalität*

brut·to ['brʊto] *adv (↔netto)* vor Abzug von Steuern und anderen Abgaben *3.000 Euro ~ verdienen*

Brut·to·ein·kom·men <-s, -> *das (↔Nettoeinkommen)* Verdienst vor Abzug von Steuern und anderen Abgaben *Sein ~ beträgt 3.000 Euro.*

• **Bub(e)** <-(e)s, -(e)n> *der* (SD, ÖSTERR, CH) Junge *Wir haben zwei ~en und ein Mädchen.*

• **Buch** [bu:x] <-(e)s, Bücher> *das* beschriebene Seiten, die zusammengebunden sind *ein über fünfhundert Seiten starkes ~*; **reden wie ein** ~ sehr gut/überzeugend reden können *Er konnte reden wie ein ~.*

Buch·druck <-s> *kein pl der* Herstellung eines Buches *Der ~ wurde von Johannes Gutenberg erfunden.*

• **bu·chen** <bucht, buchte, gebucht> *tr* [K] ***jd bucht etw** akk* [***für jdn***] reservieren *einen Flug und ein Hotelzimmer ~*

Bü·che·rei [by:çə'raj] <-, -en> *die (≈Bibliothek)* Büchersammlung für ein bestimmtes oder öffentliches Publikum *ein Buch in der ~ ausleihen*

Bü·cher·wurm <-(e)s, -würmer> *der* jd, der gerne und viel liest *Er ist ein richtiger ~.*

Buch·hal·tung <-> *kein pl die* das Dokumentieren der Kontobewegungen in Firmen *Das Finanzamt verlangt von jedem Betrieb eine eigene ~.*

Buch·hand·lung <-, -en> *die* Geschäft, in dem Bücher verkauft werden *Die ~ verkaufte eine Sonderausgabe von Goethes Werken.*

• **Büch·se** ['bʏksə] <-, -n> *die* Dose aus Blech *In dieser ~ bewahren wir Kekse auf.* ***Komp:** -nöffner*

• **Buch·sta·be** ['bu:xʃta:bə] <-ns, -n> *der* Teil des Alphabets *B ist der zweite ~ des Alphabets.*

• **buch·sta·bie·ren** [bu:xʃta'bi:rən] <buchstabiert, buchstabierte, buchstabiert> *tr* [K] ***jd buchstabiert etw** akk* jeden Buchstaben eines Wortes einzeln nennen *seinen Namen ~*

Bu·chung ['bu:xʊŋ] <-, -en> *die* Reservierung *Sie nahmen im Reisebüro eine ~ für ihren Urlaub vor.*

bü·cken ['bʏkn̩] <bückt, bückte, gebückt> *refl* [K] ***jd bückt sich** akk* [***nach etw** dat*] sich mit dem Kopf nach unten beugen *Sie bückte* *sich nach den Blumen.*

Bu·de ['bu:də] <-, -n> *die* **1.** kleines Häuschen, Notunterkunft *Sie bauten sich aus Brettern eine kleine ~.* **2.** Verkaufsstand *Auf dem Jahrmarkt sind viele ~n.* **3.** *(umg)* vorübergehende Unterkunft *Studenten mieten sich oft eine billige ~.;* **eine sturmfreie ~ haben** *(umg)* verwendet, um auszudrücken, dass man in seiner Wohnung machen kann, was man möchte, da niemand sonst da ist *Die Eltern waren verreist, die Kinder hatten sturmfreie ~.* ***Komp: Bretter-, Imbiss-, Jahrmarkts-, Studenten-***

Bud·get [by'dʒe:] <-s, -s> *das* Finanzmittel für einen bestimmten Zeitraum oder ein bestimmtes Projekt *das ~ überschreiten*

büf·feln ['bʏfl̩n] <büffelt, büffelte, gebüffelt> **I.** *tr (umg)* [K] ***jd büffelt etw*** *akk* sehr angestrengt lernen *Sie musste noch Mathe ~.* **II.** *itr (umg)* sehr angestrengt lernen *Sie müssen ~, wenn sie die Prüfung bestehen wollen.*

Bü·gel ['by:gl̩] <-s, -> *der* Gerät, um Kleider aufzuhängen *Er hängte seine Jacke auf den ~.*

Bü·gel·brett <-(e)s, -er> *das* Brett, auf dem man Wäsche bügelt *Sie nahm das ~ und bügelte die Hemden.*

Bügeleisen

Bü·gel·ei·sen <-s, -> *das* elektrisches Gerät, mit dem man Wäsche faltenfrei macht *Hemden bügelt man mit einem ~.*

bü·geln ['by:gl̩n] <bügelt, bügelte, gebügelt> **I.** *tr* [K] ***jd bügelt etw*** *akk (≈plätten)* Wäsche faltenfrei machen *Die Hausfrau bügelt die Hemden.* **II.** *itr* Wäsche faltenfrei machen *vor dem Fernseher ~*

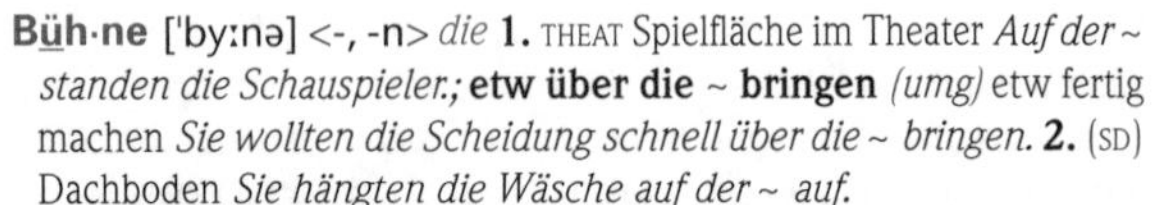

Büh·ne ['by:nə] <-, -n> *die* **1.** THEAT Spielfläche im Theater *Auf der ~ standen die Schauspieler.;* **etw über die ~ bringen** *(umg)* etw fertig machen *Sie wollten die Scheidung schnell über die ~ bringen.* **2.** (SD) Dachboden *Sie hängten die Wäsche auf der ~ auf.*

Bul·le ['bʊlə] <-n, -n> *der* **1.** ZOOL männliches Rind *Man braucht einen ~n für die Rinderzucht.* **2.** *(umg!)* Polizist *Achtung, die ~n kommen!*

Bum·mel ['bʊml̩] <-s, -> *der* das Herumspazieren *einen ~ durch die Stadt machen* ***Komp: Einkaufs-, Stadt-***

bum·meln ['bʊml̩n] <bummelt, bummelte, gebummelt> *itr* ohne bestimmtes Ziel umhergehen, umherspazieren *Sie bummelten durch die Straßen.*

• **Bun·des-** ['bʊndəs] so, dass es zu einem Bundesstaat gehört *-land, -staat*

Bun·des·bahn <-, -en> *die* Eisenbahn in Österreich (Österreichische Bundesbahnen, ÖBB) und der Schweiz (Schweizerische Bundesbahnen, SBB) *mit der ~ fahren*

Bun·des·bür·ger(in) <-s, -> *der* Bürger einer Bundesrepublik *deutscher ~ sein*

Bun·des·haupt·stadt <-, -städte> *die* Hauptstadt eines Bundesstaates *Berlin ist die neue ~.*

Bun·des·heer <-(e)s, -e> *das* die Armee Österreichs *Das ~ hilft bei der Bekämpfung des Hochwassers.*

• **Bun·des·kanz·ler(in)** <-s, -> *der* Regierungschef in Deutschland und in Österreich *Konrad Adenauer war der erste ~ der Bundesrepublik Deutschland.*

• **Bụn·des·land** <-(e)s, -länder> *das* Mitgliedsland eines Bundesstaates *Niedersachsen ist ein ~ der Bundesrepublik Deutschland.*

Bụn·des·li·ga <-> *kein pl die* SPORT höchste Spielklasse in Deutschland *in der ~ spielen* ***Komp:*** *Eishockey-, Fußball-*

• **Bun·des·mi·nị·ster(in)** <-s, -> *der* der Minister eines Bundesstaates *die ~ ernennen*

Bun·des·na̲ch·rich·ten·dienst <-(e)s> *kein pl der* Geheimdienst der Bundesrepublik Deutschland *Der ~ wird mit den Buchstaben BND abgekürzt.*

• **Bụn·des·prä·si·dent(in)** <-en, -en> *der* Staatsoberhaupt eines Bundesstaates *Der deutsche ~ wird auf fünf Jahre gewählt.*

• **Bụn·des·rat** <-(e)s> *kein pl der* **1.** Verfassungsorgan in der Bundesrepublik Deutschland und in Österreich, in dem die Bundesländer an der Gesetzgebung mitwirken *Der ~ stimmt über das neue Gesetz ab.* **2.** zentrale Regierung der Schweiz *Der Schweizer ~ besteht aus sieben Ministern.*

• **Bụn·des·re·gie·rung** <-, -en> *die* Regierung eines förderativen Staates *Die ~ lädt zu einer Pressekonferenz ein.*

• **Bụn·des·re·pu·blik** <-, -en> *die* **1.** demokratischer Bundesstaat *Eine ~ hat eine Bundeshauptstadt.* **2.** Kurzform für die Bundesrepublik Deutschland *Die ~ wurde 1949 gegründet.*

• **Bụn·des·staat** <-(e)s, -en> *der* **1.** Staat aus mehreren eigenständigen Teilstaaten *Die USA sind ein ~.* **2.** Mitgliedsstaat eines Bundesstaates *Texas ist ein ~ der USA.*

• **Bụn·des·stra·ße** <-, -n> *die* Straße, die für den Fernverkehr bestimmt ist *Stau auf der ~ 10!*

• **Bụn·des·tag** <-(e)s> *kein pl der* Parlament der Bundesrepublik Deutschland *Der ~ berät über die Gesetzentwürfe.*

Bụn·des·wehr <-> *kein pl die* Armee der Bundesrepublik Deutschland *Die ~ soll nur der Verteidigung dienen.*

• **bụnt** [bʊnt] <bunter, buntest-> *adj* **1.** vielfarbig *ein ~es Kleid* **2.** verschiedenartig *ein ~es Programm;* **ein ~er Abend** Abendveranstaltung mit einem abwechslungsreichen Programm *Die Schule hatte die Eltern zu einem ~en Abend eingeladen.*

Bụrg [bʊrk] <-, -en> *die* mittelalterliche Festung *Der Graf lebte auf seiner ~.* ***Komp:*** *Ritter-*

• **Bụ̈r·ger(in)** ['bʏrgɐ] <-s, -> *der* Angehöriger eines Staates *Alle ~ ab 18 dürfen wählen.*

Bụ̈r·ger·i·ni·ti·a·ti·ve <-, -n> *die* politischer, außerparteilicher Zusammenschluss von Bürgern *Die ~ setzt sich für einen neuen Spielplatz ein.*

Bụ̈r·ger·krieg <-(e)s, -e> *der* Krieg, in dem sich Angehörige eines Staates gegenseitig bekämpfen *Der amerikanische ~ dauerte von 1861–1865.*

• **Bụ̈r·ger·meis·ter(in)** ['bʏrgɐma̲istɐ] <-s, -> *der* Chef der Stadtverwaltung *Der ~ weihte die neue Sporthalle ein.*

Bụ̈r·ger·recht·ler(in) <-s, -> *der* einzelner Bürger, der für die Rechte aller kämpft *Martin Luther King war ein berühmter ~.*

• **Bụ̈r·ger·steig** <-s, -e> *der (≈Gehsteig)* Weg für Fußgänger neben der Straße *Kinder unter zwölf Jahren dürfen auf dem ~ Fahrrad fahren.*

Bundespräsident
Während der deutsche und der österreichische Bundespräsident Staatsoberhäupter mit hauptsächlich repräsentativen Funktionen sind, ist der Bundespräsident in der Schweiz Vorsitzender des Bundesrates, also der Schweizer Regierung. Sein Amt dauert ein Jahr.

Büroklammer

- **Bü·ro** [by'roː] <-s, -s> *das* Arbeitszimmer oder -räume für Arbeiten am Schreibtisch *Ich arbeite in einem ~.* ***Komp:*** ***-stuhl***

Bü·ro·klam·mer <-, -n> *die* Metallklammer, die mehrere Blätter zusammenhält *Er heftete die Notiz mit einer ~ an die Akte.*

bü·ro·kra·tisch <bürokratischer, bürokratischst-> *adj* so, dass etw den Vorschriften entspricht *B~e Lösungen sind nicht immer die besten.* ***Wobi:*** *Bürokratie*

- **Bürs·te** ['bʏrstə] <-, -n> *die* Gegenstand zum Frisieren oder Reinigen der Haare *Sie kämmte sich die Haare mit einer ~.* ***Komp:*** *Haar-, Schuh-, Zahn-*

bürs·ten <bürstet, bürstete, gebürstet> *tr* **1.** [K] ***jd bürstet jdn/sich/etw*** *akk* mit der Bürste kämmen *Ich bürste mich., Wir ~ unseren Hund täglich.* **2.** [K] ***jd bürstet jdm/sich*** *dat* ***etw*** *akk* mit der Bürste kämmen *Ich bürste mir die Haare.*

- **Bus** [bʊs] <-ses, -se> *der* (*≈Omnibus, Autobus*) öffentliches Verkehrsmittel für den Personentransport *Er fährt mit dem ~ zur Arbeit.*

Bus·bahn·hof <-(e)s, -höfe> *der* zentraler An- und Abfahrtsplatz für Busse *Der ~ liegt direkt neben dem Bahnhof.*

Busch [bʊʃ] <-es, Büsche> *der* einzelner Strauch *In meinem Garten habe ich viele Bäume und Büsche.*

Bu·sen ['buːzn̩] <-s, -> *der* Brüste der Frau *Sie drückte das Kind an ihren ~.*

Bus·fah·rer(in) <-s, -> *der* jd, der einen Bus fährt *den ~ nach einer Straße fragen*

Bus·hal·te·stelle <-, -n> *die* Ort, an dem Busse halten, damit die Fahrgäste ein- und aussteigen können *an der ~ auf den nächsten Bus warten*

Bus·li·nie <-, -n> *die* Strecke, die ein Bus regelmäßig fährt *Die ~ 9 verbindet den Süden der Stadt mit dem Norden.*

Büs·ten·halter <-s, -> *der* (*≈BH*) Kleidungsstück, das den Busen stützt *einen ~ tragen, Die Abkürzung für ~ ist BH.*

- **But·ter** ['bʊtɐ] <-> *kein pl die* tierisches Fett aus Milch, das als Brotaufstrich verwendet wird *Ich nehme lieber ~ als Margarine.;* **alles in ~** (*umg*) in Ordnung *Bei uns ist alles in ~!*

Byte [bait] <-(s), -(s)> *das* DV Größeneinheit in der Datenverarbeitung *Die Datei hat 500 ~.*

C, c [tse:] <-, -> *das* der 3. Buchstabe des Alphabets *Das Wort ‚Camping' beginnt mit dem Buchstaben ~.*

- **Ca·fé** [ka'fe:] <-s, -s> *das* **1.** *(=* ÖSTERR *Kaffeehaus)* gemütliche Gaststätte, wo man Kaffee trinkt und Kuchen isst *ins ~ gehen* **2.** (CH) Kaffee *Zwei ~s, bitte!*
- **Ca·mion** [ka'mi̯õ:] <-s, -s> *der* (CH) Lastkraftwagen (LKW) *einen ~ fahren*
- **Cam·ping** ['kɛmpɪŋ] <-s> *kein pl das* das Wohnen im Zelt oder Wohnwagen während des Urlaubs *zum ~ fahren* ***Komp: -bus, -stuhl, -tisch, -wagen***

Cam·ping·platz <-(e)s, -plätze> *der* Ort, wo man sein Zelt aufstellen kann *die Ferien auf dem ~ verbringen*

- **CD** [tse:'de:] <-, -s> *die* kleiner digitaler Tonträger *eine ~ anhören* ***Komp: -Spieler***
- **CD-ROM** [tse:de:'rom] <-, -s> *die* digitaler Datenträger *ein ~-Laufwerk haben*

Cel·si·us ['tsɛlzi̯ʊs] <-> *kein pl das* internationale Einheit der Temperatur *acht Grad ~*

Cen·time [sã'ti:m] <-s, -s> *der (≈Rappen)* Münze in der Schweiz, 100 Centime/Rappen = 1 Franken *Das kostet 13 Franken und 50 ~s.*

Cham·pi·g·non ['ʃampɪnjɔŋ/'ʃãmpɪnjõ] <-s, -s> *der* Pilz, den man essen kann *~s pflücken*

- **Chan·ce** ['ʃã:s(ə)] <-, -n> *die* günstige Gelegenheit, Möglichkeit *keine ~ haben, die ~ zu gewinnen* ***Wobi: chancenlos***

Cha·os ['ka:ɔs] <-> *kein pl das* Durcheinander, Unordnung *in einem ~ leben*

Cha·ot(in) [ka'o:t] <-en, -en> *der (umg)* unordentlicher Mensch *ein ~ sein*

cha·o·tisch [ka'o:tɪʃ] <chaotischer, chaotischst-> *adj* unordentlich, durcheinander *ein ~es Leben*

- **Cha·rak·ter** [ka'raktɐ] <-s, -e> *der* persönliche Eigenschaften, Art *einen guten/schlechten ~ haben* ***Komp: -eigenschaft***

cha·rak·te·ri·sie·ren [karakteri'zi:rən] <charakterisiert, charakterisierte, charakterisiert> *tr* [K] *jd charakterisiert jdn/etw akk* in den wesentlichen Merkmalen beschreiben *einen Menschen ~*

cha·rak·te·ris·tisch [karakte'rɪstɪʃ] <charakteristischer, charakteristischst-> *adj* typisch *~e Eigenschaft*

Charme [ʃarm] <-s> *kein pl der* Eigenschaft, schnell andere Menschen für sich gewinnen zu können *~ haben* ***Wobi: charmant***

- **Chauf·feur(in)** ['ʃɔfø:ɐ̯] <-s, -e> *der* **1.** (CH) Fahrer *Billetts hat es beim ~.* **2.** jd, der beruflich einen Dienstwagen für eine andere Person fährt *Hohe Politiker haben oft einen ~.*

Check [ʃɛk] <-s, -s> *der* (CH) Scheck *Kann ich per ~ zahlen?*

- **Chef(in)** [ʃɛf] <-s, -s> *der* Leiter, Vorgesetzter *ein guter ~ sein* ***Komp: -arzt, Firmen-***

CD

Chor

• **Che·mie** [çe'miː] <-> *kein pl die* Wissenschaft, die sich mit den Eigenschaften von Stoffen beschäftigt *~ studieren*

• **chic** [ʃik] *siehe* **schick**

Chif·fre ['ʃɪfrə] <-, -n> *die* Kenn-Nummer in Zeitungsanzeigen *sich auf das Inserat mit der ~ … melden*

Chi·rurg(in) [çi'rʊrk] <-en, -en> *der* MED Operationsarzt *einen guten ~en kennen*

Chi·rur·gie [çirʊr'giː] <-> *kein pl die* MED Abteilung, die sich mit Operationen beschäftigt *in der ~ arbeiten*

Chlor ['kloːɐ̯] <-s> *kein pl das* CHEM chemisches Element *~ zum Desinfizieren einsetzen* ***Komp:** -gas*

Chor ['koːɐ̯] <-(e)s, Chöre> *der* Gruppe von Sängern *im ~ singen* ***Komp:** -leiter, -probe, Kirchen-, Knaben-, Schul-*

Christ(in) ['krɪst] <-en, -en> *der* jd, der an Jesus Christus glaubt *~ sein* ***Komp:** -baum, -kind*

christ·lich ['krɪstlɪç] <-> *adj* so, dass man an Jesus Christus glaubt *jdn ~ erziehen;* **~e Zeitrechnung** Zeitrechnung seit der Geburt Jesu Christi *nach ~er Zeitrechnung*

Chris·tus ['krɪstʊs] <-> Ehrenname Jesu, Messias *vor ~ (v. Chr.), nach ~ (n. Chr.)*

Chrom ['kroːm] <-s> *kein pl das* glänzendes Metall *aus ~ sein* ***Wobi:** verchromen*

Chro·nik ['kroːnɪk] <-, -en> *die* zeitlicher Überblick über geschichtliche Ereignisse *eine ~ der Familie schreiben*

chro·nisch ['kroːnɪʃ] <-, -> *adj (↔akut)* so, dass etw immer wieder kommt; ständig *eine ~e Krankkeit haben*

chro·no·lo·gisch [krono'loːgɪʃ] <-, -> *adj* in der zeitlichen Reihenfolge *historische Ereignisse ~ darstellen*

cir·ca ['t͜sɪrka] *adv* ungefähr, Abkürzung: ca. *~ 100 km entfernt sein*

cle·ver ['klɛvɐ] <cleverer, cleverst-> *adj* schlau, pfiffig *ein ~es Kind*

Clinch ['klɪnt͜ʃ] <-(e)s> *kein pl der (umg)* Streit *mit jdm im ~ liegen*

Cli·que ['klɪkə] <-, -n> *die (umg)* Gruppe von Freunden *sich mit seiner ~ treffen*

Clown [kla͜un] <-s, -s> *der* jd, der im Zirkus Späße macht *als ~ auftreten;* **sich zum ~ machen** sich lächerlich machen *Ich mach' mich doch nicht zum ~!*

• **Club** *siehe* **Klub**

co·die·ren *siehe* **kodieren**

• **Coif·feur, Coif·feu·se** ['ko̯aføːɐ̯] <-s, -e> *der* (CH) Friseur, Friseurin *zum ~ gehen*

• **Co·la** ['kɔːla] <-, -s> *die/das* süßes, braunes Getränk *Ein(e) ~ bitte!*

Com·pact Disk <-, -s> *siehe* **CD**

• **Com·pu·ter** [kɔm'pjuːtɐ] <-s, -> *der (≈Rechner)* Maschine zur elektronischen Datenverarbeitung *am ~ arbeiten* ***Komp:** -hersteller, -programm, -spiel*

Con·tai·ner [kɔn'teːnɐ] <-s, -> *der* großer Behälter zum Transport *einen ~ beladen*

Co·py-Shop <-s, -s> *der* Geschäft, in dem man kopieren kann *in den ~ gehen*

• **Couch** [ka͜ut͜ʃ] <-, -s/-en> *die (≈Sofa)* bequemes Möbelstück zum

Sitzen für mehrere Personen *sich auf die ~ setzen* ***Komp:*** ***-garnitur, -tisch***

Cou·sin, **Cou·si·ne** [ku'zɛ̃ː] <-, -s> *der* Sohn/Tochter von Onkel oder Tante *den ~ besuchen*

• **Cou·vert** [ku'veːɐ̯/ku'vəɐ̯] <-s, -s> *das* (CH) Briefumschlag, Kuvert *zehn ~s kaufen*

• **Creme** [kreːm/krɛːm] <-, -s (-en)> *die* **1.** Pflegemittel für die Haut *eine ~ für das Gesicht* **2.** weiche Masse, z.B. aus Sahne, auf einem Kuchen *eine Torte mit ~ belegen* ***Komp:*** ***-torte, Gesichts-, Hand-, Nacht-, Schokoladen-, Sonnen-, Tages-***

Cur·ry ['kœri] <-s> *kein pl der/das* scharfes gelbes Gewürz aus Indien *ein Gericht mit ~ würzen* ***Komp:*** ***-wurst***

Cur·sor ['køːsɐ] <-s, -> *der* Markierung auf einem Computerbildschirm, die anzeigt, wo man Daten eingibt *den ~ mit der Maus bewegen*

D

D, d [deː] <-, -> *das* der 4. Buchstabe des Alphabets *Der Name ‚Dresden‘ beginnt mit dem Buchstaben ~.*

• **da** [daː] **I.** *adv* **1.** dort *das Museum ~, D~ bei dir liegt der Knopf.* **2.** hier *Ihr braucht nicht zu warten, ich bin schon ~!* **3.** in diesem Zusammenhang, in dieser Sache *D~ kann ich Ihnen nicht helfen., D~ muss ich dir zustimmen.;* ~ **sein** vorhanden sein, übrig sein *Ist noch (etw) Tee ~?;* **noch ~ sein** geistig noch anwesend sein *Sprich ruhig weiter, ich bin noch ~.;* **D~ fällt mir gerade ein, ...** wird verwendet, um im Gespräch das Thema zu wechseln *D~ fällt mir gerade ein, dass ich noch telefonieren muss.* **II.** *konj* weil *Ich kam zu spät, ~ ich den Bus verpasst hatte.*

• **da·bei** [da'bai̯/'daːbai̯] *adv* **1.** vorhanden *Ist die Beschreibung von dem Gerät ~?* **2.** gleichzeitig *Hör auf, Klavier zu spielen! D~ kann ich mich nicht konzentrieren!, D~ darf man allerdings nicht vergessen, wie jung er noch ist.;* **... und ~ bleibt's!** wird verwendet, wenn man seine Meinung nicht mehr ändern will *Ich komme nicht mit und ~ bleibt's!;* ~ **sein** anwesend sein *Ich will auch ~ sein.;* ~ **haben** mit sich tragen *Hast du Geld ~?*

• **da·bei·blei·ben** <bleibt dabei, blieb dabei, dabeigeblieben> *itr* <*sein*> irgendwo bleiben *Mir gefällt diese Arbeit, ich bleibe dabei.*

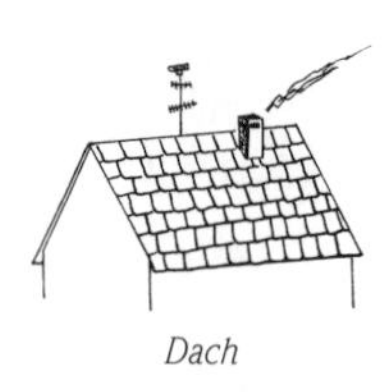

Dach

• **Dach** [dax] <-s, Dächer> *das* obere Abdeckung eines Hauses *unterm ~ wohnen;* **unter ~ und Fach sein** sicher/abgeschlossen sein *Der Vertrag ist unter ~ und Fach.* ***Komp:*** *-balken, -boden, -fenster, -garten, -kammer, -luke, -rinne, -schräge*

dach·te ['daxtə] *prät von* **denken**

da·durch [da'dʊrç/'daːdʊrç] *adv* so, auf diese Art und Weise *Ich möchte ~ verhindern, dass noch mehr passiert.*

• **da·für** [da'fyːɐ̯/'daːfyːɐ̯] *adv (↔dagegen)* für etw, zugunsten von *Ich bin ~, dass wir heute ins Kino gehen., Nun zur Abstimmung! Wer ist ~?*

• **da·ge·gen** [da'geːgn̩/'daːgeːgn̩] *adv* **1.** *(↔dafür)* nicht derselben Meinung *Ich bin ~, viel Geld für ein Geschenk auszugeben.* **2.** im Gegensatz *Er ist sehr nett, sie ~ nicht.;* **nichts ~ haben** keine Einwände haben *Ich habe nichts ~, dass du gehst.*

da·heim [da'hai̯m] *adv* (SD, ÖSTERR, CH) zu Hause *wieder ~ sein*

• **da·her** [da'heːɐ̯/'daːheːɐ̯] *adv* **1.** aus dieser Richtung *Ich komme ~.* **2.** aus diesem Grund *Das kommt ~, dass du mal wieder nicht aufgepasst hast.*

da·hin [da'hɪn/'daːhɪn] *adv* **1.** zu einem bestimmten Ort *Ist es noch weit bis ~?* **2.** auf einen bestimmten Zeitpunkt in der Zukunft bezogen *Bis ~ bin ich wieder gesund.*

• **da·hin·ter** [da'hintɐ] *adv* hinter etw *vorne die Pferde, ~ der Wagen;* **jd kommt (nicht) ~** jd findet die Lösung (nicht) *Kannst du die Aufgabe lösen? Ich komme einfach nicht ~.*

• **da·mals** ['daːmaːls] *adv* ein bestimmter Zeitpunkt in der Vergangenheit *jdn von ~ zufällig wieder treffen*

• **Da̲·me** ['daːmə] <-, -n> *die* vornehme Frau *eine richtige ~ sein, Eine ältere ~ fragt nach Ihnen., Meine sehr verehrten ~n und Herren!* ***Komp:*** *-nbesuch, -nfußball, -nmannschaft, -nmode, Herz-, Tisch-*

Dame
Vorsicht bei der Anrede! Es heißt ‚Meine Damen und Herren', aber ‚Frau Müller'. Vorsicht auch mit den Komposita: Es heißt ‚Tischdame' und ‚Damenwahl', aber ‚Karrierefrau' und ‚Frauenbewegung', ‚Damenbinde', aber ‚Frauenarzt'.

• **da̲·mit** ['daːmɪt] *adv* mit dieser Sache *Ein Rock? D~ kannst du aber nicht wandern!*

• **da·mịt** [da'mɪt] *konj* in der Absicht, zu dem Zweck *Ich schließe das Fenster, ~ es im Zimmer nicht kalt wird.*

Dạmm [dam] <-(e)s, Dämme> *der (≈Deich)* Mauer oder Erdwall zum Schutz vor Hochwasser oder zum Stauen von Wasser *einen ~ aufschütten, Der ~ bricht.;* **nicht auf dem ~ sein** sich krank fühlen *Ich bin heute nicht ganz auf dem ~.* ***Komp:*** *-bruch, Bahn-, Stau-*

dạ̈m·mern ['dɛmɐn] <dämmert, dämmerte, gedämmert> *itr* gerade hell/dunkel werden *Es dämmert schon.;* **jdm dämmert es** jdm wird etw klar *So langsam dämmert's mir, woher ich ihn kenne.* ***Wobi:*** *Dämmerung*

• **da·nach** [da'naːx/'daːnax] *adv* zeitlich auf etw folgend, hinterher *Wir können spazieren gehen und uns ~ ein bisschen ausruhen.*

• **Dạnk** [daŋk] <-(e)s> *kein pl der* Freude über etw zeigen, was jd anders einem gegeben oder für einen gemacht hat *Vielen ~ für das Geschenk!, Mein ~ ist Ihnen sicher.;* **Gott sei ~!** Zum Glück! *Er ist heil angekommen. Gott sei ~!*

• **dạnk·bar** ['daŋkbaːɐ̯] <dankbarer, dankbarst-> *adj (↔undankbar)* so, dass man froh ist über etw, das man von jdm bekommen hat *Ich bin dir sehr ~ für deine Hilfe.;* **eine ~e Aufgabe** angenehme, einfache Aufgabe *Das ist eine ~e Aufgabe!*

dạn·ke ['daŋkə] *adv* verwendet, um seinen Dank auszudrücken *D~ sehr!, D~ für das Geschenk!*

• **dạn·ken** ['daŋkn̩] <dankt, dankte, gedankt> *itr* Freude über etw zeigen *jdm ~;* **Nein, danke.** verwendet, um höflich nein zu sagen *Möchtest du noch einen Nachtisch? – Nein, danke.;* **Danke, gleichfalls.** verwendet, um auf einen Wunsch zu antworten *Guten Appetit! – Danke, gleichfalls.*

danken
Das können Sie sagen:
Danke! Danke schön! Danke sehr! Vielen Dank! Herzlichen Dank! Ganz herzlichen Dank! Tausend Dank!
Das können Sie antworten:
Bitte! Bitte schön! Gern geschehen! Nichts zu danken! Keine Ursache!

• **dạnn** [dan] *adv* **1.** danach *Erst spielten sie Karten, ~ aßen sie.* **2.** wenn eine bestimmte Voraussetzung erfüllt ist *Erst denken, ~ handeln!;* **~ und wann** manchmal, ab und zu, unregelmäßig *sich ~ und wann treffen*

• **da·ran** [da'ran/'daːran] *adv* **1.** an etw *~ glauben, dass das Wetter besser wird, ~ beteiligt sein* **2.** zeitlich: kurz davor *nahe ~ sein, laut zu lachen*

• **da·rauf** [da'rau̯f/'daːrau̯f] *adv* **1.** auf etw *das Buch ~ legen* **2.** zeitlich: nach etw *kurz ~, am Tag ~;* **Wie kommst du ~?** Woher hast du diese Idee? *Wie kommst du ~, dass ich lüge?;* (**nur**) **~ aus sein, etw zu tun** (nur) an etw Bestimmtem interessiert sein *Er war nur ~ aus, etw von ihrem Erbe abzubekommen.*

• **da·raus** [da'rau̯s/'daːrau̯s] *adv* aus etw *~ folgt;* **sich nichts ~ machen** nicht besonders interessiert an etw sein *Tanzen? Ich mache mir nichts ~.*

• **da·rin** [da'rɪn/'daːrɪn] *adv* **1.** in etw *Ich soll die Zeitung lesen? D~ steht sowieso nichts Neues.* **2.** in diesem Punkt *Der Unterschied* *zwischen uns liegt ~, dass du ernster bist.*

Darm [darm] <-(e)s, Därme> *der* ANAT langes, schlauchförmiges Organ zur Verdauung *Schmerzen im ~ haben* ***Komp:** Dick-, Dünn-*

dar|stel·len <stellt dar, stellte dar, dargestellt> *tr* **1.** [K] ***jd stellt etw** akk **dar*** beschreiben, deutlich erklären *die Situation ~, etw objektiv ~* **2.** THEAT [K] ***jd stellt jdn dar*** spielen *den Hamlet ~*

• **Dar·stel·lung** <-, -en> *die* **1.** Bild *eine realistische ~* **2.** Beschreibung, Erklärung *eine ausführliche ~*

• **da·rum** [da'rʊm/'da:rʊm] *adv* aus diesem Grund, deswegen *Ich war krank, ~ bin ich nicht gekommen.;* **Es geht ~, dass ...** im Mittelpunkt steht, dass ..., wichtig ist, dass ... *Es geht ~, dass wir uns jetzt entscheiden müssen.;* **Ach ~!** Das ist also der Grund! *Du bist krank? Ach ~ bist du nicht gekommen!*

• **da·rü·ber** *adv* während *konzentriert arbeiten und ~ die Zeit vergessen;* **~ stehen** von etw nicht beeindruckt sein *Die Kritik macht mir nichts aus, ich stehe ~.*

• **das** [das] Artikel von neutralen Substantiven *~ Feuer, ~ Mädchen*

• **dass** [das] *konj* verwendet, um Nebensätze zu beginnen *Ich bin dagegen, ~ wir jetzt gehen.*

• **Da·tei** [da'tai̯] <-, -en> *die* DV bestimmte Sammlung elektronischer Daten *eine ~ öffnen, eine ~ anlegen* ***Komp:** -manager, -name*

• **Da·ten** ['da:tn̩] <-> *kein sing pl* **1.** alles, was man im Computer speichert *eine Kopie von den ~ machen* **2.** bestimmte Informationen zu einem Thema, die oft wissenschaftlich erfasst und per Computer statistisch bearbeitet werden *~ erfassen, persönliche ~ angeben* ***Komp:** -autobahn, -bank, -schutz, -träger, -verarbeitung*

Da·tiv ['da:ti:f] <-s, -e> *der* LING 3. Fall/Kasus in der Deklination auf die Frage ‚wem?' *‚Mit' steht immer mit dem ~.*

• **Da·tum** ['da:tʊm] <-s, (Daten)> *das* genaue Angabe von Tag, Monat und Jahr *Was ist heute für ein ~?, Welches ~ haben wir heute?* ***Komp:** -sstempel, Geburts-, Haltbarkeits-, Verfalls-*

Dau·er ['daʊ̯ɐ] <-> *kein pl die* Zeitraum *für die ~ der Ferien, von kurzer ~ sein* ***Komp:** -gast, -karte, -lauf, -regen, -stellung, -welle*

Dau·er·auf·trag <-(e)s, -träge> *der* Auftrag an eine Bank, einen Geldbetrag regelmäßig vom Konto an jdn zu bezahlen *einen ~ für die Miete haben*

• **dau·ern** ['daʊ̯ɐn] <dauert, dauerte, gedauert> *itr* nicht aufhören, sich nicht ändern *Dauert das noch lange?*

• **dau·ernd** ['daʊ̯ɐnt] *adv* immer wieder *Bleib hier und lauf mir nicht ~ weg!*

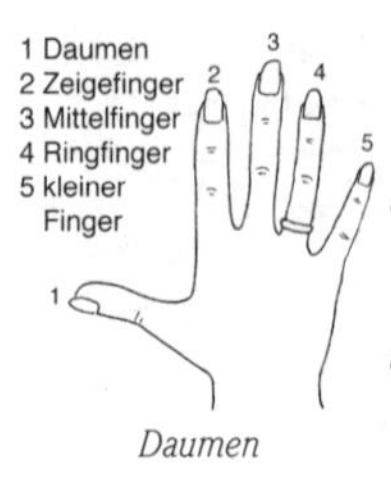

Daumen

Dau·men ['daʊ̯mən] <-s, -> *der* dickster, kräftigster Finger der Hand *am ~ lutschen;* **jdm den/die ~ drücken/halten** jdm symbolisch Erfolg wünschen *Ich halte dir den ~n für die Prüfung!*

• **da·vor** [da'fo:ɐ̯/'da:fo:ɐ̯] *adv* **1.** im Vordergrund von etw, vor etw *nicht hinter dem Haus, sondern ~ parken* **2.** früher, vorher *Wir kommen zu dir, ~ müssen wir aber noch tanken.*

• **da·zu** [da'tsu:/'da:tsu] *adv* zu diesem Zweck *D~ brauchst du aber Mut!;* **Wie kommst du ~!** verwendet als Ausdruck der Empörung oder Verwunderung *Wie kommst du ~, das zu behaupten? Das stimmt überhaupt nicht!*

• **De·cke** ['dɛkə] <-, -n> *die* **1.** eine Art großes Tuch zum Bedecken und Wärmen des Körpers *sich die ~ über den Kopf ziehen* **2.** oberer Abschluss eines Raumes *die ~ weiß streichen;* **an die ~ gehen** *(umg)* wütend werden *Ich könnte an die ~ gehen, weil du immer zu spät kommst.* ***Komp:** Bett-, Stepp-, Zimmer-*

De·ckel ['dɛkl̩] <-s, -> *der* flacher Gegenstand, mit dem man ein Gefäß verschließt *Wo ist der ~ vom Kochtopf?*

de·cken ['dɛkn̩] <deckt, deckte, gedeckt> **I.** *tr* K *jd deckt etw akk* Geschirr und Besteck auf den Tisch stellen *den Tisch für das Abendessen ~* **II.** *refl* K *etw deckt sich akk* [*mit etw dat*] gleich sein *Unsere Vorstellungen vom Leben ~ sich.*

de·fi·nie·ren [defi'ni:rən] <definiert, definierte, definiert> *tr* K *jd definiert etw akk* genau beschreiben, bestimmen *eine Aufgabe genau ~*

De·fi·ni·ti·on [defini'ts̮i̯o:n] <-, -en> *die* begriffliche Bestimmung *eine ~ auswendig lernen*

De·fi·zit ['de:fits̮ɪt] <-s, -e> *das* Mangel, fehlender Betrag *Die Bilanz weist ein ~ von 500 Euro auf.*

Deich ['dai̯ç] <-(e)s, -e> *der* Erdwall zum Schutz gegen Hochwasser *hinter dem ~ leben*

Deich
Große Teile der deutschen und niederländischen Nordseeküste sind durch Deiche geschützt. Ohne diese wären breite Küstenstreifen nicht bewohnbar, weil sie regelmäßig oder dauernd unter Wasser stehen würden.

• **dein**(-e, -er, -s) [dai̯n ('dai̯nə, 'dai̯nɐ, 'dai̯ns)] *pron* von dir *~e Eltern, Das Stück Kuchen hier ist ~s.*

De·kli·na·ti·on [deklina'ts̮i̯o:n] <-, -en> *die* LING Änderung der Endungen von Substantiven, Adjektiven, Pronomen und Artikeln im Satz *die ~ der Substantive üben*

de·kli·nie·ren [dekli'ni:rən] <dekliniert, deklinierte, dekliniert> *tr* K *jd dekliniert etw akk* Substantive, Adjektive, Pronomen und Artikel in die vier Fälle/Kasus setzen *die Adjektive immer falsch ~*

de·ko·rie·ren [deko'ri:rən] <dekoriert, dekorierte, dekoriert> *tr* K *jd dekoriert etw akk* schmücken *ein Schaufenster ~* ***Wobi:** Dekoration*

De·le·ga·ti·on [delega'ts̮i̯o:n] <-, -en> *die* eine offizielle Gruppe von Personen mit einem Auftrag *als Mitglied einer ~ in die USA reisen*

De·likt [de'lɪkt] <-(e)s, -e> *das* Vergehen, Verbrechen *ein schweres ~ begehen*

de·men·tie·ren [demɛn'ti:rən] <dementiert, dementierte, dementiert> *tr* K *jd dementiert etw akk* offiziell für falsch erklären *eine Zeitungsmeldung ~*

dem·nächst ['de:m'nɛ:çst] *adv* bald *Der Film ist ~ im Kino.*

• **De·mo·kra·tie** [demokra'ti:] <-, -n> *die* Staatsform, in der das Volk sein Parlament wählt *in einer ~ leben* ***Wobi:** Demokrat(in), demokratisieren, Demokratisierung*

• **de·mo·kra·tisch** [demo'kra:tɪʃ] <demokratischer, demokratischst-> *adj (↔undemokratisch)* so, dass es der Demokratie entspricht, mehrheitlich *eine ~e Republik schaffen, ~ abstimmen*

• **De·monst·ra·ti·on** [demɔnstra'ts̮i̯o:n] <-, -en> *die* öffentliche Protestversammlung *an einer ~ gegen die Aufrüstung teilnehmen* ***Wobi:** demonstrieren*

De·mü·ti·gung <-, -en> *die* Erniedrigung *Diese ~ werde ich nie* *vergessen.* ***Wobi:* *demütigen***

denk·bar <-, -> *adj (↔undenkbar)* möglich, vorstellbar *Das ist durchaus ~.*

• **den·ken** ['dɛŋkn̩] <denkt, dachte, gedacht> **I.** *itr* **1.** geistig arbeiten *Er denkt zu viel.* **2.** [K] ***jd denkt an etw*** *akk* sich etw in Gedanken vorstellen *an den Urlaub ~* **II.** *tr* [K] ***jd denkt etw*** *akk* glauben, meinen *Ich denke, du hast Recht., Was denkst du darüber?* **III.** *refl* [K] ***jd denkt sich*** *dat* ***etw*** *akk* ***bei etw*** *dat* verwendet, um auszudrücken, dass jd etw unüberlegt gemacht hat *Was hast du dir eigentlich dabei gedacht?*

Denkmal

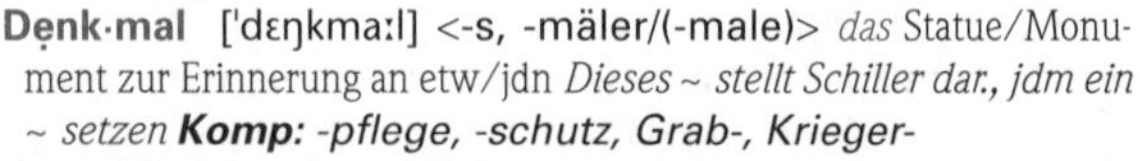

Denk·mal ['dɛŋkma:l] <-s, -mäler/(-male)> *das* Statue/Monument zur Erinnerung an etw/jdn *Dieses ~ stellt Schiller dar., jdm ein ~ setzen* ***Komp:* *-pflege, -schutz, Grab-, Krieger-***

• **denn** ['dɛn] *konj* **1.** weil *Er konnte nicht kommen, ~ er war krank.* **2.** verwendet in Fragen, um Überraschung auszudrücken *Ist er ~ schon wieder gesund?, Wo kommen Sie ~ her?;* **... es sei ~ ...** außer *Ich komme auf jeden Fall, es sei ~, ich werde noch krank.*

den·noch *adv* trotzdem *Er hatte wenig Zeit, ~ hat er mir geholfen.*

Deo ['de:o] <-s, -s> *das* Mittel, das Schweißgeruch verhindert, Deodorant *täglich ein ~ benutzen* ***Komp:* *-roller, -spray, -stift***

De·par·te·ment [departə'mã:] <-(e)s, -s/-e> *das* **1.** (CH) Ministerium *das ~ für Arbeit* **2.** (CH) Abteilung eines Geschäfts *in einem ~ arbeiten*

De·po·nie [depo'ni:] <-, -n> *die* Stelle, wohin der Müll gebracht wird *eine ~ schließen* ***Komp:* *Müll-***

de·po·nie·ren [depo'ni:rən] <deponiert, deponierte, deponiert> *tr* [K] ***jd deponiert etw*** *akk* [***irgendwo***] zur Aufbewahrung geben *Geld auf der Bank ~*

De·pres·si·on [deprɛ'si̯o:n] <-, -en> *die* MED eine seelische Krankheit, bei der man oft bedrückt/traurig ist *an einer schweren ~ leiden* ***Wobi:* *depressiv***

de·pri·mie·ren [depri'mi:rən] <deprimiert, deprimierte, deprimiert> *tr* [K] ***etw deprimiert jdn*** sehr traurig machen *Das regnerische Wetter deprimiert mich.*

• **der** [de:ɐ̯] Artikel von maskulinen Substantiven *~ Löwe*

derb ['dɛrp] <derber, derbst-> *adj* kräftig, grob, unfein *einen ~en Witz erzählen*

der·je·ni·ge (**die-**, **das-**) ['de:ɐ̯je:nɪgə] *pron* genau dieser, der *D~, der mitmachen möchte, melde sich!, D~, der die Antwort weiß, bitte melden!*

• **der·sel·be** (**die-**, **das-**) [de:ɐ̯'zɛlbə] *pron* genau der *Sein Bruder hat genau denselben Mantel gekauft wie er.*

der·zeit ['de:ɐ̯'tsai̯t] *adv* im Moment, jetzt *~ an der Universität studieren, der ~ berühmteste Experte sein*

• **des·halb** ['dɛs'halp] *adv* aus einem bestimmten Grund, deswegen *Er braucht Geld und will ~ einen Kredit aufnehmen.*

des·in·fi·zie·ren [dɛsʔɪnfi'tsi:rən/dezʔɪnfi'tsi:rən] <desinfiziert, desinfizierte, desinfiziert> *tr* [K] ***jd desinfiziert etw*** *akk* Bakterien mit einem Spezialmittel töten *die Toilette ~* ***Wobi:* *Desinfektion***

• **Des·sert** [dɛ'se:ɐ̯/dɛ'sɛ:ɐ̯/dɛ'sɛ:rt] <-s, -s> *das (≈Nachtisch, Nach-*

speise) süße Nachspeise *Pudding zum ~ essen*

• **des·to** ['dɛsto] *konj* **je ... ~ ...** verwendet, um das Verhältnis von einer Sache zu einer anderen auszudrücken *Je schneller wir arbeiten, ~ früher sind wir fertig.*

• **des·we·gen** ['dɛs've:gn̩] *adv s.* **deshalb**

De·tail [de'taj(l)/de'ta:j] <-s, -s> *das* Einzelheit *ins ~ gehen, alle ~s aufzählen*

de·tail·liert <detaillierter, detailliertest-> *adj* so, dass man alle Einzelheiten berücksichtigt; genau ausgearbeitet *ein ~er Bericht*

De·tek·tiv(in) [detɛk'ti:f] <-s, -e> *der* Person, die z.B. einen Verbrecher/Dieb finden soll *einen ~ beauftragen*

deu·ten ['dɔytn̩] <deutet, deutete, gedeutet> *tr* K *jd deutet etw akk* interpretieren, erklären *eine Bemerkung falsch ~* ***Wobi:*** *Deutung*

D

• **deut·lich** ['dɔytlɪç] <deutlicher, deutlichst-> *adj* klar *Bitte sprechen Sie ~!;* **jdm etw ~ machen** klar machen, erklären, besonders bei Kritik *Ich habe ihr ~ gemacht, dass es so nicht weitergeht.;* **jdm ~ die Meinung sagen** jdn offen kritisieren *Ich glaube, ich muss ihm mal ~ die Meinung sagen.*

Deut·lich·keit <-> *kein pl die* Klarheit, Offenheit *etw in aller ~ sagen*

De·zem·ber [de'tsɛmbɐ] <-(s), (-)> *der* der 12. Monat des Jahres *im ~ geboren sein*

de·zent [de'tsɛnt] <dezenter, dezentest-> *adj* nicht aufdringlich, leicht *ein ~es Parfüm benutzen*

Di·ag·no·se [dia'gno:zə] <-, -n> *die* MED Feststellung einer Krankheit *eine ~ stellen* ***Wobi: diagnostizieren***

Di·a·gramm [dia'gram] <-s, -e> *das (≈Schaubild)* grafische Darstellung *ein ~ anfertigen*

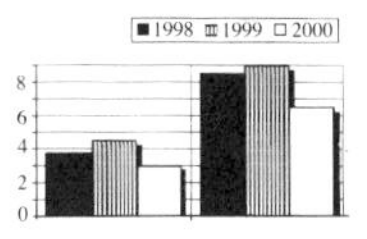

Diagramm

Di·a·lekt [dia'lɛkt] <-(e)s, -e> *der* regionale Form einer Sprache *Bayerisch und Wienerisch sind bekannte ~e.*

Dialekt
In Deutschland, Österreich und der Schweiz hat jede Region und fast jede Stadt einen eigenen Dialekt. Einige Dialekte unterscheiden sich so sehr, dass sich manchmal sogar Deutschsprachige untereinander nur schwer verstehen. Eine Übersicht über die Dialekte finden Sie im Anhang.

Di·a·log [dia'lo:k] <-(e)s, -e> *der* Gespräch zwischen zwei oder mehreren Personen *einen ~ führen*

Di·a·mant [dia'mant] <-en, -en> *der* kostbarer Edelstein *einen ~en schleifen* ***Komp: -ring***

• **Di·ät** [di'ɛ:t] <-, -en> *die* reduzierte Ernährung *Sie macht eine ~, weil sie sich zu dick findet.*

Di·ä·ten [di'ɛ:tn̩] <-> *pl* POL Gelder, die Abgeordnete für ihre Arbeit im Parlament erhalten *die ~ erhöhen*

• **dicht** [dɪçt] <dichter, dichtest-> **I.** *adj* **1.** so, dass man nicht hindurchsehen kann *~er Nebel* **2.** so, dass keine (kalte) Luft hindurchkommen kann *Die Fenster sind ~.* **II.** *adv* nahe *Das Auto ist ~ hinter uns., ~ beieinander sitzen*

dich·ten¹ ['dɪçtn̩] <dichtet, dichtete, gedichtet> **I.** *tr* K *jd dichtet etw akk* verfassen, schreiben *einen Vers ~* **II.** *itr* Gedichte schreiben *Er dichtet schon seit seiner Kindheit.*

dich·ten² ['dɪçtn̩] <dichtet, dichtete, gedichtet> *tr* K *jd dichtet etw akk* undurchlässig/dicht machen *das kaputte Wasserrohr ~*

• **Dich·ter(in)** ['dɪçtɐ] <-s, -> *der (≈Poet)* jd, der Gedichte schreibt *ein viel gelesener ~*

Dich·tung ['dɪçtʊŋ] <-, -en> *die* **1.** Werk eines Dichters, literarisches Werk *die romantische ~ lieben* **2.** TECH ein Ring aus Gummi o.Ä., der verhindert, dass Flüssigkeit ausläuft *die ~ des Wasserhahns auswechseln*

ein dicker Mann

• **dick** [dɪk] <dicker, dickst-> *adj (↔dünn)* von großem Umfang *ein ~es Buch;* **~e Freunde** sehr gute Freunde *Wir sind ~e Freunde.* ***Komp:* *-bäuchig, -flüssig***

Dick·kopf <-(e)s, -köp·fe> *der (umg)* **ein ~ sein** ein sturer, eigensinniger Mensch sein *Der Alte ist ein ~.*

• **die** [diː] **1.** Artikel von femininen Substantiven *~ Königin, ~ Ente* **2.** Pluralartikel *~ Königinnen, ~ Männer, ~ Kinder*

• **Dieb(in)** [diːp] <-s, -e> *der* jd, der fremdes Eigentum wegnimmt *den ~ verfolgen*

Dieb·stahl ['diːpʃtaːl] *der* das unerlaubte Wegnehmen von fremdem Eigentum *einen ~ begehen, einen ~ aufdecken*

• **die·nen** ['diːnən] <dient, diente, gedient> *itr* für jdn/etw arbeiten; angestellt sein *bei der Armee ~;* **zu etw ~** zu etw nützlich sein *Der Stift dient zum Schreiben.;* **Womit kann ich ~?** womit kann ich helfen? *Guten Tag! Womit kann ich ~?*

Die·ner(in) ['diːnɐ] <s, -> *der* jd, der in jds Haus angestellt ist *ein treuer ~ sein*

Dienst [diːnst] <-es, -e> *der* Arbeit *~ haben, im öffentlichen ~ arbeiten* ***Komp:* *-abteil, -anweisung, -leistung, -reise***

Diens·tag ['diːnstaːk] <-(e)s, -e> *der* der 2. Tag der Woche *sich am ~ treffen*

dienst·lich <-, -> *adj (↔privat)* so, dass es zur Arbeit gehört *eine ~e Angelegenheit sein, jdn ~ sprechen wollen*

• **dies(-e, -er, -es)** [diːs ('diːzə, 'diːzɐ, 'diːzəs)] *pron (↔jene)* auf etw hinweisend, was in der Nähe ist *D~ es Buch ist besser als das andere., D~ möchte ich noch sagen: ...*

dies·be·züg·lich ['diːsbətsyːklɪç] <-, -> *adj* so, dass man sich auf das Gesagte bezieht *der ~e Vertrag, ~ auf eine Antwort warten*

Die·sel ['diːzl̩] <-s> *kein pl der* Kraftstoff für Motoren, Dieselöl *~ tanken* ***Komp:* *-antrieb, -kraftstoff, -motor***

die·sig ['diːzɪç] <diesiger, diesigst-> *adj* neblig, nicht klar *ein ~er Tag*

• **dies·mal** ['diːsmaːl] *adv* in diesem Fall, jetzt *D~ könntest du mir helfen.*

Dif·fe·renz [dɪfə'rɛnts] <-, -en> *die* Unterschied, Meinungsverschiedenheit *eine geringe ~ feststellen, ~en haben*

di·gi·tal [digi'taːl] <-, -> *adj* so, dass etw in Ziffern angezeigt wird *eine ~e Uhr*

Dik·tat [dɪk'taːt] <-(e)s, -e> *das* das Auf-/Mitschreiben dessen, was ein anderer sagt *ein ~ schreiben*

Dik·ta·tor(in) [dɪk'taːtoːɐ̯] <-s, -en> *der* POL Herrscher eines Staates, der mit unbeschränkter Macht herrscht *Franco und Hitler waren ~en.*

Dik·ta·tur [dɪkta'tuːɐ̯] <-, -en> *die* Staatsform, in der die Regierung unbeschränkte Macht hat *in einer ~ leben*

dik·tie·ren ['dɪk'tiːrən] <diktiert, diktierte, diktiert> *tr* [K] ***jd diktiert [jdm] etw*** *akk* zum Mitschreiben vorsprechen *der Sekretärin einen Brief ~*

Di·lẹm·ma [di'lɛma] <-s, -s> *das* Notlage, Schwierigkeit *in einem ~ sein*

Di·men·si·o̲n [dimɛn'zi̯o:n] <-, -en> *die* Ausmaß, Umfang *in großen ~en denken*

• **Dịng** [dɪŋ] <-(e)s, -e> *das* Gegenstand, Sache *viele neue ~e haben, Einige ~e sind mir noch unklar., Über diese ~e spricht man nicht.;* **über den ~en stehen** sich von etw nicht beeindrucken lassen, sich nicht aus der Ruhe bringen lassen *Sie ist immer souverän und steht über den ~en.;* **ein ~ drehen** *(umg)* ein Verbrechen begehen *Wir haben ein tolles ~ gedreht.*

Di·plo̲m [di'plo:m] <-(e)s, -e> *das* Hochschulabschluss, Zeugnis, Zertifikat *sein ~ machen* ***Komp:** -arbeit*

Di·plo·ma̲t(in) [diplo'ma:t] <-en, -en> *der* politischer Vertreter eines Landes im Ausland *mit ~en aus aller Welt verhandeln*

di·plo·ma̲·tisch [dɪplo'ma̲tɪʃ] <diplomatischer, diplomatischst-> *adj* geschickt und vorsichtig *ein ~er Staatsmann, einen Konflikt ~ lösen*

• **di·rẹkt** [di'rɛkt] <direkter, direktest-> *adj* **1.** ohne Umweg, gerade *eine ~e Verbindung, ein ~er Flug* **2.** unmittelbar, ganz nah *Das Haus ist ~ an der Straße.* **3.** so, dass man sagt, was man denkt *sich sehr ~ ausdrücken*

Di·rẹk·tor(in) [dɪ'rɛkto:ɐ̯] <-s, -en> *der* Leiter einer Institution *~ der Schule sein*

di·ri·gi̲e·ren [diri'gi:rən] <dirigiert, dirigierte, dirigiert> *tr* [K] *jd dirigiert etw akk* MUS leiten *den Chor/das Orchester ~* ***Wobi:** Dirigent(in)*

• **Dis·kẹt·te** [dɪs'kɛtə] <-, -n> *die* DV flache Scheibe zur elektronischen Speicherung von Daten *eine ~ beschriften* ***Komp:** ~nlaufwerk*

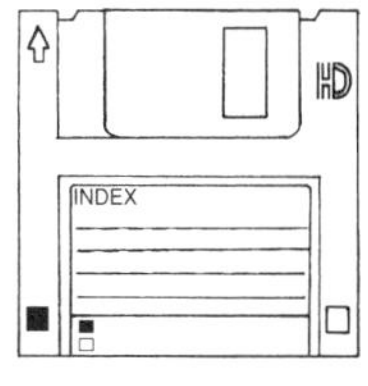

Diskette

• **Dịs·ko** ['dɪsko] <-, -s> *die* Ort, wo Tanzmusik für Jugendliche gespielt wird, Diskothek *in die ~ gehen*

• **Dis·ko·the̲k** [dɪsko'te:k] <-, -en> *die siehe* **Disko**

dis·kre̲t [dɪs'kre:t] <diskreter, diskretest-> *adj (≈taktvoll)* so, dass man über Dinge schweigt, die jdm unangenehm sein könnten; rücksichtsvoll *sich in einer Angelegenheit ~ verhalten*

Dis·kre·ti·o̲n [dɪskre'tsi̯o:n] <-> *kein pl die* Verschwiegenheit, Geheimhaltung *~ gegenüber Dritten, eine Sache mit ~ behandeln*

dis·kri·mi·ni̲e·ren [dɪskrimi'ni:rən] <diskriminiert, diskriminierte, diskriminiert> *tr* [K] *jd diskriminiert jdn* gering schätzen, unwürdig behandeln *Menschen wegen ihrer Hautfarbe ~* ***Wobi:** Diskriminierung*

• **Dis·kus·si·o̲n** [dɪskʊ'si̯o:n] <-, -en> *die* Meinungsaustausch *eine spannende ~ haben*

• **dis·ku·ti̲e·ren** [dɪsku'ti:rən] <diskutiert, diskutierte, diskutiert> **I.** *tr* [K] *jd diskutiert etw akk* etw besprechen *ein interessantes Thema ~* **II.** *itr* intensiv über ein Thema sprechen *stundenlang ~*

dis·qua·li·fi·zi̲e·ren [dɪskvalifi'tsi:rən] <disqualifiziert, disqualifizierte, disqualifiziert> *tr* [K] *jd disqualifiziert jdn [von etw dat]* die Teilnahme verbieten *einen Sportler wegen Dopings ~*

Dis·ser·ta·ti·o̲n [dɪsɛrta'tsi̯o:n] <-, -en> *die* Doktorarbeit *an seiner ~ arbeiten*

Dis·tanz [dɪs'tants] <-, -en> *die* Abstand, Entfernung *in weite ~ rücken, aus der ~ betrachten*

dis·tan·zie·ren [dɪstan'tsi:rən] <distanziert, distanzierte, distanziert> *refl* **1.** [K] ***jd distanziert sich*** *akk* [***von etw*** *dat*] zeigen, dass man nicht einverstanden ist *sich von einer Meinung ~* **2.** [K] ***jd distanziert sich*** *akk* ***von jdm*** sich von jdm zurückziehen *Sie hat sich völlig von ihm distanziert.*

Dis·zi·p·lin [dɪstsi'pli:n] <-, -en> *die* **1.** Ordnung, Willenskraft *auf ~ achten* **2.** Teilbereich, z. B. im Sport *in einer ~ besonders gut sein*

dis·zi·pli·nie·ren [dɪstsipli'ni:rən] <diszipliniert, disziplinierte, diszipliniert> *tr* [K] ***jd diszipliniert jdn*** zur Ordnung erziehen *die Schüler ~*

• **doch** [dɔx] **I.** *konj* dennoch, trotzdem *Er ist zwar frech, ~ mag ich ihn.* **II.** verwendet zur Verstärkung einer Äußerung *Das ist ~ nicht dein Ernst!, Sie kommen ~?;* **doch, doch ...** verwendet zur Bekräftigung einer Äußerung *D~, ~, ich habe ihn schon gesehen.*

Docht [dɔxt] <-(e)s, -e> *der* Teil der Kerze, der brennt *ein langer ~*

Dog·ma ['dɔgma] <-s, -men> *das* strenge Norm oder Lehre *starr an Dogmen festhalten*

dog·ma·tisch [dɔg'ma:tɪʃ] <dogmatischer, dogmatischst-> *adj* so, dass man starr und unkritisch an Normen oder an einer Lehre festhält *eine ~e Haltung vertreten*

• **Dok·tor(in)** ['dɔkto:ɐ̯] <-s, -en> *der* **1.** *(umg)* Arzt *zum ~ gehen* **2.** akademischer Grad, Abkürzung: Dr. *seinen ~ machen* ***Wobi:*** *Doktorand* ***Komp:*** *-arbeit, -vater*

Dokt·rin [dɔk'tri:n] <-, -en> *die* Lehrmeinung, Dogma *eine ~ vertreten*

Do·ku·ment [doku'mɛnt] <-(e)s, -e> *das* offizielle Bescheinigung, Ausweis *auf dem Amt seine ~e zeigen*

Do·ku·men·ta·ti·on [dokumɛnta'tsi̯o:n] <-, -en> *die* das Zeigen von Dokumenten über etw *eine interessante ~ über Doping im Sport*

do·ku·men·tie·ren [dokumɛn'ti:rən] <dokumentiert, dokumentierte, dokumentiert> *tr* [K] ***jd dokumentiert etw*** *akk* durch Vorlegen von Dokumenten die Richtigkeit von etw beweisen/den Ablauf von etw zeigen *sein Arbeitsleben ~*

Dolch [dɔlç] <-(e)s, -e> *der* kurzes spitzes Messer *mit dem ~ zustechen*

Dolch

Dol·lar ['dɔlar] <-s, -s> *der* Währung z. B. in den USA und in Kanada, Abkürzung $ *sein Geld in ~ anlegen* ***Komp:*** *-krise, -kurs*

dol·met·schen ['dɔlmɛtʃn̩] <dolmetscht, dolmetschte, gedolmetscht> **I.** *tr* [K] ***jd dolmetscht etw*** *akk (≈übersetzen)* Äußerungen eines Sprechers mündlich in einer anderen Sprache wiedergeben *eine Stadtführung ~* **II.** *itr* mündlich von einer Sprache in eine andere übertragen *Sie dolmetscht bei Konferenzen.*

Dol·met·scher(in) ['dɔlmɛtʃɐ] *der* jd, der etw von einer Sprache in eine andere überträgt *einen ~ zu den Verhandlungen mitnehmen* ***Komp:*** *Simultan-*

Dom [do:m] <-(e)s, -e> *der (≈Münster, Kathedrale)* wichtige, große Kirche *den Kölner ~ besichtigen*

do·mi·nant [domi'nant] <dominanter, dominantest-> *adj* so, dass etw überwiegt oder jd seine Meinung durchsetzt; bestimmend *eine ~e Person*

do·mi·nie·ren [domi'ni:rən] <dominiert, dominierte, dominiert> *itr* vorherrschen, überwiegen *Er dominiert jede Diskussion durch seine laute Art.*

Don·ner ['dɔnɐ] <-s, -> *der* lautes Geräusch nach einem Blitz während eines Gewitters *den ~ hören* ***Komp:*** *-grollen*

don·nern ['dɔnɐn] <donnert, donnerte, gedonnert> **Es donnert.** Man hört einen Donner. *Es donnert und blitzt.*

Don·ners·tag ['dɔnɐsta:k] <-(e)s, -e> *der* der 4. Tag der Woche *am ~ in die Sauna gehen*

Don·ner·wet·ter ['dɔnɐvɛtɐ] <-s, -> *das (umg)* heftiges Schimpfen, heftige Auseinandersetzung *ein ~ veranstalten;* ~**!** Ausruf der Verwunderung oder des Zorns *~! Du hast dich heute aber schick gemacht!, Zum ~ noch mal! Seid endlich ruhig!*

doof [do:f] <doofer, doofst-> *adj (umg)* mit wenig Geist, dumm *ein ~er Film, ~ sein* ***Wobi:*** *Doofheit*

• **Dop·pel-** ['dɔpl̩] zwei von etw *~bett, Ein ~zimmer, bitte!*

Dop·pel·punkt <-(e)s, -e> *der* LING Satzzeichen ‚:', z. B. vor direkter Rede *einen ~ setzen*

• **dop·pelt** ['dɔpl̩t] <-, -> *adj* zwei von der gleichen Sorte/Art *etw ~ sehen, die ~e Menge von etw kaufen*

• **Dorf** [dɔrf] <-(e)s, Dörfer> *das (↔Stadt)* kleiner Ort auf dem Land mit wenigen Einwohnern *aufs ~ ziehen* ***Komp:*** *-bewohner*

Dorn [dɔrn] <-(e)s, -en> *der* spitzer, stachliger Teil an Pflanzen *die ~en der Rose;* **jdm ein ~ im Auge sein** stören, ärgern *Dein Verhalten ist mir schon lange ein ~ im Auge.* ***Wobi:*** *dornig*

• **dort** [dɔrt] *adv (↔hier)* etw weiter entfernt *D~ kommt er ja!, Das Messer liegt ~ drüben.* ***Komp:*** *-her, -hin*

• **Do·se** ['do:zə] <-, -n> *die* luftdicht verschlossenes Gefäß aus Metall *eine ~ Bier öffnen* ***Komp:*** *-nbier, -nöffner, Bier-, Konserven-*

dö·sen ['dø:zn̩] <döst, döste, gedöst> *itr* geistig abwesend sein, im Wachen träumen *auf dem Sofa ein bisschen ~*

do·sie·ren [do'zi:rən] <dosiert, dosierte, dosiert> *tr* K *jd dosiert etw akk* eine bestimmte Menge abmessen *das Waschpulver genau ~* ***Wobi:*** *Dosierung*

Do·sis ['do:zɪs] <-, Dosen> *die* bestimmte Menge eines Medikaments *eine kleine ~ geben* ***Komp:*** *Über-*

do·tie·ren [do'ti:rən] <dotiert, dotierte, dotiert> *tr* K *etw ist mit etw dat dotiert* etw ist mit einer bestimmten Geldsumme ausgestattet *Der Preis ist mit 5.000 Euro dotiert.*

Do·zent(in) [do'tsɛnt] <-en, -en> *der* Lehrender an einer Universität/Hochschule *~ für Literatur sein*

Dra·che ['draxə] <-n, -n> *der* in Sagen ein gefährliches Tier, das Feuer spuckt *Der Ritter kämpfte gegen den ~n.*

Drache

Draht [dra:t] <-(e)s, Drähte> *der* dünne Schnur aus Metall *einen ~ aufwickeln;* **auf ~ sein** *(umg)* sehr gut und schnell arbeiten können *Die neue Kollegin ist wirklich auf ~.* ***Komp:*** *-bürste, -seil, Stachel-*

Dra·ma ['dra:ma] <-s, -men> *das* LIT THEAT Schauspiel, Theaterstück mit tragischem Charakter *sich ein ~ von Shakespeare anschauen;* **aus allem ein ~ machen** alles übertreiben, schlimmer machen als es ist *Sie macht immer aus allem ein ~.*

dra·ma·tisch [dra'ma:tɪʃ] <dramatischer, dramatischst-> *adj* aufregend, spannend *ein ~es Bühnenstück*

dra·ma·ti·sie·ren [dramati'zi:rən] <dramatisiert, dramatisierte, dramatisiert> *tr* **1.** LIT THEAT [K] ***jd dramatisiert etw*** *akk* in ein Drama verwandeln *einen Stoff ~* **2.** etw schlimmer darstellen, als es ist; übertreiben *ein Ereignis ~*

dran [dran] *adv* ~ **sein** an der Reihe sein *Du bist ~.*

Drang [draŋ] <-(e)s> *kein pl der* starker Wunsch, Sehnsucht, etw zu tun *der ~ nach Abenteuer*

drän·geln ['drɛŋl̩n] <drängelt, drängelte, gedrängelt> *itr* sich in einer Menschenschlange vorschieben *Bitte nicht so ~!*

drän·gen ['drɛŋən] <drängt, drängte, gedrängt> **I.** *itr* eilig/dringend sein *Die Zeit drängt, du musst dich endlich bewerben.* **II.** *tr* [K] ***jd drängt jdn*** [***zu etw*** *dat*] jdn zu etw bewegen, überreden *die Freundin zur Hochzeit ~, jdn zur Eile ~*

dras·tisch ['drastɪʃ] <drastischer, drastischst-> *adj* sehr deutlich, sehr stark *eine ~e Verschlechterung der Krankheit*

• **drau·ßen** ['drausn̩] *adv (↔drinnen)* im Freien *~ spielen*

Dreck [drɛk] <-(e)s> *kein pl der* Schmutz *viel ~ machen;* **Das geht dich einen ~ an!** *(umg!)* das ist nicht deine Sache *Das geht dich einen ~ an, was ich nachts mache.* ***Komp: -spatz***

dre·ckig ['drɛkɪç] <dreckiger, dreckigst-> *adj (↔sauber)* voller Schmutz *ganz ~ sein;* **jdm geht es ~** (*umg*) jd macht eine schwere Zeit durch *Seit der Scheidung geht es ihm ~.*

Dreh [dre:] <-(e)s, -s/-e> *der (umg)* **den ~ heraushaben** wissen, wie man etw macht *Er hat den ~ heraus.*

• **dre·hen** ['dre:ən] <dreht, drehte, gedreht> **I.** *tr* **1.** [K] ***jd dreht etw*** *akk* um einen Mittelpunkt bewegen *einen Kreisel ~* **2.** FILM [K] ***jd dreht etw*** *akk* produzieren *einen Film ~* **II.** *refl* [K] ***jd dreht sich*** *akk* sich um sich selbst bewegen *sich beim Tanz ~;* **sich um etw ~** das Thema sein, handeln von *Um was dreht es sich?;* **sich im Kreise ~** keine Fortschritte machen *Bei dieser Aufgabe drehe ich mich ständig im ~.*

• **drei** [drai̯] *num* die Zahl 3 *~ Schüler;* **keine ~ Worte miteinander gewechselt haben** sich kaum kennen *Wir haben keine ~ Worte miteinander gewechselt.;* **nicht bis ~ zählen können** sehr dumm sein *Der kann ja nicht mal bis ~ zählen!* ***Komp: -eckig***

Drei·eck ['drai̯ʔɛk] <-s, -e> *das* (geometrische) Form mit drei Ecken *ein ~ zeichnen*

• **drin·gend** ['drɪŋənt] <dringender, dringendst-> *adj* sofort, eilig, sehr wichtig *etw ~ erledigen müssen, eine ~e Aufgabe;* **~ verdächtigt** so, dass jd unter starkem Verdacht steht *Mein Nachbar wird ~ verdächtigt, den Diebstahl begangen zu haben.*

• **drin·nen** ['drɪnən] *adv (↔draußen)* innerhalb von etw, im Haus *wegen des Regens ~ spielen müssen*

Drit·tel ['drɪtl̩] <-s, -> *das* dritter Teil *Vom Kuchen ist noch ein ~ da.*

drit·tel ['drɪtl̩] <-, -> *adj* dritter Teil einer Menge *Nehmen Sie etwa einen ~ Liter Wasser …*

• **Dro·ge** ['dro:gə] <-, -n> *die* Mittel, das abhängig macht, Rauschgift *~n nehmen*

dro·gen·ab·hän·gig <-, -> *adj* so, dass man nicht mehr auf Drogen verzichten kann *~ sein* ***Wobi: Drogenabhängigkeit***

• **Dro·ge·rie** [drogəˈriː] <-, -n> *die* Geschäft, in dem man Dinge für Bad und Toilette kaufen kann *zur ~ gehen*

dro·hen [ˈdroːən] <droht, drohte, gedroht> *itr* **1.** Gewalt/etw Unangenehmes ankündigen *jdm mit Strafe ~* **2.** bevorstehen *Ein neues Hochwasser droht.*

Dro·hung [ˈdroːʊŋ] <-, -en> *die* Ankündigung von Gewalt/etw Unangenehmem *eine ~ wahr machen*

• **drü·ben** [ˈdryːbn̩] *adv* auf der anderen Seite *~ wohnen*

• **Druck** [drʊk] <-(e)s> *kein pl der* **1.** Zwang, Belastung, Zeitnot *~ auf jdn ausüben, jdn unter ~ setzen, unter ~ stehen* **2.** *kein pl* die maschinelle Herstellung von Schriftstücken *der ~ des Buches, noch im ~ sein* ***Komp: -fehler***

• **dru·cken** [ˈdrʊkn̩] <druckt, druckte, gedruckt> *tr* [K] ***jd druckt etw*** *akk* ein Schriftstück maschinell herstellen *ein Buch ~ lassen*

• **drü·cken** [ˈdrʏkn̩] <drückt, drückte, gedrückt> **I.** *itr* zu eng sein *Der Schuh drückt.;* **Wo drückt der Schuh?** *(umg)* Was für ein Problem gibt es? *Warum bist du so traurig? Wo drückt denn der Schuh?* **II.** *tr* [K] ***jd drückt etw*** *akk* nach unten oder innen bewegen *die Klingel ~;* [K] ***jd drückt jdn*** in den Arm nehmen *den Freund ~* **III.** *refl* [K] ***jd drückt sich*** *akk* [***vor etw*** *dat*] vor etw fliehen, weggehen *sich vor einer schwierigen Aufgabe ~*

• **Dru·cker** [ˈdrʊkɐ] <-s, -> *der* DV Gerät zur Ausgabe von Schriftstücken, das an den Computer angeschlossen ist *den ~ einschalten* ***Komp: -kabel, Laser-***

Drum [ˈdrʊm] **mit allem ~ und Dran** mit allem, was dazu gehört *eine Hochzeit mit allem ~ und Dran*

Druck·sa·che <-, -n> *die* offene Postsendung, die nur gedruckte Materialien enthalten darf und deshalb billiger ist *etw als ~ verschicken*

• **du** [duː] *pron* Personalpronomen, 2. pers sing *~ und ich, Mach ~ das doch!*

Duft [dʊft] <-(e)s, Düfte> *der* ein angenehmer, guter Geruch *der ~ der Rose, der ~ von Parfum*

dul·den [ˈdʊldn̩] <duldet, duldete, geduldet> *tr* [K] ***jd duldet etw*** *akk* nichts gegen etw sagen, ertragen *ein unhöfliches Verhalten ~*

• **dumm** [dʊm] <dümmer, dümmst-> *adj (↔klug)* unwissend, unangenehm, unvernünftig *eine ~e Bemerkung, Red kein ~es Zeug!;* **jdm ~ kommen** frech zu jdm sein *Er ist mir ~ gekommen!* ***Wobi: Dummheit***

Dü·ne [ˈdyːnə] <-, -n> *die* Sandhügel am Strand oder in der Wüste *sich in die ~n legen*

dün·gen [ˈdʏŋən] <düngt, düngte, gedüngt> *tr* [K] ***jd düngt etw*** *akk* die Erde mit Nährstoffen anreichern *den Acker ~* ***Wobi: Dünger***

• **dun·kel** [ˈdʊŋkl̩] <dunkler, dunkelst-> *adj* **1.** *(↔hell)* so, dass man kaum noch etw erkennen kann *Es wird um sechs Uhr ~.* **2.** z.B. braun oder schwarz *Mein neuer Schrank ist ~ braun.*

Dun·kel·heit <-> *kein pl die (↔Helligkeit)* das Fehlen von Licht/Sonne *bei Eintritt der ~*

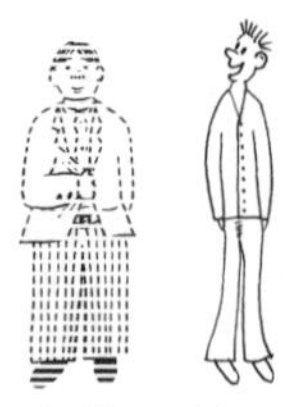
ein dünner Mann

• **dü̩n·ken** ['dʏŋkən] <dünkt, dünkte, gedünkt> *tr* [K] ***etw dünkt jdn irgendwie*** (CH) erscheinen *Dieses Argument dünkt mich wesentlich.*

• **dü̩nn** [dʏn] <dünner, dünnst-> *adj (↔dick)* von geringem Umfang (und Gewicht) *~ sein, Seide ist ein ~er Stoff.*

Du̩nst [dʊnst] <-es> *kein pl der* neblige Luft *im ~ nichts erkennen können;* **keinen blassen ~ haben** *(umg)* von etw nichts wissen *Von Mathematik habe ich keinen blassen ~.* ***Wobi: dunstig***

• **du̩rch** [dʊrç] *präp* **1.** *+akk* auf der einen Seite hinein und auf der anderen wieder hinaus *~ den Fluss schwimmen* **2.** *+akk* eine bestimmte Zeit lang *das ganze Jahr ~ beschäftigt sein, jdn das ganze Leben ~ begleiten* **3.** *+akk* mit Hilfe von *den Job ~ einen Bekannten bekommen;* ~ **Zufall** ohne Absicht *jdn ~ Zufall treffen;* ~ **und** ~ ganz und gar, absolut *Sie ist ~ und ~ sympathisch.*

• **durch·ein·a̩n·der** [dʊrçʔai̯n'andɐ] *adv* unordentlich, ohne Plan, verwirrt *~ sein*

Du̩rch·fall ['dʊrçfal] <-s, -fälle> *der* MED Erkrankung, bei der man oft und schnell zur Toilette gehen muss *an ~ erkranken*

du̩rch|fal·len ['dʊrçfalən] <fällt durch, fiel durch, durchgefallen> *itr <sein>* eine Prüfung nicht bestehen *Ich bin durchgefallen.*

du̩rch|füh·ren ['dʊrçfy:rən] <führt durch, führte durch, durchgeführt> *tr* [K] ***jd führt etw** akk **durch*** in die Tat umsetzen, machen, realisieren *eine Arbeit ~, eine Untersuchung ~* ***Wobi: Durchführung***

du̩rch|hal·ten ['dʊrçhaltn̩] <hält durch, hielt durch, durchgehalten> *itr* nicht aufgeben, etw zu Ende führen *trotz großer Anstrengungen ~*

du̩rch|le·sen ['dʊrçle:zn̩] <liest durch, las durch, durchgelesen> *tr* [K] ***jd liest etw** akk **durch*** bis zum Ende lesen *ein Buch ~*

du̩rch|ma·chen ['dʊrçmaxn̩] <macht durch, machte durch, durchgemacht> **I.** *tr* [K] ***jd macht etw** akk **durch*** erleben, erleiden *eine schwere Zeit ~* **II.** *itr (umg)* ohne zu schlafen bis zum nächsten Morgen aufbleiben *Wir haben gestern durchgemacht.*

Du̩rch·mes·ser ['dʊrçmɛsɐ] <-s, -> *der* Länge einer Linie durch den Mittelpunkt eines Kreises *von geringem ~ sein*

durch·nä̩s·sen [dʊrç'nɛsn̩] <durchnässt, durchnässte, durchnässt> *tr* [K] ***jd/etw durchnässt jdn/etw** akk* ganz nass machen *Der Regen hat uns völlig durchnässt.*

du̩rch|neh·men ['dʊrçne:mən] <nimmt durch, nahm durch, durchgenommen> *tr* [K] ***jd nimmt etw** akk **durch*** im Unterricht behandeln *ein neues Kapitel ~*

du̩rch|rei·sen ['dʊrçrai̯zn̩] <reist durch, reiste durch, durchgereist> *itr <sein>* sich nur kurz an einem Ort aufhalten und dann weiterfahren *durch ein Land nur ~* ***Wobi: Durchreise***

• **Du̩rch·sa·ge** ['dʊrçza:gə] <-, -n> *die* Mitteilung über Funk *Achtung! Achtung! Hier kommt eine ~ der Polizei.*

du̩rch|sa·gen ['dʊrçza:gn̩] <sagt durch, sagte durch, durchgesagt> *tr* [K] ***jd sagt etw** akk **durch*** über Funk mitteilen *wichtige Informationen im Radio ~* ***Wobi: Durchsage***

du̩rch|schnei·den ['dʊrçʃnai̯dn̩] <schneidet durch, schnitt durch, durchgeschnitten> *tr* [K] ***jd schneidet etw** akk **durch***

mit dem Messer/der Schere in zwei Hälften teilen *ein Blatt Papier ~*

Dụrch·schnitt ['dʊrçʃnɪt] <-(e)s> *kein pl der* Mittelwert *im ~ liegen*

• **dụrch·schnitt·lich** ['dʊrçʃnɪtlɪç] <-, -> *adj* mittelmäßig, weder gut noch schlecht *eine ~e Leistung erbringen*

dụrch|strei·chen ['dʊrçʃtraiçn̩] <streicht durch, strich durch, durchgestrichen> *tr* [K] ***jd streicht etw** akk **durch*** etw als ungültig markieren, indem man einen Strich hindurch macht *einen Satz ~*

dụrch·weg ['dʊrçveːk] *adv* fast ohne Ausnahme *Das Publikum hat ~ positiv reagiert.*

dụrch|zäh·len ['dʊrçtsɛːlən] <zählt durch, zählte durch, durchgezählt> *tr* [K] ***jd zählt jdn/etw** akk **durch*** die Anzahl feststellen *die Gruppe ~*

Dụrch·zug ['dʊrçtsuːk] <-(e)s> *kein pl der* Luft, die bei offener Tür/offenem Fenster durch den Raum zieht *im ~ stehen*

• **dụ̈r·fen** ['dʏrfn̩] <darf, durfte, gedurft/dürfen> *itr* **1.** [K] ***jd darf etw** akk* die Erlaubnis haben *Darf man hier rauchen?* **2.** [K] ***jd dürfte etw tun/sein*** wahrscheinlich tun/sein *Sie dürfte in zehn Minuten hier sein.;* **Das darf doch (wohl) nicht wahr sein!** verwendet, um seinen Ärger über etw auszudrücken *Du hast noch nicht aufgeräumt? Das darf doch nicht wahr sein!*

Dụ̈r·re ['dʏrə] <-> *kein pl die* Trockenheit *eine ~ mit schlimmen Folgen für die Bevölkerung*

• **Dụrst** [dʊrst] <-es> *kein pl der* Verlangen, etw zu trinken *~ haben, seinen ~ löschen;* **einen über den ~ trinken** zu viel Alkohol trinken *Auf der Party gestern habe ich einen über den ~ getrunken.*

dụrs·tig ['dʊrstɪç] <durstiger, durstigst-> *adj* so, dass man den starken Wunsch hat, etw zu trinken *nach dem Sport ~ sein*

• **Du̲·sche** ['duːʃə/'dʊʃə] <-, -n> *die* Apparatur im Badezimmer, bei der das Wasser von oben kommt *eine ~ nehmen, sich unter die ~ stellen, unter die ~ gehen*

• **du̲·schen** ['duːʃn̩] <duscht, duschte, geduscht> **I.** *itr* [K] ***jd duscht*** mit Wasser abbrausen *Er duscht gerade.* **II.** *tr* [K] ***jd duscht jdn/sich** akk* mit Wasser abbrausen *(sich) täglich ~*

E

E, e [eː] <-, -> *das* der 5. Buchstabe des Alphabets *Das Wort ‚Ente' beginnt mit dem Buchstaben ~.*

Eb·be ['ɛbə] <-, -n> *die* **1.** *(↔Flut)* der Zustand, dass das Meer einen niedrigen Wasserstand hat *An der Nordsee ist alle sechs Stunden ~.* **2.** *(umg)* Geldmangel *In meinem Geldbeutel herrscht mal wieder ~.*

• **e·ben¹** ['eːbn̩] <ebener, ebenst-> *adj* gleichmäßig flach *eine ~e Oberfläche*

• **e·ben²** ['eːbn̩] *adv* **1.** kurz zuvor *Ich bin ~ ins Büro gekommen.* **2.** verwendet, um eine Aussage zu bestätigen *Er ist ~ ein Faulpelz.* **3.** verwendet als Antwort, um eine Feststellung zu bestätigen *Wir müssen uns beeilen! – Es fängt gleich zu regnen an. – E~!*

• **e·ben·falls** ['eːbn̩fals] *adv* genauso, gleichfalls, auch *Guten Appetit! – Danke, ~!*

• **e·ben·so** ['eːbn̩zoː] *adv* genauso *Sie wurde ~ gelobt wie ihre Schwester.*

echt¹ [ɛçt] <-, -> *adj* **1.** nicht falsch, nicht gefälscht *Dieses Gemälde von Van Gogh ist ~.* **2.** aufrichtig, ehrlich *Die Trauer um den Hund war ~.* **3.** typisch *ein ~es englisches Frühstück;* **E~?** *(umg)* Ist das wahr? *Ich habe eine Eins bekommen! – ~?*

echt² [ɛçt] *adv (umg)* verwendet, um ein Adjektiv zu verstärken *Das ist ~ klasse!, Das ist ~ bescheuert!*

Eck [ɛk] <-s, -en> *das* Ecke *der Zeitungskiosk am ~*

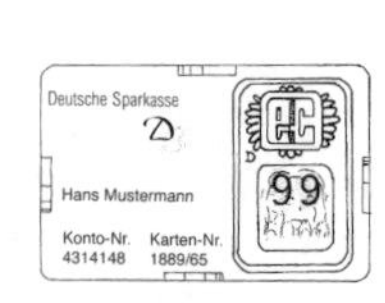

EC-Karte

EC-Kar·te <-, -n> *die* Kurzform für Euroscheck-Karte; Karte, um am Automaten Geld abzuheben oder um damit zu bezahlen *Viele Kunden zahlen in Geschäften mit der ~.*

• **E·cke** ['ɛkə] <-, -n> *die* **1.** Punkt, an dem z. B. zwei Mauern aneinander stoßen *die vier ~n eines Zimmers* **2.** Punkt, an dem zwei Straßen sich treffen (*gleich*) *um die ~, der Kiosk an der ~, Buchenstraße ~ Hauptstraße* **3.** Gegend *Der Schwarzwald ist eine der schönsten ~n Deutschlands.;* **jdn um die ~ bringen** *(umg)* jdn töten *Er brachte seine reiche Tante um die ~.*

e·ckig ['ɛkɪç] <-, -> *adj (↔rund)* so, dass etw Ecken und Kanten hat *eine ~e Figur*

e·del ['eːdl̩] <edler, edelst-> *adj* **1.** adlig, vornehm *ein edler Herr* **2.** hochwertig *ein edles Pferd, ein edler Wein* **3.** großherzig *ein edles Gemüt*

E·di·tor ['eːditoːɐ̯] <-s, -en> *der* DV einfaches Textprogramm *ein Programm mit einem ~ schreiben*

Ef·fekt [ɛ'fɛkt] <-(e)s, -e> *der* Wirkung *Der ~ war zufrieden stellend.*

ef·fek·tiv [ɛfɛk'tiːf] <effektiver, effektivst-> *adj* wirkungsvoll *eine ~e Methode*

• **e·gal** [e'gaːl] <-, -> *adj* gleichgültig *Das ist mir ganz ~.*

e·he ['eːə] *konj* **1.** bevor *E~ du weitersprichst, lass mich dir etw erklären ...* **2.** bis *E~ die Schüler nicht ruhig waren, sagte der Lehrer kein Wort.*

• **E·he** ['eːə] <-, -n> *die* die Lebensgemeinschaft eines verheirateten Paars *mit jdm die ~ schließen* ***Komp: -bett***

E·he·frau <-, -en> *die* eine verheiratete Frau *Sie ist seit zwanzig Jahren seine ~.*

e·he·ma·lig ['eːəmaːlɪç] <-, -> *adj* früher, einstig *eine ~e Kollegin*

E·he·mann <-(e)s, -männer> *der* ein verheirateter Mann *Er war zwanzig Jahre lang ihr ~.*

E·he·paar <-(e)s, -e> *das* ein Mann und eine Frau, die miteinander verheiratet sind *ein älteres ~*

e·her ['eːɐ] *adv* **1.** früher *je ~, desto besser, Ich war ~ da.* **2.** lieber *Ich würde ~ sterben als …* **3.** wahrscheinlicher *Das ist schon ~ möglich.*

Eh·re ['eːrə] <-, (-n)> *die* öffentliches Ansehen, Achtung *jds ~ verletzen;* **jdm die letzte ~ erweisen** *(geh)* jdn zu Grabe tragen, jdn begraben *Die Verwandten erwiesen dem Verstorbenen die letzte ~.;* **~, wem ~ gebührt.** jd, der Anerkennung verdient, soll sie bekommen *Nur keine falsche Bescheidenheit, mein Lieber, ~, wem ~ gebührt.*

• **eh·ren** ['eːrən] <ehrt, ehrte, geehrt> *tr* [K] ***jd ehrt jdn/etw*** *akk* zeigen, dass man jdn/etw sehr achtet/respektiert *seine Eltern ~, Ich fühle mich durch Ihren Besuch geehrt.*

eh·ren·amt·lich <-, -> *adj* so, dass man ohne Lohn arbeitet, z. B. für einen Verein *~e Mitarbeiter in Kirche und Vereinen*

eh·ren·wert <ehrenwerter, ehrenwertest-> *adj* achtbar, angesehen *ein ~er Beruf*

Ehr·geiz ['eːɐ̯gaits] <-(e)s> *kein pl der* Streben nach Erfolg und Ruhm *Er hatte schon immer einen gesunden ~., krankhafter ~.* ***Wobi: ehrgeizig***

• **ehr·lich** ['eːɐ̯lɪç] <ehrlicher, ehrlichst-> *adj* aufrichtig, ohne böse Gedanken *~e Absichten haben, Ob er es wohl ~ mit uns meint?;* **E~ währt am längsten.** Lügen bleiben nie unbemerkt. *Komm, sag die Wahrheit, du weißt, ~ währt am längsten.;* **E~!** wirklich, bestimmt *Ich kann ~ nicht kommen.*

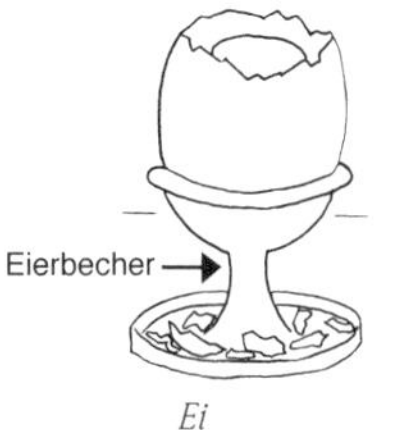

Ei

• **Ei** [ai̯] <-(e)s, -er> *das* Nahrungsmittel, das von Hühnern produziert wird *ein ~ legen, ein weiches ~ essen*

Ei·che ['ai̯çə] <-, -n> *die* großer Laubbaum mit hartem Holz *Auf der Wiese steht eine große ~., ein Schrank aus ~*

Ei·chel ['ai̯çl̩] <-, -n> *die* Frucht der Eiche *~n sammeln*

Eich·hörn·chen ['ai̯çhœrnçən] <-s, -> *das* Nagetier mit oft rotbraunem Fell und langem Schwanz, das auf Bäume klettert *~ leben auf Bäumen.*

Eichhörnchen

Eid [ai̯t] <-(e)s, -e> *der* Schwur, das Bestätigen der Wahrheit einer Aussage meist vor Gericht *einen ~ leisten, unter ~ aussagen* ***Komp: Mein-***

Ei·er·be·cher <-s, -> *der* Gefäß, in das man ein gekochtes Ei stellt *ein Ei im ~ servieren*

Ei·fer ['ai̯fɐ] <-s> *kein pl der* Engagement, Bemühen *Zu viel ~ schadet nur., mit großem ~ bei der Sache sein*

Ei·fer·sucht ['ai̯fɐzʊxt] <-> *kein pl die* Angst, die Liebe von jdm zu verlieren oder mit anderen teilen zu müssen *von ~ gequält werden*

ei·fer·süch·tig ['ai̯fɐzʏçtɪç] <eifersüchtiger, eifersüchtigst-> *adj* [K] ***jd ist ~ auf jdn*** so, dass man Angst hat, die Liebe von jdm zu

E

verlieren *Ich bin ~ auf seine neue Bekannte.*

• **ei·gen** ['a͜ign̩] <-, -> *adj* **1.** so, dass etw jdm gehört *ein ~es Haus haben* **2.** separat *ein ~er Eingang* **3.** seltsam, merkwürdig *Er ist sehr ~ in Bezug auf seine Kleidung.*

Ei·gen·art ['a͜ign̩ʔaːɐ̯t] <-, -en> *die* ungewöhnliche, seltsame Angewohnheit, Besonderheiten eines Menschen *Jeder hat so seine ~en.* ***Wobi: eigenartig***

ei·gen·hän·dig ['a͜ign̩hɛndɪç] <-, -> *adj* persönlich, selbst *~e Unterschrift, ein Dokument ~ unterschreiben*

Ei·gen·schaft ['a͜ign̩ʃaft] <-, -en> *die* bestimmtes Merkmal einer Person oder Sache *Ehrlichkeit ist eine gute ~.* ***Komp: Charakter-***

ei·gen·sin·nig ['a͜ign̩zɪnɪç] <eigensinniger, eigensinnigst-> *adj* dickköpfig, so, dass man sich von anderen nichts sagen lässt *Mein Großvater war sehr ~.*

• **ei·gent·lich**[1] ['a͜ign̩tlɪç] <-, -> *adj* **1.** wirklich, tatsächlich *Sie schrieb unter einem Pseudonym, nicht unter ihrem ~en Namen.* **2.** ursprünglich *im ~en Sinne des Wortes*

• **ei·gent·lich**[2] ['a͜ign̩tlɪç] *adv* im Grunde *Was wollen Sie ~?, Ich bin ~ nur gekommen, um zu …*

• **Ei·gen·tum** ['a͜ign̩tuːm] <-s> *kein pl das* persönlicher Besitz *Das Grundstück war sein ~.* ***Wobi: Eigentümer Komp: -swohnung***

ei·gen·tüm·lich ['a͜ign̩tyːmlɪç] <eigentümlicher, eigentümlichst-> *adj* seltsam, merkwürdig *Sein Verhalten war sehr ~.* ***Wobi: Eigentümlichkeit***

ei·gen·wil·lig ['a͜ign̩vɪlɪç] <eigenwilliger, eigenwilligst-> *adj* **1.** so, dass man einen sehr starken Willen hat und nicht auf andere hört *Der kleine Junge war sehr ~, er wollte nicht gehorchen.* **2.** unkonventionell, unüblich *~e Methoden*

eig·nen ['a͜ignən] <eignet, eignete, geeignet> *refl* **1.** [K] ***jd/etw eignet sich*** *akk* ***als etw*** *nom* das haben oder können, was man für etw Bestimmtes braucht *Sie eignet sich als Babysitter.* **2.** [K] ***jd/etw eignet sich*** *akk* ***irgendwie für etw*** *akk* die Eigenschaften haben, die für etw Bestimmtes notwendig sind *Der Mann eignet sich gut für die Landwirtschaft.*

• **Ei·le** ['a͜ilə] <-> *kein pl die* Zeitnot, zeitlicher Druck *in ~ sein, Das hat keine ~.* ***Wobi: eilig***

ei·len ['a͜ilən] <eilt, eilte, geeilt> **I.** *itr* <*sein*> (*geh*) schnell gehen *zum Treffpunkt ~* **II.** *itr* dringend sein *Die Sache eilt.*

Ei·mer ['a͜imɐ] <-s, -> *der (≈Kübel)* großer Behälter mit Henkel *den ~ leeren;* **im ~ sein** *(umg)* verdorben/kaputt/zerstört sein *Unser Auto ist im ~.* ***Komp: Abfall-, Müll-, Putz-***

• **ein**[1] [a͜in] *adv* **irgendwo ~ und aus gehen** regelmäßig irgendwo hingehen, als wenn man bei sich zu Hause wäre *Er geht hier ~ und aus.*

• **ein**[2] [a͜in] **I.** *num* die Zahl 1 *~ Mann, zwei Männer* **II.** *pron* verwendet, um von einer unbestimmten Person oder Sache zu sprechen *~er nach dem anderen, Das muss ~em doch gesagt werden!, Kannst du ~en denn nie in Ruhe lassen?* **III.** *art* unbestimmter Artikel von maskulinen und neutralen Substantiven im Singular *E~ Mann fuhr zur Arbeit …*

• **ei·n·an·der** [a͜i'nandɐ] *pron* wechselseitig, gegenseitig, sich *~ kennen lernen, ~ mögen*

ein|at·men <atmet ein, atmete ein, eingeatmet> **I.** *tr* [K] ***jd atmet etw*** *akk* ***ein*** Luft holen *die schlechte Luft der Großstadt ~* **II.** *itr* Luft holen *Er atmet tief ein und aus.*

• **Ein·bahn·stra·ße** <-, -n> *die* Straße, auf der man nur in einer Richtung fahren darf *In der Innenstadt gibt es nur ~n.*

ein|be·ru·fen <beruft ein, berief ein, einberufen> *tr* **1.** [K] ***jd beruft etw*** *akk* ***ein*** zusammenrufen, zu sich bestellen *Der Präsident berief die Versammlung ein.* **2.** MIL [K] ***jd beruft jdn ein*** jdn zum Militärdienst verpflichten *junge Männer zum Militär ~*

ein|be·zie·hen <bezieht ein, bezog ein, einbezogen> *tr* [K] ***jd bezieht jdn/etw*** *akk* ***[in etw*** *akk*] ***ein*** berücksichtigen, integrieren, teilhaben lassen *Er bezog sie in seine Überlegungen ein.*

ein|bil·den <bildet ein, bildete ein, eingebildet> *refl* **1.** [K] ***jd bildet sich*** *dat* ***etw*** *akk* ***ein*** fantasieren, etw Unwahrscheinliches/Falsches glauben *Sie bildete sich ein, sie wäre krank.* **2.** [K] ***jd bildet sich*** *dat* ***etw*** *akk* ***[auf etw*** *akk*] ***ein*** eingebildet, stolz sein *Er bildete sich etw auf sein gutes Gedächtnis ein.*

Ein·bil·dung <-, -en> *die* **1.** Fantasie, Vorstellung, Illusion *Ihre ~ kannte keine Grenzen.* **2.** Arroganz *Seine ~ machte ihn unerträglich für andere.*

Ein·blick <-(e)s, -e> *der* **1.** das Recht oder die Möglichkeit, etw anzusehen *Der Steuerprüfer hatte ~ in die Bücher.* **2.** Kenntnis *Der Präsident hatte ~ in die Arbeit des Geheimdienstes.*

ein|bre·chen <bricht ein, brach ein, eingebrochen> *itr* <*sein*> **1.** unerlaubt und mit Gewalt in etw hineingehen *Der Dieb brach in die Villa ein und stahl ein Gemälde.* **2.** plötzlich einsetzen/beginnen *Die Dunkelheit bricht ein.* **3.** durch etw hindurchbrechen *Er brach ein, weil die Eisdecke noch zu dünn war.* ***Wobi: Einbrecher(in)***

Ein·bruch ['ai̯nbrʊx] <-(e)s, (-brüche)> *der* **1.** plötzlicher Beginn *bei ~ der Dunkelheit* **2.** das Einbrechen in ein Gebäude *Der ~ geschah nachts.*

ein|bür·gern ['ai̯nbʏrgɐn] <bürgert ein, bürgerte ein, eingebürgert> **I.** *tr* [K] ***jd bürgert jdn ein*** jdm die Nationalität eines Staates geben *Die USA bürgerten die Immigranten ein.* **II.** *refl* [K] ***etw bürgert sich*** *akk* ***ein*** zur anerkannten Gewohnheit werden, normal werden *Die neue Methode bürgert sich ein.*

ein|che·cken <checkt ein, checkte ein, eingecheckt> *itr* am Flughafen das Gepäck aufgeben und sich registrieren lassen *rechtzeitig ~*

ein·deu·tig ['ai̯ndɔytɪç] <eindeutiger, eindeutigst-> *adj* klar *eine ~e Aussage, ein ~er Fehler*

ein|drin·gen <dringt ein, drang ein, eingedrungen> *itr* <*sein*> **1.** gewaltsam hineingehen *Die Räuber drangen mit Waffengewalt in die Bank ein.* **2.** sehr heftig bitten *Er drang auf sie ein, ihn zu heiraten.*

Ein·dring·ling ['ai̯ndrɪŋlɪŋ] <-s, -e> *der* jd, der gewaltsam in etw hineingeht; Einbrecher *Der ~ kannte das Gebäude ganz genau.*

• **Ein·druck** ['ai̯ndrʊk] <-(e)s, -drücke> *der* **1.** Wirkung *Ihr Buch hat großen ~ auf mich gemacht., einen guten ~ von jdm haben* **2.** Gefühl *Ich hatte den ~, dass es ihm nicht so gut geht.* ***Wobi: eindrucksvoll***

ein·ein·halb ['ain?ain'halp] *num (≈anderthalb)* 1,5 *Das Kind konnte mit ~ Jahren laufen.*

ei·ner·seits ['ainɐ'zaits] *adv* mit ‚andererseits' verwendet, um Pro- und Kontra-Argumente zu vergleichen *E~ hat er Recht, andererseits muss er aber auch ihre Situation verstehen.*

• **ein·fach¹** ['ainfax] <**einfacher, einfachst-**> *adj* **1.** schlicht, unauffällig *ein ~es Kleid* **2.** nur hin, nicht zurück *eine ~e Fahrt nach Aachen* **3.** *(↔schwierig, schwer)* leicht *Diese Aufgabe war ~ zu lösen.*

• **ein·fach²** ['ainfax] *adv* verwendet, um etw zu verstärken *Mir geht es heute ~ gut., So etw tut man ~ nicht.*

Ein·fach·heit <**-**> *kein pl die* Unkompliziertheit *Die ~ der Konstruktion faszinierte ihn.*

• **Ein·fahrt** <**-, -en**> *die* **1.** *(↔Ausfahrt)* Eingang für Fahrzeuge *Die ~ zur Garage ist sehr eng.* **2.** das Hineinfahren *~ verboten!, Bitte Vorsicht bei ~ des Zuges!*

Ein·fall ['ainfal] <**-(e)s, -fälle**> *der* plötzlicher Gedanke, Idee *Ach, es war nur so ein ~.*

• **ein|fal·len** <**fällt ein, fiel ein, eingefallen**> *itr* <*sein*> **1.** einstürzen *Die alte Mauer ist eingefallen.* **2.** MIL eindringen *in ein Land ~* **3.** plötzlich als Gedanke kommen *Was fällt Ihnen ein?, Da fällt mir gerade ein, ...* **4.** sich erinnern *Der Name fällt mir gerade nicht ein.*

ein·far·big <**-, -**> *adj* nur von einer Farbe, uni *ein ~er Pullover*

• **Ein·fluss** <**-es, -flüsse**> *der* Möglichkeit oder Fähigkeit, jdn/etw zu verändern *Sie hat einen guten ~ auf ihn., Darauf haben wir keinen ~.* ***Wobi:*** *einflussreich*

Ein·fluss·be·reich <**-(e)s, -e**> *der* Wirkungs-/Machtbereich *Der ~ seines Chefs ist sehr groß.*

Ein·füh·lungs·ver·mö·gen <**-s**> *kein pl das* Sensibilität gegenüber anderen *viel ~ haben*

Ein·fuhr <**-, -en**> *die* (ÖKON: *↔Ausfuhr*) Import *die ~ von Südfrüchten*

ein|füh·ren <**führt ein, führte ein, eingeführt**> *tr* **1.** [K] ***jd führt etw*** *akk* ***ein*** *(↔ausführen)* importieren *Weine und Obst aus Italien ~* **2.** [K] ***jd führt etw*** *akk* ***ein*** etw zum ersten Mal erklären *Der Lehrer führt die unregelmäßigen Verben ein.* **3.** [K] ***jd führt jdn irgendwo ein*** jd in einer Gesellschaft vorstellen *Er führte sie in den Kreis ein.*

Ein·füh·rung <**-, -en**> *die* Erklärung einer neuen Sache *eine ~ ins Internet*

Ein·ga·be <**-, -n**> *die* **1.** Gesuch, offizielle Bitte *die ~ an die Regierung* **2.** DV das Eingeben von Daten über die Tastatur *Die ~ der Adressen dauert lang.* ***Komp:*** *-taste*

• **Ein·gang** ['aingaŋ] <**-(e)s, -gänge**> *der (↔Ausgang)* Öffnung, durch die man z.B. in ein Gebäude hineingeht *der ~ zum Park* ***Komp:*** *Haus-*

ein·gangs ['aingaŋs] *adv* am Anfang *E~ war alles noch ein Spiel.*

ein|ge·ben <**gibt ein, gab ein, eingegeben**> *tr* DV [K] ***jd gibt etw*** *akk* ***ein*** Daten über die Tastatur in den Computer bringen *Die Sekretärin hat die Adressen eingegeben.*

ein·ge·bil·det <**eingebildeter, eingebildetst-**> *adj* **1.** nur in der Fantasie, nicht wirklich *der ~e Kranke* **2.** sehr stolz, arrogant *Sie ist* *sehr ~.*

ein|ge·hen <geht ein, ging ein, eingegangen> **I.** *tr* <*sein*> K ***jd geht etw*** *akk* ***ein*** bei etw mitmachen *eine Wette ~, ein Risiko ~* **II.** *itr* <*sein*> **1.** kleiner/enger werden *Die Hose war beim Waschen eingegangen.* **2.** (ab)sterben *Meine Rosen sind eingegangen., Der Kanarienvogel ist eingegangen.* **3.** präzisieren, ausführen *Der Professor wollte nicht näher auf das Thema ~.* **4.** ankommen *Der Brief ist gestern eingegangen.*

ein·ge·hend ['ainge:ənt] <eingehender, eingehendst-> *adj* gründlich, sehr genau *Er beschäftigte sich ~ mit dem Thema.*

Ein·ge·weih·te(r) <-n, -n> *der/die* jd, dem man etw Geheimes gesagt/ anvertraut hat *Nur ~ wussten von ihrem Verhältnis.*

ein|ge·wöh·nen <gewöhnt ein, gewöhnte ein, eingewöhnt> *refl* K ***jd gewöhnt sich*** *akk* ***ein*** sich an neue Verhältnisse/eine neue Umgebung anpassen, vertraut werden *sich schnell ~*

ein|gie·ßen <gießt ein, goss ein, eingegossen> *tr* K ***jd gießt [jdm] etw*** *akk* ***ein*** Flüssigkeit in ein Gefäß füllen *Sie goss sich ein Glas Wein ein.*

ein|hal·ten <hält ein, hielt ein, eingehalten> *tr* K ***jd hält etw*** *akk* ***ein*** sich nach etw richten, etw beachten *eine Frist ~, einen Termin ~* ***Wobi:*** *Einhaltung*

Ein·heit ['ainhait] <-, (-en)> *die* **1.** ein in sich geschlossenes Ganzes *die staatliche ~* **2.** MIL militärische Gruppe *Seine ~ war in Bosnien stationiert.*

ein·heit·lich ['ainhaitlɪç] <einheitlicher, einheitlichst-> *adj (uneinheitlich)* so, dass es überall gleich ist *Das ~e Vorgehen ist die Voraussetzung für den Erfolg.*

ei·nig ['ainɪç] <-, -> *adj (↔uneinig)* so, dass man einer Meinung ist/ übereinstimmt *sich über etw ~ werden, Sie sind sich darüber ~, dass …* ***Wobi:*** *Einigkeit*

• **ei·ni·ge** ['ainɪgə] *pron* **1.** eine größere Menge, viel *in ~r Entfernung, Ich weiß ~s über sie., Das wird ~s kosten., ~ andere* **2.** ein paar *E~ von uns wollen schwimmen.*

ei·ni·gen ['ainɪgn̩] <einigt, einigte, geeinigt> *refl* K ***jd einigt sich*** *akk* ***mit jdm [über etw*** *akk*] mit jdm zu einer gemeinsamen Lösung kommen *Die Arbeitnehmer einigten sich mit den Arbeitgebern.* ***Wobi:*** *Einigung*

ei·ni·ger·ma·ßen ['ainɪge'ma:sn̩] *adv* ziemlich, im Großen und Ganzen *Ist meine Arbeit ~ o.k.?*

Ein·kauf <-(e)s, -käufe> *der* **1.** *(↔Verkauf)* das Kaufen *der ~ der Waren* **2.** das, was man gekauft hat *Einkäufe nach Hause bringen*

• **ein|kau·fen** <kauft ein, kaufte ein, eingekauft> **I.** *tr* K ***jd kauft etw*** *akk* ***ein*** für Geld in einem Geschäft holen *Ich gehe Brot ~., einmal in der Woche ~ gehen* **II.** *itr* Lebensmittel besorgen *Ich muss noch ~ gehen.*

Ein·kaufs·bum·mel <-s, -> *der* Spaziergang, bei dem man das kauft, was einem spontan gefällt *einen ~ machen*

Ein·kaufs·ta·sche <-, -n> *die* Tasche, in der man den Einkauf transportiert *eine ~ mitnehmen*

Ein·kaufs·wa·gen <-s, -/-wägen> *der* Wagen in Supermärkten, in dem man zur Kasse transportiert, was man kaufen möchte *den ~*

schieben

Ein·klang <-(e)s> *kein pl der* Harmonie *etw in ~ bringen, in ~ mit etw sein*

• **Ein·kom·men** <-s, -> *das* Bezahlung für Arbeit *das monatliche ~* ***Komp:*** *-ssteuer*

• **ein|la·den** <lädt ein, lud ein, eingeladen> *tr* **1.** [K] ***jd lädt jdn ein*** jdn bitten, an etw teilzunehmen (und für ihn bezahlen) *Er lädt sie ins Theater ein., jdn auf ein Bier ~* **2.** [K] ***jd lädt jdn** [**zu sich** dat]* ***ein*** jdn zu einem Besuch bitten *Sie luden ihre Freunde zu sich nach Hause ein.* **3.** [K] ***jd lädt etw** akk [**in etw** akk]* ***ein*** etw in ein Fahrzeug bringen *alle Möbel in den Umzugswagen ~*

Ein·la·dung <-, -en> *die* **1.** die Bitte, jdn zu besuchen oder etw gemeinsam mit jdm zu tun *Sie nahmen die ~ zum Abendessen gerne an.* **2.** schriftliche Bitte, zu einer Feier o.Ä. zu kommen *Er schickte ihnen eine ~ zu seiner Feier.*

Ein·lass ['ainlas] <-es, -lässe> *der* Zutritt, Eintritt *~ erst ab 19 Uhr*

ein|las·sen <lässt ein, ließ ein, eingelassen> **I.** *tr* **1.** [K] ***jd lässt jdn ein*** jd eintreten lassen *Die Zuschauer wurden pünktlich ins Theater eingelassen.* **2.** [K] ***jd lässt** [**jdm**] **etw** akk [**in etw** akk]* ***ein*** etw in etw einlaufen lassen/hinein lassen *sich ein Bad ~* **II.** *refl* **1.** [K] ***jd lässt sich** akk [**auf jdn/etw** akk]* ***ein*** bereit sein und beginnen, sich intensiv mit etw zu beschäftigen *Er ließ sich auf das Abenteuer ein.* **2.** [K] ***jd lässt sich** akk **mit jdm ein** (umg)* ein sexuelles Verhältnis/eine Affäre beginnen *sich mit seiner Sekretärin ~*

ein|le·ben <lebt ein, lebte ein, eingelebt> *refl* [K] ***jd lebt sich** akk* ***irgendwo ein*** sich an eine neue Umgebung gewöhnen *Wir haben uns schnell in München eingelebt.*

ein|lei·ten <leitet ein, leitete ein, eingeleitet> *tr* **1.** [K] ***jd leitet etw** akk* ***ein*** beginnen *Der Richter leitete den Prozess ein.* **2.** [K] ***etw leitet etw** akk* ***ein*** in Gang setzen, verursachen *Seine Wahl leitet eine neue Ära ein.* **3.** [K] ***jd leitet etw** akk **in etw** akk* ***ein*** Flüssigkeit in etw hineinfließen lassen *Abwässer in den Fluss ~*

Ein·lei·tung <-, -en> *die* Anfang eines Textes/einer Rede, Einleitung *Die ~ umfasst zehn Seiten.*

• **ein·mal** ['ainma:l] *adv* **1.** nur ein einziges Mal *Er erklärte die Aufgabe nur ~.* **2.** früher, vor langer Zeit *Es war ~ …, Ich habe ~ in Hamburg gearbeitet.* **3.** in ferner Zukunft *E~ wird dieser Wald nicht mehr existieren.;* **auf ~** plötzlich *Auf ~ stand er im Zimmer.;* **auf ~** gleichzeitig *Langsam! Langsam! Ich kann nicht alles auf ~ machen.;* **noch ~** ein zweites Mal *Bitte wiederholen Sie noch ~.*

ein·ma·lig ['ainma:lɪç] <-, -> *adj* sehr gut, ausgezeichnet *Das Essen war ~., Die Schauspieler waren wirklich ~.*

Ein·nah·me ['ainna:mə] <-, -n> *die* **1.** MIL Eroberung *die ~ Trojas* **2.** *(↔Ausgabe)* Einkommen; Geld, das jd erhält *die ~n aus den Mitgliedsbeiträgen* **3.** das Essen, das Schlucken *Der Patient verweigerte die ~ der Medikamente.*

ein|neh·men <nimmt ein, nahm ein, eingenommen> *tr* **1.** [K] ***jd nimmt etw** akk* ***ein*** MIL erobern, siegen *Die Soldaten nahmen die Stadt ein.* **2.** [K] ***jd nimmt etw** akk* ***ein*** verdienen *Er nimmt durch den Verkauf der Bilder viel Geld ein.* **3.** [K] ***jd nimmt etw** akk* ***ein*** zu sich nehmen, schlucken *Tabletten ~* **4. den Platz ~** sich hinsetzen *Alle nahmen ihre Plätze ein.*

ein|ord·nen <ordnet ein, ordnete ein, eingeordnet> **I.** *tr* [K] ***jd ordnet etw** akk **ein*** einsortieren *Bücher ins Regal ~* **II.** *refl* **1.** [K] ***jd ordnet sich** akk [**in etw** akk] **ein*** einen Platz in einem System finden *Er ordnet sich in die Hierarchie ein.* **2.** KFZ [K] ***jd ordnet sich** akk [**in etw** akk] **ein*** einen Platz in einer Fahrzeugschlange finden *sich rechts (links) ~*

• **ein|pa·cken** ['ainpakn̩] <packt ein, packte ein, eingepackt> **I.** *tr* **1.** [K] ***jd packt etw** akk **ein*** in Kisten tun, verstauen *Vor dem Umzug packte sie alles ein.* **2.** [K] ***jd packt etw** akk **ein*** in Papier einwickeln *Können Sie mir das Buch als Geschenk ~?* **II.** *itr (umg)* aufgeben *Wenn der Champion mitmacht, dann können wir alle ~*

ein|par·ken <parkt ein, parkte ein, eingeparkt> *itr* ein Fahrzeug abstellen *Sie konnte nicht richtig ~, weil nicht genug Platz war.*

ein|pla·nen <plant ein, plante ein, eingeplant> *tr* [K] ***jd plant etw** akk [**in etw** akk] **ein*** von Anfang an berücksichtigen *eine Verspätung ~, eine Preissteigerung in die Kalkulation ~*

ein|re·den <redet ein, redete ein, eingeredet> *tr* [K] ***jd redet jdm/sich** dat **etw** akk **ein*** jdn durch Reden von etw überzeugen *Er redete ihr ein, sie brauche eine neue Frisur.*

Ein·rei·se <-, -n> *die (↔Ausreise)* das Betreten eines fremden Landes *Für die ~ nach Russland braucht ein Deutscher ein Visum.*

• **ein|rich·ten** <richtet ein, richtete ein, eingerichtet> **I.** *tr* **1.** [K] ***jd richtet etw** akk **ein*** möblieren *das Wohnzimmer neu ~* **2.** [K] ***jd richtet etw** akk **ein*** möglich machen *Können Sie den Termin um sechs Uhr ~?* **3.** [K] ***jd richtet etw** akk **ein*** neu schaffen *eine neue Arbeitsstelle ~* **II.** *refl* **1.** [K] ***jd richtet sich** akk **irgendwie ein*** die eigene Wohnung möblieren *Sie haben alle Möbel weggeworfen und sich ganz neu eingerichtet.* **2.** [K] ***jd richtet sich** akk **auf etw** akk **ein*** sich vorbereiten *Er richtete sich auf den Besuch von 25 Personen ein.*

Ein·rich·tung <-, (-en)> *die* **1.** Möbel *eine moderne ~* **2.** staatliche/öffentliche Institution *kulturelle/öffentliche/soziale ~en*

Eins [ains] <-, -en> *die* **1.** *(≈Einser)* Ziffer 1 *eine römische ~* **2.** beste deutsche und österreichische Schulnote *Sie bekam in Mathematik eine ~.*

• **eins** [ains] *num* die Zahl 1 *Zwei minus ~ ist ~.*; **~ a** *(umg)* sehr gut *Mama, dein Kuchen ist ~ a.*

• **ein·sam** ['ainza:m] <einsamer, einsamst-> *adj* **1.** allein, ohne Freunde *sich ~ fühlen* **2.** abgelegen, weit weg von Häusern und Menschen *Das Haus liegt ~ am Waldrand.* ***Wobi:** Einsamkeit*

Ein·satz <-es, -sätze> *der* **1.** eingesetztes Stück, Teil *Der ~ in der Tür ist aus Glas.* **2.** Geldsumme, mit der man spielt *Sein ~ beim Roulette war sehr hoch.* **3.** MIL Aktion *einen ~ planen* **4.** Gebrauch, Anwendung *zum ~ kommen* **5.** Engagement *Sein ~ beim Fußball ist grenzenlos.*

• **ein|schal·ten** <schaltet ein, schaltete ein, eingeschaltet> **I.** *tr* **1.** [K] ***jd schaltet etw** akk **ein*** (EL: *≈anmachen, anstellen*) ein elektrisches Gerät in Betrieb nehmen *den Fernseher ~* **2.** [K] ***jd schaltet jdn ein*** benachrichtigen, zu Hilfe rufen *Er schaltete sofort die Polizei ein.* **II.** *refl* [K] ***jd schaltet sich** akk **ein*** sich einmischen, teilnehmen *Er schaltete sich in die Diskussion ein.*

ein|schät·zen <schätzt ein, schätzte ein, eingeschätzt> *tr* [K] ***jd schätzt jdn/etw** akk **irgendwie ein*** beurteilen, vermuten, wie jd/etw ist oder wird *Er schätzt seine Situation völlig falsch ein.*

• **ein|schla·fen** <schläft ein, schlief ein, eingeschlafen> *itr* <*sein*> beginnen zu schlafen *Er war so müde, dass er sofort einschlief.*

ein|schlie·ßen <schließt ein, schloss ein, eingeschlossen> *tr* **1.** [K] ***jd schließt jdn/etw** akk **ein*** etw/jdn in einen Raum o.Ä. einsperren *Dokumente im Schreibtisch ~* **2.** [K] ***jd schließt jdn/etw** akk **ein*** etw beinhalten *Die Regel schließt Ausnahmen mit ein.*

ein·schließ·lich ['ainʃliːslɪç] **1.** *präp +gen* mit ~ *der Mehrwertsteuer* **2.** so, dass etw in etw enthalten ist, inklusive *von Mittwoch bis ~ Freitag*

ein·schnei·dend ['ainʃnaidn̩t] <einschneidender, einschneidendst-> *adj* von starker Wirkung, prägend *ein ~es Erlebnis*

ein|schrän·ken <schränkt ein, schränkte ein, eingeschränkt> **I.** *tr* [K] ***jd schränkt etw** akk **ein*** verringern, reduzieren *seinen Zigarettenkonsum ~* **II.** *refl* [K] ***jd schränkt sich** akk **ein*** sparen *Um das neue Auto kaufen zu können, musste er sich ziemlich ~.*

Ein·schrän·kung <-, -en> *die* **1.** Begrenzung *Diese ~ gilt für Jugendliche unter 18.* **2.** Bedingung *Diese Aussage gilt nur mit ~en.*

ein|schrei·ben <schreibt ein, schrieb ein, eingeschrieben> *tr* **1.** [K] ***jd schreibt jdn/sich** akk [**in etw** akk] **ein*** eintragen *den Namen des Schülers ins Klassenbuch ~* **2.** [K] ***jd schreibt sich** akk [**an etw** dat] **ein*** (≈*immatrikulieren*) sich bei einer Hochschule als Student anmelden *sich an der Universität ~* ***Wobi: Einschreibung***

• **Ein·schrei·ben** <-s, -> *das* Postsendung, die man nur erhält, wenn man den Empfang mit seiner Unterschrift bestätigt *eine Kündigung per/als ~ schicken*

ein|se·hen <sieht ein, sah ein, eingesehen> *tr* **1.** [K] ***jd sieht etw** akk **ein*** Akten oder Dokumente genau studieren *Der Anwalt sah die Prozessakten ein.* **2.** [K] ***jd sieht etw** akk **ein*** begreifen, verstehen *Er sah seinen Fehler ein.*

ein·sei·tig ['ainzaitɪç] <-, -> *adj* so, dass etw nur aus einer Perspektive gesehen wird oder nur von einer Seite kommt *eine ~e Betrachtung, Diese Diskussion ist mir zu ~.*

Ein·ser ['ainzɐ] <-s, -> *der* **1.** (SD, ÖSTERR, CH ≈*Eins*) Ziffer 1 *Der ~ an der Tür ist nicht mehr lesbar.* **2.** beste deutsche und österreichische Schulnote *Sie bekam in Mathematik einen ~.*

• **ein·set·zen** ['ainzɛtsn̩] <setzt ein, setzte ein, eingesetzt> **I.** *tr* [K] ***jd setzt jdn/etw** akk [**für etw** akk] **ein*** verwenden, benutzen *Computer ~, ein Wort in die Grammatikübung ~* **II.** *itr* [K] ***etw setzt ein*** anfangen *Am Abend setzte ein heftiger Regen ein.* **III.** *refl* [K] ***jd setzt sich** akk **für jdn/etw** akk **ein*** sehr viel tun für jdn/etw *Sie setzt sich sehr für AIDS-Kranke ein.*

Ein·sicht <-, -en> *die* **1.** Erkenntnis, Verständnis *Ich bin zu der ~ gelangt, dass …* **2.** das Betrachten, Anschauen *jdm ~ in Akten gewähren*

ein·sich·tig ['ainzɪçtɪç] <einsichtiger, einsichtigst-> *adj* (↔*un-*

einsichtig) vernünftig, verständnisvoll *sich ~ zeigen*

ein·sil·big ['ainzɪlbɪç] <-, -> *adj* **1.** LING aus einer Silbe bestehend *Das Wort ‚du' ist ~.* **2.** schweigsam, still *Der Bauer war ein ~er Mann.*

ein|spa·ren <spart ein, sparte ein, eingespart> *tr* [K] ***jd spart etw** akk **ein*** sparen *Wir müssen Personalkosten ~.*

ein|ste·hen <steht ein, stand ein, eingestanden> *itr* <*sein*> **1.** Schaden ersetzen *für den Schaden ~* **2.** Verantwortung übernehmen *Der Chef muss für seine Mitarbeiter ~.*

• **ein|stei·gen** <steigt ein, stieg ein, eingestiegen> *itr* <*sein*> **1.** in ein Fahrzeug hineingehen *Er stieg in das Auto ein.* **2.** ein Geschäft beginnen *Er stieg als Teilhaber in das Exportgeschäft ein.*

• **ein|stel·len** <stellt ein, stellte ein, eingestellt> **I.** *tr* **1.** [K] ***jd stellt etw** akk **ein*** beenden, aufhören *die Kämpfe ~, die Produktion ~* **2.** [K] ***jd stellt jdn ein*** jdm Arbeit geben *eine neue Sekretärin ~* **3.** [K] ***jd stellt etw** akk **ein*** ein Gerät so vorbereiten, dass es gut funktioniert *die Kamera einstellen, einen Radiosender ~* **II.** *refl* **1.** [K] ***etw stellt sich ein*** sich ereignen *Schon bald stellte sich der erwartete Erfolg ein.* **2.** [K] ***jd stellt sich** akk **auf etw** akk **ein*** sich innerlich vorbereiten *Der Bauer stellte sich auf das kommende Unwetter ein.*

Ein·stel·lung <-, -en> *die* **1.** Meinung, Ansicht *eine politische ~* **2.** das Bekommen eines Arbeitsplatzes *Sie freute sich über ihre ~ als Sekretärin.* **3.** Beendigung *die ~ der Produktion/Kämpfe*

ein·stün·dig <-, -> *adj* so, dass es eine Stunde dauert *eine ~e Vorlesung*

ein|stür·zen <stürzt ein, stürzte ein, eingestürzt> *itr* <*sein*> zusammenfallen, zusammenbrechen *Die Brücke bekam Risse und stürzte ein.* ***Wobi:** Einsturz*

einst·wei·len ['ainst'vailən] *adv* **1.** inzwischen *Er kommt erst um zwei, lasst uns ~ zu Mittag essen.* **2.** vorübergehend, für einige Zeit *Er kann ~ bei uns wohnen.*

ein|tei·len <teilt ein, teilte ein, eingeteilt> *tr* **1.** [K] ***jd teilt etw** akk **ein*** rationieren *Während der Hungersnot mussten sie das Brot ~.* **2.** [K] ***jd teilt jdn ein*** jdm eine Aufgabe geben *Der Chef teilte die Arbeiter ein.* ***Wobi:** Einteilung*

ein·tö·nig ['aintøːnɪç] <eintöniger, eintönigst-> *adj* monoton, langweilig *Novemberabende sind nicht immer ~.*

ein·träch·tig ['aintrɛçtɪç] <-, -> *adj* friedlich *Sie saßen ~ nebeneinander.*

ein|tref·fen <trifft ein, traf ein, eingetroffen> *itr* <*sein*> **1.** ankommen *Der Zug traf pünktlich ein.* **2.** sich bestätigen, geschehen *Was er vorhergesagt hatte, traf tatsächlich ein.*

ein|tre·ten <tritt ein, trat ein, eingetreten> **I.** *tr* [K] ***jd tritt etw** akk **ein*** etw durch Fußtritte mit Gewalt öffnen *die Tür ~* **II.** *itr* <*sein*> **1.** [K] ***jd tritt in etw** akk **ein*** in ein Zimmer oder ein Gebäude kommen *Er klopfte an und trat sofort ein.* **2.** [K] ***jd tritt in etw** akk **ein*** Mitglied werden *Er trat in den Skatclub ein.* **3.** [K] ***jd tritt für jdn/etw** akk **ein*** jdn verteidigen *Der Vater trat für seinen Sohn ein.*

• **Ein·tritt** <-(e)s, -e> *der* **1.** das Hineingehen *~ verboten!, ~ ab 18*

E

Jahre! **2.** *(↔Austritt)* Beginn *Sein ~ in das Berufsleben erfolgte mit 18 Jahren., ~ in eine Partei* **3.** Geld, das man zahlt, um zu einer Veranstaltung gehen zu dürfen *~ für das Kino bezahlen*

- **Ein·tritts·kar·te** <-, -n> *die* Karte, mit der man zu einer Veranstaltung gehen darf *eine ~ an der Theaterkasse kaufen*

Ein·ver·neh·men ['ainfɛɐ̯ne:mən] <-s> *kein pl das* Einverständnis, Übereinstimmung *Sie trennten sich in bestem ~.*

- **ein·ver·stan·den** ['ainfɛɐ̯ʃtandn̩] ~ **sein** einer Sache zustimmen, etw akzeptieren *Sie ist mit seiner Entscheidung ~.*

Ein·ver·ständ·nis ['ainfɛɐ̯ʃtɛntnɪs] <-es> *kein pl das* **1.** Zustimmung *sein ~ geben* **2.** Übereinstimmung *in gegenseitigem ~*

Ein·wand ['ainvant] <-(e)s, -wände> *der* Vorbehalt, Gegenargument *Dein ~ ist begründet.*

ein|wan·dern <wandert ein, wanderte ein, eingewandert> *itr* <*sein*> (*↔auswandern*) immigrieren; in ein Land kommen, um dort zu leben *Er wanderte in die USA ein.* ***Wobi: Einwanderung***

ein·wand·frei ['ainvantfrai] <-, -> *adj* **1.** ohne Fehler, fehlerfrei *~es Material* **2.** absolut korrekt, richtig *~es Verhalten*

Ein·weg·fla·sche <-, -n> *die* Flasche, die nach einmaligem Gebrauch in den Müll kommt *Aus Gründen des Umweltschutzes benutzt man kaum noch ~n.*

ein|wei·hen <weiht ein, weihte ein, eingeweiht> *tr* **1.** [K] ***jd weiht etw*** *akk* ***ein*** ein Bauwerk der Öffentlichkeit übergeben/eröffnen *Der Präsident weihte das neue Museum ein.* **2.** [K] ***jd weiht jdn*** [***in etw*** *akk*] ***ein*** jdm im Vertrauen ein Geheimnis sagen *Er weihte seine Komplizen in den Plan ein.*

ein|wen·den <wendet ein, wendete ein/wandte ein, eingewendet/eingewandt> *tr* [K] ***jd wendet etw*** *akk* ***gegen jdn/etw*** *akk* ***ein*** etw gegen jdn/etw vorbringen, gegen jdn/etw argumentieren *Er konnte nichts gegen ihre Argumente ~.*

ein|wil·li·gen ['ainvɪlɪgn̩] <willigt ein, willigte ein, eingewilligt> *itr* zustimmen, ja sagen *Er willigte in die Pläne seines Mitarbeiters ein.* ***Wobi: Einwilligung***

- **Ein·woh·ner(in)** ['ainvo:nɐ] <-s, -> *der* jd, der in einer Stadt/in einem Land wohnt *die ~ von Köln*

Ein·woh·ner·mel·de·amt <-(e)s, -ämter> *das* Behörde, bei der man sich anmelden muss, wenn man in eine andere Stadt zieht *aufs ~ gehen*

Ein·zahl ['aintsa:l] <-> *kein pl die* LING Singular *Das Wort ,Kind' steht in der ~.*

- **ein|zah·len** <zahlt ein, zahlte ein, eingezahlt> *tr* [K] ***jd zahlt etw*** *akk* [***auf etw*** *akk*] ***ein*** Geld auf einem Konto deponieren *Er zahlt regelmäßig Geld auf sein Konto ein.*

Ein·zel·fall <-(e)s, -fälle> *der* Ereignis, das es nur einmal gibt *Bei diesem Verbrechen handelt es sich nicht um einen ~.*

Ein·zel·heit <-, -en> *die* Detail *in allen ~en, auf ~en eingehen, bis in die kleinsten ~en*

- **Ein·zel·kind** <-es, -der> *das* Person ohne Geschwister *Sie ist ~.*
- **ein·zeln** ['aintsl̩n] <-, -> *adj* für sich allein, individuell *Das ~e Bild ist wertlos., Diese Dinge muss man ~ betrachten.*
- **Ein·zel·teil** <-s, -e> *das* kleines Teil eines Gegenstandes/Gerätes

den Motor in ~e zerlegen, die ~ zusammenbauen

- **Ein·zel·un·ter·richt** <-(e)s> *kein pl der* Unterricht für eine Person allein *~ haben*
- **Ein·zel·zim·mer** <-s, -> *das (↔Doppelzimmer)* Hotelzimmer für eine Person *In unserem Hotel gibt es keine ~.*
- **ein|zie·hen** <zieht ein, zog ein, eingezogen> **I.** *tr* **1.** [K] ***jd zieht etw*** *akk* ***ein*** etw einfügen, einbauen *Der Zimmermann zog eine Zwischendecke ein.* **2.** [K] ***jd zieht etw*** *akk* [***von jdm***] ***ein*** kassieren, Geld abnehmen *Zur Deckung der Unkosten zieht der Verein von jedem Mitglied hundert Euro ein.* **3.** [K] ***jd zieht etw*** *akk* ***ein*** aus dem Verkehr ziehen, konfiszieren, wegnehmen *Der Polizist zog den Führerschein des Fahrers ein.* **4.** [K] ***jd zieht jdn ein*** MIL zum Militärdienst holen, einberufen *junge Männer zur Armee ~* **II.** *itr* <*sein*> beziehen; seine Sachen und Möbel in eine neue Wohnung/ein neues Haus stellen und dort zu wohnen beginnen *Der neue Mieter zieht in die Wohnung ein.*
- **ein·zig** ['ai̯nt͡sɪç] <-, -> *adj* alleinig *Sie waren die ~en Besucher im Museum.*

ein·zig·ar·tig ['ai̯nt͡sɪçʔaːɐ̯tɪç] <-, -> *adj* großartig, sensationell *ein ~es Erlebnis*

- **Eis** [ai̯s] <-es> *kein pl das* **1.** gefrorenes Wasser *Der See ist im Winter immer mit ~ bedeckt.* **2.** *(= CH Glace)* Speiseeis *~ essen* ***Komp: -bahn, -becher, Speise-, Zitronen-***

Eis·die·le <-, -n> *die* Lokal, in dem Speiseeis verkauft wird *Diese ~ ist berühmt für ihr Erdbeereis.*

Eisbecher

- **Ei·sen** ['ai̯zn̩] <-s> *kein pl das* Metall *Zur Herstellung von Stahl braucht man ~., aus ~ sein;* **zum alten ~ gehören** *(umg)* alt und deshalb nicht mehr nützlich sein *In deinem Alter gehört man doch noch nicht zum alten ~.;* **noch ein ~ im Feuer haben** *(umg)* weitere Möglichkeiten haben *Es macht nichts, wenn das nicht klappt, ich habe noch ein ~ im Feuer.*
- **Ei·sen·bahn** ['ai̯zn̩baːn] <-, -en> *die* Bahn, Zug *mit der ~ fahren;* **es ist höchste ~** *(umg)* es besteht Grund zu größter Eile *Wir sind spät dran! Jetzt ist es aber höchste ~.*

Eis·wür·fel <-s, -> *der* in Würfelform gefrorenes Wasser *~ in die Getränke geben*

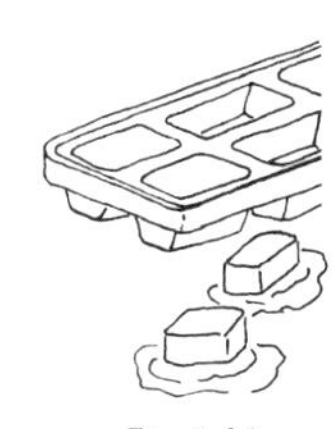

Eiswürfel

ei·tel ['ai̯tl̩] <eitler, eitelst-> *adj* so, dass man sehr stark auf sein Äußeres achtet *eine eitle Person* ***Wobi: Eitelkeit***

Ei·ter ['ai̯tɐ] <-s> *kein pl der* gelbe Substanz, die sich in einer Wunde bildet, wenn diese entzündet ist *Die Wunde war entzündet und voller ~.*

Ei·weiß ['ai̯vai̯s] <-es, -e> *das* weißer Teil von einem Ei um das Eigelb herum *~ und Eidotter*

E·kel¹ ['eːkl̩] <-s> *kein pl der* heftige Abneigung gegen etw *~ vor Spinnen haben* ***Wobi: ekelhaft***

E·kel² ['eːkl̩] <-s, -> *das (umg pej)* jd, der sich sehr unangenehm verhält *Sei kein solches ~!*

e·keln ['eːkl̩n] <ekelt, ekelte, geekelt> *refl* [K] ***jd ekelt sich*** *akk* [***vor jdm/etw*** *dat*] absolut nicht mögen, verabscheuen *Ich ekle mich vor Spinnen.*

E·le·fant [ele'fant] <-en, -en> *der* ZOOL sehr großes, graues Säuge-

Elefant

tier mit großen Ohren und langem Rüssel *~en sind bekannt für ihr gutes Gedächtnis.*

e·le·gant [ele'gant] <eleganter, elegantest-> *adj* schick, modisch *ein ~es Abendkleid* ***Wobi:* *Eleganz***

• **e·lek·trisch** [e'lɛktrɪʃ] <-, -> *adj* so, dass es mit Strom funktioniert *~e Geräte* ***Wobi:* *elektrisieren***

E·lek·tri·zi·tät [elɛktritsi'tɛ:t] <-> *kein pl die* Strom *~ erzeugen*

• **E·lek·tro-** [e'lɛktro] die Elektronik betreffend *~gerät, ~ingenieur*

E·lek·tro·nik [elɛk'tro:nɪk] <-> *kein pl die* **1.** Teilbereich der Elektrotechnik, der sich mit der Herstellung von Halbleitern etc. beschäftigt *~ studieren* **2.** elektronische Technik *Die ~ in einem Fernseher ist kompliziert.* ***Wobi:* *elektronisch***

E·le·ment [ele'mɛnt] <-(e)s, -e> *das* **1.** CHEM chemischer Grundstoff *Wasserstoff ist ein chemisches ~.* **2.** Bestandteil *Die Sitzecke hat mehrere ~e.* ***Wobi:* *elementar***

E·lend ['e:lɛnt] <-(e)s> *kein pl das* Armut, Armseligkeit *Das ~ in den Slums war unfassbar.*

e·lend ['e:lɛnt] <elender, elendst-> *adj* **1.** krank, übel *Er fühlte sich ganz ~.* **2.** sehr böse, sehr schlimm *~e Betrüger*

• **elf** [ɛlf] *num* die Zahl 11 *Eine Fußballmannschaft besteht aus ~ Spielern.*

Elf·me·ter [ɛlf'me:tɐ] <-s, -> *der (=* ÖSTERR *, =* CH *Penalty)* Strafstoß beim Fußball *einen ~ schießen*

E·li·te [e'li:tə] <-, -n> *die* eine Gruppe, die nur aus den Besten ihres Bereiches besteht *Der Nobelpreisträger gehört zur geistigen ~ seines Landes.* ***Wobi:* *elitär***

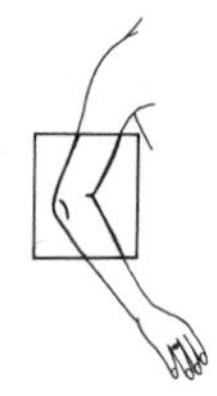

Ellbogen

Ell·bo·gen ['ɛlbo:gn̩] <-s, -> *der* Verbindungsgelenk zwischen Unter- und Oberarm des Menschen *sich am ~ verletzen*

• **El·tern** ['ɛltɐn] *pl* Vater und Mutter eines Kindes *Die ~ lieben ihre Kinder.* ***Wobi:* *elterlich*** ***Komp:* *-haus***

• **E-mail/Email** <-s, -s> *die/das* DV schriftliche Nachricht, die von Computer zu Computer geschickt wird; elektronische Post *eine ~ empfangen*

E·man·zi·pa·ti·on [emantsipa'tsi̯o:n] <-> *kein pl die* **1.** Befreiung aus einer Abhängigkeit *die ~ der Farbigen in den USA* **2.** gesellschaftliche Gleichstellung, besonders der Frau *Er hielt nicht viel von ~.* ***Wobi:* *emanzipieren***

e·mig·rie·ren [emi'gri:rən] <emigriert, emigrierte, emigriert> *itr* <*sein*> (*≈auswandern*) sein Heimatland für immer verlassen *Sie ~ nach Australien.* ***Wobi:* *Emigration***

E·mis·si·on [emɪ'si̯o:n] <-, -en> *meist pl die* Ausstoß von Schadstoffen *Die ~en der Fabrik belasten die Umwelt.*

E·mo·ti·on [emo'tsi̯o:n] <-, -en> *die* Gefühl *Er zeigte keinerlei ~en.* ***Wobi:* *emotional***

emp·fahl [ɛm'pfa:l] *prät von* **empfehlen**

emp·fand [ɛm'pfant] *prät von* **empfinden**

Emp·fang [ɛm'pfaŋ] <-(e)s, Empfänge> *der* **1.** offizielle Begrüßung, zu der Gäste eingeladen werden *einen ~ geben* **2.** das Bekommen, Annehmen *ein Paket in ~ nehmen, den ~ bestätigen*

emp·fan·gen [ɛm'pfaŋən] <empfängt, empfing, empfangen> *tr* **1.** [K] ***jd empfängt jdn*** jdn offiziell begrüßen *Der Botschaf-*

ter wurde vom Präsidenten ~. **2.** [K] ***jd empfängt etw*** *akk* entgegennehmen, annehmen *Er empfing eine Nachricht aus dem Ausland.*

emp·fạn·gen [ɛm'pfaŋən] *part perf* **empfangen**

• **Emp·fạ̈n·ger(in)** [ɛm'pfɛŋɐ] <-s, -> *der* Person, der man einen Brief/ein Paket usw. schickt *der ~ der Nachricht*

Emp·fạ̈ng·nis·ver·hü·tung <-> *kein pl die* Vermeidung einer Schwangerschaft durch Pille, Kondom und andere Mittel *gegen ~ sein*

• **emp·feh·len** [ɛm'pfe:lən] <empfiehlt, empfahl, empfohlen> **I.** *tr* **1.** [K] ***jd empfiehlt jdm etw*** *akk* raten, einen guten Tipp geben *Der Vater empfahl seinem Sohn, eine handwerkliche Ausbildung zu machen.* **2.** [K] ***jd empfiehlt jdm etw*** *akk* anpreisen *Der Verkäufer empfahl das teurere Modell.* **II.** *refl* [K] ***etw empfiehlt sich*** etw ist am besten *Es empfiehlt sich, mit dem Kauf nicht länger zu warten.* ***Wobi:* *Empfehlung***

emp·fịn·den [ɛm'pfɪndn̩] <empfindet, empfand, empfunden> *tr* [K] ***jd empfindet etw*** *akk* fühlen *einen tiefen Schmerz ~*

emp·fịnd·lich [ɛm'pfɪntlɪç] <empfindlicher, empfindlichst-> *adj* **1.** körperlich und seelisch verletzlich, sensibel *Sie ist ein sehr ~er Mensch.* **2.** schmerzlich *eine ~e Kälte* ***Wobi:* *Empfindlichkeit***

empfịng [ɛm'pfɪŋ] *prät von* **empfangen**

empfụnden [ɛm'pfʊndn̩] *part perf* **empfinden**

em·pört <empörter, empörtest-> *adj* aufgebracht, sehr wütend *Sie war ~ über sein Benehmen.* ***Wobi:* *Empörung***

• **Ẹn·de** ['ɛndə] <-s, -n> *das* **1.** Schluss, letzter Teil von etw *gegen ~ Dezember, ~ zwanzig, zu ~ sein, zu ~ gehen, ein Buch bis zu ~ lesen, zu ~ gehen* **2.** Ausgang, Resultat *ein böses ~ nehmen* ***Wobi:* *endlos***

ẹn·den ['ɛndn̩] <endet, endete, geendet> *itr* aufhören *Der Kurs endet um 19 Uhr.*

• **ẹnd·gül·tig** <-, -> *adj* nicht mehr zu ändern, definitiv *Er hatte ~ genug von ihr.*

• **ẹnd·lich** ['ɛntlɪç] *adv* nach langer Zeit (, die jd gewartet hat) *Hör ~ auf!, Komm jetzt ~!, Na ~!*

Ẹn·dung <-, -en> *die* LING letzter Teil eines Wortes *Diese ~ kennzeichnet den Dativ.*

• **E·ner·gie** [enɛr'gi:] <-, -n> *die* **1.** Strom *~ sparen* **2.** Kraft, Ausdauer *Er setzte seine ganze ~ ein, um das Ziel zu erreichen., mit aller ~* ***Wobi:* *energisch*** ***Komp:* *-quelle, -verbrauch, -versorgung***

• **ẹng** [ɛŋ] <enger, engst-> *adj* **1.** schmal *eine ~e Straße* **2.** sehr nah am Körper *eine ~e Hose;* **etw ~ sehen** etw begrenzt/strikt sehen *Sie sehen das sehr ~.;* ~ **befreundet** intim, vertraut, sehr nahe *Sie sind seit langem ~ befreundet.;* ~ **zusammenarbeiten** sich regelmäßig absprechen und die Arbeit koordinieren *bei dem Projekt ~ zusammenarbeiten*

en·ga·gie·ren [ãga'ʒi:rən] <engagiert, engagierte, engagiert> **I.** *tr* [K] ***jd engagiert jdn*** einem Künstler Arbeit geben *Der Theaterdirektor engagierte die Schauspielerin.* **II.** *refl* [K] ***jd engagiert sich*** *akk* sich persönlich einsetzen *Er engagiert sich stark in der Kirche.* ***Wobi:* *Engagement***

Engel

Ente

en·ga·giert <engagierter, engagiertest-> *adj* so, dass jd sich sehr aktiv für etw einsetzt *eine ~e Frau*

En·gel ['ɛŋl̩] <-s, -> *der* **1.** REL in der christlichen Vorstellung ein Himmelswesen *Die ~ blasen die Posaunen zum Jüngsten Gericht.* **2.** hilfreicher, guter Mensch *Sie war sein rettender ~.* ***Komp: -sgeduld, Erz-, Rache-***

eng·stir·nig ['ɛŋʃtɪrnɪç] <engstirniger, engstirnigst-> *adj (pej)* so, dass jd keine anderen Meinungen akzeptiert *Deine Nachbarn sind ganz schön ~.*

• **En·kel(in)** ['ɛŋkl̩] <-s, -> *der* Kind des eigenen Kindes *Der Großvater schaukelt seinen ~.*

e·norm [e'nɔrm] <-, -> *adj* riesig, sehr groß *ein ~es Ausmaß*

ent·beh·ren [ɛnt'beːrən] <entbehrt, entbehrte, entbehrt> *tr* [K] ***jd entbehrt jdn/etw*** *akk* benötigen, aber nicht zur Verfügung haben *Sie mussten im Krieg viel ~., Ich kann ihn nicht länger ~.* ***Wobi: Entbehrung***

Ent·bin·dung <-, -en> *die* Geburt *Die ~ dauerte zehn Stunden.*

• **ent·de·cken** <entdeckt, entdeckte, entdeckt> *tr* [K] ***jd entdeckt etw*** *akk* etw Unbekanntes finden *Columbus entdeckte Amerika., Er entdeckte ihr Geheimnis.* ***Wobi: Entdeckung***

En·te ['ɛntə] <-, -n> *die* **1.** ZOOL Schwimmvogel mit breitem Schnabel *die ~n füttern* **2.** falsche Pressemitteilung, Zeitungslüge *Die Boulevardpresse bringt immer wieder ~n.*

En·ter-Tas·te <-, -n> *die* DV Eingabetaste am Computer *Um das Programm zu starten, drücken Sie die ~.*

ent·fer·nen [ɛnt'fɛrnən] <entfernt, entfernte, entfernt> **I.** *tr* [K] ***jd entfernt etw*** *akk* [***von/aus etw*** *dat*] wegnehmen, herausnehmen *Schmutz von den Schuhen ~* **II.** *refl* [K] ***jd entfernt sich*** *akk* [***von etw*** *dat*] fortgehen, sich wegbewegen *Er entfernte sich von der Gruppe.*

• **ent·fernt**[1] **I.** *part perf von* **entfernen II.** *adj* **1.** fern, weit weg *Das Haus ist ziemlich weit ~ von der Straße.* **2.** nicht nah/direkt *ein ~er Verwandter von mir*

• **ent·fernt**[2] *adv* kaum, gering *Sie sehen sich nur ~ ähnlich.*

• **Ent·fer·nung** <-, -en> *die* Distanz *Aus der ~ sieht das ganz anders aus.*

ent·frem·den <entfremdet, entfremdete, entfremdet> **I.** *tr* [K] ***etw entfremdet jdn jdm/etw*** *dat* machen, dass zwei Menschen/Dinge sich fremd werden *Sein Studium hat ihn seinen Eltern entfremdet.* **II.** *refl* [K] ***jd entfremdet sich*** *akk* [***von jdm/etw*** *dat*] sich innerlich entfernen *Er hat sich von seiner Familie entfremdet.* ***Wobi: Entfremdung***

ent·füh·ren <entführt, entführte, entführt> *tr* [K] ***jd entführt jdn/etw*** *akk* jdn gegen seinen Willen an einen anderen Ort bringen *Die Geiselnehmer entführten den Millionär.* ***Wobi: Entführung***

• **ent·ge·gen** [ɛnt'geːgn̩] *präp +dat* verwendet, um auszudrücken, dass etw im Gegensatz zu etw anderem steht *~ meinen Erwartungen, Das ist ~ unserer Abmachung.*

• **ent·ge·gen-** [ɛnt'geːgn̩] in jds Richtung, auf jdn/etw zu *jdm ~fahren*

• **ent·ge·gen|ge·hen** <geht entgegen, ging entgegen, entgegengegangen> *itr* <*sein*> **1.** auf jdn zugehen *Er ging ihr entge-*

gen. **2.** auf etw zugehen *Der Krieg geht seinem Ende entgegen.*

• **ent·ge·gen|kom·men** <kommt entgegen, kam entgegen, entgegengekommen> *itr* <*sein*> **1.** [K] ***jdm*** ~ in jds Richtung gehen *Ihr kamen zwei Fußgänger entgegen.* **2.** [K] ***jdm*** ~ jdm helfen *Er ist mir sehr entgegengekommen.;* [K] ***etw kommt jdm entgegen*** nützlich sein *Das würde mir sehr ~.*

ent·ge·gen·kom·mend <-, -> *adj* gefällig, hilfsbereit *Er war sehr ~.*

ent·geg·nen [ɛnt'ge:gnən] <entgegnet, entgegnete, entgegnet> *itr* antworten *Er konnte ihr nichts ~.*

• **ent·hal·ten** <enthält, enthielt, enthalten> **I.** *tr* [K] ***etw enthält etw*** *akk* als Inhalt haben *Der Karton enthält Schuhe., Das ist im Preis ~.* **II.** *refl* [K] ***jd enthält sich*** *akk* ***einer Sache*** *dat* nicht seine Meinung sagen *Sie konnte sich einer Bemerkung nicht ~., sich bei einer Wahl der Stimme ~* ***Wobi: enthaltsam***

ent·hül·len <enthüllt, enthüllte, enthüllt> *tr* **1.** [K] ***jd enthüllt etw*** *akk* eine Hülle/Verpackung von etw entfernen *Der Künstler enthüllte die Statue.* **2.** [K] ***jd enthüllt*** [***jdm***] ***etw*** *akk* etw mitteilen, was noch niemand weiß *Er enthüllte den Skandal.* ***Wobi: Enthüllung***

En·thu·si·as·mus [ɛntu'zi̯asmʊs] <-> *kein pl der* Begeisterung *der jugendliche ~* ***Wobi: enthusiastisch***

ent·kom·men <entkommt, entkam, entkommen> *itr* <*sein*> [K] ***jd entkommt jdm/etw*** *dat* fliehen *der Gefahr ~*

• **ent·lang** [ɛnt'laŋ] **I.** *adv* einer Strecke folgend *Er ging die Straße ~.* **II.** *präp* + *dat* einer Strecke folgend *~ der Straße*

• **ent·las·sen** <entlässt, entließ, entlassen> *tr* **1.** [K] ***jd entlässt jdn*** jdm die Arbeitsstelle kündigen *Die Firma entließ 50 Angestellte.* **2.** [K] ***jd entlässt jdn*** jdm erlauben, etw zu verlassen *aus dem Krankenhaus ~ werden* ***Wobi: Entlassung***

ent·le·gen [ɛnt'le:gn̩] <entlegener, entlegenst-> *adj* abgelegen, weit entfernt *Das Haus ist sehr ~.*

ent·mün·di·gen [ɛnt'mʏndɪgn̩] <entmündigt, entmündigte, entmündigt> *tr* [K] ***jd entmündigt jdn*** jdm offiziell bestimmte Rechte wegnehmen (z. B. das Recht zu wählen oder Dokumente zu unterschreiben) *Der Geisteskranke wurde entmündigt.*

ent·rüs·tet <-, -> *adj* empört, sehr ärgerlich *Sie war ~ über diese Frechheit.* ***Wobi: Entrüstung***

ent·schä·di·gen <entschädigt, entschädigte, entschädigt> *tr* [K] ***jd entschädigt jdn*** [***für etw*** *akk*] jdm einen Verlust/Schaden ersetzen *Er entschädigte sie mit einer hohen Geldsumme.* ***Wobi: Entschädigung***

• **ent·schei·den** <entscheidet, entschied, entschieden> **I.** *tr* [K] ***jd entscheidet etw*** *akk* bestimmen, festlegen *Der Chef entscheidet über den Verkauf.* **II.** *refl* [K] ***jd entscheidet sich*** *akk* ***für etw*** *akk* zwischen mehreren Möglichkeiten auswählen *Er muss sich für eine Partei ~.* ***Wobi: Entscheidung***

• **ent·schei·dend** [ɛnt'ʃai̯dn̩t] <entscheidender, entscheidendst-> *adj* eine Entscheidung bestimmend, ausschlaggebend *ein ~er Fehler, die ~e Stimme*

ent·schie·den [ɛnt'ʃi:dn̩] **I.** *part perf von* **entscheiden** **II.** *adj* absolut, sehr energisch *Sie war eine ~e Gegnerin des Präsidenten.* ***Wobi:***

Entschiedenheit

• **ent·schlie·ßen** <entschließt, entschloss, entschlossen> *refl* [K] ***jd entschließt sich*** *akk* [***zu etw*** *dat*] sich entscheiden *Wozu hast du dich entschlossen?, Ich habe mich anders entschlossen.*

• **ent·schlos·sen** [ɛnt'ʃlɔsn̩] **I.** *part perf von* **entschließen II.** *adj* zielstrebig, ohne zu zögern *kurz ~, fest ~ sein, Ich bin jetzt zu allem ~.*

• **ent·schul·di·gen** [ɛnt'ʃʊldɪgn̩] <entschuldigt, entschuldigte, entschuldigt> **I.** *tr* **1.** [K] ***etw entschuldigt jdn/etw*** *akk* rechtfertigen *Das entschuldigt sein Verhalten keineswegs.* **2.** [K] ***jd entschuldigt jdn*** jds Fehlen erklären *Sie entschuldigte ihre Kollegin beim Chef.* **II.** *refl* [K] ***jd entschuldigt sich*** *akk* [***bei jdm für etw*** *akk*/ ***wegen etw*** *gen*] um Verständnis/Verzeihung bitten *sich bei den Nachbarn für den Krach ~*

> *entschuldigen*
> Das können Sie sagen: Entschuldigung! Entschuldigen Sie! Entschuldigen Sie, bitte! Entschuldigen Sie vielmals! Verzeihung! Ich bitte Sie vielmals um Verzeihung.
> Das können Sie antworten: Macht nichts. Das macht doch nichts. Ist schon in Ordnung. Kein Problem.
> In Österreich ist auch üblich: Nichts passiert.

• **Ent·schul·di·gung** <-, -en> *die* Bitte um Verzeihung *Seine ~ wurde akzeptiert., ~, darf ich kurz stören?*

ent·setz·lich [ɛnt'zɛt͡slɪç] <entsetzlicher, entsetzlichst-> *adj* **1.** fürchterlich, schrecklich *Sein Benehmen war ~.* **2.** *(umg)* sehr *Es ist ~ spät geworden.*

ent·setzt <entsetzter, entsetztest-> *adj* schockiert, stark verängstigt *Sie kam völlig ~ aus dem Kino.*

ent·span·nen <entspannt, entspannte, entspannt> **I.** *tr* [K] ***jd entspannt etw*** *akk* locker machen *E~ Sie Ihren Körper.* **II.** *refl* **1.** [K] ***jd entspannt sich*** *akk* sich ausruhen *Sie entspannt sich auf dem Balkon.* **2.** [K] ***etw entspannt sich*** lockern, sich lösen *Seine Muskeln entspannten sich im heißen Badewasser.* ***Wobi: Entspannung***

ent·spre·chen <entspricht, entsprach, entsprochen> *itr* **1.** gleich oder ähnlich sein *Die Preise ~ unseren Vorstellungen.* **2.** erfüllen *allen Anforderungen ~, jds Erwartungen ~* ***Wobi: Entsprechung***

ent·spre·chend [ɛnt'ʃprɛçn̩t] <-, -> *adj* **1.** angemessen *Bei dem Wetter musst du dich ~ anziehen.* **2.** passend zu *Das Ergebnis ist unseren Vorstellungen ~.*

• **ent·ste·hen** <entsteht, entstand, entstanden> *itr* <*sein*> sich entwickeln, werden *Wodurch ist das Feuer entstanden?* ***Wobi: Entstehung***

• **ent·täu·schen** <enttäuscht, enttäuschte, enttäuscht> *tr* [K] ***jd/etw enttäuscht jdn*** die Erwartungen einer anderen Person nicht erfüllen *Du hast mich sehr enttäuscht.* ***Wobi: enttäuscht, Enttäuschung***

• **ent·täu·schend** <enttäuschender, enttäuschendst-> *adj* so, dass es jdn enttäuscht *Der Film war ~.*

• **ent·we·der** ['ɛntveːdɐ] *konj nur in Verbindung mit ‚oder'* verwendet, um eine von zwei Möglichkeiten zu nennen *Sie können wählen: ~ eine Kassette oder eine CD.*

• **ent·wi·ckeln** <entwickelt, entwickelte, entwickelt> **I.** *tr* **1.** [K] ***jd entwickelt etw*** *akk* entwerfen, erfinden *ein neues Verfahren ~* **2.** einen Film chemisch behandeln, damit man die Fotos sehen kann *einen Film/Bilder ~ lassen* **II.** *refl* [K] ***jd entwickelt sich*** *akk* [***zu etw*** *dat*] sich in einem Prozess verändern, besser/schlechter werden *Im Laufe der Jahre entwickelte er sich zu einem Profi.*

Ent·wick·lung <-, -en> *die* **1.** Veränderungsprozess *die ~ der Menschheit* **2.** Herstellung von Bildern aus einem Film *Die ~ des Films dauert drei Tage.*

Ent·wurf <-(e)s, -würfe> *der* Zeichnung, Plan *der ~ der Villa* ***Komp:*** *Gesetz-*

ent·zü·ckend [ɛnt'tsʏknt] <entzückender, entzückendst-> *adj* hübsch, süß, reizvoll *Die Kleine ist ~ gekleidet.*

E·po·che [e'pɔxə] <-, -n> *die (≈Ära)* historischer Zeitabschnitt *eine recht wenig erforschte ~*

• **er** [e:ɐ̯] *pron (3. pers sing m)* männliches Personalpronomen *Der Mann kommt zur Tür herein. E~ setzt sich hin.*

Er·bar·men [ɛɐ̯'barmən] <-s> *kein pl das* Mitleid *mit jdm ~ haben*

Er·be¹ ['ɛrbə] <-s> *kein pl das* **1.** das, was man erbt *Das ~ beträgt viele Millionen.* **2.** geistiger Nachlass *das ~ vorangegangener Generationen*

Er·be² ['ɛrbə] <-n, -n> *der* jd, der erbt *Er ist der ~ des väterlichen Hofes.*

er·ben ['ɛrbn̩] <erbt, erbte, geerbt> *tr* [K] ***jd erbt etw*** *akk* [***von jdm***] nach dem Tod eines Menschen dessen Besitz bekommen *Die Kinder ~ den Besitz der Eltern.*

er·bre·chen <erbricht, erbrach, erbrochen> *refl* [K] ***jd erbricht sich*** *akk (geh ≈ sich übergeben)* den Mageninhalt wieder von sich geben, sich übergeben, brechen *Seit sie schwanger ist, muss sie sich oft ~.*

Erb·schaft ['ɛrpʃaft] <-e, -en> *die* Vermächtnis, Erbe *eine ~ machen*

Erb·se ['ɛrpsə] <-, -n> *die* kleine grüne Hülsenfrucht *~n und Kartoffeln als Beilagen anbieten* ***Komp:*** *-nsuppe*

• **Erd·ap·fel** <-s, -äpfel> *der* (CH) Kartoffel *ein Kilo Erdäpfel*

Erd·be·ben <-, -> *das* heftige Bewegung der Erde *In San Francisco gab es 1906 ein schweres ~.*

Erd·bee·re ['e:ɐ̯tbe:rə] <-, -n> *die* rote, saftige Frucht *~n pflücken*

• **Er·de** ['e:ɐ̯də] <-, (-n)> *die* **1.** Welt *Die ~ ist eine Kugel.* **2.** Humus *Die Pflanze braucht neue ~.* **3.** Boden *Das Buch fiel auf die ~.*

Erd·gas <-(e)s> *kein pl das* in der Erde vorkommendes Gas *ein Haus mit ~ heizen*

• **Erd·ge·schoß** <-es, -e> *das* (ÖSTERR) *siehe* **Erdgeschoss**

• **Erd·ge·schoss** <-es, -e> *das* Etage eines Hauses, wo die Haustür ist *Seine Wohnung liegt im ~.*

Erd·nuss <-, -nüsse> *die* eine tropische Nuss *Erdnüsse auf die Party mitbringen*

Erd·öl ['e:ɐ̯tʔø:l] <-(e)s> *kein pl das* flüssiger schwarzer Rohstoff, der zum Heizen und für Motoren benutzt wird *~ exportieren*

Erd·teil <-(e)s, -e> *der* Kontinent *Australien ist ein ~.*

• **er·eig·nen** <ereignet, ereignete, ereignet> *refl* [K] ***etw ereignet sich*** *akk* passieren, geschehen *Ein schwerer Unfall ereignete sich auf der A 8.*

• **Er·eig·nis** [ɛɐ̯'ʔaignɪs] <-ses, -se> *das* besonderes Geschehen *Die Eröffnung des neuen Museums war ein besonderes ~.*

• **er·fah·ren** [ɛɐ̯'fa:rən] <erfährt, erfuhr, erfahren> *tr* **1.** [K] ***jd erfährt etw*** *akk* [***von jdm***] etw mitgeteilt bekommen *Er hatte von*

Erdbeere

Erdnuss

ihrer Ankunft ~. **2.** erleben *Er hat nie wirkliche Not ~.*

er·fah·ren [ɛɐ̯'faːrən] **I.** *part perf von* **erfahren II.** *adj* reich an Erfahrung, routiniert *ein ~er Mitarbeiter*

• **Er·fah·rung** <-, -en> *die* **1.** Routine, Praxis *Er hat viel ~ in seinem Beruf., aus eigener ~* **2.** in der Praxis gewonnenes Wissen oder Können *Er machte auf seinen Reisen viele ~en., schlechte ~en*

• **er·fin·den** <erfindet, erfand, erfunden> *tr* **1.** [K] ***jd erfindet etw*** *akk* etw Neues entwickeln *James Watt erfand die Dampfmaschine.* **2.** [K] ***jd erfindet etw*** *akk* sich etw ausdenken *Sie hatte diese Geschichte erfunden.* ***Wobi: Erfinder(in), Erfindung***

• **Er·folg** [ɛɐ̯'fɔlk] <-(e)s, -e> *der* etw, das man erreicht hat *Viel ~!, Sie hat viel ~ in ihrem Beruf., Mit ihrem Buch hatte die Autorin einen großen ~.* ***Wobi: erfolgreich***

er·frie·ren <erfriert, erfror, erfroren> *itr* <*sein*> vor Kälte sterben *Einer der Bergsteiger ist erfroren.*

Er·fri·schung <-, -en> *die* kühles Getränk *Im Sommer nimmt man gerne eine ~ zu sich.*

• **er·fül·len** <erfüllt, erfüllte, erfüllt> **I.** *tr* [K] ***jd erfüllt etw*** *akk* befriedigen, erledigen *seine Pflicht ~, jds Erwartungen ~, jdm einen Wunsch ~* **II.** *refl* [K] ***etw erfüllt sich*** *akk* verwendet, um auszudrücken, dass etw Erwartetes geschieht *Meine Erwartungen haben sich erfüllt.* ***Wobi: Erfüllung***

er·gän·zen [ɛɐ̯'gɛnt͜sn̩] <ergänzt, ergänzte, ergänzt> **I.** *tr* [K] ***jd ergänzt etw*** *akk* vervollständigen, etw zu etw hinzufügen *Bitte ~ Sie den Satz!* **II.** *refl* [K] ***jd/etw ergänzt sich*** *akk* zueinander passen *Die beiden ~ sich sehr gut.* ***Wobi: Ergänzung***

• **Er·geb·nis** [ɛɐ̯'geːpnɪs] <-ses, -se> *das* das, was am Ende einer bestimmten Arbeit/Aufgabe steht, Resultat *Diese Diskussion führt doch zu keinem ~.*

er·grei·fen <ergreift, ergriff, ergriffen> *tr* **1.** [K] ***jd ergreift jdn/etw*** *akk* in die Hand nehmen und festhalten *Er ergriff das Glas.* **2.** [K] ***etw ergreift jdn*** intensive Gefühle durch etw bekommen *Ihn ergriff die Sehnsucht nach dem Meer.* **3.** [K] ***jd ergreift etw*** *akk* wählen, mit etw anfangen *die Initiative/einen Beruf ~*

Er·halt <-(e)s> *kein pl der* **1.** Empfang *mit ~ des Schreibens* **2.** Schutz *der ~ des alten Hauses*

• **er·hal·ten** <erhält, erhielt, erhalten> *tr* **1.** [K] ***jd erhält etw*** *akk* bekommen *einen Brief ~, einen Auftrag ~* **2.** [K] ***jd erhält etw*** *akk* bestehen lassen *Er wollte das alte Haus um jeden Preis erhalten.*

er·heb·lich [ɛɐ̯'heːplɪç] <-, -> *adj* viel *Das Unwetter hat ~en Schaden angerichtet.*

er·hei·tern [ɛɐ̯'hai̯tɐn] <erheitert, erheiterte, erheitert> *tr* [K] ***jd/etw erheitert jdn*** aufmuntern, zum Lachen bringen *Die Geschichte erheiterte ihn.*

• **er·hö·hen** <erhöht, erhöhte, erhöht> **I.** *tr* [K] ***jd erhöht etw*** *akk* höher machen *die Preise ~* **II.** *refl* [K] ***etw erhöht sich*** höher werden, steigen *Die Zahl der Opfer hat sich auf zehn erhöht.*

• **er·ho·len** <erholt, erholte, erholt> *refl* [K] ***jd erholt sich*** *akk* sich ausruhen, sich entspannen *Nach dieser Anstrengung musste er sich ~.* ***Wobi: Erholung***

• **er·in·nern** [ɛɐ̯'ʔɪnɐn] <erinnert, erinnerte, erinnert> **I.** *tr* [K] ***jd*** *erinnert jdn an etw akk/jdn* jdm eine Sache/Person wieder bewusst machen *Der Mann erinnerte sie an ihren alten Vater.* **II.** *refl* [K] *jd erinnert sich akk an etw akk* sich einer Sache/Person wieder bewusst werden *Sie erinnerte sich an ihr Versprechen.* ***Wobi:*** *Erinnerung*

- **er·käl·ten** <erkältet, erkältete, erkältet> *refl* [K] *jd erkältet sich akk (= ÖSTERR verkühlen)* Husten und Schnupfen bekommen *Er hatte sich erkältet.* ***Wobi:*** *Erkältung*
- **er·ken·nen** <erkennt, erkannte, erkannt> *tr* **1.** [K] *jd erkennt jdn/etw akk [an etw dat]* identifizieren, merken, dass man jdn/etw kennt *Ich habe sie sofort an ihrer Stimme erkannt.* **2.** [K] *jd erkennt etw akk* klar sehen *Ich erkannte, dass das der falsche Weg war.* ***Wobi:*** *Erkenntnis*
- **er·klä·ren** <erklärt, erklärte, erklärt> **I.** *tr* **1.** [K] *jd erklärt [jdm] etw akk* jdm etw so beschreiben, dass er es versteht *Der Vater erklärt dem Sohn die Hausaufgabe., den Weg ~* **2.** [K] *jd erklärt etw akk* etw offiziell mitteilen *Ich erkläre diese Sitzung für geschlossen.* **II.** *refl* [K] *etw erklärt sich irgendwie* seine Ursache/seinen Grund in etw haben *Das erklärt sich von selbst.*

Er·klä·rung <-, -en> *die* Grund, Begründung *Dafür habe ich keine ~.*

- **er·kun·di·gen** [ɛɐ̯'kʊndɪgn̩] <erkundigt, erkundigte, erkundigt> *refl* [K] *jd erkundigt sich akk [bei jdm nach jdm/etw dat]* nach etw fragen *Er hat sich bei mir nach dem Weg erkundigt.*
- **er·lau·ben** [ɛɐ̯'laubn̩] <erlaubt, erlaubte, erlaubt> *tr* **1.** [K] *jd erlaubt jdm etw akk (↔verbieten)* ja zu etw sagen, zustimmen *Die Eltern ~ der Tochter, den Freund zu besuchen.* **2.** [K] *etw erlaubt jdm etw akk* etw möglich machen *Seine finanziellen Verhältnisse ~ es ihm nicht, ein neues Auto zu kaufen.*
- **Er·laub·nis** [ɛɐ̯'laupnis] <-> *kein pl die* Einverständnis, Zustimmung *jdm die ~ geben, etw zu tun, jdn um ~ bitten*
- **er·le·ben** <erlebt, erlebte, erlebt> *tr* **1.** [K] *jd erlebt etw akk* mitmachen, erfahren *Der alte Mann hat zwei Kriege erlebt.* **2.** etw Aufregendes machen *Ich möchte mal was ~!* ***Wobi:*** *Erlebnis*
- **er·le·di·gen** [ɛɐ̯'le:dɪgn̩] <erledigt, erledigte, erledigt> *tr* [K] *jd erledigt etw akk* (Arbeit) fertig machen *Ich habe noch einiges zu ~.*

er·mah·nen <ermahnt, ermahnte, ermahnt> *tr* [K] *jd ermahnt jdn zu etw dat* jdn auffordern, etw zu tun *Er ermahnt die Schüler zur Ruhe., Sie ermahnte ihn, seine Pflicht zu erfüllen.* ***Wobi:*** *Ermahnung*

er·mög·li·chen [ɛɐ̯'mø:klɪçn̩] <ermöglicht, ermöglichte, ermöglicht> *tr* [K] *jd/etw ermöglicht jdm etw akk* möglich machen *Sie ~ ihrem Kind eine gute Ausbildung.*

er·mor·den <ermordet, ermordete, ermordet> *tr* [K] *jd ermordet jdn (≈umbringen)* gewaltsam töten *Man wollte ihn wegen seines Geldes ~.*

er·mü·dend <ermüdender, ermüdendst-> *adj* einschläfernd, langweilig *Es war eine ~e Vorstellung.*

er·mun·tern [ɛɐ̯'mʊntɐn] <ermuntert, ermunterte, ermuntert> *tr* [K] *jd/etw ermuntert jdn* Kraft/Energie geben *Sein Erfolg ermunterte ihn weiterzumachen.*

• **er·näh·ren** <ernährt, ernährte, ernährt> **I.** *tr* [K] *jdn* ~ zu essen und zu trinken geben *seine Kinder* ~ **II.** *refl* [K] ***jd ernährt sich*** *akk* essen und trinken *sich gesund* ~

Er·näh·rung <-> *kein pl die* **1.** Essen und Trinken *eine einseitige* ~ **2.** das Ernähren *auf eine vernünftige* ~ *achten*

er·nen·nen <ernennt, ernannte, ernannt> *tr* [K] ***jd ernennt jdn*** [***zu etw*** *dat*] jdm offiziell ein Amt geben *Er wurde zum Rektor ernannt.* ***Wobi: Ernennung***

er·neu·ern <erneuert, erneuerte, erneuert> *tr* [K] ***jd erneuert etw*** *akk* etw Altes durch etw Neues ersetzen *den Motor* ~

• **ernst** [ɛrnst] <ernster, ernstest-> *adj* **1.** *(↔heiter, fröhlich)* nachdenklich, so, dass man wenig lacht *ein ~er Mensch, ein ~es Wesen* **2.** wirklich *Das meinst du doch nicht ~!* **3.** bedrohlich, schlimm *Sie befanden sich in ~er Gefahr.* ***Wobi: Ernst***

• **Ern·te** ['ɛrntə] <-, -n> *die* **1.** das Ernten *Die* ~ *hat begonnen.* **2.** alle reifen Früchte und/oder Gemüse *die* ~ *einbringen* ***Komp: -dankfest***

ern·ten ['ɛrntn̩] <erntet, erntete, geerntet> *tr* **1.** [K] ***jd erntet etw*** *akk* einbringen/pflücken von Getreide, Obst etc. *20 kg Kirschen* ~ **2.** [K] ***jd erntet etw*** *akk* das Ergebnis seiner Arbeit sehen *Undank ~, die Früchte seines Erfolges* ~

• **er·öff·nen** <eröffnet, eröffnete, eröffnet> *tr* **1.** [K] ***jd eröffnet etw*** *akk* mit etw beginnen *Der Künstler eröffnete die Ausstellung., ein Konto* ~ **2.** [K] ***jd eröffnet jdm etw*** *akk* mitteilen *Sie eröffnete ihm, dass sie ein Kind bekommt.* ***Wobi: Eröffnung***

er·ör·tern <erörtert, erörterte, erörtert> *tr* [K] ***jd erörtert etw*** *akk* [***mit jdm***] diskutieren, erklären *Ich möchte das nicht weiter ~.*

e·ro·tisch [e'roːtɪʃ] <erotischer, erotischst-> *adj* sinnlich *Sie hat eine ~e Ausstrahlung.* ***Wobi: Erotik***

er·pres·sen <erpresst, erpresste, erpresst> *tr* **1.** [K] ***jd erpresst jdn*** durch Drohungen oder mit Gewalt unter Druck setzen, nötigen *Er erpresste sie mit ihrer Vergangenheit.* **2.** [K] ***jd erpresst etw*** *akk* [***von jdm***] durch Druck erhalten *Er erpresste ihre Einwilligung.* ***Wobi: Erpresser***

er·pro·ben <erprobt, erprobte, erprobt> *tr* [K] ***jd erprobt etw*** *akk* ausprobieren *Er erprobte einen neuen Trick.*

er·ra·ten <errät, erriet, erraten> *tr* [K] ***jd errät etw*** *akk* durch Nachdenken herausfinden *Das errätst du nie!*

er·re·gen <erregt, erregte, erregt> *tr* **1.** [K] ***jd/etw erregt etw*** *akk* hervorrufen *Sein Vortrag erregte großes Aufsehen.* **2.** [K] ***jd/etw erregt jdn*** emotional positiv oder negativ sehr bewegen *Seine Beleidigungen erregten sie heftig., Seine schöne Stimme erregt sie immer wieder.*

• **er·rei·chen** <erreicht, erreichte, erreicht> *tr* **1.** [K] ***jd erreicht etw*** *akk* etw schaffen, was man wollte *das Ziel ~, eine hohe Geschwindigkeit* ~ **2.** [K] ***jd erreicht etw*** *akk* hinkommen *Er erreichte den Zug in letzter Sekunde.* **3.** [K] ***jd erreicht jdn*** eine telefonische Verbindung zu jdm herstellen *jdn telefonisch* ~ **4.** [K] ***jd erreicht etw*** *akk* ***bei jdm*** jdn so beeinflussen, dass man etw von ihm bekommt *So erreichst du nichts bei ihr.*

Er·run·gen·schaft [ɛɐ̯'rʊŋənʃaft] <-, -en> *die* etw Neues, das durch große Anstrengung erreicht wird, große Leistung *die ~en der Technik*

Er·sạtz [ɛɐ̯'zat͜s] <-es> *kein pl der* Person/Sache, die an die Stelle einer anderen Person/Sache tritt *Sie fanden keinen ~ für ihren Hauptdarsteller.*

• **Er·sạtz·teil** <-(e)s, -e> *das* Stück, das für ein kaputtes Teil benutzt wird *Ich brauche ein ~ für den Motor.*

er·schạf·fen <erschafft, erschuf, erschaffen> *tr (geh)* [K] ***jd erschafft etw** akk* bauen, erzeugen, entstehen lassen *Der Maler erschuf ein Kunstwerk., Gott erschuf die Welt in sieben Tagen.* ***Wobi:* Erschaffung**

• **er·schei·nen** <erscheint, erschien, erschienen> *itr <sein>* **1.** sichtbar werden *Gespenster ~ nur nachts.* **2.** *(≈herauskommen)* veröffentlicht werden *Die Bücher ~ im Frühjahr.* **3.** *(=* CH *dünken)* vermuten, dass etw irgendwie ist *Dieser Punkt erscheint mir falsch.*

er·schie·ßen <erschießt, erschoss, erschossen> *tr* [K] ***jd erschießt jdn/ein Tier*** mit einer Schusswaffe töten *Er wurde mit einer Pistole erschossen.*

er·schla·gen <erschlägt, erschlug, erschlagen> *tr* [K] ***jd/etw erschlägt jdn*** durch Schläge töten *Kain erschlug seinen Bruder Abel.*

Er·schọ̈p·fung <-> *kein pl die* Zustand, in dem man am Ende seiner Kräfte ist *Er leidet unter völliger ~.* ***Wobi:* erschöpft**

• **er·schrẹ·cken**[1] <erschreckt, erschreckte, erschreckt> *tr* [K] ***jd erschreckt jdn*** jdm Angst machen *Der Junge erschreckte seine alte Tante., Ich habe mich erschreckt.*

• **er·schrẹ·cken**[2] <erschrickt, erschrak, erschrocken> *itr <sein>* (= ÖSTERR *schrecken*) Angst bekommen *Sie erschrak, als sie das Blut sah., Erschrick nicht!, Bin ich erschrocken!*

er·sẹt·zen <ersetzt, ersetzte, ersetzt> *tr* [K] ***jd/etw ersetzt jdn/etw** akk* für etw Ersatz finden/leisten *Du musst mir den Schaden ~.*

• **ẹrst** [eːɐ̯st] **I.** *adv* **1.** zuerst, an erster Stelle *E~ musst du mir das Geld geben, dann bekommst du die Karte.* **2.** nicht eher als *Heute nicht mehr, ~ morgen wieder.* **3.** bis jetzt nur *Er hat ~ 20 Seiten geschrieben., Er ist ~ vier Jahre alt.* **II.** *PART* verwendet zur Verstärkung in Wunschsätzen *Hätten wir nur ~ die ganze Arbeit fertig!*

Er·stau·nen <-s> *kein pl das* das Überraschtsein, Verwunderung *Man sah das ~ in seinem Gesicht.* ***Wobi:* erstaunen, erstaunlich**

ẹrs·te ['eːɐ̯stə] <-, -> *num Ordnungszahl zu ‚ein'* den Anfang einer Reihe bezeichnend *Wer ist der E~?, Wann haben Sie ihn das ~ Mal getroffen?;* **in ~r Linie** vor allem *Das ist in ~er Linie sein Problem.*

ẹrst·mals ['eːɐ̯stmaːls] *adv* zum ersten Mal *~ auf der Bühne stehen*

Er·trag [ɛɐ̯'traːk] <-(e)s, Erträge> *der* **1.** Ernte *Der diesjährige ~ an Weizen ist gut.* **2.** Nutzen, Gewinn *Die Firma wirft keinen ~ ab.*

er·tra·gen <erträgt, ertrug, ertragen> *tr* [K] ***jd erträgt jdn/etw** akk* mit etw Negativem leben *Sie kann es nicht ~, wenn man über sie lacht.*

er·trịn·ken <ertrinkt, ertrank, ertrunken> *itr <sein>* im Wasser sterben *In diesem Fluss ist gestern jd ertrunken.*

er·wạ·chen <erwacht, erwachte, erwacht> *itr <sein>* (*geh*) aus dem Schlaf aufwachen *Sie erwachte, als der Wecker klingelte.*

er·wach·sen [ɛɐ̯'vaksn̩] <erwachsener, -> *adj* kein Kind mehr, volljährig *Aus dem Kind war eine ~e Frau geworden.*

• **Er·wach·se·ne(r)** <-n, -n> *der/die* jd, der erwachsen ist *Eintritt nur für ~!*

• **er·war·ten** <erwartet, erwartete, erwartet> *tr* [K] ***jd erwartet jdn/etw*** *akk* mit jdm/etw rechnen *Ich erwarte dich morgen., Was ~ Sie von mir?;* **ein Kind** ~ schwanger sein *Sie erwartet ein Kind von ihm.* ***Wobi: Erwartung***

Er·werb [ɛɐ̯'vɛrp] <-(e)s, -e> *der* Kauf *der ~ von Ländereien*

er·wer·ben <erwirbt, erwarb, erworben> *tr* **1.** [K] ***jd erwirbt etw*** *akk (geh)* kaufen *Sie wollte die Fabrik ~.* **2.** [K] ***jd erwirbt etw*** *akk* sich etw aneignen, erlernen *Er hatte sich seine Kraft durch ständiges Training erworben.*

er·werbs·los <-, -> *adj* arbeitslos *Er ist seit drei Monaten ~.*

er·wi·dern [ɛɐ̯'vi:dɐn] <erwidert, erwiderte, erwidert> *tr* **1.** [K] ***jd erwidert jdm etw*** *akk (≈entgegnen)* antworten *Er erwiderte ihr nichts.* **2.** jdm das Gleiche geben, was man von ihm bekommt oder bekommen hat *jds Liebe ~, einen Besuch ~* ***Wobi: Erwiderung***

er·wi·schen [ɛɐ̯'vɪʃn̩] <erwischt, erwischte, erwischt> *tr* **1.** [K] ***jd erwischt jdn/etw*** *akk* bei etw Verbotenem entdecken *Er hatte ihn beim Diebstahl erwischt.* **2.** *(umg)* [K] ***jd erwischt etw*** *akk* zufällig bekommen *Er hatte den besten Platz erwischt.* **3.** [K] ***jd erwischt jdn/etw*** *akk* zeitlich knapp erreichen *Ich habe den Bus gerade noch erwischt.*

• **er·zäh·len** <erzählt, erzählte, erzählt> **I.** *tr* [K] ***jd erzählt jdm etw*** *akk* etw in anschaulicher Weise darstellen *Der Opa erzählt dem Jungen ein Märchen.* **II.** *itr* [K] ***jd erzählt jdm von etw*** *dat* berichten *Ich muss dir von der Party ~.* ***Wobi: Erzählung***

• **Er·zäh·lung** <-, -en> *die* **1.** Geschichte, Erlebnisbericht *Ich höre seinen ~en gern zu.* **2.** LIT kürzere Geschichte *Ich lese gern die ~en von Thomas Mann.*

• **er·zie·hen** <erzieht, erzog, erzogen> *tr* [K] ***jd erzieht jdn*** jdn in Geist und Charakter formen *Eltern ~ ihre Kinder.*

• **Er·zie·hung** <-> *kein pl die* das Formen in Geist und Charakter *die ~ der Kinder* ***Komp: Kinder-***

• **es** [ɛs] *pron* **1.** Personalpronomen 3. pers sing n *Ich sah ein Auto. E~ kam näher.* **2.** unpersönliche Nominativergänzung *E~ schneit., E~ klingelt., E~ tut mir Leid., Heute gibt ~ Spagetti.* **3.** unpersönliche Akkusativergänzung *Ich weiß ~ nicht., Wie geht ~ Ihnen?* **4.** hinweisendes Wort zu Nebensätzen *Ich mag ~ nicht, wenn du mich unterbrichst.* **5.** verwendet als Teil eines Verbs *Wer ist am Apparat? – Ich bin ~.*

Esel

E·sel ['e:zl̩] <-s, -> *der* eine Art kleines Pferd mit grauem Fell und großen Ohren *~ sind sehr eigensinnig.;* **alter** ~ *(umg!)* Dummkopf *Er ist ein alter ~.*

E·sels·brü·cke <-, -n> *die* kleine Hilfe, damit man sich besser erinnern kann *jdm eine ~ bauen*

E·sels·ohr <-s, -en> *das* Knick an der Ecke einer Buchseite *Dieses Buch hat lauter ~en.*

- **Es·sen** ['ɛsn̩] <-s, -> *das* **1.** Mahlzeit *Das ~ ist fertig.* **2.** offizielles Festessen *Der Botschafter gibt morgen ein ~.*
- **es·sen** ['ɛsn̩] <isst, aß, gegessen> **I.** *tr* eine Mahlzeit einnehmen, Nahrung aufnehmen *Er isst gerne Fisch.* **II.** *itr* eine Mahlzeit einnehmen, Nahrung aufnehmen *Man sollte regelmäßig ~., zu Mittag ~*
- **Es·sig** ['ɛsɪç] <-s, (-e)> *der* saure Flüssigkeit zum Würzen und Konservieren *Für den Salat brauche ich ~ und Öl.* ***Komp: -gurke, Apfel-, Wein-***

Ess·löf·fel <-s, -> *der* großer Löffel *Für Suppen benutzt man einen ~.*

Ess·zim·mer <-s, -> *das* Zimmer, in dem gegessen wird *den Topf ins ~ tragen*

E·ta·ge [e'ta:ʒə] <-, -n> *die* Stockwerk eines Hauses, Geschoss *Er wohnt in der dritten ~.*

E·tat [e'ta:] <-s, -s> *der* Budget, Finanzhaushalt *Sein ~ wurde von Jahr zu Jahr kleiner.*

E·thik ['e:tɪk] <-> *kein pl die* sittliche Normen und Werte einer Gesellschaft *die Vorlesung des Philosophieprofessors über ~, die medizinische ~* ***Wobi: ethisch***

et·li·che ['ɛtlɪçə] *pron* einige, viel(e) *E~s ist mir noch unklar., E~ Teilnehmer kamen zu spät.*

- **et·wa** ['ɛtva] **I.** *adv* **1.** ungefähr, circa *Er ist ~ so groß wie seine Schwester.* **2.** zum Beispiel *Wenn man Zürich ~ mit Berlin vergleicht, dann ...* **3.** (CH) ab und zu, manchmal *Sie besucht uns immer noch ~.* **II.** *PART* verwendet, um eine Frage zu verstärken *Bist du ~ müde?*
- **et·was** ['ɛtvas] *pron* **1.** eine nicht näher bestimmte Sache *~ anderes machen, E~ ist passiert., Ist noch ~ für mich da?, Haben Sie ~ zum Schreiben?* **2.** ein bisschen *Lass uns noch ~ warten.*

EU <-> *die* Kurzform für ‚Europäische Union' *die Mitgliedsstaaten der ~* ***Komp: -Kommission, -Mitgliedsland***

- **euer, eure** ['ɔyɐ, 'ɔyrə] *pron* Possessivartikel und -pronomen der 2. pers pl *Eure Eltern lassen euch grüßen., Mir gefällt ~ Haus., Dieses Handtuch hier ist eures.*
- **Eu·ro** <-(e)s, (-s)> *der* Geld/Währung innerhalb der EU *~ in Schweizer Franken wechseln*

Eu·ro·pa [ɔy'ro:pa] <-s> *kein pl das* Kontinent auf der nördlichen Halbkugel *Frankreich, Italien und Deutschland liegen in ~.* ***Wobi: europäisch***

Eu·ro·scheck <-(e)s, -s> *der* Scheck, der in ganz Europa gültig ist *Kann ich mit ~ bezahlen?*

EU-Staat <-(e)s, -en> *der* Mitgliedsstaat der Europäischen Union *Frankreich ist ein ~.*

- **e·van·ge·lisch** [evaŋ'ge:lɪʃ] <-, -> *adj* protestantisch *katholische und ~e Christen*
- **e·ven·tu·ell** [evɛn'tu̯ɛl] <-, -> *adj* vielleicht *E~ kommt er morgen vorbei.*
- **e·wig** ['e:vɪç] <-, -> *adj* **1.** unendlich, zeitlos, immer *das ~e Leben* **2.** *(umg)* ständig *Sein ~es Hin und Her stört mich.* **3.** *(umg)* sehr lange *Da bist du ja. Ich habe ~ auf dich gewartet!* ***Wobi: Ewigkeit***

E·xa·men [ɛ'ksa:mən] <-s, -/Examina> *das* Abschlussprüfung an einer Hochschule, Diplom *nach zehn Semestern das ~ ablegen*

***Komp:** -sarbeit*

• **E·xis·tenz** [ɛksɪs'tɛnts] <-, -en> *die* **1.** Dasein *Glauben Sie an die ~ von Engeln?* **2.** materielle Lebensgrundlage *sich eine ~ aufbauen* **3.** *(pej)* Mensch *eine gescheiterte ~*

• **e·xis·tie·ren** [ɛksɪs'tiːrən] <existiert, existierte, existiert> *itr* **1.** vorhanden sein, da sein *Es ~ keine Dokumente.* **2.** leben *Unter diesen Umständen kann man nicht ~.*

e·xo·tisch [ɛ'ksoːtɪʃ] <exotischer, exotischst-> *adj* fremdländisch, geheimnisvoll *Sie ist eine ~e Erscheinung., ~e Früchte*

Ex·pe·ri·ment [ɛksperi'mɛnt] <-(e)s, -e> *das* Versuch *Das ~ hatte keinen Erfolg.* ***Wobi:** experimentieren*

Ex·per·te, Ex·per·tin [ɛks'pɛrtə] <-n, -n> *der* Fachmann, Spezialist *Er war ein ~ auf seinem Gebiet.*

• **Ex·plo·si·on** [ɛksplo'zioːn] <-, -en> *die* plötzliches lautes Auseinanderbrechen eines Gegenstandes *Bei der ~ der Bombe wurden viele Menschen getötet.* ***Wobi:** explodieren, explosiv*

• **Ex·port** [ɛks'pɔrt] <-(e)s, -e> *der (↔Import)* Verkauf von Waren ins Ausland *Die deutsche Wirtschaft lebt vom ~.* ***Wobi:** exportieren*

Ex·pres·si·o·nis·mus [ɛksprɛsio'nɪsmʊs] <-> *kein pl der* Stilrichtung der Kunst, Literatur und Musik nach dem ersten Weltkrieg *Max Beckmann war ein Vertreter des ~.*

ex·tern [ɛks'tɛrn] <-, -> *adj (↔intern)* von außen kommend *Sie ist eine ~e Mitarbeiterin.*

ex·tra ['ɛkstra] **I.** *adv* gesondert, darüber hinaus *Diese Frage wird ~ diskutiert.* **II.** *adj (nur attr)* zusätzlich *ein ~ Blatt Papier*

ex·tra·va·gant ['ɛkstravagant] <extravaganter, extravagantest-> *adj* ausgefallen, unüblich, besonders *ein ~er Geschmack*

Ex·trem [ɛks'treːm] <-s, -e> *das* äußerste Grenze *von einem ~ ins andere fallen* ***Wobi:** extrem*

ex·zel·lent [ɛkstsɛ'lɛnt] <-, -> *adj* ausgezeichnet, exquisit, vorzüglich *Das Essen war ~.*

F

F, f [ɛf] <-, -> *das* der 6. Buchstabe des Alphabets *Das Wort ‚Freude' beginnt mit dem Buchstaben ~.*

fa·bel·haft ['fa:bl̩haft] <fabelhafter, fabelhaftest-> *adj* außergewöhnlich gut, wunderbar *~e Leistungen erbringen*

• **Fa·b·rik** [fa'bri:k] <-, -en> *die* Betrieb, wo etw hergestellt wird *In dieser ~ werden Autos hergestellt.* ***Wobi: fabrizieren Komp: -arbeiter***

Fabrik

• **Fach** [fax] <-(e)s, Fächer> *das* **1.** Teil eines Möbelstücks, der durch feste Seitenwände abgetrennt ist *Mein Kleiderschrank hat drei Fächer.* **2.** Arbeitsgebiet in der Schule oder im Studium *Welches ~ hast du belegt?;* **vom ~ sein** Spezialist/Fachmann sein *Er kennt sich aus – er ist vom ~.* ***Komp: -ausdruck, -buch, Haupt-, Neben-***

Fach·hoch·schu·le <-, -n> *die* spezielle praxisorientierte Hochschule *Die meisten ~n bilden Studenten in technischen Berufen aus.*

Fachhochschule
Fachhochschulen sind Hochschulen, wo man ein technisches oder künstlerisches Studium absolvieren kann. Voraussetzung ist das deutsche Abitur oder Fachabitur, in Österreich die Matura. In der Schweiz muss man die Berufsmaturität und eine abgeschlossene Berufslehre nachweisen.

Fach·mann, -frau <-(e)s, -leute/(-männer)> *der* Spezialist *Er ist ein ~ auf seinem Gebiet.*

Fach·werk·haus <-es, -häuser> *das* Haus mit Wänden aus gekreuzten Balken, zwischen denen Lehm ist oder Ziegeln sind *Fachwerkhäuser werden heute nicht mehr gebaut.*

fad(e) [fa:t/'fa:də] <fader, fadest-> *adj* **1.** ohne besonderen Geschmack *Die Suppe schmeckt ~.* **2.** langweilig *ein ~er Typ*

Fa·den ['fa:dn̩] <-s, Fäden> *der* Zwirn, Bindfaden *Zum Nähen braucht man Nadel und ~.;* **der rote ~** *(umg)* eine durchgehende, alles verbindende Hauptidee *Sie konnte den roten ~ in seiner Geschichte nicht erkennen.;* **den ~ verlieren** *(umg)* den Zusammenhang verlieren *beim Reden den ~ verlieren*

fä·hig ['fɛ:ɪç] <fähiger, fähigst-> *adj* **1.** qualifiziert *ein ~er Mitarbeiter* **2.** zu etw in der Lage *Er war nicht ~, ihr seine Meinung zu sagen.* ***Wobi: Fähigkeit***

Fah·ne ['fa:nə] <-, -n> *die* Tuch, auf dem das Symbol eines Landes, einer Vereinigung o.Ä. dargestellt wird *Jede Nation hat eine eigene ~.;* **eine ~ haben** *(umg)* stark nach Alkohol riechen *Nach der Feier hatte er eine ~.*

Fahr·aus·weis <-(e)s, -e> *der siehe* **Fahrkarte**

Fahr·bahn <-, -en> *die* Teil der Straße, auf der Fahrzeuge fahren *Auf der glatten ~ geriet das Fahrzeug ins Schleudern.*

Fachwerkhaus

Fäh·re ['fɛ:rə] <-, -n> *die* Boot oder Schiff, das Passagiere und Fahrzeuge transportiert *den Rhein mit einer ~ überqueren* ***Komp: Auto-***

• **fah·ren** ['fa:rən] <fährt, fuhr, gefahren> **I.** *tr* [K] *jd fährt etw akk* ein Fahrzeug fortbewegen *Er kann Auto ~., Er fährt einen Kleinwagen.* **II.** *itr* <*sein*> **1.** sich mit einem Fahrzeug bewegen *Wollen wir ~ oder zu Fuß gehen?, Morgen fahre ich nach Hause.* **2.** abfahren *Der Zug fährt genau um 8 Uhr.*

• **Fah·rer(in)** ['fa:rɐ] <-s, -> *der* (= CH *Chauffeur)* jd, der ein Fahrzeug lenkt *Den ~ während der Fahrt bitte nicht ansprechen!*

Fahr·gast <-(e)s, -gäste> *der* jd, der gegen Bezahlung in einem

Fahrzeug befördert wird *Der ~ stieg in das Taxi.*

• **Fahr·kar·te** <-, -n> *die (≈Fahrausweis, Fahrschein)* ein Schein, den man kauft und mit dem man Zug, Bus oder Bahn fahren darf *Er kaufte sich eine ~.*

Fahr·kar·ten·au·to·mat <-en, -en> *der* Automat, an dem man Fahrkarten kaufen kann *Fahrkarten gibt es nur an den ~en.*

Fahr·kar·ten·schal·ter <-s, -> *der* Verkaufsschalter am Bahnhof, an dem man Fahrkarten kaufen kann *Er ging zum ~ und kaufte eine Karte.*

Fahr·leh·rer(in) <-s, -> *der* jd, der einem anderen beruflich das Fahren von Kraftfahrzeugen beibringt *Der ~ zeigte ihm das Einparken.*

• **Fahr·plan** <-(e)s, -pläne> *der* Zeiteinteilung, nach der öffentliche Verkehrsmittel fahren *der ~ für die Züge* ***Wobi:** **fahrplanmäßig*** ***Komp:** Sommer-, Winter-*

Fahrrad

• **Fahr·rad** ['fa:ɐ̯ra:t] <-(e)s, -räder> *das (≈Rad, =* CH *Velo)* Fahrzeug mit zwei Rädern, das durch Muskelkraft bewegt wird *~ fahren* ***Komp:** -fahrer, -helm, -weg*

Fahr·schein <-(e)s, -e> *der* Fahrkarte *Der Schaffner kontrollierte die ~e.* ***Komp:** -kontrolle, -kontrolleur*

Fahr·schu·le <-, -n> *die* Schule, in der man das Fahren von Kraftfahrzeugen lernt *In dieser ~ habe ich Motorradfahren gelernt.*

Fahr·spur <-, -en> *die* Teil der Fahrbahn für den Verkehr in eine Richtung *Nach dem Unfall auf der A1 ist die linke ~ in Richtung Norden gesperrt.*

Fahr·stuhl <-(e)s, -stühle> *der* Aufzug, Lift *mit dem ~ in den fünften Stock fahren*

• **Fahrt** [fa:ɐ̯t] <-, -en> *die* Fortbewegung mit einem Fahrzeug *die ~ von Hamburg nach München* ***Komp:** -kosten, Auto-, Bus-, Zug-*

Fahr·zeug <-(e)s, -e> *das* Maschine, mit der man fahren kann, z. B. Auto, Zug, Motorrad *Bei dem Unfall wurden fünf ~e schwer beschädigt.*

• **fair** [fɛ:ɐ̯] <fairer, fairst-> *adj* anständig, gerecht *ein ~er Gegner*

Fak·tor ['fakto:ɐ̯] <-s, -en> *der* **1.** Grund, Ursache, Umstand *ein wesentlicher/wichtiger ~* **2.** MATH Zahl, mit der eine andere multipliziert wird *Fünf multipliziert mit dem ~ sieben macht fünfunddreißig.*

Fak·tum ['faktʊm] <-s, Fakten> *das* Tatsache *Das ist nun mal ein ~, mit dem wir fertig werden müssen.*

Fa·kul·tät [fakʊl'tɛ:t] <-, -en> *die* eine Gruppe von zusammengehörenden Fächern an einer Universität/Hochschule *die neuphilologische ~, die juristische ~*

• **Fall** [fal] <-(e)s, Fälle> *der* **1.** Sturz *der freie ~* **2.** Angelegenheit, Sache *Er brachte den ~ Meier zur Sprache., Was würden Sie in so einem ~ tun?* **3.** LING Kasus *Der Akkusativ ist einer von vier Fällen im Deutschen.;* **auf jeden** ~ mit Sicherheit *Ich melde mich auf jeden ~, wenn ich angekommen bin., Sie kommt auf jeden ~.*

Fal·le ['falə] <-, -n> *die* **1.** Gerät zum Fangen von Tieren *eine ~ für Mäuse aufstellen* **2.** List, mit der jd hereingelegt wird *jdn in eine ~ locken, jdm eine ~ stellen*

• **fal·len** ['falən] <fällt, fiel, gefallen> *itr* <*sein*> **1.** stürzen *vom Rad ~, Die Tasse fällt auf den Boden.* **2.** sinken *~de Temperaturen* **3. Eine Entscheidung fällt.** etw wird entschieden *Die Entscheidung* *für den Bau des Kraftwerks ist gefallen.* **4.** im Krieg sterben *in der Schlacht ~* **5.** stattfinden *Weihnachten fällt dieses Jahr auf einen Sonntag.* **6.** zu etw gehören *Das fällt nicht in meinen Aufgabenbereich.*

fạ̈l·len ['fɛlən] <fällt, fällte, gefällt> *tr* **1.** machen, dass ein Baum umfällt; absägen *Bäume mit einer Axt ~* **2.** entscheiden *eine Entscheidung ~* **3.** urteilen *ein Urteil ~*

fạ̈l·lig ['fɛlɪç] <-, -> *adj* so, dass etw erledigt werden muss *Die Zahlung ist ~.*

fạlls [fals] *konj* wenn; für den Fall, dass … *~ er kommt, ~ es notwendig ist*

• **fạlsch** [falʃ] <-, -> *adj* **1.** nicht richtig *eine ~e Antwort* **2.** nicht echt *ein ~er Diamant*

fạ̈l·schen ['fɛlʃn̩] <fälscht, fälschte, gefälscht> *tr* [K] ***jd fälscht etw*** *akk* ein Original kopieren *Geld ~* ***Wobi: Fälschung***

fạ̈lsch·li·cher·wei·se *adv* aufgrund eines Irrtums/Fehlers *Er hatte ihr ~ das Original gegeben.*

Fạl·te ['faltə] <-, -n> *die* **1.** Knick in einem Stoff *~n im Rock/im Hemd, in ~n legen, ~n werfen* **2.** Runzel, tiefe Linie in der Haut *Die Stirn in ~n legen.*

fạl·ten ['faltn̩] <faltet, faltete, gefaltet> *tr* [K] ***jd faltet etw*** *akk* zusammenlegen *Sie faltet die Handtücher.;* **die Hände ~** die Hände so halten, dass die Handflächen sich berühren (und oft die Finger ineinander verschränkt sind) *die Hände zum Gebet ~*

• **Fa·mi̲·lie** [fa'miːli̯ə] <-, -n> *die* Gemeinschaft mit direkten Verwandtschaftsbeziehungen *Die ~ bestand aus Großeltern, Eltern und Kindern.* ***Wobi: familiär Komp: -nfeier, -nkreis, -nmitglied, -ntreffen, Groß-, Klein-***

• **Fa·mi̲·li·en·name** <-ns, -n> *der* Nachname einer Familie *Wie ist Ihr ~?*

Fa̲n [fɛn] <-s, -s> *der (umg)* begeisterter Anhänger einer Sache oder Person *Jeder Star hat viele ~s., Er ist ein ~ von Elton John.*

fa·na̲·tisch [fa'naːtɪʃ] <fanatischer, fanatischst-> *adj* extrem, leidenschaftlich *ein ~er Fußballfan*

fạnd [fant] *prät von* **finden**

Fạng [faŋ] <-(e)s, (Fänge)> *der* **1.** das Fangen *der Fisch~* **2.** Beute *Der Kater brachte seinen ~ mit nach Hause.*

fạn·gen ['faŋən] <fängt, fing, gefangen> **I.** *tr* **1.** [K] ***jd fängt etw*** *akk* erbeuten *einen Fisch ~* **2.** [K] ***jd fängt jdn*** ergreifen und einsperren *einen Dieb ~* **II.** *refl* [K] ***jd fängt sich*** *akk* das (innere) Gleichgewicht wiederfinden *Nach dem Schock musste er sich erst mal ~.*

Fan·ta·si̲e̲ [fanta'ziː] <-, -n> *die* Vorstellungskraft *Ihre ~ kannte keine Grenzen.* ***Wobi: fantasieren, fantasievoll***

• **Fạr·be** ['farbə] <-, -n> *die* **1.** Gelb, Rot, Grün, Blau etc. *Rot und Grün sind ~n.* **2.** Substanz, mit der man Dinge anmalt/streicht *~n auftragen/mischen/verdünnen, blasse/fröhliche/strahlende ~n;* **~ bekennen** *(umg)* sich entscheiden, gestehen *Erst nach der Wahl bekannte der Politiker ~.;* **~ bekommen** *(umg)* von der Sonne braun werden *Er legte sich in die Sonne, um ~ zu bekommen.* ***Komp: Öl-, Wasser-***

fär·ben ['fɛrbn̩] <färbt, färbte, gefärbt> **I.** *tr* [K] ***jd färbt etw*** *akk* die Farbe von etw verändern *Sie färbt ihre Bluse rot.* **II.** *refl* [K] ***etw färbt sich irgendwie*** seine Farbe verändern *Im Herbst ~ sich die Blätter rot und gelb.*

Farb·fern·se·her <-s, -> *der* Fernsehgerät, das die Bilder farbig zeigt *Es gibt ~ und Schwarzweißgeräte.*

• **far·big** ['farbɪç] <farbiger, farbigst-> *adj* **1.** bunt *ein ~es Bild* **2.** abwechslungsreich, lebhaft *eine ~e Beschreibung* **3.** so, dass man eine dunkle Hautfarbe hat *f~e Menschen* ***Wobi: Farbige(r)***

Fa·sching ['faʃɪŋ] <-s, -e/-s> *der* (SD, ÖSTERR ≈*Karneval, Fas(t)nacht, Fasenacht*) Karnevalszeit *~ ist jedes Jahr im Februar.*

Fasching
Die Tradition des intensiven Feierns hat sich fast nur in den katholischen Gebieten Süd- und Westdeutschlands, Österreichs und der Schweiz erhalten. Eine Ausnahme ist die Basler Fastnacht im überwiegend protestantischen Basel. (siehe auch ‚Karneval')

Fa·schis·mus [fa'ʃɪsmʊs] <-> *kein pl der* ein politisches System, in dem der Staat alle Macht hat und das extrem nationalistisch ist *Gegner des ~* ***Wobi: Faschist, faschistisch***

Fass [fas] <-es, Fässer> *das* Behälter aus Holz oder Aluminium *Wein wird in Fässern gelagert.;* **ein ~ ohne Boden** *(umg)* etw, das immer mehr Geld braucht oder immer mehr Probleme bereitet *Dieses Projekt ist ein ~ ohne Boden.* ***Komp: Bier-, Wein-***

Fass

Fas·sa·de [fa'sa:də] <-, -n> *die* **1.** Außenwand *die ~ des Hauses* **2.** äußere Erscheinung *hinter die ~ gucken*

• **fas·sen** ['fasn̩] <fasst, fasste, gefasst> **I.** *tr* **1.** [K] ***jd fasst jdn*** fangen *Der Polizist hatte den Dieb gefasst.* **2.** [K] ***jd fasst etw*** *akk* einen Rahmen haben *Der Diamant ist in Gold gefasst.* **3.** [K] ***etw fasst etw*** *akk* enthalten *Dieses Fass fasst ca. zehn Liter.* **4.** [K] ***jd fasst etw*** *akk* ***irgendwie*** ausdrücken *etw in Worte ~;* **jd fasst etw nicht** verwendet, um große Bestürzung/Verwunderung auszudrücken *Ich fasse es nicht!* **II.** *refl* [K] ***jd fasst sich*** *akk* sich beruhigen *Du musst dich wieder ~.;* **sich kurz ~** nicht viele Worte machen *F~ Sie sich bitte kurz.* **III.** *itr* berühren, greifen, (hin-)langen *Er fasste an die Heizung.*

Fas·sung *die* **1.** Halterung *Die Glühbirne passt nicht in die ~.* **2.** Selbstbeherrschung *jdn aus der ~ bringen, die ~ verlieren/bewahren, etw mit ~ tragen* **3.** Version, Bearbeitung *eine ungekürzte ~* ***Wobi: fassungslos***

• **fast** [fast] *adv* beinahe *Das ist ~ dasselbe., Ich habe ~ den Zug verpasst.*

Fast·food ['fa:stfu:d] <-> *kein pl das* Schnellimbiss nach amerikanischem Vorbild *Die meisten Jugendlichen essen gerne ~.*

Fast·nacht ['fastnaxt] <-> *kein pl die* (SD, CH ≈*Karneval, Fasching, Fas(e)nacht*) Karnevalszeit, die letzten Tage vor Beginn der Fastenzeit *~ feiern*

fas·zi·nie·ren [fast͡si'ni:rən] <fasziniert, faszinierte, fasziniert> *tr* [K] ***jd/etw fasziniert jdn*** magisch anziehen, fesseln *Sein Charme faszinierte sie.* ***Wobi: faszinierend***

• **faul** [fa͡ul] <fauler, faulst-> *adj* **1.** *(≈faulig)* verdorben, schlecht *~e Eier, ~es Obst* **2.** nicht fleißig *ein ~er Schüler* **3.** *(umg)* gelogen *~e Ausreden* ***Wobi: faulen***

fau·len·zen ['fa͡ulɛnt͡sn̩] <faulenzt, faulenzte, gefaulenzt> *itr (pej)* nichts tun *den ganzen Tag in der Sonne liegen und ~* ***Wobi: Faulenzer(in)***

fau·lig ['fa͡ulɪç] <fauliger, fauligst-> *adj* durch Fäule verdorben, schlecht *~es Obst*

Faust [faust] <-, Fäuste> *die* die Finger in der Stellung, dass die Fingerspitzen alle zur Handfläche gedreht sind *jdn mit der ~ ins Gesicht schlagen;* **auf eigene** ~ (*umg*) auf eigene Verantwortung, selbstständig *Er unternahm die Reise auf eigene ~.;* **wie die ~ aufs Auge passen** *(umg)* entweder genau oder überhaupt nicht passen *Das passt ja wieder wie die ~ aufs Auge!*

• **Fau·teuil** <-s, -s> *der/das* (CH, ÖSTERR) Sessel *sich auf den/das ~ setzen*

• **Fax** <-, -e> *das* Kurzform für Telefax; Gerät, mit dem man Briefe etc. über eine Telefonleitung senden kann *Sie können anrufen oder ein ~ senden.*

fa·xen ['faksn̩] <faxt, faxte, gefaxt> *tr* K *jd faxt jdm etw akk* ein Fax senden *den Vertrag ~*

Fe·ber ['fe:bɐ] <-(s), (-)> *der* (ÖSTERR) *siehe* **Februar**

Fe·bru·ar ['fe:bruaːɐ̯] <-(s), (-e)> *der (= ÖSTERR Feber)* der 2. Monat des Jahres *Der ~ kommt zwischen Januar und März.*

Fe·der ['fe:dɐ] <-, -n> *die* **1.** das, was auf der Haut von Vögeln wächst *Vögel haben kein Fell, sondern ~n.* **2.** TECH biegsames flaches oder spiralförmiges Metallstück, das unter Belastung nachgibt, ohne Belastung aber wieder in seine Ausgangsposition zurückkehrt *eine Matratze mit ~n;* **noch in den ~n liegen** *(umg)* noch im Bett liegen *Um halb zehn lag er noch in den ~n.;* **sich mit fremden ~n schmücken** *(umg)* fremde Leistungen als eigene darstellen *Der Dozent schmückte sich gerne mit fremden ~n.*

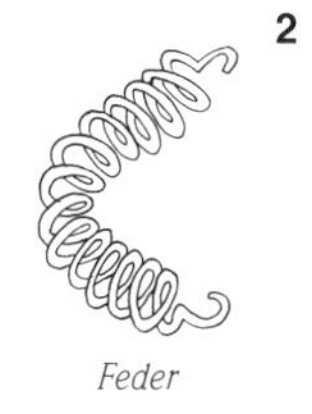

Feder

Fee [fe:] <-, -n> *die* weibliches Märchenwesen *eine gute/böse ~*

Feed·back ['fi:dbæk] <-s, -s> *das* Rückmeldung von Ergebnissen, Erfolgen oder Misserfolgen *jdm ein ~ geben*

fe·gen ['fe:gn̩] <fegt, fegte, gefegt> **I.** *tr* **1.** K *jd fegt etw akk (kehren)* mit einem Besen den Schmutz zusammenkehren *den Hausflur mit einem Besen ~, den Schornstein ~* **2.** (CH) feucht wischen *die Küche mit einem Lappen ~* **II.** *itr* dahinjagen, mit großer Geschwindigkeit treiben *Der Wind fegte übers Land.*

• **feh·len** ['fe:lən] <fehlt, fehlte, gefehlt> *itr* **1.** nicht da sein *wegen Krankheit ~* **2.** mangeln *Es fehlt ihm an nichts., Mir ~ die Worte.;* K *jdm fehlt etw nom* jd ist krank, jdm tut etw weh *Was fehlt Ihnen denn?;* **Etw hat gerade noch gefehlt.** *(umg)* verwendet, um auszudrücken, dass etw völlig unpassend ist *Der Regen hat mir gerade noch gefehlt.*

• **Feh·ler** ['fe:lɐ] <-s, -> *der* **1.** falsche Handlung/Entscheidung *einen ~ machen/begehen; ~* **über** ~ viele Fehler, voll von Fehlern *Er machte ~ über ~.* **2.** schlechte Eigenschaft *ein charakterlicher ~* ***Wobi:*** *fehlerlos*

Fehl·kon·struk·ti·on <-, -en> *die* Maschine, die nicht einwandfrei funktioniert *Der ganze Apparat ist eine ~!*

fehl|schla·gen <schlägt fehl, schlug fehl, fehlgeschlagen> *itr <sein>* erfolglos verlaufen *Das Experiment schlug fehl.*

• **Fei·er** ['faiɐ] <-, -n> *die* Fest *Zu seinem Geburtstag gab er eine große ~.* ***Wobi:*** *feierlich* ***Komp:*** *Geburtstags-, Hochzeits-, Weihnachts-*

• **Fei·er·a·bend** ['faiɐʔa:bn̩t] <-s, -e> *der* **1.** Ende der Arbeitszeit *um* *fünf Uhr ~ machen, Sie trafen sich nach ~.* **2.** freie Zeit nach der Arbeit *Sie verbringen ihre ~e meist vor dem Fernseher., Schönen ~!*

• **fei·ern** ['faiɐn] <feiert, feierte, gefeiert> **I.** *tr* **1.** K *jd feiert etw akk* etw festlich begehen *seinen Geburtstag ~* **2.** K *jd feiert jdn* rühmen, preisen *Nach ihrem Sieg wurden die Sportler groß gefeiert.* **II.** *itr* sich auf einem Fest vergnügen *Wir haben bis um 2 Uhr nachts gefeiert.*

• **Fei·er·tag** ['faiɐta:k] <-(e)s, -e> *der* ein besonderer Tag, an dem nicht gearbeitet wird *Der erste Mai ist ein ~., kirchlicher/gesetzlicher ~*

fei·g(e) [faik ('faigə)] <feiger, feigst-> *adj* **1.** übertrieben ängstlich, ohne Mut *ein ~er Mensch* **2.** hinterhältig, gemein *ein ~er Anschlag auf sein Leben* ***Wobi:* *Feigheit***

Fei·ge ['faigə] <-, -n> *die* grüne oder violette, sehr süße Frucht aus dem Mittelmeerraum, die frisch oder getrocknet gegessen wird *eine getrocknete ~ essen* ***Komp:* *-nbaum***

Feig·ling ['faiklɪŋ] <-s, -e> *der (pej)* jd, der feige ist *Du traust dich ja doch nicht, du ~!*

• **fein** ['fain] <feiner, feinst-> **I.** *adj* **1.** *(↔grob)* so, dass etw aus sehr kleinen Teilen besteht *Der Stoff besteht aus ganz ~em Material., ~es Mehl* **2.** *(≈zart)* von angenehmem Äußeren sein *~e Gesichtszüge haben* **3.** *(umg)* prima, sehr gut *Er ist ein ~er Kerl.* **4.** vornehm, elegant *Du hast dich heute aber ~ gemacht!, ein ~es Restaurant* **5.** einfühlsam *Er hat ein ~es Gespür für Menschen.* **6.** schön *F~, dass du gekommen bist.* **II.** *adv* akkurat, sehr *~ säuberlich*

• **Feind(in)** [faint] <-(e)s, -e> *der* Gegner *sich jdn zum ~ machen, jdn zum ~ haben* ***Wobi:* *feindlich, Feindschaft*** ***Komp:* *-bild***

Fein·schme·cker(in) <-s, -> *der* jd, der sehr großen Wert auf gutes Essen legt *ein Restaurant für ~*

feist [faist] <feister, feistest-> *adj* fett, dick *ein ~es Gesicht*

• **Feld** [fɛlt] <-(e)s, -er> *das* **1.** Acker, auf dem Gemüse/Getreide angebaut wird *ein ~ mit Weizen* **2.** SPORT Platz, auf dem gespielt wird *Die Spieler liefen auf das ~.* **3.** MIL Platz, auf dem eine Schlacht stattfindet *Die Soldaten zogen ins Feld.* **4.** Wissensgebiet *Die Philosophie ist ein weites ~.* **5.** PHYS Raum, in dem physikalische Kräfte wirken *magnetisches ~*

Feld·ste·cher <-s, -> *der* Fernglas *Er suchte den Horizont mit dem ~ ab.*

Fell [fɛl] <-(e)s, -e> *das* Pelz *Hunde wechseln im Winter das ~.;* **ein dickes ~ haben** *(umg)* nicht sensibel sein *Er hatte ein dickes ~ und konnte Kritik gut vertragen.*

Fel·s(en) [fɛls ('fɛlzn̩)] <-es, -en (-s, -)> *der* großer Stein *Ein großer ~ ist vom Berg gerollt.* ***Wobi:* *felsenfest, felsig***

fe·mi·nin [femi'ni:n] <-, -> *adj* **1.** weiblich *eine ~e Ausstrahlung* **2.** LING so, dass es das weibliche Genus hat *Das Wort ‚Frau' ist ~.*

Fe·mi·nis·mus [femi'nɪsmʊs] <-> *kein pl der* Bewegung, die die Stellung der Frau in der Gesellschaft verbessern will *sich für den ~ engagieren* ***Wobi:* *Feminist(in), feministisch***

• **Fens·ter** ['fɛnstɐ] <-s, -> *das* Öffnung in einer Wand/Tür, die mit Glas versehen ist *Das helle Zimmer hat drei ~.* ***Komp:* *-laden, -scheibe***

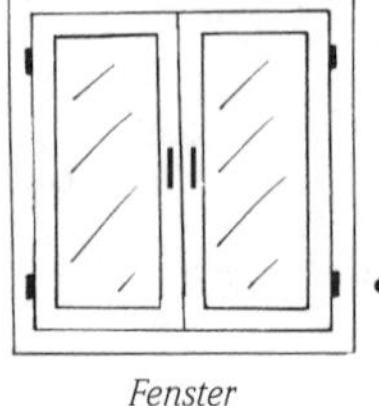

Fenster

- **Fe·ri·en** ['feːri̯ən] <-> *pl* **1.** schulfreie Zeit *Bald haben die Schüler ~.* **2.** Urlaub *Nächste Woche fährt sie in die ~.* ***Komp: -haus, -ort, -wohnung, Oster-, Pfingst-, Sommer-, Herbst-, Weihnachts-***
- **fern¹** [fɛrn] <ferner, fernst-> *adj* **1.** räumlich weit weg *Er wohnt ~ von seinem Heimatort.* **2.** zeitlich nicht nahe *Der Tag der Entscheidung war nicht mehr ~.*
- **fern²** [fɛrn] <ferner, fernst-> *präp +dat* weit entfernt von etw *~ allem Lärm, ~ der Heimat*

Fern·be·die·nung <-, -en> *die* Gerät, mit dem man elektronische Geräte bedienen kann, ohne sie zu berühren *Die ~ für den Fernseher ist kaputt.*

fern|blei·ben <bleibt fern, blieb fern, ferngeblieben> *itr* <*sein*> [K] ***jd bleibt etw** dat **fern*** nicht kommen *der Veranstaltung ~*

fer·ner ['fɛrnɐ] *adv* **1.** weiterhin, außerdem *F~ möchte ich Sie bitten, …* **2.** künftig *Er wird auch ~ für uns arbeiten.;* **unter ~ liefen** *(umg)* auf einem untergeordneten Platz *Ihr Name wurde unter ~ liefen aufgeführt.*

fern·ge·steu·ert <-, -> *adj* aus der Distanz gelenkt *Die Rakete war ~.*

Fern·ge·spräch <-s, -e> *das* Telefongespräch von einer in eine andere Stadt *Er führte ein ~ nach Bombay.*

Fern·glas <-es, -gläser> *das (≈Feldstecher)* kleines, tragbares Gerät, das alles für das Auge größer macht *mit dem ~ den Horizont absuchen*

fern|hal·ten <hält fern, hielt fern, ferngehalten> *tr* [K] ***jd/etw hält jdn fern*** jdn daran hindern, sich zu nähern *Der Polizist hielt die Schaulustigen fern.*

Fern·licht <-(e)s> *kein pl das* Autoscheinwerfer, der auf weite Entfernung strahlt *das ~ einschalten*

Fern·seh·ap·pa·rat <-(e)s, -e> *der (≈Fernseher)* Fernsehgerät *Die ganze Familie sitzt abends vor dem ~.*

- **fern·se·hen** ['fɛrnzeːən] <sieht fern, sah fern, ferngesehen> *itr* TV gucken/schauen *jeden Abend ~*
- **Fern·se·hen** ['fɛrnzeːən] <-s> *kein pl das* **1.** Massenmedium mit Bild und Ton *einen guten Film im ~ ansehen, Der Papstbesuch wird im ~ gesendet.* **2.** Fernsehanstalt *Er hat einen Job beim ~.*
- **fern·se·hen** ['fɛrnzeːən] <sieht fern, sah fern, ferngesehen> *itr* etw im Fernsehen ansehen *viel ~*
- **Fern·se·her** ['fɛrnzeːɐ] <-s, -> *der* Gerät, mit dem man fernsieht *den ~ anmachen*

Fern·seh·pro·gramm <-s, -e> *das* **1.** Programm, das im Fernsehen gesendet wird, Sendefolge *ein langweiliges ~* **2.** Programmzeitschrift *Im ~ sind spannende Filme angekündigt.*

Fern·seh·sen·der <-s, -> *der* Fernsehanstalt, die Sendungen produziert und zeigt *Der ~ bringt nur schlechte Filme.*

Fern·seh·sen·dung <-, -en> *die* Beitrag, der im Fernsehen gezeigt wird *Hast du die ~ gestern Abend im ersten Programm gesehen?*

Fern·spre·cher <-s, -> *der* Telefon *öffentlicher ~*

Fern·ver·kehr <-s> *kein pl der (↔Nahverkehr)* Verkehr, der aus einer Stadt in weitere Entfernung führt *Der ~ geht meist über die Autobahn.*

Fẹrn·weh <-s> *kein pl das (↔Heimweh)* Wunsch, in die Fremde zu gehen *Wenn er ~ bekam, musste er verreisen.*

Fẹr·se ['fɛrzə] <-, -n> *die* hinterer Teil des Fußes *Er ist mit der ~ in eine Glasscherbe getreten.*

• **fẹr·tig** ['fɛrtɪç] <-, -> *adj* **1.** so, dass alle Arbeiten gemacht sind *Bist du ~ mit den Hausaufgaben?, Das Essen ist ~!* **2.** *(umg)* so, dass man die Ausbildung beendet hat *ein ~er Architekt* **3.** *(umg)* erschöpft, müde *völlig ~ sein, Die Probleme machen mich ~.* ***Wobi: Fertiggericht, Fertighaus***

fẹr·tig|brin·gen <bringt fertig, brachte fertig, fertiggebracht> *tr* [K] ***jd bringt etw*** *akk* ***fertig*** etw Schwieriges schaffen *Er brachte es fertig, ohne Sauerstoffmaske auf den Mount Everest zu steigen.*

Fẹr·tig·keit <-, -en> *die* handwerkliches Können *viele ~en haben*

Fẹs·sel ['fɛsl̩] <-, -n> *die* Strick/Seil, mit dem man jdn festbindet *jdn in ~n legen, jdm ~n anlegen*

fẹs·seln ['fɛsl̩n] <fesselt, fesselte, gefesselt> *tr* **1.** [K] ***jd fesselt jdn*** jdn festbinden *jdn an Händen und Füßen ~* **2.** [K] ***jd/etw fesselt jdn*** geistig beschäftigen, begeistern *Der Krimi hat mich wirklich gefesselt.* ***Wobi: fesselnd***

• **Fẹst** [fɛst] <-(e)s, -e> *das* Feier, die man zu einem besonderen Ereignis macht *Zur Hochzeit gab es ein großes ~.;* **Frohes ~!** Frohe Weihnachten! *Frohes ~ und einen guten Rutsch ins neue Jahr!*

• **fẹst** [fɛst] <fester, festest-> **I.** *adj* **1.** hart, stabil *eine ~e Verbindung* **2.** kräftig *ein ~er Handgriff* **3.** tief, gesund *ein ~er Schlaf* **4.** ständig *~er Wohnsitz* **II.** *adv* nachdrücklich, klar und deutlich *Ich habe es ~ versprochen.*

fẹst|fah·ren <fährt fest, fuhr fest, festgefahren> *refl* **1.** [K] ***etw fährt sich*** *akk* ***fest*** etw bleibt in einer Position, in der es sich nicht mehr bewegen kann *Der Wagen hatte sich völlig festgefahren., Die Verhandlungen haben sich festgefahren.* **2.** [K] ***etw fährt sich*** *akk* ***fest*** fest bei seiner Meinung bleiben, obwohl man im Unrecht ist *Die Diskussion hat sich völlig festgefahren.*

• **fẹst|hal·ten** <hält fest, hielt fest, festgehalten> **I.** *tr* **1.** [K] ***jd hält jdn/etw*** *akk* ***fest*** jdn packen und verhindern, dass er wegläuft *Der Polizist hielt den Demonstranten fest.* **2.** [K] ***jd hält etw*** *akk* ***fest*** betonen *Er hielt an seinem Argument fest.* **3.** [K] ***jd hält etw*** *akk* ***fest*** aufschreiben *Die vertraglichen Bedingungen wurden nirgends festgehalten.* **II.** *refl* [K] ***jd hält sich*** *akk* [***an etw*** *dat*] ***fest*** als Stütze anfassen, damit man nicht fällt *Halt dich an mir fest!* **III.** *itr* auf etw bestehen *an seiner Meinung ~*

Fẹst·land ['fɛstlant] <-(e)s> *kein pl das (↔Insel)* Kontinent *Sie fuhren von der Insel zum ~.*

fẹst|le·gen <legt fest, legte fest, festgelegt> **I.** *tr* [K] ***jd legt etw*** *akk* ***fest*** bestimmen, festsetzen *Der Vater legte fest, wann die Kinder ins Bett gehen.* **II.** *refl* [K] ***jd legt sich*** *akk* [***auf etw*** *akk*] ***fest*** sich verpflichten *Er wollte sich ihr gegenüber nicht ~.*

fẹst·lich <festlicher, festlichst-> *adj* feierlich, zu einem Fest gehörend *ein ~er Abend* ***Wobi: Festlichkeit***

fest|neh·men <nimmt fest, nahm fest, festgenommen> *tr* [K] ***jd nimmt jdn fest*** fangen, verhaften *Die Polizei konnte den Verbrecher ~.* ***Wobi: Festnahme***

Fest·plat·te <-, -n> *die* (DV: *≈Harddisk*) Speicher eines Computers *Die ~ ist voll.*

fest|set·zen <setzt fest, setzte fest, festgesetzt> **I.** *tr* **1.** [K] ***jd setzt etw*** *akk* ***fest*** bestimmen, festlegen *Die Firma setzte die Preise fest.* **2.** [K] ***jd setzt jdn fest*** in Haft nehmen *Die Polizei setzte den Verbrecher fest.* **II.** *refl* **1.** [K] ***etw setzt sich*** [***irgendwo***] ***fest*** sich ansammeln *Der Dreck setzte sich an den Rändern fest.* **2.** [K] ***etw setzt sich*** [***irgendwo***] ***fest*** so intensiv im Kopf sein, dass es nur schwer zu beeinflussen ist *Dieser Gedanke hatte sich bei ihm bereits festgesetzt.*

fest|ste·hen <steht fest, stand fest, festgestanden> *itr* **1.** sicher/gewiss sein *Fest steht, dass er morgen kommt., Der Termin steht fest.* **2.** endgültig sein *Sein Entschluss steht fest.*

• **fest|stel·len** <stellt fest, stellte fest, festgestellt> *tr* **1.** [K] ***jd stellt etw*** *akk* ***fest*** herausfinden *Die Identität des Toten konnte nicht festgestellt werden.* **2.** [K] ***jd stellt etw*** *akk* ***fest*** erkennen, bemerken *Er stellte fest, dass er seine Schlüssel vergessen hatte.* **3.** [K] ***jd stellt etw*** *akk* ***fest*** etw Wichtiges sagen *Der Minister stellte fest, dass die Reform dringend notwendig sei.* **4.** [K] ***jd stellt etw*** *akk* ***fest*** TECH festmachen, fixieren *Er stellte den Gashebel fest.* ***Wobi: Feststellung***

Fett [fɛt] <-(e)s, (-e)> *das* **1.** Nahrungsmittel aus pflanzlichen oder tierischen Zellen, das besonders zum Backen und Kochen verwendet wird *Butter ist ein tierisches, Margarine ein pflanzliches ~.* **2.** künstlich hergestelltes Schmier-/Gleitmittel *Man benutzt ~, um die Maschine zu schmieren.* ***Wobi: einfetten, fettig***

• **fett** [fɛt] <fetter, fettest-> *adj* **1.** mit viel Fett, nicht mager *~es Fleisch* **2.** kräftig, dick *ein ~er Mensch* **3.** *(umg)* groß, viel *~e Beute*

Fet·zen ['fɛtsn̩] <-s, -> *der* Lumpen, abgerissenes Stück *Das Kleid bestand nur noch aus ~., ein ~ Papier*

• **feucht** [fɔyçt] <feuchter, feuchtest-> *adj* ein bisschen nass *~e Windeln* ***Wobi: Feuchtigkeit***

feu·dal [fɔy'daːl] <feudaler, feudalst-> *adj* **1.** HIST adelig, aristokratisch *die ~e mittelalterliche Gesellschaft* **2.** herrschaftlich, prächtig, nobel *ein ~ eingerichtetes Zimmer*

• **Feu·er** ['fɔyɐ] <-s, -> *das* **1.** das Verbrennen von Dingen *Das ~ vernichtete den ganzen Wald.* **2.** Gefahr *Das ist ein Spiel mit dem ~.;* **Hast du ~?** jds Bitte, dessen Zigarette anzuzünden *Hast du mal ~? Ich habe mein Feuerzeug vergessen.;* ~ **und Flamme für jdn/etw sein** sehr begeistert sein, sehr gern haben *Sie ist ~ und Flamme für ihr neues Hobby.* ***Wobi: feuerfest Komp: -alarm, -holz, Holz-, Kohlen-***

Feu·er·lö·scher <-s, -> *der* spezieller Metallbehälter mit einem Stoff, der Feuer löscht *An der Wand hängt ein ~.*

feu·ern <feuert, feuerte, gefeuert> **I.** *tr* **1.** [K] ***jd feuert etw*** *akk* heizen *Sie feuern die Wohnung noch mit Kohle.* **2.** *(umg)* [K] ***jd feuert etw*** *akk* ***irgendwohin*** werfen, schmeißen *Zornig feuerte er das Buch in die Ecke.* **3.** *(umg)* [K] ***jd feuert jdn*** entlassen *Sie sind ge-*

feuert! **II.** *itr* MIL schießen *Die Soldaten feuerten auf den Feind.*

Feu·er·wa·che <-, -n> *die* Gebäude der Feuerwehr *Die ~ ist ständig in Alarmbereitschaft.*

• **Feu·er·wehr** <-, -en> *die* Institution/Mannschaft, die Feuer bekämpft *Die ~ bekam den Brand schnell unter Kontrolle.*

Feuerwerk

Feu·er·werk <-(e)s, -e> *das* das Anzünden kleiner Raketen, die bunt aufleuchten *Zu Silvester gab es ein großes ~.* ***Komp: -skörper***

• **Feu·er·zeug** <-(e)s, -e> *das* kleines Gerät zum Anzünden von Zigaretten etc. *Jeder Raucher hat ein ~.*

Feuil·le·ton [fœjəˈtõː] <-s, -s> *das* literarische/kulturelle Beilage einer Zeitung *Im ~ werden auch die Neuerscheinungen auf dem Buchmarkt besprochen.*

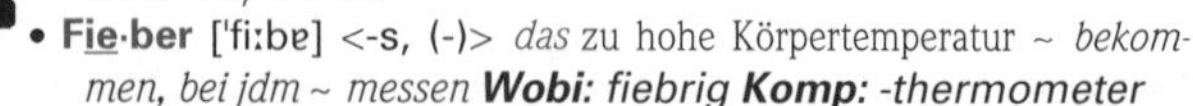

• **Fie·ber** [ˈfiːbɐ] <-s, (-)> *das* zu hohe Körpertemperatur *~ bekommen, bei jdm ~ messen* ***Wobi: fiebrig Komp: -thermometer***

fie·bern [ˈfiːbɐn] <**fiebert, fieberte, gefiebert**> *itr* **1.** Fieber haben *Der kleine Junge fieberte.* **2.** etw ungeduldig und mit Freude erwarten *Er fieberte nach einem Abenteuer.*

fiel [fiːl] *prät von* **fallen**

fies [fiːs] <**fieser, fiesest-**> *adj (umg)* gemein, hinterhältig, böse *ein ~er Charakter*

• **Fi·gur** [fiˈguːɐ̯] <-, -en> *die* **1.** künstlerische Abbildung, Statue, Skulptur *Diese ~ eines Kriegers ist etwa 3.000 Jahre alt.* **2.** Gestalt, Körperform *Ich muss auf meine ~ achten.* **3.** LIT Person/Rolle z.B. in einem Roman *eine interessante ~*

fik·tiv [fɪkˈtiːf] <-, -> *adj* LIT nicht wirklich, erfunden, erdichtet *Die Handlung des Romans ist rein ~.* ***Wobi: Fiktion***

Fi·let [fiˈleː] <-s, -s> *das* **1.** zartes Stück Fleisch aus der Lende eines Tieres *Das ~ vom Kalb ist ziemlich teuer.* **2.** Rückenstück von einem Fisch, von dem die Gräten entfernt wurden *~ vom Barsch* ***Komp: Fisch-, Kalbs-, Schweine-***

Fi·li·a·le [fiˈli̯aːlə] <-, -n> *die* Zweigstelle, ein zweites Geschäft/Büro der gleichen Art *Jede Bank hat mehrere ~n.*

2

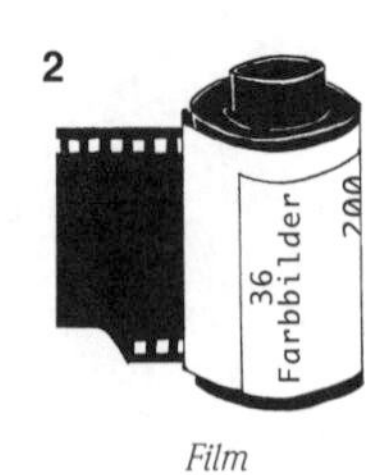

Film

• **Film** [fɪlm] <-(e)s, -e> *der* **1.** FILM Vorführung in einem Kino oder im Fernsehen *Der ~ dauerte über drei Stunden.* **2.** FOT spezielles Band zum Fotografieren, das in eine Kamera eingelegt wird *einen ~ mit 36 Bildern einlegen* ***Komp: -star, Dokumentar-, Farb-, Kino-, Kurz-, Schwarzweiß-, Spiel-***

fil·men [ˈfɪlmən] <**filmt, filmte, gefilmt**> **I.** *tr* [K] ***jd filmt jdn/etw*** *akk* etw/jdn mit einer Kamera aufnehmen *Um Tiere zu ~, braucht man viel Geduld.* **II.** *itr* mit einer Kamera Filme machen *Heutzutage ~ viele Leute mit einem Camcorder.*

Fil·ter [ˈfɪltɐ] <-s, -> *der* **1.** FILM FOT Linse, die einzelne Farben des Lichtes nicht durchlässt *Dieser ~ lässt kein Rotlicht durch.* **2.** Gerät, um Stoffe voneinander zu trennen *Wir brauchen einen neuen ~ für die Kaffeemaschine.* ***Komp: -kaffee, -papier, Kaffee-, Wasser-***

fil·tern [ˈfɪltɐn] <**filtert, filterte, gefiltert**> *tr* [K] ***jd filtert etw*** *akk* feste Teile von flüssigen Teilen trennen, indem man die Mischung durch ein Material (z.B. Sieb) laufen lässt, das nur die Flüssigkeit durchlässt *Wasser ~*

Filz [fɪlt͡s] <-es, -e> *der* **1.** dichter Stoff, der durch das Zusammenpressen von Schafwolle hergestellt wird *Pantoffeln aus ~ tragen* **2.**

Korruption, Vetternwirtschaft *In der Stadtverwaltung herrschte ein einziger ~.* ***Komp:** -stift*

Fim·mel ['fɪml̩] <-s, -> *der (umg)* Tick, Macke *Was Computer angeht, hat sie einen richtigen ~.*

Fi·na·le [fi'naːlə] <-s, -> *das* **1.** SPORT Endkampf, Endspiel *Nur zwei Mannschaften kommen ins ~.* **2.** MUS letzter Satz eines Instrumentalwerkes *Das Orchester spielte ein beeindruckendes ~.*

Fi·nanz·amt <-(e)s, -ämter> *das* Behörde, die für die Einziehung der Steuern zuständig ist *seine Steuererklärung beim ~ abgeben*

Fi·nanz·be·am·te(r), -be·am·tin *der* Beamter der Finanzverwaltung *als ~ arbeiten*

Fi·nan·zen [fi'nant͡sn̩] <-> *pl* Geld, das jd hat *mit seinen ~ knapp dran sein, seine ~ überprüfen* ***Komp:** Staats-*

• **fi·nan·ziell** [finan't͡si̯ɛl] <-, -> *adj* Geld betreffend *F~ geht es mir gut.*

fi·nan·zie·ren [finan't͡siːrən] <finanziert, finanzierte, finanziert> *tr* [K] *jd finanziert jdm etw akk* jdm Geld für einen bestimmten Zweck geben *Die Firma finanzierte die Veranstaltung.* ***Wobi:** Finanzierung*

• **fin·den** ['fɪndn̩] <findet, fand, gefunden> **I.** *tr* **1.** [K] *jd findet jdn/etw akk* entdecken *die Brille ~, Arbeit ~, ein Zimmer zum Übernachten ~* **2.** [K] *jd findet etw akk* **irgendwie** halten für, ansehen als, meinen *jdn sehr nett ~, Ich finde das gut.* **II.** *refl* **1.** [K] *etw findet sich* sich von alleine regeln, in Ordnung kommen *Das wird sich alles ~.* **2.** [K] *etw findet sich* auftauchen *Der Schlüssel wird sich schon wieder ~.* ***Wobi:** Finder(in)*

fing [fɪŋ] *prät von* **fangen**

• **Fin·ger** ['fɪŋɐ] <-s, -> *der* die fünf beweglichen Glieder der Hand *Der Mensch hat zehn ~.;* **jdm auf die ~ sehen** jdn kontrollieren *Die Behörden sahen ihm nicht scharf genug auf die ~.;* **sich etw aus den ~n saugen** *(umg)* spontan etw erzählen/erfinden (müssen), z. B. weil man sich nicht vorbereiten konnte *Er saugte sich den Vortrag aus den ~n.;* **jdm auf die ~ klopfen** *(umg)* jdn verwarnen, mit jdm schimpfen *Er hatte so viele Dummheiten gemacht, dass man ihm auf die ~ klopfte.;* **die ~ von etw lassen** *(umg)* sich mit etw nicht beschäftigen *Von dieser Geschichte ließ er lieber die ~.* ***Komp:** -nagel*

Fin·ger·spit·zen·ge·fühl <-s> *kein pl das* Feingefühl, Takt *Als Diplomat braucht man ~.*

fins·ter ['fɪnstɐ] <finsterer, finsterst-> *adj* **1.** dunkel *Bei Nacht war alles ganz ~.* **2.** unheimlich *eine ~e Gestalt* **3.** schlecht gelaunt, böse *Der Großvater schaute mich ~ an.* ***Wobi:** Finsternis*

• **Fir·ma** ['fɪrma] <-, -men> *die* Unternehmen, Betrieb *Die ~ stellte neue Leute ein.* ***Komp:** Firmenwagen*

• **Fisch** [fɪʃ] <-(e)s, -e> *der* **1.** ZOOL im Wasser lebendes Wirbeltier, das durch Kiemen atmet *~e können nur im Wasser überleben.* **2.** ASTR ein Sternbild *Der ~ ist klar zu erkennen.* **3.** Sternzeichen *Mein Sternzeichen ist ~, und deins?;* **kleine ~e** *(umg)* etw, das zu beachten sich nicht lohnt *Diese Geschäfte sind für ihn nur kleine ~e.* ***Wobi:** fischen* ***Komp:** -brötchen, Gold-, Hai-*

Fisch

Fi·scher(in) ['fɪʃɐ] <-s, -> *der* Beruf von jdm, der Fische fängt *Der ~ holt die Netze ein.*

Fis·kus ['fɪskʊs] <-> *kein pl der* der Staat als Eigentümer des Staatsvermögens *Der ~ will immer mehr Geld von den Bürgern.*

• **Fi·so·le** [fi'zo:lə] <-, -n> *die* (ÖSTERR) grüne Bohne *frische ~n vom Markt*

• **fit** [fɪt] <fitter, fittest-> *adj* **1.** gesund, leistungsfähig *Durch das viele Training ist er immer ~.* **2.** intelligent, klug *in Mathematik ~ sein* ***Wobi:** Fitness* ***Komp:** top-*

fix [fɪks] <fixer, fixest-> *adj* **1.** fest, nicht zu verändern *~e Preise* **2.** *(umg)* flink, schnell *ein ~er Junge; ~* **und fertig sein** erschöpft, müde *Nach dem Auftritt war er ~ und fertig.*

FKK-Strand [ɛfka:'ka:] <-(e)s, -Strände> *der* Badestrand, an dem man nackt badet; ‚FKK' ist das Kurzwort für ‚Frei-Körper-Kultur' *An der Nordsee gibt es einige FKK-Strände.*

• **flach** [flax] <flacher, flachst-> *adj* **1.** eben, platt *Norddeutschland ist ziemlich ~.* **2.** nicht tief *ein ~er Teller* **3.** banal, nichtssagend *~e Witze*

• **Flä·che** ['flɛçə] <-, -n> *die* bestimmtes Gebiet *Auf einer ~ von 50 Hektar werden hier Kartoffeln angebaut.*

flach|fal·len <fällt flach, fiel flach, flachgefallen> *itr <sein>* . (*umg*) nicht stattfinden *Die Grillparty fiel flach, weil es regnete.*

flach·sen ['flaksn̩] <flachst, flachste, geflachst> *itr (umg)* scherzen, Witze machen *Wenn er gute Laune hat, flachst er gerne ein bisschen.*

fla·ckern ['flakɐn] <flackert, flackerte, geflackert> *itr* unruhig/unregelmäßig brennen *Die Flamme flackert im Wind.*

Flag·ge ['flagə] <-, -n> *die* Fahne *die ~ hissen*

Flair [flɛ:ɐ̯] <-s> *kein pl das* Atmosphäre *Er genoss das internationale ~ der Stadt.*

flam·bie·ren [flam'bi:rən] <flambiert, flambierte, flambiert> *tr* K ***jd flambiert etw** akk* Nahrungsmittel mit Alkohol übergießen und anzünden *flambierte Äpfel*

Flam·me ['flamə] <-, -n> *die* oberer Teil eines Feuers, der Licht verbreitet *~n schießen aus dem Holzdach., in hellen ~n stehen*

Flasche

• **Fla·sche** ['flaʃə] <-, -n> *die* **1.** verschließbarer Behälter aus Glas oder Plastik für Flüssigkeiten *Getränke gibt es hier nur aus der ~.* **2.** *(umg pej)* jd, der nichts kann oder der schwach ist *Der Sheriff war eine ~.* ***Komp:** -nöffner, -npfand, -npost, Bier-*

flat·tern ['flatɐn] <flattert, flatterte, geflattert> **I.** *itr <sein>* fliegen *Die Vögel flatterten über das Wasser.* **II.** *itr* **1.** mit den Flügeln schlagen *Die Hühner haben aufgeregt mit den Flügeln geflattert.* **2.** in der Luft heftig bewegt werden *Die Fahne flattert im Wind.*

flau [flaʊ̯] <flauer, flauest-> *adj* **1.** schwach *Nach der Grippe fühlte er sich noch lange ~.* **2.** übel, schlecht *Mir ist ganz ~ im Magen.*

flech·ten ['flɛçtn̩] <flicht/flechtet, flocht, geflochten> *tr* K ***jd flicht etw** akk* Stränge z. B. von langem Haar regelmäßig ineinander legen *einen Kranz ~, einen Korb ~, Sie flicht ihre Haare jeden Morgen zu einem Zopf.*

• **Fleck** [flɛk] <-(e)s, -en> *der* schmutzige Stelle auf einem Kleidungsstück *Seine Hose war voller ~en.;* **nicht vom ~ kommen** nicht weiter kommen, keine Fortschritte machen *Wir sind mit der Arbeit nicht vom ~ gekommen.* ***Wobi:** fleckig*

Fle·der·maus ['fleːdɐmaus] <-, -mäuse> *die* kleines Säugetier, das tagsüber in Höhlen von der Decke hängt und nachts draußen herumfliegt *Sie hatte die Fledermäuse im Keller aufgeschreckt.*

Fledermaus

Fle·gel ['fleːgl̩] <-s, -> *der (pej)* Bengel, schlecht erzogener Junge *Der Bursche ist ein richtiger ~.*

fle·hen ['fleːən] <**fleht, flehte, gefleht**> *itr* sehr heftig um etw bitten *um Gnade ~, Sie flehte zu Gott um Hilfe.*

• **Fleisch** ['flaiʃ] <-(e)s> *kein pl das* **1.** Muskelgewebe des menschlichen/tierischen Körpers *sich ins ~ schneiden* **2.** essbare Teile vom Tier *~ braten* **3.** weiche essbare Teile von Früchten *das ~ einer Mango vom Kern lösen;* **vom ~ fallen** *(umg)* immer magerer/dünner werden *Er aß so wenig, dass er völlig vom ~ fiel.;* **sich ins eigene ~ schneiden** *(umg)* sich selber schaden *Damit hat er sich nur ins eigene ~ geschnitten.;* **jdm in ~ und Blut übergehen** *(umg)* zur Gewohnheit werden *Dieser Handgriff war ihm in ~ und Blut übergegangen.* ***Komp:** -brühe, Hack-, Rind-, Schweine-*

Flei·scher(in) *der (≈Metzger)* jd, der beruflich Tiere schlachtet, das Fleisch verarbeitet und verkauft *Wurst kauft man frisch beim ~.*

• **Fleisch·hau·e·rei** *die* (ÖSTERR) *siehe* **Metzgerei**

• **Fleisch·lai·berl** <-s, -> *das* (ÖSTERR) *siehe* **Frikadelle**

Fleiß [flais] <-es> *kein pl der* Bemühung, Anstrengung *Sein ~ ist groß.;* **Ohne ~ kein Preis!** verwendet, um auszudrücken, dass Anstrengungen notwendig sind, um ein Ziel zu erreichen *Du musst dich schon anstrengen! Ohne ~ kein Preis!* ***Wobi:** fleißig*

fle·xi·bel [flɛ'ksiːbl̩] <**flexibler, flexibelst-**> *adj* beweglich, nicht fest *flexible Arbeitszeit* ***Wobi:** Flexibilität*

Fle·xi·on [flɛ'ksi̯oːn] <-, -en> *die* LING Beugung eines Wortes *die ~ der unregelmäßigen Verben auswendig lernen*

fli·cken ['flɪkn̩] <**flickt, flickte, geflickt**> *tr* [K] *jd flickt etw akk* ausbessern, reparieren *Er flickte die Leitung mit etw Klebeband., den Fahrradreifen ~*

Flie·der ['fliːdɐ] <-s, -> *der* Strauch mit weißen oder violetten traubenförmigen Blüten *Der ~ blüht im Frühjahr und riecht sehr stark.*

Flie·ge ['fliːgə] <-, -n> *die* **1.** ZOOL kleines, schwarzes Insekt, das fliegt und brummt *~n können lästig sein.* **2.** eine Schleife, die Männer zu einer besonderen Gelegenheit um den Hemdkragen binden *Bei der Hochzeit trug er zum Smoking eine ~.;* **zwei ~n mit einer Klappe schlagen** *(umg)* zwei Dinge gleichzeitig erledigen *Ich muss sowieso einkaufen, dann kann ich auch gleich zur Post gehen. So schlage ich zwei ~n mit einer Klappe.*

1

2

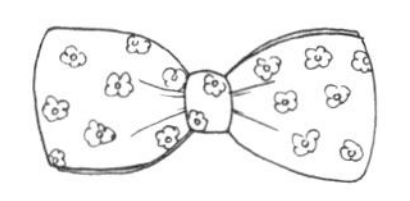
Fliege

• **flie·gen** ['fliːgn̩] <**fliegt, flog, geflogen**> **I.** *tr* [K] *jd fliegt etw akk* etw durch die Luft steuern *Der Pilot flog das neue Flugzeug.* **II.** *itr <sein>* **1.** sich mit einem Flugzeug fortbewegen *nach Amerika ~* **2.** eilen *jdm in die Arme ~* **3.** *(umg)* fallen *Er flog die Treppe hinunter.* **4.** *(umg)* entlassen werden *Er flog von der Schule.*

flie·hen ['fliːən] <**flieht, floh, geflohen**> *itr <sein>* weglaufen, entkommen *Der Verbrecher floh aus dem Gefängnis.*

Fließ·band <-(e)s, -bänder> *das* mechanisch betriebenes Band in einer Fabrik, an dem Produkte bearbeitet werden *am ~ arbeiten*

• **flie·ßen** ['fliːsn̩] <**fließt, floss, geflossen**> *itr <sein>* sich gleichmäßig ohne Unterbrechung fortbewegen *Das Wasser floss langsam*

F

hinunter., Der Rhein fließt in die Nordsee.

- **flie·ßend** <-, -> *adj* **1.** so, dass etw fließt *ein ~es Gewässer, Zimmer mit ~em Wasser* **2.** ohne größere Unterbrechungen, sehr gut ~ *Englisch sprechen*

flink [flɪŋk] <flinker, flinkst-> *adj* schnell *ein ~er Bursche, ein ~er Handwerker*

Flit·ter·wo·chen <-> *pl* Urlaub direkt nach der Hochzeit *Nach der Hochzeit fahren sie direkt in die ~., In den ~ fahren sie nach Venedig.*

flocht [flɔxt] *prät von* **flechten**

flog [flo:k] *prät von* **fliegen**

floh [flo:] *prät von* **fliehen**

Floh [flo:] <-(e)s, Flöhe> *der* ein kleines Insekt, das Blut saugt und Krankheiten übertragen kann *Der Hund hat Flöhe.*; **jdm einen ~ ins Ohr setzen** *(umg)* bei jdm einen Wunsch wecken, der nur schwer zu erfüllen ist *Er hatte ihr einen ~ ins Ohr gesetzt, als er von seinem Urlaub in der Karibik erzählte.*

Floh·markt <-(e)s, -märkte> *der* Markt, auf dem Privatleute Dinge verkaufen, die sie selber nicht mehr brauchen *auf den ~ gehen*

Flop [flɔp] <-s, -s> *der (umg)* Reinfall, Misserfolg *Das ganze Unternehmen war ein ~.*

floss [flɔs] *prät von* **fließen**

Flos·se ['flɔsə] <-, -n> *die* **1.** Organ aus Haut und Knorpel, mit dem sich Fische fortbewegen können *Fische haben ~n.* **2.** *(umg!)* Hand *Nimm deine ~n weg!* ***Komp: Bauch-, Rücken-, Schwanz-***

Flö·te ['flø:tə] <-, -n> *die* ein Blasinstrument aus Holz oder Metall *Als Kind spielte sie ~.* ***Komp: Block-, Quer-***

Flöte

flott [flɔt] <flotter, flottest-> *adj* **1.** schnell ~ *sein* **2.** schick, modern *Das ist aber ein ~es Kleid.* **3.** lustig, lebenslustig *Sie ist ein ~es Mädchen.*

Fluch [flu:x] <-(e)s, Flüche> *der* **1.** Verdammung, böser Wunsch *Die Hexe sprach einen ~ über die Prinzessin aus.* **2.** Schimpfwort *ein unterdrückter ~* ***Wobi: fluchen***

- **Flucht** [flʊxt] <-> *kein pl die* das Weggehen oder Weglaufen von einem gefährlichen oder unangenehmen Ort *die ~ aus dem Gefängnis, die ~ nach Ägypten* ***Wobi: Flüchtling***

flüch·ten ['flʏçtn̩] <flüchtet, flüchtete, geflüchtet> *itr* <*sein*> **1.** (vor etw) fliehen/weglaufen *Der Verbrecher flüchtete.* **2.** einen sicheren Ort suchen *Sie flüchtete in ihre Traumwelt., Die Familie flüchtete ins Nachbarland.*

flüch·tig ['flʏçtɪç] <flüchtiger, flüchtigst-> *adj* **1.** auf der Flucht *Der Verbrecher ist ~.* **2.** oberflächlich *Ich habe das Buch nur ~ gelesen.* **3.** schnell vorübergehend, kurz *ein ~er Kuss, ein ~er Blick* ***Wobi: Flüchtigkeit***

- **Flug** [flu:k] <-(e)s, Flüge> *der* Fortbewegung durch die Luft *Der ~ von Frankfurt nach New York dauert acht Stunden.*; **wie im ~(e)** verwendet, um auszudrücken, dass etw sehr schnell vorbeigeht *Der Tag verging wie im ~.*

Flug·blatt <-(e)s, -blätter> *das* ein Blatt Papier mit politischen Parolen, die öffentlich verteilt werden *Auf der Demonstration wurden Flugblätter verteilt.*

Flügel

Flü·gel ['fly:gl̩] <-s, -> *der* **1.** eines der beiden Körperteile, mit denen Vögel fliegen *mit den ~n schlagen* **2.** Gebäudeteil, der vom Haupthaus abgeht *Die Verwaltung befindet sich im linken ~.* **3.** MUS eine Art großes Klavier *~ haben einen größeren Resonanzraum als Klaviere.*

• **Flug·ha·fen** <-s, -häfen> *der* Ort, an dem Flugzeuge starten und landen *zum ~ fahren*

Flug·ti·cket <-s, -s> *das* Papier, das einen zur Reise in einem Flugzeug berechtigt *ein ~ kaufen*

• **Flug·zeug** <-(e)s, -e> *das* Transportmittel, das sich in der Luft fortbewegen kann *Das ~ nach Berlin startet in wenigen Minuten.*

• **Flur** [flu:ɐ̯] <-(e)s, -e> *der (≈Korridor, Diele, Gang)* schmaler langer Raum, durch den man in die verschiedenen Zimmer einer Wohnung kommt *Die Schuhe lässt du bitte im ~!*

• **Fluss** [flʊs] <-es, Flüsse> *der* **1.** fließendes Gewässer *Der ~ führt das Wasser aus den Bergen ins Meer.* **2.** das Fließen, das Weitergeben *der ~ von Informationen* ***Komp: Informations-***

flüs·sig ['flʏsɪç] <-, -> *adj* **1.** nicht fest *Wasser ist ~, Eisen ist fest.* **2.** fließend *Er hat eine ~e Schrift.* **3.** *(umg)* so, dass man genug Geld hat *So viel habe ich nicht ~.* ***Wobi: Flüssigkeit***

flüs·tern ['flʏstɐn] <flüstert, flüsterte, geflüstert> **I.** *tr* [K] ***jd flüstert jdm etw*** *akk* [***ins Ohr***] leise direkt in das Ohr des anderen sprechen *ein Geheimnis ins Ohr ~* **II.** *itr* leise sprechen *Bitte in der Bibliothek nur ~!*

Flut [flu:t] <-, (-en)> *die* **1.** *nur sg (↔Ebbe)* das regelmäßige Steigen des Meeres nach der Ebbe *Die ~ kommt in zwei Stunden.* **2.** nur pl: Wassermassen *Er ertrank in den ~en.* **3.** große Menge *Auf seine Anzeige erhielt er eine ~ von Briefen.*

Foh·len ['fo:lən] <-s, -> *das* junges Pferd *Das ~ war noch keine sechs Monate alt.*

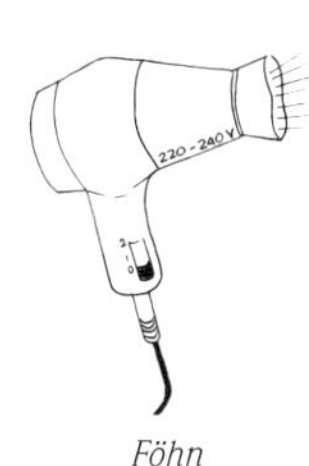

Föhn

Föhn[1] [fø:n] <-(e)s, -e> *der* Gerät zum Trocknen der Haare *den ~ im Hotel vergessen*

Föhn[2] [fø:n] <-(e)s> *kein pl der* warmer, trockener Fallwind *~ gibt es nur am Rande eines Gebirges.*

föh·nen ['fø:nən] <föhnt, föhnte, geföhnt> *tr* [K] ***jd föhnt sich*** *akk,* [K] ***jd föhnt sich*** *dat/* ***jdm etw*** *akk* etw mit einem Föhn trocknen *sich die Haare ~*

Fol·ge ['fɔlgə] <-, -n> *die* **1.** mehrere Ereignisse derselben Art *eine ~ von Einbrüchen* **2.** TV Fortsetzung *die nächste ~ der Fernsehsendung* **3.** Konsequenz, Ergebnis *Die Sache wird ~n haben., die ~n tragen*

• **fol·gen** ['fɔlgn̩] <folgt, folgte, gefolgt> *itr* <*sein*> **1.** [K] ***jd folgt jdm*** jdm hinterhergehen *Er folgte ihr nach draußen.* **2.** resultieren *Aus seinem Vorgehen folgt ..., Daraus folgt, dass ...* **3.** gehorchen *Der Sohn folgt dem Vater.* **4.** verstehen *Ich konnte der Rede nicht immer folgen.*

• **fol·gen·de(-r, -s)** <-, -> *adj* nächste(-r, -s) *am ~n Tag, auf der ~n Seite;* **im F~n** im Text, der jetzt kommt *Im F~n stelle ich die Gründe dar.*

fol·gen·der·ma·ßen ['fɔlgn̩dɐ'ma:sn̩] *adv* auf folgende Art und Weise *Er beschrieb sein Erlebnis ~: ...*

fol·gern ['fɔlgɐn] <folgert, folgerte, gefolgert> *tr* [K] ***jd folgert etw*** *akk* ***aus etw*** *dat (≈schließen)* einen Schluss aus etw ziehen *aus* *dem Verhalten seiner Gegner etw ~* ***Wobi:*** *Folgerung*

fọlg·sam ['fɔlkzaːm] <folgsamer, folgsamst-> *adj* gehorsam, brav *ein ~es Kind* ***Wobi:*** *Folgsamkeit*

Fo·lie ['foːli̯ə] <-, -n> *die* sehr dünnes, durchsichtiges Material zum Schutz von etw *Würden sie mir die Blumen bitte in ~ einschlagen?, die Reste vom Essen in ~ einpacken* ***Komp:*** *Alu-, Plastik-*

Fọl·ter ['fɔltɐ] <-> *kein pl die* das Foltern *an den Folgen der ~ sterben, die ~ verurteilen;* **jdn auf die ~ spannen** lange damit warten, jdm etw zu erzählen *Nun sag schon und spann mich nicht so auf die ~.*

fọl·tern ['fɔltɐn] <foltert, folterte, gefoltert> *tr* [K] *jd foltert jdn* quälen, jdm körperliche Gewalt antun *jdn ~, um ein Geständnis zu erpressen*

Fon·due [fõ'dyː] <-s, -s> *das* **1.** typisches Schweizer Gericht aus geschmolzenem Käse, Weißwein und Gewürzen, das man mit Brotstückchen an einer Gabel aus dem Topf isst *Freunde zum ~ einladen* **2.** Gericht mit Fleischwürfeln, die man am Tisch in heißem Öl gart *Soßen zum ~ vorbereiten* ***Komp:*** *Fleisch-, Käse-*

fọp·pen ['fɔpn̩] <foppt, foppte, gefoppt> *tr (umg)* [K] *jd foppt jdn* jdm aus Spaß etw Falsches sagen und sich freuen, wenn er es glaubt *Die Kinder foppten den Nachbarn immer wieder.*

• **fọr·dern** ['fɔrdɐn] <fordert, forderte, gefordert> *tr* **1.** [K] *jd fordert etw akk* verlangen *Er forderte sein Recht.* **2.** [K] *etw fordert jdn/etw akk* etw verlangt eine große Leistung/viel Arbeit von jdm *Diese Aufgabe forderte ihn ganz., Diese Arbeit erfordert seine ganze Konzentration.* ***Wobi:*** *Forderung*

fọ̈r·dern ['fœrdɐn] <fördert, förderte, gefördert> *tr* [K] *jd fördert jdn/etw akk* unterstützen *die Talente eines Kindes ~, Der Bürgermeister förderte den Bau des Kindergartens.* ***Wobi:*** *Förderung*

• **Fọrm** [fɔrm] <-, -en> *die* **1.** Umriss, Gestalt *die ~ einer Kugel* **2.** Art und Weise *Könnten Sie mir das bitte in schriftlicher ~ mitteilen?* **3.** Gefäß, das mit weichem Material gefüllt wird, um diesem eine bestimmte Gestalt zu geben *den Teig in die Kuchen~ gießen* **4.** SPORT **in guter ~ sein** Kondition haben *Der Leistungssportler ist in guter ~.*

for·mal [fɔr'maːl] <-, -> *adj* so, dass etw einer festgelegten äußeren Form entspricht *Der Antrag muss ~ richtig sein.* ***Wobi:*** *Formalität*

For·mat [fɔr'maːt] <-(e)s, -e> *das* **1.** Breiten- und Längenverhältnis einer Sache, Größe *das ~ des Papiers* **2.** Niveau, Rang *ein Staatsmann von ~* ***Komp:*** *DIN-A4-*

for·ma·tie·ren [fɔrma'tiːrən] <formatiert, formatierte, formatiert> *tr* DV [K] *jd formatiert etw akk* in eine bestimmte festgelegte Form bringen *Dieser Text muss nicht mehr formatiert werden.* ***Wobi:*** *Formatierung*

Fọrm·blatt <-(e)s, -blätter> *das* amtliches Formular *Für den Antrag müssen Sie noch das ~ ausfüllen.*

Fọr·mel ['fɔrml̩] <-, -n> *die* **1.** CHEM chemische Zusammensetzung eines Stoffes *Wie lautet die ~ für Wasser?* **2.** MATH feststehende Gleichung zur Lösung eines mathematischen Problems *die ~ zur Berechnung des Kreisumfangs* **3.** feste Formulierung z. B. für einen Eid oder beim Zaubern *die ~ nachsprechen* ***Komp:*** *Zauber-*

H_2O

$E = mc^2$

$l' = l \cdot \sqrt{1 - v^2/c^2}$

Formeln

for·mẹll [fɔr'mɛl] <formeller, formellst-> *adj* offiziell *ein ~er An-*

trag

for·men ['fɔrmən] <formt, formte, geformt> *tr* [K] ***jd formt etw*** *akk* gestalten, in eine Form bringen *aus Lehm kleine Figuren ~*

förm·lich ['fœrmlɪç] <förmlicher, förmlichst-> *adj* den Höflichkeitsformen entsprechend, konventionell, steif *sich sehr ~ verabschieden* ***Wobi:*** *Förmlichkeit*

form·los <-, -> *adj* **1.** ohne Gestalt *eine ~e Masse* **2.** ohne vorgeschriebene Form *ein ~er Antrag*

• **For·mu·lar** [fɔrmu'laːɐ̯] <-s, -e> *das* amtliches Papier, auf dem man bestimmte Informationen eintragen muss *ein ~ ausfüllen*

for·mu·lie·ren [fɔrmu'liːrən] <formuliert, formulierte, formuliert> *tr* [K] ***jd formuliert etw*** *akk* sprachlich gestalten *eine Frage anders ~* ***Wobi:*** *Formulierung*

for·schen ['fɔrʃn̩] <forscht, forschte, geforscht> *itr* **1.** suchen *Sie forschte nach ihren wahren Eltern.* **2.** wissenschaftlich arbeiten *Sie forscht im Bereich der Molekularbiologie.* ***Wobi:*** *Forscher(in), Forschung*

• **For·schung** <-, -en> *die* **1.** das Suchen *Die ~ nach der Ursache des Feuers blieb erfolglos.* **2.** das wissenschaftliche Arbeiten *Die ~ in der Gentechnik gerät immer mehr in die öffentliche Diskussion., in der ~ arbeiten*

Förs·ter(in) ['fœrstɐ] <-s, -> *der* Person, die die Planzen und Tierwelt eines Waldes pflegt *Der ~ kontrolliert den Rehbestand.*

• **fort** [fɔrt] *adv* **1.** verschwunden, nicht mehr da *Meine Uhr ist ~.* **2.** weg, woandershin *Ich muss ~., übers Wochenende ~ sein*

fort|be·ste·hen <besteht fort, bestand fort, fortbestanden> *itr* weiter existieren, andauern *Der Verein kann ohne öffentliche Unterstützung nicht ~.*

fort|bil·den <bildet fort, bildete fort, fortgebildet> **I.** *tr* [K] ***jd bildet jdn fort*** weiterbilden *Es ist im Berufsleben zunehmend wichtig sich fortzubilden.* **II.** *refl* [K] ***jd bildet sich*** *akk* ***fort*** als Berufstätiger ein Seminar besuchen, um noch mehr zu lernen *die Chance nutzen, sich fortzubilden* ***Wobi:*** *Fortbildung*

• **fort|fah·ren** <fährt fort, fuhr fort, fortgefahren> *itr* <*sein*> **1.** abreisen, wegfahren *Er setzte sich ins Auto und fuhr fort.* **2.** weitermachen *Er fuhr mit seiner Rede fort., Sie fuhr fort zu arbeiten.*

• **fort|füh·ren** <führt fort, führte fort, fortgeführt> *tr* **1.** [K] ***jd führt jdn fort*** an einen anderen Ort begleiten, wegbringen *den Gefangenen ~* **2.** [K] ***jd führt etw*** *akk* ***fort*** weitermachen *seine Arbeit ~* ***Wobi:*** *Fortführung*

fort·ge·schrit·ten <-, -> *adj* weiterentwickelt, kein Anfänger mehr *eine Krankheit im ~en Stadium, ein ~er Lerner*

fort|pflan·zen <pflanzt fort, pflanzte fort, fortgepflanzt> *refl* BIO [K] ***jd/etw pflanzt sich*** *akk* ***fort*** Kinder zeugen *Menschen und Tiere pflanzen sich fort.* ***Wobi:*** *Fortpflanzung*

• **fort|schi·cken** <schickt fort, schickte fort, fortgeschickt> *tr* [K] ***jd schickt jdn fort*** zum Weggehen auffordern *Er schickte sie im Streit fort.*

fort|schrei·ten <schreitet fort, schritt fort, fortgeschritten> *itr* <*sein*> sich entwickeln, vorankommen *Die Entwicklung der Medizin schreitet weiter fort.*

• **Fort·schritt** ['fɔrtʃrɪt] <-(e)s, -e> *der* **1.** gesellschaftliche Entwicklung *dem ~ dienen* **2.** persönliche Entwicklung *Er macht jeden Tag neue ~e.* ***Wobi:** fortschrittlich*

fort|set·zen <setzt fort, setzte fort, fortgesetzt> *tr* [K] ***jd setzt etw** akk **fort*** weiterhin durchführen, weitermachen *den Versuch ~* ***Wobi:** Fortsetzung*

• **Fo·to** ['fo:to] <-s, -s> *das* Bild, das man mit einer Kamera macht, Kurzform für Fotografie *ein ~ von jdm machen, ~s vom Urlaub zeigen*

Fo·to·ap·pa·rat <-(e)s, -e> *der (≈Kamera)* kleines Handgerät, mit dem man Fotos machen kann *Er nimmt seinen ~ auf jede Reise mit.*

Fo·to·graf(in) [foto'gra:f] <-en, -en> *der* Person, die beruflich fotografiert *Dieser ~ macht besonders gute Fotos.*

Fo·to·gra·fie [fotogra'fi:] <-, -n> *die* Bild, das man mit einer Kamera macht; Foto *Er hat ~n von allen Verwandten.*

• **fo·to·gra·fie·ren** [fotogra'fi:rən] <fotografiert, fotografierte, fotografiert> **I.** *tr* [K] ***jd fotografiert jdn/etw** akk* ein Foto von jdm/etw machen *Sie fotografiert ihren Deutschkurs.* **II.** *itr* Fotos machen *Sie fotografiert gern.*

Fo·to·ko·pie [fotoko'pi:] <-, -n> *die* Vervielfältigung/Verdopplung eines Dokumentes, Bildes o.Ä. mit Hilfe fotomechanischer Belichtung *eine ~ machen* ***Wobi:** fotokopieren, Fotokopierer*

Foul [faul] <-s, -s> *das* SPORT unerlaubte Behinderung des Gegners während eines Spiels *Das ~ am Stürmer wurde mit einer roten Karte bestraft.* ***Wobi:** foulen*

Fracht [fraxt] <-, -en> *die* Ladung *Das Schiff hatte ~ für Südafrika geladen.*

ein Mann im Frack

Frack [frak] <-(e)s, Fräcke> *der* feines Jackett für besondere Anlässe, von Musikern auch als Berufskleidung getragen *zum Ball einen ~ tragen*

• **Fra·ge** ['fra:gə] <-, -n> *die* das Fragen *eine ~ stellen, eine ~ beantworten;* **eine Frage des/der ... sein** verwendet, um eine Voraussetzung zu nennen, die erfüllt sein muss, um etw zu erreichen/zu tun *eine ~ des Geldes, Das ist nur eine ~ der Zeit.;* **in ~ kommen** als Möglichkeit gesehen werden *Dieses Kleid kommt in ~., Das kommt gar nicht in ~!*

• **fra·gen** ['fra:gn̩] <fragt, fragte, gefragt> **I.** *tr* [K] ***jd fragt jdn** [**nach etw** dat]* um Auskunft bitten *jdn nach seinem Namen ~, Darf ich Sie etw ~?* **II.** *refl* [K] ***jd fragt sich** akk, **ob ...*** reflektieren, kritisch prüfen *sich ~, ob man richtig handelt*

Fra·ge·wort <-(e)s, -wörter> *das* LING Pronomen, das eine Frage einleitet, Interrogativpronomen *‚Wer', ‚wie', ‚wo' und ‚was' sind Fragewörter.*

Fra·ge·zei·chen <-s, -> *das* Zeichen am Ende einer Frage *ein ~ setzen*

Frag·ment [fra'gmɛnt] <-(e)s, -e> *das* Bruchstück, übrig gebliebener Teil *~e eines Mosaiks aus dem vierten Jahrhundert* ***Wobi:** fragmentarisch*

frag·wür·dig ['fra:kvʏrdɪç] <fragwürdiger, fragwürdigst-> *adj* **1.** zweifelhaft *Ich halte diese Lösung für ~.* **2.** dubios, seltsam *eine ~e Erscheinung*

Frak·ti·on [frak'tsi̯oːn] <-, -en> *die* alle Abgeordneten einer Partei im Parlament *die liberale ~*

• **Fran·ken** ['fraŋkn̩] <-, -> *der* Geld/Währung der Schweiz *Das kostet 2 ~ und 50 Rappen.*

fraß [fraːs] *prät von* **fressen**

• **Frau** [frau̯] <-, -en> *die* **1.** weibliche Person *eine ~ und zwei Männer* **2.** *(≈Ehefrau)* Ehepartnerin *Meine ~ ist berufstätig.* **3.** Anrede für erwachsene weibliche Personen *Guten Tag, ~ Müller.* ***Komp: -enbewegung***

Fräu·lein ['frɔylai̯n] <-s, -> *das* **1.** veraltet: nicht verheiratete, kinderlose Frau *ein älteres ~* **2.** veraltet: Anrede für eine Verkäuferin, Kellnerin *~, bitte zahlen!*

• **frech** [frɛç] <frecher, frechst-> *adj* unverschämt, respektlos *Sei nicht so ~!* ***Wobi: Frechheit***

• **frei** [frai̯] <freier, frei(e)st-> *adj* **1.** unabhängig *Nach drei Jahren Gefängnis war er ein ~er Mann.* **2.** ohne Arbeit und Pflichten *Ich brauche mehr ~e Zeit für mich., keine ~e Minute haben* **3.** nicht besetzt *ein ~es Zimmer, ein ~es Taxi* **4.** kostenlos *Eintritt ~!* **5.** privat, nicht-staatlich *die ~e Wirtschaft* ***Komp: alkohol-, rezept-***

Frei·bad <-(e)s, -bäder> *das* öffentliches Bad unter freiem Himmel *Das ~ ist nur im Sommer geöffnet.*

frei·be·ruf·lich <-, -> *adj* selbstständig *~ arbeiten*

frei|ge·ben <gibt frei, gab frei, freigegeben> **I.** *tr* [K] ***jd gibt etw*** *akk* ***[für jdn] frei*** den Zugang zu etw/den Verkauf von etw erlauben *Dieser Film ist für Jugendliche ab 16 freigegeben., ein Produkt für den Markt ~, einen Autobahnabschnitt ~* **II.** *itr* [K] ***jd gibt jdm frei*** jdn beurlauben *Sein Chef gab ihm eine Woche frei.*

frei·ge·big ['frai̯geːbɪç] <freigebiger, freigebigst-> *adj (↔geizig)* großzügig, spendabel *Der neue Chef ist sehr ~.* ***Wobi: Freigebigkeit***

frei|hal·ten <hält frei, hielt frei, freigehalten> **I.** *tr* [K] ***jd hält jdm etw*** *akk* ***frei*** reservieren *einen Platz ~* **II.** *refl* [K] ***jd hält sich*** *akk* ***frei von etw*** *dat* vermeiden, aus dem Weg gehen *Er hielt sich frei von Vorurteilen.*

• **Frei·heit** ['frai̯hai̯t] <-, -en> *die* **1.** Unabhängigkeit, Ungebundenheit *sich wieder in ~ befinden* **2.** *meist pl* Möglichkeit, Privileg *Du hast doch alle ~en, was willst du noch?, sich die ~ nehmen, etw zu tun* ***Wobi: freiheitlich***

frei|las·sen <lässt frei, ließ frei, freigelassen> *tr* [K] ***jd lässt jdn frei*** machen, dass jd nicht mehr gefangen ist *Gegen Kaution wurde er freigelassen.*

frei·lich ['frai̯lɪç] *adv* **1.** verwendet, um Zustimmung auszudrücken, natürlich *Ja ~!* **2.** allerdings *Ich ~ bin der Meinung, dass das nicht richtig war.*

frei·mü·tig ['frai̯myːtɪç] <freimütiger, freimütigst-> *adj* offen, ehrlich, direkt *~ seine Meinung äußern*

frei|spre·chen <spricht frei, sprach frei, freigesprochen> *tr* [K] ***jd spricht jdn [von etw*** *dat* ***] frei*** erklären, dass jd unschuldig/unbeteiligt an etw ist *Der Angeklagte wurde wegen erwiesener Unschuld freigesprochen.* ***Wobi: Freispruch***

Frei·tag ['frai̯taːk] <-(e)s, -e> *der* der 5. Tag der Woche *~ ist der*

Fräulein
Mit ‚Fräulein' redete man früher die unverheiratete Frau an. Doch seit den 70er Jahren kämpfte die Frauenbewegung gegen die Diskriminierung durch das grammatisch neutrale Wort ‚das Fräulein'. Heute klingt ‚Fräulein' altmodisch, und man hört und liest als Anrede fast nur noch ‚Frau'.

letzte Arbeitstag in der Woche.

frei·wil·lig ['fraivılıç] <-, -> *adj* aus eigenem Willen, von sich aus *sich ~ melden* ***Wobi: Freiwillige, Freiwilligkeit***

• **Frei·zeit** <-> *kein pl die* arbeitsfreie Zeit *In seiner ~ spielt er gerne Tennis.*

frei·zü·gig <freizügiger, freizügigst-> *adj* **1.** locker *~ mit Geld umgehen* **2.** offen, mit wenig Verboten *eine ~e Erziehung* **3.** sexuell besonders offen *ein ~er Film* ***Wobi: Freizügigkeit***

• **fremd** [frɛmt] <fremder, fremdest-> *adj* **1.** unkundig, von woanders *Ich bin hier ~.* **2.** unbekannt *Er ist mir völlig ~., in ~e Länder reisen* **3.** nicht von einem selbst, von jd anderem *unter einem ~en Namen* ***Wobi: Fremde(r)***

Fremde ['frɛmdə] <-> *kein pl die* ein unbekanntes Land, nicht die Heimat *Als junger Mann zog er in die ~.*

• **Fremd·spra·che** <-, -n> *die* eine andere als die Muttersprache *Sie spricht mehrere ~n.*

Fremd·wort <-(e)s, -wörter> *das* Wort, das aus einer anderen Sprache in die eigene Sprache übernommen wurde *Das Wort ‚Franchising' ist ein ~ im Deutschen.*

• **fres·sen** ['frɛsn̩] <frisst, fraß, gefressen> **I.** *tr* **1.** [K] ***ein Tier frisst etw*** *akk* essen bei Tieren *Hasen ~ gerne Möhren.* **2.** *(umg pej)* [K] ***jd frisst etw*** *akk* gierig/sehr schnell und ohne Manieren essen *Er frisst, als wäre er halb verhungert.* **3.** *(umg)* [K] ***etw frisst etw*** *akk* verbrauchen *Das Auto frisst ziemlich viel Benzin.* **4.** *(umg)* [K] ***jd hat etw*** *akk* ***gefressen*** verstehen, begreifen *Hast du's jetzt endlich gefressen?;* **jdn/etw gefressen haben** *(umg)* nicht mögen, verabscheuen *Diesen Kerl habe ich gefressen.* **II.** *itr* **1.** essen bei Tieren *Unser Hund frisst heute nicht.* **2.** *(umg)* das Essen gierig/sehr schnell hinunterschlingen *Er isst nicht, er frisst.;* **jdm aus der Hand ~** *(umg)* jdm absolut gehorchen *Er frisst ihr aus der Hand.* **III.** *refl* [K] ***etw frisst sich in etw*** *akk* sich hineinbohren, eindringen *Der Bohrer frisst sich in das Holz.*

• **Freu·de** ['frɔydə] <-, -n> *die* Glücksgefühl, Vergnügen *keine ~ am Lesen haben, vor ~ außer sich sein* ***Wobi: freudig***

• **freu·en** ['frɔyən] <freut, freute, gefreut> **I.** *tr* [K] ***etw freut jdn*** glücklich/zufrieden machen *Das freut mich., Es würde mich ~, wenn ...* **II.** *refl* **1.** [K] ***jd freut sich*** *akk* ***über etw*** *akk* glücklich und zufrieden über etw sein *Ich habe mich riesig über dein Geschenk gefreut.* **2.** [K] ***jd freut sich*** *akk* ***auf jdn/etw*** *akk* mit dem Gefühl der Freude auf jdn/etw warten *Ich freue mich auf Weihnachten.*

• **Freund** ['frɔynt] <-(e)s, -e> *der* **1.** Person, die man gut kennt und sehr mag *Die beiden sind seit ihrer Schulzeit dicke ~e.* **2.** Partner *Hast du einen ~?* **3.** Anhänger, Fan *Er ist kein ~ dieser Kunst., Ich bin kein ~ von Traurigkeit., Ich bin kein ~ vieler Worte.*

• **freund·lich** ['frɔyntlıç] <freundlicher, freundlichst-> *adj* **1.** sehr nett und höflich zu anderen *ein ~er alter Herr* **2.** ohne Regen, sonnig, angenehm *~es Wetter*

Freund·lich·keit <-> *kein pl die* Liebenswürdigkeit, das Freundlichsein *Hätten Sie bitte die ~, mir zu helfen?*

• **Freund·schaft** <-, -en> *die* Beziehung zu einem Menschen, den man gut kennt und mag *~ schließen* ***Wobi: freundschaftlich***

- **Frie·de(n)** ['friːdə ('friːdn̩)] <-ns (-s)> *kein pl der* **1.** der Zustand, dass kein Krieg herrscht *Zwischen den beiden Ländern herrscht ~.* **2.** Ruhe *Der Abend war erfüllt von ~n.*

fried·fer·tig <friedfertiger, friedfertigst-> *adj* friedlich, nicht aggressiv *ein ~er Mensch*

Fried·hof ['friːthoːf] <-(e)s, -höfe> *der* spezieller Ort, wo Tote begraben werden *Die Toten werden auf dem ~ beerdigt.*

fried·lich ['friːtlɪç] <friedlicher, friedlichst-> *adj* ruhig, still *ein ~er Abend, ein ~er Mensch*

- **frie·ren** ['friːrən] <friert, fror, gefroren> *itr* sich vor Kälte unwohl fühlen *Ich friere.;* **es friert** es ist unter Null Grad *In der Nacht hat es gefroren.*

- **Fri·ka·del·le** [frika'dɛlə] <-, -n> *die (= ÖSTERR Fleischlaiberl)* Gericht aus gebratenem Hackfleisch *Es gibt ~n.*

- **frisch** [frɪʃ] <frischer, frischest-> *adj* **1.** gerade erst hergestellt, gepflückt etc. *Der Kuchen ist ~ aus dem Ofen., Die Gardinen sind ~ gewaschen., ~es Obst* **2.** gut *Nach dem Urlaub war er ~ erholt.* **3.** kühl *ein ~er Wind, Zieh eine Jacke an, es ist ganz schön ~ heute.* ***Wobi: Frische***

- **Fri·seur(in)** [fri'zøːɐ̯] <-s, -e> *der* Person, die beruflich anderen Menschen die Haare schneidet *Meine Haare sind zu lang, ich muss mal wieder zum ~.*

fri·sie·ren [fri'ziːrən] <frisiert, frisierte, frisiert> **I.** *tr* **1.** [K] ***jd frisiert jdn/jdm etw*** *akk* die Haare zu einer Frisur kämmen *Sie frisiert ihn., Sie frisierte ihm die Haare.* **2.** *(umg)* [K] ***jd frisiert etw*** *akk* manipulieren *die Bilanz ~* **3.** *(umg)* die Leistung eines Fahrzeugs erhöhen *ein Mofa ~* **II.** *refl* [K] ***jd frisiert sich*** *akk* sich die Haare zu einer Frisur kämmen *Sie frisierte sich.*

Frist [frɪst] <-, -en> *die* Zeitpunkt, bis zu dem etw erledigt sein muss *die ~ verstreichen lassen, eine ~ einhalten/versäumen, jdm eine ~ von sieben Tagen geben* ***Wobi: fristgerecht, fristlos***

fris·ten ['frɪstn̩] <fristet, fristete, gefristet> *tr* [K] ***jd fristet etw*** *akk* schlecht verbringen *sein Dasein ~, sein Leben kümmerlich ~*

- **froh** [froː] <froher, frohest-> *adj* **1.** dankbar, glücklich *Sie war ~, als er endlich anrief.* **2.** erfreulich *eine ~e Botschaft*

- **fröh·lich** ['frøːlɪç] <fröhlicher, fröhlichst-> *adj* sorgenlos, zufrieden und lebendig *Er ist ein ~er Mensch, der gerne lacht.* ***Wobi: Fröhlichkeit***

fromm [frɔm] <frommer/frömmer, frommst-/frömmst-> *adj* gläubig *Der Pfarrer war ein ~er Mann.* ***Komp: lamm-***

Front [frɔnt] <-, -en> *die* **1.** Vorderseite *Er schaute sich die ~ des Hauses an.* **2.** vorderste Kampflinie *Als Soldat kämpfte er an der ~.;* **die ~en wechseln** die Meinung seines bisherigen Gegners annehmen *Nach der Wahl hat der Politiker plötzlich die ~en gewechselt.;* **klare ~en schaffen** laut sagen, dass man eine andere Meinung hat *Hier müssen klare ~en geschaffen werden.*

fron·tal [frɔn'taːl] <-, -> *adj* **1.** direkt von vorn kommend *ein ~er Angriff* **2.** direkt aufeinander zu *Die beiden Autos stießen ~ zusammen.*

fror [froːɐ̯] *prät von* **frieren**

Frosch [frɔʃ] <-(e)s, Frösche> *der* **1.** kleines Tier, das laut quakt

Frosch

Hörst du die Frösche im Teich? **2.** *(umg)* jd, der keine Lust hat, bei etw mitzumachen, Spielverderber *Komm, sei kein ~!*

Frost [frɔst] <-(e)s, Fröste> *der* Temperaturen unter null Grad Celsius *strenger (eisiger) ~* ***Komp:** -beule, Boden-*

fros·tig ['frɔstɪç] <frostiger, frostigst-> *adj* **1.** eisig, sehr kalt *eine ~e Nacht* **2.** kalt, abweisend *ein ~es Lächeln, ein ~er Empfang*

Frucht [frʊxt] <-, Früchte> *die* der Teil einer Pflanze, den man meistens essen kann *Erdbeeren und Kirschen sind essbare Früchte.* ***Wobi:** fruchtbar, Fruchtbarkeit, fruchtlos* ***Komp:** -saft*

• **früh** [fry:] <früher, früh(e)st-> **I.** *adj* am Anfang befindlich, noch nicht weit fortgeschritten *am ~en Nachmittag, in ~er Jugend, seit meiner ~esten Kindheit* **II.** *adv* **1.** am Anfang des Tages *heute ~, Sonntag ~* **2.** in der Kindheit oder Jugend *Schon ~ lernte er zu malen.;* **zu** ~ vor der Zeit, zu der etw geschehen soll *Der Bus ist heute zu ~ abgefahren.* ***Wobi:** Frühe*

• **frü·her** ['fry:ɐ] *adv* in einer Zeit, die lange vorbei ist, damals *Ich habe ihn ~ einmal besser gekannt., Es ist alles noch genau wie ~.*

• **frü·her(-e, -es)** ['fry:ɐ] *adj* eher, zeitlich vor etw anderem *mein ~er Nachbar*

Früh·jahr ['fry:ja:ɐ̯] <-(e)s, -e> *das siehe* **Frühling**

Früh·ling ['fry:lɪŋ] <-s, -e> *der (≈Frühjahr)* Jahreszeit zwischen Winter und Sommer *Der ~ ist für viele Menschen die schönste Jahreszeit.*

• **Früh·stück** ['fry:ʃtʏk] <-s, -e> *das (=* CH *Morgenessen)* erste Mahlzeit am Morgen *Übernachtung und ~ für 50 Euro., Sollen wir Eier zum ~ essen?* ***Wobi:** frühstücken*

Frust [frʊst] <-(e)s> *kein pl der (umg)* Gefühl der Enttäuschung, Traurigkeit *Ihn packte der ~.*

Fuchs [fʊks] <-es, Füchse> *der* **1.** kleines rötliches Raubtier mit langem Schwanz, das in Höhlen lebt *Der ~ hat sich zwei Hühner geholt.* **2.** intelligenter Mensch *ein schlauer ~*

fuch·teln ['fʊxtl̩n] <fuchtelt, fuchtelte, gefuchtelt> *itr (umg)* mit etw in der Luft hin- und herschlagen *mit den Händen ~*

füg·sam ['fy:kza:m] <fügsamer, fügsamst-> *adj* gehorsam, brav *ein ~es Kind*

Fü·gung <-, -en> *die* positives Ereignis, das durch göttliche/übernatürliche Kräfte geschieht *eine ~ des Schicksals*

• **füh·len** ['fy:lən] <fühlt, fühlte, gefühlt> **I.** *tr* [K] ***jd fühlt etw*** *akk* spüren, ertasten *seinen Puls ~* **II.** *refl* [K] ***jd fühlt sich*** *akk* ***irgendwie*** etw empfinden, spüren *sich krank ~, sich gut ~* **III.** *itr* nach etw tasten *Er fühlte in seiner Tasche nach den Schlüsseln.*

fuhr [fu:ɐ̯] *prät von* **fahren**

• **füh·ren** ['fy:rən] <führt, führte, geführt> **I.** *tr* **1.** [K] ***jd führt jdn*** bringen, begleiten *Er führte seine alte Mutter zum Ausgang.* **2.** im Sortiment haben, verkaufen *Dieses Produkt ~ wir leider nicht.* **3.** leiten *Der Major führte die Truppe.* **II.** *itr* **1.** bewirken, einen Zweck haben *Das führt doch zu nichts!* **2.** SPORT an der Spitze/Erster sein *Er führte mit drei Sekunden Vorsprung.* **3.** [K] ***etw führt irgendwohin*** bis irgendwohin gehen/reichen *Der Weg hier führt in den Wald.*

Füh·rer ['fy:rɐ] <-s, -> *der* **1.** Person, die Reisegruppen begleitet; Reiseführer *Unser ~ erzählte interessante Geschichten über Land und*

Leute. **2.** Buch, in dem ein Reiseland detailliert beschrieben wird *Sie verreiste nie ohne ~.* **3.** Leiter einer Organisation oder Bewegung *Der Gewerkschafts~ spricht mit den Arbeitgebern.* **4.** HIST POL in faschistischer Tradition selbst geschaffener Titel Adolf Hitlers *Adolf Hitler wurde von den Nationalsozialisten ~ genannt.*

• **Füh·rer·aus·weis** <-es, -e> *der* (CH) *siehe* **Führerschein**

• **Füh·rer·schein** <-s, -e> *der* KFZ Dokument, das einem erlaubt, z.B. ein Auto zu fahren *den ~ machen/verlieren* ***Komp: Auto-, LKW-, Motorrad-, PKW-***

• **Füh·rung** <-, (-en)> *die* **1.** das Leiten *die ~ der Projektgruppe übernehmen* **2.** Management, leitende Personen einer Firma *Die ~ des Konzerns beschloss einen Richtungswechsel.* **3.** Besichtigung mit einer Person, die alles erklärt *Er nahm an einer ~ durch das Schloss teil.* **4.** SPORT erster einer Tabelle sein, die beste Position in einem Wettberwerb haben *die ~ übernehmen, in ~ gehen/liegen* ***Komp: -sschicht, Tabellen-***

fül·len ['fʏlən] <**füllt, füllte, gefüllt**> **I.** *tr* [K] ***jd füllt etw*** *akk* etw voll machen *eine Gans mit Äpfeln und Nüssen ~, einen Zahn ~, eine Lücke ~, etw in Flaschen ~* **II.** *refl* [K] ***etw füllt sich*** *akk* ***mit etw*** *dat* voll werden *Der Saal füllte sich., Ihre Augen füllten sich mit Tränen.*

Fül·ler ['fʏlɐ] <-s, -> *der* Kurzwort für Füllfederhalter; Stift, der mit Tinte schreibt *das Dokument mit einem ~ unterschreiben*

Füller

Fül·lung <-, -en> *die* Masse, die man in einen Hohlraum hineintut, um diesen auszufüllen *Die ~ der Weihnachtsgans besteht aus Äpfeln und Nüssen.*

Fund [fʊnt] <-(e)s, (-e)> *der* **1.** das Finden, das Entdecken *Der ~ des Schatzes war eine Sensation.* **2.** gefundene Sache *einen ~ machen, Worum handelt es sich bei diesem ~?*

fun·da·men·tal [fʊndamɛn'ta:l] <**fundamentaler, fundamentalst-**> *adj* grundlegend, sehr wichtig *eine ~e Erkenntnis*

• **Fund·bü·ro** <-s, -s> *das* offizielle Sammelstelle, in der gefundene Sachen abgegeben werden *den gefundenen Ring ins ~ bringen*

fun·diert <**fundierter, fundiertest-**> *adj* gründlich, genau *Das war ein ~er Vortrag., ~es Wissen*

Fünf [fʏnf] <-, -en> *die* **1.** *(≈Fünfer)* die Ziffer 5 *Die ~ an der Hauswand kann man schlecht lesen.* **2.** zweitschlechteste Note im deutschen Schulsystem *Er hat eine ~ in Mathe.*

• **fünf** [fʏnf] *num* die Zahl 5 *Eine Hand hat ~ Finger.*

Fün·fer ['fʏnfɐ] <-s, -> *der* **1.** *(umg)* Fünfmarkstück oder -schein *Kannst du mir mal einen ~ leihen?* **2.** Ziffer 5 *Den ~ an der Hauswand kann man schlecht lesen.* **3.** zweitschlechteste Note im deutschen Schulsystem *Er hatte einen ~ in Mathe.*

Fünf·tel ['fʏnftl̩] <-s, -> *das* fünfter Teil *Ein ~ von 100 ist 20.*

fun·keln ['fʊŋkl̩n] <**funkelt, funkelte, gefunkelt**> *itr* glitzern, Licht reflektieren *In klaren Nächten ~ die Sterne., Seine Augen funkelten vor Zorn.*

Fun·ke(n) ['fʊŋk(n̩)] <-ns, -n (-s, -)> *der* **1.** kleines, glühendes Teilchen *Der brennende Holzbalken sprühte lauter ~n.* **2.** sehr kleine Menge *Er hat nicht einen ~n Verstand., kein ~n Hoffnung*

fun·ken ['fʊŋkn̩] <**funkt, funkte, gefunkt**> **I.** *tr* [K] ***jd funkt***

[*jdm*] ***etw*** *akk* senden, telegrafieren *Er funkte die Nachricht ins Hauptquartier.* **II.** *itr* senden, telegrafieren *Er funkte Tag und Nacht.;* **es hat** [**bei jdm**] **gefunkt** *(umg)* jd hat nach längerer Zeit etw verstanden *Na, hat es endlich gefunkt?;* **es hat** [**zwischen zwei Personen**] **gefunkt** *(umg)* zwei Personen haben sich ineinander verliebt *Kaum hatten die beiden sich gesehen, da hat es auch schon gefunkt.*

Fun·ker(in) <-s, -> *der* jd, der ein Funkgerät bedient *Der ~ sollte die Nachricht ins Hauptquartier senden.*

Funk·ti·on [fʊŋk'ts̮i̯o:n] <-, -en> *die* **1.** regelmäßige Arbeit einer Maschine, Tätigkeit *etw außer ~ setzen* **2.** Amt, Stellung, Aufgabe *eine ~ übernehmen* **3.** Sinn, Zweck *Welche ~ hat dieses Wort?* ***Wobi:*** *funktional*

funk·ti·o·nie·ren [fʊŋkts̮i̯o'ni:rən] <funktioniert, funktionierte, funktioniert> *itr* **1.** gehen, laufen (z. B. ein technisches Gerät) *Wie funktioniert diese Kaffeemaschine?* **2.** gelingen, gut gehen *Die Zusammenarbeit zwischen uns funktioniert gut.*

• **für** [fy:ɐ̯] *präp* **1.** +*akk* verwendet, um das Ziel oder den Zweck anzugeben *~ bessere Arbeitsbedingungen kämpfen, Die Blumen sind ~ dich.* **2.** +*akk* verwendet, um einen Grund anzugeben *sich ~ seine Verspätung entschuldigen* **3.** +*akk* verwendet, um auszudrücken, dass man etw Bestimmtes glaubt oder meint *jdn ~ tot halten, etw ~ sinnvoll halten/erachten* **4.** +*akk* verwendet, um eine Zeitspanne anzugeben *~ einige Wochen verreisen* **5.** +*akk* verwendet, um eine Wiederholung auszudrücken *Tag ~ Tag, Wort ~ Wort* **6.** statt *Dann komme ich ~ ihn.* **7.** verwendet, um einen Gegensatz auszudrücken *F~ sein Alter ist er schon sehr groß.* **8.** im Tausch gegen *das Auto ~ 500 Euro bekommen*

Furcht [fʊrçt] <-> *kein pl die* Angst; Gefühl, das man vor einer drohenden Gefahr hat *~ haben* ***Wobi:*** *furchtlos*

• **furcht·bar** <furchtbarer, furchtbarst-> *adj (≈fürchterlich)* schrecklich, sehr schlimm *ein ~es Unglück*

• **fürch·ten** ['fʏrçtn̩] <fürchtet, fürchtete, gefürchtet> **I.** *tr* [K] ***jd fürchtet jdn/etw*** *akk* Angst vor jdm/etw haben *die Strafe des Vaters ~;* [K] ***jd fürchtet etw*** *akk* das Gefühl haben, dass etw Bestimmtes (meist Negatives) geschieht *Ich fürchte, ich habe mich erkältet.* **II.** *itr* Angst haben, das man etw verliert *um sein Leben ~* **III.** *refl* [K] ***jd fürchtet sich*** *akk* [***vor jdm/etw*** *dat*] Angst empfinden (vor jdm/etw) *sich vor der Dunkelheit ~*

fürch·ter·lich <fürchterlicher, fürchterlichst-> *adj* schrecklich, furchtbar *ein ~er Abend*

für·ei·nan·der [fy:ɐ̯ʔai̯'nandɐ] *adv* einer für den anderen *Die beiden waren ~ bestimmt.*

Für·sor·ge ['fy:ɐ̯zɔrgə] <-> *kein pl die* **1.** Betreuung, Pflege *Ihre ~ für die Kranken war vorbildlich.* **2.** Sozialhilfe *Er hatte keine Arbeit und lebte von der ~.* ***Wobi:*** *fürsorglich*

Fu·si·on [fu'zi̯o:n] <-, -en> *die* **1.** PHYS CHEM Verschmelzung unterschiedlicher Substanzen zu einer neuen *die ~ der Atomkerne* **2.** Zusammenschluss mehrerer Unternehmen *Die ~ der beiden Firmen erregte Aufsehen.* ***Wobi:*** *fusionieren*

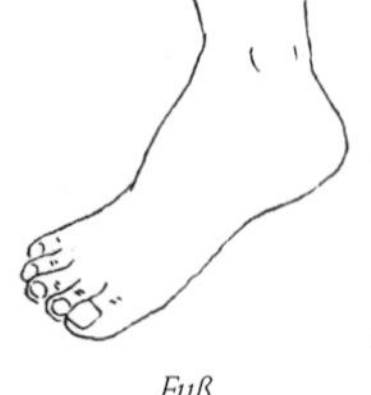

Fuß

• **Fuß** [fu:s] <-es, Füße> *der* **1.** ANAT Teil des Beines, auf dem man steht und mit dem man läuft *einen ~ nach dem anderen aufsetzen* **2.**

unterster Teil, auf dem z. B. ein Schrank oder Sessel steht *Dieser Sessel hat vier Füße.;* **jdm auf die Füße treten** *(umg)* jdn kränken/beleidigen *Er ist durch seine Art schon manchem auf die Füße getreten.;* **kalte Füße bekommen** *(umg)* Angst bekommen *Bei dem Gedanken an das Projekt bekam er kalte Füße.;* **auf eigenen Füßen stehen** selbstständig sein *Mit der Wohnung und dem neuen Job stand er endlich auf eigenen Füßen.;* **auf großem ~(e) leben** *(umg)* luxuriös leben *Er lebte auf großem ~.;* **mit jdm auf gutem ~(e) stehen** *(umg)* sich gut mit jdm verstehen *Der Lehrer stand mit dem Dirketor der Schule auf gutem ~e.;* **zu ~ gehen** sich mit den Füßen fortbewegen *Ich möchte nicht mit dem Bus fahren. Ich gehe lieber zu ~.*
Wobi: *-abdruck, -schweiß, -sohle, -weg*

- **Fuß·ball** ['fu:sbal] <-(e)s, -bälle> *der* **1.** Ball aus Leder zum Fußballspielen *Der Stürmer schoss den ~ direkt ins gegnerische Tor.* **2.** SPORT Kurzform von Fußballspielen *~ ist ein beliebter Sport., ~ spielen* ***Komp:*** *-mannschaft, -platz, -spiel, -spieler*

Fuß·bo·den <-s, -böden> *der* der Teil eines Raumes, auf dem man steht *den ~ mit Teppich auslegen* ***Komp:*** *-heizung*

- **Fuß·gän·ger(in)** <-s, -> *der* jd, der zu Fuß geht *Der Park war voller ~.* ***Komp:*** *-überweg, -unterführung*
- **Fuß·gän·ger·zo·ne** <-, -n> *die* Straße, in der keine Autos und andere Fahrzeuge fahren dürfen *Die Stadt hat eine breite ~.*

Fuß·no·te <-, -n> *die* Anmerkung/Erklärung zu einem Text, die am unteren Rand der Seite extra steht *Wissenschaftliche Texte haben oft viele ~n.*

Fụt·ter[1] ['fʊtɐ] <-s> *kein pl das* Nahrung für Tiere *Sie gibt den Hunden ~.*

Fụt·ter[2] ['fʊtɐ] <-s, -> *das* Stoff, der von innen in ein Kleidungsstück genäht wird *ein farblich passendes ~*

fụ̈t·tern ['fʏtɐn] <füttert, fütterte, gefüttert> *tr* **1.** [K] *jd füttert jdn/ein Tier akk* Nahrung geben *Die Mutter füttert ihr Kind., Das Mädchen fütterte den Hund.* **2.** [K] *jd füttert etw akk [mit etw dat]* einen (oft wärmenden) Stoff von innen an ein Kleidungsstück nähen *ein gefütterter Mantel*

Fu·tur [fu'tu:ɐ] <-/-s> *kein pl das* LING Zeitform, mit der man etw in der Zukunft oder eine Vermutung ausdrückt *das ~ der lateinischen Verben üben*

G

G, g [geː] <-, -> *das* der 7. Buchstabe des Alphabets *Das Wort ‚gehen' beginnt mit dem Buchstaben ~.*

gab [gaːp] *prät von* **geben**

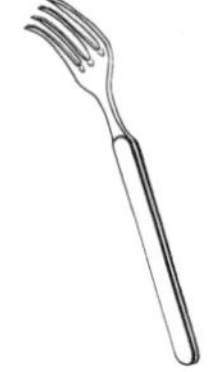

Gabel

- **Ga·bel** ['gaːbl̩] <-, -n> *die* Gerät zum Essen *mit Messer und ~ essen*

galt [galt] *prät von* **gelten**

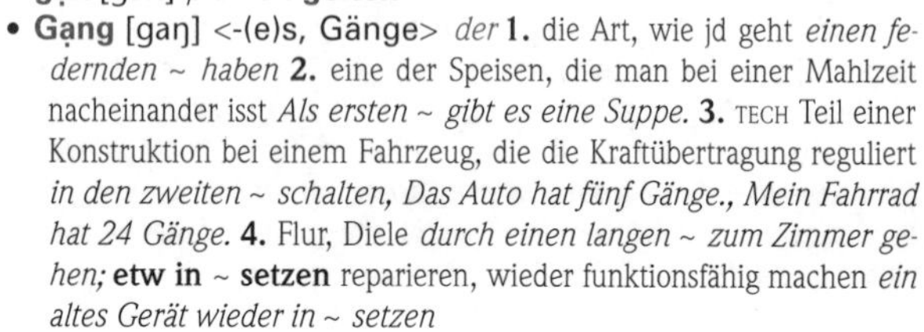

- **Gang** [gaŋ] <-(e)s, Gänge> *der* **1.** die Art, wie jd geht *einen federnden ~ haben* **2.** eine der Speisen, die man bei einer Mahlzeit nacheinander isst *Als ersten ~ gibt es eine Suppe.* **3.** TECH Teil einer Konstruktion bei einem Fahrzeug, die die Kraftübertragung reguliert *in den zweiten ~ schalten, Das Auto hat fünf Gänge., Mein Fahrrad hat 24 Gänge.* **4.** Flur, Diele *durch einen langen ~ zum Zimmer gehen;* **etw in ~ setzen** reparieren, wieder funktionsfähig machen *ein altes Gerät wieder in ~ setzen*

Gans [gans] <-, Gänse> *die* ein großer Vogel mit langem Hals und weißen Federn, den es oft auf dem Bauernhof gibt *Die Gänse schnattern.* ***Komp: Gänsebraten***

- **ganz** [gants] <-, -> **I.** *adj* **1.** vollständig, von Anfang bis Ende *den ~en Tag in der Schule sein* **2.** *(umg)* nicht kaputt, heil *etw wieder ~ machen* **II.** *adv* völlig, sehr *~ müde sein;* ~ **jds Meinung sein** die gleiche Meinung haben *Da bin ich ~ deiner Meinung.;* **im Großen und G~en** in den wesentlichen Punkten *Im Großen und G~en verstehen wir uns.*
- **gar**[1] [gaːɐ̯] <-, -> *adj (↔roh)* so, dass die Speisen fertig gekocht sind *die Kartoffeln ~ kochen*
- **gar**[2] [gaːɐ̯] *adv* überhaupt *Ich bin dir ~ nicht böse., Es fällt ihr ~ nichts Neues ein.*
- **Ga·ra·ge** [ga'raːʒə] <-, -n> *die* der Raum, in den man das Auto stellt *das Auto in die ~ fahren*
- **Ga·ran·tie** [garan'tiː] <-, -n> *die* begrenzte Zeit, in der eine Firma die Kosten übernimmt, wenn ein Produkt, das sie hergestellt hat, repariert werden muss *Hat dein Fernseher noch ~?, sechs Monate ~ haben*
- **Gar·de·ro·be** [gardə'roːbə] <-, -n> *die* **1.** Raum, wo man Hut, Mantel etc. abgeben kann *im Theater den Mantel an der ~ abgeben* **2.** Möbelstück für Mäntel, Jacken, Hüte etc. *Gib mir deinen Mantel, ich hänge ihn an die ~!* **3.** Kleidung *eine elegante ~ haben*

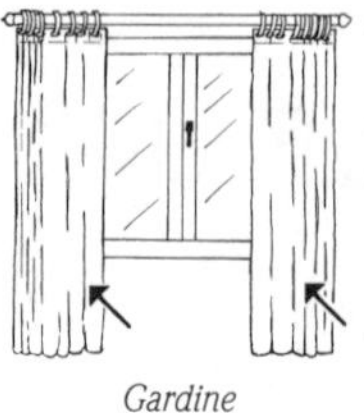

Gardine

- **Gar·di·ne** [gar'diːnə] <-, -n> *die* Stück Stoff, das man vor das Fenster hängt *die ~n aufziehen/zuziehen*
- **Gar·ten** ['gartn̩] <-s, Gärten> *der* Stück Land direkt an einem Haus, auf dem Rasen und Blumen wachsen und oft auch Obst und Gemüse angepflanzt wird *in den ~ gehen, einen ~ anlegen* ***Komp: -arbeit, -bau, -tor, -zaun, Gemüse-, Obst-, Schreber-, Zier-***
- **Gas** [gaːs] <-es, -e> *das* **1.** eine Substanz, die nicht fest und nicht flüssig ist *~ tritt aus/entsteht/explodiert/ist giftig.* **2.** Brennstoff zum Heizen und Kochen *mit ~ kochen, das ~ andrehen;* ~ **geben** beim

Fahren die Geschwindigkeit erhöhen *auf der Autobahn ~ geben;* ~ **wegnehmen** langsamer fahren *wegen der roten Ampel das ~ wegnehmen* ***Komp:*** *-hahn, -heizung, -herd, -leitung, Ab-, Edel-, Erd-, Gift-, Tränen-*

Gas·se ['gasə] <-, -n> *die* kleine, enge Straße *in einer schmalen ~ wohnen*

• **Gast** [gast] <-es, Gäste> *der* **1.** Person, die zu Besuch kommt/ist *bei Freunden zu ~ sein* **2.** Kunde in einem Café/Restaurant *Der ~ hat sich beschwert.* ***Komp:*** *-hof, -hörer*

Gast·ar·bei·ter(in) <-s, -> *der* Arbeiter, der im Ausland arbeitet *als ~ nach Deutschland kommen*

• **Gast·freund·schaft** <-> *kein pl die* Kultur, dass man gern Besuch empfängt *Man trifft überall auf ~.* ***Wobi:*** *gastfreundlich*

Gast·ge·ber(in) <-s, -> *der* jd, der Besuch einlädt oder bekommt *ein aufmerksamer ~ sein*

Gast·haus <-es, -häuser> *das* Ort, wo man gegen Bezahlung Essen/Getränke bekommt und manchmal auch übernachten kann *auf der Wanderung in einem ~ essen*

Ge·bäck [gə'bɛk] <-(e)s> *kein pl das* Kekse und Plätzchen *den Gästen ~ und Tee anbieten*

ge·back·en *part perf von* **backen**

ge·bar [gə'ba:ɐ̯] *prät von* **gebären**

• **ge·bä·ren** [gə'bɛ:rən] <gebärt, gebar, geboren> *tr* K ***jd gebärt jdn*** zur Welt bringen *einen Sohn/eine Tochter ~, Ich wurde 1964 geboren.*

• **Ge·bäu·de** [gə'bɔydə] <-s, -> *das* großes Haus *ein großes ~ betreten* ***Komp:*** *-komplex*

• **ge·ben** ['ge:bn̩] <gibt, gab, gegeben> *tr* K ***jd gibt jdm etw akk*** in die Hand legen *dem Freund ein Geschenk ~;* **Was gibt's?** Was gibt es zu essen? *Was gibt es heute in der Mensa?;* **Das gibt's doch nicht!** Ausruf, um Ungläubigkeit/Überraschung auszudrücken *Das gibt's doch nicht! Was machst du denn hier?*

Ge·bet [gə'be:t] <-(e)s, -e> *das* das Beten *ein ~ sprechen* ***Komp:*** *Abend- , Morgen-, -steppich*

ge·be·ten [gə'be:tn̩] *part perf von* **bitten**

• **Ge·biet** [gə'bi:t] <-(e)s, -e> *das* **1.** Stück Land *ein ~ mit viel Landwirtschaft* **2.** Fach *sich auf dem ~ der Astronomie gut auskennen* ***Komp:*** *Arbeits-, Fach-, Staats-*

ge·bil·det I. *part perf von* **bilden II.** *adj* so, dass man viel weiß *eine ~e Person*

• **Ge·bir·ge** [gə'bɪrgə] <-s, -> *das* Gebiet mit Bergen und Tälern *Die Alpen sind ein ~.* ***Komp:*** *Hoch-, Mittel-*

ge·bir·gig [gəbɪrgɪç] <gebirgiger, gebirgigst-> *adj* mit vielen Bergen *Hier ist es sehr ~.*

Ge·biss [gə'bɪs] <-es, -e> *das* alle Zähne eines Menschen/Tieres *ein gutes ~ haben, künstliches ~*

ge·bis·sen [gəbɪsn̩] *part perf von* **beißen**

ge·bla·sen *part perf von* **blasen**

ge·blie·ben [gəbli:bn̩] *part perf von* **bleiben**

ge·blümt [gə'bly:mt] <-, -> *adj* mit einem Blumenmuster verziert *ein ~es Kleid*

Gastarbeiter
In den fünfziger Jahren gab es zur Zeit des so genannten ‚Wirtschaftswunders' nicht genügend Arbeitskräfte. Deshalb suchte man Gastarbeiter aus anderen Ländern. (z.B. aus der Türkei und Italien). Sie kamen, um für eine bestimmte Zeit in Deutschland, Österreich oder der Schweiz zu arbeiten. Viele von ihnen sind mit ihren Familien bis heute geblieben.

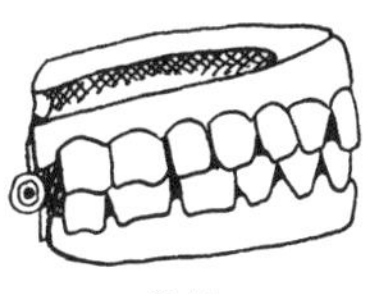

Gebiss

ge·bo·gen [gə'boːgn̩] *part perf von* **biegen**

• **ge·bo·ren** [gə'boːrən] **I.** *part perf von* **gebären** **II.** *adj* **1.** *(≈gebürtig)* verwendet, um anzugeben, unter welchem Namen eine verheiratete Person geboren wurde *Frau Huber, ~e Wagner, Sie ist eine ~e Bloch.* **2.** *(≈gebürtig)* verwendet, um auszudrücken, dass jd an dem genannten Ort geboren wurde *eine ~e Münchnerin* **3.** besonders fähig/talentiert sein, etw zu tun *der ~e Lehrer sein*

ge·bor·gen [gə'bɔrgn̩] *adj* sicher *sich in der Familie ~ fühlen*

ge·bo·ten [gə'boːtn̩] *part perf von* **bieten**

ge·bracht [gə'braxt] *part perf von* **bringen**

ge·brannt [gə'brant] *part perf von* **brennen**

ge·bra·ten *part perf von* **braten**

Ge·brauch <-(e)s, -bräuche> *der* Anwendung, Benutzung *ein Gerät schon lange in ~ haben, von etw ~ machen*

• **ge·brau·chen** [gə'brauxn̩] <gebraucht, gebrauchte, gebraucht> *tr* K ***jd gebraucht etw*** *akk* benutzen *ein Gerät regelmäßig ~, nicht mehr zu ~ sein*

• **Ge·brauchs·an·lei·tung** <-, -en> *die* (CH, ÖSTERR) *siehe* **Gebrauchsanweisung**

• **Ge·brauchs·an·wei·sung** <-, -en> *die* schriftliche Erklärung, wie ein Gerät zu verwenden ist *vor Gebrauch die ~ genau lesen*

• **ge·braucht** **I.** *part perf von* **brauchen** **II.** *adj* bereits benutzt *ein ~es Auto kaufen*

ge·bro·chen [gə'brɔxn̩] **I.** *part perf von* **brechen** **II.** *adj* so, dass man eine Sprache nicht fließend und mit einem ausländischen Akzent spricht *nur ~ Deutsch sprechen*

• **Ge·bühr** [gə'byːɐ] <-, -en> *die* Geldsumme, die man für etw zahlen muss *die ~ erhöhen, etw gegen eine geringe ~ bekommen* ***Komp:*** *Kurs-*

ge·bun·den [gə'bʊndn̩] **I.** *part perf von* **binden** **II.** *adj* **an etw ~ sein** sich an etw halten müssen *Ich bin vertraglich ~.*

• **Ge·burt** [gə'buːɐt] <-, -en> *die* der Vorgang, bei dem ein Baby aus dem Körper der Mutter kommt *eine schwere ~* ***Komp:*** *-sdatum, -sjahr, -sort*

ge·bür·tig [gə'byrtɪç] <-, -> *adj (≈geboren)* verwendet, um auszudrücken, dass jd an dem genannten Ort geboren wurde *ein ~er Wiener*

• **Ge·burts·na·me** <-n, -n> *der* Nachname, den man bei der Geburt bekommt und den besonders Frauen bei der Heirat ablegen *Ihr ~ ist Schulz.*

• **Ge·burts·tag** <-(e)s, -e> *der* Jahrestag des Tages, an dem man zur Welt gekommen ist *seinen 60. ~ feiern, Herzlichen Glückwunsch zum ~!* ***Komp:*** *-sfeier, -sfest*

ge·dacht [gə'daxt] *part perf von* **denken**

• **Ge·dan·ke** [gə'daŋkə] <-ns, -n> *der* geistige Vorstellung, Idee *sich über etw ~n machen;* **auf andere ~n kommen** sich ablenken *Beim Treffen mit Freunden komme ich auf andere ~n.*

Ge·dan·ken·aus·tausch <-(e)s> *kein pl der* Gespräch über die eigenen Vorstellungen und Meinungen *sich mit jdm zu einem ~ treffen*

ge·dei·hen [gə'daiən] <gedeiht, gedieh, gediehen> *itr* <sein> sich gut entwickeln *Die Pflanzen ~ prächtig., Das Unternehmen ge-*

Geburtstag
Zum Geburtstag wünscht man „Alles Gute zum Geburtstag!“ oder „Herzlichen Glückwunsch zum Geburtstag!“. Man singt „Hoch soll er/sie leben!“ oder „Happy birthday to you!“ bzw. mit der gleichen Melodie „Zum Geburtstag viel Glück!“. Wenn man zum Geburtstag eingeladen ist, bringt man ein Geschenk mit.

deiht gut.

ge·den·ken <gedacht, gedachte, gedacht> *itr* **1.** K *jd gedenkt einer Person gen* an gestorbene Menschen denken *der im Krieg Gefallenen ~, der Toten ~* **2.** *(geh)* beabsichtigen *nicht ~, auf diesen Brief zu antworten*

Ge·dicht [gə'dɪçt] <-(e)s, -e> *das* ein Text, der in Verse aufgeteilt ist und oft Reime enthält *ein ~ aufsagen/auswendig lernen*

ge·dieh [gə'diː] *prät von* **gedeihen**

ge·dieh·en [gə'diːən] *part perf von* **gedeihen**

ge·drückt I. *part perf von* **drücken II.** *adj* traurig, niedergeschlagen *eine ~e Stimmung*

Ge·duld [gə'dʊlt] <-> *kein pl die* die Fähigkeit, warten zu können *viel ~ mit jdm/etw haben, die ~ verlieren* ***Wobi: geduldig***

ge·durft [gə'dʊrft] *part perf von* **dürfen**

• **ge·ehrt** [gə'ʔeːɐt] **I.** *part perf von* **ehren II.** *adj* geschätzt, in der Anrede in formellen Briefen verwendet *Sehr ~er Herr ..., Sehr ~e Damen und Herren!*

• **ge·eig·net** [gə'ʔaignət] **I.** *part perf von* **eignen II.** *adj* passend *einen ~en Moment abwarten, für diesen Beruf ~ sein*

• **Ge·fahr** [gə'faːɐ̯] <-, -en> *die* Bedrohung, Risiko *sich einer großen ~ aussetzen, in ~ sein/schweben;* **auf eigene ~** so, dass man etw tut, was gefährlich ist, und die Folgen selbst tragen muss *den Berg auf eigene ~ besteigen;* **~ laufen, dass ...** riskieren, dass ... *~ laufen, einen Fehler zu machen* ***Komp: Lebens-***

ge·fähr·den [gə'fɛːɐ̯dn̩] <gefährdet, gefährdete, gefährdet> *tr* K *jd gefährdet jdn/etw akk* in Gefahr bringen, bedrohen *die Fußgänger durch zu schnelles Fahren ~*

ge·fah·ren *part perf von* **fahren**

• **ge·fähr·lich** [gəfɛːɐ̯lɪç] <gefährlicher, gefährlichst-> *adj* so, dass eine Gefahr/ein Risiko besteht *eine ~e Situation* ***Komp: lebens-***

• **ge·fal·len**[1] <gefällt, gefiel, gefallen> *itr* angenehm sein, schön sein *Mir gefällt das blaue Kleid.;* **sich etw ~ lassen** etw dulden, mit sich machen lassen *Eine solche Frechheit lasse ich mir nicht ~!, Vier Wochen Urlaub lässt man sich gern ~.*

• **ge·fal·len**[2] *part perf von* **gefallen**

ge·fan·gen *part perf von* **fangen**

Ge·fäng·nis [gə'fɛŋnɪs] <-ses, -se> *das* ein Gebäude, wo Personen zur Strafe festgehalten werden, weil sie Verbrechen begangen haben *ins ~ kommen* ***Komp: -strafe***

ge·fiel *prät von* **gefallen**

ge·floch·ten [gə'flɔxtn̩] *part perf von* **flechten**

ge·flo·gen [gə'floːgn̩] *part perf von* **fliegen**

ge·floh·en [gə'floːən] *part perf von* **fliehen**

ge·flos·sen [gə'flɔsn̩] *part perf von* **fließen**

ge·fres·sen [gə'frɛsn̩] *part perf von* **fressen**

ge·fro·ren [gə'froːrən] **I.** *part perf von* **frieren II.** *adj* so, dass etw durch sehr niedrige Temperaturen fest geworden ist; zu Eis werden *Der Boden ist ~., Das Wasser ist ~.*

• **Ge·fühl** [gə'fyːl] <-(e)s, -e> *das* das, was man fühlt *ein schlechtes ~ haben, ein ~ für Gerechtigkeit haben;* **Das ist das Höchste der ~e.**

(umg) mehr ist nicht möglich *Also gut, 500 Euro, das ist dann aber das Höchste der ~e.*

ge·fun·den [gə'fʊndn̩] *part perf von* **finden**

ge·gan·gen [gə'gaŋən] *part perf von* **gehen**

ge·ge·ben [gə'ge:bn̩] *part perf von* **geben**

• **ge·gen** ['ge:gn̩] *präp* **1.** *+akk (↔für)* bezeichnet einen Gegensatz, wider ~ *etw sein, Tabletten ~ hohen Blutdruck* **2.** *+akk* an *das Fahrrad ~ die Wand lehnen, ~ die Tür schlagen* **3.** *+akk* etwa, ungefähr *sich ~ 3 Uhr treffen*

• **Ge·gend** ['ge:gn̩t] <-, -en> *die* Gebiet, Landschaft *In dieser ~ kenne ich niemanden., eine sehr ruhige ~*

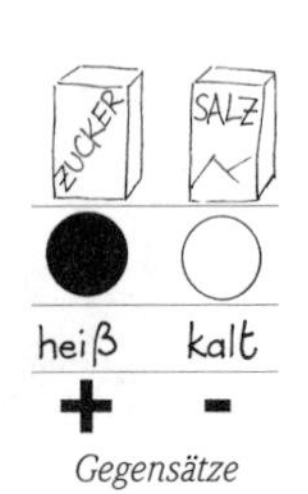

Gegensätze

• **Ge·gen·satz** <-es, -sätze> *der* etwas, was völlig anders ist als etw anderes, Kontrast *Im ~ zu ihm ist sie ein sehr fröhlicher Mensch.*

• **Ge·gen·stand** <-es, -stände> *der* **1.** Ding *ein schwerer ~* **2.** Thema *der ~ der Diskussion*

• **Ge·gen·teil** ['ge:gn̩tail] <-(e)s, -e> *das* das Entgegengesetzte *Das ~ von ‚warm' ist ‚kalt'. Ich finde das nicht gut. Im ~., ins ~ umschlagen*

• **ge·gen·über** [ge:gn̩'ʔy:bɐ] *präp* **1.** *+dat* auf der anderen Seite *Er wohnt im Haus ~ der Straße.* **2.** *+dat* in Bezug auf, zu (mir, dir, etc.) *Mir ~ ist sie immer höflich.*

Ge·gen·ver·kehr <-(e)s> *kein pl der* alle Autos etc., die einem auf der Straße entgegenkommen *wenig ~ haben*

• **Ge·gen·wart** ['ge:gn̩vart] <-> *kein pl die* **1.** Anwesenheit, Dasein *in ~ der Eltern* **2.** die Zeit, die jetzt ist *die Literatur der ~*

ge·ges·sen [gə'gɛsn̩] *part perf von* **essen**

ge·gli·chen [gə'glɪçn̩] *part perf von* **gleichen**

ge·glit·ten [gə'glɪtn̩] *part perf von* **gleiten**

ge·glom·men [gə'glɔmən] *part perf von* **glimmen**

Geg·ner(in) ['ge:gnɐ] <-s, -> *der* **1.** jd, der eine andere Meinung/ein anderes Ziel hat; Konkurrent *ein politischer ~* **2.** zwei, die gegeneinander kämpfen *Er hat beim Tennis einen starken ~.* ***Wobi: gegnerisch***

ge·gol·ten [gə'gɔltn̩] *part perf von* **gelten**

ge·gos·sen [gə'gɔsn̩] *part perf von* **gießen**

ge·gra·ben *part perf von* **graben**

ge·grif·fen [gə'grɪfn̩] *part perf von* **greifen**

ge·habt [gə'ha:pt] *part perf von* **haben**

• **Ge·halt** [gə'halt] <-(e)s, -hälter> *das* Geld, das man für eine (meist geistige) Arbeit bekommt *ein gutes ~ bekommen*

ge·hal·ten *part perf von* **halten**

ge·han·gen [gə'haŋən] *part perf von* **hängen**

ge·hau·en *part perf von* **hauen**

• **ge·heim** [gə'haim] <geheimer, geheimst-> *adj* so, dass andere es nicht wissen dürfen *ein ~es Treffen, etw vor jdm ~ halten*

Ge·heim·nis [gə'haimnɪs] <-ses, -se> *das* etw, was andere nicht wissen sollen *ein ~ vor jdm haben, jdm ein ~ verraten*

ge·hei·ßen *part perf von* **heißen**

• **ge·hen** ['ge:ən] <geht, ging, gegangen> *itr <sein>* **1.** sich mit den Füßen fortbewegen *schnell ~, über die Straße ~* **2.** weggehen, abfahren *Der nächste Zug geht um sechs Uhr.* **3.** jdn/etw besuchen *zum Arzt ~, auf die Realschule ~, für zwei Jahre ins Ausland ~* **4.**

funktionieren, in Ordnung sein *Das Gerät geht wieder., Geht deine Uhr falsch?* **5.** K ***jdm geht es irgendwie*** sich irgendwie fühlen *Wie geht es dir? – Mir geht es gut., Wie geht's?*

Ge·hirn [gəˈhɪrn] <-(e)s, -e> *das* Organ im Kopf, mit dem der Mensch denken kann *das menschliche ~* ***Komp: -erschütterung***

ge·ho·ben [gəˈhoːbn̩] *part perf von* **heben**

ge·hol·fen [gəˈhɔlfn̩] *part perf von* **helfen**

ge·hor·chen <gehorcht, gehorchte, gehorcht> *itr* einem Befehl oder Wunsch folgen *Das Kind gehorcht nicht.*

• **ge·hö·ren** <gehört, gehörte, gehört> *itr* **1.** K ***etw gehört jdm*** Eigentum/Besitz sein *Das Auto gehört mir.* **2.** K ***etw gehört zu etw*** *dat* nötig sein *Dazu gehört ein bisschen Mut.* **3.** K ***etw gehört zu etw*** *dat* Teil sein von *Briefeschreiben gehört zu meiner Arbeit.;* **Das gehört sich nicht.** so verhält man sich nicht *Es gehört sich einfach nicht, über jdn zu lachen.*

ge·hor·sam [gəˈhoːɐ̯zaːm] <gehorsamer, gehorsamst-> *adj (↔ungehorsam)* so, dass man einem Befehl/Wunsch folgt *~ sein*

• **Geh·steig** <-(e)s, -e> *der* Bürgersteig, Gehweg *den ~ benutzen*

Geh·weg <-(e)s, -e> *siehe* **Gehsteig**

Geige [ˈgai̯gə] <-, -n> *die* Violine *~ spielen*

Geige

geil [gai̯l] <geiler, geilst-> *adj (umg!)* meist von Jugendlichen verwendet, um auszudrücken, dass etw sehr gut ist *~e Musik hören, Das ist echt ~!*

Gei·sel [gai̯zl] <-, -n> *die* Person, die jd irgendwo festhält und nur gegen Geld freilässt *Der Bankräuber hat fünf ~n in seiner Gewalt.*

Gei·sel·nah·me <-, -n> *die* das Gefangennehmen einer Geisel *das Ende der ~*

Gei·sel·neh·mer <-s, -> *der* Person, die eine Geisel gefangen genommen hat *Die ~ haben aufgegeben.*

Geist[1] [gai̯st] <-(e)s> *kein pl der* **1.** Klugheit, Vernunft, Intellekt *~ haben* **2.** geistige Haltung, das Denken *der ~ des achtzehnten Jahrhunderts*

Geist[2] [gai̯st] <-(e)s, -er> *der* Gespenst *vor ~ern Angst haben, ~er beschwören*

geis·tig [ˈgai̯stɪç] <-, -> *adj* intellektuell, nicht körperlich *~e Arbeit leisten, ~ behindert sein*

gei·zen [ˈgai̯t͡sn̩] <geizt, geizte, gegeizt> *itr* übertrieben/sehr sparsam sein *mit etw ~;* **mit Worten** ~ sehr wenig reden *Er geizt immer mit Worten.*

Geiz·hals <-es, -hälse> *der (umg pej)* geiziger Mensch *ein richtiger ~ sein*

gei·zig [ˈgai̯t͡sɪç] <geiziger, geizigst-> *adj* sehr sparsam, so, dass man nicht gern anderen etw von sich selbst gibt *~ sein*

ge·kannt [gəˈkant] *part perf von* **kennen**

ge·klun·gen [gəˈklʊŋən] *part perf von* **klingen**

ge·knif·fen [gəˈknɪfn̩] *part perf von* **kneifen**

ge·kom·men *part perf von* **kommen**

ge·konnt [gəˈkɔnt] *part perf von* **können**

Ge·läch·ter [gəˈlɛçtɐ] <-s, -> *das* lautes Lachen *in ~ ausbrechen*

ge·la·den *part perf von* **laden**

Ge·län·de [gəˈlɛndə] <-s, -> *das* freies Land, Gebiet *Ich reite am*

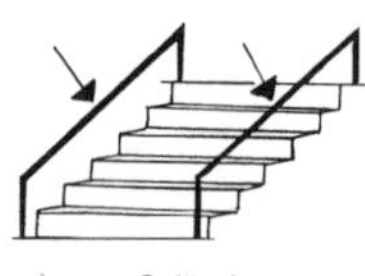

Geländer

liebsten im ~., ein ebenes ~ ***Komp:*** *-wagen*

Ge·lạ̈n·der [gəˈlɛndɐ] <-s, -> *das* eine Art Stange, die neben Treppen befestigt ist, damit man nicht herunterfallen kann *sich am ~ festhalten*

ge·lạng [gəˈlaŋ] *prät von* **gelingen**

ge·lạn·gen <gelangt, gelangte, gelangt> *itr* <*sein*> erreichen, ankommen *ans Ziel ~*

ge·lạs·sen¹ [gəˈlasn̩] <gelassener, gelassenst-> *part perf* **lassen**

ge·lạs·sen² [gəˈlasn̩] *adj* ruhig, ohne Aufregung *einer Sache ~ entgegensehen*

ge·lau·fen *part perf von* **laufen**

ge·launt [gəˈla̯unt] <-, -> *adj* in einer bestimmten Stimmung *gut/schlecht ~ sein*

• **gẹlb** [gɛlp] <-, -> *adj* so wie die Farbe von Bananen *ein ~es Kleid;* **G~e Seiten** TELKOM Branchenverzeichnis *eine Telefonnummer in den G~en Seiten suchen*

Geld
In Deutschland und Österreich wurde 1999 der Euro eingeführt. Euro-Geldscheine und Cent-Münzen lösen ab 2002 die Deutsche Mark (DM) und den Pfennig, in Österreich Schilling (öS) und Groschen ab. In der Schweiz zahlt man mit Franken (sFr) und Rappen.

• **Gẹld** [gɛlt] <-(e)s, -er> *das* Münzen oder Scheine zum Bezahlen *~ wechseln, ~ verdienen, um ~ spielen;* **~ wie Heu haben** *(umg)* viel Geld haben *Die Schauspielerin hat ~ wie Heu.;* **~ auf den Kopf hauen** *(umg)* leichtsinnig/ohne nachzudenken Geld ausgeben *Gestern habe ich das letzte ~ auf den Kopf gehauen.* ***Komp:*** *-automat, -börse, -münze, -schein, -strafe, Münz-, Papier-, Wechsel-*

Gẹld·beu·tel <-s, -> *der (≈Geldbörse, Portemonnaie)* kleine Tasche, in die man Geld hineintut und das man bei sich trägt *den ~ vergessen/nehmen*

ge·le·gen [gəˈleːgn̩] *part perf von* **liegen**

• **Ge·le·gen·heit** [gəˈleːgn̩ha̯it] <-, -en> *die* günstige Situation, Anlass *die ~ haben, etw zu tun, die ~ nutzen, etw zu tun, Bei der nächsten ~ werde ich ihn darauf ansprechen.*

ge·le·gent·lich [gəˈleːgn̩tlɪç] <-, -> *adj* manchmal, hin und wieder, ab und zu *sich nur ~ sehen*

ge·lehrt I. *part perf von* **lehren II.** *adj* so, dass man eine wissenschaftliche Bildung hat *eine ~e Person* ***Wobi:*** *Gelehrte(r)*

ge·le·sen *part perf von* **lesen**

Ge·liebte(r) <-n, -n> *der/die* Person, mit der man (meist neben dem/der Ehepartner/in) ein Liebesverhältnis hat *eine(n) ~(n) haben*

ge·lieh·en *part perf von* **leihen**

• **ge·lịn·gen** [gəˈlɪŋən] <gelingt, gelang, gelungen> *itr* <*sein*> gut werden *ein gelungenes Fest, Hoffentlich gelingt mir der Kuchen.*

ge·lịt·ten [gəˈlɪtn̩] *part perf von* **leiden**

ge·lo·gen [gəˈloːgn̩] *part perf von* **lügen**

• **gẹl·ten** [ˈgɛltn̩] <gilt, galt, gegolten> *itr* gültig sein, Wert haben *Die Fahrkarte gilt noch.;* **jd/etw gilt als jd/etw** man sagt, dass jd/etw irgendwer/irgendwas sein soll *Sie gilt als Spezialistin.*

ge·lụn·gen [gəˈlʊŋən] *part perf von* **gelingen**

Ge·mäl·de [gəˈmɛːldə] <-s, -> *das (≈Bild)* ein Kunstwerk, das ein Maler gemalt hat *ein ~ betrachten* ***Komp:*** *-ausstellung, -galerie, Öl-*

ge·mäß [gəˈmɛːs] *präp +dat* in Übereinstimmung mit, wie *Wir haben das Gerät ~ der Gebrauchsanweisung bedient., ~ Vereinbarung*

Gemälde

ge·mä·ßigt [gəˈmɛːsɪçt] <gemäßigter, gemäßigst-> *adj* maßvoll, nicht extrem *eine ~e Politik, ~e Forderungen*

ge·mein [gəˈmai̯n] <gemeiner, gemeinst-> *adj* bösartig, unfair, niederträchtig *eine ~e Lüge verbreiten*

Ge·mein·de [gəˈmai̯ndə] <-, -n> *die* **1.** alle Einwohner eines Dorfes *in einer kleinen ~ leben* **2.** Angehörige eines Kirchenbezirks *die ~ zu einer Spende aufrufen* ***Komp:* *-haus, -rat, Kirchen-***

• **ge·mein·sam** [gəˈmai̯nzaːm] <-, -> *adj* zusammen *~ eine Reise machen, ~e Pläne haben*

• **Ge·mein·schaft** <-, -en> *die* Personengruppe, die durch etw verbunden ist *eine ~ bilden*

ge·mes·sen *part perf von* **messen**

ge·mie·den [gəˈmiːdn̩] *part perf von* **meiden**

ge·mocht [gəˈmɔxt] *part perf von* **mögen**

ge·mol·ken [gəˈmɔlkn̩] *part perf von* **melken**

• **Ge·mü·se** [gəˈmyːzə] <-s> *kein pl das* Pflanzen, die man essen kann *Gurken, Karotten, Kohl und Erbsen sind ~., ~ als Beilage zum Fleisch servieren* ***Komp:* *-anbau, -garten, -sorte***

Gemüse

ge·mus·tert <-, -> *adj* mit Mustern verziert *eine ~e Bluse*

Ge·müt [gəˈmyːt] <-(e)s, -er> *das* Wesen/Art eines Menschen *ein fröhliches ~ haben*

• **ge·müt·lich** <gemütlicher, gemütlichst-> *adj* angenehm, bequem *eine ~e Wohnung haben, es sich ~ machen* ***Wobi:* *Gemütlichkeit***

Gen [geːn] <-s, -e> *das* BIO sehr kleines Teilchen im Körper, das alle Informationen enthält, die ein Mensch, Tier oder eine Pflanze geerbt hat *~e untersuchen* ***Komp:* *-forschung, -technik, -technologie***

ge·nannt [gəˈnant] *part perf von* **nennen**

• **ge·nau** [gəˈnau̯] <genauer, genauest-> *adj* exakt *eine ~e Beschreibung von etw geben; ~* **gehen** die exakte Uhrzeit anzeigen *Meine Uhr geht ~.*

• **ge·nau·so** [gəˈnau̯zoː] *adv* in der gleichen Art und Weise *Mir hat der Film ~ gut wie dir gefallen., ~ viel essen wie er*

ge·neh·mi·gen [gəˈneːmɪgn̩] <genehmigt, genehmigte, genehmigt> *tr* [K] ***jd genehmigt** [jdm]* ***etw*** *akk* erlauben *dem Mitarbeiter Urlaub ~*

Ge·neh·mi·gung <-, -en> *die* Erlaubnis *jdm eine ~ für etw erteilen, mit ~ vom 12.3. …*

ge·ne·ra·li·sie·ren [genəraliˈziːrən] <generalisiert, generalisierte, generalisiert> *tr (≈verallgemeinern)* [K] ***jd generalisiert etw*** *akk* für allgemein gültig erklären *eine Aussage ~*

Ge·ne·ra·ti·on [genəraˈt͡si̯oːn] <-, -en> *die* alle Menschen, die zu einer Altersgruppe gehören *der ~ der 20-jährigen angehören, in der ~ unserer Eltern* ***Komp:* *-skonflikt***

ge·ne·sen [gəˈneːzn̩] <genest, genas, genesen> *itr <sein> (geh ≈gesunden)* gesund werden *nach vielen Wochen im Krankenhaus endlich ~* ***Wobi:* *Genesung***

ge·n·ial [geˈni̯aːl] <genialer, genialst-> *adj* **1.** sehr, sehr intelligent, außergewöhnlich gut *eine ~e Erfindung* **2.** *(umg)* ausgezeichnet, hervorragend, toll *Das ist eine ~e Idee!* ***Wobi:* *Genialität***

Ge·nick [gəˈnɪk] <-(e)s, -e> *das* der hintere Bereich des Halses *sich* *das ~ brechen* ***Komp:*** ***-schuss, -starre***

Ge·nie [ʒe'niː] <-s, -s> *das* jd, der sehr, sehr intelligent ist oder der etw sehr gut kann *Einstein war ein ~., Sie ist ein ~ in Mathematik.*

ge·nie·ren [ʒe'niːrən] <geniert, genierte, geniert> *refl* [K] ***jd geniert sich*** *akk* [***vor jdm***] sich vor anderen unsicher fühlen *Sie brauchen sich nicht zu ~!*

ge·nie·ßen [gə'niːsn̩] <genießt, genoss, genossen> *tr* [K] ***jd genießt etw*** *akk* Freude haben an etw *ein Konzert ~, das Essen ~* ***Wobi:*** *Genießer*

Ge·ni·tiv ['geːnitiːf] <-s, -e> *der* Fall/Kasus auf die Frage ‚wessen?' *Der ~ kann ein Besitzverhältnis ausdrücken: das Buch des Mädchens.*

ge·nom·men [gə'nɔmən] *part perf von* **nehmen**

ge·normt <-, -> *adj* so, dass es einheitlichen Bestimmungen entspricht *~e Größen*

ge·noss [gə'nɔs] *prät von* **genießen**

ge·nos·sen [gə'nɔsn̩] *part perf von* **genießen**

• **ge·nug** [gə'nuːk] *adv* so, dass es (aus)reicht *Danke, das ist ~.*

ge·nü·gen [gə'nyːgn̩] <genügt, genügte, genügt> *itr* ausreichen *Das Essen genügt für alle.;* **den Anforderungen** ~ die Erwartungen erfüllen *Diese Arbeit genügt den Anforderungen.*

Ge·nug·tu·ung [gə'nuːktuːʊŋ] <-> *kein pl die* innere Befriedigung *~ empfinden*

Ge·nus ['gɛnʊs] <-, Genera> *das* LING grammatisches Geschlecht *das ~ der Substantive bestimmen*

Ge·nuss [gə'nʊs] <-es, -nüsse> *der* **1.** Vergnügen *~ an einer Sache haben, in den ~ von etw kommen* **2.** Verbrauch, Konsum *der ~ von Alkohol*

Ge·o·gra·fie [geogra'fiː] <-> *kein pl die* Erdkunde, Wissenschaft zur Erforschung der Erdoberfläche und der einzelnen Länder der Erde *~ studieren* ***Wobi:*** *Geograf(in), geografisch*

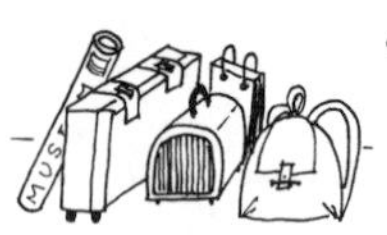

Gepäck

• **Ge·päck** [gə'pɛk] <-(e)s> *kein pl das* Koffer und Taschen, die man auf eine Reise mitnimmt *viel schweres ~ haben;* **sein ~ aufgeben** die Koffer an das Reiseziel bringen lassen *Ich habe mein ~ aufgegeben.* ***Komp:*** ***-abfertigung, -ausgabe, -schließfach, -träger, Reise-***

ge·pfef·fert <-, -> *adj (umg)* übertrieben, sehr hoch *eine ~e Rechnung*

ge·pfif·fen [gə'pfɪfn̩] *part perf von* **pfeifen**

ge·pflegt I. *part perf von* **pflegen II.** *adj* so, dass etw/jd sehr ordentlich aussieht *ein ~es Haus, eine ~e Person*

Ge·pflo·gen·heit [gə'pfloːgn̩hait] <-, -en> *die* Sitte, Brauch *sich den ~en eines Landes anpassen*

Ge·plap·per [gə'plapɐ] <-s> *kein pl das* fröhliches Durcheinanderreden *das laute ~ der Kinder*

• **ge·ra·de**[1] [gə'raːdə] <-, -> *adj (↔krumm, schief)* so, dass es nicht nach links und nicht nach rechts geht *eine ~ Linie, ~ sitzen*

• **ge·ra·de**[2] [gə'raːdə] *adv* **1.** in diesem Moment, vor einem Moment, soeben *Ich wollte ~ gehen., Sie war ~ hier.* **2.** schnell, kurz *Gibst du mir ~ mal die Zeitung?* **3.** genau, exakt *Der Eingang ist ~ gegenüber.* **4.** ausgerechnet *Warum ~ ich?, G~ heute muss das passieren.*

• **ge·ra·de·aus** [gəraːdəˈʔaus] *adv* weder links noch rechts, in einer Linie *immer ~ fahren*

ge·rad·li·nig <geradliniger, geradlinigst-> *adj* in einer Richtung, ohne Probleme *eine ~e Entwicklung*

ge·rannt [gəˈrant] *part perf von* **rennen**

• **Ge·rät** [gəˈrɛːt] <-(e)s, -e> *das* Apparat, Gegenstand, mit dem man etw Bestimmtes tun kann *ein elektrisches ~* ***Komp: Fernseh-, Radio-***

ge·ra·ten [gəˈraːtn̩] <gerät, geriet, geraten> *itr <sein>* gelangen, kommen *in eine schwierige Situation ~, an den Falschen ~;* **nach jdm** ~ jdm ähnlich sein *ganz nach der Mutter ~ sein*

ge·räu·mig [gəˈrɔymɪç] <geräumiger, geräumigst-> *adj* groß, mit viel Platz *ein ~es Haus*

Ge·räusch [gəˈrɔyʃ] <-(e)s, -e> *das* das, was man hören kann *ein lautes ~ machen, ein verdächtiges ~ hören*

ge·recht [gəˈrɛçt] <gerechter, gerechtest-> *adj (↔ungerecht)* den Regeln/dem Gesetz entsprechend, passend, fair *~er Lohn, eine ~e Strafe* ***Wobi: Gerechtigkeit***

Justitia, Symbol der Gerechtigkeit

Ge·re·de [gəˈreːdə] <-s> *kein pl das (pej)* Klatsch *Das ist nur ~.;* **ins ~ kommen** zum negativen Mittelpunkt von Gesprächen werden *Die Fabrik ist ins ~ gekommen.*

ge·reizt **I.** *part perf von* **reizen** **II.** *adj* so, dass man schnell aggressiv wird *eine ~e Stimmung*

• **Ge·richt** [gəˈrɪçt] <-(e)s, -e> *das* **1.** Essen, Speise *ein leckeres ~ bestellen* **2.** staatliche Behörde, die Recht spricht *sich vor dem ~ verantworten müssen, jdn vor ~ bringen* ***Komp: -surteil, -sverhandlung***

ge·richt·lich <-, -> *adj* so, dass etw mit Hilfe des Gerichts stattfindet *~e Untersuchung;* ~ **gegen jdn vorgehen** jdn vor Gericht anklagen *gegen den Nachbarn ~ vorgehen*

ge·rie·ben [gəˈriːbn̩] *part perf von* **reiben**

• **ge·ring** [gəˈrɪŋ] <geringer, geringst-> *adj* **1.** klein *~e Fortschritte machen, ein ~er Unterschied* **2.** wenig *nur ~e Chancen haben*

ge·ring|schät·zen <schätzt gering, schätzte gering, geringgeschätzt> *tr* K ***jd schätzt jdn/etw** akk* ***gering*** nicht achten *einen Menschen ~*

ge·rin·nen [gəˈrɪnən] <gerinnt, gerann, geronnen> *itr <sein>* dickflüssig/fest werden *Das Blut ist geronnen.*

Ge·rip·pe [gəˈrɪpə] <-s, -> *das* Skelett, Knochengerüst *das ~ eines Dinosauriers*

ge·ris·sen [gəˈrɪsn̩] **I.** *part perf von* **reißen** **II.** *adj* so, dass man etw/jdn zum eigenen Vorteil ausnutzt *ein ~er Betrüger*

ge·rit·ten [gəˈrɪtn̩] *part perf von* **reiten**

• **gern(e)** [gɛrn(ə)] <lieber, am liebsten> *adv* mit Freude *Ich gehe ~ spazieren.*

ge·ro·chen [gəˈrɔxn̩] *part perf von* **riechen**

Ge·ruch [gəˈrʊx] <-(e)s, -rüche> *der* das, was man riecht *ein starker ~* ***Wobi: geruchlos***

ge·ru·fen *part perf von* **rufen**

Ge·rücht [gəˈrʏçt] <-(e)s, -e> *das* unbestätigte Nachricht, die sich schnell verbreitet *ein ~ verbreiten, Es geht das ~ um, dass …*

Ge·rüm·pel [gəˈrʏmpl̩] <-s> *kein pl das* alte Gegenstände, die man nicht mehr braucht *Hier liegt aber viel ~ herum!*

ge·run·gen [gəˈrʊŋən] *part perf von* **ringen**

• **ge·samt** [gəˈzamt] <-, -> *adj* alle, ohne Ausnahme *die ~e Schulklasse*

• **Ge·samt·ge·wicht** <-(e)s> *kein pl das* Gewicht von Verpackung und Inhalt/Auto und Ladung *zulässiges ~: 1t*

Ge·samt·heit <-, -en> *die* Vollständigkeit, das Ganze *die ~ der Schüler*

ge·sandt [gəˈzant] *part perf von* **senden**

Ge·sang [gəˈzaŋ] <-(e)s, -sänge> *der* das Singen *der ~ des Chores* ***Komp:*** *-(s)buch , -(s)verein*

Ge·säß [gəˈzɛːs] <-es, -e> *das (geh ≈Hintern, Po)* der Körperteil, auf dem man sitzt *auf das ~ fallen*

ge·schaf·fen *part perf von* **schaffen**

ge·schafft I. *part perf von* **schaffen II.** *adj (umg)* erschöpft und müde *völlig ~ sein von der Arbeit*

• **Ge·schäft** [gəˈʃɛft] <-(e)s, -e> *das* **1.** *(≈Laden)* Raum, in dem man etw kaufen kann *in einem ~ Lebensmittel einkaufen* **2.** kleiner Betrieb *ein eigenes ~ haben;* **ein ~ aus etw machen** etw so nutzen, dass man damit Geld verdient *aus dem Hobby ein ~ machen* ***Komp:*** *-sreise, Fach-, Lebensmittel-*

ge·schäf·tig [gəˈʃɛftɪç] <geschäftiger, geschäftigst-> *adj* so, dass man viel zu tun hat *Er tut sehr ~.*

ge·schäft·lich <-, -> *adj* so, dass es zur beruflichen Tätigkeit gehört *eine ~e Angelegenheit, jdn ~ sprechen*

Ge·schäfts·füh·rer(in) <-s, -> *der* jd, der eine Firma leitet *mit dem ~ sprechen*

Ge·schäfts·mann, Ge·schäfts·frau <-(e)s, -leute/(-männer)> *der* Person, die beruflich Handel betreibt *wie ein ~ aussehen*

Ge·schäfts·zeit <-, -en> *die* Zeit, während der gearbeitet wird *Bitte nur zur ~ anrufen!*

ge·schah [gəˈʃaː] *prät von* **geschehen**

Ge·sche·hen [gəˈʃeːən] <-s> *kein pl das* Ereignis *das aktuelle ~ in der Politik verfolgen*

• **ge·sche·hen** [gəˈʃeːən] <geschieht, geschah, geschehen> *itr* *<sein>* (*≈passieren*) stattfinden, sich ereignen, passieren *Ein Unfall ist ~.;* **Das geschieht dir recht.** es ist in Ordnung, was dir (Negatives) passiert ist *Dass dir keiner hilft, geschieht dir ganz recht!;* **Gern ~.** verwendet, um auf einen Dank zu antworten *Danke schön! – Gern ~.*

ge·scheit [gəˈʃait] <gescheiter, gescheitest-> *adj* klug, intelligent *einen ~en Vorschlag machen*

Geschenk

• **Ge·schenk** [gəˈʃɛŋk] <-(e)s, -e> *das* etw, was man jdm gibt, um ihm eine Freude zu machen *jdm ein ~ machen, sich für ein ~ bedanken* ***Komp:*** *-gutschein, -papier, Geburtstags-, Hochzeits-, Weihnachts-*

• **Ge·schich·te** [gəˈʃɪçtə] <-, -n> *die* **1.** Erzählung *eine lustige ~ erzählen* **2.** historische Entwicklung *die ~ der Menschheit*

Ge·schick [gəˈʃɪk] <-(e)s> *kein pl das* besonderes Talent, besondere Fähigkeit, etw zu tun *großes ~ für etw haben*

ge·schickt[1] *part perf* **schicken**

ge·schickt[2] <geschickter, geschicktest-> *adj (↔ungeschickt)* so, dass man ein besonderes Talent hat, etw Bestimmtes zu tun *ein ~er Handwerker sein, sich bei einer Tätigkeit sehr ~ anstellen*

ge·schie·den [gə'ʃiːdn̩] **I.** *part perf von* **scheiden II.** *adj* so, dass man nicht mehr verheiratet ist *Ich bin ~., mein ~er Mann*

ge·schie·nen [gə'ʃiːnən] *part perf von* **scheinen**

• **Ge·schirr** [gə'ʃɪr] <-s> *kein pl das* alle Teller, Tassen, Gläser, Töpfe etc. zusammen *das ~ abwaschen* ***Komp:*** *-schrank, -spüler, -spülmaschine, -spülmittel, -tuch*

Geschirr

ge·schla·fen *part perf von* **schlafen**

ge·schla·gen *part perf von* **schlagen**

Ge·schlecht [gə'ʃlɛçt] <-(e)s, -er> *das* **1.** BIO Art, Gattung *das menschliche ~* **2.** BIO alle Merkmale, die einen Menschen/ein Tier als männlich oder weiblich kennzeichnen *das weibliche/männliche ~* **3.** LING Genus *Welches ~ hat ‚Haus'? – ‚Haus' ist neutral.* **4.** eine einflussreiche, berühmte Familie *das ~ der Wittelsbacher;* **das schwache ~** (*umg*) die Frauen *zum schwachen ~ gehören;* **das starke ~** (*umg*) die Männer *zum starken ~ gehören* ***Komp:*** *-shormon, -smerkmale, -steil, Adels-*

ge·schli·chen *part perf von* **schleichen**

ge·schlos·sen [gə'ʃlɔsn̩] **I.** *part perf von* **schließen II.** *adj (↔offen)* so, dass man nicht hineingehen kann; zu *eine ~e Tür;* **~e Gesellschaft** private Veranstaltung *In diesem Raum ist eine ~e Gesellschaft.*

• **Ge·schmack** [gə'ʃmak] <-(e)s, -schmäcker> *der* **1.** das, was man mit der Zunge schmeckt *Die Suppe hat einen komischen ~.* **2.** Sinn für Schönes und Ästhetisches *einen guten ~ haben*

• **ge·schmack·los** <geschmackloser, geschmacklosest-> *adj* so, dass es unästhetisch/hässlich/unangenehm ist *~ gekleidet sein, eine ~e Bemerkung* ***Wobi:*** *Geschmacklosigkeit*

ge·schmis·sen [gə'ʃmɪsn̩] *part perf von* **schmeißen**

ge·schmol·zen [gə'ʃmɔltsn̩] *part perf von* **schmelzen**

ge·schnit·ten [gə'ʃnɪtn̩] *part perf von* **schneiden**

ge·scho·ben [gə'ʃoːbn̩] *part perf von* **schieben**

Ge·schöpf [gə'ʃœpf] <-(e)s, -e> *das* Lebewesen, Kreatur *Tiere als ~e Gottes betrachten*

Ge·schoß <-es, -e> *das* (ÖSTERR) *siehe* **Geschoss**

Ge·schoss [gə'ʃɔs] <-es, -e> *das* **1.** Kugel o.Ä., die mit Hilfe einer Waffe auf ein Ziel geschleudert wird *ein gefährliches ~* **2.** Stockwerk eines Hauses, Etage *im 7. ~ wohnen* ***Komp:*** *Erd-, Ober-, Unter-*

ge·schos·sen [gə'ʃɔsn̩] *part perf von* **schießen**

ge·schrie·ben [gə'ʃriːbn̩] *part perf von* **schreiben**

ge·schrie(e)n [gə'ʃriːn] *part perf von* **schreien**

ge·schwät·zig [gə'ʃvɛtsɪç] <geschwätziger, geschwätzigst-> *adj* so, dass man gern und viel redet *~e Person* ***Wobi:*** *Geschwätzigkeit*

ge·schwei·ge [gə'ʃvaigə] *adv* ~ **denn, dass …** noch viel weniger *Er schaut mich nie an, ~ denn, dass er mich grüßt.*

ge·schwie·gen [gə'ʃviːgn̩] *part perf von* **schweigen**

• **Ge·schwin·dig·keit** [gə'ʃvɪndɪçkait] <-, -en> *die* Schnelligkeit,

Tempo *mit einer ~ von 100 km/h fahren*

• **Ge·schwịn·dig·keits·be·schrän·kung** <-, -en> *die (≈Geschwindigkeitsbegrenzung)* Höchstgrenze der erlaubten Geschwindigkeit *gegen die ~ verstoßen*

• **Ge·schwịs·ter** [gəˈʃvɪstɐ] <-> *kein sing pl* Brüder und Schwestern *noch zwei ~ haben*

ge·schwọl·len [gəˈʃvɔlən] *part perf von* **schwellen**

ge·schwọm·men [gəˈʃvɔmən] *part perf von* **schwimmen**

ge·schwo̲·ren [gəˈʃvoːrən] *part perf von* **schwören**

ge·se̲h·en *part perf von* **sehen**

ge·sẹl·lig [gəˈzɛlɪç] <geselliger, geselligst-> *adj* so, dass man gern mit Leuten zusammen ist *sehr ~ sein, ein ~er Abend* ***Wobi: Geselligkeit***

• **Ge·sẹll·schaft** [gəˈzɛlʃaft] <-, -en> *die* **1.** Menschengruppe, die nach bestimmten Prinzipien zusammenlebt *die demokratische ~* **2.** Firma *~ für deutsche Sprache* **3.** das Dabeisein; jds Gegenwart *jds ~ lieben;* **jdm ~ leisten** jdn unterhalten *der alten Dame ~ leisten* ***Wobi: gesellschaftlich***

ge·sẹn·det [gəˈzɛndət] *part perf von* **senden**

ge·sẹs·sen [gəˈzɛsn̩] *part perf von* **sitzen**

• **Ge·sẹtz** [gəˈzɛts] <-es, -e> *das* staatliche Regeln, an die sich jeder halten muss *gegen das ~ verstoßen, ein ~ verabschieden;* **etw ist ein ungeschriebenes ~** etw ist üblich *Es ist ein ungeschriebenes ~, dass ...* ***Wobi: gesetzlich, gesetzmäßig Komp: -buch, -entwurf, -gebung***

Ge·sẹtz·ge·ber <-s, -> *der* staatliche Institution, die Gesetze macht *vom ~ geregelt*

• **Ge·sịcht** [gəˈzɪçt] <-(e)s, -er> *das* vorderer Teil des Kopfes mit Augen, Nase, Mund *ein kindliches ~ haben;* **jdm etw ins ~ sagen** etw Unangenehmes deutlich sagen *Er hat mir die Wahrheit ins ~ gesagt.*

ge·sọf·fen [gəˈsɔfn̩] *part perf von* **saufen**

ge·so̲·gen [gəˈzoːgn̩] *part perf von* **saugen**

ge·sọllt *part perf von* **sollen**

ge·spạl·ten *part perf von* **spalten**

ge·spạnnt[1] *part perf von* **spannen**

ge·spạnnt[2] <gespannter, gespanntest-> *adj* erwartungsvoll, neugierig *Da bin ich aber ~!, auf einen Film ~ sein*

Gespenst

Ge·spẹnst [gəˈʃpɛnst] <-(e)s, -er> *das* Geist eines toten Menschen *sich als ~ verkleiden, Angst vor ~ern haben;* **~er sehen** *(umg)* pessimistisch sein, überall Gefahren vermuten *Hier ist niemand, du siehst wohl ~er!*

ge·spẹrrt I. *part perf von* **sperren II.** *adj* so, dass man etw nicht benutzen kann *Die Straße ist wegen Bauarbeiten ~.*

ge·spọn·nen [gəˈʃpɔnən] *part perf von* **spinnen**

• **Ge·sprä̲ch** [gəˈʃprɛːç] <-(e)s, -e> *das* Unterhaltung, das Sprechen mit jdm *ein ~ mit jdm führen;* **das ~ auf etw bringen** die Unterhaltung auf ein bestimmtes Thema lenken *Dann habe ich das ~ endlich auf ihn gebracht.* ***Komp: Telefon-***

ge·sprọ·chen [gəˈʃprɔxn̩] *part perf von* **sprechen**

ge·sprụn·gen [gəˈʃprʊŋən] *part perf von* **springen**

Ge·stạlt [gəˈʃtalt] <-, -en> *die* **1.** Form *die ~ einer Kugel haben* **2.**

Körperbau *von kleiner/zierlicher ~ sein*

ge·stal·ten [gəˈʃtaltn̩] <**gestaltet, gestaltete, gestaltet**> *tr* **1.** in eine bestimmte Form bringen *eine Buchseite ~* **2.** K ***jd gestaltet etw*** *akk* organisieren, planen *einen Abend ~, seine Freizeit ~*

ge·stan·den *part perf von* **stehen**

ge·stän·dig [gəˈʃtɛndɪç] <**-, -**> *adj* so, dass man seine Schuld offen sagt *~ sein*

Ge·ständ·nis [gəˈʃtɛntnɪs] <**-ses, -se**> *das* das Gestehen/Zugeben von Schuld *ein ~ ablegen*

Ge·stank [gəˈʃtaŋk] <**-(e)s**> *kein pl der (umg pej ↔Duft)* unangenehmer/schrecklicher Geruch *Was ist das für ein ~ hier?*

ge·stat·ten [gəˈʃtatn̩] <**gestattet, gestattete, gestattet**> **I.** *tr (geh)* K ***jd gestattet jdm etw*** *akk* erlauben, genehmigen *G~ Sie, dass ich Ihnen helfe?* **II.** *refl* K ***jd gestattet sich*** *dat* ***etw*** *akk* sich die Freiheit nehmen, etw zu tun *sich eine Pause ~*

Ges·te [ˈgɛstə/ˈgeːstə] <**-, -n**> *die* **1.** Körperbewegung, die etw ausdrücken soll *sich durch ~n verständigen* **2.** kleine Aufmerksamkeit, Höflichkeit *eine ~ der Höflichkeit*

ge·ste·hen <**gesteht, gestand, gestanden**> *tr* K ***jd gesteht etw*** *akk* sagen, dass man etw (Unerlaubtes) getan hat oder dass etw der Fall ist; zugeben *den Diebstahl ~, jdm seine Liebe ~*

• **ges·tern** [ˈgɛstɐn] *adv* der Tag vor heute *~ früh, ~ Abend*

ge·stie·gen [gəˈʃtiːgn̩] *part perf von* **steigen**

ge·sto·chen [gəˈʃtɔxn̩] *part perf von* **stechen**

ge·stoh·len [gəˈʃtoːlən] *part perf von* **stehlen**

ge·stor·ben [gəˈʃtɔrbn̩] *part perf von* **sterben**

ge·sto·ßen [gəˈʃtoːsn̩] *part perf von* **stoßen**

ge·stri·chen [gəˈʃtrɪçn̩] *part perf von* **streichen**

• **ges·trig-** <**-, -**> *adj* vor einem Tag *der ~e Unterricht*

ge·strit·ten [gəˈʃtrɪtn̩] *part perf von* **streiten**

ge·stun·ken [gəˈʃtʊŋkn̩] *part perf von* **stinken**

• **ge·sund** [gəˈzʊnt] <**gesünder, gesündest-**> *adj* **1.** *(↔krank)* ohne Krankheiten *~ sein* **2.** so, dass es gut für den Körper ist *Milch ist ~, ~ leben, sich ~ ernähren*

ge·sun·den [gəˈsʊndn̩] <**gesundet, gesundete, gesundet**> *itr* *<sein>* (*≈genesen*) wieder zu Kräften kommen, gesund werden *nach einer Krankheit nur langsam ~*

• **Ge·sund·heit** <**-**> *kein pl die (↔Krankheit)* Zustand, in dem man nicht krank ist *körperliche ~;* **~!** Ausruf, nachdem jd geniest hat *~! – Bist du erkältet?;* **~!** (CH) Zum Wohl!, Prost! *~! – ~!*

ge·sun·gen [gəˈzʊŋən] *part perf von* **singen**

ge·sun·ken [gəˈzʊŋkn̩] *part perf von* **sinken**

ge·tan [gəˈtaːn] *part perf von* **tun**

ge·tra·gen [gəˈtraːgn̩] *part perf von* **tragen**

• **Ge·tränk** [gəˈtrɛŋk] <**-(e)s, -e**> *das* das, was man trinken kann *ein kühles ~*

• **Ge·trei·de** [gəˈtrajdə] <**-s**> *kein pl das* Weizen, Hafer, Gerste etc. *~ anbauen* ***Komp:*** *-anbau, -ernte, -mühle*

ge·trennt **I.** *part perf von* **trennen** **II.** *adj (↔zusammen)* jeder für sich *~ bezahlen, ~ leben*

ge·tre·ten *part perf von* **treten**

Getränk
In Deutschland, Österreich und der Schweiz trinkt man zum Frühstück Kaffee (meist Filterkaffee, in der Schweiz oft Espresso) oder Tee. Kinder trinken Milch oder Kakao. Zum Mittagessen und Abendessen gibt es z. B. Mineralwasser, Bier oder auch Wein, für Kinder Limonade oder Fruchtsaft.

ge·trof·fen [gəˈtrɔfn̩] *part perf von* **treffen**

ge·trun·ken [gəˈtrʊŋkn̩] *part perf von* **trinken**

ge·übt I. *part perf von* **üben II.** *adj (↔ungeübt)* so, dass man schon Erfahrung mit etw hat *ein ~er Autofahrer*

Ge·wächs [gəˈvɛks] <-es, -e> *das* Pflanze *ein seltenes ~ betrachten* ***Komp:*** ***-haus***

ge·wach·sen *part perf von* **wachsen**

ge·währ·leis·ten [gəˈvɛːɐ̯lai̯stn̩] <gewährleistet, gewährleistete, gewährleistet> *tr* K ***jd gewährleistet** [jdm] **etw** akk* garantieren *gute Bildung ~, ~, dass etw pünktlich geliefert wird* ***Wobi: Gewährleistung***

• **Ge·walt** [gəˈvalt] <-, (-en)> *die* **1.** starke Kraft *die ~ der Wassermassen, mit ~ die Tür öffnen* **2.** Brutalität *~ ablehnen* **3.** Macht *politische ~* ***Wobi: gewaltsam Komp: -enteilung***

ge·wandt [gəˈvant] **I.** *part perf von* **wenden II.** *adj* flink, geschickt *ein ~er Tänzer, in etw besonders ~ sein*

ge·wann [gəˈvan] *prät von* **gewinnen**

ge·wa·schen *part perf von* **waschen**

Ge·wäs·ser [gəˈvɛsɐ] <-s, -> *das* ein See, Fluss, Meer etc. *die ~ der Schweiz aufzählen;* **fließendes** ~ Bach, Fluss *in einem fließenden ~ baden;* **stehendes** ~ See, Teich *in einem stehenden ~ angeln*

Gewehr

Ge·wehr [gəˈveːɐ̯] <-(e)s, -e> *das* Schusswaffe mit langem Lauf *das ~ laden*

Ge·wer·be [gəˈvɛrbə] <-s, -> *das* eine selbstständige berufliche Tätigkeit im Bereich Handwerk, Handel oder Dienstleistung *ein ~ betreiben* ***Komp: -schein***

• **Ge·werk·schaft** [gəˈvɛrkʃaft] <-, -en> *die* Institution, die sich für die Interessen von Arbeitnehmern einsetzt *der ~ beitreten* ***Komp: -sbeitrag, -sfunktionär, Angestellten-, Eisenbahner-***

ge·we·sen [gəˈveːzn̩] *part perf von* **sein**

• **Ge·wicht** [gəˈvɪçt] <-(e)s, (-e)> *das* Masse eines Körpers *zu viel ~ haben, (an) ~ verlieren;* **ins ~ fallen** von großer Bedeutung sein *Sein Vorschlag fällt jetzt noch stärker ins ~.* ***Komp: Über-, Unter-***

• **Ge·winn** [gəˈvɪn] <-(e)s, -e> *das* **1.** das Geld, das man hat, wenn man von den Einnahmen die Kosten abzieht *einen großen ~ mit etw machen, ~ abwerfen* **2.** Preis in einer Lotterie/bei einem Wettbewerb *Der ~ in Höhe von 100 Euro geht an …* ***Komp: Haupt-***

• **ge·win·nen** [gəˈvɪnən] <gewinnt, gewann, gewonnen> **I.** *tr* **1.** K ***jd gewinnt etw** akk* etw dadurch bekommen, dass man sich um etw bemüht hat *jds Vertrauen ~, eine bestimmte Überzeugung ~* **2.** Sieger werden *das Fußballspiel ~* **II.** *itr* Sieger werden *beim Wettrennen ~, in Innsbruck ~*

Ge·wis·sen [gəˈvɪsn̩] <-s> *kein pl das* die Fähigkeit, das eigene Verhalten moralisch zu beurteilen *auf sein ~ hören, ein gutes/reines/schlechtes ~ haben*

• **Ge·wit·ter** [gəˈvɪtɐ] <-s, -> *das* heftiger Regen mit Blitz und Donner *ein ~ zieht auf/braut sich zusammen* ***Wobi: gewittern, gewittrig***

ge·wo·gen [gəˈvoːgən] *part perf von* **wiegen**

• **ge·wöh·nen** [gəˈvøːnən] <gewöhnt, gewöhnte, gewöhnt> *tr* K ***jd gewöhnt jdn/sich** akk **an etw** akk* machen, dass etw für jdn selbstverständlich/normal wird *die Schüler an Disziplin ~, sich an* *die Hitze ~*

- **Ge·wohn·heit** [gəˈvoːnhai̯t] <-, -en> *die* Verhaltensweise oder Handlung, die man (oft unbewusst) häufig wiederholt *sich etw zur ~ machen, aus alter ~ rauchen*
- **ge·wöhn·lich** [gəˈvøːnlɪç] <gewöhnlicher, gewöhnlichst-> *adj (↔ungewöhnlich)* so, dass es alltäglich/nichts Besonderes ist *ein ganz ~er Tag, G~ habe ich einen Regenschirm dabei – nur heute nicht.*

ge·wollt *part perf von* **wollen**

ge·won·nen [gəˈvɔnən] *part perf von* **gewinnen**

ge·wor·ben [gəˈvɔrbn̩] *part perf von* **werben**

ge·wor·den [gəˈvɔrdn̩] *part perf von* **werden**

ge·wor·fen [gəˈvɔrfn̩] *part perf von* **werfen**

- **Ge·würz** [gəˈvʏrt͜s] <-es, -e> *das* etw, das man ins Essen tut, damit es intensiver schmeckt *Pfeffer, Paprika und Zimt sind ~e.*

ge·wusst [gəˈvʊst] *part perf von* **wissen**

ge·zo·gen [gəˈt͜soːgn̩] *part perf von* **ziehen**

ge·zwun·gen [gəˈt͜svʊŋən] **I.** *part perf von* **zwingen** **II.** *adj (↔ungezwungen)* unnatürlich, steif *ein ~es Lächeln, eine ~e Höflichkeit*

Gier [giːr] <-> *kein pl die* der heftige Wunsch, etw haben zu wollen *die ~ nach Geld* ***Wobi: gierig***

gie·ßen [ˈgiːsn̩] <gießt, goss, gegossen> **I.** *tr* [K] ***jd gießt etw*** *akk* mit Wasser versorgen *Blumen ~* **II.** *itr* eine Flüssigkeit von einem Gefäß in ein anderes schütten *Wein ins Glas ~* **III.** stark regnen *Es gießt in Strömen.*

- **Gift** [gɪft] <-(e)s, -e> *das* gefährlicher Stoff, der Leben tötet *~ einsetzen, ~ gegen Insekten verspritzen* ***Komp: -gas, -müll***

gif·tig [ˈgɪftɪç] <giftiger, giftigst-> *adj* **1.** *(↔ungiftig)* so, dass es Leben zerstören kann *einen ~en Pilz essen* **2.** *(umg)* boshaft, böse *eine ~e Bemerkung*

ging [gɪŋ] *prät von* **gehen**

Gip·fel [ˈgɪpfl̩] <-s, -> *der* Spitze eines Berges *einen ~ besteigen*

Gipfel

- **Gi·tar·re** [giˈtarə] <-, -n> *die* Musikinstrument mit sechs Saiten *~ spielen* ***Komp: -nsolo, Bass-, E-, Rhythmus-***
- **Glace** <-, -n> *die* (CH) Eis *eine ~ essen*

Glanz [glant͜s] <-es> *kein pl der* die Spiegelung von Licht *der ~ des Diamanten*

glän·zen [ˈglɛnt͜sn̩] <glänzt, glänzte, geglänzt> *itr* **1.** Licht spiegeln, glitzern *in der Sonne ~* **2.** durch etw positiv auffallen *mit einer guten Idee ~*

- **Glas** [glaːs] <-es, Gläser> *das* **1.** leicht zerbrechliches, durchsichtiges Material *Fenster sind aus ~.* **2.** Trinkgefäß aus Glas *den Wein in die Gläser füllen* **3.** Vorratsgefäß aus Glas *ein ~ Marmelade kaufen*
- **glatt** [glat] <glatter/glätter, glattest-/glättest-> *adj* **1.** so, dass man leicht ausrutschen kann *Im Winter gibt es häufig ~e Straßen.* **2.** gerade, eben, nicht rau *Der Tisch hat eine ~e Oberfläche.*

Glatt·eis <-es> *kein pl das* gefrorene Oberfläche von Straßen *wegen des ~es zu spät kommen;* **jdn aufs ~ führen** *(umg)* jdn täuschen *Sie haben mich aufs ~ geführt.*

Glau·be [ˈglau̯bə] <-ns> *kein pl der* **1.** Vertrauen darauf, dass ein Gott existiert *der ~ an Gott* **2.** die Meinung *der ~, dass Sport gesund* *ist*

- **glau·ben** ['glaubn̩] <glaubt, glaubte, geglaubt> **I.** *tr* [K] ***jd glaubt etw*** *akk* meinen, vermuten *~, dass etw falsch ist* **II.** *itr* [K] ***jd glaubt an etw*** *akk* für wahr halten *an Gott ~;* **Kaum zu ~!** nur schwer vorzustellen *Kaum zu ~, dass schon wieder ein Jahr vorüber ist!*
- **gleich** [glaiç] <-, -> **I.** *adj (≈identisch)* so, dass der/die/das eine genau so wie der/die/das andere ist *Sie haben beide die ~e Frisur., Seid ihr ~ alt?;* **Es ist mir ~, ob ...** es ist mir egal, ... *Es ist mir ~, ob er kommt oder nicht!* **II.** *adv* sofort, bald *Ich bin ~ wieder da., Warte einen Moment, ich komme ~!;* **Bis ~!** Wir sehen uns in wenigen Minuten! *Also dann bis ~!*
- **gleich·be·rech·tigt** <gleichberechtigter, -> *adv* so, dass man die gleichen Rechte hat wie jd anders *Frauen und Männer sind vor dem Gesetz ~.*

glei·chen ['glaiçn̩] <gleicht, glich, geglichen> *itr* [K] ***jd gleicht jdm*** sehr ähnlich sein *Sie gleicht ihrer Mutter.*

- **gleich·falls** *adv* ebenso *Guten Appetit! – Danke ~!*

Gleich·ge·wicht <-(e)s> *kein pl das* gleichmäßige Verteilung des Gewichts oder von Kräften *Ich habe das ~ verloren und bin hingefallen., im ~ sein;* innere Ruhe, Ausgeglichenheit *das ~ verlieren;* **jdn aus dem ~ bringen** jdn durcheinander bringen *Dein Vorwurf hat mich völlig aus dem ~ gebracht.*

gleich·gül·tig ['glaiçgʏltɪç] <gleichgültiger, gleichgültigst-> *adj* so, dass man uninteressiert und teilnahmslos ist *ein ~er Mensch* ***Wobi:*** *Gleichgültigkeit*

- **gleich·mä·ßig** ['glaiçmɛːsɪç] <gleichmäßiger, gleichmäßigst-> *adj* **1.** zu gleichen Teilen *den Kuchen ~ verteilen* **2.** regelmäßig *das ~e Atmen* ***Wobi:*** *Gleichmäßigkeit*
- **gleich·zei·tig** <-, -> *adj* in demselben Moment *~ sprechen*
- **Gleis** [glais] <-es, -e> *das* die beiden Eisenschienen, auf denen Züge und Straßenbahnen fahren *Das Betreten der ~e ist verboten!;* **von ~ 2 abfahren** von Bahnsteig 2 abfahren *Der Zug fährt von ~ 6 ab.*

glei·ten ['glaitn̩] <gleitet, glitt, geglitten> *itr* <*sein*> sich langsam und gleichmäßig bewegen *Das Segelboot gleitet über das Wasser.;* **~de Arbeitszeit** Arbeitszeit, deren Beginn man selbst bestimmen kann *Wir haben in unserer Firma ~de Arbeitszeit.*

glich [glɪç] *prät von* **gleichen**

Glied [gliːt] <-(e)s, -er> *das* **1.** Teil eines Ganzen *ein ~ einer Kette* **2.** Penis *das männliche ~*

glie·dern ['gliːdɐn] <gliedert, gliederte, gegliedert> *tr* [K] ***jd gliedert etw*** *akk* unterteilen, einteilen *das Land in verschiedene Bezirke ~, den Aufsatz ~*

glim·men ['glɪmən] <glimmt, glomm, geglommen> *itr* so brennen, dass es keine Flamme gibt; glühen *Die Zigarette glimmt noch.*

glitt [glɪt] *prät von* **gleiten**

- **Glo·cke** <-, -en> *die* (ÖSTERR) *s.* **Klingel**

glomm [glɔm] *prät von* **glimmen**

- **Glück** [glʏk] <-(e)s> *kein pl das* **1.** *(↔Pech)* positive Ereignisse, die man erlebt, ohne dass man etw dafür getan hat *jdm viel ~ wünschen*

2. innere Zufriedenheit *in ~ und Frieden leben;* **jd hat gerade noch mal ~** einem negativen Ereignis nur knapp entkommen sein *Da habe ich gerade noch mal ~ gehabt!;* **auf gut ~** ohne sicher zu sein, dass man an sein Ziel kommt *Ich bin auf gut ~ bei ihm vorbeigegangen.;* **Zum ~ ...!** verwendet, um Erleichterung auszudrücken *Zum ~ ist dir nichts passiert!*

• **glück·lich** ['glʏklɪç] <glücklicher, glücklichst-> *adj (↔unglücklich)* zufrieden, harmonisch *ein ~es Leben führen;* **~ ankommen** das Reiseziel sicher erreichen *Er ist ~ in Prag angekommen.* ***Wobi:* *glücklicherweise***

• **Glück·wunsch** <-(e)s, -wünsche> *der* **Herzlichen ~ zu ...!** das, was man bei einem positiven Ereignis zu jdm sagt *Herzlichen ~ zum Geburtstag/Namenstag/ zum bestandenen Examen!*

Goal [go:l] <-s, -s> *das* (ÖSTERR, CH) Tor *ein ~ schießen, im ~ stehen*

goss [gɔs] *prät von* **gießen**

• **Gott, Göttin** [gɔt] <-es, Götter> *der* **1.** das Wesen, das die Menschen und die Welt erschaffen hat *an ~ glauben, die Gnade ~es, ~ preisen, zu ~ beten* **2.** ein höheres Wesen, das in einer Kultur von den Menschen verehrt wird *griechische/römische Götter;* **Oh ~!** Ausruf des Schreckens *Oh ~, das habe ich völlig vergessen!;* **Um ~es willen!** Ausruf des Schreckens *Um ~es willen! Was hast du denn gemacht?;* **~ sei Dank!** Ausruf der Erleichterung *~ sei Dank, da bist du ja!;* **Dein Wort in ~es Ohr!** hoffentlich wird das wahr *Das sehe ich auch so. Dein Wort in ~es Ohr!* ***Komp:* *-esdienst, -eshaus, -eslästerung***

Grab [gra:p] <-(e)s, Gräber> *das* Ort auf dem Friedhof, wo ein Toter liegt *ein ~ pflegen*

Grab

gra·ben ['gra:bn̩] <gräbt, grub, gegraben> *tr* K ***jd gräbt etw*** *akk* eine Vertiefung in die Erde machen *ein tiefes Loch ~*

Grad [gra:t] <-(e)s, -(e)> *das* Einheit zum Messen der Temperatur *Es sind 20 ~ im Schatten., Das Thermometer zeigt drei ~ unter Null., drei ~ minus*

Gramm [gram] <-(e)s, -> *das* Einheit zum Messen des Gewichts *200 ~ Käse, bitte!*

Gram·ma·tik [gra'matɪk] <-, -en> *die* alle Strukturen und Regeln einer Sprache *die deutsche ~* ***Wobi:* *grammatikalisch, grammatisch***

• **Gras** [gra:s] <-es, Gräser> *das* Pflanze mit dünnen grünen Halmen *sich ins ~ legen;* **über etw ~ wachsen lassen** *(umg)* etw vergessen *Lass ~ über diese Sache wachsen!*

Grä·te ['grɛ:tə] <-, -n> *die* dünner Knochen eines Fisches *eine ~ verschlucken*

Gräten

• **gra·tis** ['gra:tɪs] *adv* ohne dass man bezahlen muss, kostenlos *Die Tafel Schokolade bekommen Sie ~.* ***Wobi:* *Gratisprobe***

Gra·tu·la·ti·on [gratula'ts̮io:n] *siehe* **Glückwunsch**

• **gra·tu·lie·ren** [gratu'li:rən] <gratuliert, gratulierte, gratuliert> *itr* jdm einen Glückwunsch sagen *jdm zum Geburtstag ~, Ich gratuliere Ihnen zur bestandenen Prüfung!* ***Wobi:* *Gratulation***

• **grau** [grau̯] <grauer, grauest-> *adj* zwischen weiß und schwarz *einen ~en Anzug tragen;* **der ~e Alltag** *(umg)* der Alltag, der als eintönig/monoton empfunden wird *dem ~en Alltag entfliehen*

grau·en ['graṷən] <graut, graute, gegraut> *itr (≈dämmern)* Tag werden, hell werden *Der Morgen graut.*

grei·fen ['graifn̩] <greift, griff, gegriffen> **I.** *tr* K ***jd greift sich** dat **etw** akk* mit den Händen nehmen *sich ein Buch ~ und zu lesen beginnen* **II.** *itr* mit den Händen nehmen *nach etw ~;* **zum G~ nahe liegen** nicht mehr weit entfernt sein *Das Ziel liegt schon zum G~ nahe.*

• **Grẹn·ze** ['grɛntsə] <-, -n> *die* **1.** Linie, die zwei Länder (auch Grundstücke) voneinander trennt *die ~ zu Frankreich, über die ~ gehen* **2.** Trennung *eine klare ~ zwischen Beruf und Freizeit ziehen;* **sich** (**noch**) **in ~n halten** nicht zu groß sein *Sein Ärger hielt sich in ~n.*

grịff [grɪf] *prät von* **greifen**

• **Grịff** [grɪf] <-(e)s, -e> *der* **1.** das Ding, das man anfasst, um z. B. eine Tür zu öffnen *der ~ am Fenster;* **jdn/etw im ~ haben** die Kontrolle über jdn/etw haben *Sie hat die Kinder im ~.* **2.** das Greifen *der ~ zum Telefonhörer, der ~ zur Zigarette* ***Komp:** Tür-*

grịl·len ['grɪlən] <grillt, grillte, gegrillt> *tr* K ***jd grillt etw** akk* über dem offenen Feuer braten *im Garten Würstchen ~*

• **Grịp·pe** ['grɪpə] <-, -n> *die* Erkältungskrankheit mit Fieber *an ~ erkranken, eine ~ bekommen, ~ haben*

grob [gro:p] <gröber, gröbst-> *adj (↔fein)* derb, rau *~es Papier, ~ gemahlener Kaffee*

• **Grọ·schen** ['grɔʃn̩] <-s, -> *der* **1.** Münze in Österreich bis zur Einführung des Euro, 100 Groschen = 1 Schilling *Das kostet 19 Schilling und 50 ~.* **2.** Zehnpfennigstück: *zwei ~ zum Telefonieren brauchen;* **bei jdm ist der ~ gefallen** jd hat etwas endlich verstanden *Na, ist bei dir jetzt der ~ gefallen?*

• **groß** [gro:s] <größer, größt-> *adj* **1.** *(↔klein)* von einer beträchtlichen Höhe; hoch *ein ~er Mensch* **2.** *(↔unbedeutend)* bedeutend, wichtig *ein ~es Problem haben* **3.** enorm, besonders stark *~e Hitze, einen ~en Fehler machen*

• **Grö·ße** ['grø:sə] <-, -n> *die* **1.** Körperhöhe *sich der ~ nach aufstellen* **2.** Umfang, Format *die ~ des Hauses* **3.** Wichtigkeit, Bedeutung *von unerwarteter ~ sein* ***Komp:** Schuh-*

• **Groß·el·tern** <-> *kein sing pl* die Eltern der Eltern *die ~ besuchen* ***Komp:** Ur-*

• **Groß·mut·ter** <-, -mütter> *die* Mutter der Mutter/des Vaters *der ~ ähneln* ***Komp:** Ur-*

• **Groß·stadt** ['gro:sʃtat] <-, -städte> *die* eine Stadt, die ein sehr großes Gebiet bedeckt und in der sehr viele Menschen leben *in einer ~ wohnen*

• **Groß·va·ter** <-s, -väter> *der* Vater der Mutter/des Vaters *dem ~ helfen* ***Komp:** Ur-*

• **groß·zü·gig** <großzügiger, großzügigst-> *adj* **1.** *(↔geizig)* so, dass man gern viele und teure Geschenke macht *ein ~es Geschenk* **2.** mit viel Platz *~ gebaut sein* ***Wobi:** Großzügigkeit*

grub [gru:p] *prät von* **graben**

Grüe·zi ['gry:ətsi] *interj* (CH) Ausruf zur Begrüßung, Guten Tag! *~! Schön, dass du gekommen bist!*

• **grün** [gry:n] <grüner, grünst-> *adj* **1.** so wie die Farbe von Gras *eine ~e Hose* **2.** noch nicht reif *Die Bananen sind noch ~.;* **eine Fahrt ins G~e** ein Ausflug *Wir machen heute eine Fahrt ins G~e.;* **jdm ~es Licht geben** jdm die Erlaubnis geben *Der Chef hat mir ~es Licht gegeben.*

- **Grund** [grʊnt] <-(e)s, Gründe> *der* **1.** Ursache *einen ~ angeben;* **einen ~ zu etw haben** einen Anlass/eine Motivation für etw haben *immer einen ~ zum Feiern haben* **2.** Boden eines Gewässers *bis auf den ~ des Sees blicken können*
- **Grund-** der/die/das Größte/Wichtigste *~gedanke, ~problem*
- **grün·den** ['grʏndn̩] <gründet, gründete, gegründet> *tr* [K] ***jd gründet etw*** *akk* ins Leben rufen, schaffen *eine Firma ~, eine Familie ~*
- **Grund·la·ge** <-, -n> *die* Basis *ohne wissenschaftliche ~ sein*

gründ·lich ['grʏntlɪç] <gründlicher, gründlichst-> *adj* sehr genau *~ über eine Sache nachdenken, ~ putzen;* **jdm ~ die Meinung sagen** jdn (negativ) kritisieren *Ich habe ihm ~ die Meinung gesagt.* ***Wobi:** Gründlichkeit*

- **grund·sätz·lich** ['grʊntzɛtslɪç] <-, -> *adj* **1.** so, dass es in der Regel so ist *sich ~ gut verstehen* **2.** wesentlich *ein ~es Problem*
- **Grund·schu·le** <-, -n> *die (= ÖSTERR Volksschule)* Schule, die man vom 1. bis zum 4. Schuljahr besucht *noch in der ~ sein*
- **Grup·pe** ['grʊpə] <-, -n> *die* **1.** eine bestimmte Anzahl von Menschen oder Dingen *eine große ~ von Kindern* **2.** zu einem bestimmten Zweck gebildete Einheit, Team *in kleinen ~n arbeiten*
- **Gruß** [gru:s] <-es, Grüße> *der* Worte oder Gesten bei Begegnung oder Abschied *jdm zum ~ winken, einen ~ erwidern;* **einen ~ bestellen** einem nicht Anwesenden einen Gruß sagen lassen *Bestellen Sie bitte Ihrer Frau einen ~ von mir.;* **mit freundlichen Grüßen** Briefschluss *Mit freundlichen Grüßen ...*
- **grü·ßen** ['gry:sn̩] <grüßt, grüßte, gegrüßt> *tr* [K] ***jd grüßt jdn*** durch Worte oder Gesten ‚guten Tag' sagen *Er grüßt mich immer sehr freundlich.;* **Grüß dich!** Grußformel unter Freunden *Grüß dich! Wie geht's dir?;* **jdn ~ lassen** jdm Grüße sagen lassen *Meine Mutter lässt dich ~.*
- **gu·cken** ['kukn̩] <guckt, guckte, geguckt> *itr* sehen, schauen *Gucken Sie mal hier!*
- **gül·tig** ['gʏltɪç] <-, -> *adj (↔ungültig)* so, dass etw gilt/in Kraft ist *ein ~er Fahrplan* ***Wobi:** Gültigkeit*
- **güns·tig** ['gʏnstɪç] <günstiger, günstigst-> *adj* **1.** *(↔ungünstig)* so, dass etw von Vorteil ist; praktisch; gut *eine ~e Gelegenheit* **2.** *(↔teuer)* billig *eine ~e Jacke kaufen*

Gur·ke ['gʊrkə] <-, -n> *die* ein längliches Gemüse mit grüner Schale *eine ~ schälen* ***Komp:** -nsalat*

Gurt [gʊrt] <-(e)s, -e> *der* festes Band, mit dem man sich zur Sicherheit in Autos und Flugzeugen am Sitz festmacht *den ~ anlegen*

- **gut** [gu:t] <besser, best-> *adj (↔schlecht)* so, dass etw erfreulich ist; positiv *eine ~e Idee, eine ~e Note bekommen;* **G~e Besserung!** Wunsch, dass jd bald gesund wird *G~e Besserung! Ich besuche Sie wieder!;* **etw tut ~** angenehm sein *Die Sonne tut ~.;* **es ~ haben** in einer angenehmen Situation sein *Du hast's ~, du fährst in den Urlaub.;* **Es kann ~ sein, dass ...** Es ist möglich, dass ... *Es kann ~*

sein, dass sie kommt.; **jdm ist nicht** ~ jd fühlt sich krank *Ich bleibe besser hier. Mir ist nicht ~.;* **Mach's ~!** Abschiedsgruß unter Freunden *Mach's ~ und fahr vorsichtig!;* **nicht mehr ~ sein** schlecht sein (ein Lebensmittel) *Die Milch ist nicht mehr ~.*

Gut·ha·ben <-s, -> *das* das Geld, das man auf seinem Konto hat *Sie hat ein ~ von 3.000 Euro.*

Gym·na·si·um [gʏmˈnaːzi̯ʊm] <-s, -sien> *das* Schule, die man mit dem Abitur bzw. der Matura abschließt *aufs ~ gehen* ***Wobi:*** *Gymnasiast(in)*

H, h [haː] <-, -> *das* der 8. Buchstabe des Alphabets *Das Wort ‚haben' beginnt mit dem Buchstaben ~.*

ha [ha/haː] *interj* verwendet, um auszudrücken, dass man schadenfroh oder überrascht ist *H~! Das ist er doch selbst schuld., H~! Davon weiß ich ja gar nichts!*

• **Haar** [haːɐ̯] <-(e)s, -e> *das* eines der dünnen ‚Fäden', die bei Menschen vor allem auf dem Kopf wachsen *blondes/braunes/schwarzes/graues ~ haben, sich die ~e kämmen/bürsten/waschen;* **um ein** ~ *(umg)* beinahe, fast *Um ein ~ hätte ich mich verschrieben.;* **kein gutes ~ an jdm lassen** *(umg)* jdn schlecht machen *Sie hat kein gutes ~ an ihrem früheren Ehemann gelassen.;* **wegen jdm/etw graue ~e bekommen** *(umg)* sich große Sorgen machen *Wegen ihm bekomme ich noch graue ~e!* ***Komp:* *-ausfall, -bürste, -farbe, -schnitt, Bart-, Brust-***

haa·ren ['haːrən] <haart, haarte, gehaart> *itr* Haare verlieren *Unser Hund haart.*

haar·ge·nau <-, -> *adj (umg)* besonders exakt, sehr genau *etw ~ erzählen, Das stimmt ~.*

Hab [haːp] **mit ~ und Gut** mit seinem ganzen Besitz *Sie haben im Krieg ~ und Gut verloren.*

• **ha·ben¹** ['haːbn̩] <hat, hatte, gehabt> *Vollverb tr* **1.** [K] ***jd hat etw*** *akk* besitzen *Er hat zwei Häuser., Sie hat einen Fernseher und eine Stereoanlage.* **2.** [K] ***jd hat etw*** *akk* etw gehört zu jdm *Er hat schon graue Haare., breite Schultern ~, Schwierigkeiten ~, gute Freunde ~;* **noch zu ~ sein** *(umg)* noch nicht verheiratet sein *Die Tochter des Nachbarn ist noch zu ~.;* **für etw immer zu ~ sein** immer Lust haben auf etw, sich für etw begeistern lassen *Für eine Wanderung bin ich immer zu ~.;* **etw nicht ~ können** etw nicht mögen *dumme Witze nicht ~ können;* **Den Wievielten ~ wir heute?** Welches Datum ist heute? *Sag mal, den Wievielten ~ wir heute eigentlich?;* **zu tun ~** beschäftigt sein *Störe mich bitte nicht. Ich habe zu tun.*

• **ha·ben²** ['haːbn̩] <hat, hatte, -> *Hilfsverb itr* zur Bildung von Verbformen *Wir ~ viel gearbeitet.*

hab·gie·rig ['haːpgiːrɪç] <habgieriger, habgierigst-> *adj (↔ bescheiden)* so, dass man nie genug hat *eine ~e Person*

ha·cken ['hakn̩] <hackt, hackte, gehackt> *tr* **1.** [K] ***jd hackt etw*** *akk* in kleine Stücke zerteilen *Holz ~* **2.** [K] ***jd hackt etw*** *akk* den Boden locker machen *das Feld ~*

• **Ha·fen** ['haːfn̩] <-s, Häfen> *der* Ort, wo Schiffe losfahren und ankommen *in einen ~ einlaufen, aus einem ~ auslaufen* ***Komp:* *-anlagen, -arbeiter, -rundfahrt, -stadt***

Hafen

Haft [haft] <-> *kein pl die* Aufenthalt von Gefangenen im Gefängnis *in ~ sein, jdn aus der ~ entlassen*

haft·bar ['haftbaːɐ̯] <-, -> *adj* offiziell verantwortlich *für den Schaden ~ sein*

haf·ten ['haftn̩] <haftet, haftete, gehaftet> *itr* verantwortlich sein, einen Schaden bezahlen müssen *Eltern ~ für ihre Kinder.*

Häft·ling ['hɛftlɪŋ] <-s, -e> *der* jd, der im Gefängnis ist *einen ~ besuchen*

Haft·pflicht <-> *kein pl die* gesetzliche Pflicht, einen Schaden wieder gutzumachen *In diesem Fall besteht keine ~.* ***Komp:*** ***-versicherung***

Haf·tung ['haftʊŋ] <-> *kein pl die* Verantwortlichkeit im Fall eines Schadens *die ~ übernehmen, Für Garderobe wird keine ~ übernommen.*

Hag [ha:k] <-s, -e/Häge> *der* (CH) Hecke/Zaun *über den ~ schauen;* **am ~ sein** (CH) nicht weiter wissen *Er hat die Prüfung nicht bestanden. Er ist völlig am ~.*

Ha·gel ['ha:gl̩] <-s> *der* Regentropfen, die zu Eiskugeln geworden sind *Ein kräftiger ~schauer geht nieder.* ***Komp: -korn, -schauer***

ha·geln ['ha:gl̩n] <hagelt, hagelte, gehagelt> *itr* Hagelkörner regnen *Es hagelt.;* **es hagelt etw** *(umg)* jd bekommt sehr viel (Negatives) von etw *Es hagelte Proteste.*

ha·ha [ha:ha:] *interj* ironisch verwendet, um auszudrücken, dass man etw gar nicht lustig findet *H~! Wahnsinnig lustig! Du brauchst gar nicht so blöde zu grinsen!*

1

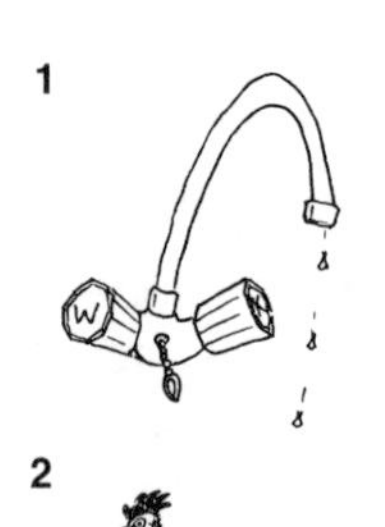

2

Hahn

Hahn [ha:n] <-(e)s, Hähne> *der* **1.** TECH kleines Gerät, um Gas, Wasser, Strom etc. auf- und abzudrehen *den ~ zudrehen, den ~ aufdrehen* **2.** ZOOL männliches Huhn *Der ~ kräht.;* **der ~ im Korb sein** der einzige Mann unter mehreren Frauen sein *Er genießt es, der ~ im Korb zu sein.* ***Komp: Gas-, Wasser-***

• **Hähn·chen** <-s, -> *das* gebratenes Huhn *ein halbes ~ essen*

Hai ['hai] <-(e)s, -e> *der (≈Haifisch)* großer Raubfisch *einen ~ beobachten* ***Komp: -fisch***

hä·keln ['hɛ:kl̩n] <häkelt, häkelte, gehäkelt> *tr* K ***jd häkelt etw*** *akk* einen Faden mit einer speziellen Nadel so verarbeiten, dass ein Muster entsteht *einen Topflappen/eine Tischdecke ~*

• **Ha·ken** ['ha:kn̩] <-s, -> *der* etw, was so gebogen ist, dass man etw daranhängen kann *den Mantel an den ~ hängen;* **Die Sache hat einen ~.** *(umg)* Bei der Sache gibt es ein Problem. *Die Sache hat nur einen ~: Ich habe kein Geld.* ***Komp: -nase, Angel-, Bilder-, Kleider-***

• **halb** [halp] <-, -> *adj* **1.** *(↔ganz)* in zwei gleiche Teile geteilt *ein ~es Brot kaufen, Jeder bekommt ein ~es Stück.* **2.** nicht gründlich, nur teilweise *nur die ~e Arbeit machen;* **~e-~e machen** *(umg)* etw so teilen, dass jeder ein gleich großes Stück erhält *Los, wir machen ~e-~e!;* **~ ... sein** die ersten 30 Minuten einer Stunde sind vergangen *Es ist ~ eins.;* **mit ~em Herzen** nicht ganz von etw überzeugt *die Einladung nur mit ~em Herzen annehmen* ***Komp: -automatisch, -voll***

Hal·be ['halbə] <-, -(n)> *die* (SD) halber Liter Bier *eine ~ bestellen, Zwei ~, bitte!*

hal·bie·ren [hal'bi:rən] <halbiert, halbierte, halbiert> *tr* K ***jd halbiert etw*** *akk* in zwei gleiche Stücke teilen *den Kuchen ~*

• **Halb·jahr** <-(e)s, -e> *das* der Zeitraum von Januar bis Juli oder von Juli bis Dezember *die Planung für das zweite ~* ***Wobi: halbjährig***

- **Halb·pen·si·on** <-> *kein pl die* Übernachtung mit Frühstück und einer weiteren Mahlzeit *ein Zimmer mit ~ buchen*

Halb·schuh <-s, -e> *der* geschlossener Schuh, der nicht über den Knöchel geht *~e tragen*

- **halb·tags** <-, -> *adj* die Hälfte der vollen Arbeitszeit *nur ~ arbeiten* ***Wobi:* *Halbtagsarbeit, Halbtagskraft***

halb·wegs ['halp've:ks] *adv* teilweise, nur ein bisschen *etw ~ akzeptieren/verstanden haben*

half [half] *prät von* **helfen**

- **Hälf·te** ['hɛlftə] <-, -n> *die* jeder der zwei gleich großen Teile eines Ganzen *nur die ~ des Preises zahlen, die ~ des Weges hinter sich haben;* **meine bessere ~** (*umg*) der Ehepartner/die Ehepartnerin *Darf ich vorstellen: meine bessere ~!*

- **Hal·le** ['halə] <-, -n> *die* großer Raum *die ~ betreten, in der ~ trainieren* ***Komp:* *Bahnhofs-, Fabrik-, Hotel-, Schwimm-, Sport-, Tennis-, Werks-***

hal·len ['halən] <hallt, hallte, gehallt> *itr* wie ein Echo klingen *Seine Stimme hallte in dem hohen Raum.*

- **hal·lo** [ha'lo:/'halo] *interj* **1.** Begrüßungsformel, auch am Telefon *H~, wer ist dran?* **2.** Ausruf zum Ausdruck der Überraschung *H~! Was machst du denn hier?*

Hal·lu·zi·na·ti·on [halutsina'tsi̯o:n] <-, -en> *die* Täuschung der Sinne, bei der man etw sieht, was gar nicht da ist *~en haben*

Halm [halm] <-(e)s, -e> *der* dünner Stengel einer Pflanze, Stiel *die langen ~e dieser Gräser* ***Komp:* *Gras-, Stroh-***

- **Hals** [hals] <-es, Hälse> *der* der Körperteil, das Kopf und Körper verbindet *Mir tut der ~ weh.;* **aus vollem ~e lachen** (*umg*) laut lachen *Bei dem Witz musste sie aus vollem ~e lachen.;* **jdm um den ~ fallen** (*umg*) jdn leidenschaftlich umarmen *Vor Freude ist sie mir um den ~ gefallen.;* **etw hängt jdm zum ~ heraus** (*umg!*) jd hat zu viel von jdm/etw und deshalb keine Lust mehr auf jdn/etw *Dieses Essen hängt mir zum ~ heraus.;* **etw in den falschen ~ bekommen** (*umg*) etw falsch verstehen *eine Bemerkung in den falschen ~ bekommen* ***Komp:* *-kette, -schmerzen, -tuch***

Hals

- **halt**[1] [halt] *interj* Ausruf, um auszudrücken, dass jd stehen bleiben soll *H~! Hier darfst du nicht hinein!*

- **halt**[2] [halt] *PART* (SD, ÖSTERR, CH ≈*eben*) verwendet, um zu betonen, dass man hilflos ist *Er ist oft so aggressiv. – Das ist ~ so.*

- **halt·bar** ['haltbaɐ̯] <haltbarer, haltbarst-> *adj* **1.** so, dass etw über längere Zeit gelagert werden kann *~e Lebensmittel* **2.** so, dass etw sehr stabil ist *~es Spielzeug kaufen;* **etw ist nicht ~** so, dass etw nicht überzeugend ist *Diese Theorie ist nicht ~.*

Halt·bar·keit <-> *kein pl die* **1.** Festigkeit, Stabilität *Holzspielzeug hat eine große ~.* **2.** Zeitdauer, während der Lebensmittel gelagert werden können *eine begrenzte ~ haben* ***Komp:* *-sdatum***

- **hal·ten** ['haltn̩] <hält, hielt, gehalten> **I.** *tr* **1.** [K] ***jd hält etw*** *akk* in den Händen haben *einen Stift ~* **2.** [K] ***jd hält jdn/etw*** *akk* jdn/etw anfassen, damit er/es nicht fällt *ein Kind an der Hand ~, eine Leiter ~* **3.** [K] ***jd hält ein Tier*** *akk* haben, besitzen *einen Hund ~* **4.** [K] ***jd hält jdn/etw*** *akk* ***für etw*** *akk* von jdm/etw glauben, dass er/es jd/etw Bestimmtes ist *Ich habe ihn für einen Freund gehalten.,* *etw für wahr ~* **5.** [K] ***jd hält etw*** *akk* bestimmten Regeln folgen *Ordnung ~;* **eine Rede** ~ vor Zuhörern einen (längeren) Text sprechen *Der Bürgermeister hielt eine Rede.;* **geschlossen** ~ zu lassen *Bitte alle Türen geschlossen ~!;* **jdn auf dem Laufenden** ~ jdn mit aktuellen Informationen versorgen *Bitte halte mich auf dem Laufenden.* **II.** *itr* stoppen *Endlich hielt der Wagen.;* **zu jdm** ~ jdm beistehen, jdn vor anderen unterstützen *Er hält immer zu mir.* **III.** *refl* **1.** [K] ***etw hält sich*** *akk* ***irgendwie*** frisch bleiben *Die Blumen ~ sich lange.* **2.** [K] ***jd hält sich*** *akk* ***für etw*** *akk* etw von sich denken *sich für klug ~* **3.** in einem bestimmten Zustand bleiben *Die Milch hält im Kühlschrank ungefähr eine Woche.*

• **Hạl·te·stel·le** <-, -n> *die* Ort, an dem Bus oder Straßenbahn regelmäßig stehen bleiben *Wir müssen an der nächsten ~ aussteigen.* ***Komp:*** *Bus-, End-, Straßenbahn-*

Hạl·tung ['haltʊŋ] <-, -en> *die* **1.** Stellung des Körpers *eine schlechte ~ haben* **2.** *(≈Einstellung)* Meinung, Überzeugung *eine ablehnende/kollegiale/positive ~ haben*

Hạm·mer ['hamɐ] <-s, Hämmer> *der* Gerät zum Einschlagen von Nägeln *mit dem ~ einen Nagel in die Wand schlagen;* **Das ist ja der ~!** *(umg!)* unter Jugendlichen verwendet, um auszudrücken, dass etw toll oder ungewöhnlich ist *Du kommst mit? Das ist ja 'n ~!* ***Wobi:*** *hämmern*

Hạms·ter ['hamstɐ] <-s, -> *der* kleines Nagetier mit dicken Backen, das oft als Haustier gehalten wird *einen ~ als Haustier haben*

hạms·tern ['hamstɐn] <hamstert, hamsterte, gehamstert> *tr* [K] ***jd hamstert etw*** *akk* einen großen Vorrat von etw anlegen, besonders weil man glaubt, dass es in der Zukunft knapp wird *Lebensmittel ~*

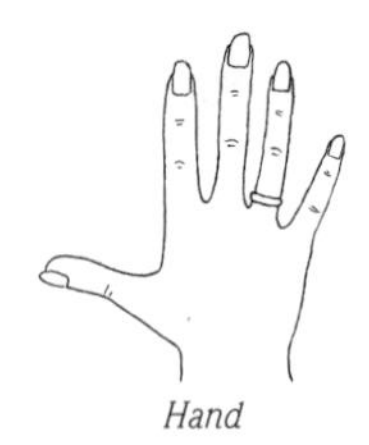
Hand

• **Hạnd** [hant] <-, Hände> *die* der Körperteil am Arm, an dem die Finger sind *ein Buch in die ~ nehmen;* **jdm die ~ geben** jdn begrüßen, indem man seine Hand nimmt *Sie gibt den Gästen die ~.;* **~ und Fuß haben** *(umg)* gut überlegt sein *Sein Vorschlag hat ~ und Fuß.;* **etw von ~ machen** ohne Maschinen herstellen *Bei uns ist alles von ~ gemacht.;* **~ anlegen** helfen *Er hat bei uns im Garten mit ~ angelegt.;* **auf der ~ liegen** offensichtlich sein, klar sein *Es liegt doch auf der ~, was er will.;* **etw in die ~ nehmen** mit etw beginnen, eine bestimmte Aufgabe übernehmen *die Organisation des Festes in die ~ nehmen;* **alle Hände voll zu tun haben** sehr beschäftigt sein *Mit der Vorbereitung hat sie alle Hände voll zu tun.* ***Komp:*** *-ball, -bremse, -gelenk, -rücken, -zeichen*

Hạnd·ar·beit <-, -en> *die* **1.** Herstellung von etw ohne Maschinen *Diese Tischdecke ist kostbare ~.* **2.** Oberbegriff für Nähen, Stricken, Sticken, Häkeln etc. *sich gern mit ~ beschäftigen*

• **Hạn·del** ['handl̩] <-s> *kein pl der* Austausch von Waren *~ treiben* ***Wobi:*** *Händler*

• **hạn·deln** ['handl̩n] <handelt, handelte, gehandelt> *itr* **1.** tätig werden/sein *schnell ~* **2.** Handel treiben *mit Tee ~;* **Es handelt sich um ...** Es geht um ... *Es handelt sich darum, dass ..., Es handelt sich um ein großes Paket/Problem.*

Hạnd·fe·ger <-s, -> *der* kleiner Besen *mit ~ und Kehrschaufel*

Hạnd·ge·päck <-(e)s> *kein pl das* Tasche, die man in einem Flugzeug an seinem Platz haben darf *Im Flugzeug sind bis zu 5 kg ~ erlaubt.*

hand·greif·lich <-, -> *adj* so, dass man Gewalt anwendet *ein ~er Streit, ~ werden*

hän·disch ['hɛndɪʃ] <-, -> *adj* (ÖSTERR) mit der Hand *die Waren ~ verpacken*

hand·lich ['hantlɪç] <handlicher, handlichst-> *adj* so, dass etw klein, leicht und gut zu benutzen ist; praktisch *ein ~er Fotoapparat*

Hand·lung ['handlʊŋ] <-, -en> *die* das, was sich ereignet *Die ~ des Films war spannend.*

Hand·mehr <-s> *kein pl das* (CH) offene Abstimmung durch Handheben *Die Mehrheit wurde durch ~ festgestellt.*

Hand·schrift ['hantʃrɪft] <-, -en> *die* Art und Weise, wie jd schreibt *eine schöne/unleserliche ~ haben;* **etw trägt jds Handschrift** etw ist in einer Art gemacht, die für jdn typisch ist *Auch der Einbruch in der Goethestraße trägt wieder die ~ des gleichen Täters.*

hand·schrift·lich <-, -> *adj* so, dass es mit der Hand geschrieben ist *ein ~es Manuskript*

Hand·schuh <-s, -e> *der* Kleidungsstück, das man zum Schutz über die Hände zieht *bei Kälte ~e anziehen* ***Komp: Faust-, Finger-, Plastik-, Schutz-***

• **Hand·ta·sche** <-, -n> *die* kleine Tasche für Damen *die ~ über die Schulter hängen*

Handtasche

• **Hand·tuch** <-(e)s, -tücher> *der* Tuch zum Abtrocknen des Körpers *sich mit einem ~ abtrocknen;* **das ~ werfen** *(umg)* aufgeben, nicht weitermachen *Kurz vor Ende des Studiums hat er das ~ geworfen.* ***Komp:*** *Geschirr-*

Hand·um·dre·hen im ~ (*umg*) sehr schnell *eine Aufgabe im ~ erledigen*

Hand·werk <-(e)s, -e> *das (↔industrielle Arbeit)* Tätigkeit, bei der vor allem mit der Hand gearbeitet wird *das ~ des Schreiners erlernen;* **jdm das ~ legen** *(umg)* jds kriminelle Tätigkeiten verhindern *Die Polizei hat dem Dieb das ~ gelegt.*

• **Hand·wer·ker(in)** <-s, -> *der* jd, der als Beruf ein Handwerk macht *Elektriker sind ~.*

• **Han·dy** ['hændɪ] <-s, -s> *das* mobiles Telefon *Hast du dein ~ dabei?, Können Sie mir Ihre ~-Nummer geben?*

Hang [haŋ] <-(e)s, Hänge> *der* **1.** abfallende/schräge Seite eines Berges *den ~ hinaufklettern* **2.** Neigung, Tendenz, Vorliebe *einen ~ zur Übertreibung haben*

• **hän·gen**[1] ['hɛŋən] <hängt, hing, gehangen> *itr* irgendwo festgemacht sein und nach unten zeigen *Der Mantel hängt an der Garderobe., Das Bild hängt an der Wand.;* **an etw/jdm** ~ auf etw/jdn nicht verzichten wollen, gern haben *an den Eltern ~;* **mit H~ und Würgen** *(umg)* mit großer Mühe *Sie hat die Prüfung nur mit H~ und Würgen bestanden.*

• **hän·gen**[2] ['hɛŋən] <hängt, hängte, gehängt> *tr* [K] ***jd hängt etw** akk **irgendwohin*** etw so fest machen, dass es keinen Kontakt zum Boden hat *den Mantel an den Haken ~, ein Bild an die Wand ~;* **jdn** ~ jdn aufhängen, jdn mit einem oberhalb festgemachten Seil töten *Die Soldaten hängten den Deserteur.*

Hans·dampf [hans'dampf] ~ **in allen Gassen sein** *(umg)* bei allen möglichen Aufgaben und Arbeiten dabei sein *Er ist ein richtiger ~ in allen Gassen.*

han·tie·ren [han'ti:rən] <hantiert, hantierte, hantiert> *itr* beschäftigt sein, mit etw arbeiten *mit Werkzeug ~, in der Küche ~*

• **Ha·rass** ['haras] <-es, -e> *der* (CH) Kiste/Kasten für Obst oder Getränke *einen schweren ~ tragen*

Har·ke ['harkə] <-, -n> *die* (ND *≈Rechen)* Gartengerät, dessen Vorderteil wie ein Kamm geformt ist, und das zum Glätten der Erde benutzt wird *mit der ~ arbeiten;* **jdm zeigen, was 'ne ~ ist** *(umg)* jdn stark kritisieren *Dem werd' ich schon zeigen, was 'ne ~ ist!* ***Wobi: harken***

harm·los <harmloser, harmlosest-> *adj* so, dass jd/etw nicht gefährlich ist *eine ~e Verletzung, ein ~es Tier* ***Wobi: Harmlosigkeit***

Har·mo·nie [harmo'ni:] <-, -n> *die* Übereinstimmung, friedliches Miteinander *in ~ leben* ***Wobi: harmonieren***

har·mo·nisch [har'mo:nɪʃ] <harmonischer, harmonischst-> *adj* **1.** so, dass etw gut zu etw passt *~e Farben* **2.** so, dass man friedlich miteinander lebt *eine ~e Beziehung*

Harst [harst] <-(e)s, -e> *der* (CH) Schar, Haufen, Gruppe *ein ~ Touristen*

• **hart** [hart] <härter, härtest-> *adj* **1.** *(↔weich)* so, dass etw in festem Zustand ist *ein ~er Gegenstand* **2.** *(↔leicht)* so, dass etw sehr anstrengend und mühsam ist *~e körperliche Arbeit leisten;* **~ zu jdm sein** jdn streng/ohne Gefühl behandeln *Mein Chef ist sehr ~ zu mir.* **3.** streng *ein ~es Gerichtsurteil;* **jdn ~ anpacken** streng mit jdm sein *Der Meister packt die Lehrlinge ~ an.;* **ein ~es Ei** ein Ei, das so lange gekocht worden ist, dass das Eigelb fest ist *lieber ein ~es als ein weiches Ei zum Frühstück essen*

hart·her·zig <hartherziger, hartherzigst-> *adj* so, dass man gefühllos und ohne Mitleid ist *ein ~es Verhalten*

hart·nä·ckig ['hartnɛkɪç] <hartnäckiger, hartnäckigst-> *adj* **1.** so, dass etw lange bleibt, was nicht erwünscht ist *eine ~e Krankheit, ein ~es Gerücht* **2.** *(≈beharrlich)* so, dass jd einen sehr starken Willen hat, etw zu erreichen *~ sein Ziel verfolgen*

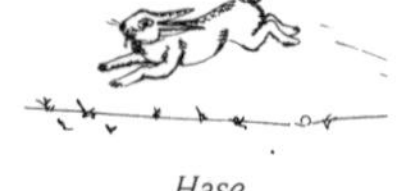

Hase

Ha·se [ha:zə] <-n, -n> *der* Nagetier mit langen Ohren und kurzem Schwanz *auf dem Feld einen ~n beobachten;* **wissen, wie der ~ läuft** *(umg)* über einen Ablauf/einen Vorgang Bescheid wissen *Inzwischen weiß sie, wie der ~ läuft.;* **Mein Name ist ~, ich weiß von nichts.** *(umg)* absolut nichts von etw gewusst haben *Alles, was ich dazu sagen kann ist: Mein Name ist ~, ich weiß von nichts.;* **wo sich Fuchs und ~ gute Nacht sagen** *(umg pej)* ein sehr kleiner, abgelegener Ort auf dem Land *eines dieser Dörfer, wo sich Fuchs und ~ gute Nacht sagen* ***Komp: Feld-***

Hass [has] <-es> *kein pl der (↔Liebe)* starkes Gefühl, etw oder jdn absolut nicht zu mögen *Gegen wen richtet sich dein ~?, glühender ~*

• **has·sen** ['hasn̩] <hasst, hasste, gehasst> *tr* [K] *jd hasst jdn/etw akk (↔lieben)* Hass fühlen *Unordnung ~*

• **häss·lich** ['hɛslɪç] <hässlicher, hässlichst-> *adj* **1.** *(↔schön)* so, dass man etw unästhetisch/absolut nicht schön findet *ein ~er Anblick* **2.** so, dass es gemein oder bösartig ist *ein ~es Verhalten, ~ zu jdm* *sein*

Hast [hast] <-> *kein pl die* große Eile *in großer ~ abfahren* ***Wobi: hasten, überhasten, hastig***

Hau·be ['haubə] <-, -n> *die* **1.** Kopfbedeckung der Krankenschwester, der Nonne etc. *Die Krankenschwester setzt ihre ~ auf.,* **2.** ‚Deckel' über dem Automotor *Er öffnet die Motor~ des Autos.* ***Komp: Bade-***

Hauch ['haux] <-(e)s> *kein pl der* eine sehr geringe Menge *nur einen ~ Parfüm auftragen* ***Komp: Luft-, Wind-***

hau·chen ['hauxn̩] <haucht, hauchte, gehaucht> **I.** *itr* so ausatmen, dass man den Atem sieht *auf den Spiegel ~* **II.** *tr* [K] ***jd haucht etw*** *akk* sehr leise sprechen *etw ~*

hau·en ['hauən] <haut, haute, gehauen> *tr* [K] ***jd haut etw*** *akk* schlagen *seinen Bruder ~*

Hau·fen ['haufn̩] <-s, -> *der* **1.** Ansammlung von Dingen, die übereinander liegen *die Bücher auf einen ~ legen* **2.** *(umg)* große Anzahl oder Menge *einen ~ Lebensmittel kaufen, einen ~ Arbeit haben* ***Wobi: haufenweise***

• **häu·fig** ['hɔyfɪç] <häufiger, häufigst-> *adj* oft *Wir sehen uns ~.*

Haupt [haupt] <-(e)s, Häupter> *das* **1.** *(geh)* Kopf *erhobenen ~es aus dem Raum gehen* **2.** oberster Leiter von etw, Chef *das ~ der Familie sein*

• **Haupt-** ['haupt] der/die/das Wichtigste oder Größte von etw *~bahnhof, ~problem, ~sache*

• **Haupt·bahn·hof** <-(e)s, -höfe> *der* wichtigster und größter Bahnhof einer Stadt *vom ~ abfahren*

Haupt·be·ruf <-(e)s, -e> *der (↔Nebenberuf)* wichtigste berufliche Tätigkeit, der man die meiste Zeit nachgeht *im ~ Lehrer sein* ***Wobi: hauptberuflich***

Haupt·dar·stel·ler(in) <-s, -> *der* FILM THEAT Person, die die wichtigste Figur in einem Film/einem Theaterstück spielt *Der ~ ist ein berühmter Schauspieler.*

• **Haupt·ein·gang** <-(e)s, -gänge> *der* wichtigste Tür eines Gebäudes *das Theater durch den ~ betreten*

• **Haupt·ge·bäu·de** <-s, -> *das* größtes, zentrales Gebäude einer Institution/Firma o.Ä. *das ~ der Universität*

• **Haupt·ge·richt** <-(e)s, -e> *das (≈Hauptspeise)* zentrales, größtes Essen in einem Menü mit mehreren Gängen *auf das ~ warten*

• **Haupt·ge·winn** <-(e)s, -e> *der* erster Preis bei einem Spiel *Der ~ ist eine Reise nach London.*

Haupt·mann ['hauptman] <-es, -leute> *der* MIL ein Offizier *~ sein*

• **Haupt·sa·che** ['hauptzaxə] <-> *kein pl die* das Wichtigste *~, es klappt., Die ~ ist, es geht dir gut.*

Haupt·schu·le <-, -n> *die* von der 5. bis zur 9. oder 10. Klasse führende Schule in Deutschland, die man nach der Grundschule besucht und mit dem Hauptschulabschluss beendet *die ~ besuchen*

• **Haupt·stadt** <-, -städte> *die* politisches Zentrum eines Staates *Bern ist die ~ der Schweiz.*

• **Haupt·stra·ße** <-, -n> *die (↔Nebenstraße)* große und verkehrsreiche Straße in einer Stadt *auf der ~ fahren*

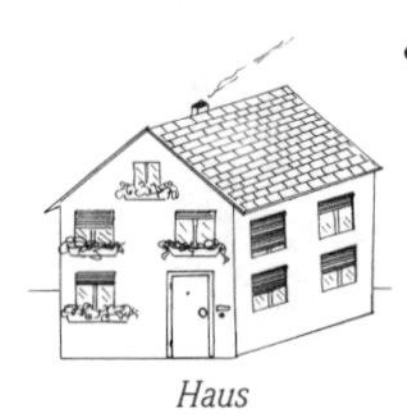
Haus

• **Haus** [haus] <-es, Häuser> *das* Gebäude *in einem eigenen ~ wohnen, zu ~e sein;* ~ **an** ~ **mit jdm wohnen** Nachbarn sein *Wir und Meiers wohnen ~ an ~.;* **vor ausverkauftem ~ spielen** verwendet, um auszudrücken, dass die Theatervorstellung ausverkauft ist *Die Schauspieltruppe spielt heute vor ausverkauftem ~.;* **das ~ hüten** *(umg)* zu Hause bleiben, nicht ausgehen *wegen einer Erkältung das ~ hüten* **Komp:** *-flur, Bauern-, Fachwerk-, Hoch-, Park-*

Haus·ar·rest <-(e)s, -e> *der* Strafe, bei der man das Haus nicht verlassen darf *Er hat von seinen Eltern für eine Woche ~ bekommen.*

Haus·arzt <-(e)s, -ärzte> *der* MED Arzt, zu dem man zuerst geht, wenn man krank ist *einen Termin beim ~ machen*

Haus·auf·ga·be <-, -n> *die* Arbeit, die man nach der Schule zu Hause machen muss *viele ~n aufhaben/bekommen haben*

Haus·be·such <-(e)s, -e> *der* MED Arztbesuch bei einem Patienten zu Hause *einen ~ machen*

• **Haus·frau** <-, -en> *die* Frau, die neben der Arbeit im Haushalt keinen anderen Beruf ausübt *~ und Mutter sein*

Haus·frie·dens·bruch <-s, -brüche> *der* unerlaubtes Betreten eines fremden Grundstücks oder Hauses *~ begehen*

• **Haus·halt** <-(e)s, -e> *der* **1.** alle in einer Wohnung oder einem Haus notwendigen Arbeiten wie Putzen, Kochen, Waschen *den ~ führen/machen* **2.** Hausgemeinschaft *einen ~ gründen, Hat jeder ~ eine Waschmaschine?* **3.** *(≈Etat)* alle Einnahmen und Ausgaben einer Gemeinschaft *über den ~ beraten, den ~ beschließen* **Komp:** *Staats-*

Haus·in·ha·bung <-, -en> *die* (ÖSTERR) Eigentümer des Hauses *mit der ~ sprechen*

häus·lich ['hɔyslɪç] <häuslicher, häuslichst-> *adj* so, dass man gern zu Hause ist *ein ~es Leben führen*

• **Haus·meis·ter(in)** <-s, -> *der* vom Eigentümer bestimmte Person, die für Ordnung und Sauberkeit in einem Haus verantwortlich ist *als ~ arbeiten*

Haus·num·mer <-, -n> *die* Nummer eines Hauses in einer Straße *Welche ~ haben Sie?*

Haus·ord·nung <-, -en> *die* Verhaltensregeln in einem Mehrfamilienhaus oder öffentlichen Gebäude *gegen die ~ verstoßen*

Haus·räu·ke <-, -n> *die* (CH) kleines Fest, das man feiert, wenn man in ein neues Haus/eine neue Wohnung gezogen ist *eine ~ feiern*

Haus·tier <-(e)s, -e> *das* Tier, das der Mensch im Haus oder auf dem Hof hält *ein ~ halten*

Haus·tür(e) <-, -(e)n> *die* Eingangstür eines Hauses *die ~ abschließen*

• **Haut** [haut] <-, Häute> *die* das Organ, das die gesamte Oberfläche des menschlichen Körpers bedeckt *empfindliche/helle ~;* **mit ~ und Haaren** *(umg)* völlig *mit ~ und Haaren dabei sein;* **nur noch ~ und Knochen sein** *(umg)* sehr dünn sein *Nach dem anstrengenden Jahr war sie nur noch ~ und Knochen.;* **auf der faulen ~ liegen** *(umg pej)* nichts Sinnvolles tun, faulenzen *den ganzen Tag auf der faulen ~ liegen;* **nicht in jds ~ stecken mögen** *(umg)* nicht an jds Stelle sein wollen *Ich möchte nicht in seiner ~ stecken.* **Komp:** *Baby-, Gänse-, Orangen-*

Haut·creme <-, -s> *die* Salbe zur Pflege der Haut *täglich ~ benutzen*

> *Haustier*
> Die häufigsten Haustiere sind in Deutschland, Österreich und der Schweiz Hunde, Katzen, Hamster, Meerschweinchen, Zierfische und Kanarienvögel.

haut·eng <-, -> *adj* so, dass ein Kleidungsstück sehr nah am Körper anliegt *~e Jeans tragen*

Haut·far·be <-, -n> *die* Farbe der menschlichen Haut *eine schwarze/weiße ~ haben*

he [he:] *interj* Ausruf, um auf sich aufmerksam zu machen oder um gegen etw zu protestieren *H~, was soll das?*

Heb·am·me ['he:p?amə] <-, -n> *die* Krankenschwester, die bei der Geburt hilft *eine gute ~ sein*

He·bel ['he:bl̩] <-s, -> *der* **1.** Griff, mit dem man eine Maschine bedienen kann *einen ~ betätigen/herunterdrücken* **2.** längliches Werkzeug, mit dem man etw Schweres leichter heben oder bewegen kann *eine Stange als ~ benutzen;* **alle ~ in Bewegung setzen, um ...** alles nur Mögliche probieren, um ... *Ich habe alle ~ in Bewegung gesetzt, um die Stelle zu bekommen.;* **am längeren ~ sitzen** *(umg)* mehr Macht haben *Der Chef sitzt am längeren ~.*

1

2

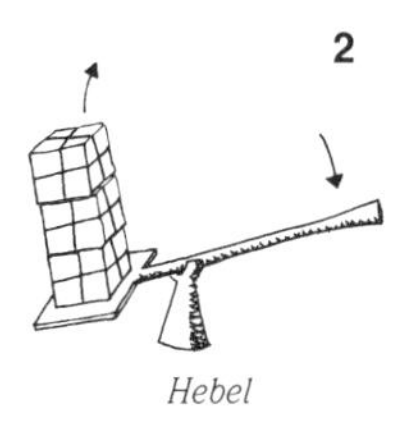

Hebel

• **he·ben** ['he:bn̩] <hebt, hob, gehoben> *tr* [K] *jd hebt etw akk* nach oben bewegen *eine schwere Kiste ~;* **den Arm ~** meist in der Schule die Hand hochnehmen als Zeichen, dass man etw sagen will; aufzeigen *in Mathe den Arm ~;* **einen ~** *(umg!)* Alkohol trinken *Komm, darauf ~ wir einen!*

he·cheln ['hɛçl̩n] <hechelt, hechelte, gehechelt> *itr* ganz schnell und kurz atmen, z. B. nachdem man gerannt ist *Der Hund hechelt.*

Hecht [hɛçt] <-(e)s, -e> *der* Raubfisch im Süßwasser *einen ~ angeln;* **ein toller ~** *(umg pej)* ein attraktiver Mann *Er hält sich für einen tollen ~.*

Heck [hɛk] <-(e)s, -e/-s> *das* hinterer Teil eines Schiffes/Autos/Flugzeugs *Das Gepäck befindet sich im ~ des Schiffes.* ***Komp:* *-fenster, -klappe***

He·cke ['hɛkə] <-, -n> *die (= CH Hag)* kleinere Pflanzen (Büsche), die als Grenze z. B. um ein Haus mit Garten gepflanzt werden *sich hinter der ~ verstecken*

Heer [he:ɐ̯] <-(e)s, -e> *das* **1.** Armeeeinheiten, die auf dem Land kämpfen *das feindliche ~* **2.** große Menge oder Anzahl *ein ~ von Journalisten*

He·fe ['he:fə] <-> *kein pl die* Stoff, den man z. B. in einen Kuchenteig tut, damit dieser locker (und dadurch größer) wird *warten, bis die ~ aufgegangen ist* ***Komp:* *-kuchen, -teig, -weizen, Trocken-***

• **Heft** [hɛft] <-(e)s, -e> *das* **1.** viele Blätter leeres Papier, die zusammengebunden sind und einen dünnen Umschlag haben *die Hausaufgaben in ein ~ schreiben* **2.** (CH) Illustrierte *in einem ~ blättern* ***Komp:* *Schreib-, Schul-***

hef·ten ['hɛftn̩] <heftet, heftete, geheftet> *tr* locker fest machen, nicht kleben *einen Zettel ans schwarze Brett ~*

hef·tig ['hɛftɪç] <heftiger, heftigst-> *adj* stark *~e Kopfschmerzen haben* ***Wobi:* *Heftigkeit***

he·gen ['he:gn̩] <hegt, hegte, gehegt> *tr* **1.** [K] *jd hegt jdn/etw akk* gut behandeln, schützen *das Haustier ~* **2.** [K] *jd hegt etw akk* bestimmte Gefühle haben *böse Gefühle gegen jdn ~;* **den Verdacht ~, dass ...** meinen/glauben, dass ... *Ich hege den Verdacht, dass er gelogen hat.*

Hehl [heːl] <-s> *kein pl der/das* **kein(en)** ~ **aus etw machen** etw nicht geheim halten, offen zeigen *Er macht keinen ~ aus seinen Gefühlen.*

Hei·de [ˈhaidə] <-> *kein pl die* BOT eine Landschaft, in der es keine Bäume, sondern viele Gräser und Sträucher gibt *in der ~ spazieren gehen* ***Komp:*** ***-kraut, -landschaft***

heid·nisch [ˈhaidnɪʃ] <-, -> *adj (↔gläubig)* so, dass man nicht an (den christlichen) Gott glaubt *~e Rituale*

hei·kel [ˈhaikl̩] <**heikler, heikelst-**> *adj* gefährlich, kompliziert *eine heikle Angelegenheit*

Heil [ˈhail] <-s> *kein pl das* Erlösung des Menschen durch den Glauben an Gott *sein ~ im Glauben suchen*

heil [hail] <-, -> *adj* nicht kaputt, unverletzt *Die Tasse ist noch ~.; ~* **davonkommen** unverletzt bleiben oder keine negativen Folgen tragen müssen *Er ist noch mal ~ davongekommen.*

heil·bar <-, -> *adj (↔unheilbar)* so, dass eine Krankheit erfolgreich bekämpft werden kann *eine ~e Krankheit haben*

hei·len [ˈhailən] <**heilt, heilte, geheilt**> **I.** *tr* K ***etw/jd heilt jdn*** wieder gesund machen *Die Medizin hat ihn geheilt.* **II.** *itr* gesund werden *Die Wunde heilt schnell.*

hei·lig [ˈhailɪç] <**heiliger, heiligst-**> *adj* so, dass es von Gott kommt *das ~e Abendmahl empfangen;* **etw hoch und ~ versprechen** *(umg)* so versprechen, dass einem das Versprechen sehr ernst ist *der Mutter hoch und ~ versprechen, es nicht wieder zu tun;* **jdm ist nichts ~** jd nimmt auf nichts Rücksicht *Dir ist wohl gar nichts mehr ~?;* **H~er Abend** Abend vor dem ersten Weihnachtstag, 24. Dezember *am H~en Abend in die Kirche gehen* ***Wobi:*** ***Heilige(r)***

heil·los [ˈhailloːs] <**heilloser, heillosest-**> *adj* sehr schlimm *einen ~en Lärm verursachen, sich in einer ~en Situation befinden*

Heil·mit·tel <-s, -> *das* Maßnahme oder Medikament, um wieder gesund zu werden *Das beste ~ ist immer noch: warm halten und viel schlafen.*

> *Heilpraktiker*
> Die Behandlung durch einen Heilpraktiker oder eine Heilpraktikerin wird nicht von der gesetzlichen Krankenkasse gezahlt.

Heil·prak·ti·ker(in) <-s, -> *der* jd, der mit alternativen Methoden (ohne chemische Stoffe) Krankheiten heilt *zum ~ gehen*

heil·sam [ˈhailzaːm] <**heilsamer, heilsamst-**> *adj* nützlich, hilfreich *eine ~e Erfahrung*

Hei·lung [ˈhailʊŋ] <-, -en> *die* Prozess des Gesundwerdens *die ~ von einer schweren Krankheit*

• **Heim** [haim] <-(e)s, -e> *das* **1.** Haus oder Wohnung, wo man lebt *ein schönes ~ haben* **2.** öffentliche Wohnstätte für bestimmte Personen *ein ~ für alte Menschen* ***Komp:*** ***Alten-, Behinderten-, Kinder-***

heim [haim] *adv* nach Hause *Ich will noch nicht ~.*

• **Hei·mat** [ˈhaimaːt] <-> *kein pl die* Ort, wo man aufgewachsen ist oder sich zu Hause fühlt *die ~ vermissen* ***Komp:*** ***-land***

Hei·mat·stadt <-> *kein pl die* Ort, wo man geboren ist *Was ist Ihre ~?*

heim|fah·ren <**fährt heim, fuhr heim, heimgefahren**> *itr* <*sein*> nach Hause zurückkehren *am Wochenende ~*

Heim·fahrt <-, -en> *die* Reise nach Hause *sich auf der ~ befinden*

hei·misch [ˈhaimɪʃ] <**heimischer, heimischst-**> *adj* so, dass man einen Ort gut kennt und man sich dort wohl fühlt *sich in der Stadt ~ fühlen*

heim|keh·ren ['haimke:rən] **<kehrt heim, kehrte heim, heimgekehrt>** *itr <sein>* nach Hause zurückkommen *Der Sohn kehrt wieder heim.* ***Wobi: Heimkehr***

heim·lich ['haimlɪç] <-, -> *adj* geheim, ohne dass es jd anders weiß *~ tun* ***Wobi: Heimlichkeit***

Heim·rei·se <-, -n> *die* Fahrt nach Hause *auf der ~ sein*

heim|su·chen **<sucht heim, suchte heim, heimgesucht>** *tr* [K] ***etw sucht jdn heim*** jdn befallen *Sie wurde von einer schlimmen Krankheit heimgesucht.*

heim·tü·ckisch ['haimtʏkɪʃ] **<heimtückischer, heimtückischst->** *adj* gefährlich, unberechenbar, hinterhältig *eine ~e Krankheit*

heim·wärts ['haimvɛrts] *adv* nach Hause *~ gehen*

• **Heim·weh** <-s> *kein pl das (↔Fernweh)* starker Wunsch, in die Heimat zurückzukehren *~ haben*

Heim·we·sen <-s, -> *das* (CH) Bauernhof, großes Grundstück, Anwesen *ein großes ~ besitzen*

Hei·rat ['haira:t] <-, -en> *die* Eheschließung *Nach meiner ~ ziehe ich um.*

• **hei·ra·ten** ['haira:tn̩] **<heiratet, heiratete, geheiratet>** **I.** *tr* [K] ***jd heiratet jdn*** die Ehe mit jdm schließen *Sie heiratet den Nachbarssohn.* **II.** *itr* die Ehe schließen *Die beiden ~ nächstes Jahr.*

hei·ser ['haizɐ] **<heiserer, heiserst->** *adj* so, dass man fast keine Stimme mehr hat *vom vielen Reden ganz ~ sein*

• **heiß** ['hais] **<heißer, heißest->** *adj* sehr warm *~es Sommerwetter, ~en Tee trinken*

• **hei·ßen** ['haisn̩] **<heißt, hieß, geheißen>** *itr* **1.** genannt werden, einen Namen haben *Die Hauptstadt von Deutschland heißt Berlin., Wie heißt du?* **2.** bedeuten *Was soll das ~?;* **nicht viel zu ~ haben** unwichtig sein *Seine Bemerkung hat nicht viel zu ~.;* **das heißt ...** das bedeutet *Ich komme bald, das heißt in genau einer Stunde.*

hei·ter ['haitɐ] **<heiterer, heiterst->** *adj* **1.** gut gelaunt, fröhlich *in ~er Stimmung sein* **2.** so, dass der Himmel ohne Wolken ist *~es Wetter* ***Wobi: Heiterkeit***

• **hei·zen** ['haitsn̩] **<heizt, heizte, geheizt>** **I.** *tr* [K] ***jd heizt etw*** *akk* warm machen *die Wohnung ~* **II.** *itr* die Heizung anstellen oder den Ofen anmachen *ab Oktober wieder ~ müssen*

Hei·zung <-, -en> *die* Ofen, der mit Öl, Gas oder Strom funktioniert *die ~ anmachen*

Hek·tik ['hɛktɪk] <-> *kein pl die* Nervosität, weil man in großer Eile ist *~ machen;* **Bloß keine ~!** Aufforderung, ruhig zu bleiben *Ich mach' das schon, bloß keine ~!* ***Wobi: Hektiker(in)***

hek·tisch ['hɛktɪʃ] **<hektischer, hektischst->** *adj* so, dass man sehr nervös ist, z. B. weil man in Eile ist *~ reden*

Held(in) ['hɛlt] <-en, -en> *der* **1.** FILM LIT THEAT wichtigste Figur *der ~ des Films* **2.** besonders mutige Person *Der Retter des kleinen Jungen ist ein ~.* ***Wobi: heldenhaft, Heldentum***

• **hel·fen** ['hɛlfn̩] **<hilft, half, geholfen>** *itr* unterstützen, Hilfe leisten *jdm im Haushalt ~;* **jdm aus der Patsche ~** (*umg*) jdn dabei

heiß
In Mitteleuropa gelten Temperaturen von 28–30 Grad Celsius als heiß. Deutsche Schüler bekommen ab 28 Grad im Schatten hitzefrei. Das heißt, sie dürfen nach Hause gehen.

Heizung
Jedes neu gebaute Haus bekommt ein zentrales Heizsystem. In Mitteleuropa wird ungefähr ein halbes Jahr lang geheizt: etwa von Oktober bis März.

unterstützen, aus einer schwierigen Situation herauszukommen *Ich helfe dir gerne aus der Patsche.*

• **hẹll** ['hɛl] <heller, hellst-> *adj* **1.** *(↔dunkel)* so, dass viel Licht da ist *Es wird schon ~.* **2.** so, dass es nicht von dunkler Farbe ist *ein ~er Mantel* ***Wobi: Helligkeit Komp: -blau, -blond***

Hell·se·he·rei [hɛlze:ə'rai̯] <-> *kein pl die* Fähigkeit, die Zukunft vorauszusagen *an ~ glauben* ***Wobi: Hellseher, hellsehen***

Helm

Hẹlm ['hɛlm] <-(e)s, -e> *der* ein Schutz für den Kopf aus einem harten Material *der Helm eines Soldaten, zum Motorradfahren einen ~ aufsetzen* ***Komp: -pflicht, Fahrrad-, Motorrad-, Stahl-, Sturz-***

• **Hẹmd** ['hɛmt] <-(e)s, -en> *das* Kleidungsstück mit Kragen, Knöpfen und langen/kurzen Ärmeln (meist für Männer) *ein weißes ~ tragen, ein kariertes/gestreiftes ~* ***Komp: Nacht-, Ober-, Unter-***

hẹm·men ['hɛmən] <hemmt, hemmte, gehemmt> *tr* **1.** K ***etw hemmt etw*** *akk* die Entwicklung verlangsamen *den Fortschritt ~* **2.** K ***etw hemmt jdn*** jdn unfrei machen *Seine Anwesenheit hemmt sie.* ***Wobi: Hemmung, hemmungslos***

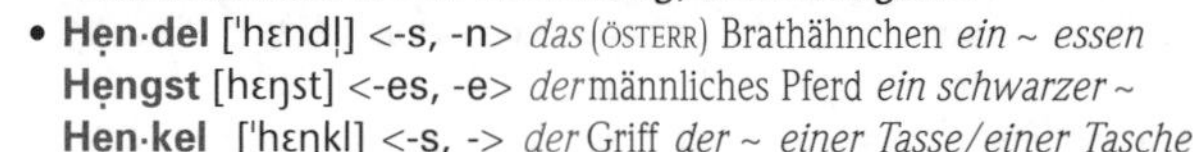

• **Hẹn·del** ['hɛndl̩] <-s, -n> *das* (ÖSTERR) Brathähnchen *ein ~ essen*

Hẹngst [hɛŋst] <-es, -e> *der* männliches Pferd *ein schwarzer ~*

Hẹn·kel ['hɛŋkl̩] <-s, -> *der* Griff *der ~ einer Tasse/einer Tasche*

Henkel

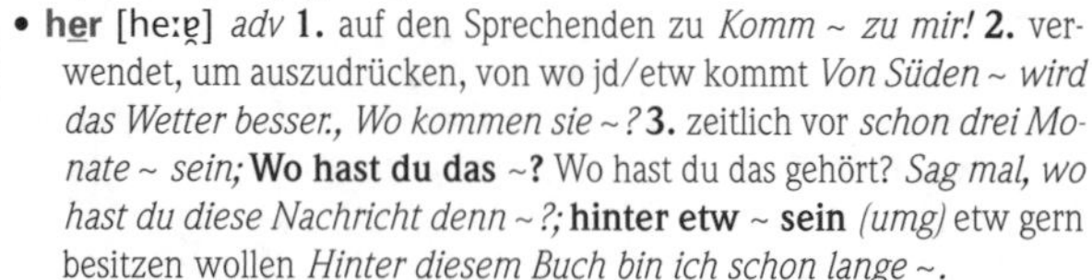

• **hẹr** [he:ɐ̯] *adv* **1.** auf den Sprechenden zu *Komm ~ zu mir!* **2.** verwendet, um auszudrücken, von wo jd/etw kommt *Von Süden ~ wird das Wetter besser., Wo kommen sie ~?* **3.** zeitlich vor *schon drei Monate ~ sein;* **Wo hast du das ~?** Wo hast du das gehört? *Sag mal, wo hast du diese Nachricht denn ~?;* **hinter etw ~ sein** *(umg)* etw gern besitzen wollen *Hinter diesem Buch bin ich schon lange ~.*

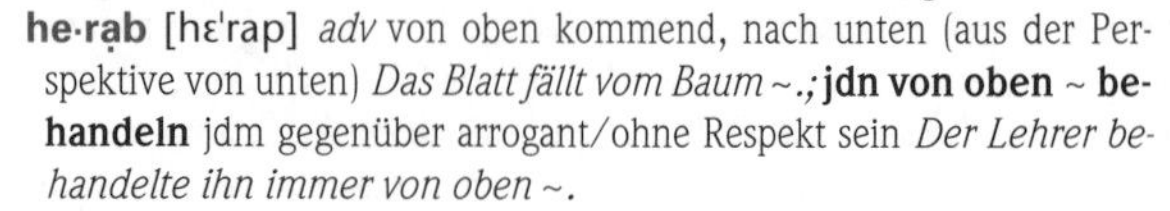

he·rạb [hɛ'rap] *adv* von oben kommend, nach unten (aus der Perspektive von unten) *Das Blatt fällt vom Baum ~.;* **jdn von oben ~ behandeln** jdm gegenüber arrogant/ohne Respekt sein *Der Lehrer behandelte ihn immer von oben ~.*

he·rạb·ge·setzt <-, -> *adj* billiger als normal *eine ~e Bluse kaufen, Die Schuhe sind ~.*

he·rạb|set·zen <setzt herab, setzte herab, herabgesetzt> *tr* K ***jd setzt etw*** *akk* ***herab*** billiger verkaufen *die Winterschuhe ~*

he·rạn [hɛ'ran] *adv* näher zu jdm/etw *Nur ~, keine Angst!*

he·rạn|fah·ren <fährt heran, fuhr heran, herangefahren> *tr* *<sein>* K ***jd fährt an jdn/etw*** *akk* ***heran*** zu jdm/etw fahren und dort ankommen *an die Tankstelle ~*

he·rạn|na·hen <naht heran, nahte heran, herangenaht> *itr* *<sein>* jdm/einer Sache näher kommen *Der Zug naht heran.*

he·rạn|wach·sen <wächst heran, wuchs heran, herangewachsen> *itr* *<sein>* erwachsen/groß werden *Das Kind wächst langsam heran.*

he·rauf [hɛ'rau̯f] *adv* von unten nach oben (aus der Perspektive von oben) *Die Treppe hier ~, bitte!*

he·rauf|be·schwö·ren <beschwört herauf, beschwor herauf, heraufbeschworen> *tr* K ***jd beschwört etw*** *akk* ***herauf*** sich intensiv vorstellen, dass etw (Negatives) geschieht *ein Unglück ~*

he·raus [hɛ'rau̯s] *adv* von innen nach außen (aus der Perspektive von außen) *aus dem Haus ~*

he·raus|be·kom·men <bekommt heraus, bekam heraus,

herausbekommen> *tr* **1.** [K] ***jd bekommt etw*** *akk* ***heraus*** beim Bezahlen das Restgeld erhalten *10 Cent ~* **2.** [K] ***jd bekommt etw*** *akk* ***heraus*** entdecken *Ich habe herausbekommen, wo er die Sachen gekauft hat.*

he·raus|fah·ren <fährt heraus, fuhr heraus, herausgefahren> *itr* <*sein*> sich mit einem Fahrzeug von innen nach außen bewegen (aus der Perspektive von außen) *aus der Garage ~, aus der Stadt ~*

he·raus|fin·den <findet heraus, fand heraus, herausgefunden> **I.** *tr* [K] ***jd findet etw*** *akk* ***heraus*** entdecken *die Wahrheit ~* **II.** *itr* den Weg aus einem Gebäude finden *Ich habe allein aus der Höhle/dem Labyrinth herausgefunden.*

he·raus|for·dern <fordert heraus, forderte heraus, herausgefordert> *tr* [K] ***jd fordert jdn*** [***zu etw*** *dat*] ***heraus*** jdn zum Kräftemessen auffordern *jdn zu einem Wettkampf ~*

He·raus|for·de·rung <-, -en> *die* große, schwierige Aufgabe, die man interessant und spannend findet *Die neue Stelle bedeutet eine große ~ für mich.*

he·raus|ge·ben <gibt heraus, gab heraus, herausgegeben> *tr* **1.** [K] ***jd gibt etw*** *akk* ***heraus*** das Wechselgeld geben *Die Verkäuferin gab mir 2,10 Euro heraus.* **2.** [K] ***jd gibt etw*** *akk* ***heraus*** veröffentlichen *als Professor ein wissenschaftliches Werk ~* ***Wobi:*** Herausgeber

he·raus|ge·hen <geht heraus, ging heraus, herausgegangen> *itr* <*sein*> z.B. aus einem Kleidungsstück verschwinden *Der Fleck/Schmutz geht gar nicht mehr heraus.*; **aus sich ~** sich offen und kommunikativ verhalten, obwohl man normalerweise eher still und schüchtern ist *Sie geht nur selten aus sich heraus.*

He·raus·geld <-(e)s, -er> *das* (CH) Wechselgeld, Retourgeld *~ von der Verkäuferin bekommen*

he·raus|hal·ten <hält heraus, hielt heraus, herausgehalten> *refl* [K] ***jd hält sich*** *akk* ***aus etw*** *dat* ***heraus*** sich nicht einmischen *sich aus dem Streit ~*

• **he·raus|kom·men** [hɛˈraus̯kɔmən] <kommt heraus, kam heraus, herausgekommen> *itr* <*sein*> **1.** ein Gebäude o.Ä. verlassen (aus der Perspektive von außen) *aus dem Haus ~* **2.** entdeckt werden *Wenn die Wahrheit herauskommt, dann ...* **3.** veröffentlicht werden *Das Buch kommt im Januar heraus.*; **aus dem Lachen nicht mehr ~** (*umg*) nicht mehr aufhören können zu lachen *Sie kamen aus dem Lachen nicht mehr heraus.*

he·raus|neh·men <nimmt heraus, nahm heraus, herausgenommen> *tr* [K] ***jd nimmt etw*** *akk* [***aus etw*** *dat*] ***heraus*** aus etw nehmen *ein Kleid aus dem Schrank ~*; **sich etw ~** sich erlauben, etw Freches oder Unerlaubtes zu tun *Er nahm sich die Frechheit heraus, mich anzulügen.*

he·raus|re·den <redet heraus, redete heraus, herausgeredet> *refl* [K] ***jd redet sich*** *akk* [***aus etw*** *dat*] ***heraus*** sich von einem Verdacht befreien *sich aus einer peinlichen Situation ~*

he·raus|rei·ßen <reißt heraus, riss heraus, herausgerissen> *tr* [K] ***jd reißt etw*** *akk* [***aus etw*** *dat*] ***heraus*** heftig herausziehen *eine Seite aus einem Buch ~*; **jdn aus etw ~** jdn aus Schwierigkeiten befreien *Er hat mich da noch mal herausgerissen.*

he·raus|rü·cken <rückt heraus, rückte heraus, herausgerückt> **I.** *itr* <*sein*> (*umg*) nicht länger geheim halten *Endlich ist sie mit der Wahrheit herausgerückt.;* **mit der Sprache** ~ sagen, was man bisher geheim gehalten hat *Wo haben sie sich versteckt? Rück schon heraus mit der Sprache!* **II.** *tr* K ***jd rückt etw** akk **heraus*** (*umg*) jdm etw geben, was diesem gehört *Er hat das Geld endlich herausgerückt.*

he·raus|stel·len <stellt heraus, stellte heraus, herausgestellt> *refl* K ***etw stellt sich heraus*** deutlich werden, sich zeigen *Es stellte sich heraus, dass …*

he·raus|wach·sen <wächst heraus, wuchs heraus, herausgewachsen> *tr* <*sein*> K ***jd wächst aus etw** dat **heraus*** etw wird zu klein *aus der Hose ~*

her·bei [hɛɐ̯'bai̯] *adv* (*geh*) an diese Stelle *H~, ~! Wir brauchen Hilfe!*

her·bei|ei·len <eilt herbei, eilte herbei, herbeigeeilt> *itr* <*sein*> schnell an eine bestimmte Stelle kommen *Sie eilten herbei, als sie die Schreie hörten.*

her·bei|füh·ren [hɛɐ̯'bai̯fyːrən] <führt herbei, führte herbei, herbeigeführt> *tr* K ***jd führt etw** akk **herbei*** dafür sorgen, dass etw geschieht *eine Entscheidung ~*

her·bei|ru·fen <ruft herbei, rief herbei, herbeigerufen> *tr* K ***jd ruft jdn herbei*** jdn an eine bestimmte Stelle holen *den Freund ~*

Her·ber·ge ['hɛrbɛrgə] <-, -n> *die* einfaches Gasthaus, in dem man übernachten kann *die Nacht in einer ~ verbringen* ***Komp: Jugend-***

Herbst [hɛrpst] <-(e)s, -e> *der* die Jahreszeit, in der die Bäume ihre Blätter verlieren *im ~ Urlaub machen;* **der ~ des Lebens** Lebensabschnitt, in dem man alt wird *den ~ des Lebens genießen* ***Wobi: herbstlich Komp: -zeit***

Herd

Herd [heːɐ̯t] <-(e)s, -e> *der* Gerät zum Kochen und Backen *den ~ anmachen* ***Komp: Elektro-, Gas-, Küchen-***

Her·de ['heːɐ̯də] <-, -n> *die* Gruppe von Tieren *eine ~ hüten* ***Komp: Kuh-, Schaf-***

• **he·rein** [hɛ'rai̯n] *adv* von draußen nach drinnen (aus der Perspektive von innen) *Komm doch ~!, Hier ~!*

he·rein|fal·len <fällt herein, fiel herein, hereingefallen> *itr* <*sein*> betrogen/enttäuscht werden *Jetzt bin ich doch tatsächlich auf den Betrüger hereingefallen!*

he·rein|kom·men <kommt herein, kam herein, hereingekommen> *itr* <*sein*> in einen Raum/ein Gebäude etc. treten *Bitte, kommen Sie doch herein!*

her|ge·ben <gibt her, gab her, hergegeben> *tr* K ***jd gibt etw** akk **her*** aus der Hand geben (aus der Perspektive des Sprechers) *Gib mal das Buch her!*

her|ge·hen <geht her, ging her, hergegangen> *itr* <*sein*> ganz in der Nähe von jdm gehen *neben/hinter der Mutter ~;* **Es geht irgendwo hoch/heiß her.** irgendwo ist viel los *Auf der Party geht es hoch her., Beim Endspiel wird's heiß ~.*

• **her|kom·men** <kommt her, kam her, hergekommen> *itr* <*sein*> **1.** sich nähern (aus der Perspektive des Sprechers) *Komm mal* *her zu mir!* **2.** geboren oder aufgewachsen sein *Wo kommen Sie her?*

her·kömm·lich ['heːɐ̯kœmlɪç] <herkömmlicher, herkömmlichst-> *adj* so, dass es auf Gewohnheiten oder Traditionen basiert *Das ist die ~e Art, das Essen zuzubereiten.*

Her·kunft ['heːɐ̯kʊnft] <-> *kein pl die* Abstammung, Ursprung *die soziale ~, britischer ~ sein*

her|ma·chen <macht her, machte her, hergemacht> *refl* [K] ***jd macht sich** akk **über etw** akk **her*** sich auf etw stürzen, etw mit großem Appetit essen *sich über die Torte ~*

he·ro·ben [hɛ'roːbn̩] *adv* (SD, ÖSTERR) hier oben *H~ auf dem Berg ist es sehr kalt.*

• **Herr** [hɛr] <-en, -en> *der* Mann *ein freundlicher ~; ~* **...** verwendet zur Anrede mit Namen *Guten Tag, ~ Schmidt!;* **sein eigener ~ sein** *(umg)* selbstständig sein, selbst bestimmen können *Ich bin mein eigener ~.*

Herr·gott ['hɛrgɔt] <-(e)s> *kein pl der* Gott *Der ~ hat mir das befohlen.; ~*! *(umg)* verwendet, um auszudrücken, dass man ärgerlich ist *~ noch mal! Warum kannst du nicht mal aufräumen?, ~! Wann kommst du endlich?*

• **herr·lich** <herrlicher, herrlichst-> *adj (≈wunderbar)* sehr schön *~es Wetter haben*

Herr·schaft ['hɛrʃaft] <-, -en> *die* Staatsgewalt, Zustand der Macht über jdn/etw *die politische ~ über ein Land haben;* **Meine ~en!** Anrede für Damen und Herren *Meine ~, bitte kommen Sie hierher!*

• **herr·schen** ['hɛrʃn̩] <herrscht, herrschte, geherrscht> *itr* regieren, die Macht haben *über ein Land ~*

herrsch·süch·tig <herrschsüchtiger, herrschsüchtigst-> *adj (pej)* so, dass jd unbedingt die Macht über andere haben möchte *eine ~e Person* ***Wobi: Herrschsucht***

• **her|stel·len** <stellt her, stellte her, hergestellt> *tr* [K] ***jd stellt etw** akk **her*** produzieren *Lebensmittel ~* ***Wobi: Herstellung***

he·rü·ber [hɛ'ryːbɐ] *adv* auf die andere Seite (zum Sprecher hin) *H~ über den Fluss!*

he·rum [hɛ'rʊm] *adv* rundum *um das Haus ~;* **so um ... Euro ~ kosten** ungefähr ... Euro kosten *Das Buch wird so um 10 Euro ~ kosten.*

he·rum|är·gern <ärgert herum, ärgerte herum, herumgeärgert> *refl* [K] ***jd ärgert sich** akk **mit jdm/etw** dat **herum*** sich immer wieder über jdn/etw ärgern *sich als Lehrer ständig mit den Schülern ~*

he·rum|bum·meln <bummelt herum, bummelte herum, herumgebummelt> **I.** *itr* <sein> (*umg*) ohne Ziel durch die Straßen spazieren *in der Stadt ~* **II.** *itr (umg)* sich viel Zeit lassen mit etw, trödeln *Warum bummelst du so herum?*

he·rum|fah·ren <fährt herum, fuhr herum, herumgefahren> *itr* <sein> **1.** ohne Ziel durch die Gegend fahren *stundenlang mit dem Motorrad ~* **2.** eine Fahrt um etw machen *um die Stadt ~*

he·rum|füh·ren [hɛ'rʊmfyːrən] <führt herum, führte herum, herumgeführt> *tr* [K] ***jd führt jdn herum*** jdn begleiten und dabei die Umgebung erklären *jdn in der Altstadt ~;* **jdn an der Nase ~** (*umg*) jdn täuschen *Er hat mich an der Nase herumgeführt.*

he·rụm|ge·hen <geht herum, ging herum, herumgegangen> *itr* <*sein*> **1.** um etw/jdn einen Bogen machen *um das Haus ~* **2.** vorbeigehen *Im Urlaub geht die Zeit zu schnell herum.;* **Es geht das Gerücht herum, ...** ein bestimmtes Gerücht verbreitet sich *Es geht das Gerücht herum, dass er nicht wiederkommt.*

he·rụm|hor·chen <horcht herum, horchte herum, herumgehorcht> *itr* aus Neugier hören, was die Leute über jdn/etw sagen *überall ~*

he·rụm|kom·men <kommt herum, kam herum, herumgekommen> *itr* <*sein*> **1.** vermeiden können *um ein Problem ~* **2.** reisen *weit in der Welt ~*

he·rụm|krie·gen <kriegt herum, kriegte herum, herumgekriegt> *tr* [K] ***jd kriegt jdn herum*** *(umg)* jdn überreden *Ich darf auf die Party! Ich hab' meine Eltern herumgekriegt!*

he·rụm|lie·gen <liegt herum, lag herum, herumgelegen> *itr* <*sein/haben*> **1.** überall auf dem Boden sein, unordentlich verteilt sein *Die Bücher liegen überall im Zimmer herum.* **2.** faulenzen *auf dem Sofa ~*

he·rụm|lun·gern <lungert herum, lungerte herum, herumgelungert> *itr (umg pej)* nichts Sinnvolles tun *den ganzen Tag ~*

he·rụm|schnüf·feln <schnüffelt herum, schnüffelte herum, herumgeschnüffelt> *itr (umg pej)* sich neugierig fremde Sachen anschauen *im Schrank ~*

he·rụm|ste·hen <steht herum, stand herum, herumgestanden> *itr* <*sein/haben*> **1.** dastehen, ohne etw zu tun zu haben *Warum stehst du hier herum? Hilf mir lieber!* **2.** ungeordnet irgendwo stehen *Überall steht schmutziges Geschirr herum.*

he·rụm|trei·ben <treibt herum, trieb herum, herumgetrieben> *refl* [K] ***jd treibt sich*** *akk* ***[irgendwo] herum*** *(pej)* ein unsolides Leben führen *sich seit Jahren ~*

he·rụn·ten [hɛˈrʊntn̩] *adv* (SD, ÖSTERR) hier unten *H~ ist es sehr gemütlich.*

he·rụn·ter [hɛˈrʊntɐ] *adv* von oben nach unten (aus der Perspektive von unten) *vom Berg ~*

he·rụn·ter|ge·kom·men **I.** *part perf von* **herunterkommen** **II.** *adj* **1.** ungepflegt, unordentlich *ein ~er Mensch* **2.** verfallen, kaputt *ein ~es Haus*

he·rụn·ter|han·deln <handelt herunter, handelte herunter, heruntergehandelt> *tr* [K] ***jd handelt etw*** *akk* ***herunter*** versuchen, den Verkäufer so zu beeinflussen, dass man weniger bezahlen muss *den Preis für das Auto ~*

he·rụn·ter|kom·men [hɛˈrʊntɐkɔmən] <kommt herunter, kam herunter, heruntergekommen> *itr* <*sein*> von oben nach unten kommen *Heute Abend werden sie vom Berg ~.*

he·rụn·ter|ma·chen <macht herunter, machte herunter, heruntergemacht> *tr* [K] ***jd macht jdn/etw*** *akk* ***herunter*** *(umg)* schlecht machen *jdn vor allen ~*

• **he·rụn·ter|neh·men** <nimmt herunter, nahm herunter, heruntergenommen> *tr* **1.** zu sich nach unten holen *Bücher vom Regal ~* **2.** (ÖSTERR) entfernen *das Etikett ~*

he·rụn·ter|schlu·cken <schluckt herunter, schluckte herun-

ter, heruntergeschluckt> *tr* [K] ***jd schluckt etw** akk **herunter*** so tun, als ob etw nicht da ist; sich nicht wehren *Ärger ~, Kritik ~*

her·vor [hɛɐ̯'foːɐ̯] *adv* von drinnen nach draußen *Er kam unter dem Dach ~.*

her·vor|brin·gen <bringt hervor, brachte hervor, hervorgebracht> *tr* **1.** [K] ***jd bringt etw** akk **hervor*** produzieren *in der Wissenschaft etw Neues ~* **2.** [K] ***jd bringt etw** akk **hervor*** Worte etc. äußern *eine Entschuldigung ~*

her·vor|ge·hen <geht hervor, ging hervor, hervorgegangen> *itr* <*sein*> **1.** sich als etw zeigen *aus dem Wettkampf als Sieger ~* **2.** deutlich werden, die Folge sein *Daraus geht hervor, dass …*

her·vor|he·ben <hebt hervor, hob hervor, hervorgehoben> *tr* [K] ***jd hebt jdn/etw** akk **hervor*** besonders betonen, auf etw/jdn Bestimmtes besonders aufmerksam machen *jds Leistungen ~, Es muss hervorgehoben werden, dass …*

her·vor|ho·len <holt hervor, holte hervor, hervorgeholt> *tr* [K] ***jd holt etw** akk **hervor*** etw, das nicht offen daliegt, heraussuchen *alte Fotos ~*

her·vor|ra·gen [hɛɐ̯'foːɐ̯raːgn̩] <ragt hervor, ragte hervor, hervorgeragt> *itr* **1.** nach draußen oder oben zeigen *Der Nagel ragt aus der Wand hervor.* **2.** auffallen, besonders gut im Vergleich zu anderen sein *wegen besonderer Leistungen ~*

her·vor|ra·gend <hervorragender, hervorragendst-> *adj (≈ausgezeichnet)* so, dass etw von hoher Qualität ist; besonders gut *ein ~es Konzert, ~e Leistungen bringen*

her·vor|tre·ten <tritt hervor, trat hervor, hervorgetreten> *itr* <*sein*> einen Schritt nach vorn machen *aus der Menge ~*

her·vor|tun <tut hervor, tat hervor, hervorgetan> *refl* [K] ***jd tut sich** akk **durch etw** akk **hervor*** etw sehr gut machen und deshalb positiv auffallen *Er hat sich durch sein intensives Engagement sehr hervorgetan.*

• **Herz** [hɛrt͜s] <-ens, -en> *das* das Organ von Menschen und Tieren, das das Blut durch die Adern pumpt *ein schwaches ~ haben;* **jdm sein ~ ausschütten** *(umg)* jdm seine Probleme erzählen *Ich habe ihm mein ~ ausgeschüttet.;* **jdm das ~ brechen** jdn, der einen liebt, seelisch verletzen *Sie hat ihm das ~ gebrochen.;* **jds ~ klopft** jd ist wegen etw sehr aufgeregt *Mein ~ klopft vor Freude.;* **sich etw zu ~en nehmen** etw wichtig nehmen *sich einen Rat zu ~en nehmen;* **ein ~ und eine Seele sein** *(umg)* die besten Freunde sein *Die beiden sind ein ~ und eine Seele.;* **jdm etw ans ~ legen** intensiv auf etw hinweisen *jdm ans ~ legen, zum Arzt zu gehen* ***Wobi:** beherzigen **Komp:** -infarkt, -operation, -versagen*

Herz

Her·zens·lust <-> *kein pl die* **nach ~** so, wie es einem gefällt *nach ~ lachen*

herz·haft <herzhafter, herzhaftest-> *adj* **1.** kräftig *~ lachen* **2.** so, dass es kräftig und gut gewürzt ist *ein ~es Essen*

her|zie·hen <zieht her, zog her, hergezogen> *itr* **1.** *(umg)* über jdn schlecht reden *über die Nachbarin ~* **2.** <*sein*> in eine neue Wohnung ziehen *Die neuen Nachbarn sind letzte Woche hergezogen.*

Herz·klop·fen <-s> *kein pl das* **~ haben** sehr aufgeregt sein *vor Angst/Freude ~ haben*

• **herz·lich** <herzlicher, herzlichst-> *adj* so, dass es freundlich und warmherzig ist *ein ~er Empfang;* **H~en Dank!** verwendet, um Dank auszudrücken *H~en Dank für ihren Rat!;* **H~en Glückwunsch!** verwendet, um jdm zu gratulieren *H~en Glückwunsch zum Führerschein!;* **~es Beileid** verwendet, um Mitgefühl bei einem Todesfall auszudrücken *jdm sein ~es Beileid übermitteln*

Herz·lich·keit <-> *kein pl die* menschliche Wärme, Freundlichkeit *jdn mit großer ~ empfangen*

herz·zer·rei·ßend <herzzerreißender, herzerreißendst-> *adj* so, dass es großes Mitleid erregt *ein ~es Schicksal*

he·te·ro·se·xu·ell [heterozɛ'ksu̯ɛl] <-, -> *adj (↔homosexuell)* so, dass man sich sexuell vom anderen Geschlecht angezogen fühlt *~ veranlagt sein*

Het·ze ['hɛt͜sə] <-, (-n)> *die* **1.** Aufruf zum Hass *die ~ gegen jdn* **2.** Eile *Ich hatte nur noch eine Stunde zum Kofferpacken, Blumengießen und Aufräumen. War das eine ~!*

het·zen ['hɛt͜sn̩] <hetzt, hetzte, gehetzt> **I.** *itr* zum Hass gegen etw/jdn aufrufen *gegen den Feind ~* **II.** *itr <sein>* sehr in Eile sein *jeden Morgen ~ müssen, in die Schule ~*

Het·ze·rei <-> *kein pl die (pej)* Eile *Immer diese ~!*

Heu [hɔy̯] <-(e)s> *kein pl das* getrocknetes Gras *~ machen* ***Komp: -ernte***

Heu·che·lei [hɔy̯çə'lai̯] <-, -en> *die* das Vorspielen von etw, was man in Wirklichkeit nicht so meint *Sein Lob war nur ~.* ***Wobi: heucheln, heuchlerisch***

• **heu·er** ['hɔy̯ɐ] *adv* (SD, ÖSTERR) in diesem Jahr, dieses Jahr *~ in den Ferien wandern gehen*

heu·len ['hɔy̯lən] <heult, heulte, geheult> *itr* **1.** *(umg pej)* weinen *Warum heulst du schon wieder?* **2.** lange hohe Töne produzieren *Die Sirene heult.;* **einfach zum H~ sein** *(umg)* zum Verzweifeln sein *Es ist einfach zum H~ mit deinem Benehmen.*

Heu·schnup·fen <-s> *kein pl der* Allergie gegen Gräser etc. *sehr starken ~ haben*

• **heu·te** ['hɔy̯tə] *adv* **1.** an dem Tag, der jetzt im Moment ist *~ Abend ins Kino gehen* **2.** heutzutage, in der heutigen Zeit *H~ verdient man wesentlich mehr als vor 40 Jahren.;* **bis ~** bis zu diesem Tag *Bis ~ habe ich nichts davon gewusst.;* **von ~ an** ab diesem Tag *Von ~ an werde ich nicht mehr rauchen.;* **Den Wievielten haben wir ~?** Welches Datum ist an diesem Tag? *Sie fragte mich, den Wievielten wir ~ haben.;* **etw muss ~ noch geschehen** etw ist sehr dringend *Der Brief muss ~ noch geschrieben werden.*

• **heu·tig-** ['hɔy̯tik] <-, -> *adj* **1.** an dem Tag, der jetzt im Moment ist *Der ~e Unterricht fällt aus.* **2.** in dieser Zeit *die ~e Gesellschaft*

heut·zu·ta·ge ['hɔy̯tt͜suta:gə] *adv* in der Gegenwart, zur Zeit *H~ gibt es viele Arbeitslose.*

He·xe ['hɛksə] <-, -n> *die* Märchenfigur, die zaubern kann *sich als ~ verkleiden* ***Wobi: hexen, Hexer, Hexerei***

hi [hai̯] *interj* hallo *H~, wie geht's?*

hieb- und stich·fest <-, -> *adj* so, dass es keine Zweifel gibt *ein ~es Alibi*

hielt [hi:lt] *prät von* **halten**

Hexe

• **hier** [hiːɐ̯] *adv (↔dort)* an dieser Stelle, an diesem Ort *sich ~ treffen;* **von ~ sein** ein Einheimischer sein *Sind Sie von ~?*

Hie·rar·chie [hi̯rar'çiː] <-, -n> *die* streng festgelegte Ordnung z.B. von Positionen in einer Firma *in der ~ ganz oben/unten stehen*

hie·rauf ['hiːrau̯f/hiː'rau̯f] *adv* zeitlich auf etw folgend *H~ folgte langes Schweigen.*

hier·bei ['hiːɐ̯bai̯/hiːr'bai̯] *adv* in diesem Zusammenhang, bei dieser Gelegenheit *H~ fällt mir ein, dass …*

hier·her ['hiːɐ̯heːɐ̯/hiːr'heːɐ̯] *adv* an diese Stelle, an diesen Ort *Komm doch ~., jdn ~ holen*

hier·mit ['hiːɐ̯mɪt/hiɐ̯'mɪt] *adv* auf diese Weise *H~ geben wir bekannt, dass …, H~ bestätigen wir, dass …*

hier·zu·lan·de ['hiːɐ̯t͡sulandə] *adv* in diesem Land *H~ ist es üblich, dass …*

hie·sig ['hiːzɪç] <-, -> *adj (≈einheimisch)* so, dass etw/jd aus diesem Ort/Land ist *die ~e Bevölkerung, ~e Gewohnheiten*

hieß [hiːs] *prät von* **heißen**

Hi·fi·an·la·ge ['hai̯fai̯-, hai̯'fiː-] <-, -n> *die* meist aus Verstärker, CD-Spieler und Lautsprechern bestehendes Gerät zum Musikhören *eine neue ~ kaufen*

• **Hil·fe** ['hɪlfə] <-, -n> *die* Unterstützung *Danke für Ihre ~!;* **erste ~** erste medizinische Versorgung in einer Notsituation *erste ~ leisten, jdm seine ~ anbieten;* **H~!** Ausruf in einer Notsituation, damit Rettung kommt *Hier ist ein Unfall passiert. H~!*

hilf·los ['hɪlfloːs] <hilfloser, hilflosest-> *adj* so, dass man jds Unterstützung braucht *ein ~er Mensch*

hilf·reich <hilfreicher, hilfreichst-> *adj* nützlich *eine ~e Idee*

hilfs·be·reit <hilfsbereiter, hilfsbereitest-> *adj* so, dass man gern hilft *Ein ~er junger Mann half mir über die Straße.* ***Wobi:*** *Hilfsbereitschaft*

Hilfs·kraft <-, -kräfte> *die* jd, der gegen Bezahlung jdn bei einer Arbeit unterstützt *als ~ in einem Büro arbeiten, wissenschaftliche ~*

• **Him·mel** ['hɪml̩] <-s> *der kein pl* das, was man sieht, wenn man im Freien nach oben blickt *bewölkter/blauer/klarer ~;* **aus heiterem ~** *(umg)* plötzlich *aus heiterem ~ abreisen;* **das Blaue vom ~ herunterlügen** *(umg)* eine große Lüge erzählen *Sie lügt das Blaue vom ~ herunter.;* **Um ~s willen!** Ausruf, um Erstaunen oder Erschrecken auszudrücken *Um ~s willen! Wie siehst du denn aus?* ***Wobi:*** *himmelblau*

Him·mels·rich·tung <-, -en> *die* Norden, Süden, Osten und Westen *die ~ nach dem Stand der Sonne bestimmen*

him·mel·weit ['hɪml̩vai̯t] <-, -> *adj* **ein ~er Unterschied** *(umg)* ein sehr großer Unterschied *Es besteht ein ~er Unterschied zwischen den beiden Theorien.*

• **hin** [hɪn] *adv* auf etw zu *näher zu mir ~;* **auf seinen Rat ~** aufgrund seines Rates *Ich habe mich auf seinen Rat ~ dort beworben.;* **das H~ und Her** *(umg)* Unentschiedenheit, Durcheinander *Es gab ein großes H~ und Her, bis sie sich endlich entschieden hatten.;* **eine Fahrkarte ~ und zurück** eine Fahrkarte für die Hin- und Rückfahrt *Bitte eine Fahrkarte nach München, ~ und zurück!*

hi·nab [hɪ'nap] *adv* nach unten (aus der Perspektive von oben) *den*

die Himmelsrichtungen

Berg ~

hin|ar·bei·ten <arbeitet hin, arbeitete hin, hingearbeitet> *itr* **jd arbeitet auf etw hin** sich anstrengen, um ein bestimmtes Ziel zu erreichen *Er arbeitet schon lange auf dieses Ziel hin.*

hi·nauf [hɪ'naʊ̯f] *adv* nach oben (aus der Perspektive von unten) *den Berg ~*

hi·nauf|fah·ren <fährt hinauf, fuhr hinauf, hinaufgefahren> *itr* <*sein*> sich mit einem Fahrzeug nach oben bewegen *mit dem Auto den Berg ~*

hi·nauf|stei·gen <steigt hinauf, stieg hinauf, hinaufgestiegen> *itr* <*sein*> sich zu Fuß nach oben bewegen *die Treppe ~*

hi·naus [hɪ'naʊ̯s] *adv* **1.** von drinnen nach draußen (aus der Perspektive von innen) *Der Vogel fliegt aus dem Fenster ~.* **2.** länger als, mehr als *über ein Jahr ~, Diese Arbeit geht über den Vertrag ~.*

hi·naus|ge·hen [hɪ'naʊ̯sgeːən] <geht hinaus, ging hinaus, hinausgegangen> *itr* <*sein*> einen Raum verlassen *aus dem Zimmer ~*

hi·naus|leh·nen <lehnt hinaus, lehnte hinaus, hinausgelehnt> *refl* [K] ***jd lehnt sich*** *akk* [***aus etw*** *dat*] ***hinaus*** (nur) den Oberkörper nach draußen bewegen *sich aus dem Fenster ~*

hi·naus|schie·ben <schiebt hinaus, schob hinaus, hinausgeschoben> *tr* [K] ***jd schiebt etw*** *akk* ***hinaus*** den Zeitraum verlängern, bis man etw macht *einen unangenehmen Termin ~, die Entscheidung ~*

hi·naus|wer·fen <wirft hinaus, warf hinaus, hinausgeworfen> *tr* **1.** [K] ***jd wirft jdn hinaus*** entlassen *einen Mitarbeiter aus der Firma ~* **2.** [K] ***jd wirft jdn hinaus*** jd schickt jdn aus dem Raum *Der Lehrer wirft den frechen Schüler hinaus.* **3.** [K] ***jd wirft etw*** *akk* ***hinaus*** etw nach draußen werfen *eine Flasche aus dem Fenster ~*

hi·naus|zö·gern <zögert hinaus, zögerte hinaus, hinausgezögert> *tr* [K] ***jd zögert etw*** *akk* ***hinaus*** machen, dass etw später passiert als möglich oder nötig wäre *die Abreise ~*

Hin·blick <-(e)s> *kein pl der* **im/in ~ auf** unter Berücksichtigung von *im ~ auf diese Tatsachen …*

hin|brin·gen <bringt hin, brachte hin, hingebracht> *tr* **1.** [K] ***jd bringt etw*** *akk* ***hin*** an einen bestimmten Ort tragen *das Buch wieder ~* **2.** [K] ***jd bringt jdn hin*** jdn irgendwohin begleiten *jdn mit dem Auto ~*

• **hin·dern** ['hɪndɐn] <hindert, hinderte, gehindert> *tr* [K] ***etw/jd hindert jdn*** [***an etw*** *dat*] bei etw stören *den Freund am Lernen ~*

Hin·der·nis ['hɪndɐnɪs] <-ses, -se> *das* Schwierigkeit *auf ~se stoßen, alle ~se überwinden*

hin|deu·ten <deutet hin, deutete hin, hingedeutet> *tr* [K] ***etw deutet auf etw*** *akk* ***hin*** auf etw zeigen, ankündigen *Diese Anzeichen deuten auf Schwierigkeiten hin.*

hin·durch [hɪn'dʊrç] *adv* **1.** auf der einen Seite hinein und auf der anderen Seite hinaus *durch den Park ~* **2.** innerhalb einer bestimmten Zeitdauer *das ganze Jahr ~*

hi·nein [hɪn'aɪ̯n] *adv* von draußen nach drinnen (aus der Perspektive von außen) *H~ mit euch!*

hi·nein|fin·den <findet hinein, fand hinein, hineingefunden> *refl* [K] ***jd findet sich*** *akk* ***in etw*** *akk* ***hinein*** lernen, mit etw Neuem umzugehen *Er hat sich schnell in die neue Arbeit hineingefunden.*

hi·nein|ge·hen <geht hinein, ging hinein, hineingegangen> *itr* <*sein*> eintreten *in ein Geschäft ~*

hi·nein|stei·gern <steigert hinein, steigerte hinein, hineingesteigert> *refl* [K] ***jd steigert sich*** *akk* ***in etw*** *akk* ***hinein*** viel zu intensive Gefühle wegen etw entwickeln, etw zu ernst nehmen *sich in seinen Ärger ~*

hi·nein|ver·set·zen <versetzt hinein, versetzte hinein, hineinversetzt> *refl* [K] ***jd versetzt sich*** *akk* ***in jdn/etw*** *akk* ***hinein*** sich vorstellen, dass man sich in der gleichen Situation wie jd anders befindet *Ich kann mich gut in deine Lage ~.*

• **hin|fah·ren** <fährt hin, fuhr hin, hingefahren> *itr* <*sein*> an einen bestimmten Ort fahren, auf der Hinreise sein *Wir sind auf dem kürzesten Weg hingefahren.*

Hin·fahrt <-, -en> *die* die Reise an einen bestimmten Ort *auf der ~ sein*

hin|fal·len <fällt hin, fiel hin, hingefallen> *itr* <*sein*> auf den Boden stürzen *Sie ist auf der Straße hingefallen.*

Hin·flug <-(e)s, -flüge> *der* (↔*Rückflug*) die Reise mit dem Flugzeug an einen bestimmten Ort *sich auf dem ~ befinden*

hin|füh·ren <führt hin, führte hin, hingeführt> *itr* bis zu einem bestimmten Ort gehen *Wo führt diese Straße hin?;* **Wo soll das ~?** Wo soll das enden? *Wo soll deine Faulheit noch ~?*

hing *prät von* **hängen**

Hin·ga·be <-> *kein pl die* begeisterte, sehr intensive und ausdauernde Beschäftigung mit etw; großer Eifer *dem Hobby mit voller ~ nachgehen*

hin|ge·ben <gibt hin, gab hin, hingegeben> *refl* [K] ***jd gibt sich*** *akk* ***jdm/etw*** *dat* ***hin*** sich sehr intensiv nur mit einer bestimmten Person oder Sache beschäftigen *sich einem Gefühl völlig ~* ***Wobi: hingebungsvoll***

hin·ge·gen [hɪnˈgeːgn̩] *konj* jedoch *Er ist sehr unsportlich, seine Schwester ~ ist eine gute Turnerin.*

hin|ge·hen <geht hin, ging hin, hingegangen> *itr* <*sein*> einen bestimmten Ort besuchen *Heute ist ein Fest bei Andrea. Willst du auch ~?*

hin|hal·ten <hält hin, hielt hin, hingehalten> *tr* [K] ***jd hält jdn hin*** jdn, der sich auf etw Hoffnungen macht, sehr lange auf eine Antwort warten lassen *den Bewerber ~*

hin·ken [ˈhɪŋkn̩] <hinkt, hinkte, gehinkt> *itr* ein Bein nachziehen, z. B. weil es verletzt ist *auf dem rechten Bein ~;* **Der Vergleich hinkt.** Man kann das eine nicht mit dem anderen vergleichen. *Der Vergleich hinkt – es handelt sich um zwei ganz unterschiedliche Dinge.*

hin|knien <kniet hin, kniete hin, hingekniet> *refl* [K] ***jd kniet sich*** *akk* ***hin*** sich auf die Knie niederlassen *sich zum Putzen ~*

• **hin|le·gen** <legt hin, legte hin, hingelegt> **I.** *refl* [K] ***jd legt sich*** *akk* ***hin*** sich zum Entspannen oder Schlafen z. B. auf einem Bett oder Sofa ausstrecken *sich ein bisschen ~* **II.** *tr* [K] ***jd legt etw*** *akk* ***hin*** an eine bestimmte Stelle tun *dem Kind eine Überraschung ~*

hin|neh·men <nimmt hin, nahm hin, hingenommen> *tr* [K] ***jd nimmt etw*** *akk* ***hin*** etw (Unangenehmes) akzeptieren *Beleidigungen ~*

hin·rei·chend <-, -> *adj* genug *~ Geld haben*

Hin·rei·se <-, -n> *die* Fahrt an einen bestimmten Ort *auf der ~ sein*

hin|rei·ßen <reißt hin, riss hin, hingerissen> *refl* **sich ~ lassen** sich zu etw überreden lassen *sich zu einer Entscheidung ~ lassen*

hin·rei·ßend <hinreißender, hinreißendst-> *adj (≈ bezaubernd)* sehr, sehr schön *ein ~es Kleid*

hin|rich·ten <richtet hin, richtete hin, hingerichtet> *tr* [K] ***jd richtet jdn hin*** die Todesstrafe vollstrecken, töten *einen Verbrecher ~* ***Wobi:*** *Hinrichtung*

Hin·schied <-(e)s, -e> *der (CH geh)* Tod *den Bekannten den ~ des Vaters mitteilen*

hin|se·hen <sieht hin, sah hin, hingesehen> *itr* etw betrachten, angucken *genau ~*

• **hin|set·zen** <setzt hin, setzte hin, hingesetzt> *refl* [K] ***jd setzt sich*** *akk* ***hin*** auf einem Stuhl o.Ä. Platz nehmen *Warum steht ihr? Setzt euch doch hin!*

Hin·sicht <-> *kein pl die* **in dieser ~** was diese Sache betrifft *In dieser ~ habe ich keine Probleme.;* **in ~ auf ...** in Bezug auf *In ~ auf den Urlaub haben wir schon alles organisiert.*

hin·sicht·lich *präp +gen* in Bezug auf *~ ihres Schreibens*

• **hin|stel·len** <stellt hin, stellte hin, hingestellt> *tr* [K] ***jd stellt etw/jdn/sich*** *akk* [***irgendwo***] ***hin*** an einen bestimmten Platz tun/stellen *Blumen dort ~, Kannst du dich mal dort ~? Dann mache ich ein Foto von dir.;* **jdn/etw als jdn/etw ~** jdn als etw (Negatives) bezeichnen *jdn als Lügner/als dumm ~*

• **hin·ten** ['hɪntn̩] *adv (↔ vorn(e))* auf der Rückseite, am hinteren Ende *das Register ~ im Buch finden;* **jdn ~ und vorne bedienen** *(pej)* alles für jdn tun *die Kinder ~ und vorne bedienen;* **~ und vorn(e) nicht reichen** *(umg)* viel zu wenig sein *Sein Gehalt reicht ~ und vorn nicht.*

• **hin·ter** ['hɪntɐ] *präp +dat auf die Frage ‚wo?', +akk auf die Frage ‚wohin?'* an/auf der Rückseite, im Rücken von *der Garten ~ dem Haus, Ich gehe ~ das Haus.;* **~ jds Rücken** so, dass es jd nicht weiß *~ seinem Rücken schlecht über ihn reden;* **sich ~ jdn stellen** jdn unterstützen, jdn verteidigen *Meine Eltern stellten sich immer ~ mich.;* **~ etw kommen** etw herausfinden, erkennen *Ich bin endlich ~ sein Geheimnis gekommen.*

Hin·ter·blie·be·ne [hɪntɐ'bli:bənə] <-n, -n> *der/die* verwandte Person, die ein(e) Verstorbene(r) zurücklässt *den ~n sein Beileid aussprechen*

• **hin·te·re** ['hintərə] <-, hinterst-> *adj (↔ vordere)* so, dass es sich am Ende/auf der Rückseite befindet *in der ~n Reihe sitzen*

hin·ter·ei·nan·der [hɪntɐʔai'nandɐ] *adv* **1.** zeitlich aufeinander folgend *drei Tage ~* **2.** einer hinter dem anderen *~ gehen*

Hin·ter·ge·dan·ke <-ns, -n> *der* heimliche Absicht *~n haben*

hin·ter·ge·hen [hɪntɐ'ge:ən] <hintergeht, hinterging, hinter-

gangen> *tr* [K] ***jd hintergeht jdn*** betrügen *Er hat mich hintergangen.*

Hịn·ter·grund <-(e)s, -gründe> *der (↔Vordergrund)* das, was man hinten sieht *auf dem Foto im ~ sein;* **im ~ bleiben** sich nicht bemerkbar machen, unauffällig sein *Sie bleibt immer im ~.*

Hịn·ter·halt <-(e)s, -e> *der* Falle für den Gegner *aus dem ~ angreifen*

hịn·ter·häl·tig ['hɪntɐhɛltɪç] <hinterhältiger, hinterhältigst-> *adj* mit böser Absicht, gemein *ein ~es Lächeln*

• **hin·ter·her** [hɪntɐ'heːɐ̯/'hɪntɐheːɐ̯] *adv* im Anschluss an etw, später, danach *etw ~ bedauern*

hin·ter·he̲r|lau·fen [hɪntɐ'heːɐ̯laufn̩] <läuft hinterher, lief hinterher, hinterhergelaufen> *itr* <sein> **1.** eilig folgen *der Gruppe ~* **2.** (ohne Erfolg) um eine Frau/einen Mann werben *Er läuft ihr schon lange hinterher.*

Hịn·ter·kopf <-(e)s, -köpfe> *der* der hintere Teil des Kopfes *einen Schlag auf den ~ bekommen*

hin·ter·lạs·sen [hɪntɐ'lasn̩] <hinterlässt, hinterließ, hinterlassen> *tr* [K] ***jd hinterlässt jdn/etw*** *akk* nach dem Tod zurücklassen *Der Tote hinterlässt zwei Söhne/ein großes Vermögen.*

Hin·ter·lạs·se·ne <-> *kein sing pl* (CH) die Hinterbliebenen *Die ~n trauern um den Toten.*

hin·ter·le̲·gen [hɪntɐ'leːgn̩] <hinterlegt, hinterlegte, hinterlegt> *tr* **1.** [K] ***jd hinterlegt etw*** *akk* an einem sicheren Ort aufbewahren lassen *bei der Bank viel Geld ~, beim Anwalt sein Testament ~* **2.** [K] ***jd hinterlegt etw*** *akk* jdm etw als Sicherheit geben, z. B. wenn man sich etw ausleiht *in der Videothek seinen Ausweis/50 Euro ~*

hịn·ter·lis·tig <hinterlistiger, hinterlistigst-> *adj* so, dass man die Absicht hat, jdn zu täuschen, um ihm zu schaden; boshaft *~ sein*
Wobi: *Hinterlist*

Hịn·tern ['hɪntɐn] <-s, -> *der (umg ≈Po, Popo)* der Teil des Körpers, auf dem man sitzt *jdm den ~ verhauen;* **sich auf den ~ setzen** *(umg)* fleißig lernen *sich vor der Prüfung auf den ~ setzen müssen*

hịn·ter·rücks ['hɪntɐrʏks] *adv* von hinten, heimtückisch *jdn ~ überfallen*

Hịn·ter·tref·fen <-s> **ins ~ gelangen/geraten/kommen** schlechtere Position im Vergleich zu anderen *ins ~ geraten*

Hịn·ter·tür <-, -en> *die* Tür an der Rückseite des Hauses *durch die ~ kommen;* **sich ein ~chen offen halten** *(umg)* sich eine Möglichkeit lassen, sich zurückzuziehen *Er hält sich stets ein ~chen offen.*

hin·ter·zi̲e·hen [hɪntɐ'tsiːən] <hinterzieht, hinterzog, hinterzogen> *tr* [K] ***jd hinterzieht etw*** *akk* nicht melden und nicht bezahlen *Steuern ~*

hi·nü̲·ber [hɪ'nyːbɐ] *adv* von dieser Seite auf die andere *über die Straße ~;* **~ sein** verdorben/schlecht sein *Die Milch ist leider ~.*

hi·nụn·ter [hɪ'nʊntɐ] *adv* von oben nach unten (aus der Perspektive von oben) *die Treppe ~*

hi·nụn·ter|ge·hen <geht hinunter, ging hinunter, hinuntergegangen> *itr* <sein> nach unten gehen *den Berg ~*

hin·wẹg [hɪn'vɛk] *adv* **1.** *(geh)* fort von hier *H~ mit ihm!* **2.** zum

Ausdruck einer Zeitdauer *über 10 Jahre ~;* **über jds Kopf** ~ ohne ihn zu fragen *etw über jds Kopf ~ entscheiden*

hin·weg|set·zen <setzt hinweg, setzte hinweg, hinweggesetzt> *refl* [K] ***jd setzt sich*** *akk* ***über etw*** *akk* ***hinweg*** nicht beachten, ignorieren *sich über ein Gesetz ~*

• **Hin·weis** ['hɪnvajs] <-es, -e> *der* nützlicher Tipp *jdm einen ~ geben*

hin|wei·sen <weist hin, wies hin, hingewiesen> *tr* [K] ***jd weist jdn auf etw*** *akk* ***hin*** auf etw aufmerksam machen *jdn auf eine Gefahr ~, Es wird darauf hingewiesen, dass ...*

hin|wer·fen <wirft hin, warf hin, hingeworfen> *tr* [K] ***jd wirft etw*** *akk* ***hin*** an einen bestimmten Platz/auf den Boden werfen, hinschmeißen *die Tasche ~;* **etw** ~ (*umg*) vorzeitig beenden, aufgeben *das Studium ~*

Hinz [hɪnts] ~ **und Kunz** *(umg pej)* jedermann, alle Leute *Dort treffen sich ~ und Kunz.*

hin|zie·hen <zieht hin, zog hin, hingezogen> **I.** *refl* **1.** [K] ***etw zieht sich*** *akk* ***irgendwie hin*** lange dauern *Die Diskussion zog sich lange/endlos hin.* **2.** [K] ***etw zieht sich irgendwo hin*** eine bestimmte Größe haben *Der Garten zieht sich bis zur Straße hin.* **II.** *itr* <*sein*> an einen bestimmten Ort ziehen *Wir sind gerade erst dort hingezogen.*

hin·zu [hɪn'tsuː] *adv* außerdem *H~ kommt, dass ...*

hin·zu|fü·gen <fügt hinzu, fügte hinzu, hinzugefügt> *tr* [K] ***jd fügt etw*** *akk* ***hinzu*** ergänzen *Ich möchte noch ~, dass ..., dem Brief ein Foto ~*

hin·zu|kom·men [hɪn'tsuːkɔmən] <kommt hinzu, kam hinzu, hinzugekommen> *itr* <*sein*> **1.** sich anschließen, dazustoßen *Die anderen kamen später hinzu.* **2.** außerdem da sein *Es kommt noch das Problem hinzu, dass ...;* **Kommt sonst noch etw hinzu?** Frage der Verkäuferin, ob man noch mehr kaufen möchte *Kommt bei Ihnen sonst noch was hinzu?*

Hi·obs·bot·schaft ['hiːɔps-] <-, -en> *die* schlechte Neuigkeit *Was bringst du wieder für ~en mit?*

Hirn [hɪrn] <-(e)s, -e> *das (umg ≈ Gehirn)* Kopf, Verstand *sein ~ anstrengen*

Hirn·ge·spinst <-(e)s, -e> *das (umg! pej)* Fantasie, realitätsfremde Idee *~e haben*

hirn·ris·sig <hirnrissiger, hirnrissigst-> *adj (umg! pej)* so, dass etw keinen Sinn hat *ein ~er Vorschlag*

Hirt(e) ['hɪrtə] <-en, -en> *der* jd, der Schafe, Schweine etc. hütet *~ in den Bergen sein* ***Komp: Schaf-, Schweine-***

his·sen ['hɪsn̩] <hisst, hisste, gehisst> *tr* [K] ***jd hisst etw*** *akk* hochziehen *die Fahne ~*

His·to·ri·ker(in) [hɪs'toːrikɐ] <-s, -> *der* Wissenschaftler, der sich mit Geschichte beschäftigt *ein guter ~ sein*

his·to·risch [hɪs'toːrɪʃ] <-, -> *adj (≈ geschichtlich)* die Geschichte betreffend *ein ~er Roman;* **ein ~es Ereignis** ein sehr bedeutsames Ereignis *Der Mauerfall in Berlin war ein ~es Ereignis.*

• **Hit** <-s, -s> *der* beliebtes Lied *Der Schlager wird sicher ein ~.*

• **Hit·ze** ['hɪtsə] <-> *kein pl die* sehr große Wärme *Es herrscht eine* *drückende ~.* ***Komp:** -welle*

hit·zig ['hɪtsɪç] <hitziger, hitzigst-> *adj* intensiv, heftig *eine ~e Diskussion*

hm *interj* **1.** verwendet, um auszudrücken, dass etw sehr gut schmeckt *H~! Das Essen ist lecker.* **2.** verwendet, um Zögern oder Zweifel auszudrücken *H~, ich weiß nicht ... – Na gut, ich komme mit.*

hob [ho:p] *prät von* **heben**

• **Hob·by** ['hɔbi] <-s, -s> *das* Beschäftigung in der Freizeit, der man gern und regelmäßig nachgeht *ein gefährliches ~ haben, Radsport ist mein ~.* ***Komp:** -maler, -musiker, -sportler*

Hoch [ho:x] <-s, -s> *das* (METEO: ↔*Tief*) Hochdruckgebiet *ein ~ vorhersagen;* **ein dreifaches ~ auf ...** Ausruf, um auszudrücken, dass man jdm alles Gute wünscht *Ein dreifaches ~ auf Thomas!*

• **hoch** [ho:x] <höher, höchst-> *adj* **1.** weit nach oben *ein hohes Gebäude, viele Meter ~ sein* **2.** groß *ein hoher Preis* **3.** hell (eine Stimme) *Sie hat eine sehr hohe Stimme.;* **ein hohes Alter erreichen** sehr alt werden *Er hat ein hohes Alter erreicht.*

Hoch·ach·tung <-> *kein pl die* großer Respekt *~ vor jdm haben, große ~ für den Lehrer empfinden* ***Wobi:** hochachtungsvoll*

hoch·ak·tu·ell <-, -> *adj* so, dass etw für die Gegenwart sehr bedeutsam/wichtig ist *ein ~es Problem, Diese Mode ist ~.*

hoch·deutsch ['ho:xdɔytʃ] <-, -> *adj* so, dass das Deutsch frei von Elementen eines Dialektes ist *~ sprechen*

Hoch·ge·bir·ge <-s, -> *das* Gebirge mit sehr hohen Bergen, z. B. die Alpen *im ~ wandern, ins ~ fahren*

hoch|ge·hen <geht hoch, ging hoch, hochgegangen> *itr* <*sein*> nach oben gehen *die Treppe ~*

hoch·ge·lobt <-, -> *adj* so, dass es häufig gelobt wird *das ~e Werk des Autors*

Hoch·haus <-es, -häuser> *das* ein sehr hohes Haus *die Hochhäuser Frankfurts*

Hochhäuser

hoch|he·ben <hebt hoch, hob hoch, hochgehoben> *tr* K ***jd hebt jdn/etw** akk* ***hoch*** nach oben bewegen *einen Stein ~*

Hoch·mut ['ho:xmu:t] <-> *kein pl der (≈Arroganz)* unberechtigter Stolz *jdn voller ~ behandeln* ***Wobi:** hochmütig*

Hoch·rech·nung <-, -en> *die* noch nicht endgültiges Ergebnis bei einer Wahl *Die ersten ~en liegen vor.*

Hoch·sai·son <-, (-s)> *die (≈Hauptsaison)* Zeit, in der die meisten Menschen in Urlaub fahren *Im Juli ist ~.*

• **Hoch·schu·le** ['ho:xʃu:lə] <-, -n> *die* Ausbildungsinstitution, an der man ein Studium macht *Die Universität ist eine ~.* ***Komp:** Hochschulreife, Fach-*

Hoch·som·mer <-s, -> *der* die Mitte des Sommers, die heißesten Wochen *im ~ verreisen*

höchs·te(-r, -s) <-, -> *adj* superl von ‚hoch' *das ~ Gebäude der Stadt*

• **höchs·tens** ['hœ:çstn̩s] *adv* nicht mehr als, nur *Ich kann dir ~ 10 Euro leihen.*

Höchst·ge·schwin·dig·keit <-, -en> *die* die Geschwindigkeit, die man irgendwo maximal fahren darf *die ~ überschreiten, sich an die ~ halten*

Hoch·was·ser <-s> *kein pl das* Wasserstand, bei dem das Wasser über die Ufer steigt *sich vor ~ schützen*

hoch·wer·tig ['ho:xve:ɐ̯tɪç] <hochwertiger, hochwertigst-> *adj* so, dass es von sehr guter Qualität ist *~e Produkte*

• **Hoch·zeit** ['hɔxt͡sai̯t] <-, -en> *die* Eheschließung *~ feiern;* **goldene ~** der 50. Hochzeitstag *Sie feiern morgen goldene ~.* ***Komp: -skleid, -sgesellschaft***

hoch|zie·hen <zieht hoch, zog hoch, hochgezogen> *tr* [K] ***jd zieht etw** akk* **hoch** nach oben ziehen *die Rollläden ~, die Strümpfe ~*

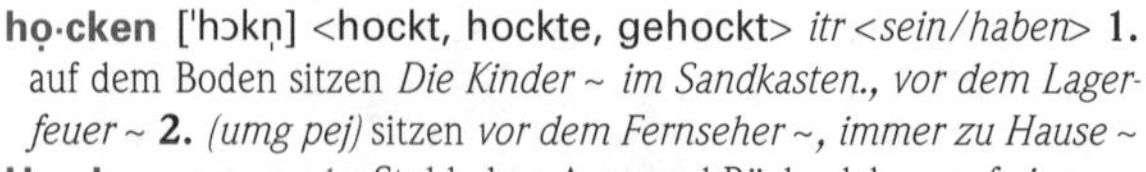

ho·cken ['hɔkn̩] <hockt, hockte, gehockt> *itr <sein/haben>* **1.** auf dem Boden sitzen *Die Kinder ~ im Sandkasten., vor dem Lagerfeuer ~* **2.** *(umg pej)* sitzen *vor dem Fernseher ~, immer zu Hause ~*

Hocker

Ho·cker <-s, -> *der* Stuhl ohne Arm- und Rückenlehne *auf einem ~ sitzen;* **etw reißt jdn nicht vom ~** (*umg*) jd findet etw nicht besonders gut *Der Film hat mich nicht vom ~ gerissen.* ***Komp: Bar-, Klavier-***

• **Hof** [ho:f] <-(e)s, Höfe> *der* **1.** abgegrenzter Platz hinter einem Haus, um den herum meist Mauern sind *im ~ spielen* **2.** Wohnsitz eines Königs oder Fürsten *am ~ Heinrichs VIII.;* **jdm den ~ machen** um jdn werben, mit jdm flirten *Er macht ihr den ~.* ***Komp: Bauern-, Hinter-, Innen-, Königs-***

• **hof·fen** ['hɔfn̩] <hofft, hoffte, gehofft> *itr* sich etw für die Zukunft wünschen *auf besseres Wetter ~, Ich hoffe, dass ...*

• **hof·fent·lich** ['hɔfn̩tlɪç] *adv* verwendet, um auszudrücken, dass man etw wünscht *H~ bist du bald wieder gesund!, H~ ist morgen schönes Wetter!*

• **Hoff·nung** ['hɔfnʊŋ] <-, -en> *die* optimistische Vorstellung von etw in der Zukunft *die ~ schon aufgegeben haben*

• **höf·lich** ['hœ:flɪç] <höflicher, höflichst-> *adj* so, dass man sich freundlich und rücksichtsvoll benimmt *ein ~er junger Mann, etw in einem ~en Ton sagen* ***Wobi: höflicherweise, Höflichkeit***

• **Höhe** ['hœ:ə] <-, -n> *die* **1.** Größe/Abstand von unten bis oben *Die ~ des Berges beträgt 2.100 Meter.* **2.** Größe *Die ~ des Betrags ist 2.000 Euro.;* **in ~ von** mit der Summe von *ein Betrag in ~ von 100 Euro;* **wieder auf der ~ sein** *(umg)* wieder gesund sein *Der Spieler ist wieder auf der ~.*

Hö·he·punkt <-(e)s, -e> *der* **1.** Moment, in dem man ganz oben von etw ist *Sie hat den ~ ihrer Karriere erreicht.* **2.** schönster Augenblick *der ~ des Abends* **3.** Orgasmus *zum ~ kommen*

hohl [ho:l] <-, -> *adj* so, dass der Innenraum leer ist *ein ~er Baumstamm*

Höh·le ['hœ:lə] <-, -n> *die* Raum meist unter der Erde *in einer ~ Schutz suchen* ***Komp: Tropfstein-***

Hohn [ho:n] <-(e)s> *kein pl der* böser Humor, mit dem man jdn sehr verletzt und lächerlich macht; Spott *Das ist purer ~!;* **nur Spott und ~ ernten** für sein Handeln nicht belohnt, sondern ausgelacht werden *Ich habe für meine Aktion nur Spott und ~ geerntet.*

höh·nisch ['hœ:nɪʃ] <höhnischer, höhnischst-> *adj* böse und schadenfroh *~ grinsen*

Ho·kus·po·kus [ho:kʊs'po:kʊs] <-> *kein pl der* Zauberformel *Er* *sagte ‚~' und verzauberte das Kaninchen.*

• **ho·len** ['hoːlən] <holt, holte, geholt> *tr* **1.** [K] ***jd holt jdn/etw** akk* hingehen und herbringen *das Kind aus dem Kindergarten ~* **2.** [K] ***jd holt jdn*** kommen lassen *den Arzt ~* **3.** [K] ***jd holt etw** akk* kaufen *Brot ~;* **sich eine Erkältung ~** sich erkälten *Ich habe mir eine Erkältung geholt.;* **sich bei jdm Rat ~** jdn um Rat fragen *Er hat sich bei ihr Rat geholt.*

Höl·le [hœlə] <-> *kein pl die (↔Himmel)* Reich des Teufels *in die ~ kommen;* **jdm die ~ heiß machen** *(umg)* jdn heftig ausschimpfen *Sie hat mir die ~ heiß gemacht.;* **jdm das Leben zur ~ machen** jdm das Leben schwer machen *Mein Chef macht mir das Leben zur ~.*

höl·lisch ['hœlɪʃ] <-, -> *adj (umg)* sehr, riesig *~en Spaß haben, Das macht mir ~e Angst.*

• **Holz** [hɔlts] <-es, Hölzer> *das* Material, aus dem Baumstämme sind *Der Tisch ist aus ~.;* **aus demselben ~ geschnitzt sein** *(umg)* ähnliche Charaktereigenschaften haben *Die beiden sind aus demselben ~ geschnitzt.*

Holz

höl·zern ['hœltsɐn] <hölzerner, hölzernst-> *adj* **1.** aus Holz *ein ~er Stuhl* **2.** steif, unbeholfen *eine ~e Art haben*

ho·mo·gen [homo'geːn] <homogener, homogenst-> *adj (↔heterogen)* so, dass etw gleichmäßig zusammengesetzt ist *eine ~e Gesellschaft*

ho·mo·se·xu·ell [homozɛ'ksu̯ɛl] <-, -> *adj (↔heterosexuell)* so, dass man sich sexuell vom eigenen Geschlecht angezogen fühlt *~ veranlagt sein*

Ho·nig ['hoːnɪç] <-s> *kein pl der* gelbliche oder goldene süße und klebrige Masse, die die Bienen produzieren *gern ~ essen*

Ho·nig·ku·chen·pferd <-(e)s, -e> **grinsen wie ein ~** *(umg)* vor Freude über das ganze Gesicht strahlen *Er grinste wie ein ~.*

Ho·no·rar [hono'raːɐ̯] <-s, -e> *das (↔Gehalt, Lohn)* Geldbetrag, den man für freiberufliche Tätigkeiten erhält *ein hohes ~ bekommen*
***Wobi:** honorieren*

Hop·fen ['hɔpfn̩] <-s> *kein pl der* Pflanze, die zur Herstellung von Bier verwendet wird *aus ~ und Weizen Bier herstellen;* **an jdm ist ~ und Malz verloren** *(umg)* jdm ist nicht mehr zu helfen *An ihm ist ~ und Malz verloren.*

Hor·de ['hɔrdə] <-, -n> *die (umg pej)* große, ungeordnete Menge *eine ~ Menschen*

• **hö·ren** ['høːrən] <hört, hörte, gehört> *tr* **1.** [K] ***jd hört jdn/etw** akk* mit den Ohren wahrnehmen *Musik ~, schlecht/gut ~* **2.** [K] ***jd hat etw** akk* [***von jdm/etw** dat*] ***gehört*** erfahren *Ich habe schon lange nichts mehr von ihm gehört.;* **auf jdn ~** jds Rat befolgen *Sie hört auf ihre Mutter.;* **von sich ~ lassen** sich melden *Lass mal was von dir ~!*

Hö·ren·sa·gen ['høːrənzaːgn̩] <-> *kein pl* **etw vom ~ kennen** etw/jdn nicht aus eigener Erfahrung, sondern nur aus den Erzählungen anderer kennen *Ich kenne den Film nur vom ~.*

Hö·rer(in)[1] <-s, -> *der* Person, die eine Radiosendung, Vorlesung etc. verfolgt *die ~ auffordern anzurufen* ***Komp:** Gast-*

Hö·rer[2] <-s, -> *der* TELKOM der bewegliche Teil des Telefons, in den man hineinspricht *den ~ abnehmen/auflegen*

Ho·ri·zont ['hɔri'tsɔnt] <-(e)s, -e> *der* Stelle in der Ferne, an der sich Himmel und Erde scheinbar berühren *Die Sonne geht am ~ unter.;* **etw geht über jds ~** etw ist zu schwer für jdn *Diese Aufgabe geht über meinen ~.*

Hor·mon [hɔr'mo:n] <-s, -e> *das* chemischer Stoff, der bestimmte Körperfunktionen reguliert *~e ausstoßen* ***Komp: -behandlung, -präparat, -produktion, Geschlechts-***

Horn [hɔrn] <-(e)s, Hörner> *das* **1.** harter, spitzer Körperteil am Kopf eines Tieres, z.B. einer Kuh *Ein Stier hat Hörner.* **2.** MUS einfaches Blasinstrument *Der Jäger bläst ins ~.;* **in das gleiche ~ stoßen** der gleichen Meinung sein *Sie stoßen immer in das gleiche ~.*

• **Hörn·chen** <-s, -> *das* Gebäck, dass man vor allem zum Frühstück isst *~ vom Bäcker holen*

Ho·ros·kop [horos'ko:p] <-s, -e> *das* Deutung der Sterne in Bezug auf jds Zukunft/Schicksal *an das ~ glauben*

Hör·saal <-s, -säle> *der* großer Raum für Vorlesungen in der Universität oder Hochschule *im ~ sitzen*

Hort [hɔrt] <-(e)s, -e> *der* eine Institution, wo man auf Schulkinder nach der Schule aufpasst *nachmittags immer in den ~ gehen* ***Komp: Kinder-, Schul-***

• **Ho·se** ['ho:zə] <-, -n> *die* Kleidungsstück für den Unterkörper und die Beine *eine lange/kurze ~ anziehen;* **die ~n anhaben** *(umg)* bestimmen, was getan wird *In dieser Familie hat sie die ~n an.;* **die ~n voll haben** *(umg pej)* große Angst haben *Er hat die ~n voll.;* **tote ~ sein** *(umg)* von Jugendlichen verwendet, um auszudrücken, dass etw langweilig ist *Hier ist tote ~.*

Ho·sen·sack <-(e)s, -säcke> *der* (CH) *siehe* **Hosentasche**

Ho·sen·ta·sche <-, -n> *die (= CH Hosensack)* Tasche an einer Hose *etw in die ~ stecken*

• **Ho·tel** [ho'tɛl] <-s, -s> *das* ein Haus, in dem man für Geld übernachten kann *in einem ~ übernachten* ***Komp: -kette, -zimmer, Luxus-***

• **hübsch** [hʏpʃ] <hübscher, hübschest-> *adj (↔hässlich)* so, dass jd/etw sehr gut aussieht; schön *ein ~es Mädchen, ein ~er Garten;* **eine ~e Summe Geld** *(umg)* viel Geld *Dort kannst du eine ~e Summe Geld verdienen.*

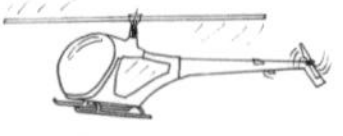

Hubschrauber

Hub·schrau·ber <-s, -> *der (≈Helikopter)* eine Art Flugzeug mit Propeller auf dem Dach, der sich sehr schnell drehen kann *mit dem ~ fliegen* ***Komp: Polizei-, Rettungs-***

hu·cke·pack ['hʊkəpak] *adv* auf dem Rücken *jdn/etw ~ tragen*

hu·deln ['hu:dl̩n] <hudelt, hudelte, gehudelt> *itr* (SD, ÖSTERR) unordentlich arbeiten *Sie hudelt häufig.* ***Wobi: Hudelei***

Hü·gel ['hy:gl̩] <-s, -> *der* kleiner Berg *auf einen ~ steigen* ***Wobi: hüg(e)lig***

• **Huhn** [hu:n] <-(e)s, Hühner> *das* Vogel, der Eier produziert und auf Bauernhöfen gehalten wird *Hühner züchten;* **mit den Hühnern aufstehen** *(umg)* sehr früh morgens aufstehen *Er steht mit den Hühnern auf.*

Hül·le ['hʏlə] <-, -n> *die* **in ~ und Fülle** *(umg)* im Übermaß, in großer Menge *Sie haben Geld in ~ und Fülle.*

hül·len ['hʏlən] <hüllt, hüllte, gehüllt> *tr* [K] ***jd hüllt etw** akk **in***

etw akk einwickeln *das Kind in eine Decke ~;* **sich über etw in Schweigen ~** über etw nicht reden *Über diese Angelegenheit hüllt sie sich in Schweigen.*

hu·man [hu'ma:n] <humaner, humanst-> *adj* menschlich, mit Respekt *jdn ~ behandeln*

• **Hu·mor** [hu'mo:ɐ̯] <-s> *kein pl der* Fähigkeit, lustig zu sein, Witze zu machen und viel zu lachen *einen Sinn für ~ haben, britischer ~* ***Wobi:** humorvoll*

• **Hund** [hʊnt] <-(e)s, -e> *der* ein beliebtes Haustier, das vom Wolf abstammt *sich einen ~ halten, ~e bellen.;* **jd kommt auf den ~** (*umg*) es geht jdm sehr schlecht *Er ist auf den ~ gekommen.;* **wie ~ und Katze sein** *(umg)* sich überhaupt nicht vertragen *Die beiden sind wie ~ und Katze.* ***Komp:** -efutter, -ehütte, -eleine*

Hund

hun·de·e·lend <-, -> *adj (umg)* so, dass es einem sehr schlecht geht *Mir ist ~ zumute.*

hun·de·mü·de ['hʊndə'my:də] <-, -> *adj (umg)* sehr müde *nach der Arbeit ~ sein*

• **hun·dert** ['hʊndɐt] <-, -> *num* die Zahl 100 *Hier sind einige ~ Menschen.*

hun·dert·pro·zen·tig ['hʊndɐtprotsɛntɪç] <-, -> *adj* vollständig, ganz und gar *~ von etw überzeugt sein*

• **Hun·ger** ['hʊŋɐ] <-s> *kein pl der* das Gefühl, essen zu müssen *großen ~ haben, Vor ~ knurrt mir der Magen.* ***Wobi:** hungrig*

hun·gern ['hʊŋɐn] <hungert, hungerte, gehungert> *itr* nicht genug zu essen haben *Er musste in seinem Leben viel ~.*

Hun·ger·tuch <-(e)s> *das kein pl* **am ~ nagen** arm sein und nichts zu essen haben *Sie nagen am ~.*

• **hu·pen** ['hu:pn̩] <hupt, hupte, gehupt> *itr* KFZ ein lautes Warnsignal geben *Der Autofahrer hupte, als das Kind auf die Straße lief.*

hüp·fen ['hʏpfn̩] <hüpft, hüpfte, gehüpft> *itr* <*sein*> laufen und dabei kleine Sprünge machen *Die Kinder ~ fröhlich umher.*

Hür·de ['hʏrdə] <-, -n> *die* **1.** Hindernis, über das man springen muss *über die ~n springen* **2.** schwieriges Problem, dass man lösen muss, um ein bestimmtes Ziel zu erreichen *Diese ~ müssen wir noch nehmen.* ***Komp:** -nlauf*

hur·ra [hʊ'ra:] *interj* Ausruf zum Ausdruck der Freude oder Begeisterung *H~! Ich habe es geschafft!*

husch [hʊʃ] *interj* Ausruf, um Kinder zur Eile aufzufordern *H~ ins Bett!*

• **hus·ten** ['hu:stn̩] <hustet, hustete, gehustet> *itr* stoßweise und laut ausatmen *wegen der Erkältung ständig ~ müssen;* **jdm was ~** (*umg*) jdm die Meinung sagen *Dem werd' ich was ~.*

• **Hus·ten** ['hu:stn̩] <-s> *kein pl der* MED stoßweises lautes Ausatmen *~ haben*

Hut [hu:t] <-(e)s, Hüte> *der* Kopfbedeckung *einen ~ aufsetzen;* **etw unter einen ~ bringen** *(umg)* verschiedene Dinge so organisieren, dass sie zusammen funktionieren *Ich habe Beruf und Hobby unter einen ~ gebracht.* ***Komp:** Damen-, Herren-*

Hut

hü·ten ['hy:tn̩] <hütet, hütete, gehütet> **I.** *tr* [K] *jd hütet jdn/etw akk* aufpassen, bewachen *die Herde ~, Kinder ~* **II.** *refl* [K] *jd hütet sich akk, etw zu tun* jd tut etw nicht *Ich werde mich ~, dir* *das Geheimnis zu verraten.;* **das Bett** ~ (*umg*) krank im Bett liegen *Ich habe das ganze Wochenende das Bett gehütet.*

Hut·sche ['hʊtʃə] <-, -n> *die* (ÖSTERR) Schaukel *auf der ~ sitzen*

Hüt·te ['hʏtə] <-, -n> *die* kleines Haus *eine ~ aus Holz*

Hym·ne ['hʏmnə] <-, -n> *die* feierliches Musikstück zur Ehre z.B. eines Landes *eine ~ singen* ***Komp: National-***

Hyp·no·se [hʏp'no:zə] <-, -n> *die* ein Zustand, in dem jd so stark unter jds Einfluss steht, dass er willenlos ist *unter ~ stehen* ***Wobi: hypnotisieren***

Hy·po·thek [hypo'te:k] <-, -en> *die* Sicherheit für einen Kredit in Form von Haus oder Grundstück *eine ~ auf sein Haus aufnehmen*

Hy·po·the·se [hypo'te:zə] <-, -n> *die* wissenschaftliche Behauptung, Vermutung *eine ~ aufstellen*

Hys·te·rie [hʏstə'ri:] <-, -n> *die* Zustand starker seelischer Erregung *in ~ ausbrechen* ***Wobi: hysterisch***

I

I, i [iː] <-, -> *das* der 9. Buchstabe des Alphabets *Das Wort ‚ich' beginnt mit dem Buchstaben ~.*; **das Tüpfelchen auf dem ~** die letzte Feinheit, die eine Sache vollkommen macht *Der unerwartete Sonnenschein war das Tüpfelchen auf dem ~.*

i [iː] *interj (umg)* verwendet, um Ekel auszudrücken *I, da ist eine Spinne!*

• **ich** [ɪç] *pron* Personalpronomen 1. pers sing *I~ singe ein Lied., Immer ~!*

i·de·al [ide'aːl] <idealer, idealst-> *adj* vollkommen, genau richtig *~es Wetter zum Baden*

• **I·dee** [i'deː] <-, -n> *die* plötzlicher Gedanke, Einfall *eine gute ~ haben, auf seltsame ~n kommen*; **eine ~ zu kurz/lang/...** *(umg)* ein bisschen zu kurz/lang/... *Der Rock ist eine ~ zu kurz.*

i·den·ti·fi·zie·ren [idɛntifi'tsiːrən] <identifiziert, identifizierte, identifiziert> **I.** *tr* [K] ***jd identifiziert jdn/etw*** *akk* (wieder)erkennen, die Identität feststellen *den Dieb ~* **II.** *refl* [K] ***jd identifiziert sich*** *akk* ***mit jdm/etw*** *dat* jdn/etw vollständig akzeptieren *Mit dieser Idee kann ich mich voll ~.* ***Wobi: Identifikation, Identifizierung***

i·den·tisch [i'dɛntɪʃ] <-, -> *adj* genau gleich *Die Nummern sind ~.*

I·den·ti·tät [idɛntɪ'tɛːt] <-, (-en)> *die* **1.** das Identischsein *die ~ der beiden Nummern* **2.** die persönlichen Daten wie Name, Adresse, Geburtstag *Können Sie Ihre ~ nachweisen?*

I·den·ti·täts·kar·te <-, -n> *die* (CH) Personalausweis *die ~ vorzeigen*

I·di·ot [i'di̯oːt] <-en, -en> *der (pej)* dummer Mensch *jdn als ~en beschimpfen, Du ~!* ***Wobi: idiotisch***

I·dol [i'doːl] <-s, -e> *das* jdn, den man sehr verehrt *ein ~ haben*

I·dyl·le [i'dʏlə] <-, -en> *die (≈Idyll)* friedliche, harmonische Atmosphäre *eine ländliche ~* ***Wobi: idyllisch Komp: Familien-***

ig·no·rie·ren [igno'riːrən] <ignoriert, ignorierte, ignoriert> *tr* [K] ***jd ignoriert jdn/etw*** *akk* absichtlich nicht beachten *eine Bemerkung ~*

• **Ihr** [iːɐ̯] *pron* Possessivpronomen 2. pers sing oder pl, Höflichkeitsform *Ist das ~ Buch, Herr Meier?*

• **ihr** [iːɐ̯] *pron* **1.** Personalpronomen 2. pers pl *Kommt ~ mit?* **2.** Possessivpronomen 3. pers sing f und 3. pers pl m, f und n *Diese Dame hier meine ich, das ist ~ Regenschirm.*

• **Ihr-** ['iːr] *pron* Possessivpronomen 2. pers sing oder pl, Höflichkeitsform *Sind das ~e Bücher, Frau Müller?*

• **ihr-** ['iːr] *pron* Possessivpronomen 3. pers sing von ‚sie' oder 3. pers pl *Der Regenschirm? Sehen Sie die Dame dort? Das ist ~er.*

il·le·gal ['ɪlegaːl] <-, -> *adj (↔legal)* nicht rechtmäßig, per Gesetz verboten *eine ~e Handlung, ~e Einwanderung*

Il·lu·si·on [ɪlu'zi̯oːn] <-, -en> *die* falsche, zu positive Vorstellung von der Wirklichkeit *sich ~en machen*

Il·lus·tra·ti·on [ɪlʊstra'tsio:n] <-, -en> *die* Abbildung, Bild *ein Buch mit vielen ~en*

il·lus·trie·ren [ilʊs'tri:rən] <illustriert, illustrierte, illustriert> *tr* [K] ***jd illustriert etw*** *akk* Bilder machen für etw *ein Kinderbuch ~*

• **Il·lus·trier·te** <-n, -n> *die* Zeitschrift mit vielen bunten Bildern *in einer ~n blättern*

im [ɪm] *präp = in + dem; siehe* **in**

I·mage ['ɪmɪtʃ] <-/-s, -s> *das* Bild, das die Öffentlichkeit von einer Person hat *ein gutes/schlechtes ~ haben;* **jd will sein ~ aufpolieren** *(umg)* jd tut Dinge, damit andere (wieder) besser von ihm denken *Nach dem Dopingskandal versuchte die Mannschaft, ihr ~ aufzupolieren.* ***Komp: -schaden, -verlust***

Im·biss ['ɪmbɪs] <-es, -e> *der* kleine Mahlzeit, die man oft im Stehen isst *einen ~ einnehmen* ***Komp: -bude, -stube***

i·mi·tie·ren [imi'ti:rən] <imitiert, imitierte, imitiert> *tr* [K] ***jd imitiert jdn/etw*** *akk* jdn/etw kopieren; etw so machen, wie man es von jd anderem/etw anderem kennt *Der Kabarettist kann den Politiker gut ~., den Klang einer Trompete ~*

• **im·mer** ['ɪmɐ] *adv* ständig, wieder und wieder *~ zu spät kommen;* **wie ~** so, wie man es gewöhnt ist *wie ~ an die Ostsee fahren;* **schon ~** von Anfang an *Sie hat mir schon ~ gefallen.;* **~ noch** bis jetzt *~ noch warten*

im·mer·hin ['ɪmɐ'hɪn] *adv* wenigstens *I~ bist du noch gekommen!*

Im·mo·bi·lie [ɪmo'bi:liə] <-, -n> *die* Grundstück, Haus, Wohnung etc., das/die jd besitzt *wertvolle ~n besitzen* ***Komp: -nfirma, -nmakler, -nmarkt***

im·mun [ɪ'mu:n] <-, -> *adj* so, dass man nicht leicht eine Krankheit bekommt *gegen Grippe ~ sein;* **gegen etw ~ sein** *(umg)* sich von etw nicht beeindrucken lassen *gegen Extremismus ~ sein*

Im·pe·ra·tiv ['ɪmperati:f] <-s, -e> *der* LING Verbform, die einen Befehl ausdrückt *den ~ eines Verbs bilden*

impfen

impf·en ['ɪmpfn̩] <impft, impfte, geimpft> *tr* [K] ***jd impft jdn [gegen etw*** *akk*] MED durch ein Medikament vor einer Krankheit schützen *Ich bin gegen Grippe geimpft., Ich lasse mich gegen Tetanus ~.*

im·pli·zit [ɪmpli'tsi:t] <-, -> *adj* indirekt in etw enthalten *ein ~er Vorwurf*

im·po·nie·ren [ɪmpo'ni:rən] <imponiert, imponierte, imponiert> *itr* [K] ***jd imponiert jdm*** sehr beeindrucken *Sein Mut imponiert mir.*

• **Im·port** [ɪm'pɔrt] <-(e)s, -e> *der (≈Einfuhr ↔Export)* in ein Land eingeführte Ware *Diese Produkte sind ~e aus Südamerika.* ***Wobi: importieren***

im·pro·vi·sie·ren [ɪmprovi'zi:rən] <improvisiert, improvisierte, improvisiert> *tr* [K] ***jd improvisiert etw*** *akk* etw ohne Vorbereitung/Planung machen *gut ~ können*

• **in** [ɪn] *präp* **1.** *+dat auf die Frage ‚wo?', +akk auf die Frage ‚wohin?'* an einer bestimmten Stelle, zu einem bestimmten Ort *~s Kino gehen, ~ die Schule gehen, ~ der Schule sein, ~ London, ~ Frankreich* **2.** *+dat* während eines bestimmten Zeitraumes, auf einen Zeitraum zu *~ den Ferien, ~ der Nacht, ~ zwei Wochen*

in·be·grif·fen ['ɪnbəgrɪfn̩] <-, -> *adj* so, dass etw mit eingeschlossen/mitgerechnet ist *Trinkgeld ist im Preis ~.*

in·dem [ɪn'de:m] *konj* dadurch, dass *Du kannst mir helfen, ~ du abwäschst.*

in·des(·sen) [ɪn'dɛs(n̩)] *konj* **1.** in der Zwischenzeit *I~ waren alle gegangen.* **2.** jedoch, aber *Sie ist ruhig, er ~ sehr lebendig.*

in·di·rekt ['ɪndirɛkt] <indirekter, indirektest-> *adj (↔direkt)* mittelbar, auf Umwegen *eine ~e Einladung;* **~e Rede** LING Wiedergabe von dem, was ein anderer gesagt hat *im Unterricht die ~e Rede üben*

in·dis·kret ['ɪndɪskre:t] <indiskreter, indiskretest-> *adj (↔diskret)* zu neugierig, taktlos *eine ~e Frage*

In·di·vi·du·a·lis·mus [ɪndividu̯a'lɪsmʊs] <-> *kein pl der* die Ansicht, dass die Interessen des Einzelnen wichtiger sind als die Interessen der Gemeinschaft *der ~ der modernen Gesellschaft*

in·di·vi·du·ell [ɪndivi'du̯ɛl] <individueller, individuellst-> *adj* so, dass es von Person zu Person verschieden ist *~e Entscheidungen treffen, ~ verschieden sein, ~e Lösungen erarbeiten*

In·di·vi·du·um [ɪndi'vi:duʊm] <-s, -duen> *das* die einzelne Person *jedes ~ der Gesellschaft*

in·dus·tri·a·li·sie·ren [ɪndʊstriali'zi:rən] <industrialisiert, industrialisierte, industrialisiert> *tr* [K] ***jd industrialisiert etw** akk* in einem Land/einer Region Industriebetriebe gründen *ein Land ~* ***Wobi:** Industrialisierung*

• **In·dus·trie** [ɪndʊs'tri:] <-, -n> *die* Bereich der Wirtschaft mit maschineller Produktion *die ~ eines Landes entwickeln* ***Komp:** -arbeiter, -betrieb, -gegend, -norm*

In·dus·trie·land <-es, -länder> *das (↔Agrarland)* Land, in dem es viel Industrie gibt *ein hochentwickeltes ~*

In·dus·trie·zweig <-(e)s, -e> *der* Bereich der Wirtschaft *Die Metallindustrie ist ein wichtiger ~.*

In·fek·ti·on [ɪnfɛk'ts̮i̯o:n] <-, -en> *die* das Krankwerden durch Bakterien oder einen Virus *sich eine ~ zuziehen* ***Komp:** -sgefahr, -srisiko, Virus-*

In·fi·ni·tiv ['ɪnfiniti:f] <-s, -e> *der* LING Grundform des Verbs *den ~ bilden*

in·fi·zie·ren [ɪnfi'ts̮i:rən] <infiziert, infizierte, infiziert> *tr* [K] ***jd infiziert sich** akk [**bei jdm**] [**mit etw** dat]* sich anstecken, eine Krankheit übernehmen *sich bei der Freundin ~, sich mit AIDS ~*

• **In·fla·ti·on** [ɪnfla'ts̮i̯o:n] <-, -en> *die* Geldentwertung *eine ~ von 2,5 Prozent im Monat* ***Komp:** -srate*

Inflation

• **In·for·ma·ti·on** [ɪnfɔrma'ts̮i̯o:n] <-, -en> *die* **1.** Nachricht, Auskunft *~en über etw erhalten* **2.** Informationsschalter *an der ~ fragen* ***Komp:** -sgesellschaft*

• **in·for·mie·ren** [ɪnfɔr'mi:rən] <informiert, informierte, informiert> **I.** *tr* [K] ***jd informiert jdn** [**über jdn/etw** akk]* benachrichtigen, Auskunft geben *die Mitarbeiter über die Entscheidung der Geschäftsleitung ~, jdn über Einzelheiten ~* **II.** *refl* [K] ***jd informiert sich** akk [**über jdn/etw** akk]* sich Auskünfte holen, sich kundig machen *sich vor dem Urlaub über den Ferienort ~*

• **In·ge·nieur(in)** [ɪnʒə'ni̯ø:ɐ̯] <-s, -e> *der* Techniker mit Hoch- oder Fachhochschulausbildung *Mathematik ist grundlegend für einen ~.*

In·ha·ber(in) ['ɪnhaːbɐ] <-s, -> *der* Eigentümer, Besitzer ~ *einer Firma sein, Er ist der ~ des Kontos.* ***Komp: Firmen-, Geschäfts-, Konto-***

in·haf·tie·ren [ɪnhaf'tiːrən] <inhaftiert, inhaftierte, inhaftiert> *tr* K ***jd inhaftiert jdn*** in Haft nehmen, ins Gefängnis bringen *Der Dieb wurde gefasst und sofort inhaftiert.*

in·ha·lie·ren [ɪnha'liːrən] <inhaliert, inhalierte, inhaliert> *tr* K ***jd inhaliert etw*** *akk* tief einatmen *Dämpfe ~*

• **In·halt** ['ɪnhalt] <-(e)s, -e> *der* **1.** das, was dargestellt oder mitgeteilt wird *der ~ des Buches/Filmes* **2.** das, was in einem Gefäß, z. B. einer Flasche oder Dose, ist *Ist der ~ dieser Flasche giftig?*

In·halts·ver·zeich·nis <-ses, -se> *das* Auflistung der einzelnen Kapitel in einem Buch o.Ä. *das ~ lesen*

I·ni·ti·a·ti·ve [initsi̯a'tiːvə] <-, -n> *die* der erste Schritt zu einer Handlung *die ~ ergreifen*

in·klu·si·ve [ɪnklu'ziːvə] *präp +gen (↔exklusive)* einschließlich, in etw enthalten ~ *aller Nebenkosten, Der Preis pro Nacht beträgt 80 Euro, Frühstück ~.*

in·kom·pe·tent ['ɪnkɔmpetɛnt] <inkompetenter, inkompetentest-> *adj (↔kompetent)* unfähig ~ *sein* ***Wobi: Inkompetenz***

in·kon·se·quent ['ɪnkɔnzekvɛnt] <inkonsequenter, inkonsequentest-> *adj (↔konsequent)* so, dass es nicht mit dem Ziel übereinstimmt, unlogisch ~ *handeln* ***Wobi: Inkonsequenz***

In-Kraft-Tre·ten <-s> *kein pl das* Moment, in dem ein Gesetz/eine Anordnung gültig wird *bei ~ des Gesetzes*

In·land ['ɪnlant] <-(e)s> *kein pl das (↔Ausland)* Gebiet innerhalb der Staatsgrenzen *im ~ Urlaub machen* ***Komp: -sflug***

in·ne|ha·ben <hat inne, hatte inne, innegehabt> *tr* K ***jd hat etw*** *akk* ***inne*** eine bestimmte Stelle/Funktion etc. haben *ein Amt ~*

• **in·nen** ['ɪnən] *adv (↔außen)* in einem Raum *Das Gebäude ist von außen schöner als von ~.*

In·nen·stadt <-, -städte> *die* Stadtzentrum *In der ~ gibt es kaum noch Wohnungen, nur Geschäfte und Büros.*

• **in·ne·re(-r, -s)** ['ɪnərə] <-, -> *adj* so, dass etw im Körper ist ~ *Organe, ~ Verletzungen*

• **in·ner·halb** ['ɪnɐhalp] *präp +gen* örtlich oder zeitlich in etw gelegen ~ *des Gartens, ~ weniger Jahre*

in·nert ['ɪnɐt] *präp +gen/dat* (ÖSTERR, CH) innerhalb ~ *fünf Tagen, ~ der Frist*

in·nig ['ɪnɪç] <inniger, innigst-> *adj* herzlich, vertraut, intensiv *eine ~e Umarmung/Beziehung* ***Wobi: Innigkeit***

in·no·va·tiv [ɪnova'tiːf] <innovativer, innovativst-> *adj* erneuernd *~e Pläne* ***Wobi: Innovation***

in·of·fi·zi·ell ['ɪnʔɔfitsi̯ɛl] <inoffizieller, inoffiziellst-> *adj (↔offiziell)* vertraulich *eine ~e Mitteilung*

In·sas·se, In·sas·sin ['ɪnzasə] <-n, -n> *der* **1.** Fahrgast *alle ~n des Zuges* **2.** Menschen, die in einer bestimmten Institution leben *die ~n eines Gefängnisses*

Insel

• **In·sel** ['ɪnzl̩] <-, -n> *die* kleineres Stück Land im Wasser *die Britischen ~n, auf einer ~ leben*

In·se·rat [ɪnze'raːt] <-(e)s, -e> *das (≈Annonce)* Anzeige in einer

Zeitung ein ~ aufgeben

in·se·rie·ren [ɪnze'riːrən] <inseriert, inserierte, inseriert> *itr* eine Anzeige aufgeben *in einer Zeitung ~*

ins·ge·heim [ɪnsgə'haim] *adv* heimlich, ohne darüber zu sprechen *~ auf etw hoffen*

• **ins·ge·samt** [ɪnsgə'zamt] *adv* zusammen *Die Rechnung beträgt ~ 73 Euro.*

in·so·fern [ɪnzo'fɛrn] *konj* falls, wenn *I~ es meine Zeit erlaubt, komme ich.*

in·so·fern [ɪn'zoːfɛrn] *adv* was dies betrifft *I~ bin ich ganz zufrieden.*

in·stal·lie·ren [ɪnsta'liːrən] <installiert, installierte, installiert> *tr* [K] ***jd installiert etw*** *akk* ein technisches Gerät einbauen und anschließen *eine Waschmaschine ~, auf dem Rechner ein neues Programm ~*

in·stän·dig ['ɪnʃtɛndɪç] <inständiger, inständigst-> *adj* besonders stark, eindringlich *~es Bitten*

Ins·tanz [ɪn'stants] <-, -en> *die* Stufe eines Gerichtsprozesses *in erster/zweiter/dritter ~ gewinnen/verlieren*

Ins·tinkt [ɪn'stɪŋkt] <-(e)s, -e> *der* angeborener Trieb bei Mensch und Tier *aus einem ~ heraus, seinem ~ folgen* ***Wobi:** instinktiv*

• **Ins·ti·tut** [ɪnsti'tuːt] <-(e)s, -e> *das* öffentliche Einrichtung für Ausbildung oder Forschung *das pädagogische ~*

• **Ins·tru·ment** [ɪnstru'mɛnt] <-(e)s, -e> *das* ein Gerät, mit dem man Töne/Musik produzieren kann, z. B. ein Klavier oder eine Gitarre *ein ~ spielen, Die Musiker stimmen die ~e.* ***Wobi:** instrumental* ***Komp:** Blas-, Streich-*

in·sze·nie·ren [ɪnstse'niːrən] <inszeniert, inszenierte, inszeniert> *tr* [K] ***jd inszeniert etw*** *akk* THEAT FILM einen Film/ein Theaterstück für die Präsentation vorbereiten *Der Regisseur ist dabei, ein neues Stück zu ~.* ***Wobi:** Inszenierung*

in·takt [ɪn'takt] <-, -> *adj (≈unbeschädigt)* so, dass etw nicht kaputt ist und funktioniert *ein ~er Motor, eine ~e Familie*

In·te·gra·ti·on [ɪntəgra'tsioːn] <-, -en> *die* Bildung eines Ganzen, Zusammenwachsen *die europäische ~* ***Wobi:** integrieren*

in·tel·lek·tu·ell [ɪntɛlɛktu'ɛl] <intellektueller, intellektuellst-> *adj* sehr gebildet *eine ~e Sichtweise* ***Wobi:** Intellektuelle(r)*

• **in·tel·li·gent** [ɪntɛli'gɛnt] <intelligenter, intelligentest-> *adj (≈klug)* so, dass man geistig begabt ist *eine ~e Bemerkung*

In·tel·li·genz [ɪntɛli'gɛnts] <-> *kein pl die* **1.** Denkfähigkeit, Klugheit *nur wenig ~ besitzen* **2.** Gesamtheit der geistig tätigen Personen *der ~ eines Landes angehören*

in·ten·siv [ɪntɛn'ziːf] <intensiver, intensivst-> *adj* **1.** sehr stark *eine ~e Farbe, eine ~e Beziehung* **2.** besonders konzentriert *das ~e Lernen*

In·ter·ci·ty [ɪntɐ'sɪti] <-s, -s> *der* Schnellzug, der zwischen (Groß-)Städten verkehrt *Für den ~ benötigen Sie einen Zuschlag!* ***Komp:** -zuschlag*

• **in·te·res·sant** [ɪntərɛ'sant] <interessanter, interessantest-> *adj (↔langweilig)* anregend, spannend *eine ~e Unterhaltung;* **sich ~ machen** *(umg pej)* versuchen, jds Aufmerksamkeit zu erregen *Er will sich doch mit seinem Gerede nur ~ machen!*

• **In·te·res·se** [ɪntəˈrɛsə] <-s, -n> *das* Neugier, Wunsch, sich mit etw zu beschäftigen *~ an Literatur haben, etw aus ~ tun*

• **in·te·res·sie·ren** [ɪntərɛˈsiːrən] <interessiert, interessierte, interessiert> *refl* [K] ***jd interessiert sich** akk **für jdn/etw** akk* sich begeistern, neugierig sein *sich für klassische Musik ~;* **an etw interessiert sein** sich für etw interessieren *an guten Beziehungen zum Nachbarland interessiert sein*

in·tern [ɪnˈtɛrn] <-, -> *adj (↔extern)* so, dass es nicht für Außenstehende bestimmt ist *eine ~e Angelegenheit*

In·ter·nat [ɪntɐˈnaːt] <-(e)s, -e> *das* Schule, in der die Schüler auch wohnen und essen *ein ~ besuchen*

• **in·ter·na·ti·o·nal** [ˈɪntɐnatsi̯oˈnaːl] <-, -> *adj* so, dass viele verschiedene Nationen/Länder dabei sind *~e Begegnungen, eine ~e Organisation*

• **In·ter·net** [ˈɪntɐnet] <-s> *kein pl das* internationales Datennetz *etw im ~ suchen, im ~ surfen*

In·ter·nist(in) [ɪntɐˈnɪst] <-en, -en> *der* Facharzt für innere Krankheiten *zu einem ~en gehen*

In·ter·pre·ta·ti·on [ɪntɐpretaˈtsi̯oːn] <-, -en> *die* Versuch zu verstehen, was ein Text, Bild etc. bedeutet *die ~ des Gedichts/des Gemäldes*

in·ter·pre·tie·ren [ɪntɐpreˈtiːrən] <interpretiert, interpretierte, interpretiert> *tr* [K] ***jd interpretiert jdn/etw** akk* auslegen, deuten, die Bedeutung suchen *etw falsch ~*

In·ter·punk·ti·on [ɪntɐpʊŋkˈtsi̯oːn] <-> *kein pl die (≈Zeichensetzung)* Setzen von Satzzeichen wie Komma, Fragezeichen etc. *die Regeln der ~ lernen*

• **In·ter·view** [ˈɪntɐvjuː/ɪntɐˈvjuː] <-s, -s> *das* Befragung einer Person, z. B. durch einen Journalisten *ein ~ mit jdm führen* ***Wobi:** Interviewer(in)*

in·ter·vie·wen [ɪntɐˈvjuːən] <interviewt, interviewte, interviewt> *tr* [K] ***jd interviewt jdn** [**über jdn/etw** akk]* befragen *den Politiker ~*

in·tim [ɪnˈtiːm] <intimer, intimst-> *adj* sehr vertraut *die Hochzeit nur im ~sten Kreise feiern;* **mit jdm ~ werden** Sex haben *miteinander ~ werden* ***Wobi:** Intimität*

in·to·le·rant [ˈɪntolerant] <intoleranter, intolerantest-> *adj (↔tolerant)* so, dass man etw nicht akzeptiert, wenn es sich von den eigenen Ansichten unterscheidet *~ gegenüber anderen Menschen sein* ***Wobi:** Intoleranz*

in·tran·si·tiv [ˈɪntranziˈtiːf] <-, -> *adj* (LING: *↔transitiv*) so, dass es ohne Akkusativobjekt/Akkusativergänzung gebraucht wird *~e Verben*

int·ri·gie·ren [ɪntriˈgiːrən] <intrigiert, intrigierte, intrigiert> *itr* hinterlistig handeln, um jdm zu schaden *gegen jdn ~* ***Wobi:** Intrigant, Intrige*

In·va·li·de [ɪnvaˈliːdə] <-n, -n> *der* jd, der vollständig oder teilweise arbeitsunfähig ist *~ sein*

In·ven·tar [ɪnvɛnˈtaːɐ̯] <-s, -e> *das (≈Einrichtung)* alle Gegenstände in einem Raum/Haus/Geschäft *wertvolles ~ besitzen*

In·ven·tur [ɪnvɛnˈtuːɐ̯] <-, -en> *die (≈Bestandsaufnahme)* das Zählen und Registrieren aller Waren in einem Geschäft ~ *machen, Wegen ~ am 7. Januar geschlossen!*

in·ves·tie·ren [ɪnvɛsˈtiːrən] <investiert, investierte, investiert> **I.** *itr* Geld anlegen *in Aktien ~* **II.** *tr* [K] *jd investiert etw akk* [*in etw akk*] sich Zeit nehmen oder Geld geben für etw *in eine Arbeit viel Zeit ~* ***Wobi: Investition***

in·wie·fern [ɪnviˈfɛrn] *konj* in welcher Weise *Es ist noch unklar, ~ er mit dieser Sache zu tun hat.*

• **in·zwi·schen** [ɪnˈt͜svɪʃn̩] *adv* in der Zwischenzeit *Ich gehe ~ einkaufen.*

ir·gend [ˈɪrgn̩t] *adv* überhaupt, irgendwie *Wenn es ~ möglich ist, …*

• **ir·gend·ein**(**-e**, **-er**, **-es**) [ˈɪrgn̩tˈʔa͜in] *pron* etw/jd, das/der nicht näher bezeichnet wird *I~er von euch könnte mir helfen.*

• **ir·gend·wann** [ˈɪrgn̩tˈvan] *adv* zu einem unbestimmten Zeitpunkt *sich ~ wieder sehen*

• **ir·gend·was** [ˈɪrgn̩tˈvas] *pron* eine nicht näher bestimmte Sache *I~ werde ich schon finden.*

• **ir·gend·wie** [ˈɪrgn̩tˈviː] *adv* auf nicht näher bestimmte Art und Weise *Das werden wir schon ~ hinkriegen!*

• **ir·gend·wo** [ˈɪrgn̩tˈvoː] *adv* an einem unbestimmten Ort *I~ muss meine Brille liegen.*

• **ir·gend·wo·hin** [ˈɪrgn̩tvoˈhɪn] *adv* an ein unbestimmtes Ziel *~ fahren*

I·ro·nie [iroˈniː] <-, -n> *die* Art von Spott/Witz, bei dem man das Gegenteil sagt von dem, was man meint *„Du bist mir ein guter Freund", sagte er voller ~.* ***Wobi: ironisch***

irr(**e**) [ˈɪr(ə)] <-, -> *adj* verrückt, verwirrt *~ sein;* **echt ~e** *(umg!)* toll, super *Dein Haarschnitt ist echt ~e!*

ir·re|füh·ren <führt irre, führte irre, irregeführt> *tr* [K] *jd führt jdn irre* täuschen, den falschen Weg zeigen *die Verfolger ~*

ir·re|ma·chen <macht irre, machte irre, irregemacht> *tr* [K] *jd/etw macht jdn irre* durcheinander bringen, verrückt machen *Diese laute Musik macht mich noch irre!*

• **ir·ren** [ˈɪrən] <irrt, irrte, geirrt> *refl* [K] *jd irrt sich akk* [*in jdm/etw dat*] sich täuschen, etw Falsches denken *sich in der Straße ~, Wenn ich mich nicht irre, beginnt der Film um acht., sich in einem Menschen ~;* **I~ ist menschlich.** es ist normal, dass man sich manchmal irrt *Das macht nichts. I~ ist menschlich!*

ir·ri·tie·ren [ɪriˈtiːrən] <irritiert, irritierte, irritiert> *tr* [K] *etw/jd irritiert jdn* verwirren *Die Bemerkung irritierte ihn.*

Irr·tum [ˈɪrtuːm] <-s, -tümer> *der* Fehler, Versehen *Da muss ein ~ vorliegen!, im ~ sein*

irr·tüm·lich [ˈɪrtyːmlɪç] *adj* aus Versehen, ohne Absicht *~ die falsche Adresse angeben*

Is·lam [ɪsˈlaːm] <-s> *kein pl der* von Mohammed gegründete Weltreligion *sich zum ~ bekennen* ***Wobi: islamisch***

i·so·lie·ren [izoˈliːrən] <isoliert, isolierte, isoliert> **I.** *tr* [K] *jd isoliert etw akk* vor Luft/Elektrizität/Wasser schützen *die Leitungen ~, die Fenster ~* **II.** *refl* [K] *jd isoliert sich akk* [*von jdm/etw dat*] sich fern halten *sich von der Gruppe ~* ***Wobi: Isolation***

J

J, j [jɔt] <-, -> *das* der 10. Buchstabe des Alphabets *Das Wort ‚ja' beginnt mit dem Buchstaben ~.*

• **ja** [ja:] *adv* **1.** verwendet, um Zustimmung auszudrücken *Kommst du mit ins Kino? – J~, ich komme mit.* **2.** verwendet, um eine Aussage zu verstärken *Das ist ~ furchtbar!, Pass ~ auf!* **3.** verwendet, um von einem anderen eine Bestätigung zu bekommen *J~ ?;* Richtig? *Du hilfst mir doch, ~ ?* ***Wobi: bejahen***

Jacht [jaxt] <-, -en> *die* kleineres schnelles Luxusschiff, das jd zum Vergnügen besitzt *Die ~ gehört einem Millionär.*

Jacke

• **Ja·cke** ['jakə] <-, -n> *die* wärmendes Kleidungsstück, das man über Pullover/Bluse/Hemd trägt *die ~ anziehen;* **Das ist ~ wie Hose.** *(umg)* Das ist das Gleiche. *Ob ich zu dir komme oder du zu mir, ist ~ wie Hose.*

Jackett

Ja·ckett [ʒa'kɛt] <-(e)s, -e/-s> *das* Oberteil eines Herrenanzugs *Zum ~ trug er ein weißes Hemd.*

Jagd [ja:kt] <-, -en> *die* die Handlung, dass man wilde Tiere verfolgt und tötet, um ihr Fleisch zu essen oder um z. B. ihren Pelz zu Kleidung zu verarbeiten *auf die ~ gehen* ***Komp: -saison, -schein, Großwild-, Treib-***

ja·gen ['ja:gn̩] <jagt, jagte, gejagt> *tr* **1.** [K] *jd jagt ein Tier akk* ein Tier verfolgen, um es zu fangen oder zu töten *ein Reh ~* **2.** [K] *jd jagt jdn* jdn verfolgen *Die Polizei jagt den Mörder.*

Jä·ger ['jɛ:gɐ] <-s, -> *der* jd, der beruflich Tiere jagt *als ~ angestellt werden*

jäh [jɛ:] <-, -> *adj* plötzlich, hastig *eine ~e Bewegung*

Jahr [ja:ɐ̯] <-(e)s, -e> *das* der Zeitraum von 365 Tagen *vor einem ~, im nächsten ~, ein ganzes ~;* ~ **für** ~ regelmäßig jedes Jahr *~ für ~ im Sommer ans Meer fahren;* **in den besten ~en** jung (etwa zwischen 30 und 45 Jahren) und leistungsfähig *ein Mann in den besten ~en;* **im Alter von ... ~en** verwendet zur Angabe des Alters *im Alter von sechs ~en in die Schule kommen*

jahr·aus [ja:ɐ̯'ʔa̯us] *adv* ~, **jahrein** immer wieder *J~, jahrein ging ich zur Arbeit.*

jah·re·lang ['ja:rəlaŋ] <-, -> *adj* so, dass etw mehrere Jahre dauert *Er war ~ arbeitslos.*

Jah·res·wech·sel <-s, -> *der* Beginn eines neuen Jahres, Neujahr *Den ~ habe ich mit Freunden gefeiert.*

• **Jah·res·zeit** <-, -en> *die* Frühling, Sommer, Herbst und Winter *die vier ~en, Jede ~ hat ihre Reize.;* **die warme/kalte** ~ der Sommer/Winter *Die kalte ~ ist in Mitteleuropa länger als die warme.* ***Wobi: jahreszeitlich***

Jahr·gang <-(e)s, -gänge> *der* **1.** alle Personen des gleichen Geburtsjahres *Wir sind der gleiche ~.* **2.** alles, was in dem gleichen Jahr produziert/hergestellt wurde *Dieser Wein ist ein sehr guter ~.*

Jahr·hun·dert [ja:ɐ̯'hʊndɐt] <-s, -e> *das* der Zeitraum von 100 Jahren *in unserem ~* ***Komp: -ereignis, -wende***

jähr·lich ['jɛːɐ̯lɪç] <-, -> *adj* regelmäßig jedes Jahr *Die Hauptversammlung findet einmal ~ statt.*

jäh·zor·nig <jähzorniger, jähzornigst-> *adj* so, dass man oft plötzlich sehr wütend wird *ein ~er Mann*

Ja·lou·sie [ʒalu'ziː] <-, -n> *die* eine Art fester Vorhang zum Schutz gegen die Sonne *morgens die ~n hochziehen*

Jalousie

jam·mern ['jamɐn] <jammert, jammerte, gejammert> *itr* klagen, Unzufriedenheit äußern *Ständig jammerst du nur!* ***Wobi: Jammerei***

Jan·ker ['jaŋkɐ] <-s, -> *der* (ÖSTERR) Strickjacke *einen ~ anziehen*

• **Jän·ner** ['jɛnɐ] <-s, -> *der* (ÖSTERR) Januar *im ~ Geburtstag haben*

• **Ja·nu·ar** ['janu̯aːɐ̯] <-(s), -e> *der (= ÖSTERR Jänner)* der 1. Monat des Jahres *bis/seit ~*

Jar·gon [ʒar'gõː] <-s, -s> *der* Sprache einer bestimmten Gruppe der Gesellschaft *Den ~ der Mediziner versteht man kaum.*

jauch·zen ['jau̯xtsn̩] <jauchzt, jauchzte, gejauchzt> *itr* Laute der Freude produzieren *vor Freude ~*

jau·len ['jau̯lən] <jault, jaulte, gejault> *itr* laut heulen/weinen bei Hunden *Der Hund jault.*

Jau·se ['jau̯zə] <-, -n> *die (ÖSTERR ≈Brotzeit, Vesper)* kleiner Imbiss, Snack *eine ~ machen*

• **Jazz** [dʒɛs/jats] <-> *kein pl der* Musikstil, der auf die Musik der farbigen Nordamerikaner zurückgeht *am liebsten ~ hören, ~ lieben* ***Komp: -band, -konzert, -musiker***

• **je**[1] [jeː] *interj* **O ~!** verwendet, um Bestürzung/unangenehme Überraschung auszudrücken *O ~, das habe ich vergessen!*

• **je**[2] [jeː] *adv (≈jemals)* zu jedem bisherigen Zeitpunkt *Das ist das schönste Fahrrad, das ich ~ gesehen habe.*

• **je**[3] [jeː] *mit komp konj* ~ **..., desto/umso ...** verwendet, um eine Abhängigkeit auszudrücken *J~ eher du kommst, desto früher können wir losfahren.;* ~ **nachdem** etw ist von etw abhängig *~ nachdem, wann er kommt*

• **Jeans** [dʒiːns] <-, -> *pl* (meist blaue) Hose aus festem Baumwollstoff *eine ~ tragen, -mode, -shop, -weste*

• **je·den·falls** ['jeːdn̩fals] *adv* **1.** auf jeden Fall *Ich komme ~ mit.* **2.** zumindest *Ich ~ habe davon nichts gewusst.*

• **je·de(-r, -s)** ['jeːdə] *pron (↔keiner)* alle einzeln/für sich *~r von uns, ~r von allen, ~s Jahr;* ~**s Mal, wenn ...** immer dann, wenn ... *~s Mal, wenn ich ihn treffe*

je·der·mann ['jeːdɐman] *pron* ein jeder, alle Leute *J~ hat heute einen Fernseher., Du musst nicht ~ davon erzählen.*

je·der·zeit ['jeːdɐ'tsai̯t] *adv* immer *Du kannst ~ zu mir kommen.*

• **je·doch** [je'dɔx] *konj (≈aber)* verwendet, um einen Gegensatz auszudrücken *ein schüchterner, ~ netter junger Mann*

je·her ['jeːheːɐ̯] *adv* **von/seit** ~ schon immer *Wir haben das von ~ so gemacht.*

je·mals ['jeːmaːls] *adv (≈je)* irgendwann *Ob ich ihn ~ wiedersehen werde?*

• **je·mand** ['jeːmant] *pron* (irgend)eine Person *J~ hat an der Tür geklingelt., J~ muss die Arbeit machen.*

• **je·ne(-r, -s)** ['jeːnə] *pron (↔diese)* der/die/das, was (vom Sprecher aus gesehen) weiter weg ist *Diesen Mann kenne ich, ~n nicht.;* **dieses und ~s** alles Mögliche *über dieses und ~s reden*

jen·seits ['je:nzaits] *präp +gen (↔diesseits)* auf der anderen Seite *~ der Elbe, ~ der Grenze*

• **jetzt** [jɛtst] *adv (≈nun)* in diesem Moment *J~ lese ich gerade.;* **bis ~** bis zu diesem Zeitpunkt *Bis ~ habe ich noch keine Erklärung dafür gefunden.;* **von ~ an** von nun an *Von ~ an will ich darauf achten.*

je·wei·lig ['je:vailɪç] <-, -> *adj* zu einer bestimmten Zeit vorkommend, entsprechend *Die Aufgabe übernimmt der ~e Verantwortliche.*

• **je·weils** ['je:vails] *adv* je *Diese Zeitschrift erscheint ~ am Ersten des Monats., Die ~ erfolgreichsten Kandidaten dürfen weiterspielen.*

• **Job** [dʒɔp] <-s, -s> *der* Arbeit, Arbeitsstelle *einen neuen ~ haben*

job·ben ['dʒɔbn̩] <jobbt, jobbte, gejobbt> *itr (umg)* vorübergehend/nicht fest angestellt arbeiten *in einer Kneipe ~*

Joga ['jo:ga] <-s> *kein pl das* philosophische Lehre aus Indien, die den Geist durch Meditation und Askese vom Körper befreien will *Die Konzentration wird durch ~ gestärkt.* ***Komp: -sitz***

jog·gen ['dʒɔgn̩] <joggt, joggte, gejoggt> *itr <sein/haben>* laufen, Dauerlauf machen *regelmäßig jeden Morgen ~* ***Wobi: Jogger***

• **Jog·ging** ['dʒɔgɪŋ] <-s> *kein pl das* nicht zu schneller Lauf für die Ausdauer *sich durch ~ fit halten*

Jo·gurt/Jo·ghurt ['jo:gʊrt] <-s, -s> *der/das* eine Speise aus Milch, die einen leicht sauren Geschmack hat *zum Frühstück einen ~ essen*

jong·lie·ren [ʒõ'gli:rən/ʒɔŋ'li:rən] <jongliert, jonglierte, jongliert> *itr* mehrere Gegenstände gleichzeitig in die Luft werfen und wieder auffangen *mit Bällen ~*

• **Jour·na·list(in)** [ʒʊrna'lɪst] <-en, -en> *der* jd, der für die Zeitung, den Rundfunk oder das Fernsehen schreibt *der ~ und spätere Chefredakteur* ***Wobi: Journalismus***

Ju·bel ['ju:bl̩] <-s> *kein pl der* laute Freude *in ~ ausbrechen*

ju·beln ['ju:bl̩n] <jubelt, jubelte, gejubelt> *itr* sich sehr freuen und das deutlich zeigen *~de Fußballfans, Sie ~ vor Freude.*

Ju·bi·lä·um [jubi'lɛ:ʊm] <-s, -läen> *das (≈Jahrestag)* Tag, an dem man feiert, dass es etw seit einer bestimmten Zeit gibt *das 50-jährige ~ des Instituts feiern*

ju·cken ['jʊkn̩] <juckt, juckte, gejuckt> *itr* auf der Haut so ein Gefühl verursachen, dass man kratzen möchte *Der Mückenstich juckt.;* **jdm juckt es in den Fingern, etw zu tun** *(umg)* jd möchte am liebsten etw tun *Wenn ich mir dein Zimmer anschaue, juckt es mir in den Fingern, da mal aufzuräumen.*

• **Ju·gend** ['ju:gn̩t] <-> *kein pl die* **1.** Zeit, in der man etwa 12 bis 20 Jahre alt ist *in meiner ~* **2.** junge Menschen *die heutige ~*

Ju·gend·her·ber·ge <-, -n> *die* billige Unterkunft vor allem für junge Leute und Familien auf Wanderungen/Reisen etc. *in der ~ übernachten*

• **Ju·gend·li·che(r)** <-n, -(n)> *der/die* junger Mensch *ein höflicher ~r sein* ***Wobi: Jugendlichkeit***

Ju·li ['ju:li] <-(s), (-s)> *der* der 7. Monat des Jahres *im ~ in den Urlaub fahren*

Jugendherberge
Die erste Jugendherberge wurde 1909 in Deutschland eröffnet. Die Idee war, das Reisen junger Menschen durch billige Übernachtungsmöglichkeiten zu fördern. Seit 1925 verbreiteten sich Jugendherbergen in der ganzen Welt. Heute gibt es in Deutschland über 500, in Österreich gut 200 und in der Schweiz etwa 100 Jugendherbergen.

• **jung** [jʊŋ] <jünger, jüngst-> *adj (↔alt)* so, dass man noch kein hohes Alter hat *eine ~e Frau;* ~ **geblieben** schon älter, aber geistig frisch *Er ist schon 65, aber ~ geblieben.*

• **Jun·ge** ['jʊŋə] <-n, -n> *der (≈Bub)* männliches Kind *der fröhliche ~*

Jung·frau ['jʊŋfrau̯] <-, -en> *die* **1.** Mädchen, das noch keinen Geschlechtsverkehr hatte *noch ~ sein* **2.** Sternzeichen *Mein Sternzeichen ist ~, was bist du?*

Jung·ge·sel·le <-n, -n> *der* unverheirateter Mann *ein eingefleischter ~*

jüngst [jʏŋst] *adv* vor kurzer Zeit, neulich *Ich habe ihn ~ dort gesehen.*

Ju·ni ['ju:ni] <-(s), (-s)> *der* der 6. Monat des Jahres *ein warmer ~*

• **Jupe** [ʒy:p] <-s, -s> *der* (CH) Rock *einen kurzen ~ tragen*

Ju·ra ['ju:ra] <-> *kein pl sing* Wissenschaft, die sich mit dem Recht beschäftigt *~ studieren* ***Wobi:*** *Jurist(in)*

Ju·ry [ʒy'ri:/'ʒy:ri] <-, -s> *die* Gruppe von Leuten, die bei Wettbewerben/Wettkämpfen den Sieger bestimmt *Mitglied der ~ sein*

Jus [ju:s] <-> *kein pl das* (CH, ÖSTERR) Recht, Jura *~ studieren*

Ju·we·lier(in) [juve'li:ɐ̯] <-s, -e> *der* jd, der beruflich Uhren und Schmuck herstellt und verkauft *beim ~ einen Ring kaufen* ***Komp:*** *-geschäft*

Jux [jʊks] <-es, -e> *der (umg)* Spaß, Scherz *etw aus ~ tun, sich einen ~ aus etw machen;* **aus ~ und Tollerei** *(umg)* nur zum Spaß *Glaubst du, ich mache mir all diese Arbeit nur aus ~ und Tollerei?*

J

K

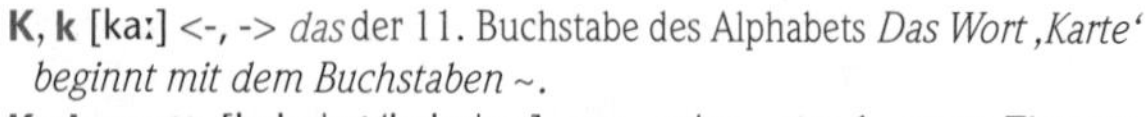

K, k [ka:] <-, -> *das* der 11. Buchstabe des Alphabets *Das Wort ‚Karte' beginnt mit dem Buchstaben ~.*

Ka·ba·rett [kaba'rɛt/kaba're:] <-s, -e/-s> *das* **1.** THEAT Theaterstück, das mit Humor die aktuelle Politik und das gesellschaftliche Leben kritisiert *ein lustiges ~* **2.** Gruppe, die ein Kabarett aufführt *ein gutes ~ kennen* **3.** Ort, an dem Kabaretts aufgeführt werden *Karten fürs ~ bestellen*

Kabel

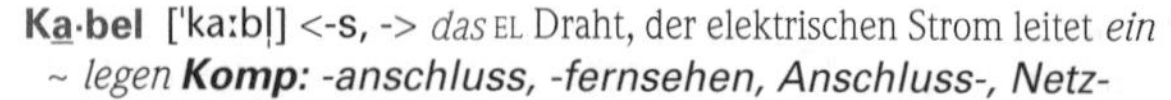

Ka·bel ['ka:bl̩] <-s, -> *das* EL Draht, der elektrischen Strom leitet *ein ~ legen* ***Komp:* *-anschluss, -fernsehen, Anschluss-, Netz-***

• **Ka·bi·ne** [ka'bi:nə] <-, -n> *die* kleiner Raum zur Anprobe, z. B. in einem Kaufhaus *in die ~ gehen, Bitte nur drei Teile mit in die ~ nehmen!* ***Komp:* *Dusch-, Einzel-, Umkleide-***

Ka·bi·nett [kabi'nɛt] <-s, -e> *das* (POL: *≈Regierung*) Regierungschef und seine Minister *das Thema im ~ beraten*

> *Kaffeehaus*
> In ein Wiener Kaffeehaus geht man oft, um Zeitung zu lesen. Dazu bestellt man z. B. einen kleinen Braunen (in Deutschland wäre das ein Espresso mit einem Schuss Milch) oder eine Melange (großer Espresso mit Milch). Beachten Sie die österreichische Betonung von Kaffee auf der zweiten Silbe.

Ka·bis ['ka:bɪs] <-> *kein pl der* (CH *≈Weißkraut, Weißkabis*) Weißkohl *auf dem Markt ~ kaufen* ***Komp:* *Rot-***

Ka·chel ['kaxl̩] <-, -n> *die* (*≈Fliese*) gebrannte Tonplatte zur Verkleidung von Wänden, für Öfen etc. *im Bad bunte ~n haben* ***Komp:* *-ofen***

ka·cheln ['kaxl̩n] <kachelt, kachelte, gekachelt> *tr* K ***jd kachelt etw*** *akk* Kacheln verlegen *das Bad ~*

Kaff [kaf] <-s, -s/-e> *das* (*umg pej*) kleiner, als langweilig empfundener Ort *In diesem ~ gibt es nicht mal ein Kino.*

• **Kaf·fee** ['kafe/ka'fe:] <-s> *kein pl der* koffeinhaltiges heißes Getränk von schwarz-brauner Farbe *~ mit Milch trinken, Nehmen Sie Zucker in den ~?, ~ kochen;* **etw ist kalter ~** (*umg*) etw ist schon lange bekannt *Das ist doch kalter ~!* ***Komp:* *-bohne, -filter, -kanne, -löffel, -maschine, -pause, -tasse***

Kaf·fee·haus <-es, -häuser> *das* (ÖSTERR) Café *im ~ eine Melange trinken*

Kaf·fee·pau·se <-, -n> *die* Unterbrechung einer Tätigkeit, um Kaffee zu trinken *Nach dem ersten Vortrag gibt es eine ~.*

Kä·fig ['kɛ:fɪç] <-s, -e> *der* vergitterter Raum für Tiere *Der Löwe streicht im ~ umher.* ***Komp:* *Vogel-***

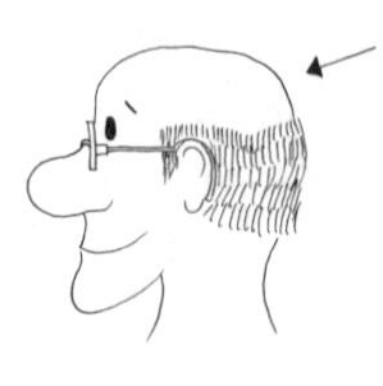

kahl

kahl [ka:l] <-, -> *adj* **1.** so, dass man keine Haare mehr auf dem Kopf hat *~ sein* **2.** leer, unbepflanzt *~e Felder* **3.** ohne Schmuck wie z. B. Bilder, Pflanzen etc. *ein ~es Zimmer*

Ka·jü·te [ka'jy:tə] <-, -n> *die* Wohnraum eines Schiffes *In der ~ können drei Personen schlafen.*

Ka·kao [ka'kau̯] <-s> *kein pl der* **1.** Pulver, das aus der Frucht des Kakaobaumes gewonnen wird *aus ~ Schokolade herstellen* **2.** Getränk aus Kakaopulver, Milch und Zucker *~ trinken;* **jdn durch den ~ ziehen** *(umg)* sich auf nette Weise über jdn lustig machen *Das Kabarett hat die Politiker durch den ~ gezogen.*

• **Ka·len·der** [ka'lɛndɐ] <-s, -> *der* Verzeichnis aller Tage, Wochen und Monate eines Jahres *auf den ~ schauen, etw in den ~ eintragen*

***Komp:** -jahr, -woche, Taschen-, Wand-*

kal·ken ['kalkn̩] <kalkt, kalkte, gekalkt> *tr* K *jd kalkt etw akk* weiß anstreichen *die Wände ~*

kal·ku·lie·ren [kalku'li:rən] <kalkuliert, kalkulierte, kalkuliert> *tr* K *jd kalkuliert etw akk* berechnen, ermitteln *Kosten für etw ~*

Ka·lo·rie [kalo'ri:] <-, -n> *die* Maßeinheit für Energie in Nahrungsmitteln *Obst hat wenig ~n*

• **kalt** [kalt] <kälter, kältest-> *adj* **1.** *(↔warm)* so, dass man friert *~es Wetter* **2.** *(↔warmherzig)* gefühllos *ein ~es Wesen besitzen;* **~ essen** eine Brotmahlzeit einnehmen *Abends essen wir meistens ~.;* **jdm ist ~** verwendet, um auszudrücken, dass man friert *Kann ich einen Pullover von dir haben? Mir ist ~.;* **jdm die ~e Schulter zeigen** jdn nicht beachten *Er zeigte mir nur die ~e Schulter.;* **etw ~ stellen** etw in den Kühlschrank stellen *Getränke ~ stellen*

• **Käl·te** ['kɛltə] <-> *kein pl die (↔Wärme)* der Zustand, dass etw kalt ist *Im Winter herrscht hier große ~., Ist das eine ~: minus zehn Grad Celsius!*

kalt|ma·chen <macht kalt, machte kalt, kaltgemacht> *tr* K *jd macht jdn kalt (umg!)* töten, umbringen *den Gegner ~*

kam [ka:m] *prät von* **kommen**

• **Ka·me·ra** ['kaməra] <-, -s> *die* **1.** Gerät zum Fotografieren *die ~ mitnehmen* **2.** FILM Gerät zum Filmen *die ~ auf einem Stativ befestigen* ***Komp:** Film-, Foto-*

Ka·me·rad [kamə'ra:t] <-en, -en> *der (≈Gefährte)* jd, mit dem man eine gewisse Zeit gemeinsam verbringt *ein guter ~ sein* ***Wobi:** Kameradschaft* ***Komp:** Schul-*

ka·me·rad·schaft·lich <kameradschaftlicher, kameradschaftlichst-> *adj* fair, ehrlich, hilfsbereit *sich immer ~ verhalten*

Ka·min [ka'mi:n] <-s, -e> *der* **1.** Schornstein *den ~ reinigen lassen* **2.** offener Ofen im Zimmer *am ~ sitzen* ***Komp:** -feger*

Kamm [kam] <-(e)s, Kämme> *der* Gegenstand zum Frisieren der Haare *morgens immer einen ~ benutzen;* **alles über einen ~ scheren** *(umg)* verschiedene Dinge oder Personen in der gleichen Art und Weise beurteilen oder behandeln *Du solltest nicht alle über einen ~ scheren.*

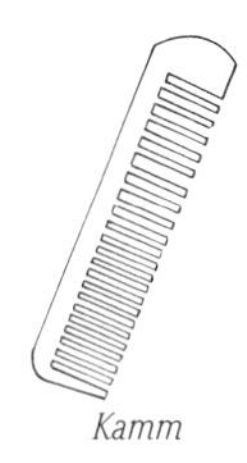
Kamm

käm·men ['kɛmən] <kämmt, kämmte, gekämmt> *refl* K *jd kämmt sich akk,* K *jd kämmt sich dat etw akk* mit dem Kamm die Haare in Form bringen *sich die Haare ~*

Kam·mer ['kamɐ] <-, -n> *die* kleines Zimmer *in einer ~ etw abstellen*

Kampf [kampf] <-(e)s, Kämpfe> *der* **1.** das intensive Streiten mit oder ohne Gewaltanwendung, das Kämpfen *der ~ für die Freiheit, ein blutiger ~* **2.** Wettkampf, Wettstreit *den ~ um die Meisterschaft gewinnen*

• **kämp·fen** ['kɛmpfn̩] <kämpft, kämpfte, gekämpft> *itr* **1.** sich mit ganzer Kraft und Energie für/gegen etw einsetzen *für die Freiheit ~* **2.** Gewaltanwendung, um Macht zu bekommen *Die feindlichen Truppen ~ wieder gegeneinander.;* **mit den Tränen ~** versuchen, nicht zu weinen *Bei der traurigen Liebesszene in dem Film kämpfte sie mit den Tränen.*

kämp·fe·risch <kämpferischer, kämpferischst-> *adj* so, dass

K

man viel wagt und gerne um etw kämpft *eine ~e Person*

Ka·nal [ka'na:l] <-s, Kanäle> *der* **1.** künstlicher Fluss für Schiffe *ein befahrener ~* **2.** TV Rundfunk- oder Fernsehsender, Programm *einen anderen ~ einstellen*

Ka·na·li·sa·ti·on [kanaliza'ts̯io:n] <-, -en> *die* System von unterirdischen Leitungen für Abwässer *eine ~ anlegen*

Kan·di·dat(in) [kandi'da:t] <-en, -en> *der* **1.** jd, der für eine bestimmte Funktion/Position zur Wahl steht *einen ~en aufstellen* **2.** jd, der an einer Spiel-Show im Fernsehen teilnimmt *Unsere ~en können heute eine Reise nach Moskau gewinnen.* ***Wobi:* *Kandidatur***

kan·di·die·ren [kandi'di:rən] <kandidiert, kandidierte, kandidiert> *itr* POL sich für ein Amt zur Verfügung stellen *für das Amt des Präsidenten ~*

Ka·nis·ter [ka'nɪstɐ] <-s, -> *der* verschließbares Gefäß für Flüssigkeiten *den ~ füllen* ***Komp:* *Benzin-, Wasser-***

Kanne

Kanton
Die Schweiz besteht aus 26 Kantonen, von denen sechs Halbkantone sind. Die Kantone wählen insgesamt 46 Vertreter in den Ständerat, die offizielle Kantonsvertretung. Die größten Kantone sind Graubünden, Bern und die Waadt.

Kan·ne ['kanə] <-, -n> *die* Gefäß mit Henkel und Ausguss für Getränke *heißen Kaffee in die ~ füllen* ***Komp:* *Kaffee-, Tee-***

kann·te ['kantə] *prät von* **kennen**

Ka·no·ne [ka'no:nə] <-, -n> *die* MIL Feuerwaffe, mit der man weit schießen kann *~n zum Kampf aufstellen* ***Komp:* *-nkugel***

Kan·te ['kantə] <-, -n> *die* Ecke, Rand *die ~n des Tisches;* **etw auf die hohe ~ legen** *(umg)* sparen *Er legt jeden Monat etw auf die hohe ~.* ***Komp:* *Tisch-***

Kan·ti·ne [kan'ti:nə] <-, -n> *die* Raum zum Essen in Firmen/Betrieben/Kasernen *mittags in der ~ essen*

Kan·ton [kan'to:n] <-(e)s, -e> *der* Bezeichnung eines Bundeslandes in der Schweiz *im ~ Zürich wohnen* ***Wobi:* *kantonal***

Ka·nu ['ka:nu/ka'nu:] <-s, -s> *das* schmales Boot zum Paddeln *~ fahren*

Kan·zel ['kants̯l̩] <-, -n> *die* erhöhter Ort in der Kirche, von dem aus der Geistliche spricht *von der ~ herab zur Gemeinde sprechen*

Kanz·lei [kants̯'lai̯] <-, -en> *die* Dienststelle, Büro (meist eines Rechtsanwalts) *als Rechtsanwalt in einer ~ arbeiten*

Kanz·ler(in) ['kants̯lɐ] *der* Regierungschef in Deutschland und Österreich *jdn zum ~ wählen* ***Komp:* *-amt, Bundes-***

Ka·pa·zi·tät [kapats̯i'tɛ:t] <-, -en> *die* **1.** Experte auf einem bestimmten Gebiet *eine wissenschaftliche ~ sein* **2.** Leistungsfähigkeit *die ~ der Firma ausbauen*

Ka·pel·le [ka'pɛlə] <-, -n> *die* **1.** kleine Kirche *in einer ~ beten* **2.** MUS kleines Orchester *in einer ~ spielen*

ka·pie·ren [ka'pi:rən] <kapiert, kapierte, kapiert> *tr* [K] ***jd kapiert etw*** *akk (umg)* verstehen, begreifen *etw schnell ~*

Ka·pi·tal [kapi'ta:l] <-s, -e/-ien> *das* Besitz an Geld oder Wertpapieren *~ besitzen, ~ anlegen;* ~ **aus etw schlagen** einen Nutzen aus etw ziehen *aus den Informationen ~ schlagen* ***Komp:* *-anlage***

Ka·pi·ta·lis·mus [kapita'lɪsmʊs] <-> *kein pl der* Wirtschaftssystem mit Privateigentum und freier Marktwirtschaft *im ~ leben* ***Wobi:* *Kapitalist, kapitalistisch***

Ka·pi·tän [kapi'tɛ:n] <-s, -e> *der* MAR jd, der verantwortlich ein Schiff oder ein Flugzeug anführt *als ~ zur See fahren, Der ~ stellt seine Crew vor.*

Ka·pi·tel [ka'pɪtl̩] <-s, -> *das* Abschnitt eines Buches *das letzte ~;* **jd/etw ist ein ~ für sich** jd/etw ist eine besondere Sache, über die man genauer berichten muss *Mein Chef ist ein ~ für sich.*

Ka·pi·tu·la·ti·on [kapitula'tsi̯oːn] <-, en> *die* Unterwerfung unter etw/jdn *die bedingungslose ~*

ka·pi·tu·lie·ren [kapitu'liːrən] <kapituliert, kapitulierte, kapituliert> *itr* aufhören, aufgeben, sich ergeben *vor einer schwierigen Aufgabe ~*

Kap·pe ['kapə] <-, -n> *die* Kopfbedeckung *eine ~ tragen;* **etw auf seine ~ nehmen** *(umg)* die Verantwortung für etw übernehmen *Ich nehme alles auf meine ~.* ***Komp: Bade-***

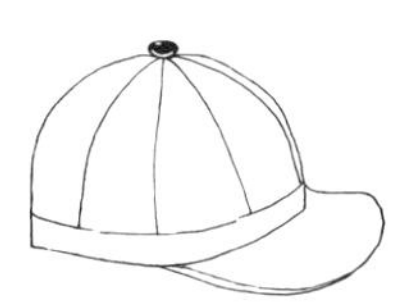

Kappe

• **ka·putt** [ka'pʊt] <-, -> *adj (umg)* so, dass es nicht mehr funktioniert *Seine Uhr ist ~.;* (**total**) ~ **sein** *(umg)* sehr müde/erschöpft/fertig sein *Ich war nach der Wanderung total ~.*

• **ka·putt|ge·hen** <geht kaputt, ging kaputt, kaputtgegangen> *itr <sein>* (*umg*) nicht mehr funktionieren *Der Motor ist kaputtgegangen.*

ka·putt|la·chen <lacht kaputt, lachte kaputt, kaputtgelacht> *refl* K ***jd lacht sich** akk **kaputt*** *(umg)* sehr lachen *Mensch, über den Witz habe ich mich kaputtgelacht.*

• **ka·putt|ma·chen** <macht kaputt, machte kaputt, kaputtgemacht> *tr* K ***jd macht etw** akk **kaputt*** zerstören *Spielzeug ~*

Ka·pu·ze [ka'puːtsə] <-, -n> *die* Kopfbedeckung, die an der Jacke festgenäht ist *die ~ aufsetzen, weil es regnet*

Ka·raf·fe [ka'rafə] <-, -n> *die* flaschenähnliches Gefäß, besonders für Wein *eine ~ Wein bestellen*

Kar·fi·ol [kar'fi̯oːl] <-s> *kein pl der* (ÖSTERR) Blumenkohl *Heute gibt es ~.*

Kar·frei·tag [kaːɐ̯'fraitaːk] <-(e)s, -e> *der* REL Freitag vor Ostern *am ~ kein Fleisch essen*

karg [kark] <kärger, kärgst-> *adj* wenig, spärlich, ärmlich *ein ~ eingerichtetes Zimmer*

ka·riert [ka'riːɐt] <-, -> *adj* so gemustert, dass sich senkrechte und waagerechte Linien kreuzen *eine ~e Hose, ~es Papier*

Ka·ri·ka·tur [karika'tuːɐ̯] <-, -en> *die* Zeichnung, bei der eine Eigenschaft einer Person besonders stark betont und dadurch lächerlich gemacht wird *eine ~ eines Politikers* ***Wobi: Karikaturist***

ka·ri·kie·ren [kari'kiːrən] <karikiert, karikierte, karikiert> *tr* K ***jd karikiert jdn/etw** akk* eine Karikatur von jdm/etw machen *einen Politiker ~*

Kar·ne·val ['karnəval] <-s, -e/-s> *der (≈Fasching, Fas(e)nacht, Fastnacht)* fröhliches Volksfest vor der Fastenzeit *sich auf den ~ freuen*

Karneval
Zu diesem Volksfest im Februar tragen vor allem Kinder lustige Kostüme und Masken. Viele Gruppen von verkleideten Menschen ziehen durch die Straßen, singen und feiern. (siehe auch: ‚Fasching')

Ka·rot·te [ka'rɔtə] <-, -n> *die (≈Möhre, Mohrrübe, gelbe Rübe)* orangefarbenes Wurzelgemüse mit viel Vitamin A *~n essen*

Kar·ri·e·re [ka'ri̯ɛːrə] <-, -n> *die* beruflicher Aufstieg und Erfolg *~ machen* ***Komp: -frau, -mann***

• **Kar·te** ['kartə] <-, -n> *die* **1.** Postkarte, Glückwunschkarte *aus dem Urlaub eine ~ schreiben* **2.** grafische Darstellung von Straßen einer Stadt, eines Landes etc. *Kannst du ~n lesen?* **3.** Bescheinigung dafür, dass man das Eintrittsgeld bezahlt hat *eine ~ fürs Kino kaufen* **4.**

Spielkarte *~n spielen;* **alle ~n in der Hand haben** bestimmen können, was geschieht *Er hat alle ~n in der Hand.;* **alles auf eine ~ setzen** ein (großes) Risiko eingehen *Ich setze ungern alles auf eine ~.* ***Komp: -nspiel, Fahr-, Land-, Speise-, Straßen-, Theater-***

Kar·tei [kar'tai̯] <-, -en> *die (≈Zettelkasten)* Sammlung von Karten mit Informationen über jdn/etw *eine ~ anlegen* ***Komp: -karte, -kasten, Vokabel-***

Kartoffel
Die spanischen Eroberer Südamerikas lernten die Kartoffel bei den Indianern kennen und brachten sie im 16. Jahrhundert nach Spanien. Seit dem 19. Jahrhundert ist sie eines der Hauptnahrungsmittel in Europa.

• **Kar·tọf·fel** [kar'tɔfl̩] <-, -n/ÖSTERR -> *die* gesundes braunes Gemüse, das unter der Erde wächst *~n schälen* ***Komp: -brei, -ernte, -gratin, -suppe***

Kar·ton [kar'tɔŋ/kar'tõː] <-s, -s/(-e)> *der* **1.** Pappe, festes Papier *~ bemalen* **2.** Kiste aus Pappe *die Fotos in einen ~ packen*

Ka·rus·sẹll [karʊ'sɛl] <-s, -s/-e> *das* sich im Kreis bewegende Sitze auf Jahrmärkten oder Spielplätzen *~ fahren*

ka·schie·ren [ka'ʃiːrən] <**kaschiert, kaschierte, kaschiert**> *tr* [K] ***jd kaschiert etw*** *akk* überdecken, verstecken *einen Fehler ~*

• **Kä·se** ['kɛːzə] <-s, -> *der* cremiges oder festes gelbliches Milchprodukt, oft mit starkem Geruch *gerne ~ essen* ***Komp: -glocke, -kuchen***

Ka·sẹr·ne [ka'zɛrnə] <-, -n> *die* MIL Unterkunft für Soldaten *in einer ~ leben*

Kạs·per ['kaspɐ] <-s, -> *der* lustige Figur, besonders im Puppentheater *den ~ spielen*

Kasper

• **Kạs·sa** ['kasa] <-, Kassen> *die* (ÖSTERR) Kasse *Bitte an der ~ zahlen!*

• **Kạs·se** ['kasə] <-, -n> *die* **1.** *(= ÖSTERR Kassa)* Zahlstelle in Geschäft/Kino/Theater *Bitte an der ~ zahlen!* **2.** Geldkasten *das Geld in der ~ zählen;* **knapp bei ~ sein** *(umg)* wenig Geld haben *Ich bin gerade knapp bei ~.;* **jdn zur ~ bitten** jdn auffordern zu zahlen *Er wurde von der Polizei zur ~ gebeten.*

Kạs·sen·arzt, -ärz·tin <-es, -ärzte> *der* von den gesetzlichen Krankenkassen anerkannter Arzt *bei einem ~ in Behandlung sein*

Kạs·sen·zet·tel <-s, -> *der (≈Kassenbon)* Papierstreifen mit einer Auflistung aller eingekauften Produkte und ihrer Preise *nach dem ~ fragen*

• **Kas·sẹt·te** [ka'sɛtə] <-, -n> *die* eine Art kleines Tonband zur Aufnahme und zum Abspielen z.B. von Musik *eine ~ von den Rolling Stones, die ~ zum Übungsbuch*

• **Kas·sẹt·ten·re·kor·der** <-s, -> *der* ein Gerät zum Abspielen/Aufnehmen von Kassetten *eine Kassette in den ~ einlegen*

kas·sie·ren [ka'siːrən] <**kassiert, kassierte, kassiert**> *itr* Geld einsammeln, Geld für Essen und Trinken im Restaurant verlangen *zu viel ~, Darf ich bitte ~?* ***Wobi: Kassierer(in)***

• **Kạs·ten** ['kastn̩] <-s, Kästen> *der* **1.** rechteckiger Behälter *ein ~ aus Holz* **2.** *(= ÖSTERR Harass)* Behälter für Flaschen *einen ~ Mineralwasser kaufen* **3.** (CH, ÖSTERR) Schrank, Wäscheschrank, Kommode *einen Pullover in den ~ legen* ***Komp: Bett-, Brief-***

Ka·sus ['kaːzʊs] <-, -> *der* LING grammatischer Fall wie Nominativ, Genitiv usw. *den richtigen ~ verwenden*

Ka·ta·log [kata'loːk] <-(e)s, -e> *der* Verzeichnis von Waren/Gegenständen/Bildern *einen ~ durchblättern*

Ka·ta·ly·sa·tor [kataly'zaːtoːɐ̯] <-s, -en> *der* KFZ Vorrichtung zum umweltfreundlichen Abbau von Autoabgasen *ein Auto mit ~ fahren*

• **Ka·ta·stro·phe** [katas'tro:fə] <-, -n> *die* großes Unglück *eine schreckliche ~* ***Komp:** Brand-, Umwelt-*

Ka·te·go·rie [katego'ri:] <-, -n> *die* Klasse/Art/Sorte von etw *etw in ~n einteilen*

ka·te·go·risch [kate'go:rɪʃ] <kategorischer, kategorischst-> *adj* so, dass man etw strikt ablehnt oder mit Nachdruck will *Gewalt ~ ablehnen*

Ka·ter ['ka:tɐ] <-s, -> *der* männliche Katze *einen ~ als Haustier halten;* **einen ~ haben** *(umg)* sich unwohl und müde fühlen, weil man am Abend zuvor zu viel Alkohol getrunken hat *Nach der Party hatte ich einen ~.*

Ka·the·dra·le [kate'dra:lə] <-, -n> *die (≈Dom, Münster)* Hauptkirche am Sitz eines Bischofs *eine ~ besichtigen*

• **ka·tho·lisch** [ka'to:lɪʃ] <katholischer, katholischst-> *adj* REL so, dass es/man dem Papst in Rom untersteht *eine ~e Gegend*

• **Kat·ze** ['katsə] <-, -n> *die* beliebtes Haustier, das nachts jagen geht und vor allem Mäuse und Vögel fängt *~n züchten;* **die ~ aus dem Sack lassen** etw aussprechen, was bisher geheim war *Dann ließ er endlich die ~ aus dem Sack.;* **für die Katz sein** *(umg)* umsonst sein *Es war alles für die Katz.*

Katze

Kat·zen·wä·sche <-> *kein pl die (umg)* nicht sehr gründliche, kurze Körperwäsche *Ich habe verschlafen und nur eine ~ gemacht.*

Katz-und-Maus-Spiel <-(e)s, -e> *das* mit jdm spielen, indem man ihm Hoffnungen macht und diese nie oder nur z.T. erfüllt *Sie treibt mit ihm ein ~.*

Kau·der·welsch ['kaudɐvɛlʃ] <-(s)> *kein pl das (umg)* unverständliche Ausdrucksweise/Sprachenmischung *~ reden*

kau·en ['kauən] <kaut, kaute, gekaut> *tr* K ***jd kaut etw** akk* mit den hinteren Zähnen zerkleinern *das Fleisch vor dem Schlucken gut ~*

Kauf [kauf] <-(e)s, Käufe> *der* der Erwerb von etw durch Bezahlung *ein günstiger ~;* **etw zum ~ anbieten** etw verkaufen *ein Fahrrad zum ~ anbieten;* **etw in ~ nehmen** sich mit etw abfinden *Ich habe diese Nachteile in ~ genommen.*

• **kau·fen** ['kaufn̩] <kauft, kaufte, gekauft> *tr* K ***jd kauft etw** akk* etw gegen Geld bekommen *Brot ~*

• **Kauf·haus** <-es, -häuser> *das (≈Warenhaus)* großes Geschäft für Waren aller Art *in ein ~ gehen*

Kauf·kraft <-> *kein pl die* das Verhältnis zwischen Geld und dem, was man dafür kaufen kann *Die ~ wird immer geringer.*

käuf·lich <-, -> *adj* so, dass man etw gegen Bezahlung erhält *etw ~ erwerben* ***Wobi:** Käuflichkeit*

Kauf·rausch <-(e)s> *kein pl der* Zustand, in dem man viel kauft und dafür viel Geld ausgibt *in einen ~ geraten*

Kau·gum·mi <-s, -s> *der* unlösliche Süßigkeit, die man nicht hinunterschluckt, sondern über längere Zeit kaut *~ kauen*

• **kaum** [kaum] *adv* fast nicht(s), fast keiner *Ich kann ~ glauben, dass ..., Zu dem Fest ist ~ jemand gegangen.*

Kau·ti·on [kau'tsio:n] <-, -en> *die* finanzielle Sicherheit, die man jdm für eine Leistung geben muss *eine hohe ~ zahlen, zwei Monats-*

mieten ~; **jdn gegen ~ freibekommen** jdn gegen einen Geldbetrag aus dem Gefängnis herausholen *den Freund gegen eine ~ freibekommen*

Ka·va·lier [kava'liːɐ] <-s, -e> *der* Mann, der Damen gegenüber sehr höflich ist *Richtige ~e sind heute selten.*

keck [kɛk] <kecker, keckst-> *adj* frech, flott, unbefangen *eine ~e Bemerkung*

> *Keeper*
> In Österreich und der Schweiz werden im Sport, vor allem im Fußball, noch wesentlich mehr englische Wörter benutzt als in Deutschland. So heißt der Schweizer Torwart ‚Goalie'.

Kee·per(in) ['kiːpɐ] <-s, -> *der* (ÖSTERR) Torwart *~ der Nationalmannschaft sein*

Ke·gel ['keːgl̩] <-s, -> *der* nach oben schmaler werdende Figur für das Kegelspiel *~ schieben;* **mit Kind und ~** mit der ganzen Familie *Der Besuch kam mit Kind und ~.* ***Komp:** -bahn*

ke·geln ['keːgl̩n] <kegelt, kegelte, gekegelt> *itr* eine Holzkugel auf einer Bahn rollen und versuchen, alle am Ende aufgestellten neun Kegel umzuwerfen *regelmäßig mit Freunden ~*

Keh·le ['keːlə] <-, -n> *die* (ANAT: ≈*Gurgel*) vorderer Teil des Halses *jdn an der ~ packen, jdm die ~ durchschneiden;* **jdm ist die ~ wie zugeschnürt** jd kann kein Wort sagen *Mir ist die ~ wie zugeschnürt.*

keh·ren ['keːrən] <kehrt, kehrte, gekehrt> *tr* [K] ***jd kehrt etw** akk* (≈*fegen*) mit dem Besen sauber machen *die Straße ~*

Keh·richt ['keːrɪçt] <-s> *kein pl der* (CH) Abfall, Müll *~ beseitigen* ***Komp:** -beseitigung, -eimer, -verbrennung*

kehrt|ma·chen <macht kehrt, machte kehrt, kehrtgemacht> *itr* (≈*umkehren*) wieder zurückfahren/zurückgehen *Ich mache hier kehrt.*

kei·fen ['kai̯fn̩] <keift, keifte, gekeift> *itr* mit hoher, schriller Stimme schimpfen *„Verschwindet hier", keifte sie.*

Keim [kai̯m] <-(e)s, -e> *der* **1.** BOT junge Pflanze *ein zarter ~* **2.** MED Krankheitserreger; Bakterie etc., die krank macht *~e abtöten;* **etw im ~ ersticken** etw gleich am Anfang verhindern *die Hoffnung im ~ ersticken* ***Wobi:** keimfrei, Keimling*

kei·men ['kai̯mən] <keimt, keimte, gekeimt> *itr* BOT zu wachsen beginnen *Die Pflanzen ~ schon.*

keim·frei <-, -> *adj* (MED: ≈*steril*) ohne Krankheitserreger, sehr sauber *etw ~ machen*

- **kei·n(-er, -s)** ['kai̯nə] *pron* (↔*jeder*) niemand *K~er von uns kann dir helfen.*

kei·ner·lei ['kai̯nɐ'lai̯] <-, -> *attr adj* überhaupt keine *~ Probleme haben*

kei·nes·falls ['kai̯nəs'fals] *adv* unter keinen Umständen, auf keinen Fall *Das darf ~ passieren.*

kei·nes·wegs ['kai̯nəs'veːks] *adv* ganz und gar nicht *Bist du mir böse? – K~!*

Keks [keːks] <-(es), -e> *der* trockenes, süßes Gebäck *~e essen;* **jdm auf den ~ gehen** *(umg!)* jdn nerven *Dein Geschwätz geht mir auf den ~!*

Kel·le ['kɛlə] <-, -n> *die* (≈*Schöpflöffel*) Löffel, mit dem man die Suppe auf den Teller füllt *eine ~ benutzen* ***Komp:** Schöpf-, Suppen-*

- **Kel·ler** ['kɛlɐ] <-s, -> *der* die Etage eines Hauses unter dem Erdgeschoss *in den ~ gehen*
- **Kell·ner(in)** ['kɛlnɐ] <-s, -> *der* (≈*Ober*) jd, der in einer Gaststätte/

einem Restaurant bedient *als ~ arbeiten*

• **kẹn·nen** ['kɛnən] <kennt, kannte, gekannt> *tr* [K] ***jd kennt jdn/etw** akk* bekannt sein mit, schon gehört/gesehen haben *das Buch schon ~, Kennst du sie?;* **jdn/etw ~ lernen** einer Person/Sache zum ersten Mal begegnen *Wo haben Sie Ihre Frau ~ gelernt?*

• **Kẹnnt·nis** ['kɛntnɪs] <-, -se> *die* Wissen, Fertigkeiten *gute ~se in Mathematik besitzen;* **jdn von etw in ~ setzen** jdn über etw informieren *den Chef über das Problem in ~ setzen;* **Nehmen Sie bitte zur ~, dass ...** Bitte beachten Sie, dass ... *Bitte nehmen Sie zur ~, dass wir ab morgen Urlaub haben.*

Kẹnn·zei·chen <-s, -> *das* **1.** ein für eine Sache/Person typisches Merkmal *keine besonderen ~ besitzen* **2.** Nummernschild vorne und hinten am Auto *Hast du dir das ~ gemerkt?*

kẹnn·zeich·nen ['kɛntsaiçnən] <kennzeichnet, kennzeichnete, gekennzeichnet> *tr* [K] ***jd kennzeichnet etw** akk* sichtbar markieren *eine Flasche durch eine Aufschrift ~*

Ke·ra̱·mik [ke'raːmɪk] <-, -en> *die* (Kunst-)Gegenstand aus hart gebranntem Ton *eine Vase aus ~*

Kẹrl [kɛrl] <-(e)s, -e/(-s)> *der (umg)* Mann, Typ *ein netter ~, So ein blöder ~!*

Kẹrn [kɛrn] <-(e)s, -e> *der* innerer Teil einer Frucht *den ~ nicht mitessen* ***Komp:** Kirsch-*

• **Kẹrn·ener·gie** <-> *kein pl die* Atomenergie *auf ~ setzen*

Kernenergie
Befürworter sprechen oft von der ‚Kernenergie', während Gegner von Atomkraftwerken meist von ‚Atomenergie' sprechen.
In Österreich gibt es keine Stromerzeugung durch Kernenergie.

kẹrn·ge·sụnd <-, -> *adj* vollständig gesund *ein ~es Kind*

• **Kẹrn·kraft·werk** <-(e)s, -e> *das (≈Atomkraftwerk)* Fabrik, in der man Energie aus der Spaltung von Atomkernen gewinnt *ein Gegner von ~en sein*

Kẹr·ze ['kɛrtsə] <-, -n> *die* meist länglicher Gegenstand aus Wachs, den man in der Mitte (am Docht) anzünden kann, damit man Licht bekommt *die ~n am Weihnachtsbaum anzünden*

kẹr·zen·ge·ra̱·de ['kɛrtsn̩gə'raːdə] <-, -> *adj* ganz aufrecht *~ sitzen*

Kẹt·schup ['kɛtʃap] <-s> *kein pl der/das* würzige rote Soße aus Tomaten *Pommes frites mit ~ essen*

• **Kẹt·te** ['kɛtə] <-, -n> *die* **1.** Schmuck, den man um den Hals trägt *eine goldene ~* **2.** eine Art Band aus vielen Eisenringen, das benutzt wird, um z. B. ein Rad zu bewegen *die ~ vom Fahrrad ölen;* **eine ~ von Ereignissen** Serie von Ereignissen *eine ~ von traurigen Ereignissen* ***Komp:** Fahrrad-, Hals-, Perlen-*

Kette

keu̱·chen ['kɔyçn̩] <keucht, keuchte, gekeucht> *itr* hörbar und mit Mühe atmen *Sie stieg den Berg hinauf und keuchte dabei.*

keu̱sch [kɔyʃ] <-, -> *adj* so, dass man sexuell unberührt ist oder enthaltsam lebt *ein ~es Leben führen* ***Wobi:** Keuschheit*

kị·chern ['kɪçɐn] <kichert, kicherte, gekichert> *itr* leise unterdrückt lachen *Die Mädchen ~.*

kịd·nap·pen ['kɪtnɛpn̩] <kidnappt, kidnappte, gekidnappt> *tr* [K] ***jd kidnappt jdn*** entführen *ein Kind ~*

Kie̱s [kiːs] <-es> *kein pl der* **1.** kleine Steine *~ auf den Weg streuen* **2.** *(umg)* Geld *viel ~ haben* ***Komp:** -weg*

kịf·fen ['kɪfn̩] <kifft, kiffte, gekifft> *itr (umg)* Haschisch rauchen *Er kifft schon seit Jahren.*

ki·ke·ri·ki̱ [kɪkəri'kiː] Klang des Hahnenschreis *Der Hahn macht ~.*

Ki·lo·gramm ['kiːlogram] <-s, -e> *das (≈Kilo)* Maßeinheit für Masse, 1kg = 1.000 g *ein ~ Äpfel*

Ki·lo·me·ter [kilo'meːtɐ] <-s, -> *der* Längenmaß, 1km = 1.000 m *1.000 ~ weit fahren* ***Komp: -zähler***

• **Kind** [kɪnt] <-(e)s, -er> *das* junger Mensch bis zum Jugendalter *ein fröhliches ~;* **von ~ auf** seit den ersten Lebensjahren *von ~ auf daran gewöhnt sein;* **ein ~ bekommen/erwarten** schwanger sein *Seine Frau bekommt ein ~.;* **jd wird das ~ schon schaukeln** eine Angelegenheit gut regeln *Wir werden das ~ schon schaukeln.*

• **Kin·der·gar·ten** <-s, -gärten> *der* eine Institution für Kinder, die noch nicht zur Schule gehen, in der sie den ganzen oder halben Tag spielen können und dabei pädagogisch betreut werden *Der ~ bereitet Kinder gut auf die Schule vor.*

kin·der·leicht ['kɪndɐlaɪçt] <-, -> *adj* sehr einfach *eine ~e Aufgabe*

kin·der·reich <kinderreicher, kinderreichst-> *adj* so, dass man viele Kinder hat *eine ~e Familie*

Kind·heit <-> *kein pl die* Zeitraum von der Geburt bis zum Jugendalter *Ich hatte eine schöne ~.*

kin·disch ['kɪndɪʃ] <kindischer, kindischst-> *adj (pej)* so, dass sich ein Erwachsener verhält wie ein Kind; unreif *ein ~es Benehmen*

• **Ki·no** ['kiːno] <-s, -s> *das* Gebäude oder Raum, in dem man Filme anschauen kann *ins ~ gehen*

• **Ki·osk** ['kiːɔsk/ki̯ɔsk] <-(e)s, -e> *der (= ÖSTERR Trafik)* kleines Verkaufshäuschen, besonders für Zeitungen *am ~ eine Zeitung kaufen* ***Komp: Bahnhofs-***

• **Kip·ferl** ['kɪpfɐl] <-s, -(n)> *das* (ÖSTERR) Hörnchen, süßes Gebäck *ein ~ essen*

kip·pen ['kɪpn̩] <kippt, kippte, gekippt> *itr* <*sein*> gleich umfallen *Vorsicht, der Schrank kippt!*

• **Kir·che** ['kɪrçə] <-, -n> *die* das Gebäude, in dem der Gottesdienst oder die Messe stattfindet; Gotteshaus *sonntags in die ~ gehen*

Kir·sche ['kɪrʃə] <-, -n> *die* BOT rote, runde, kleine Baumfrucht mit einem Kern *~n pflücken*

• **Kis·sen** ['kɪsn̩] <-s, -> *das (= ÖSTERR Polster)* weiche Unterlage zum Sitzen oder Liegen *das ~ aufschütteln, sich ein ~ in den Rücken tun* ***Komp: Kopf-***

Kiste

• **Kis·te** ['kɪstə] <-, -n> *die* **1.** rechteckiger Behälter aus Holz *die alten Sachen in eine ~ packen* **2.** (ÖSTERR) Kasten *eine ~ Mineralwasser*

kit·schig ['kɪtʃɪç] <kitschiger, kitschigst-> *adj* **1.** geschmacklos, ohne künstlerischen Wert *Ist das eine ~e Vase!* **2.** unrealistisch und sentimental *einen ~en Roman lesen* ***Wobi: Kitsch***

Kitt·chen ['kɪtçn̩] <-s, -> *das (umg)* Gefängnis *für etw ins ~ kommen*

Kit·tel ['kɪtl̩] <-s, -> *der* **1.** Kleidungsstück, das man zum Schutz vor Schmutz über Pullover und Hose trägt *beim Arbeiten einen ~ anziehen* **2.** (CH, SD) Jackett *einen ~ für 100 Franken kaufen* ***Komp: Arbeits-, Arzt-***

kit·zeln ['kɪtsl̩n] <kitzelt, kitzelte, gekitzelt> *tr* [K] ***jd kitzelt jdn [irgendwo]*** durch Berühren einer empfindlichen Körperstelle jdn zum Lachen bringen *jdn an den Füßen ~* ***Wobi: kitzelig***

kläf·fen ['klɛfn̩] <kläfft, kläffte, gekläfft> *itr* laut und lange bellen

Der Hund kläfft.

Kla·ge ['kla:gə] <-, -n> *die* Beschwerde *die ~ über jdn/etw, eine gerichtliche ~ gegen jdn einreichen*

• **kla·gen** ['kla:gn̩] <klagt, klagte, geklagt> *itr* **1.** vor Gericht um sein Recht kämpfen *auf Schadenersatz ~* **2.** jds Verhalten/eine Sache kritisieren *über jds Verhalten ~* **3.** leicht schimpfen, jammern *Sie klagt immer über das schlechte Essen.*

Kla·mauk [kla'mau̯k] <-s> *kein pl der (umg pej)* Unsinn, Komik *Das Stück war reiner ~!*

klamm [klam] <klammer, klammst-> *adj* feuchtkalt *Die Wäsche ist noch ~.*

Kla·mot·ten [kla'mɔtn̩] <-> *kein sing pl (umg)* Kleidungsstücke *viele ~ haben*

Klang [klaŋ] <-(e)s, Klänge> *der* Ton, Laut *Das Saxofon hat einen guten ~.*

• **klap·pen** ['klapn̩] <klappt, klappte, geklappt> *itr (umg)* funktionieren, gelingen *Es wird schon ~!, Es hat alles geklappt.*

klap·pern ['klapɐn] <klappert, klapperte, geklappert> *itr* durch Aneinanderstoßen von zwei Gegenständen ein Geräusch machen *An meinem Fahrrad klappert das Schutzblech.*

Klaps [klaps] <-es, -e> *der* leichter Schlag *jdm einen ~ geben;* **einen ~ haben** verrückt sein *Er hat einen ~.*

• **klar** [kla:ɐ] <klarer, klarst-> *adj (↔trüb(e))* so, dass man etw deutlich erkennen kann, sauber *~e Sicht haben, ~es Wasser;* **K~er Fall!** Das ist eindeutig! *K~er Fall, sie hat keine Lust!;* **Na ~!** sicher, selbstverständlich *Na ~, ich komme mit!;* **Alles ~?** Alles in Ordnung? *Alles ~? Können wir fahren?;* **sich über etw im K~en sein** etw genau wissen *sich darüber im K~en sein, dass ...* ***Wobi: Klarheit***

klä·ren ['klɛ:rən] <klärt, klärte, geklärt> *tr* [K] *jd klärt etw akk* Zweifel beseitigen *die Angelegenheit ~*

klar|ge·hen <geht klar, ging klar, klargegangen> *itr* <sein> *(umg)* erledigt werden, in Ordnung sein *hoffen, dass alles klargeht, Die Sache geht klar.*

klar|kom·men <kommt klar, kam klar, klargekommen> *itr* <sein> *(umg)* fertig werden mit etw/jdm *mit der neuen Situation ~*

klar|ma·chen <macht klar, machte klar, klargemacht> *tr* [K] *jd macht jdm etw akk klar* verständlich machen, erklären *jdm das Problem ~*

Klar·text <-(e)s> *kein pl der* klare, verständliche Sprache *Im ~ heißt das, dass ...;* **mit jdm ~ reden** *(umg)* jdm deutlich seine Meinung sagen *Ich habe mit ihm ~ geredet.*

• **Klas·se** ['klasə] <-, -n> *die* **1.** Schulklasse *eine ~ von 20 Schülern* **2.** Gruppe von Menschen in gleicher sozialer Lage und mit gemeinsamen Interessen *die arbeitende ~* **3.** Einteilung z. B. von Zügen in Wagen mit ‚normalem' und besserem Komfort *2. ~ fahren* **4.** Kategorie eines Führerscheins *Um ein Auto fahren zu dürfen, braucht man Führerschein ~ II., Führerschein ~ I (für Motorräder) machen;* **Das ist große ~!** *(umg)* Das ist großartig! *Dass du auch kommst, das ist ja ~!*

• **klas·se** ['klasə] <-, -> *adj (umg)* toll, gut *Wir haben einen ~ Ausflug gemacht.*

• **Klas·sen·ar·beit** <-, -en> *die* schriftlicher Test in der Schule *eine ~*

schreiben

Klas·sik ['klasɪk] <-> *kein pl die* **1.** LIT Kulturepoche, die sich an den Idealen der Antike orientierte *die Literatur der deutschen ~* **2.** MUS klassische Musik *~ hören*

• **klas·sisch** ['klasɪʃ] <klassischer, klassischst-> *adj* **1.** MUS auf den Stil der Klassik bezogen *~e Musik* **2.** typisch *Das ist ein ~es Beispiel dafür, dass …*

Klatsch [klatʃ] <-(e)s> *kein pl der (umg)* (häufig unwahres) Gerede über persönliche Angelegenheiten anderer *sich für ~ interessieren*

klat·schen ['klatʃn̩] <klatscht, klatschte, geklatscht> *itr* **1.** vor Begeisterung oder aus Anerkennung die Hände zusammenschlagen *nach dem Konzert ~* **2.** in jds Abwesenheit über dessen private Angelegenheiten reden *mit der Nachbarin ~*

klau·en ['klauən] *tr* K ***jd klaut jdm etw*** *akk (umg ≈stehlen)* jdm unerlaubt etw wegnehmen *Geld ~*

Klau·sur [klau'zuːɐ̯] <-, -en> *die* schriftliche Prüfung *eine gute ~ schreiben*

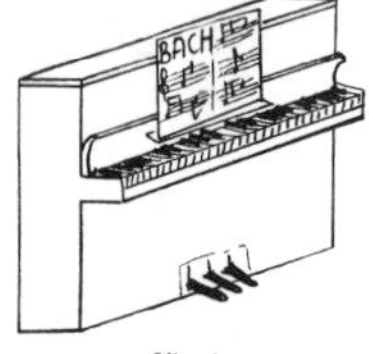

Klavier

• **Kla·vier** [kla'viːɐ] <-s, -e> *das (≈Piano)* großes Tasteninstrument *~ spielen*

• **kle·ben** ['kleːbn̩] <klebt, klebte, geklebt> *tr* K ***jd klebt etw*** *akk* mit Hilfe eines chemischen Stoffes festmachen *Bilder in ein Album ~, Plakate an die Wand ~;* **jdm eine ~** (*umg*) jdn ohrfeigen *Er hat mir eine geklebt.*

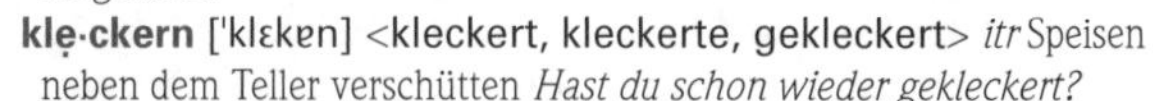

kle·ckern ['klɛkɐn] <kleckert, kleckerte, gekleckert> *itr* Speisen neben dem Teller verschütten *Hast du schon wieder gekleckert?*

Kleid

• **Kleid** [klait] <-(e)s, -er> *das* einteiliges Kleidungsstück für Frauen *ein grünes ~* ***Komp: Abend-, Sommer-, Strick-***

• **Klei·der** <-> *pl* (CH) Kleidung *~ und Schuhe kaufen*

Klei·der·bü·gel <-s, -> *der* Gegenstand zum Aufhängen von Kleidung *den Mantel auf einen ~ hängen*

• **Klei·dung** <-> *kein pl die (≈Kleider)* etw, das man anziehen kann *viel Geld für ~ ausgeben* ***Komp: Sommer-, Winter-***

• **klein** [klain] <kleiner, kleinst-> *adj (↔groß)* von geringer Größe/geringem Ausmaß *ein ~es Haus, eine ~e Wanderung;* **bis ins K~ste** detailliert *etw bis ins K~ beschreiben;* **von ~ auf** seit der Kindheit *Von ~ auf ist er daran gewöhnt.*

Klein·geld <-(e)s> *kein pl das* Münzen *zum Telefonieren ~ benötigen;* **das nötige ~ haben** genügend Geld haben *Ein neues Haus? – Er hat eben das nötige ~.*

Klei·nig·keit ['klainɪçkait] <-, -en> *die* unbedeutende Sache, etw Kleines *eine ~ zum Verschenken, nur eine ~ essen;* **sich nicht mit ~en abgeben** sich nicht um Details kümmern *Ich gebe mich nicht mit ~en ab.;* **eine ~ kosten** ziemlich teuer sein *Die Villa wird Sie aber eine ~ kosten.*

klein·ka·riert <kleinkarierter, kleinkariertest-> *adj (≈spießig umg pej)* so, dass man keine anderen Meinungen akzeptiert; intolerant *Sei doch nicht so ~!, ~ denken*

klein|krie·gen <kriegt klein, kriegte klein, kleingekriegt> *tr* K ***jd kriegt jdn klein*** unterwerfen, jds Widerstand überwinden *Mich kriegt ihr nicht so schnell klein.*

klein·laut <kleinlauter, kleinlautest-> *adj* so, dass man zuerst angegeben hat und dann plötzlich verlegen ist ~ *antworten*

klein·lich ['klainlɪç] <kleinlicher, kleinlichst-> *adj* sehr genau, geizig ~ *sein*

klem·men ['klɛmən] <klemmt, klemmte, geklemmt> **I.** *itr* [K] ***etw klemmt*** etw lässt sich nicht mehr bewegen *Das Fenster geht nicht mehr auf – es klemmt., Das Schloss klemmt.* **II.** *refl* [K] ***jd klemmt sich*** *dat* ***etw*** *akk* [***irgendwo***] zwischen zwei Gegenstände gelangen und sich wehtun *den Finger in der Tür ~;* **sich hinter etw ~** (*umg*) sich intensiv mit etw beschäftigen *sich hinter das Studium ~*

Klemp·ner(in) ['klɛmpnɐ] <-s, -> *der (≈Installateur, Spengler)* Handwerker, der Gas-/Wasserleitungen installiert und repariert *den Beruf eines ~s ausüben* ***Wobi:*** *Klempnerei*

• **klet·tern** ['klɛtɐn] <klettert, kletterte, geklettert> *itr* <*sein*> hinauf- und hinabsteigen und dabei die Hände benutzen *in den Bergen ~, auf den Baum ~*

• **kli·cken** ['klɪkn̩] <klickt, klickte, geklickt> *itr* **1.** ein kurzes Geräusch machen *Die Kamera klickte.* **2.** DV die Computermaus drücken *K~ Sie mit der Maus auf das Symbol!*

• **Kli·ma** ['kli:ma] <-s, (-s/-ta)> *das* **1.** für ein bestimmtes Gebiet charakteristisches Wetter *tropisches ~* **2.** Atmosphäre, Stimmung *Unter den Kollegen herrscht ein freundliches ~.* ***Wobi:*** *klimatisiert* ***Komp:*** *-anlage*

• **Kli·ma·an·la·ge** <-, -n> *die* Gerät, das die Raumtemperatur regelt *die ~ abschalten*

• **Klin·gel** ['klɪŋl̩] <-, -n> *die (≈Glocke)* Gerät zum Läuten *die ~ an der Haustür drücken*

• **klin·geln** ['klɪŋl̩n] <klingelt, klingelte, geklingelt> *itr* **1.** [K] ***jd klingelt*** *(≈läuten)* eine Glocke betätigen *Der Fahrradfahrer klingelt.* **2.** [K] ***etw klingelt*** etw produziert einen lauten Ton *Das Telefon klingelt., Es hat an der Tür geklingelt.;* **bei jdm hat's geklingelt** *(umg)* jd hat etw verstanden *Na, hat's endlich geklingelt?*

klin·gen [klɪŋn̩] <klingt, klang, geklungen> *itr* [K] ***etw klingt irgendwie*** etw hört sich irgendwie an *Was Sie sagen, klingt interessant., Dieses Klavier klingt gut.*

Kli·nik ['kli:nɪk] <-, -en> *die* MED Einrichtung zur ärztlichen Behandlung, Spezialkrankenhaus *in der ~ liegen*

Klin·ke ['klɪŋkə] <-, -n> *die* Griff an der Tür zum Öffnen und Schließen *die ~ runterdrücken*

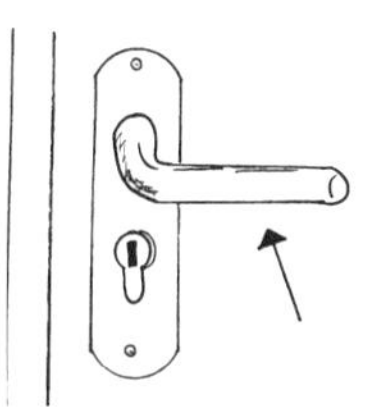

Klinke

klipp [klɪp] *adv* ~ **und klar** sehr deutlich *jdm ~ und klar die Meinung sagen*

Kli·schee [kli'ʃe:] <-s, -s> *das* Vorurteil, Stereotyp *in ~s denken*

klitsch·nass ['klɪtʃnas] <-, -> *adj (umg)* völlig nass *vom Regen ~ sein*

• **Klo** [klo:] <-s, -s> *das (umg)* Toilette, WC *aufs ~ gehen*

• **Klo·pa·pier** <-(e)s> *kein pl das* Papier, um sich nach dem Gang auf die Toilette sauber zu machen ~ *benutzen*

klo·nen ['klo:nən] <klont, klonte, geklont> *tr* [K] ***jd klont jdn/etw*** *akk* künstlich ein genetisch gleiches Lebewesen erzeugen *Das erste geklonte Schaf gab es in Schottland.*

klö·nen ['klø:nən] <klönt, klönte, geklönt> *itr (*ND *≈quatschen)* sich gemütlich unterhalten *stundenlang mit jdm ~*

Klo

• **klọp·fen** ['klɔpfn̩] <**klopft, klopfte, geklopft**> *itr* sich durch mehrmaliges leichtes Schlagen bemerkbar machen *an der Tür ~, Es hat geklopft.*

• **Kloß** [klo:s] <**-es, Klöße**> *der* (ND) Speise aus Teig, der zu einer Kugel geformt ist *Soße auf den ~ geben* ***Komp: Fleisch-, Hefe-, Kartoffel-***

Klos·ter ['klo:stɐ] <**-s, Klöster**> *das* religiöser Ort, wo Nonnen oder Mönche leben *ein altes ~ besichtigen*

Kloster
Klöster waren während des Mittelalters und bis weit in die Neuzeit hinein kulturell sehr wichtig, besonders wegen der Schulen, die sie geleitet haben. Eines der ältesten und wichtigsten christlichen Klöster Mitteleuropas steht im schweizerischen St. Gallen. Es stammt aus dem 9. Jahrhundert.

• **Klụb** [klʊp] <**-s, -s**> *der* Verein *einem ~ beitreten*

• **klug** [klu:k] <**klüger, klügst-**> *adj (↔dumm)* schlau, intelligent *sehr ~ sein;* **aus etw nicht ~ werden** etw nicht verstehen *Daraus kann ich nicht ~ werden.;* **Durch Schaden wird man ~.** Aus Fehlern lernt man. *Er hat's ja nie glauben wollen … – Durch Schaden wird man ~.* ***Wobi: Klugheit***

knạb·bern ['knabɐn] <**knabbert, knabberte, geknabbert**> *tr* [K] ***jd knabbert etw*** *akk* von etw hörbar abbeißen *Nüsse/Chips ~;* **an etw zu ~ haben** *(umg)* mit etw lange Kummer/Probleme haben *Daran wirst du noch zu ~ haben!*

Kna·be ['kna:bə] <**-n, -n**> *der* **1.** *(geh)* kleiner Junge, Bub(e) *eine Klasse mit ~n und Mädchen* **2.** (CH) Junge *~n und Mädchen*

knạ·cken ['knakn̩] <**knackt, knackte, geknackt**> *tr* **1.** [K] ***jd knackt etw*** *akk* geräuschvoll aufbrechen *Nüsse ~* **2.** [K] ***jd knackt etw*** *akk* die Lösung finden *ein Rätsel ~, Der Hacker knackte den Computercode.*

Knạll [knal] <**-(e)s, (-e)**> *der* lautes plötzliches Geräusch *einen lauten ~ hören;* **einen ~ haben** *(umg!)* verrückt sein *Du hast wohl 'nen ~!;* **~ auf Fall** ganz plötzlich *jdn ~ auf Fall entlassen* ***Wobi: knallen***

• **knạpp** [knap] <**knapper, knappst-**> *adj* kaum ausreichend, wenig, gering *Beeil dich, die Zeit wird ~!;* **~ bei Kasse sein** *(umg)* wenig Geld haben *Ich bin gerade ~ bei Kasse.;* **mit ~er Not entkommen** sich in letzter Sekunde retten *Ich bin nur mit ~er Not entkommen.;* **seit einem ~en Jahr** ein Jahr ist noch nicht ganz vergangen *seit einem ~en Jahr dort arbeiten*

Knạst [knast] <**-(e)s, -e**> *der (umg!)* Gefängnis *in den ~ kommen*

knei·fen ['knaifn̩] <**kneift, kniff, gekniffen**> *itr* **1.** [K] ***jd kneift jdn*** mit zwei Fingern drücken, zwicken *Sie kniff ihn in den Arm.* **2.** *(umg)* [K] ***jd kneift*** [***vor etw*** *dat*] sich drücken *vor einer schwierigen Situation ~*

• **Knei·pe** ['knaipə] <**-, -n**> *die (umg =* CH *Beiz, =* ÖSTERR *Beisl)* Gasthaus, wo man sich zum Trinken und Reden trifft *sich abends in der ~ treffen, auf ein Bier in die ~ gehen*

Kne·te ['kne:tə] <**-**> *kein pl die (umg ≈Kohle, Mäuse, Zaster)* Geld *viel ~ haben*

knị·cken ['knɪkn̩] <**knickt, knickte, geknickt**> *tr* [K] ***jd knickt etw*** *akk* falten *ein Blatt Papier ~*

• **Knie** [kni:] <**-s, -**> *das* Beingelenk zwischen Ober- und Unterschenkel *das rechte ~;* **jdn übers ~ legen** (ein Kind) mit Schlägen bestrafen *Ich lege ihn gleich übers ~.* ***Komp: -beuge, -kehle, -scheibe***

knien ['kni:ən] <**kniet, kniete, gekniet**> *itr* den Körper so halten, dass die Knie auf dem Boden sind *beim Beten ~*

Knịff [knɪf] <**-(e)s, -e**> *der (umg)* Trick *Ist da ein besonderer ~ da-*

bei?; **den ~ bei etw heraushaben** wissen, wie etw funktioniert *Sie hat den ~ heraus.*

knịff [knɪf] *prät von* **kneifen**

knịff·lig ['knɪflɪç] <kniffliger, kniffligst-> *adj* schwierig, kompliziert *eine ~e Aufgabe*

knịs·tern ['knɪstɐn] <knistert, knisterte, geknistert> *itr* **1.** bei Bewegung leise knackende Geräusche machen *Das Schokoladenpapier knistert beim Öffnen der Packung.* **2.** sehr spannend/aufregend sein *Es knisterte vor Spannung, als der Seiltänzer über das Seil ging.*

Knob·lauch ['knoːblaux] <-s> *kein pl der* eine weiße Knollenpflanze, die sehr gesund ist, aber stark riecht *Fleisch mit ~ würzen* ***Komp:*** *-butter, -zehe*

Knọ·chen ['knɔxn̩] <-s, -> *der* das, woraus ein Skelett besteht *sich einen ~ brechen;* **nass bis auf die ~** (*umg*) völlig nass sein *Ich bin beim Gewitter nass bis auf die ~ geworden.*

• **Knö·del** <-s, -> *der* (SD) Speise aus Teig, der zu einer Kugel geformt ist *Schweinebraten mit ~n essen*

• **Knọpf** [knɔpf] <-(e)s, Knöpfe> *der* **1.** runder Verschluss an Hemden und Hosen *einen ~ verlieren* **2.** Taste *den ~ drücken*

knụr·ren ['knʊrən] <knurrt, knurrte, geknurrt> *itr* drohende Laute produzieren *Der Hund knurrt.;* **jds Magen knurrt** jd hat Hunger *Mein Magen knurrt.*

knụsp·rig ['knʊsprɪç] <knuspriger, knusprigst-> *adj* frisch gebacken und mit einer knackigen Oberfläche *das ~e Brötchen*

knut·schen ['knuːtʃn̩] <knutscht, knutschte, geknutscht> **I.** *tr* [K] ***jd knutscht jdn*** *(umg)* intensiv und lange küssen *den Freund ~* **II.** *itr* sich intensiv küssen *mit der Freundin ~*

• **kọ·chen** ['kɔxn̩] <kocht, kochte, gekocht> **I.** *itr* **1.** [K] ***jd kocht*** jd bereitet Essen zu *Ich koche sehr gern.* **2.** [K] ***etw kocht*** so heiß sein, dass es Luftblasen produziert *Das Wasser kocht., gerne ~* **II.** *tr* [K] ***jd kocht etw*** *akk* heiße Getränke oder Essen zubereiten *Kaffee ~, eine Suppe ~*

ko·die·ren [ko'diːrən] <kodiert, kodierte, kodiert> *tr* [K] ***jd kodiert etw*** *akk* eine Information verschlüsseln, indem man sie in eine Art Geheimsprache überträgt *einen Text ~*

Koffer

• **Kọf·fer** ['kɔfɐ] <-s, -> *der* großes Gepäckstück für die Reise *die ~ packen*

• **Kọf·fer·raum** <-(e)s, -räume> *der* KFZ Ort für Gepäck im hinteren Teil des Autos *das Gepäck im ~ verstauen*

Kohl [ɪoːl] <-(e)s> *kein pl der (≈Kraut, Kappes, Kabis)* eine Gemüsesorte mit großen Blättern *~ ernten* ***Komp:*** *Blumen-, Grün-, Rosen-, Rot-*

• **Koh·le** ['koːlə] <-, -n> *die* **1.** schwarzer Brennstoff zum Heizen und zur Energieerzeugung *mit ~ heizen* **2.** *(umg)* Geld *keine ~ mehr haben;* **wie auf** (**glühenden**) **~n sitzen** sehr unruhig sein, weil man auf jdn/etw wartet *Sie sitzt wie auf ~n: In fünf Minuten fährt der Zug ab und er ist immer noch nicht da.* ***Komp:*** *Braun-, -kraftwerk*

ko·kẹtt [ko'kɛt] <koketter, kokettest-> *adj* so, dass man versucht, anderen zu gefallen *ein ~es Mädchen*

• **Kol·le·ge, -gin** [ko'leːgə] <-n, -n> *der* jd, der in derselben Firma arbeitet *nette ~n haben* ***Wobi:*** *kollegial, Kollegialität* ***Komp:***

Arbeits-

Kol·lek·tiv [kɔlɛk'tiːf] <-s, -e/(-s)> *das* Gemeinschaft in einem Betrieb oder einer Firma (vor allem in der ehemaligen DDR) *ein gutes ~ sein* ***Komp:*** *Arbeits-*

• **Kol·lek·tiv·lohn** <-(e)s, -löhne> *der* (ÖSTERR) Tarif *über den ~ bezahlt werden*

Kol·ler ['kɔlɐ] <-s, -> *der (umg)* Wutanfall *gleich einen ~ bekommen*

Ko·lo·nie [kolo'niː] <-, -n> *die* meist überseeischer Besitz eines Staates *Togo war 30 Jahre lang eine deutsche ~.*

Ko·ma ['koːma] <-s, -s/-ta> *das* MED längere Bewusstlosigkeit *im ~ liegen*

kom·bi·nie·ren [kɔmbi'niːrən] <kombiniert, kombinierte, kombiniert> *tr* **1.** [K] ***jd kombiniert etw*** *akk* [***mit etw*** *dat*] gedanklich mehrere Dinge miteinander verbinden und einen logischen Schluss daraus ziehen *Der Detektiv kombinierte schnell.* **2.** [K] ***jd kombiniert etw*** *akk* [***mit etw*** *dat*] verbinden, was zusammenpasst *Anzug und Krawatte miteinander ~*

Kom·fort [kɔm'foːɐ̯] <-s> *kein pl der* Luxus *ein Zimmer mit wenig ~* ***Wobi:*** *komfortabel*

• **ko·misch** ['koːmɪʃ] <komischer, komischst-> *adj* **1.** witzig, spaßig *eine ~e Figur* **2.** merkwürdig, seltsam *Das ist aber ~!*

Kom·ma ['kɔma] <-s, -s/-ta> *das* LING Satzzeichen zur Markierung der Grenze zwischen Haupt- und Nebensatz oder zur Gliederung bei Aufzählungen *ein ~ setzen*

> *Komma*
> Im Deutschen gibt es im Gegensatz zu vielen Sprachen relativ feste Kommaregeln. So muss man z. B. vor Nebensätzen ein Komma setzen. Vor Infinitiv- oder Partizipgruppen muss man aber kein Komma setzen.

• **kom·men** ['kɔmən] <kommt, kam, gekommen> *itr* <*sein*> ein Ziel erreichen und dann dort sein, erscheinen *nach Magdeburg ~, zu Besuch ~;* **etw kommt nicht in Frage** an etw braucht man gar nicht erst zu denken *Das kommt überhaupt nicht in Frage!;* **Komme, was wolle.** Was auch immer geschieht. *Komme, was wolle, ich werde dir helfen.;* **als Nächstes** ~ die/der Nächste sein *Wer kommt als Nächstes?;* **Das kommt davon, dass …** Das ist die Folge davon, dass … *Das kommt davon, dass du so faul bist.;* **noch nicht zu etw gekommen sein** etw noch nicht erledigt haben *Ich bin noch nicht dazu gekommen.;* **zu sich** ~ aus einer Ohnmacht erwachen *Nach Wochen ist sie wieder zu sich gekommen.;* **ums Leben** ~ sterben *bei einem Unfall ums Leben ~*

Kom·men·tar [kɔmɛn'taːɐ̯] <-s, -e> *der* genauere Erklärung, Bemerkung zu etw *einen ~ zu etw abgeben;* **Kein ~!** Dazu will ich nichts sagen. *Ob ich in die Dopingaffäre verwickelt bin? – Kein ~!*

kom·men·tie·ren [kɔmɛn'tiːrən] <kommentiert, kommentierte, kommentiert> *tr* [K] ***jd kommentiert etw*** *akk* genauer erklären *einen Film ~*

• **kom·mer·zi·ell** [kɔmɛr'tsi̯ɛl] <-, -> *adj* auf Gewinn ausgerichtet *ein ~es Unternehmen, rein ~ denken*

Kom·mi·li·to·ne, -nin [kɔmili'toːnə] <-n, -n> *der* jd, mit dem man studiert *sich mit seinen ~n treffen*

• **Kom·mis·si·on** [kɔmi'si̯oːn] <-, -en> *die* Gruppe, die eine bestimmte offizielle Aufgabe lösen soll *eine ~ bilden*

Kom·mo·de [kɔ'moːdə] <-, -n> *die* Kasten mit Schubladen *etw auf die ~ stellen*

kom·mu·nal [kɔmu'naːl] <-, -> *adj* POL so, dass es eine Gemeinde/

einen Landkreis betrifft *die ~e Ebene* ***Wobi: Kommunalpolitik, Kommunalwahlen***

• **Kom·mu·ni·ka·ti·on** [kɔmunikaˈtsi̯oːn] <-> *kein pl die* Reden/ Verständigung mit jdm *Es findet keine ~ untereinander statt.* ***Komp: -smittel***

Ko·mö·die [koˈmøːdi̯ə] <-, -n> *die (↔Tragödie)* lustiges Theaterstück oder lustiger Film *eine ~ von Shakespeare ansehen*

kom·pakt [kɔmˈpakt] <kompakter, kompaktest-> *adj* massiv, fest *~ sein*

Kom·pass [ˈkɔmpas] <-es, -e> *der* Gerät, dass die Himmelsrichtungen anzeigt *nach dem ~ wandern*

Kompass

kom·pa·ti·bel [kɔmpaˈtiːbl̩] <kompatibler, kompatibelst-> *adj (↔inkompatibel)* so, dass etw zusammenpasst *Unsere Computerprogramme sind leider nicht ~.* ***Wobi: Kompatibilität***

kom·pen·sie·ren [kɔmpɛnˈziːrən] <kompensiert, kompensierte, kompensiert> *tr* K ***jd kompensiert etw*** *akk* [***mit etw*** *dat*] ausgleichen *eine Enttäuschung ~*

kom·pe·tent [kɔmpeˈtɛnt] <kompetenter, kompetentest-> *adj* **1.** *(↔inkompetent)* so, dass man etw Bestimmtes gut kann; fähig *Sie ist sehr ~ in ihrem Fachbereich.* **2.** zuständig, befugt *Ich bin nicht ~, sprechen Sie am besten mit meiner Kollegin.*

Kom·pe·tenz [kɔmpeˈtɛnts] <-, -en> *die (↔Inkompetenz)* Zuständigkeit *einige ~en besitzen* ***Komp: Entscheidungs-***

kom·plett [kɔmˈplɛt] <kompletter, komplettest-> *adj* vollständig *eine ~e Sammlung*

Kom·plex [kɔmˈplɛks] <-es, -e> *der* **1.** *(umg)* viele Häuser, die zusammengehören *ein großer ~ von Bürogebäuden* **2.** Problem mit der eigenen Person *einen ~ wegen etw haben* ***Komp: Gebäude-, Minderwertigkeits-***

kom·plex [kɔmˈplɛks] <komplexer, komplexest-> *adj* umfangreich und kompliziert *ein ~es Thema*

Kom·pli·ka·ti·on [kɔmplikaˈtsi̯oːn] <-, -en> *die* Schwierigkeit *Es kann bei der Operation ~en geben.*

Kom·pli·ment [kɔmpliˈmɛnt] <-(e)s, -e> *das* lobende Bemerkung *jdm für etw ~e machen*

Kom·pli·ze, -zin [kɔmˈpliːtsə] <-n, -n> *der* Mitschuldiger an einer Straftat *seinen ~n suchen*

• **kom·pli·ziert** [kɔmpliˈtsiːɐ̯t] <komplizierter, kompliziertest-> *adj* schwierig, unklar *eine ~e Angelegenheit*

kom·po·nie·ren [kɔmpoˈniːrən] <komponiert, komponierte, komponiert> *tr* MUS K ***jd komponiert etw*** *akk* ein Musikstück schreiben *eine Sinfonie ~*

Kom·po·si·ti·on [kɔmpoziˈtsi̯oːn] <-, -en> *die* Musikstück *eine moderne ~*

Kom·post [kɔmˈpɔst] <-(e)s, -e> *der* Haufen für organischen Abfall, der sich in Erde umwandelt *Obstschalen auf den ~ werfen* ***Wobi: kompostieren***

Kom·pott [kɔmˈpɔt] <-(e)s, -e> *das* süße Speise aus gekochtem Obst *~ essen* ***Komp: Apfel-, Birnen-, Kirsch-***

Kom·pro·miss [kɔmproˈmɪs] <-es, -e> *der* Konfliktlösung, bei der jede Seite ein bisschen nachgibt *einen ~ schließen*

Kon·di·ti·on [kɔndiˈtsi̯oːn] <-, -en> *die* **1.** SPORT Trainingszustand des Körpers *eine gute ~ haben* **2.** ÖKON Bedingung *Die Firma kann ihre Produkte zu günstigen ~en anbieten.*

Kon·di·tor(in) [kɔnˈdiːtoːɐ̯] <-s, -en> *der* Kuchenbäcker *einen guten ~ kennen* ***Wobi:** Konditorei*

• **Kon·dom** [kɔnˈdoːm] <-(e)s, -e> *das (≈Pariser, Gummi)* Gummihülle, die beim Sex zum Schutz vor Schwangerschaft oder AIDS über den Penis gezogen wird *ein ~ benutzen*

Kon·duk·teur(in) [kɔndʊkˈtøːɐ̯] <-s, -e> *der* (CH) Schaffner *als ~ arbeiten*

• **Kon·fe·renz** [kɔnfeˈrɛnts] <-, -en> *die* Verhandlung, Sitzung *eine ~ abhalten* ***Komp:** -schaltung, -zimmer*

Kon·fes·si·on [kɔnfɛˈsi̯oːn] <-, -en> *die* REL Glaubensrichtung *Welcher ~ sind Sie?, evangelischer ~ sein*

kon·fir·mie·ren [kɔnfɪrˈmiːrən] <konfirmiert, konfirmierte, konfirmiert> *tr* REL [K] ***jd konfirmiert jdn*** einen Jugendlichen in die evangelische Gemeinde aufnehmen und zum Abendmahl zulassen *einen jungen Menschen ~* ***Wobi:** Konfirmation*

• **Kon·fi·tü·re** [kɔnfiˈtyːrə] <-, -n> *die* **1.** (ND) Marmelade mit Fruchtstücken *ein Brötchen mit ~ essen* **2.** (CH) Marmelade *Brot mit ~ essen*

Kon·flikt [kɔnˈflɪkt] <-(e)s, -e> *der* Streit, Auseinandersetzung *in einen ~ geraten*

kon·form [kɔnˈfɔrm] <-, -> *adj* gleich, übereinstimmend *~e Meinungen;* **mit jdm** (**in etw**) **~ gehen** dieselbe Meinung haben *Wir gehen in dieser Sache ~.*

Kon·fron·ta·ti·on [kɔnfrɔntaˈtsi̯oːn] <-, -en> *die* Gegenüberstellung *die ~ mit der Wahrheit*

kon·fron·tie·ren <konfrontiert, konfrontierte, konfrontiert> *tr* [K] ***jd konfrontiert jdn mit jdm/etw*** *dat* gegenüberstellen *jdn mit der Wahrheit ~*

kon·fus [kɔnˈfuːs] <konfuser, konfusest-> *adj* so, dass man durcheinander ist *jdn ~ machen*

Kon·gress [kɔŋˈgrɛs] <-es, -e> *der* politische oder fachliche Tagung *auf einen ~ fahren* ***Komp:** -halle*

• **Kö·nig(in)** [ˈkøːnɪç] <-s, -e> *der* Herrscher in einer Monarchie *Ludwig I., ~ von Bayern*

kon·ju·gie·ren [kɔnjuˈgiːrən] <konjugiert, konjugierte, konjugiert> *tr* [K] ***jd konjugiert etw*** *akk* LING ein Verb beugen/flektieren *ein unregelmäßiges Verb ~* ***Wobi:** Konjugation*

Kon·junk·tiv [ˈkɔnjʊnktiːf] <-s, -e> *der* LING Verbform, mit der man z. B. Wünsche ausdrückt oder die indirekte Rede formuliert *‚Er wäre' ist ~ II von ‚sein'., ‚Er sei' ist ~ I von ‚sein'.*

Kon·junk·tur [kɔnjʊŋkˈtuːɐ̯] <-, -en> *die* ÖKON Wirtschaftslage *die steigende/fallende ~* ***Wobi:** konjunkturell* ***Komp:** -krise*

Kon·kor·dat [kɔŋkɔrˈdaːt] <-(e)s, -e> *das* (CH) Staatsvertrag zwischen Kantonen *ein ~ unterzeichnen*

kon·kret [kɔŋˈkreːt] <konkreter, konkretest-> *adj (↔abstrakt)* genau, real *eine ~e Vorstellung von etw haben* ***Wobi:** konkretisieren*

Kon·kur·renz [kɔŋkʊˈrɛnts] <-, -en> *die* (wirtschaftlicher) Wettbewerb *sich gegenseitig ~ machen* **Wobi:** *Konkurrent*

kon·kur·rie·ren [kɔŋkʊ'riːrən] <konkurriert, konkurrierte, konkurriert> *itr* im Wettbewerb stehen *miteinander ~*

Kon·kurs [kɔŋ'kʊrs] <-es, -e> *der* ÖKON Zahlungsunfähigkeit einer Firma/eines Geschäftes; Pleite *in ~ gehen, ~ anmelden*

• **kön·nen** ['kœnən] <kann, konnte, gekonnt/können> *tr* **1.** K *jd kann etw akk* beherrschen, verstehen *eine Sprache (sprechen) ~, kein Deutsch ~, Ich kann leider nicht kommen.* **2.** dürfen *Kann ich das Fenster öffnen?* **3.** wahrscheinlich/möglich sein *Es kann sein, dass wir uns dort treffen.;* **nicht mehr** ~ keine Geduld/ Kraft mehr haben *Ich kann nicht mehr.;* **nichts dafür** ~ keine Schuld haben *Ich kann nichts dafür.*

konn·te ['kɔntə] *prät von* **können**

Kon·sens [kɔn'zɛns] <-es> *kein pl der* Übereinstimmung *in der Diskussion einen ~ erreichen*

kon·se·quent [kɔnze'kvɛnt] <konsequenter, konsequentest-> *adj (↔inkonsequent)* so, dass man immer streng seinen Plan/sein Ziel verfolgt *~ handeln*

• **Kon·se·quenz** [kɔnze'kvɛnts] <-, -en> *die* Folge *die ~en tragen müssen, Der Ministerpräsident zog die ~en aus seinem Fehler und trat zurück.*

• **kon·ser·va·tiv** ['kɔnzɛrvatif] <konservativer, konservativst-> *adj (↔progressiv)* gegen Veränderungen, traditionell *eine ~e Meinung vertreten, ~e Kleidung tragen*

Kon·ser·ve [kɔn'zɛrvə] <-, -n> *die* luftdichte Dose mit eingekochtem Fleisch, Obst oder Gemüse *etw in ~n abfüllen*

kon·ser·vie·ren [kɔnzɛr'viːrən] <konserviert, konservierte, konserviert> *tr* K *jd konserviert etw akk* haltbar machen, einkochen *Lebensmittel ~*

Kon·so·nant [kɔnzo'nant] <-en, -en> *der* LING die Laute, die keine Vokale sind *‚B', ‚c', ‚d', ‚f' etc. sind ~en.*

kons·tant [kɔn'stant] <konstanter, konstantest-> *adj* unveränderlich, gleich bleibend *~e Leistungen erbringen*

Kons·tel·la·ti·on [kɔnstɛla'tsi̯oːn] <-, -en> *die* Zusammensetzung, Lage *die ~ der Sterne*

Kons·ti·tu·ti·on [kɔnstitu'tsi̯oːn] <-, -en> *die* ANAT körperlicher oder geistiger Zustand, Körperbau *eine kräftige/schwache ~*

Kons·truk·ti·on [kɔnstrʊk'tsi̯oːn] <-, -en> *die* Entwurf, Bauweise *eine eindrucksvolle ~* **Wobi:** *konstruieren* **Komp:** *Fehl-*

kons·truk·tiv [kɔnstrʊk'tiːf] <konstruktiver, konstruktivst-> *adj* hilfreich *~e Kritik*

Kon·sum [kɔn'zuːm] <-s> *kein pl der* Verbrauch *der ~ von Alkohol* **Komp:** *-gesellschaft*

Kon·su·ment(in) [kɔnzu'mɛnt] <-en, -en> *der* Verbraucher *der anspruchsvolle ~*

kon·su·mie·ren [kɔnzu'miːrən] <konsumiert, konsumierte, konsumiert> *tr* K *jd konsumiert etw akk* verbrauchen *viel Schokolade ~*

• **Kon·takt** [kɔn'takt] <-(e)s, -e> *der* Beziehung zu anderen Menschen *mit jdm ~ aufnehmen, guten ~ zu jdm haben* **Komp:** *-anzeige, -person*

kon·tạkt·freu·dig <kontaktfreudiger, kontaktfreudigst-> *adj* so, dass man gern und leicht andere Leute kennen lernt *ein ~er Mensch sein*

• **Kọn·ti·nẹnt** ['kɔntinɛnt/kɔnti'nɛnt] <-(e)s, -e> *der* Erdteil: Amerika, Europa, Afrika, Asien, Australien, Antarktis *auf einem anderen ~ leben*

kon·ti·nu·ier·lich [kɔntinu'iːɐ̯lɪç] <kontinuierlicher, kontinuierlichst-> *adj* stetig, ohne Unterbrechung *~e Arbeit*

Kon·ti·nu·i·tät [kɔntinui'tɛːt] <-> *kein pl die* Beständigkeit, lückenloser Zusammenhang *~ in etw bringen*

• **Kọn·to** ['kɔnto] <-s, -ten> *das* Abrechnung von Einnahmen und Ausgaben zwischen Bank und Kunde *Geld auf ein ~ überweisen;* **etw geht auf jds ~** jd ist für etw verantwortlich *Das geht auf mein ~.*

Kọn·to·aus·zug <-(e)s, -züge> *der* schriftliche Mitteilung der Bank über die Einnahmen und Ausgaben auf einem Konto *einen ~ holen*

Kọn·to·in·ha·ber(in) <-s, -> *der* jd, der ein Konto hat *Hier muss der ~ unterschreiben.*

Kọn·to·num·mer <-, -n> *die* Kennzahl, durch die man ein Konto dem Inhaber zuordnen kann *eine neue ~ erhalten*

Kon·trạst [kɔn'trast] <-(e)s, -e> *der* Gegensatz *ein scharfer ~*

• **Kon·trọl·le** [kɔn'trɔlə] <-, -n> *die* Überprüfung, Überwachung *bei jdm eine ~ durchführen, unter jds ~ stehen*

kon·trol·lie·ren [kɔntrɔ'liːrən] <kontrolliert, kontrollierte, kontrolliert> *tr* [K] ***jd kontrolliert jdn/etw*** *akk* prüfen, überwachen *Die Lehrerin kontrolliert die Hausaufgaben.*

Kon·ven·ti·on [kɔnvɛn'tsi̯oːn] <-, -en> *die* (vertragliche) Vereinbarung, Gewohnheit *gegen eine ~ verstoßen*

kon·ven·ti·o·nẹll [kɔnvɛntsi̯o'nɛl] <konventioneller, konventionellst-> *adj* gewöhnlich, normal *ein ~es Verhalten*

Kon·ver·sa·ti·on [kɔnvɛrza'tsi̯oːn] <-, -en> *die* leichte Unterhaltung *~ machen*

Kon·zen·tra·ti·on [kɔntsɛntra'tsi̯oːn] <-> *kein pl die* auf etw Bestimmtes gerichtete gedankliche Anstrengung *mit hoher ~ arbeiten*

• **kon·zen·trie·ren** [kɔntsɛn'triːrən] <konzentriert, konzentrierte, konzentriert> *refl* [K] ***jd konzentriert sich*** *akk* [***auf etw*** *akk*] alle Gedanken auf etw Bestimmtes richten *sich auf die Arbeit ~*

Kon·zẹpt [kɔn'tsɛpt] <-(e)s, -e> *das* Entwurf, Plan *ein ~ für das neue Projekt entwerfen;* **jdn aus dem ~ bringen** jdn durcheinander bringen *Jetzt hast du mich aus dem ~ gebracht.* ***Wobi: konzipieren***

Kon·zẹrn [kɔn'tsɛrn] <-s, -e> *der* Zusammenschluss verschiedener selbstständiger Unternehmen mit gemeinsamer Verwaltung *in einem großen ~ arbeiten*

• **Kon·zẹrt** [kɔn'tsɛrt] <-(e)s, -e> *das* MUS öffentliche Vorführung eines Orchesters/eines Chors *ein ~ geben* ***Komp: Jazz-, Rock-***

Ko·o·pe·ra·ti·on [koʔopəra'tsi̯oːn] <-, -en> *die* Zusammenarbeit *sich eine gute ~ wünschen* ***Wobi: kooperieren***

ko·or·di·nie·ren [koʔɔrdi'niːrən] <koordiniert, koordinierte, koordiniert> *tr* [K] ***jd koordiniert etw*** *akk* aufeinander abstimmen *Pläne ~*

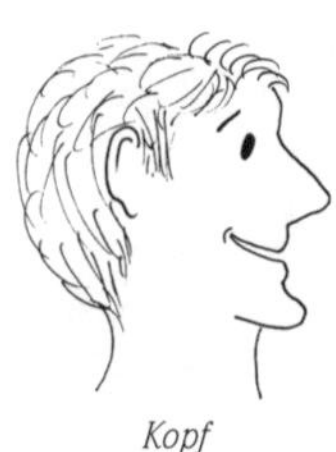
Kopf

• **Kọpf** [kɔp͡f] <-(e)s, Köpfe> *der* der Körperteil, wo sich Augen,

Mund und Nase befinden *einen roten ~ bekommen, Mein ~ schmerzt.;* ~ **hoch!** verwendet, um jdn zu trösten oder aufzumuntern ~ *hoch, das wird schon wieder!;* **aus dem** ~ auswendig *eine Telefonnummer aus dem ~ wissen;* **Hals über** ~ sehr plötzlich, unerwartet *sich Hals über ~ verlieben;* **ein heller** ~ **sein** intelligent sein *Er ist ein heller ~.;* **den** ~ **hängen lassen** enttäuscht oder traurig sein *Lass doch deswegen den ~ nicht hängen!;* **sich etw in den** ~ **setzen** etw unbedingt tun wollen *Er hat es sich fest in den ~ gesetzt.;* **jdm den** ~ **verdrehen** jdn in sich verliebt machen *Er hat mir den ~ verdreht.;* **den** ~ **nicht verlieren** ruhig bleiben *Trotz der Aufregung habe ich den ~ nicht verloren.;* **sich über etw den** ~ **zerbrechen** angestrengt über etw nachdenken *Ich habe mir schon oft den ~ darüber zerbrochen.*

Kopf·en·de <-s, -n> *das (↔Fußende)* oberes Ende des Bettes *am ~ eine Lampe aufstellen*

kopf·los <kopfloser, kopflosest-> *adj* panisch, unüberlegt ~ *reagieren*

Kopf·schmerz <-es, -en> *der* Zustand, wenn der Kopf wehtut *furchtbare ~en haben* ***Komp:* *-tablette***

Kopf·sprung <-(e)s, -sprünge> *der* Sprung ins Wasser, bei dem der Kopf unten ist *einen ~ machen*

kopf·über [kɔpf'ʔy:bɐ] *adv* mit dem Kopf zuerst ~ *die Treppe hinunterfallen*

- **Ko·pie** [ko'pi:] <-, -n> *die (≈Fotokopie ↔ Original)* Doppel/Duplikat eines Dokuments *eine ~ von etw machen*
- **ko·pie·ren** [ko'pi:rən] <kopiert, kopierte, kopiert> *tr* [K] *jd kopiert etw akk (≈fotokopieren)* ein Dokument vervielfältigen *einen Aufsatz ~*
- **Ko·pie·rer** <-s, -> *der* Gerät zum Kopieren *morgens den ~ einschalten*

Korb [kɔrp] <-(e)s, Körbe> *der* (geflochtener) Behälter mit Griff für verschiedene Zwecke *die Waren in einen ~ packen;* **jdm einen** ~ **geben** jdm sagen, dass man seine Liebe nicht erwidert *Sie hat mir einen ~ gegeben.* ***Komp:* *Einkaufs-, Obst-***

Kor·ken ['kɔrkn̩] <-s, -> *der* Verschluss von Wein- oder Sektflaschen *den ~ ziehen*

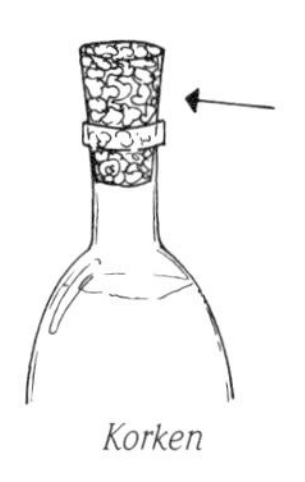

Korken

Kor·ken·zie·her <-s, -> *der* Gerät zum Öffnen von Flaschen mit Korken *zum Öffnen der Weinflasche einen ~ benutzen*

- **Korn** <-s> *kein pl das* **1.** *(≈Getreide)* das Getreide, aus dem man Mehl zum Brotbacken herstellt ~ *ernten* **2.** etw, das wie ein Korn aussieht *Sand~* ***Komp:* *-feld, Hagel-, Mais-, Sand-***
- **Kör·per** ['kœrpɐ] <-s, -> *der* menschlicher oder tierischer Leib *einen sportlichen ~ haben* ***Komp:* *-gewicht, -größe***

Kör·per·bau <-(e)s> *kein pl der* physische Gestalt von Mensch oder Tier *einen zarten ~ haben*

kör·per·lich <-, -> *adj (↔geistig)* den Körper betreffend *schwere ~e Arbeit verrichten*

Kör·per·teil <-(e)s, -e> *der* Glied des Körpers: Arm, Bein etc. *der verletzte ~*

Kor·rek·tu:r [kɔrɛk'tu:ɐ̯] <-, -en> *die* Berichtigung *an etw eine ~ vornehmen*

Kor·ri·dor ['kɔridoːɐ̯] <-s, -e> *der* Gang/Flur, von dem die Zimmer abgehen *die Schuhe im ~ ausziehen*

• **kor·ri·gie·ren** [kɔri'giːrən] <korrigiert, korrigierte, korrigiert> *tr* [K] ***jd korrigiert jdn/etw** akk* berichtigen *einen Fehler ~* ***Wobi: korrekt***

kor·rupt [kɔ'rʊpt] <korrupter, korruptest-> *adj (≈bestechlich)* so, dass man bereit ist, sich durch unerlaubte Geschenke beeinflussen zu lassen *das ~e Verhalten des Politikers* ***Wobi: Korruption***

Ko·se·na·me <-ns, -n> *der* liebevolle Bezeichnung für einen guten Freund oder Verwandten *jdm einen ~n geben*

Kos·me·tik [kɔs'meːtɪk] <-, -a> *die* (Mittel zur) Schönheitspflege *viel Geld für ~ ausgeben*

Kosmonaut
Das Wort ‚Kosmonaut' wurde vor allem in der früheren DDR verwendet und bezeichnet einen Astronauten der ehemaligen Sowjetunion oder der ehemaligen DDR.

Kos·mo·naut(in) [kɔsmo'naut] <-en, -en> *der* jd, der ins Weltall fliegt *~ werden*

Kos·mo·po·lit(in) [kɔsmopo'liːt] <-en, -en> *der* jd, der sich in der ganzen Welt zu Hause fühlt *Heute Paris, morgen New York – er ist halt ~.*

Kost [kɔst] <-> *kein pl die* Essen, Nahrung *vitaminreiche ~; ~* **und Logis frei** kostenlose Verpflegung und Unterkunft *~ und Logis sind bei uns frei.*

kost·bar ['kɔstbaːɐ̯] <kostbarer, kostbarst-> *adj (≈wertvoll)* von hohem Wert *~er Schmuck*

• **Kos·ten** ['kɔstən] <-> *kein sing pl* Geldbetrag, den man für etw aufwenden muss *hohe ~ haben;* **auf ~ von jdm/etw** zum Nachteil für jdn/etw sein *auf ~ der Gesundheit;* **die ~ für etw übernehmen** etw bezahlen *Die ~ für das Hotel übernimmt die Firma.;* **keine ~ scheuen** bereit sein, viel Geld für etw auszugeben *Wir haben bei der Feier keine ~ gescheut.;* **auf seine ~ kommen** belohnt werden, sich amüsieren *Bei der Party bin ich auf meine ~ gekommen.*

• **kos·ten** ['kɔstn̩] <kostet, kostete, gekostet> *tr* **1.** [K] ***etw kostet etw** akk* einen bestimmten Geldbetrag erfordern *Was kostet das?, Das Auto kostet … Euro.* **2.** [K] ***jd kostet etw** akk* probieren, den Geschmack testen *die Suppe ~*

kos·ten·los <-, -> *adj (≈gratis)* so, dass man nichts bezahlen muss *eine ~e Veranstaltung*

köst·lich ['kœstlɪç] <köstlicher, köstlichst-> *adj* so, dass etw sehr gut schmeckt *ein ~es Essen;* **sich ~ amüsieren** viel Spaß haben *Ich habe mich auf dem Fest ~ amüsiert.*

Kost·pro·be <-, -n> *die* kleines Stück zum Prüfen des Geschmacks *eine ~ von etw nehmen*

kost·spie·lig ['kɔstʃpiːlɪç] <kostspieliger, kostspieligst-> *adj* sehr teuer *ein ~es Hobby*

1

Kostüm

• **Kos·tüm** [kɔs'tyːm] <-s, -e> *das* **1.** zweiteiliges Kleidungsstück aus Rock und Jacke *ein neues ~ kaufen* **2.** Kleidung für die Bühne oder zum Fasching *ein ~ entwerfen* ***Komp: -fest***

• **Ko·te·lett** [kot(ə)'lɛt/'kɔtlɛt] <-(-e)s, -s/(-e)> *das* **1.** eine Scheibe Fleisch mit Knochen (vom Schwein, Kalb oder Lamm) *im Restaurant ein ~ bestellen* **2.** (ÖSTERR) Steak *ein ~ essen*

Ko·te·let·ten <-> *kein sing pl* schmaler, kurzer Bart an den Wangen *~ tragen*

kot·zen ['kɔt͡sn̩] <kotzt, kotzte, gekotzt> *itr (umg!)* sich übergeben, brechen *Der Besoffene kotzte auf die Straße.*; **etw ist zum K~** vulgäre Wendung, um auszudrücken, dass etw sehr ärgerlich ist *Ich finde sein Verhalten zum K~!*

kọtz·ü̲bel ['kɔt͡s'ʔyːbl̩] <-, -> *adj (umg!)* so, als ob man sich erbrechen müsste *Mir war nach der Wurst ~.*

krạb·beln ['krabl̩n] <krabbelt, krabbelte, gekrabbelt> *itr <sein>* sich fortbewegen wie ein Käfer u.Ä. *Ein Käfer krabbelt über das Blatt., Das Kind krabbelt durch die Wohnung.*

Krạch [krax] <-(e)s> *kein pl der* Lärm *~ machen*; *~* **mit jdm haben** sich mit jdm streiten *Wir haben ~ miteinander.*; **mit Ach und ~** (*umg*) mit großer Mühe *die Prüfung mit Ach und ~ bestehen*

krạ·chen ['kraxn̩] <kracht, krachte, gekracht> *itr <sein/haben>* heftigen Lärm machen *Die Tür krachte ins Schloss., Der Donner kracht.*; **irgendwo hat es gekracht** *(umg)* irgendwo sind Autos zusammengestoßen *An dieser Kreuzung hat es schon wieder gekracht.*

krạ̈ch·zen ['krɛçt͡sn̩] <krächzt, krächzte, gekrächzt> *itr* heiser sprechen, rauhe Laute hervorbringen *wegen der Erkältung nur ~ können*

• **Krạft** [kraft] <-, Kräfte> *die* Stärke oder Fähigkeit, etw zu tun *viel ~ für etw aufwenden, ~ haben*; **aus eigener ~** ohne fremde Hilfe *etw aus eigener ~ schaffen*; **mit frischer ~** ausgeruht, erholt *mit frischer ~ an eine Sache gehen*; **wieder zu Kräften kommen** wieder gesund werden *nur langsam wieder zu Kräften kommen*; **in ~ sein** gültig sein *Das Gesetz ist seit dem 1.1. in ~.* ***Komp:*** ***-futter, -sport, -training, Geistes-, Körper-***

Krạft·fah·rer(in) <-s, -> *der* KFZ Berufsbezeichnung für einen Fahrzeugführer *~ sein*

Krạft·fahr·zeug <-(e)s, -e> *das* (KFZ: ≈*Wagen*) Auto *ein ~ führen*
Komp: ***-brief***

• **krạ̈f·tig** ['krɛftɪç] <kräftiger, kräftigst-> *adj* **1.** stark *einen ~en Körper haben* **2.** nahrhaft, gehaltvoll *~es Essen*; *~* **regnen** heftig regnen *Gestern hat es ~ geregnet.*

krạ̈f·ti·gen ['krɛftɪgn̩] <kräftigt, kräftigte, gekräftigt> *tr* [K] ***jd kräftigt etw*** *akk* stärken *den Körper ~*

Krạft·stoff <-(e)s, -e> *der (≈Treibstoff)* Brennstoff für Motoren: Benzin, Diesel etc. *~ tanken*

• **Krạft·werk** <-(e)s, -e> *das* Fabrik, in der Elektrizität produziert wird *ein ~ betreiben*

Kra̲·gen ['kraːgn̩] <-s, -/Krägen> *der* Teil des Kleidungsstücks, der den Hals umschließt *ein runder ~*; **Kopf und ~ riskieren** sich in Gefahr begeben *Beim Fallschirmspringen riskiert sie Kopf und ~.*; **jdm platzt der ~** (*umg*) jd ist sehr wütend *Jetzt platzt mir aber der ~!*

Kra̲m [kraːm] <-s> *kein pl der (umg)* überflüssige Gegenstände *Überall liegt hier ~ herum.*; **jdm passt etw überhaupt nicht in den ~** (*umg*) jdm ist etw nicht recht *Der Termin passt mir überhaupt nicht in den ~.*; **den ganzen ~ hinschmeißen** *(umg)* aufgeben, mit etw aufhören *Am liebsten würde ich den ganzen ~ hinschmeißen.*

Kra̲n [kraːn] <-(e)s, Kräne> *der* Maschine zum Heben schwerer Gegenstände *einen großen ~ für die Baustelle brauchen* ***Komp:*** ***-führer, Bau-***

• **krạnk** [kraŋk] <kränker, kränkest-> *adj (↔gesund)* so, dass man sich schlecht fühlt und leidet ~ *sein/werden;* **etw macht jdn ganz ~** etw macht jdn nervös/verrückt *Dieses Warten macht mich ganz ~.*

• **Kran·ke**(r) <-n, -> *der/die* jd, der nicht gesund ist *den K~n besuchen*

krän·keln ['krɛŋkl̩n] <kränkelt, kränkelte, gekränkelt> *itr* sich nicht ganz gesund fühlen *Sie kränkelt schon seit Wochen.*

krän·ken ['krɛŋkn̩] <kränkt, kränkte, gekränkt> *tr* [K] ***jd/etw kränkt jdn*** jds Gefühle verletzen *Die Bemerkung kränkte sie.* ***Wobi: Kränkung***

Kran·ken·be·such <-(e)s, -e> *der* das Aufsuchen eines Kranken in dessen Wohnung oder im Krankenhaus *einen ~ bei jdm machen*

• **Kran·ken·haus** <-(e)s, -häuser> *das (=* ÖSTERR *Spital, ≈Hospital, Klinik)* Institution zur medizinischen Betreuung von Kranken *jdn in ein ~ einliefern*

• **Kran·ken·kas·sa** <-, -kassen> *die* (ÖSTERR) Krankenkasse *Beiträge für die ~*

• **Kran·ken·kas·se** <-, -n> *die* Versicherung, die notwendige medizinische Leistungen bezahlt *die gesetzliche/private ~*

> *Krankenkasse*
> In Deutschland und der Schweiz müssen alle Arbeitnehmer, Rentner, Auszubildende und Studenten krankenversichert sein. In Österreich gilt diese Pflicht für alle Arbeitnehmer, für Landwirte, Studenten und für Selbstständige.

Kran·ken·pfle·ger <-s, -> *der* Mann, der beruflich kranke Menschen pflegt *den Beruf des ~s erlernen*

• **Kran·ken·schein** <-(e)s, -e> *der* Formular der Krankenkasse, das der Arzt als Zahlungsersatz bekommt *beim Arzt einen ~ vorlegen* ***Komp: Auslands-***

• **Kran·ken·schwes·ter** <-, -n> *die* Frau, die beruflich kranke Menschen pflegt *den Beruf einer ~ erlernen*

• **Kran·ken·wa·gen** <-s, -/-wägen> *der (≈Rettungswagen)* kleiner Bus für den Transport von Kranken *einen ~ rufen*

krank·haft <krankhafter, krankhaftest-> *adj* übertrieben heftig *~e Eifersucht*

• **Krank·heit** <-, -en> *die (↔Gesundheit)* Störung der Gesundheit *eine ansteckende ~ haben;* **sich eine ~ zuziehen** krank werden *Er hat sich eine schwere ~ zugezogen.*

krank|la·chen <lacht krank, lachte krank, krankgelacht> *refl (umg)* [K] ***jd lacht sich*** *akk* ***krank*** [***über etw*** *akk*] sehr lachen *sich über einen Witz ~*

kränk·lich ['krɛŋklɪç] <kränklicher, kränklichst-> *adj* so, dass man leicht und oft krank wird *ein ~es Kind*

krank|mel·den <meldet krank, meldete krank, krankgemeldet> *refl* [K] ***jd meldet sich*** *akk* ***krank*** den Arbeitgeber informieren, dass man krank ist *sich in der Firma ~* ***Wobi: Krankmeldung***

krank|schrei·ben <schreibt krank, schrieb krank, krankgeschrieben> *tr* [K] ***jd schreibt jdn krank*** für arbeitsunfähig erklären *Der Arzt hat sie krankgeschrieben.*

Kranz [kranʦ] <-es, Kränze> *der* ringförmig gebundene Blumen oder Zweige *einen ~ binden*

krass [kras] <krasser, krassest-> *adj* sehr deutlich, auffallend *ein ~er Unterschied*

Kra·ter ['kraːtɐ] <-s, -> *der* großes Erdloch in der Form eines Trichters *der ~ eines Vulkans*

krau·len[1] ['kraulən] <krault, kraulte, gekrault> *tr* [K] ***jd krault jdn/ein Tier*** *akk* [***irgendwo***] mit den Fingern liebkosen *die Katze ~*

krau·len[2] ['kraulən] <krault, kraulte, gekrault> *itr* <*sein/*

haben> SPORT beim Schwimmen in einem bestimmten Stil schwimmen *sehr schnell ~ können*

kraus [kraus] <krauser, krausest-> *adj* gelockt *~es Haar;* **die Stirn ~ ziehen** die Stirn in Falten legen *Als sie das negative Ergebnis hörte, zog sie die Stirn ~.*

Kraut[1] [kraut] <-(e)s, Kräuter> *das* kleine Pflanzen, die man als Medizin oder Gewürz verwendet *Kräuter sammeln*

Kraut[2] [kraut] <-(e)s> *kein pl das* (SD, ÖSTERR ≈*Kappes, Kabis)* Kohl *Würstel mit ~* ***Komp: -kopf, Blau-, Rot-, Sauer-, Weiß-,***

Kra·wall [kra'val] <-s, -e> *der* Lärm, Krach *~ machen;* ~ **schlagen** randalieren *bei einer Demonstration ~ machen*

Kra·wat·te [kra'vatə] <-, -n> *die (≈Schlips)* eine Art Stoffband, das sich Männer um den Hals binden *sich eine ~ umbinden*

Krawatte

kra·xeln ['kraksl̩n] <kraxelt, kraxelte, gekraxelt> *itr* <*sein*> (*umg* SD, ÖSTERR) klettern *auf einen Berg ~*

kre·a·tiv [krea'tiːf] <kreativer, kreativst-> *adj* einfallsreich, mit vielen Ideen *eine ~e Person* ***Wobi: Kreativität***

Kre·a·tur [krea'tuːɐ̯] <-, -en> *die* menschliches Wesen oder ein Tier *eine arme ~*

• **Kre·dit** [kre'diːt] <-(e)s, -e> *der* Geldanleihe *einen ~ bei der Bank aufnehmen, etw auf ~ kaufen*

• **Kre·dit·kar·te** <-, -n> *die* Karte, mit der man ohne Bargeld bezahlen kann *die ~ vorzeigen*

Krei·de ['kraidə] <-, -n> *die* weißer Stift, mit dem man an der Wandtafel schreibt *Der Lehrer schreibt mit ~ an die Tafel.*

krei·de·bleich <-, -> *adj* so weiß wie Kreide *vor Schreck ~ werden*

• **Kreis** [krais] <-es, -e> *der* **1.** runde Fläche oder Körper *sich im ~ aufstellen, einen ~ zeichnen* **2.** in der Umgebung von *im ~ Köln* **3.** Gruppe von Freunden oder Verwandten *Sie feiert im ~ ihrer Familie.* ***Wobi: Bekannten-, Familien-, Freundes-***

krei·schen ['kraiʃn̩] <kreischt, kreischte, gekreischt> *itr* laute, schrille Töne produzieren *Die Alte kreischte wütend.*

krei·sen ['kraizn̩] <kreist, kreiste, gekreist> *itr* <*sein*> sich um eine Achse bewegen *Die Erde kreist um die Sonne.*

Kreiß·saal <-(e)s, -säle> *der* MED Raum im Krankenhaus, wo die Babys geboren werden *Ihre Frau ist schon im ~.*

Krem·pel ['krɛmpl̩] <-s> *kein pl der (umg pej)* nutzloses Zeug *Wozu brauchst du diesen ~?*

kre·pie·ren [kre'piːrən] <krepiert, krepierte, krepiert> *itr* <*sein*> (*umg!*) sterben *Die arme Kreatur musste ~.*

Kreuz [krɔyts] <-es, -e> *das* **1.** zwei sich schräg oder rechtwinklig schneidende Balken/Linien *Jesus ist am ~ gestorben.* **2.** unterer Teil des Rückens *aufs ~ fallen;* **jdn aufs ~ legen** *(umg)* jdn täuschen, betrügen *Er hat mich mächtig aufs ~ gelegt.;* **es im ~ haben** Rückenschmerzen haben *Die Oma hat's im ~.*

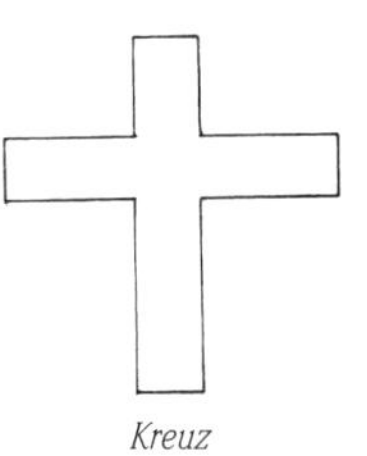

Kreuz

kreuz *adv* ~ **und quer** planlos, durcheinander *~ und quer in der Stadt herumlaufen*

• **Kreu·zung** <-, -en> *die* Stelle, an der zwei oder mehrere Straßen aufeinander treffen *an der ~ links abbiegen*

krib·beln ['krɪbl̩n] <kribbelt, kribbelte, gekribbelt> *itr* **jdm kribbelt es in den Händen** jd möchte etw unbedingt tun *Es kribbelt* *mir in den Händen, mal bei dir aufzuräumen.*

krie·chen [kriːçən] *itr* **1.** sich auf dem Boden fortbewegen *Schlangen ~* **2.** *(umg)* unterwürfig sein *Er kriecht vor seinem Chef.*

• **Krieg** [kriːk] <-(e)s, -e> *der (↔Frieden)* bewaffneter Kampf zwischen Staaten *~ führen gegen jdn, jdm den ~ erklären* ***Wobi: kriegerisch***

• **krie·gen** ['kriːgn̩] <kriegt, kriegte, gekriegt> *tr (umg)* [K] ***jd kriegt etw*** *akk* bekommen *einen Brief ~, ein Kind ~*

• **Kri·mi** ['krɪmi] <-s, -s> *der* spannende Geschichte über ein Verbrechen *einen ~ lesen* ***Komp: -nalfall, -nalfilm, -nalpolizei, -nalroman***

Kri·mi·na·li·tät [kriminali'tɛːt] <-> *kein pl die* Gesamtheit rechtswidriger Handlungen *die organisierte ~ bekämpfen* ***Wobi: kriminell, Kriminelle(r)***

Krims·krams ['krɪmskrams] <-(es)> *kein pl der (umg)* unnütze Dinge *immer nur ~ kaufen*

Krip·pe ['krɪpə] <-, -n> *die* **1.** Tagesstätte für Kinder bis drei Jahre *in die ~ gehen* **2.** Behälter für Tierfutter *im Wald eine ~ für die Rehe aufstellen*

• **Kri·se** ['kriːzə] <-, -n> *die* problematische Situation *eine ~ überwinden* ***Komp: Wirtschafts-***

Kri·te·ri·um [krit'eːri̯ʊm] <-s, -rien> *das* unterscheidendes Merkmal *das entscheidende ~*

• **Kri·tik** [kri'tiːk] <-, -en> *die* **1.** Beurteilung, wertende Analyse *die ~ über ein neues Buch lesen* **2.** Äußerung von Unzufriedenheit oder Tadel *~ an jdm/etw üben* ***Wobi: Kritiker***

• **kri·tisch** ['kriːtɪʃ] <kritischer, kritischst-> *adj* so, dass man etw streng beurteilt *ein ~er Mensch*

kri·ti·sie·ren [kriti'ziːrən] <kritisiert, kritisierte, kritisiert> *tr* [K] ***jd kritisiert jdn/etw*** *akk* jdn/etw negativ beurteilen *immer etw zu ~ haben*

kroch [krɔx] *prät von* **kriechen**

Kro·ne ['kroːnə] <-, -n> *die* goldener Kopfschmuck eines Königs/einer Königin *eine ~ tragen;* **einen in der ~ haben** *(umg)* zu viel Alkohol getrunken haben *Er hat einen in der ~.*

Krö·nung ['krønʊŋ] <-, -en> *die* **1.** Akt, jdn zum König zu machen *bei der ~ anwesend sein* **2.** Vollendung *Der Weltmeistertitel war die ~ seiner Karriere.*

Krü·cke ['krʏkə] <-, -n> *die* Gehhilfe *an ~n laufen*

Krug [kruːk] <-(e)s, Krüge> *der* bauchige Kanne *ein ~ Milch*

Krü·mel ['kryːml̩] <-s, -> *der* kleine Reste von Brot oder Kuchen *die ~ vom Tisch wischen*

krü·meln ['kryːml̩n] <krümelt, krümelte, gekrümelt> *itr* **1.** in kleine Stücke zerfallen *Der Kuchen krümelt.* **2.** beim Essen kleine Stücke Brot oder Kuchen verlieren *Krümel nicht so!*

krumm [krʊm] <krümmer, krümmst-> *adj (↔gerade)* gebogen, bogenförmig *ein ~er Rücken;* **keinen Finger ~ machen** *(umg)* faul sein, nicht helfen *Er macht keinen Finger ~ im Haushalt.*

Kü·bel ['kyːbl̩] <-s, -> *der* großer, runder Behälter/Eimer *einen ~ bepflanzen* ***Komp: Müll-, Pflanzen-***

• **Kü·che** ['kʏçə] <-, -n> *die* Raum, in dem man kocht *in die ~ gehen*

• **Ku·chen** ['kuːxn̩] <-s, -> *der* süßes Gebäck ~ *essen* ***Komp: Hefe-, Obst-***

Kuchen

Kud·del·mud·del ['kʊdl̩mʊdl̩] <-s> *kein pl das (umg)* großes Durcheinander *Es gab ein riesiges ~.*

Ku·gel ['kuːgl̩] <-, -n> *die* **1.** absolut runder Gegenstand *eine ~ rollen lassen* **2.** Geschoss *mehrere ~n abfeuern;* **eine ruhige ~ schieben** faulenzen *Er schiebt im Betrieb eine ruhige ~.*

ku·geln ['kuːgl̩n] <kugelt, kugelte, gekugelt> **I.** *itr* <*sein*> sich um sich selbst drehen und dabei vorwärts bewegen *Der Ball kugelte in die Ecke.* **II.** *refl* **sich ~** (*umg*) sehr lachen *Er hat sich gekugelt vor Lachen.*

ku·gel·rund ['kuːgl̩'rʊnt] <-, -> *adj (umg)* so rund wie eine Kugel, sehr dick *Er ist ~.*

• **Ku·gel·schrei·ber** <-, -> *der (≈Kuli)* Stift mit einer kleinen Kugel als Schreibspitze *mit einem ~ unterschreiben*

Kuh [kuː] <-, Kühe> *die* weibliches Rind *Kühe melken*

Kuh

• **kühl** [kyːl] <kühler, kühlst-> *adj* ein bisschen kalt *ein ~er Sommerabend, Mir wird ~.*

küh·len ['kyːlən] <kühlt, kühlte, gekühlt> *tr* [K] ***jd kühlt etw*** *akk* kälter machen *den Saft ~*

• **Kühl·schrank** <-(e)s, -schränke> *der* Gerät zum Frischhalten und Kühlen von Lebensmitteln/Getränken *die Butter in den ~ stellen*

kühn [kyːn] <kühner, kühnst-> *adj* sehr mutig *~e Vorstellungen haben* ***Wobi: Kühnheit***

Ku·lis·se [ku'lɪsə] <-, -n> *die* THEAT Dekoration auf der Bühne *vor einer einfachen ~ spielen;* **sich hinter den ~n abspielen** heimlich stattfinden *Das hat sich alles hinter den ~n abgespielt.*

• **Kul·tur** [kʊl'tuːɐ̯] <-, -en> *die* geistige und künstlerische Ausdrucksformen eines Volkes *eine hochentwickelte ~* ***Komp: -austausch***

Kum·mer ['kʊmɐ] <-s> *kein pl der* Ärger, Sorge *viel ~ mit jdm haben*

küm·mer·lich ['kʏmɐlɪç] <kümmerlicher, kümmerlichst-> *adj* karg, armselig, spärlich, schwächlich *ein ~er Lohn*

• **küm·mern** ['kʏmɐn] <kümmert, kümmerte, gekümmert> *refl* **1.** [K] ***jd kümmert sich*** *akk* ***um jdn/etw*** *akk* sorgen, versorgen *sich um das Kind ~* **2.** [K] ***jd kümmert sich*** *akk* ***um etw*** *akk* sich dafür einsetzen, dass etw geschieht *sich um die Theaterkarten ~;* **sich um seine eigenen Angelegenheiten ~** (*pej*) sich nicht für private Dinge anderer interessieren *K~ Sie sich um Ihre eigenen Angelegenheiten!*

Kum·pel ['kʊmpl̩] <-s, -(s)> *der (umg)* Freund, Arbeitskollege *ein guter ~ sein*

• **Kun·de, -din** ['kʊndə] <-n, -n> *der* Käufer *~n bedienen*

Kun·den·dienst <-(e)s, -e> *der* Hilfsangebot einer Firma bei Fragen und im Notfall *den ~ anrufen*

Kund·ge·bung <-, -en> *die* POL öffentliche Versammlung *eine ~ der Gewerkschaft*

• **kün·di·gen** ['kʏndɪgn̩] <kündigt, kündigte, gekündigt> *itr* einen Vertrag für beendet erklären *Ich habe gekündigt.*

Kün·di·gung <-, -en> *die* Beendigung eines Vertrages *Der Mitarbeiter hat die ~ eingereicht.*

Kụnd·schaft ['kʊntʃaft] <-> *kein pl die* Gesamtheit der Käufer *eine treue ~ haben*

kụ̈nf·tig ['kʏnftɪç] <-, -> *adj* so, dass es sich auf die Zukunft bezieht *das ~e Treffen*

• **Kụnst** [kʊnst] <-, Künste> *die* Oberbegriff für Malerei, Bildhauerei etc. *ein Liebhaber der ~ sein;* **mit seiner ~ am Ende sein** keinen Rat mehr wissen *Ich bin mit meiner ~ am Ende.;* **eine brotlose ~** eine Arbeit, bei der man kein oder nur wenig Geld verdient *Die Malerei ist eine brotlose ~.* ***Komp:** -galerie*

Kụnst·hand·lung <-, -en> *die* Geschäft für Kunstgegenstände *in einer ~ arbeiten*

• **Kụ̈nst·ler(in)** ['kʏnstlɐ] <-s, -> *der* jd, der ein Werk der Literatur/Malerei/Musik etc. schafft *ein moderner ~ sein*

• **kụ̈nst·lich** ['kʏnstlɪç] <-, -> *adj* nicht natürlich, unecht *~es Licht, einen Kranken ~ ernähren*

• **Kụnst·stoff** <-(e)s, -e> *der* chemisch hergestelltes Material *aus ~ sein*

Kụnst·werk <-(e)s, -e> *das* das, was ein Künstler gemacht hat *ein ~ bewundern*

kụn·ter·bunt ['kʊntɐ'bʊnt] <-, -> *adj* vielfarbig *ein ~es Kleid*

Kụp·pel ['kʊpl̩] <-, -n> *die* runde Erhebung über einem Dach *die bemalte ~ des Doms*

Kur [kuːɐ̯] <-, -en> *die* MED ärztlich verordneter Aufenthalt an einem Erholungsort *jdn zur ~ schicken* ***Wobi:** kuren, kurieren* ***Komp:** -gast, -haus, -ort*

Kür [kyːɐ̯] <-, -en> *die* SPORT Zusammenstellung von Übungen, besonders beim Eiskunstlauf *eine hervorragende ~*

Ku·rier [ku'riːɐ̯] <-s, -e> *der (≈Bote)* jd, der eine Nachricht/ein Paket überbringt *etw per ~ schicken* ***Komp:** -dienst*

ku·ri·os [kuri'oːs] <kurioser, kuriosest-> *adj* seltsam, merkwürdig *eine ~e Begegnung* ***Wobi:** Kuriosität*

• **Kụrs** [kʊrs] <-es, -e> *der* **1.** Lehrgang *einen ~ belegen* **2.** Preis für eine Währung *Dollar zum ~ von … kaufen, im ~ steigen/fallen*

• **Kụrs·buch** <-(e)s, -bücher> *das* **1.** Lehrbuch *das ~ aufschlagen* **2.** Verzeichnis von Fahrplänen für Bus und Eisenbahn *im ~ eine günstige Verbindung suchen*

• **Kụr·ve** ['kʊrvə] <-, -n> *die* Biegung einer Straße *nach der ~ rechts abbiegen;* **die ~ kratzen** *(umg)* unauffällig weggehen *Ich habe schon früh die ~ gekratzt.*

• **kụrz** [kʊrt͡s] <kürzer, kürzest-> *adj* **1.** *(↔lang)* für eine geringe Zeit *eine ~e Zeit* **2.** so, dass etw von geringer Länge ist *eine ~e Hose anziehen;* **etw ~ machen** etw nicht in allen Einzelheiten berichten *Mach's ~!;* **seit ~em** noch nicht lange *Wir kennen uns erst seit ~em.;* **~ und bündig** deutlich und ohne Umschweife *etw ~ und bündig erklären*

kụrz·är·me·lig <-, -> *adj* so, dass die Unterarme nicht bedeckt sind *eine ~e Bluse tragen*

kụ̈r·zen ['kʏrt͡sn̩] <kürzt, kürzte, gekürzt> *tr* [K] ***jd kürzt etw*** *akk* in der Länge reduzieren *die Hose ~*

kụr·zer·hạnd ['kʊrt͡sɐ'hant] *adv* direkt, spontan *~ eine Entscheidung treffen*

kụrz·fris·tig ['kʊrt͡sfrɪstɪç] <kurzfristiger, kurzfristigst-> *adj* sehr bald, innerhalb einer geringen Zeitdauer ~ *den Urlaub umplanen*

kụrz·le·big ['kʊrt͡sle:bɪç] <kurzlebiger, kurzlebigst-> *adj* *(↔langlebig)* so, dass es von geringer Dauer ist *Es war eine ~e Freundschaft.*

• **kụ̈rz·lich** ['kʏrt͡slɪç] *adv (≈neulich)* vor kurzer Zeit *Wir haben uns ~ getroffen.*

kụrz·sich·tig <kurzsichtiger, kurzsichtigst-> *adj* **1.** so, dass man nur alles Nahe scharf sehen kann und alles Weite unscharf sieht ~ *sein* **2.** *(↔weitsichtig)* so, dass man nicht an die Folgen denkt *eine ~e Entscheidung*

kụ·scheln ['kʊʃl̩n] <kuschelt, kuschelte, gekuschelt> *itr* sich gemütlich an jdn/in etw schmiegen *abends gerne ~*

kụ·schen ['kʊʃn̩] <kuscht, kuschte, gekuscht> *itr (umg)* ohne Protest tun, was befohlen ist *vor dem Chef ~*

• **Kuss** [kʊs] <-es, Küsse> *der* liebevolle Berührung mit den Lippen *jdm einen ~ geben* ***Komp: Abschieds-, Wangen-, Zungen-***

• **kụ̈s·sen** ['kʏsn̩] <küsst, küsste, geküsst> *tr* K ***jd küsst jdn*** einen Kuss geben *den Freund ~, jdn auf den Mund/auf die Wange ~*

• **Kụ̈s·te** ['kʏstə] <-, -n> *die* Land direkt am Meer, Ufer *an der ~ wohnen*

Kụt·sche ['kʊt͡ʃə] <-, -n> *die* Pferdewagen für Personen *mit einer ~ fahren* ***Komp: Pferde-***

Kụt·te ['kʊtə] <-, -n> *die* langer Mantel eines Mönchs *eine ~ tragen*

Kụt·ter ['kʊtɐ] <-s, -> *der* kleines Schiff *mit einem ~ aufs Meer fahren* ***Komp: Fisch-***

• **Ku·vert** [ku've:ɐ̯/ku'vəɐ̯] <-(e)s, -e/-s> *das* Briefumschlag *jdm ein verschlossenes ~ übergeben*

Kuvert

L

L, l [ɛl] <-, -> *das* der 12. Buchstabe des Alphabets *Das Wort ‚Leipzig' beginnt mit dem Buchstaben ~.*

la·bil [la'bi:l] **<labiler, labilst->** *adj* gesundheitlich oder psychisch schwach *ein ~er Mensch*

La·bor [la'bo:ɐ̯] **<-s, -s/(-e)>** *das* Raum für medizinische/chemische etc. Arbeiten oder Versuche *Blut im ~ untersuchen lassen* ***Wobi: Laborant(in)***

• **lä·cheln** ['lɛçl̩n] **<lächelt, lächelte, gelächelt>** *itr* mit den Lippen zeigen, dass man sich freut oder dass man etw lustig findet *freundlich/vergnügt ~*

• **la·chen** ['laxn̩] **<lacht, lachte, gelacht>** *itr* Laute produzieren, die zeigen, dass man sich freut oder dass man etw lustig findet *aus vollem Halse ~, über einen Witz ~;* (**bei jdm**) **nichts zu ~ haben** *(umg)* sehr streng behandelt werden *Sie hat bei ihm nichts zu ~.*

lä·cher·lich ['lɛçɐlɪç] **<lächerlicher, lächerlichst->** *adj* so, dass man es nicht ernst nehmen kann *eine ~e Situation;* **jdn ~ machen** jdn so darstellen, dass über ihn gelacht wird *Er hat mich vor allen ~ gemacht.* ***Wobi: Lächerlichkeit***

Lack [lak] **<-(e)s, -e>** *der* etw, das man zum Schutz auf eine Fläche streicht *Holz mit ~ bearbeiten, Der ~ glänzt.* ***Komp: -farbe, Auto-, Nagel-***

La·ckel ['lakl̩] **<-s, ->** *der (umg* ÖSTERR*)* Tölpel *Er ist ein richtiger ~.*

la·ckie·ren [la'ki:rən] **<lackiert, lackierte, lackiert>** *tr* [K] ***jd lackiert etw*** *akk* Lack auf einer Fläche verteilen *die Fingernägel rot ~, das Auto ~*

• **La·den** ['la:dn̩] **<-s, Läden>** *der* Geschäft *In diesem ~ gibt's immer frisches Obst.;* **den ~ schmeißen** *(umg)* die Arbeit erledigen/organisieren *Sie schmeißt den ganzen ~ allein.;* **den** (**ganzen**) **~ hinschmeißen** *(umg)* aufgeben, mit etw aufhören *Am liebsten würde ich den ganzen ~ hinschmeißen.* ***Komp: -inhaber, -kasse, -tür, Buch-, Schreibwaren-***

la·den ['la:dn̩] **<lädt, lud, geladen>** *tr* **1.** [K] ***jd lädt etw*** *akk* etw in ein Fahrzeug tun *Säcke auf einen Lastwagen ~* **2.** DV [K] ***jd lädt etw*** *akk* eine Datei/ein Progamm aktivieren, so dass man damit arbeiten kann *eine Datei ~* **3.** [K] ***jd lädt etw*** *akk* (EL: ≈*aufladen*) machen, dass elektrischer Strom in etw hineinkommt *einen Akku ~*

La·den·schluss **<-es, -schlüsse>** *pl selten der (≈Geschäftsschluss)* Zeit, zu der ein Geschäft geschlossen wird *etw noch kurz vor ~ einkaufen*

La·dung **<-, -en>** *die* Ware z. B. auf einem LKW oder Schiff *eine ~ Kartoffeln transportieren*

lag [la:k] *prät von* **liegen**

• **La·ge** ['la:gə] **<-, -n>** *die* **1.** Situation *sich in einer schwierigen ~ befinden* **2.** Ort *ein Haus in guter ~ besitzen;* **Herr der ~ sein** die Kontrolle über eine Situation haben *Er ist meistens Herr der ~.;* **nach ~ der Dinge** in der jetzigen Situation *Nach ~ der Dinge wird es für uns* *schwierig.;* **sich in jds ~ versetzen** sich vorstellen, wie jd fühlt oder denkt *Versetz dich mal in seine ~, dann würdest du ebenso handeln!;* **zu etw in der ~ sein** zu etw fähig sein *Dazu bin ich nicht in der ~.*

La·ger ['la:gɐ] <-s, -> *das* **1.** Unterkunft im Freien, z. B. in einem Zelt *ein ~ aufschlagen* **2.** Raum zur Aufbewahrung von Waren *das ~ räumen;* **etw auf ~ haben** etw vorrätig haben *Diesen Schrank haben wir leider nicht auf ~, den müssen Sie bestellen.;* **etw auf ~ haben** spontan etw zu sagen oder zu zeigen wissen *immer einen Witz auf ~ haben*

La·ger·feu·er <-s, -> *das* Feuer im Freien, das man macht, um sich zu wärmen oder um Essen zu kochen *abends um das ~ sitzen und singen*

la·gern ['la:gɐn] <lagert, lagerte, gelagert> **I.** *tr* [K] ***jd lagert etw** akk* an einem bestimmten Ort sammeln und dort lassen, bis man es braucht oder verkauft; aufbewahren *Getreide ~* **II.** *itr* [K] ***etw lagert irgendwo*** irgendwo aufbewahrt sein *In der Scheune lagert Getreide.*

lahm [la:m] <lahmer, lahmst-> *adj* **1.** bewegungsunfähig *ein ~es Bein haben* **2.** *(umg)* erschöpft, müde *von der Wanderung ganz ~ sein;* **etw ~ legen** blockieren *Der Schneesturm legte den Verkehr ~.*

läh·men ['lɛ:mən] <lähmt, lähmte, gelähmt> *tr* [K] ***etw lähmt jdn*** machen, dass sich jd nicht bewegen kann *vor Schreck wie gelähmt sein*

Laie ['la̲i̯ə] <-n, -n> *der (↔Spezialist, Fachmann)* jd, der keine Fachkenntnisse besitzt *Ich bin nur ein ~, fragen Sie lieber einen Fachmann!* ***Wobi:** laienhaft*

La·ken ['la:kn̩] <-s, -> *das* Betttuch *ein sauberes ~ aufziehen*

lal·len ['lalən] <lallt, lallte, gelallt> *itr* nicht oder nicht mehr richtig sprechen können *Das Baby lallt., Der Betrunkene lallt.*

La·met·ta [la'mɛta] <-s> *kein pl das* dünne silberne Fäden als Christbaumschmuck *den Christbaum mit ~ und Kugeln schmücken*

Lamm [lam] <-(e)s, Lämmer> *das* das Junge des Schafes *Die Schafe haben Lämmer bekommen.* ***Komp:** Oster-*

• **Lam·pe** ['lampə] <-, -n> *die* elektrisches Gerät, das Licht gibt *die ~ anmachen*

Lampe

Lam·pen·fie·ber <-> *kein pl das* Aufregung/Angst vor dem Auftritt/einer Prüfung etc. *~ haben*

• **Land** [lant] <-(e)s, Länder> *das* **1.** Erdboden *fruchtbares ~* **2.** *(↔Stadt)* Gegend, in der wenig Menschen wohnen *auf dem ~ wohnen* **3.** Staat *Aus welchem ~ kommst du?* **4.** Bundesland *die Länder Niedersachsen und Schleswig-Holstein;* **kein ~ sehen** *(umg)* nicht wissen, wie man mit Problemen oder mit der Arbeit fertig werden soll *vor lauter Arbeit kein ~ sehen* ***Komp:** -esgrenze, -eshauptmann, -eshauptstadt, -strich, Bundes-, Nachbar-*

land·ein·wärts [lant'ʔa̲i̯nvɛrt̮s] *adv* ins Innere des Landes *~ fahren*

• **lan·den** ['landn̩] <landet, landete, gelandet> *itr* <*sein*> **1.** (mit dem Flugzeug) wieder den Boden berühren *Wir werden in wenigen Minuten ~.* **2.** *(umg)* enden *im Gefängnis ~* ***Wobi:** Landung*

Land·kar·te <-, -n> *die* grafische Darstellung eines Landes oder mehrerer Länder *das Reiseziel auf der ~ suchen*

Landkarte

lạnd·lich ['lɛntlɪç] <ländlicher, ländlichst-> *adj (↔städtisch)* kaum bewohnt, bäuerlich *in einer ~en Gegend wohnen*

• **Lạnd·schaft** ['lantʃaft] <-, -en> *die* ein Gebiet mit allem, was für dieses Gebiet typisch ist *eine schöne/hügelige/malerische ~* ***Wobi:*** *landschaftlich* ***Komp:*** *-smaler, -smalerei, Gebirgs-, Küsten-*

lạnd·schaft·lich <-, -> *adj* so, dass es die Landschaft betrifft *ein ~ sehr schönes Gebiet, die ~e Schönheit dieser Gegend bewundern*

Lạnd·stra·ße ['lantʃtraːsə] <-, -n> *die* Straße außerhalb von Städten und Ortschaften *auf ~n fahren*

> *Landtag*
> Die Volksvertretungen heißen in den Bundesländern Deutschlands und Österreichs ‚Landtag', nur in Hamburg und Bremen heißt es ‚Bürgerschaft', in Berlin ‚Abgeordnetenhaus'. Die regionalen Volksvertretungen in der Schweiz heißen je nach Kanton ‚Kantonsrat', ‚Großer Rat' oder ‚Landrat'.

Lạnd·tag <-(e)s, -e> *der* Bezeichnung des Parlaments eines deutschen Bundeslandes *Er ist Abgeordneter im ~.*

• **Lạnd·wirt·schaft** <-, -en> *die* das, was ein Bauer macht, z.B. Gemüse anbauen und Kühe und Schweine halten *in der ~ arbeiten* ***Wobi:*** *landwirtschaftlich*

• **lạng** [laŋ] <länger, längst-> **I.** *adj* **1.** *(↔kurz)* so, dass es sehr weit geht *eine ~e Straße* **2.** so, dass es viel Zeit braucht *ein ~es Gespräch;* **etw ~ und breit erklären** etw sehr genau erklären *Er hat mir ~ und breit den Weg erklärt.* **II.** *adv* verwendet, um die Dauer von etw auszudrücken *Es hat drei Tage ~ nur geregnet., sein ganzes Leben ~ arbeiten*

• **lạn·ge** ['laŋə] *adv* **1.** über eine größere Zeitdauer hinweg *Wir haben ~ nichts voneinander gehört.* **2.** *(umg)* bei weitem *Die Prüfung war ~ nicht so schwierig, wie ich gedacht hatte.;* **Es ist noch gar nicht ~ her, dass …** es liegt noch nicht sehr weit zurück, dass … *Es ist noch gar nicht ~ her, dass ich ihn gesprochen habe.;* **jd macht es nicht mehr ~** *(umg!)* jd wird bald sterben *Ich glaube, der macht es nicht mehr ~.*

• **Lạ̈n·ge** ['lɛŋə] <-, -n> *die* zeitliche oder räumliche ‚Größe' *Der Tisch hat eine ~ von 2,85 m.;* **etw in die ~ ziehen** verursachen, dass man mehr Zeit für etw braucht als nötig *Er hat die Versammlung wieder in die ~ gezogen.* ***Komp:*** *-ngrad*

Lạn·ge·wei·le ['laŋəvai̯lə] <-> *kein pl die* das Gefühl, dass man zu wenig zu tun hat oder das es zu wenig Interessantes zu tun gibt *~ haben*

lạng·fris·tig <längerfristig, -> *adj (↔kurzfristig)* so, dass etw eine längere Zeit dauert *eine ~e Beziehung*

lạng·jäh·rig <-, -> *adj* viele Jahre lang; so, dass es seit vielen Jahren besteht *~e Freunde, unser ~er Mitarbeiter*

Langlauf

Lạng·lauf <-(e)s> *kein pl der* eine Art des Skifahrens, bei der man auf einer meist flachen Strecke fährt *zum ~ nach Österreich fahren* ***Wobi:*** *Langläufer(in)*

lạng·le·big <langlebiger, langlebigst-> *adj (↔kurzlebig)* von Dauer *ein ~es Produkt*

lạ̈ngs [lɛŋs] *präp +gen* entlang *~ des Rheins*

• **lạng·sam** ['laŋzaːm] <langsamer, langsamst-> **I.** *adj (↔schnell)* mit geringer Geschwindigkeit *~ fahren* **II.** *adv* allmählich, endlich *L~ verstehe ich dich!*

Lạng·schlä·fer(in) <-s, -> *der (↔Frühaufsteher)* jd, der gern lange schläft *ein richtiger ~ sein*

lạ̈ngst [lɛŋst] *adv* schon lange, vor langer Zeit *Ich habe mich schon ~*

bei ihm entschuldigt., etw schon ~ wissen

lang·wei·len ['laŋvajlən] <langweilt, langweilte, gelangweilt> **I.** *tr* K *etw/jd langweilt jdn* für jdn uninteressant sein *Das Buch langweilt jeden, der es liest.* **II.** *refl* K *jd langweilt sich akk* nichts Interessantes zu tun haben *Sobald er allein ist, langweilt er sich.*

• **lang·wei·lig** ['laŋvajlɪç] <langweiliger, langweiligst-> *adj* uninteressant *einen ~en Film anschauen*

lang·wie·rig ['laŋviːrɪç] <langwieriger, langwierigst-> *adj* so, dass etw lange dauert *eine ~e Krankheit*

Lap·pen ['lapn̩] <-s, -> *der* Stück Stoff *die Schuhe mit einem weichen ~ polieren;* **jdm durch die ~ gehen** *(umg)* etw nicht bekommen *Das Geld ist uns durch die ~ gegangen.*

Lap·top ['lɛptɔp] <-s, -s> *der* (DV: ≈*Notebook*) tragbarer Computer *auf die Dienstreise einen ~ mitnehmen*

Laptop

• **Lärm** [lɛrm] <-(e)s> *kein pl der* Krach, lautes Geräusch *Was ist denn das für ein ~?;* **viel ~ um nichts machen** *(umg)* verwendet, um auszudrücken, dass über eine unwichtige Sache viel geredet wird *Sie macht häufig viel ~ um nichts.* **Wobi:** *lärmen* **Komp:** *-belästigung, -schutz*

las [laːs] *prät von* **lesen**

lasch [laʃ] <lascher, laschest-> *adj* **1.** *(umg)* nachgiebig, nicht konsequent, weich *Sie erziehen ihre Kinder zu ~.* **2.** *(umg)* schlecht gewürzt, fade *Das Essen schmeckt ~.*

L

• **las·sen** ['lasn̩] <lässt, ließ, gelassen/lassen> *tr* **1.** K *jd lässt jdn etw akk tun* zulassen, erlauben, dulden *die Tochter zur Disko gehen ~* **2.** K *jd lässt [jdn] etw akk tun* veranlassen, dass jd etw tut *den Anzug reinigen ~, die Haushaltshilfe die Wohnung putzen ~;* **Lass(t) uns gehen!** Aufforderung, gemeinsam loszugehen *Mir ist kalt, lasst uns gehen!;* **die Dinge ~, wie sie sind** nichts verändern *Wir sollten die Dinge ~, wie sie sind.;* **etw ~** etw nicht tun *L~ Sie das!, Dann ~ wir's eben!;* **Tu, was du nicht ~ kannst!** Mach, was du willst, auch wenn ich nicht damit einverstanden bin. *Du willst in die Kneipe gehen? Tu, was du nicht ~ kannst!*

läs·sig ['lɛsɪç] <lässiger, lässigst-> *adj* locker, leger *sich ~ kleiden*

Las·so ['laso] <-s, -s> *der/das* langes, dickes Seil, das sich zu einer Schlinge zusammenziehen lässt *das Pferd mit einem ~ einfangen*

Lasso

Last [last] <-, -en> *die* **1.** schwerer Gegenstand *eine schwere ~ heben* **2.** (auch finanzielle) Belastung *jdm zur ~ fallen, steuerliche ~en* **3.** das, was jdn seelisch belastet *die ~ der Verantwortung, eine schwere ~ tragen*

las·ten ['lastn̩] <lastet, lastete, gelastet> *itr* seelisch/psychisch schwer drücken *Alle Verantwortung lastet auf mir.*

Las·ter ['lastɐ] <-s, -> *das* ein Verhalten, das in einer Kultur nicht erwünscht ist *Rauchen, Trinken und andere ~*

Läs·ter·maul <-(e)s, -mäuler> *das (umg pej)* jd, der schlecht über jdn/etw redet *Du bist ein richtiges ~!*

läs·tern ['lɛstɐn] <lästert, lästerte, gelästert> *itr (umg)* negative Bemerkungen über jdn/etw machen *über jds Aussehen ~*

läs·tig ['lɛstɪç] <lästiger, lästigst-> *adj* störend *Abwaschen ist eine ~e Pflicht.;* **jdm ~ sein** jdn stören *Er wird mir langsam ~: Jeden*

Tag ruft er an.

• **Last·kraft·wa·gen** <-s, -/(-wägen)> *der* LKW; großes Fahrzeug, mit dem man Waren transportiert *einen ~ fahren*

la·tent [la'tɛnt] <latenter, latentest-> *adj* so, dass man etw kaum bemerkt *eine ~e Abneigung gegen jdn haben*

Laterne

La·ter·ne [la'tɛrnə] <-, -n> *die* Straßenlampe *unter einer ~ stehen* ***Komp:** -npfahl*

lat·schen ['la:tʃn̩] <latscht, latschte, gelatscht> *itr* <*sein*> (*umg*) herumlaufen *stundenlang durch die Stadt ~*

Lat·te ['latə] <-, -n> *die* schmales Brett *einen Zaun aus ~n bauen;* **eine ganze ~ von etw** eine große Anzahl an etw *Er hat eine ganze ~ von Büchern zu Hause.*

Laub [laup] <-(e)s> *das kein pl* die Blätter, die im Herbst von den Bäumen fallen *im Herbst das ~ zusammenrechen* ***Komp:** -baum*

Lau·be ['laubə] <-, -n> *die* Gartenhäuschen *im Sommer in der ~ wohnen*

lau·ern ['lauɐn] <lauert, lauerte, gelauert> *itr* jdn/etw beobachten und angespannt warten *Der Löwe lauert auf seine Beute.*

Lauf [lauf] <-(e)s, Läufe> *der* SPORT das Laufen als sportlicher Wettkampf *der ~ über 10.000 Meter, Zum ~ über 400 Meter treten sechs Athleten an.;* **den Dingen ihren ~ lassen** abwarten und nichts tun *Lassen wir den Dingen ihren ~!;* **seinen Gefühlen freien ~ lassen** seine Gefühle offen zeigen *Er lässt seinen Gefühlen immer freien ~.;* **im ~e des Gesprächs** während des Gesprächs *im ~ des Gesprächs etw erfahren* ***Komp:** Dauer-*

• **lau·fen** ['laufn̩] <läuft, lief, gelaufen> **I.** *itr* <*sein*> **1.** sich sehr schnell vorwärts bewegen, rennen *im Training 30 Minuten ~, bei der Olympiade eine Rekordzeit ~* **2.** zu Fuß gehen *ein bisschen durch die Stadt ~, nicht mit dem Auto fahren, sondern ~, Der Hund läuft über die Straße.* **3.** funktionieren *Die Uhr läuft wieder.* **4.** an sein *Das Wasser läuft ständig.;* **jds Nase läuft** Flüssigkeit fließt aus der Nase *Ich habe Schnupfen – meine Nase läuft den ganzen Tag.;* **Was läuft im Kino?** Welcher Film wird im Kino gezeigt? *Kannst du mir sagen, was gerade im Kino läuft?;* **Wie läuft es?** Wie geht es? (z. B. mit der Arbeit) *Und, wie läuft es so? – Danke, es läuft gut.* **II.** *refl* **sich eine Blase am Fuß ~** eine Blase bekommen *Ich habe mir auf der Wanderung eine Blase gelaufen.;* **sich warm ~** beim Sport vor dem Wettkampf die Muskeln erwärmen *sich mehrere Runden warm ~*

lau·fend <-, -> *adj* **1.** diese(-r, -s), jetzige(-r, -s) *im ~en Jahr/Monat* **2.** ständig *Bitte rede nicht ~ dazwischen!;* **auf dem L~en sein/bleiben** aktuell und gut informiert sein *immer auf dem L~en sein;* **jdn auf dem L~en halten** jdm die aktuellsten Informationen geben *Halt mich auf dem L~en!*

• **Lauf·werk** <-(e)s, -e> *das* DV der Teil eines Computers, in den man Disketten oder CD-ROMs steckt *die Diskette in das ~ stecken* ***Komp:** Disketten-, CD-ROM-*

• **Lau·ne** ['launə] <-, -n> *die* Stimmung, Gefühlssituation *schlechte ~ haben;* **jdn bei ~ halten** sich bemühen, jds gute Stimmung zu erhalten *Man muss ihn nur bei ~ halten, dann kommt man gut mit ihm aus.*

lau·nisch ['launɪʃ] <launischer, launischst-> *adj (pej)* so, dass man sehr schnell seine Stimmungen wechselt *Sie ist ein ~er Mensch.*

lau·schen ['laʊ̯ʃn̩] <lauscht, lauschte, gelauscht> *itr* **1.** *(geh)* aufmerksam zuhören *klassischer Musik ~* **2.** heimlich zuhören *an der Tür ~*

Laut [laʊ̯t] <-(e)s, -e> *der* Ton *keinen ~ von sich geben*

• **laut**[1] [laʊ̯t] <lauter, lautest-> *adj (↔leise)* deutlich zu hören *mit ~er Stimme, ~ lesen;* **L~er!** Aufforderung an Redner, mit höherer Lautstärke zu sprechen *L~er bitte, man kann in der letzten Reihe nichts mehr hören!;* **etw nicht ~ sagen** etw nicht öffentlich sagen *Das solltest du besser nicht ~ sagen.;* **~ werden** losschreien *Musst du denn immer gleich ~ werden?*

• **laut**[2] [laʊ̯t] *präp* wie es irgendwo steht oder es jd gesagt hat, gemäß *L~ Wetterbericht wird es heute noch regnen.*

lau·ten ['laʊ̯tn̩] <lautet, lautete, gelautet> *itr* besagen, heißen, sein *Die Anklage lautet auf Mord., Meine Adresse lautet ...*

• **läu·ten** ['lɔy̯tn̩] <läutet, läutete, geläutet> *itr* klingeln *Hat es nicht eben an der Tür geläutet?*

laut·los ['laʊ̯tlo:s] <-, -> *adj* so, dass es kein Geräusch macht *sich ~ aus dem Zimmer entfernen*

• **Laut·spre·cher** <-s, -> *der* das Gerät am Radio oder an einer Hi-Fi-Anlage, durch das man die Töne hört *die ~ der Stereoanlage* ***Komp:*** *-anschluss, -kabel*

Lautsprecher

Laut·stär·ke <-, -n> *die* die Intensität von Tönen *am Radio die ~ einstellen*

lau·warm ['laʊ̯varm] <-, -> *adj* mäßig warm *~e Milch trinken, ~es Wasser*

La·va·bo [la'va:bo] <-(s), -s> *das* (CH) Waschbecken *das ~ reinigen*

La·wi·ne [la'vi:nə] <-, -n> *die* **1.** eine große Masse Schnee, die einen Berg hinabrutscht *unter einer ~ begraben werden* **2.** *(umg)* eine große Menge von etw *Der Artikel löste eine ~ von Leserbriefen aus.* ***Komp:*** *-ngefahr*

• **Le·ben** ['le:bn̩] <-s, -> *das* **1.** der Zeitraum von der Geburt bis zum Tod *jdm ein langes ~ wünschen, nach einem erfüllten ~ sterben* **2.** die Art und Weise, in der jd lebt *ein schweres/sorgenfreies ~* **3.** der Zustand, dass sich viele Menschen an einem bestimmten Ort aufhalten *Auf den Straßen herrscht viel/reges ~.* **4.** alles, was jd erlebt und die Art, wie es ihn beeinflusst *mit dem ~ fertig werden, das ~ meistern;* **jdm das ~ zur Hölle machen** jdm große Schwierigkeiten machen *Der Chef macht ihm das ~ zur Hölle.;* **am ~ bleiben/sein** überleben/überlebt haben *Sie ist trotz schwerer Verletzungen am ~ geblieben.;* **~ in die Bude bringen** *(umg)* fröhliche Stimmung verbreiten *Sie hat richtig ~ in die Bude gebracht.;* **sich das ~ nehmen** Selbstmord begehen *Er hat sich aus Verzweiflung das ~ genommen.;* **etw ins ~ rufen** mit einer Sache beginnen *eine Organisation ins ~ rufen;* **etw für sein ~ gern haben/tun** etw sehr gern haben/tun *Diese Torte esse ich für mein ~ gern.*

• **le·ben** ['le:bn̩] <lebt, lebte, gelebt> *itr* **1.** [K] ***jd lebt*** existieren, auf der Welt sein *Das Unfallopfer hat noch drei Stunden gelebt.* **2.** [K] ***jd lebt irgendwo*** wohnen, an einem Ort sein *Der Künstler lebt in München.* **3.** [K] ***jd lebt irgendwie*** das Leben in einer bestimmten Weise führen *Er kann von seinem Einkommen gut leben.;* **~ und**

L

~ **lassen** seine eigenen Dinge tun und andere tolerieren *Sein Motto ist: L~ und ~ lassen.*

- **le·bẹn·dig** [le'bɛndɪç] <lebendiger, lebendigst-> *adj* **1.** nicht tot ~ *sein* **2.** munter, temperamentvoll *ein ~es Wesen haben* ***Wobi:* *Lebendigkeit***

Le·bens·a·bend <-s> *kein pl der* Alter *seinen ~ im Altenheim verbringen*

- **Le·bens·ge·fahr** <-> *kein pl die* Situation, die das Leben bedroht *sich in ~ begeben, außer ~ sein, in ~ schweben* ***Wobi:* *lebensgefährlich***

Le·bens·ge·fähr·te, -tin <-n, -n> *der* Partner, mit dem man ein gemeinsames Leben führt (ohne verheiratet zu sein) *Er ist ihr ~.*

le·bens·läng·lich <-, -> *adj (≈lebenslang)* das gesamte (weitere) Leben dauernd ~ *im Gefängnis sitzen, eine ~e Strafe verbüßen*

Lebenslauf
Lebensläufe für Bewerbungen schreibt man normalerweise nicht mit der Hand. Die einzelnen wichtigen Punkte des eigenen Lebens werden in Tabellenform aufgelistet.

Le·bens·lauf <-(e)s, -läufe> *der* Darstellung der wichtigsten Lebensstationen und -daten *Bitte legen Sie Ihrer Bewerbung einen tabellarischen ~ bei.*

- **Le·bens·mit·tel** <-s, -> *meist pl das* Produkte für die Ernährung: Milch, Brot, Butter etc. ~ *einkaufen* ***Komp:* *-geschäft***

le·bens·mü·de <-, -> *adj* so, dass man nicht mehr leben möchte ~ *sein*

Le·bens·stan·dard <-s, -s> *der* Qualität/Art und Weise, wie man lebt *ein hoher/niedriger ~*

Le·bens·un·ter·halt <-(e)s, -e> *pl selten der* Kosten für die lebensnotwendigen Dinge *sich seinen ~ selbst verdienen*

Le·be·we·sen <-s, -> *das* alles, was lebt *ein menschliches ~, die ~ des Meeres*

Le·be·wohl [le:bə'vo:l] <-(e)s, -s/-e> *das* **jdm ~ sagen** sich verabschieden *dem Freund ~ sagen*

leb·haft ['le:phaft] <lebhafter, lebhaftest-> *adj* temperamentvoll, munter, voller Leben *Ihr habt aber ~e Kinder!, Es geht hier recht ~ zu.;* **~e Farben** kräftige Farben *ein Kleid mit ~en Farben;* **sich etw ~ vorstellen können** sich etw genau vorstellen können *Ich kann mir ~ vorstellen, wie es dir jetzt geht.*

Leb·ku·chen ['le:pku:xn̩] <-s, -> *der (≈Pfefferkuchen)* ein besonders gewürztes Gebäck, das man vor allem in der Weihnachtszeit isst ~ *backen, Nürnberger ~*

lẹ·cken[1] ['lɛkn̩] <leckt, leckte, geleckt> *itr* undicht sein, ein Loch haben *Das Boot leckt.* ***Wobi:* *Leck***

lẹ·cken[2] ['lɛkn̩] <leckt, leckte, geleckt> *tr* [K] *jd leckt etw akk* mit der Zunge über etw fahren *ein Eis ~, sich die Lippen ~*

lẹ·cker ['lɛkɐ] <leckerer, leckerst-> *adj (umg)* köstlich; so, dass es gut schmeckt *ein ~es Essen bereiten*

Lẹ·cker·bis·sen <-s, -> *der* besonders köstliche Speise *Diese Praline ist ein echter ~!*

- **Le·der** ['le:dɐ] <-s, -> *das* **1.** bearbeitete Tierhaut vom Schwein, Rind etc. *Schuhe aus echtem ~* **2.** (SPORT: *umg*) Fußball *am ~ bleiben;* **zäh wie ~** so, dass man starke Nerven hat und viel aushält *Sie ist zäh wie ~.* ***Komp:* *-hose, -jacke, -schuhe, Rinds-, Wild-***
- **le·dig** ['le:dɪç] <-, -> *adj (↔verheiratet)* unverheiratet *noch ~ sein*

le·dig·lich ['le:dɪklɪç] *adv* nur *Ich wollte Sie ~ fragen, ob …*

• **leer** [le:ɐ̯] <-, -> *adj* **1.** nicht oder nur wenig gefüllt *ein ~es Stadion, die ~e Flasche* **2.** unbeschrieben *ein ~es Blatt Papier;* **~e Versprechungen** Versprechungen, die nicht eingehalten werden *~e Versprechungen machen;* **~ ausgehen** nichts abbekommen *Er ist mal wieder ~ ausgegangen!;* **~ stehen** ohne Bewohner sein *Das Haus steht schon lange ~.;* **wie ~ gefegt sein** ohne Menschen sein *Die Straßen waren wie ~ gefegt.*

lee·ren ['le:rən] <leert, leerte, geleert> *tr* K ***jd leert etw** akk* den Inhalt aus etw herausnehmen *den Mülleimer/den Briefkasten ~* ***Wobi:* Leerung**

le·gal [le'ga:l] <-, -> *adj (↔illegal)* rechtmäßig *eine ~e Handlung* ***Wobi:* legalisieren**

• **le·gen** ['le:gn̩] **I.** *tr* K ***jd legt etw** akk **irgendwohin*** an einen bestimmten Platz tun *ein Buch auf den Tisch ~* **II.** *refl* K ***jd legt sich** akk **irgendwohin*** den Körper flach auf den Boden, das Bett etc. bringen *sich ins Bett ~, sich in die Sonne ~*

Le·gen·de [le'gɛndə] <-, -n> *die (≈Sage)* traditionelle Erzählung *eine ~ erzählen*

Le·gis·la·ti·ve [legɪsla'ti:və] <-, -n> *die* gesetzgebende Gewalt *Die ~ beschließt die Gesetze.*

le·gi·tim [legi'ti:m] <legitimer, legitimst-> *adj* rechtmäßig, anerkannt *ein ~er Anspruch* ***Wobi:* Legitimation**

Leh·ne ['le:nə] <-, -n> *die* Stütze für Rücken oder Arme bei Stühlen, Sesseln etc. *einen Stuhl mit verstellbarer ~ haben* ***Komp:* Arm-, Sessel-, Stuhl-**

Lehne

leh·nen ['le:nən] <lehnt, lehnte, gelehnt> **I.** *tr* K ***jd lehnt etw** akk **an etw** akk* so stellen, dass es nicht umfällt *das Fahrrad an die Wand ~* **II.** *itr* an etw gestützt stehen *Das Fahrrad lehnt am Zaun.* **III.** *refl* K ***jd lehnt sich** akk **an/gegen etw** akk* den Körper stützen *sich an den Schrank ~*

Lehr·buch <-(e)s, -bücher> *das* Buch, das Wissen über ein bestimmtes Thema vermittelt *ein ~ der Biologie*

• **Leh·re** ['le:rə] <-, -n> *die* **1.** Berufsausbildung *eine ~ als Verkäufer beginnen;* **in die ~ gehen** eine Berufsausbildung beginnen *beim Bäcker in die ~ gehen* **2.** Unterricht an einer Universität *~ und Forschung miteinander verbinden*

leh·ren ['le:rən] <lehrt, lehrte, gelehrt> *tr* K ***jd lehrt** [jdn] **etw** akk* unterrichten *Wirtschaftswissenschaft ~, Deutsch ~*

• **Leh·rer(in)** ['le:rɐ] *der* jd, der beruflich unterrichtet *Sie wollte schon immer ~in werden.* ***Komp:* Mathematik-, Nachhilfe-**

Lehr·gang <-(e)s, -gänge> *der (≈Kurs)* Fortbildung, Seminar *einen ~ besuchen*

Lehr·jahr <(e)s, -e> *das* Ausbildungsjahr *im ersten ~ sein*

• **Lehr·ling** ['le:ɐ̯lɪŋ] <-s, -e> *der (≈Auszubildende(r))* jd, der eine Berufsausbildung macht *~ sein*

Lehr·plan <-(e)s, -pläne> *der* ein Plan, der bestimmt, welche Themen in den einzelnen Schulfächern behandelt werden sollen *sich an den ~ halten*

Lehr·stel·le <-, -n> *die (≈Ausbildungsplatz)* Arbeitsplatz für einen Lehrling *sich um eine ~ bewerben*

Leib [laip] <-(e)s, -er> *der* der Körper eines Menschen *bei lebendi-*

gern ~e; **etw mit ~ und Seele sein** eine Sache sehr gern und deshalb sehr intensiv machen *Sie ist mit ~ und Seele Lehrerin.*

Leib·ge·richt <-(e)s, -e> *das* das, was jd am liebsten isst *Lecker, das ist mein ~!*

Leib·wäch·ter(in) <-s, -> *der* jd, der beruflich eine Person beschützt *die ~ des Präsidenten*

Lei·che ['la͜içə] <-, -n> *die* der Körper eines toten Menschen *im Wald eine ~ finden;* **über ~n gehen** *(pej)* rücksichtslos sein *Wenn es um ihre Karriere geht, geht sie über ~n.* ***Wobi: leichenblass***

• **leicht** [la͜içt] <leichter, leichtest-> **I.** *adj* **1.** *(↔schwer)* von geringem Gewicht *ein ~er Koffer* **2.** *(↔kompliziert, schwierig)* einfach *eine ~e Aufgabe;* ~ **gekleidet sein** dünne Kleidung tragen *wegen der Hitze nur ~ gekleidet sein* **II.** *adv* schnell *etw ~ vergessen;* **jdm ~ fallen** keine Schwierigkeiten bereiten *Rechnen fällt mir ~.;* **Etw ist ~ gesagt.** etw ist in Wirklichkeit nicht so einfach *Das ist ~ gesagt, aber ...*

Leicht·ath·le·tik <-> *kein pl die* Laufen, Springen, Werfen als sportliche Disziplinen *ein großer Fan der ~ sein* ***Wobi: Leichtathlet(in)***

leicht·gläu·big <leichtgläubiger, leichtgläubigst-> *adj* so, dass man jdn leicht täuschen kann *Sie ist sehr ~.* ***Wobi: Leichtgläubigkeit***

Leicht·sinn ['la͜içtzɪn] <-(e)s> *kein pl der* Gedankenlosigkeit, Unvorsichtigkeit *aus ~ handeln*

leicht·sin·nig ['la͜içtzɪnɪç] <leichtsinniger, leichtsinnigst-> *adj* gedankenlos, unvorsichtig *~ sein*

• **Leid** [la͜it] <-(e)s> *kein pl das* **1.** Sorgen, seelische Verletzung *viel ~ ertragen müssen* **2.** Schaden *jdm ~ zufügen/antun;* **jdm sein ~ klagen** jdm von seinem Ärger/Kummer erzählen *Sie klagt mir häufig ihr ~.;* **in Freud und ~** in guten und in schweren Zeiten *in Freud und ~ zu jdm stehen;* **jd tut jdm ~** jd hat Mitleid mit jdm *Du tust mir ~.;* **jdm tut etw ~** jd bedauert etw *Es tut mir ~, dass ich zu spät komme.;* **Tut mir ~.** Entschuldigung! *Tut mir ~, aber ich kann nichts daran ändern.*

Lei·den ['la͜idn̩] <-s, -> *das* Beschwerden, Krankheit *ein chronisches ~ haben*

• **lei·den** ['la͜idn̩] <leidet, litt, gelitten> **I.** *tr* [K] ***jd leidet etw*** *akk* ertragen müssen *Hunger ~;* ~ **können** mögen *Ich kann ihn nicht ~.* **II.** *itr* [K] ***jd leidet [an/unter etw*** *dat*] erdulden, ertragen müssen *an einer schweren Krankheit ~, unter einer strengen Erziehung ~*

Lei·den·schaft ['la͜idn̩ʃaft] <-, -en> *die* intensive Gefühle der Liebe/Lust *ein Ausbruch der ~;* **eine ~ für etw haben** regelmäßige sehr große Lust zu etw/etw zu tun *Ich habe eine ~ für gutes Essen.*

lei·den·schaft·lich <leidenschaftlicher, leidenschaftlichst-> *adj* von intensiven Gefühlen bewegt *ein ~er Mensch sein;* **etw ~ gern tun** etw sehr gern tun *Ich treibe ~ gern Sport.*

• **lei·der** ['la͜idɐ] *adv* unglücklicherweise, bedauerlicherweise *Ich muss jetzt ~ gehen.*

• **lei·hen** ['la͜iən] <leiht, lieh, geliehen> *tr* **1.** [K] ***jd leiht etw*** *akk* ***von jdm*** von jdm etw für eine Zeit nehmen und benutzen *Ich habe mir das Buch von ihm geliehen.* **2.** [K] ***jd leiht jdm etw*** *akk* jdm etw für eine Zeit geben und benutzen lassen *Ich habe ihm das Buch gelie-*

hen.

Leih·wa·gen <-s, -/-wägen> *der (≈Mietauto)* Auto, dass man gegen Geld für bestimmte Zeit nutzen kann *sich im Urlaub einen ~ nehmen*

Leim [la͜im] <-(e)s, -e> *der* Klebstoff *zum Basteln ~ brauchen;* **jdm auf den ~ gehen** *(umg)* betrogen werden *einem Taschendieb auf den ~ gehen;* **aus dem ~ gehen** *(umg)* auseinander fallen *Das Buch geht total aus dem ~.*

lei·men ['la͜imən] <leimt, leimte, geleimt> *tr* **1.** [K] *jd leimt etw akk* mit Klebstoff verbinden *den Stuhl ~* **2.** *(umg)* [K] *jd leimt jdn* hereinlegen *Jetzt hast du mich aber ganz schön geleimt!*

Lei·ne ['la͜inə] <-, -n> *die* **1.** eine lange Schnur, auf die man Wäsche zum Trocknen hängt *die Wäsche auf die ~ hängen* **2.** Band aus Leder, an dem man einen Hund führt *den Hund an die ~ nehmen* ***Wobi:*** *anleinen* ***Komp:*** *Hunde-, Wäsche-*

Lei·nen ['la͜inən] <-s> *kein pl das* grober Baumwollstoff *ein Kleid aus ~*

• **lei·se** ['la͜izə] <leiser, leisest-> *adj (↔laut)* so, dass es kaum zu hören ist *~e Musik, das Radio ~r stellen;* **nicht die ~ste Ahnung haben** absolut nichts wissen *Ich habe nicht die ~ste Ahnung, wo er ist.*

• **leis·ten** ['la͜istn̩] <leistet, leistete, geleistet> *tr* [K] *jd leistet etw akk* tun, machen *schwere körperliche Arbeit ~, gute Arbeit ~, erste Hilfe ~;* **jdm Beistand** ~ jdn unterstützen *Ich habe ihr in der schweren Zeit immer Beistand geleistet.;* **einen Eid** ~ einen Eid ablegen *Sie musste einen Eid ~.;* **jdm Gesellschaft** ~ bei jdm sein, jdn unterhalten *Sie hat mir gestern Gesellschaft geleistet.;* **sich etw** ~ Geld ausgeben, um sich einen Wunsch zu erfüllen *sich eine Weltreise ~, sich ein teures Hotel ~;* **sich etw nicht leisten können** nicht genügend Geld für etw haben *sich keine neuen Schuhe ~ können*

• **Leis·tung** ['la͜istʊŋ] <-, -en> *die* ausgeführte Arbeit, Tat *eine gute ~ bringen, die ~ der Maschine;* **nach ~ bezahlt werden** nach dem Ergebnis bezahlt werden *Die freien Mitarbeiter werden nach ~ bezahlt.*

leis·tungs·fä·hig <leistungsfähiger, leistungsfähigst-> *adj* **1.** tüchtig *ein ~er Mensch* **2.** produktiv, kräftig *eine ~e Maschine, der ~e Motor* ***Wobi:*** *Leistungsfähigkeit*

• **lei·ten** ['la͜itn̩] <leitet, leitete, geleitet> *tr* **1.** [K] *jd leitet jdn/etw akk* führen *eine Gruppe ~* **2.** [K] *jd leitet etw akk* für etw verantwortlich sein *einen Betrieb/ein Projekt ~*

leitend <-, -> *adj* führend *in ~er Stellung tätig sein, ~e(r) Angestellte(r)*

Lei·ter(in)[1] ['la͜itɐ] <-s, -> *der* Chef, verantwortliche Person *Wer ist der ~ dieser Abteilung?* ***Komp:*** *Abteilungs-, Geschäfts-, Vertriebs-*

Lei·ter[2] ['la͜itɐ] <-, -n> *die* eine Art Treppe, die man tragen kann *mit Hilfe der ~ auf das Dach steigen*

• **Lei·tung** ['la͜itʊŋ] <-, -en> *die* **1.** *(≈Management)* die Personen, die bestimmen, was in einer Firma/Abteilung gemacht wird *die ~ des Vertriebs* **2.** TELKOM Verbindung *Die ~ ist ständig besetzt.* **3.** TECH Kabel oder Rohr, das Gas, Strom oder Wasser transportiert *die ~ ist undicht/kaputt;* **unter der ~ von …** MUS Dirigent ist … *die Berliner Philharmoniker unter der ~ von …;* **eine lange ~ haben** *(umg)* sehr

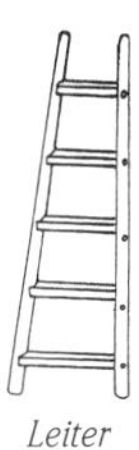

Leiter

lange brauchen, um etw zu verstehen *Er hat eine ziemlich lange ~.*
***Komp:** -swasser, Gas-, Strom-, Wasser-*

Lek·ti·on [lɛkˈt͡si̯oːn] <-, -en> *die* Kapitel in einem Lehrbuch *eine neue ~ beginnen;* **jdm eine ~ erteilen** mit jdm schimpfen *Sie hat ihm eine ~ erteilt.*

Lek·tü·re [lɛkˈtyːrə] <-, -n> *die* **1.** das, was man liest *auf die Reise genug ~ mitnehmen* **2.** das Lesen *Für die ~ habe ich zwei Stunden gebraucht.*

len·ken [ˈlɛŋkn̩] <lenkt, lenkte, gelenkt> *tr* **1.** K ***jd lenkt jdn/etw** akk* führen *die Diskussion in eine bestimmte Richtung ~* **2.** steuern *das Auto nach links/rechts ~;* **jds Aufmerksamkeit auf jdn/etw ~** jd auf etw besonders hinweisen *Darf ich Ihre Aufmerksamkeit auf dieses Gemälde ~?*

Lenker

Len·ker <-s, -> *der* Stange, die man beim Fahrrad-/Motorradfahren festhält *beide Hände am ~ haben*

Lenk·rad <-(e)s, -räder> *das* das Rad, das man beim Autofahren in der Hand hält *das ~ nach links drehen*

• **ler·nen** [ˈlɛrnən] <lernt, lernte, gelernt> **I.** *tr* K ***jd lernt etw** akk* Fähigkeiten/Fertigkeiten erwerben *eine Sprache ~, schwimmen ~;* **etw ~** eine Berufsausbildung als etw machen *Bäcker ~* **II.** *itr* sich Wissen aneignen *Wir haben auf dieser Reise viel gelernt.*

Le·se·buch <-(e)s, -bücher> *das* ein Schulbuch mit vielen Lesetexten *ein ~ für den Deutschunterricht*

• **le·sen** [ˈleːzn̩] <liest, las, gelesen> **I.** *tr* K ***jd liest etw** akk* geschriebene Wörter und Sätze aufnehmen *ein Buch ~* **II.** *itr* **1.** vorlesen *aus der Bibel ~* **2.** über einem Buch/einem Roman sitzen *stundenlang ~;* **Ein Buch liest sich gut/schlecht.** Ein Buch ist/ist nicht interessant. *Dieser Roman liest sich wirklich gut.*

le·ser·lich <leserlicher, -> *adj (↔unleserlich)* so, dass die Buchstaben deutlich zu erkennen sind *Bitte ~ schreiben!*

Le·se·saal <-(e)s, -säle> *der* Raum zum Lesen in der Universität/Bibliothek etc. *häufig im ~ lernen*

• **letz·te(-r, -s)** [ˈlɛt͡stə] <-, -> *adj* das Ende bildend, abschließend, endgültig *Sie ist die L~ in der Reihe., das ~e Mal;* **~n Endes** nach allem, was geschehen ist *L~n Endes hattest du Glück damit.;* **~ Meldungen/Nachrichten** die aktuellsten Meldungen/Nachrichten *Und hier die ~n Meldungen vom Tage.;* **an ~r Stelle liegen** beim Sport den schlechtesten Platz haben *Er lag noch nie an ~r Stelle.;* **in den ~n Zügen liegen** fast fertig sein *Ich liege mit der Arbeit in den ~n Zügen.;* **jdn wie den ~n Dreck behandeln** *(umg!)* jdn sehr schlecht/unwürdig behandeln *Er hat sie wie den ~n Dreck behandelt.*

letz·tens [ˈlɛt͡stn̩s] *adv* vor kurzem, neulich *Wir sind uns ~ in der Stadt begegnet.*

leuch·ten [ˈlɔy̯çtn̩] <leuchtet, leuchtete, geleuchtet> *itr* **1.** glänzen, strahlen *Immer wenn er sie sieht, ~ seine Augen.* **2.** Licht ausstrahlen *Nachts ~ die Sterne., Die Lampe leuchtet hell.*

Leuchtturm

Leucht·turm <-(e)s, -türme> *der* Turm an der Küste, der Schiffen Lichtsignale gibt *in der Ferne einen ~ sehen*

leug·nen [ˈlɔy̯gnən] <leugnet, leugnete, geleugnet> *tr* K ***jd leugnet, etw** akk **getan zu haben*** behaupten, dass man etw nicht getan hat, was man in Wirklichkeit doch getan hat *Sie leugnet, dass sie ihn getroffen hat.*

- **Leu·te** ['lɔy̯tə] <-> *kein sing pl* **1.** (die) Menschen *viele ~ treffen* **2.** die Menschen in jds Umgebung *Er will nicht, dass die ~ über ihn reden.;* **etw unter die ~ bringen** überall erzählen, verbreiten *ein Gerücht unter die ~ bringen*

Le·xi·kon ['lɛksikɔn] <-s, -ka> *das* **1.** ein Nachschlagewerk mit Sachinformationen zu vielen Begriffen *etw im ~ nachschlagen* **2.** *(umg)* Wörterbuch *ein Wort im ~ suchen* ***Komp:* *Fremdsprachen-***

- **li·be·ral** [libe'ra:l] <liberaler, liberalst-> *adj* **1.** für den Liberalismus, z.B. für die Freie Demokratische Partei (FDP) *eine ~e Weltanschauung haben, Mitglied der ~en Partei sein* **2.** offen, tolerant *Sie erziehen ihre Kinder sehr ~.* ***Wobi:* *liberalisieren, Liberalisierung***

- **Licht** [lɪçt] <-(e)s, -er> *kein pl das* **1.** *(↔Dunkelheit)* das, was hell macht *das ~ der Sonne* **2.** Lampe *~ anmachen;* **etw ans ~ bringen** aufdecken, herausfinden *schlimme Neuigkeiten ans ~ bringen;* **jdn hinters ~ führen** jdn täuschen, betrügen *Er hat mich tatsächlich hinters ~ geführt.;* **jdm geht ein ~ auf** jd versteht etw endlich *Plötzlich ging ihm ein ~ auf.* ***Komp:* *-schalter***

Licht·bild <-(e)s, -er> *das* Passfoto *das Formular und ein ~ mitbringen*

Licht·blick <-(e)s, -e> *der* Hoffnung in einer schwierigen Lage *Das neue Medikament ist ein ~ für den Kranken.*

Licht·hu·pe <-, -n> *die* Lichtsignal eines Autofahrers, um auf etw aufmerksam zu machen *beim Überholen die ~ betätigen*

Licht·schutz·fak·tor <-s> *kein pl der* Zahl, die anzeigt, wie stark eine Sonnencreme die Haut vor UV-Strahlen schützt *Die Sonnenmilch hat ~ 24.*

Lich·tung <-, -en> *die* Platz im Wald, auf dem keine Bäume stehen *auf einer ~ Rast machen*

Lid [li:t] <-(e)s, -er> *das* die Haut, mit dem man das Auge zumachen kann *die ~er schminken* ***Komp:* *Augen-, -schatten***

- **lieb** [li:p] <lieber, liebst-> *adj* **1.** geschätzt, geliebt *meine ~e Frau* **2.** angenehm, nett *Die beiden sind wirklich ~e Menschen., Es wäre sehr ~, wenn Sie mir helfen würden.* **3.** *(↔böse)* artig, brav *ein ~er Junge;* **~ haben** gern haben *Ich hab' dich ~.;* **L~e(r) ...** informelle Anrede im Brief *L~er Alex ..., L~e Frau Meier, ...*

- **Lie·be** ['li:bə] <-> *kein pl die (↔Hass)* intensives positives Gefühl für jdn *die ~ der Eltern zu ihrem Kind, Er gestand ihr seine ~.;* **~ macht blind.** Man sieht nicht die Fehler des/der Geliebten. *Sie denkt nicht mehr nach, was sie tut. ~ macht blind!*

- **lie·ben** ['li:bn̩] <liebt, liebte, geliebt> *tr* **1.** [K] *jd liebt jdn/sich/etw akk* sehr gern haben *Sie liebt es, in der Sonne zu sitzen.* **2.** tiefe zärtliche Gefühle für jdn/füreinander empfinden *Sie liebt ihn., Wir lieben uns und werden heiraten.;* **etw nicht ~** nicht mögen *Sie liebt es überhaupt nicht, wenn man zu spät kommt.* ***Wobi:* *liebenswert***

lie·bens·wür·dig <liebenswürdiger, liebenswürdigst-> *adj* freundlich *eine ~e Krankenschwester;* **Wären Sie wohl so ~, ...?**

verwendet, um jdn höflich um Hilfe zu bitten *Wären sie wohl so ~, mir den Weg zum Bahnhof zu zeigen?* ***Wobi: Liebenswürdigkeit***

- **lie·ber** ['li:bɐ] *adv* verwendet, um auszudrücken, dass man etw einer anderen Sache vorzieht *~ Äpfel als Birnen essen, Ich bleibe ~ zu Hause.*

Lie·bes·brief <-(e)s, -e> *der* romantischer Brief an eine geliebte Person *einen ~ schreiben/bekommen*

Lie·bes·kum·mer <-s> *kein pl der* trauriges Gefühl wegen einer unglücklichen Liebe *~ haben*

lie·be·voll <liebevoller, liebevollst-> *adj* zärtlich, herzlich *eine ~e Umarmung*

Lieb·ha·ber(in) <-s, -> *der* **1.** Geliebte(r) *einen ~ haben* **2.** Kenner(in) *Sie ist eine Liebhaberin guter Musik.*

lieb·ko·sen [li:p'ko:zn̩] <liebkost, liebkoste, liebkost> *tr* [K] ***jd liebkost jdn*** zärtlich streicheln *Sie liebkoste ihre Katze.*

lieb·lich ['li:plɪç] <lieblicher, lieblichst-> *adj* **1.** reizend, hübsch, zart *ein ~es Gesicht* **2.** süß *sehr gern ~en Wein trinken*

- **Lieb·ling** ['li:plɪŋ] <-s, -e> *der* **1.** bevorzugte Person *der ~ der Lehrerin sein* **2.** Anrede für eine geliebte Person *~, kannst du mir mal helfen?*
- **Lieb·lings-** ['li:plɪŋs] Wortelement, um auszudrücken, dass man etw am liebsten hat *Was ist Ihr Lieblingsgericht?* ***Komp: -essen, -farbe, -speise***

lieb·los ['li:plo:s] <liebloser, lieblosest-> *adj* unfreundlich, ohne Liebe *jdn sehr ~ behandeln, ~e Eltern haben* ***Wobi: Lieblosigkeit***

- **Lied** [li:t] <-(e)s, -er> *das* Melodie, zu der ein Text gehört *ein fröhliches ~ singen;* **von etw ein ~ singen können** *(umg)* mit etw unangenehme Erfahrungen gemacht haben *Davon kann ich auch ein ~ singen.*

Lie·der·ma·cher(in) <-s, -> *der* jd, der (oft gesellschaftskritische) Lieder schreibt und singt *besonders gern ~ hören*

lief [li:f] *prät von* **laufen**

lie·fer·bar <-, -> *adj* vorrätig; so, dass man es sofort bekommen kann *Die Ware ist sofort ~.*

- **lie·fern** ['li:fɐn] <liefert, lieferte, geliefert> *tr* **1.** [K] ***jd liefert etw*** *akk* jdm etw bringen, was er bestellt hat *frisches Obst ~* **2.** [K] ***jd liefert etw*** *akk* (er)bringen *Beweise ~* ***Wobi: Lieferung***

Lie·ge ['li:gə] <-, -n> *die* (klappbares) Bett *für den Gast eine ~ aufstellen* ***Komp: Camping-***

- **lie·gen** ['li:gn̩] <liegt, lag, gelegen> *itr <sein/haben>* **1.** *(↔stehen)* sich in waagerechter Lage befinden *auf dem Sofa/im Bett/in der Sonne ~, im Krankenhaus ~* **2.** sein, sich befinden *Luzern liegt in der Schweiz., Wo liegt dein Heimatort?;* **jd liegt einem nicht** jd mag jdn nicht besonders *Der Lehrer liegt mir nicht.;* **jdm liegt viel/wenig an etw** jdm ist etw sehr wichtig/unwichtig *Mir liegt viel daran, dass …;* **es liegt (nicht) an jdm/etw** etw ist (nicht) die Schuld von jdm/etw *Es liegt nicht an mir, dass wir uns ständig streiten.;* **im Bett ~ bleiben** nicht aufstehen *Ich bleibe noch ein bisschen ~.;* **jds Arbeit ist ~ geblieben** jds Arbeit ist noch nicht erledigt *Meine Arbeit ist einige Wochen ~ geblieben.;* **~ lassen** vergessen mitzunehmen *die Brille ~ lassen;* **jdn links ~ lassen** *(umg)* nicht beachten *Lass sie doch ein-*

fach links ~!; **alles stehen und ~ lassen** *(umg)* auf der Stelle mit etw aufhören, alles zurücklassen *Als ich das hörte, ließ ich alles stehen und ~.*

Lie·ge·stuhl <-(e)s, -stühle> *der* ein bequemer Stuhl zum Hineinlegen für den Balkon, Garten oder Strand *sich am Strand einen ~ mieten*

lieh [liː] *prät von* **leihen**

ließ [liːs] *prät von* **lassen**

• **Lift** [lɪft] <-(e)s, -e/-s> *der (≈Fahrstuhl)* Aufzug *mit dem ~ fahren*

Li·kör [li'køːɐ̯] <-s, -e> *der* meist süßes alkoholisches Getränk mit einem bestimmten Aroma *ein Gläschen ~ trinken* ***Komp: Eier-, Kirsch-, Pflaumen-***

li·la ['liːla] <-, -> *adj* violett; so, wie die Farbe des Flieders *ein ~ T-Shirt*

Li·mo·na·de [limo'naːdə] <-, -n> *die (≈Limo)* süßes Getränk mit Fruchtsaft und Kohlensäure *gern ~ trinken* ***Komp: Zitronen-***

lin·dern ['lɪndɐn] <lindert, linderte, gelindert> *tr* [K] ***jd/etw lindert etw*** *akk* erleichtern, mildern *Diese Tablette lindert die Schmerzen.*

Li·ne·al [line'aːl] <-s, -e> *das* kurzer Stab aus Holz oder Kunststoff, mit dem man gerade Linien zeichnen kann *mit dem ~ eine Linie ziehen*

• **Li·nie** ['liːni̯ə] <-, -n> *die* **1.** gerader Strich *mit Bleistift und Lineal eine ~ ziehen* **2.** ein Bus/eine Straßen- oder S-Bahn, die auf einer bestimmten Strecke fährt *Die ~ 8 fährt zur Universität.;* **auf der ganzen ~** in allen Bereichen *Sie ist auf der ganzen ~ erfolgreich.;* **in erster ~** insbesondere, vor allem *In erster ~ musst du pünktlich sein.;* **auf die schlanke ~ achten** auf das Gewicht/die Figur achten *Sie achtet auf die schlanke ~ und verzichtet immer auf Süßes.* ***Komp: -nbus, -nflug***

li·ni·en·treu <linientreuer, linientreuest-> *adj* so, dass man einer Ideologie (kritiklos) folgt *ein ~es Parteimitglied*

li·niert <-, -> *adj* so, dass etw Linien (zum Hineinschreiben) hat *einen Block mit ~em Papier kaufen*

link [lɪŋk] <linker, linkest-> *adj (umg)* hinterhältig, gemein, falsch *ein ~er Typ*

• **lin·ke(-r, -s)** ['lɪŋkə] <-, -> *adj* **1.** *(↔rechte(-r, -s))* auf die Seite bezogen, auf der das Herz liegt *die ~ Hand, mein ~r Nachbar* **2.** POL sozialdemokratisch oder kommunistisch orientiert *ein ~r Politiker, der ~ Flügel einer Partei*

lin·ken ['lɪŋkn̩] <linkt, linkte, gelinkt> *tr* [K] ***jd linkt jdn*** *(umg)* hereinlegen, betrügen *Er hat mich ziemlich gelinkt.*

• **links** [lɪŋks] *adv (↔rechts)* die linke Seite *an der Kreuzung nach ~ abbiegen, L~ von Ihnen sehen Sie das Schloss, rechts den Dom.;* **~ sein** politisch sozialdemokratisch oder kommunistisch orientiert sein *Er ist ~.;* **jdn ~ liegen lassen** nicht beachten *Er lässt mich immer ~ liegen.;* **sich ~ einordnen** beim Autofahren auf die linke Spur wechseln *Hier musst du dich ~ einordnen!*

Links·hän·der(in) ['lɪŋkshɛndɐ] <-s, -> *der (↔Rechtshänder)* jd, der mit der linken Hand schreibt *~ sein*

Links·ver·kehr <-s> *kein pl der (↔Rechtsverkehr)* Vorschrift, auf der linken Seite zu fahren *In Großbritannien herrscht ~, in Deutschland Rechtsverkehr.*

Lin·se ['lɪnzə] <-, -n> *die* **1.** BOT graue oder rote Hülsenfrucht *~n mit Speck kochen* **2.** FOT eine Art Scheibe, mit der man Lichtstrahlen in eine bestimmte Richtung lenkt, z. B. in einer Kamera *die ~ einer Kamera* ***Komp:*** *-nsuppe, -neintopf*

Lip·pe ['lɪpə] <-, -n> *die* ANAT der rote äußere Rand des Mundes *sich die ~n schminken;* **kein Wort über die ~n bringen** nichts sagen können *Aus Angst brachte sie kein Wort über die ~n.;* **an jds ~n hängen** jdm aufmerksam zuhören *Die Kinder hingen gespannt an den ~n der Lehrerin.*

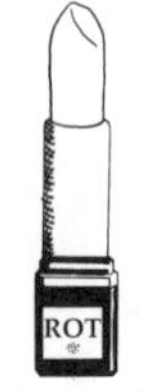

Lippenstift

Lip·pen·stift <-(e)s, -e> *der* ein Stift, mit dem Frauen Farbe auf die Lippen auftragen *einen roten ~ benutzen*

lis·peln ['lɪspl̩n] <lispelt, lispelte, gelispelt> *itr* S-Laute mit der Zunge zwischen den Zähnen aussprechen *Er hat einen Sprachfehler, er lispelt.*

List [lɪst] <-, -en> *die* Schlauheit, Trick *zu einer ~ greifen;* **mit ~ und Tücke** *(umg)* mit einigen Tricks und viel Mühe *Mit ~ und Tücke habe ich ihn überredet.* ***Wobi:*** ***listig***

• **Lis·te** ['lɪstə] <-, -n> *die* schriftliche Aufstellung, Übersicht *eine ~ aufstellen, etw in eine ~ eintragen, sich in eine ~ einschreiben* ***Komp:*** *Einkaufs-*

Li·ter ['liːtɐ] <-s, -> *der/das* Maßeinheit für Flüssigkeiten: 1l = 1.000 ml *einen ~ Milch kaufen*

Li·te·ra·tur [lɪtəra'tuːɐ̯] <-, -en> *die* alle Romane, Erzählungen, Gedichte etc. *sich sehr für ~ interessieren* ***Komp:*** *-geschichte, -wissenschaft*

Litfaßsäule

Lit·faß·säu·le ['lɪtfaszɔ͜ylə] <-, -n> *die* Säule, an die Werbeplakate geklebt werden *ein Plakat an die ~ kleben*

litt [lɪt] *prät von* **leiden**

Live- [la͜if] so, dass es direkt im Fernsehen oder Radio gesendet wird *Livebericht, Livekonzert, Liveübertragung*

Li·zenz [li'tsɛnts] <-, -en> *die* offizielle Genehmigung, etw zu tun *eine ~ zur Herstellung und zum Verkauf von ... haben* ***Komp:*** *-ausgabe*

• **LKW** ['ɛlkaveː] <-(s), -s> *der* (auch: Lkw) Kurzform für ‚Lastkraftwagen'; großer Wagen zum Transportieren von Waren *den ~-Führerschein haben*

Lob [loːp] <-(e)s, -e> *pl selten das* das, was man sagt, um jdm zu zeigen, dass man seine Leistung sehr gut findet *jdm ein ~ aussprechen, Für den guten Aufsatz hat der Schüler ein ~ verdient.*

• **lo·ben** ['loːbn̩] <lobt, lobte, gelobt> *tr* [K] ***jd lobt jdn/etw*** *akk* ein Lob sagen *Der Lehrer lobt die Schüler., eine gute Leistung ~*

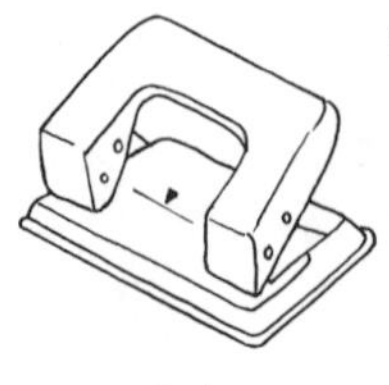
Locher

• **Loch** [lɔx] <-(e)s, Löcher> *das* eine Stelle, an der vorher etw war, an der jetzt aber nichts mehr ist *ein ~ im Strumpf haben, mit dem Bohrer ein ~ in die Wand bohren, ein ~ im Zahn haben, ein ~ graben;* **jdm Löcher in den Bauch fragen** *(umg)* viele Fragen stellen *Meine Tochter hat mir Löcher in den Bauch gefragt.*

lo·chen ['lɔxn̩] <locht, lochte, gelocht> *tr* [K] ***jd locht etw*** *akk* Löcher in etw machen, sodass man es einheften kann *ein Blatt Papier ~*

Lo·cher ['lɔxɐ] <-s, -> *das* Gerät zum Lochen von Papier *Kannst du* *mir mal den ~ geben?*

Lo·cke ['lɔkə] <-, -n> *die* mehrere Haare, die zusammen die Form einer Welle haben *~n haben*

lo·cken ['lɔkn̩] <lockt, lockte, gelockt> *tr* [K] ***jd/etw lockt jdn [irgendwohin]*** sehr interessieren, neugierig machen *Das Fernweh lockt mich nach Afrika., Die Sonne lockt uns ins Freie.*

lo·cker ['lɔkɐ] <lockerer, lockerst-> *adj* **1.** *(↔fest)* lose *Das Schutzblech an meinem Fahrrad klappert. Es ist ~.* **2.** *(umg)* gelöst, entspannt *Sie ist ein ~er Typ.*

lo·ckern ['lɔkɐn] <lockert, lockerte, gelockert> **I.** *tr* **1.** [K] ***jd lockert etw*** *akk* langsam lösen, locker machen *die Schrauben ~* **2.** [K] ***jd lockert etw*** *akk* SPORT die Gelenke/Muskeln schütteln *nach dem Joggen die Beine ~* **II.** *refl* [K] ***etw lockert sich*** sich lösen, locker werden *Die Schrauben haben sich gelockert.*

lo·ckig ['lɔkɪç] <lockiger, lockigst-> *adj* mit Locken *~es Haar haben*

Löffel

• **Löf·fel** ['lœfl̩] <-s, -> *der* Gegenstand, mit dem man Suppe isst *die Suppe mit dem großen, den Nachtisch mit dem kleinen ~ essen;* **jdm ein paar hinter die ~ geben** *(umg)* jdm eine Ohrfeige geben *Du kriegst von mir gleich ein paar hinter die ~!* ***Wobi:*** *löffeln*

log [loːk] *prät von* **lügen**

Lo·ge ['loːʒə] <-, -n> *die* kleiner, abgeteilter Raum für Zuschauer, z.B. im Theater *in der ~ sitzen*

Lo·gik ['loːgɪk] <-> *kein pl die* die Art des Denkens, bei der jeder Gedanke konsequent zum nächsten führt *die Gesetze der ~, die mathematische ~*

lo·gisch ['loːgɪʃ] <logischer, logischst-> *adj* **1.** folgerichtig, richtig *Zu dem ~en Schluss kommen, dass …* **2.** *(umg)* selbstverständlich, natürlich *L~, ich rufe dich an!*

• **Lohn** [loːn] <-(e)s, Löhne> *der* **1.** Bezahlung für (meist körperliche) Arbeit *einen geringen ~ bekommen* **2.** (CH) Gehalt *einen monatlichen ~ von 4.000 Franken bekommen* **3.** Belohnung, Dank *Und was ist der ~ für meine Mühe? Nicht mal ein Dankeschön!* ***Komp:*** *-erhöhung*

• **loh·nen** ['loːnən] <lohnt, lohnte, gelohnt> *refl* [K] ***etw lohnt sich*** die Mühe wert sein *Ein Besuch im neuen Museum lohnt sich.* ***Wobi:*** *lohnend*

Loi·pe ['lɔypə] <-, -n> *die* Spur im Schnee für den Skilanglauf *Die ~ bitte nur mit Skiern betreten!*

• **Lo·kal** [lo'kaːl] <-(e)s, -e> *das* Kneipe, Restaurant *sich abends in einem ~ treffen*

lo·kal [lo'kaːl] *adj (≈örtlich)* einen bestimmten Ort/eine Gegend betreffend *Der Künstler hat eine ~e Bedeutung.*

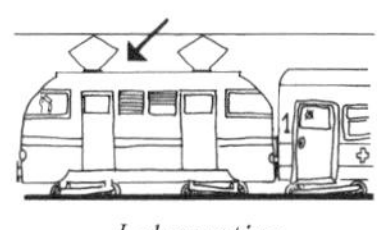
Lokomotive

Lo·ko·mo·ti·ve [lokomo'tiːvə] <-, -n> *die* Maschine, die einen Zug zieht *Fotos von alten ~n sammeln* ***Komp:*** *Dampf-, Diesel-*

Los [loːs] <-es, -e> *das* **1.** Schicksal *ein schweres ~ haben* **2.** Lotterieschein *~e ziehen, Wie ist die Nummer von deinem ~?;* **das große ~ ziehen** großes Glück haben *Mit seiner Frau hat er das große ~ gezogen.*

• **los** [loːs] *adv* vorwärts, weiter *L~, wir müssen uns beeilen!, L~, beweg dich!;* **Nun aber ~!** Aufforderung, sich zu beeilen *Nun aber ~,* *der Zug fährt gleich!;* **Was ist denn ~?** Was ist passiert? *Du guckst so traurig. Was ist denn ~?*

lö·schen ['lœʃn̩] <löscht, löschte, gelöscht> *tr* **1.** [K] ***jd löscht etw*** *akk* ausmachen *das Feuer ~, das Licht ~* **2.** [K] ***jd löscht etw*** *akk* [***mit etw*** *dat*] Durst beseitigen *Sie löscht ihren Durst mit Wasser.* **3.** [K] ***jd löscht etw*** *akk* DV gespeicherte Daten im Computer entfernen *die Datei ~*

lo·se ['lo:zə] <loser, losest-> *adj* **1.** locker, nicht fest *Die Schrauben sind ~.* **2.** so, dass es nicht zusammenhängt *~ Blätter* **3.** nicht verpackt *Waren ~ verkaufen*

Lö·se·geld <-(e)s, -er> *das* der Geldbetrag, den ein Entführer fordert, damit er die entführte Person wieder freilässt *Der Entführer fordert 1 Million Euro ~.*

lo·sen ['lo:zn̩] <lost, loste, gelost> *itr* das Los entscheiden lassen *~, wer abwaschen muss*

• **lö·sen** ['lø:zn̩] <löst, löste, gelöst> **I.** *tr* **1.** [K] ***jd löst etw*** *akk* [***von etw*** *dat*] entfernen, losmachen *das Etikett vom Glas ~, eine wertvolle Briefmarke vom Briefumschlag ~* **2.** [K] ***jd löst etw*** *akk* klären, das Ergebnis herausfinden *das Problem/Rätsel ~, die Aufgabe ~* **3.** [K] ***jd löst etw*** *akk* eine Fahrkarte kaufen *vor Antritt der Fahrt eine Fahrkarte ~* **II.** *refl* **1.** [K] ***etw löst sich*** etw wird locker, fällt ab *Eine Schraube hat sich gelöst.* **2.** [K] ***etw löst sich*** sich aufklären *Das Problem hat sich von selbst gelöst.*

• **los|fah·ren** <fährt los, fuhr los, losgefahren> *itr* <*sein*> die Reise/Fahrt beginnen *am frühen Morgen ~*

• **los|ge·hen** <geht los, ging los, losgegangen> *itr* <*sein*> **1.** weggehen, aufbrechen *Ich muss morgen sehr früh ~.* **2.** *(umg)* anfangen *Wann geht dein Sprachkurs los?;* **etw geht schon wieder los** *(umg)* verwendet, um verärgert festzustellen, dass etw wieder beginnt *Geht der Lärm schon wieder los?*

• **los|las·sen** <lässt los, ließ los, losgelassen> *tr* [K] ***jd lässt etw*** *akk* ***los*** nicht mehr festhalten *die Tasche ~, Lass mich los! ~!;* **etw lässt jdn nicht mehr los** jd muss ständig an etw denken *Dieser Gedanke lässt mich nicht mehr los.*

lös·lich ['lø:slɪç] <-, -> *adj* so, dass es sich in Wasser auflöst *~er Kakao/Kaffee/Tee, Diese Tablette ist leicht ~.*

los|ma·chen <macht los, machte los, losgemacht> *tr* [K] ***jd macht etw*** *akk* [***von etw*** *dat*] ***los*** lösen, freimachen *die Handbremse ~, den Hund vom Zaun ~*

los|rei·ßen <reißt los, riss los, losgerissen> *refl* [K] ***jd reißt sich*** *akk* [***von etw*** *dat*] ***los*** sich sehr schwer von etw trennen können *sich schweren Herzens von einer Sache ~, Es ist so schön hier. Ich kann mich gar nicht ~.*

• **Lö·sung** ['lø:zʊŋ] <-, -en> *die* **1.** Ergebnis *die richtige ~ finden, Wer weiß die ~ des Rätsels?* **2.** Aufhebung, Beendigung *die ~ der Verlobung bekannt geben*

los|wer·den <wird los, wurde los, losgeworden> *tr* <*sein*> **1.** [K] ***jd wird jdn/etw*** *akk* ***los*** von jdm/etw frei werden *eine langwierige Krankheit endlich ~* **2.** [K] ***jd wird etw*** *akk* ***los*** *(umg)* ausgeben *beim Einkaufen viel Geld ~*

Lot [lo:t] <-(e)s, -e> *das* **eine Sache ins rechte ~ bringen** *(umg)* die Sache wieder in Ordnung bringen *Wir werden die Sache schon wieder ins rechte ~ bringen.*

Lọt·to ['lɔto] <-s> *kein pl das* Glücksspiel, bei dem Zahlen gezogen werden; die Spieler können Geld gewinnen, wenn sie die richtigen Zahlen auf einem Schein angekreuzt haben *im ~ gewinnen* ***Komp:*** *-annahmestelle, -gewinn, -millionär, -schein, -zahlen*

Lụ̈·cke ['lʏkə] <-, -n> *die* etw, das irgendwo fehlt *die ~ im Zaun schließen;* **jds Wissen weist große ~n auf** jd hat in vielen Bereichen keine Kenntnisse/kein Wissen *Seine Kenntnisse in Mathematik weisen große ~n auf.* ***Wobi:*** *lückenlos* ***Komp:*** *Gedächtnis-, Wissens-, Zahn-*

lud [lu:t] *prät von* **laden**

• **Lụft** [lʊft] <-> *kein pl die* das, was man einatmet *frische ~ einatmen;* **an die frische ~ gehen** einen Spaziergang machen *Lass uns doch ein bisschen an die frische ~ gehen!;* **jdn an die ~ setzen** *(umg)* entlassen, kündigen *Der Chef hat sie an die ~ gesetzt.;* **dicke ~** *(umg)* schlechte Stimmung *Bei den beiden ist schon wieder dicke ~!;* **keine ~ mehr kriegen** nicht mehr atmen können *Hilfe, ich kriege keine ~ mehr!;* **jd ist ~ für jdn** *(umg)* jd ignoriert jdn *Für mich ist er ~.;* **völlig in der ~ hängen** *(umg)* keine regelmäßige Beschäftigung/Arbeit haben *Er hängt seit zwei Monaten völlig in der ~.;* **völlig in der ~ hängen** *(umg)* nicht wissen, was man tun soll *Ich hänge völlig in der ~.;* **in die ~ gehen** *(umg)* wütend werden *Ich könnte in die ~ gehen, wenn ich das höre!* ***Wobi:*** *luftig*

lụ̈f·ten ['lʏftn̩] <lüftet, lüftete, gelüftet> **I.** *tr* [K] *jd lüftet etw akk* frische Luft hereinlassen *das Zimmer ~;* **ein Geheimnis ~** entdecken, bekannt geben *das Geheimnis ~* **II.** *itr* frische Luft hereinlassen *morgens regelmäßig ~*

Lụft·li·nie <-, -n> *die* kürzeste Entfernung zwischen zwei Orten *~ sind es nur 100 km, auf der Straße mindestens 200 km.*

Lụft·mat·rat·ze <-, -n> *die* Matratze zum Aufblasen *im Zelt auf einer ~ schlafen*

Luftmatratze

• **Lụft·post** <-> *kein pl die* Transport der Post per Flugzeug *einen Brief per ~ schicken*

Lụft·pum·pe <-, -n> *die* Gerät, mit dem man Luft in einen Fahrradschlauch, eine Luftmatratze etc. füllen kann *am Fahrrad eine ~ haben*

Lụft·sprung <-(e)s, -sprünge> *der* **vor Freude einen ~ machen** sich sehr freuen *Er machte vor Freude einen ~, als er die Nachricht hörte.*

Lụ̈f·tung ['lʏftʊŋ] <-, -en> *die (≈Ventilation)* Gerät, das z. B. im Auto für gute, frische Luft sorgt *im Auto die ~ anmachen*

Lụft·ver·schmut·zung <-, -en> *die* schädliche Auto- und Industrieabgase in der Luft *die ~ stoppen*

• **Lü̲·ge** ['ly:gə] <-, -n> *die* Unwahrheit *~n erzählen;* **~n haben kurze Beine.** Lügen werden schnell als Lügen erkannt. *Sag die Wahrheit! Du weißt, ~n haben kurze Beine!*

• **lü̲·gen** ['ly:gn̩] <lügt, log, gelogen> *itr* absichtlich die Unwahrheit erzählen *Warum lügst du schon wieder?*

Lu̲·ke ['lu:kə] <-, -n> *die* sehr kleines Fenster *durch die ~ aufs Dach steigen* ***Komp:*** *Dach-*

lu·kra·ti̲v [lukra'ti:f] <lukrativer, lukrativst-> *adj* so, dass es einen guten Gewinn/Vorteile verspricht *ein ~es Angebot*

Lüm·mel ['lʏml̩] <-s, -> *der (umg)* frecher Junge *Er ist ein kleiner ~.*

lüm·meln ['lʏml̩n] <lümmelt, lümmelte, gelümmelt> *refl* K ***jd lümmelt sich** akk* ***irgendwohin*** halb sitzen, halb liegen *sich bequem aufs Sofa ~*

Lun·ge ['lʊŋə] <-, -n> *die* Organ, mit dem Menschen und Tiere atmen *Rauchen schädigt die ~.;* **die grüne ~ der Stadt** ein großer Park/Wald, der für das Klima einer Stadt wichtig ist *Dieser Park ist die grüne ~ der Stadt.* ***Komp:** -nentzündung, -nkrebs, -nzug*

Lu·pe ['luːpə] <-, -n> *die* eine Art Linse, die Dinge größer erscheinen lässt *zum Lesen eine ~ benutzen;* **jdn/etw unter die ~ nehmen** *(umg)* genau anschauen *Das muss man mal genauer unter die ~ nehmen!*

• **Lust** [lʊst] <-> *kein pl die* starker Wunsch, etw zu tun *~ haben, ins Kino zu gehen;* **etw mit ~ und Liebe tun** *(umg)* etw gern tun *mit ~ und Liebe an die Arbeit gehen;* **die ~ an etw verlieren** sich nicht mehr für etw interessieren *Nach all den Misserfolgen habe ich die ~ daran verloren.;* **Keine ~!** *(umg)* Ich mag nicht! *Geh allein dorthin, ich habe keine ~!*

• **lus·tig** ['lʊstɪç] <lustiger, lustigst-> *adj (↔traurig)* so, dass man darüber lachen muss, witzig, komisch *eine ~e Geschichte erzählen;* **sich über jdn ~ machen** über jdn lachen *Die Kinder machen sich über die Nachbarin ~.*

lust·los <lustloser, lustlosest-> *adj* ohne Freude, ohne Begeisterung *~ aus dem Fenster gucken*

lut·schen ['lʊtʃn̩] <lutscht, lutschte, gelutscht> *tr* K ***jd lutscht etw** akk* im Mund flüssig werden lassen, ohne zu kauen *ein Bonbon ~, eine Tablette ~*

Lu·xus ['lʊksʊs] <-> *kein pl der* Überfluss, Verschwendung *im ~ leben* ***Komp:** -artikel, -güter, -hotel*

Ly·rik ['lyːrɪk] <-> *kein pl die* Sammelbezeichnung für Gedichte *gerne ~ lesen* ***Wobi:** Lyriker(in), lyrisch*

M

M, m [ɛm] <-, -> *das* der 13. Buchstabe des Alphabets *Das Wort ‚Milch' beginnt mit dem Buchstaben ~.*

• **ma·chen** ['maxn̩] <macht, machte, gemacht> *tr* **1.** [K] ***jd macht etw*** *akk* tun *seine Arbeit ~* **2.** [K] ***etw macht etw*** *akk* ausmachen, bewirken *Das macht nichts.;* **das Bett** ~ das Bett ordnen *Ich muss noch die Betten ~;* **einen Tee** ~ einen Tee kochen *Ich mache uns einen Tee.*

• **Macht** [maxt] <-> *kein pl die* **1.** großer Einfluss *Die ~ der Technik wird immer größer., Er hat große ~.* **2.** Regierungsgewalt *Der König hat die ~., an die ~ kommen;* **alles tun, was in jds ~ steht** alles tun, was man tun kann und darf, um etw zu erreichen *Ich tue alles, was in meiner ~ steht, damit Sie das Visum bekommen.* ***Wobi: machtlos***

mäch·tig <mächtiger, mächtigst-> *adj* so, dass man viel Macht hat *ein ~er Herrscher*

• **Mäd·chen** ['mɛːtçən] <-s, -> *das* weibliches Kind *Die Mutter hatte zwei ~.;* ~ **für alles sein** *(umg)* alle möglichen Aufgaben haben *Er ist in unserer Firma ~ für alles.* ***Wobi: mädchenhaft Komp: -jahre***

Mädchen

• **Mäd·chen·na·me** <-ns, -n> *der* Geburtsname der Frau *Sie legte ihren ~n bei ihrer Heirat ab.*

• **Ma·gen** ['maːgn̩] <-s, Mägen> *der* das Organ, das z. B. beim Menschen das Essen verdaut *Sein ~ knurrt, weil er Hunger hat.;* **etw liegt jdm schwer im** ~ *(umg)* etw belastet jdn *Die Kritik an seiner Arbeit liegt ihm schwer im ~.* ***Komp: -geschwür, -krebs, -schmerzen, -verstimmung***

• **ma·ger** ['maːgɐ] <magerer, magerst-> *adj* **1.** sehr dünn *ein ~es Mädchen* **2.** mit wenig Fett *~es Fleisch*

Mag·net [ma'gneːt] <-(e)s/-en, -e(n)> *der* ein Eisenstück, das andere Metalle anzieht *Der ~ lenkt den Kompass ab.* ***Wobi: magnetisch Komp: -feld***

mä·hen ['mɛːən] <mäht, mähte, gemäht> **I.** *tr* [K] ***jd mäht etw*** *akk* Gras dicht über dem Boden abschneiden *den Rasen ~* **II.** *itr* [K] ***ein Schaf mäht*** die Laute produzieren, die für ein Schaf typisch sind *Die Schafe ~.*

mah·len ['maːlən] <mahlt, mahlte, gemahlen> *tr* [K] ***jd mahlt etw*** *akk* etw zwischen zwei harten Gegenständen reiben und es so zu Pulver machen *Getreide ~, Kaffee ~*

• **Mahl·zeit** ['maːltsai̯t] <-, -en> *die* Essen *Es gibt jeden Tag eine warme ~.;* **~!** Gruß zur Mittagszeit, v. a. in Firmen *~! – ~!;* **Prost ~!** *(umg)* verwendet, um auszudrücken, dass etw ein unglückliches Ereignis ist *Jetzt ist das Unglück passiert. – Prost ~!*

mah·nen ['maːnən] <mahnt, mahnte, gemahnt> *tr* **1.** [K] ***jd mahnt jdn*** [***wegen etw*** *gen*] tadeln, schimpfen *Er mahnte ihn wegen seiner Verspätung.* **2.** [K] ***jd mahnt jdn*** [***zu etw*** *dat*] auffordern, drängen, erinnern *Er mahnte sie zur Eile., Er mahnte sie, den Termin nicht zu vergessen.* **3.** ÖKON [K] ***jd mahnt jdn*** [***wegen etw*** *gen*] jdn zur sofortigen Zahlung auffordern *Die Bank mahnte ihn, die*

Zinsen zu bezahlen. ***Wobi:*** ***Mahnung***

Mai [mai̯] <-s/ (-e)> *der* der 5. Monat des Jahres *Im ~ wird es richtig warm.*

Mais [mai̯s] <-es> *kein pl der* Getreide mit gelben Körnern *~ anbauen* ***Komp:*** *-kolben*

Ma·jes·tät [majɛsˈtɛːt] <-, -en> *die* Titel für Könige und Kaiser *Der Graf verneigte sich vor seiner ~, dem König von Schweden.* ***Wobi:*** *majestätisch*

Ma·kel [ˈmaːkl̩] <-s, -> *der* Fehler, Defekt *Ihre Schönheit war ohne ~.* ***Wobi:*** *makellos*

• **Mak·ler(in)** [ˈmaːklɐ] <-s, -> *der* **1.** Vermittler von Verträgen *Wir haben die neue Wohnung mit Hilfe eines ~s gefunden.* **2.** jd, der Geschäfte an der Börse betreibt *Als ~ kauft und verkauft er Aktien.*

• **mal** [maːl] *adv (umg)* kurz für einmal *Besuch mich doch ~!, Sieh ~ her!, Komm ~ her!, Könntest du mir bitte ~ helfen?*

• **Mal** [maːl] <-(e)s, -e> *das* **1.** Bezeichnung für ein Geschehen, das sich wiederholen kann *Ein einziges ~ noch!, Das letzte ~ hast du gewonnen., Beim ersten ~ war alles anders., Jedes ~, wenn ich dich sehe, fällt es mir wieder ein.* **2.** Fleck, Zeichen *ein ~ im Gesicht haben*

malen

• **malen** [ˈmaːlən] <malt, malte, gemalt> **I.** *tr* [K] *jd malt etw akk* mit Farbe und Pinsel herstellen *Ölbilder ~* **II.** *itr* ein Bild machen *in der Freizeit ~*

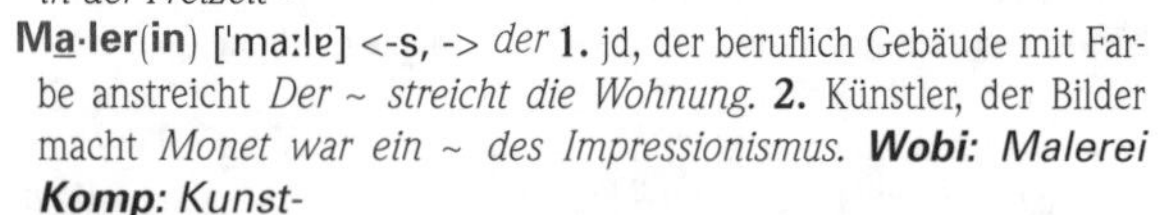

Ma·ler(in) [ˈmaːlɐ] <-s, -> *der* **1.** jd, der beruflich Gebäude mit Farbe anstreicht *Der ~ streicht die Wohnung.* **2.** Künstler, der Bilder macht *Monet war ein ~ des Impressionismus.* ***Wobi:*** ***Malerei*** ***Komp:*** *Kunst-*

ma·le·risch <malerischer, malerischst-> *adj* schön, als Motiv für ein Bild geeignet *ein ~er Sonnenuntergang*

Ma·ma [ˈmama] <-, -s> *die (≈Mami, Mutti)* Koseform/familiärer Name für die Mutter *Das Kind schrie nach seiner ~.*

• **man** [man] *pron* jede Person *M~ kann nie wissen., Das tut ~ nicht.*

Ma·nage·ment [ˈmænɪd͡ʒmənt] <-s, -s> *das* **1.** Leitung eines Unternehmens *Grundlagen des ~s* **2.** alle Führungskräfte/Manager in einem Großunternehmen *Das ~ entscheidet über diese Frage.*

Ma·na·ger(in) [ˈmɛnɪd͡ʒɐ] <-s, -> *der* Führungskraft, die zum Management gehört *~ sein*

• **man·che(-r, -s)** *pron* einige Personen oder Sachen *M~ Dinge ändern sich nie.*

• **manch·mal** [ˈmançmaːl] *adv* von Zeit zu Zeit, ab und zu *M~ fuhr er einfach ans Meer.*

Man·da·ri·ne [mandaˈriːnə] <-, -n> *die* kleine orangefarbene Zitrusfrucht *eine ~ schälen*

Man·del [ˈmandl̩] <-, -n> *die* **1.** BOT Steinfrucht, die ursprünglich aus Asien stammt, ähnlich einer Nuss *gebrannte ~n* **2.** ANAT Drüse, die beim Menschen im Hals sitzt *Die ~n des Kindes sind geschwollen.* ***Komp:*** *-baum, -blüte, -entzündung*

Man·gel [ˈmaŋl̩] <-s, Mängel> *der* Knappheit, Defizit *der ~ an Wasser* ***Komp:*** *-ware, -erscheinung, Geld-, Wasser-*

man·gel·haft <mangelhafter, mangelhaftest-> *adj* **1.** fehlerhaft, mit Mängeln *Die Brücke war ~ gebaut.* **2.** die Schulnote Fünf in Deutschland *in der Mathematikarbeit die Note ‚M~' erhalten*

mạn·gels ['maŋl̩s] *präp +gen* durch das Fehlen von, wegen des Fehlens von *M~ Beweisen wurde er freigesprochen.*

Ma·nier [ma'niːɐ̯] <-, -en> *die* **1.** Art, Stil *Der Künstler hatte seine eigene ~.* **2.** *nur pl* Umgangsformen, Benehmen *höfliche ~en, keine ~en haben*

• **Mạnn** [man] <-(e)s, Männer> *der* **1.** erwachsener Mensch von männlichem Geschlecht *ein junger ~* **2.** Gatte, Ehemann *Sie hat ihren ~ verlassen.*

Mạ̈nn·chen ['mɛnçən] <-s, -> *das* männliches Tier *Bei Löwen hat das ~ eine Mähne.*

• **mạ̈nn·lich** ['mɛnlɪç] <männlicher, männlichst-> *adj* **1.** BIO zum maskulinen Geschlecht gehörig *das ~e Geschlecht* **2.** LING maskulin; so, dass ein Wort den Artikel ‚der' hat *Das Wort ‚Hund' ist ~.* **3.** tapfer, mutig, kräftig *ein ~es Verhalten* ***Wobi:* Männlichkeit**

• **Mạnn·schaft** <-, -en> *die* **1.** Team, Besatzung *die ~ des Schiffes* **2.** SPORT Gruppe von Sportlern, die gemeinsam für den Erfolg kämpfen *Unsere ~ gewann das Spiel.*

Ma·nö·ver [ma'nøːvɐ] <-s, -> *das* militärische Übung *Die Armee zieht ins jährliche ~.*

• **Mạn·tel** ['mantl̩] <-s, Mäntel> *der* langes Kleidungsstück, das man zum Schutz gegen Kälte über anderen Kleidern trägt *im Winter einen ~ tragen* ***Komp:* Loden-, Winter-**

ma·nu·ẹll [ma'nu̯ɛl] <-, -> *adj* mit der Hand hergestellt *etw ~ herstellen*

Mạp·pe ['mapə] <-, -n> *die* Hefter *Dokumente in eine ~ stecken*

• **Mär·chen** ['mɛːɐ̯çən] <-s, -> *das* **1.** frei erfundene Geschichte, die früher mündlich weiter erzählt wurde *das ~ von Schneewittchen* **2.** *(umg)* Lügen *Erzähl mir keine ~!*

• **Mar·ga·ri·ne** [marga'riːnə] <-, -n> *die* pflanzliches Fett, das oft statt Butter verwendet wird *~ aufs Brot streichen*

• **Ma·rị l·le** [ma'rɪlə] <-, -n> *die* (ÖSTERR ≈*Aprikose*) kleine, runde, orangefarbene Frucht mit großem Kern, die man mit Schale essen kann *eine ~ essen* ***Komp:* -nmarmelade, -nschnaps**

• **Mạrk[1]** [mark] <-(e)s> *kein pl das* ANAT Masse im Inneren eines Knochens *das ~ eines Knochens;* **durch ~ und Bein gehen** intensiv und schockierend sein *Der Schrei ging ihm durch ~ und Bein.*

• **Mạrk[2]** [mark] <-, -> *die* das deutsche Geld bis zur Einführung des Euro *Das macht zwei ~!, Das Buch kostet 20 ~.;* **jede ~ zweimal umdrehen** sehr sparsam sein *Seit er arbeitslos ist, müssen sie jede ~ zweimal umdrehen.*

• **Mạr·ke** ['markə] <-, -n> *die* **1.** Warensorte, Firmenzeichen *Er trägt nur Hosen einer bestimmten ~.* **2.** Kurzform für Briefmarke *die ~ auf den Brief kleben* **3.** Wertcoupon, Wertzeichen *Er legte eine ~ auf den Tisch und bekam dafür sein Essen.*

• **mar·kie·ren** [mar'kiːrən] <markiert, markierte, markiert> *tr* K ***jd markiert etw*** *akk* z. B. mit einem bunten Stift kennzeichnen *die wichtigen Wörter ~, die Strecke auf der Landkarte ~*

• **Mạrkt** [markt] <-(e)s, Märkte> *der* **1.** viele Händler, die auf einem Platz ihre Waren anbieten *Mittwochs und samstags ist ~., Die Bauern verkaufen ihr Gemüse auf dem ~.* **2.** die Leute, die etwas kaufen wollen *neu auf dem deutschen ~ sein, etw auf den ~ bringen, Der ~ für*

PCs wächst. ***Wobi:*** *vermarkten* ***Komp:*** *Arbeits-, Auslands-, Inlands-, Welt-, -führer*

Markt·platz <-es, -plätze> *der* Platz in einer Stadt, auf dem der Markt stattfindet *den ~ suchen*

• **Mar·me·la·de** [marmə'la:də] <-, -n> *die* (≈*Konfitüre*) etw zum Essen aus gekochten Früchten, das man vor allem morgens auf das Brot tut *aus Erdbeeren ~ kochen*

Mar·mor ['marmo:ɐ̯] <-s> *kein pl der* harter, edler Stein *eine Säule aus ~*

marsch [marʃ] *interj* verwendet, um auszudrücken, dass jd sofort losgehen soll *Kompanie ~!, M~ ins Bett!*

Marsch [marʃ] <-(e)s, Märsche> *der* **1.** MIL das Marschieren *Die Soldaten hatten einen langen ~ vor sich., sich in ~ setzen* **2.** MUS Musikstück, das den Rhythmus des gleichmäßigen Marschierens hat *den Radetzky~ hören;* **jdm den ~ blasen** *(umg)* mit jdm schimpfen *Der Vater blies seinem Sohn gehörig den ~.* ***Komp:*** *-musik, -route*

mar·schie·ren [mar'ʃi:rən] <marschiert, marschierte, marschiert> *itr* <*sein*> im Gleichschritt laufen *Soldaten ~.*

Mär·ty·rer(in) ['mɛrtyrɐ] <-s, -> *der* jd, der für seine politische oder religiöse Überzeugung stirbt *als ~ sterben, jdn zum ~ machen*

Mar·xis·mus [mar'ksɪsmʊs] <-> *kein pl der* die von Karl Marx begründete politische und philosophische Denkrichtung *Der ~ will die klassenlose Gesellschaft.*

März [mɛrts] <-es, (-e)> *der* der 3. Monat des Jahres *im ~ noch Ski fahren*

Mar·zi·pan ['martsipa:n] <-s, -e> *das* weiche, weiße Masse aus Mandeln und Zucker *Viele Pralinen sind mit ~ gefüllt.*

Ma·sche ['maʃə] <-, -n> *die* **1.** eine Schlinge aus einem Faden *eine lose ~* **2.** *(umg)* Trick *Immer die gleiche ~!*

• **Ma·schi·ne** [ma'ʃi:nə] <-, -n> *die* **1.** TECH mechanisches Gerät, das automatisch Arbeiten erledigt *die ~ anschalten* **2.** Flugzeug *Die ~ landet in zwei Stunden.* **3.** Motorrad *Die ~ hat 150 PS.* **4.** Kurzform für Schreibmaschine *etw mit der ~ schreiben* ***Wobi:*** *maschinell*

Ma·schi·nen·bau <-s> *kein pl der* Lehre von der Konstruktion von Maschinen *~ studieren*

Ma·sern ['ma:zɐn] <-> *kein sing pl* MED Kinderkrankheit, die rote Flecken am ganzen Körper auslöst *Fast alle Kinder bekommen ~.*

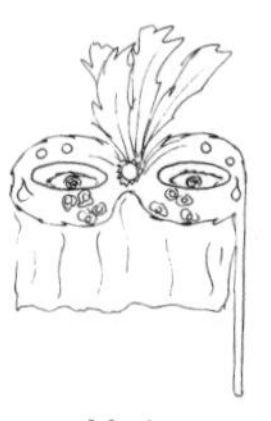

Maske

Mas·ke ['maskə] <-, -n> *die* THEAT ein Gesicht aus Pappe, Plastik o.Ä., das man über sein eigenes Gesicht zieht *zu Karneval eine lustige ~ tragen* ***Wobi:*** *maskieren* ***Komp:*** *Toten-*

mas·ku·lin ['maskuli:n] <maskuliner, maskulinst-> *adj* **1.** sehr männlich *eine ~e Ausstrahlung* **2.** LING so, dass es den Artikel ‚der' hat *Das Wort ‚Hund' ist ~.*

• **Maß** [ma:s] <-es, -e> *das* **1.** Einheit, mit der etw gemessen wird, Größe *Der Meter ist ein Längen~.* **2.** (≈*Ausmaß*) Umfang *Die Arbeit strengt ihn in solchem ~e an, dass …* ***Komp:*** *Längen-*

Maß [mas] <-, -> *die* (SD) 1 Liter Bier *eine ~ trinken*

Mas·se ['masə] <-, -n> *die* **1.** Menge eines Stoffes ohne feste Form *Der rohe Kuchenteig ist eine ~.* **2.** eine große Menge von Menschen *in der ~ untergehen;* **die breite ~** die Mehrheit der Bevölkerung *Die breite ~ hat dafür kein Verständnis.* **3.** PHYS eine physikalische Eigenschaft der Materie ~ *ist eine physikalische Grundgröße.* ***Wobi:*** ***massenhaft*** ***Komp:*** *-narbeitslosigkeit, -nsterben*

Mas·sen·me·di·um <-s, -medien> *meist pl das* modernes Kommunikationsmittel, das viele Menschen gleichzeitig informiert *Die Massenmedien wie Fernsehen und Radio berichten aus aller Welt.*

mä·ßig ['mɛːsɪç] <mäßiger, mäßigst-> *adj* **1.** nicht viel, relativ wenig *Er hatte keinen Hunger, deshalb aß er nur ~.* **2.** (≈*mittelmäßig*) nicht besonders gut *Er ist nur ein ~er Tennisspieler.*

mas·siv [ma'siːf] <massiver, massivst-> *adj* **1.** fest, stabil *Der Schrank ist aus ~em Holz.* **2.** heftig, stark *~e Drohungen*

maß·los <maßloser, maßlosest-> *adj* unmäßig, ohne Maß *eine ~e Übertreibung*

Maß·nah·me ['maːsnaːmə] <-, -n> *die* Handlung, um etw Bestimmtes zu erreichen/vermeiden *konkrete ~n ergreifen*

Maß·stab ['maːsʃtaːp] <-(e)s, -stäbe> *der* **1.** das Verhältnis zwischen der Größe, die Dinge in Wirklichkeit haben, und der Größe, in der sie z. B. auf einer Landkarte dargestellt werden *eine Karte mit kleinem ~* **2.** das, woran man etw messen muss *Das ist für mich kein ~., Maßstäbe setzen*

mäs·ten ['mɛstn̩] <mästet, mästete, gemästet> *tr* [K] ***jd mästet ein Tier*** viel füttern, damit ein Tier fett wird *Schweine ~*

• **Ma·te·ri·al** [mate'ri̯aːl] <-s, -ien> *das* **1.** Stoff, Substanz *das ~ auf seine Qualität prüfen* **2.** Hilfsmittel für eine bestimmte Arbeit *Wir brauchen noch ~ für den Hausbau.* **3.** Unterlagen *Wir haben genügend ~, um das Referat zu schreiben.* ***Komp:*** *-fehler, -kosten, Übungs-*

Ma·te·ri·a·lis·mus [materi̯a'lɪsmʊs] <-> *kein pl der* Denken, nach dem der persönliche Besitz das Wichtigste im Leben ist *Sein ~ ist unerträglich, immer denkt er nur an Geld.* ***Wobi:*** *materialistisch*

• **Ma·the·ma·tik** [matema'tik] <-> *kein pl die* Wissenschaft von den Zahlen, Mengen und Formeln *höhere/angewandte ~*

Mat·rat·ze [ma'trat͜sə] <-, -n> *die* weicher Teil des Bettes, auf dem man schläft *die ~ ausklopfen*

Matsch [mat͜ʃ] <-(e)s> *kein pl der* nasser, weicher Boden *Bei Regen löst sich der ganze Weg in ~ auf.* ***Wobi:*** *matschig*

matt [mat] <matter, mattest-> *adj* **1.** glanzlos *~es Papier, eine ~e Glühbirne* **2.** schwach, kraftlos *Der Kranke fühlte sich sehr ~.*

• **Ma·tur** [ma'tuːɐ̯] <-/-s> *kein pl die/das siehe* **Matura**

• **Ma·tu·ra** [ma'tuːra] <-> *kein pl die* (CH, ÖSTERR) Zeugnis nach dem Gymnasium in der Schweiz und in Österreich *die ~ machen* ***Wobi:*** *Maturand(in), Maturant(in)*

• **Mau·er** ['mau̯ɐ] <-, -n> *die* Wand aus Steinen *eine ~ bauen*

Maul [mau̯l] <-(e)s, Mäuler> *das* Mund bei Tieren *Der Hund reißt das ~ weit auf.*

mau·len ['mau̯lən] <mault, maulen, gemault> *itr* (*umg* ≈*nörgeln*) nur negativ reden *Er hatte schlechte Laune und maulte den ganzen Tag.*

Mau·rer(in) ['mau̯rɐ] <-s, -> *der* Handwerker, der Häuser baut *Der ~ arbeitet auf dem Bau.*

• **Maus** [mau̯s] <-, Mäuse> *die* **1.** ZOOL kleines Nagetier, das im Haus und auf dem Feld lebt *Die Mäuse haben das ganze Getreide gefres-*

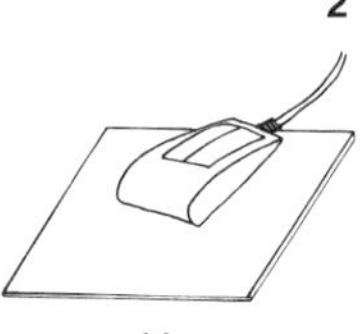

Maus

sen. **2.** DV ein kleines Gerät, mit dem man die Position des Cursors auf dem Computerbildschirm bestimmt *mit der ~ auf etw klicken* **3.** *nur pl* (≈*Kohle, Zaster*) Geld *Das kostet eine Menge Mäuse.* ***Komp: -klick***

ma·xi·mal [maksi'ma:l] <-, -> *adj* (↔*minimal*) größtmöglich *~e Anforderungen stellen*

Ma·xi·mum ['maksimʊm] <-s, -ma> *das* (↔*Minimum*) Höchstmaß, das Größtmögliche *Dieser Beruf verlangt ein ~ an Flexibilität.*

• **Me·cha·ni·ker(in)** [me'ça:nikɐ] <-s, -> *der* Handwerker, der Maschinen kontrolliert und repariert *Der ~ repariert das Auto.*

me·cha·nisch [me'ça:nɪʃ] <-, -> *adj* **1.** die Mechanik betreffend *ein ~er Vorgang* **2.** automatisch *eine ~e Handbewegung*

Me·cha·nis·mus [meça'nɪsmʊs] <-, -men> *der* Funktionsweise *Der ~ der Maschine ist sehr kompliziert.*

me·ckern <meckert, meckerte, gemeckert> *itr* **1.** Laute machen wie eine Ziege *Die Ziegen ~.* **2.** *(umg)* maulen, nörgeln *Etw findet er immer, worüber er ~ kann.*

Me·dail·le [me'daljə] <-, -n> *die* Münze an einem Band als Auszeichnung, z.B. als Symbol des Sieges *Olympiasieger bekommen ~n aus Gold, Silber und Bronze.*

Me·di·en ['me:di̯ən] <-> *pl* Zeitungen und Bücher, Radio, Fernsehen, Internet und Film *sich durch die ~ informieren*

• **Me·di·ka·ment** [medika'mɛnt] <-(e)s, -e> *das* Mittel gegen eine Krankheit, z.B. eine Tablette *ein ~ gegen Kopfschmerzen*

me·di·tie·ren [medi'ti:rən] <meditiert, meditierte, meditiert> *itr* sich als geistige oder religiöse Übung stark konzentrieren *regelmäßig ~* ***Wobi: Meditation***

• **Me·di·zin** [medi'tsi:n] <-, -en> *die* **1.** Medikament *Er nahm seine ~ gegen Husten.* **2.** Wissenschaft von der Behandlung und Heilung von Krankheiten *~ studieren* ***Komp: -studium, Tier-, Zahn-***

• **Meer** [me:ɐ̯] <-(e)s, -e> *das* Gewässer aus salzigem Wasser, das große Teile der Erde bedeckt; die See *Urlaub am ~ machen, ans ~ fahren*

Meer·schwein·chen <-s, -> *das* kleines Nagetier, das gerne als Haustier gehalten wird *Die Kinder haben sich zu Weihnachten ein ~ gewünscht.*

Me·ga·byte ['megabai̯t] <-s, -> *das* DV eine Million Byte *eine Speicherkapazität von 1,5 ~*

• **Mehl** [me:l] <-(e)s> *kein pl das* gemahlenes Getreide, das vor allem zum Backen verwendet wird *Brot wird aus ~ gebacken.* ***Wobi: mehlig Komp: Weizen-, Roggen-***

• **mehr** [me:ɐ̯] **I.** *pron* zusätzlich, ergänzend, noch etw dazu *Die Kinder wollen immer ~., Etw ~ Sahne für den Kuchen, bitte!, M~ gibt es nicht.* **II.** *adv* weiter, zusätzlich *Reden wir nicht ~ darüber!, Es ist kein Wein ~ da., Kein Wort ~!*

mehr·deu·tig <mehrdeutiger, mehrdeutigst-> *adj* (↔*eindeutig*) so, dass es mehr als eine Bedeutung hat *eine ~e Antwort*

• **meh·re·re** ['me:rərə] *pron* **1.** einige, eine unbestimmte Anzahl *Das wird ~ Wochen dauern.* **2.** verschieden *Es gibt ~ Möglichkeiten.*

mehr·fach ['me:ɐ̯fax] <-, -> *adj* wiederholt *Auch ~e Ermahnungen nutzten nichts.*

• **Mehr·heit** <-, -en> *die* (≈*Mehrzahl*) der größere Teil einer Menge *Er* *hatte die ~ auf seiner Seite., in der ~ sein, eine ~ von drei Stimmen haben, mit knapper ~*

mehr·spra·chig <-, -> *adj* so, dass man mehrere Sprachen spricht *~ aufwachsen*

Mehr·wert·steu·er <-, -n> *die* indirekte Steuer, die jedem Preis hinzugefügt wird *eine Erhöhung der ~*

Mehr·zahl <-, -> *die* **1.** Mehrheit *die ~ der Fälle* **2.** LING Plural *Die ~ von ‚Haus' ist ‚Häuser'.*

mei·den ['maidn̩] <meidet, mied, gemieden> *tr* [K] ***jd meidet jdn/etw*** *akk* versuchen, etw nicht zu tun oder jdn nicht zu treffen *Er meidet seine alten Freunde.*

• **mein** (**-e, -er, -s**) [main ('mainə, 'mainɐ, 'mains)] *pron* verwendet, um auszudrücken, dass etw dem Sprecher gehört; von mir *Das ist ~ Buch und nicht deins., M~ Auto steht in der Garage.*

• **mei·nen** ['mainən] <meint, meinte, gemeint> *tr* **1.** [K] ***jd meint etw*** *akk* denken *Ich meine, dass wir das schaffen., Was ~ Sie?, M~ Sie das im Ernst?, Entschuldigung, so habe ich es nicht gemeint.* **2.** [K] ***jd meint jdn/etw*** *akk* sich auf jdn/etw beziehen, jdn/etw gerade im Kopf haben *Haben Sie mich gemeint?, Ich meine die Schreibtische, nicht die Regale.*

• **mei·net·we·gen** ['mainət've:gn̩] *adv* **1.** von mir aus, ich habe nichts dagegen *M~ kannst du ruhig in Urlaub fahren.* **2.** für mich *Er hat das Haus ~ gekauft.*

• **Mei·nung** ['mainʊŋ] <-, -en> *die* Ansicht *der ~ sein, dass ..., meiner ~ nach, seine ~ äußern, keine gute ~ von jdm haben, seine ~ ändern* ***Komp: -saustausch, -sverschiedenheit***

Mei·nungs·um·fra·ge <-, -n> *die* Befragung der Bevölkerung *Sie machten eine ~ zur geplanten Schnellstraße.*

• **meist** ['maist] *adv* meistens *M~ gehe ich früh ins Bett.*

• **meis·te**(**-n**) *pron* der größte Teil *Die ~n von ihnen sind Studenten.*

• **meis·tens** ['maistn̩s] *adv* fast immer *Wenn ich schlafe, träume ich ~.*

• **Meis·ter**(**in**) ['maistɐ] <-s, -> *der* **1.** Handwerker, der eine Prüfung in seinem Beruf gemacht hat und der andere ausbilden darf *Der ~ bildet Lehrlinge aus.* **2.** Könner *ein ~ seines Faches sein* **3.** Titel im Sport *Er ist Deutscher ~.* ***Wobi: meistern***

Meis·ter·schaft <-, -en> *die* **1.** SPORT Wettkampf, bei dem die Sportler um einen Titel kämpfen *Er gewann die ~ im Schwimmen.* **2.** sehr gutes Können *Er brachte es bis zur ~ im Redenhalten.*

Me·lan·cho·lie [melaŋko'li:] <-> *kein pl die* Schwermut, Traurigkeit *~ spricht aus diesen Bildern.* ***Wobi: melancholisch***

Me·lange [me'lã:ʒə] <-, -n> *die* (ÖSTERR ≈*Milchkaffee*) großer Espresso mit viel Milch *im Kaffeehaus eine ~ bestellen*

• **mel·den** ['mɛldn̩] <meldet, meldete, gemeldet> **I.** *tr* **1.** [K] ***jd meldet jdn/etw*** *akk* ankündigen, bekannt geben *die Ankunft des Gastes ~* **2.** [K] ***etw meldet etw*** *akk* mitteilen, veröffentlichen *Die Zeitung meldete, dass der Mörder gefasst wurde.* **3.** [K] ***jd meldet jdm etw*** *akk* benachrichtigen, mitteilen *Er meldete seinem Chef das Ergebnis der Verhandlungen.* **II.** *refl* **1.** [K] ***jd meldet sich*** *akk* [***für etw*** *akk*] sich anbieten *Sie meldete sich freiwillig für diesen Auftrag.* **2.** TELKOM [K] ***jd meldet sich*** *akk* [***mit etw*** *dat*] antworten *Er hat*

M

sich nicht mit Namen gemeldet., Es meldet sich niemand. **3.** [K] ***jd meldet sich*** *akk* [***auf etw*** *akk*] antworten *sich auf eine Zeitungsanzeige ~*

melken

mel·ken ['mɛlkn̩] <melkt, melkte (molk), gemolken> *tr* [K] ***jd melkt ein Tier*** Milch von einem weiblichen Tier nehmen *Die Kühe werden jeden Morgen gemolken.*

Me·lo·die [melo'di:] <-, -n> *die* Folge von Tönen, die man singen kann *eine ~ singen*

me·lo·disch [me'lo:dɪʃ] <melodischer, melodischst-> *adj* so, dass es angenehm klingt *Das ist ein sehr ~es Lied.*

Me·lo·ne [me'lo:nə] <-, -n> *die* süße Kürbisfrucht mit viel Wasser *~n werden gerne bei heißem Wetter gegessen.* ***Komp: Honig-, Wasser-***

• **Men·ge** ['mɛŋə] <-, -n> *die* **1.** *(umg)* große Anzahl *Dieses Jahr gibt es jede ~ Kirschen.* **2.** viele Menschen *Die ~ drängte in das Fußballstadion.*

Men·sa ['mɛnza] <-, / -sen> *die* große Kantine an einer Hochschule *Mittags essen viele Studenten in der ~.*

• **Mensch** [mɛnʃ] <-en, -en> *der* **1.** *kein pl* das Lebewesen, das im Gegensatz zum Tier denken und sprechen kann *Wie unterscheidet sich der ~ vom Tier?* **2.** Person *Bei dem Unfall kamen drei ~en ums Leben.* ***Komp: -enmenge, -enleben***

Men·schen·ken·ner(in) <-s, -> *der* jd, der viel über das menschliche Verhalten weiß *ein guter/schlechter ~*

Men·schen·rech·te <-> *kein sing pl* die Basisrechte eines Menschen *die ~ garantieren/verletzen* ***Komp: Menschenrechtsverletzung***

> *Menschenrechte*
> Der Schutz der Menschenrechte wurde 1948 von den Vereinten Nationen (UNO) zum Programm erklärt. Der Europarat, dem auch Deutschland, Österreich und die Schweiz angehören, erklärte 1950 die Menschenrechte zu europäischem Recht und schuf den Europäischen Gerichtshof für Menschenrechte.

Mensch·heit <-> *kein pl die* alle Menschen der Erde *Die ~ muss Lösungen für die Umweltprobleme finden.*

• **mensch·lich** <menschlicher, menschlichst-> *adj* **1.** (↔*tierisch*) in der Art des Menschen, wie ein Mensch *eine ~e Stimme hören* **2.** (↔*unmenschlich*) human, wie ein guter Mensch *jdn ~ behandeln* ***Wobi: Menschlichkeit***

Menst·ru·a·ti·on [mɛnstrua'ts̯i̯o:n] <-, -en> *die* (≈*Regel, Tage*) monatliche Blutung bei Frauen *die ~ haben* ***Komp: -sbeschwerden, -shygiene***

Men·ta·li·tät [mɛntali'tɛ:t] <-, -en> *die* typische Art, typisches Denken einer Person oder einer Gruppe *die ~ der Deutschen*

• **Me·nü** [me'ny:] <-s, -s> *das* **1.** Essen mit mehreren Gängen, meist Vorspeise, Hauptgericht und Nachtisch *ein ~ bestellen* **2.** (CH) Mahlzeit *ein warmes ~ bekommen* **3.** DV Liste von Befehlen in einem Computerprogramm *im ~ etw mit der Maus anklicken*

• **mer·ken** ['mɛrkn̩] <merkt, merkte, gemerkt> **I.** *tr* [K] ***jd merkt etw*** *akk* wahrnehmen, spüren *Er merkte, dass sie ihn beobachtete., Merkst du was?, Woran hast du das gemerkt?* **II.** *refl* [K] ***jd merkt sich*** *dat* ***etw*** *akk* im Kopf behalten *M~ Sie sich das für die Zukunft!*

• **merk·wür·dig** <merkwürdiger, merkwürdigst-> *adj* seltsam *ein sehr ~es Verhalten* ***Wobi: merkwürdigerweise***

Mes·se ['mɛsə] <-, -n> *die* **1.** REL katholischer Gottesdienst *zur ~ gehen* **2.** ÖKON Ausstellung *auf der ~ die neuen Produkte zeigen*

• **mes·sen** ['mɛsn̩] <misst, maß, gemessen> **I.** *tr* [K] ***jd misst*** *etw akk* die Größe von etw feststellen *den Abstand zwischen den beiden Punkten ~, den Blutdruck ~* **II.** *refl* [K] ***jd misst sich*** *akk* ***mit jdm in etw*** *dat* wettstreiten, vergleichen *sich im Zweikampf ~*

- **Mes·ser** ['mɛsɐ] <-s, -> *das* Gegenstand zum Schneiden *mit ~ und Gabel essen* ***Komp:*** *Brot-, Fisch-, Taschen-*
- **Me·tall** [me'tal] <-s, -e> *das* eine harte Substanz, die Elektrizität leiten kann *Eisen ist ebenso ein ~ wie Gold., aus ~ sein* ***Komp:*** *Edel-, Schwer-*

Me·ter ['me:tɐ] <-s, -> *der/das* Maßeinheit der Länge, Abkürzung: m *Die Strecke ist 100 ~ lang., Das Zimmer ist vier ~ breit.* ***Komp:*** *-maß*

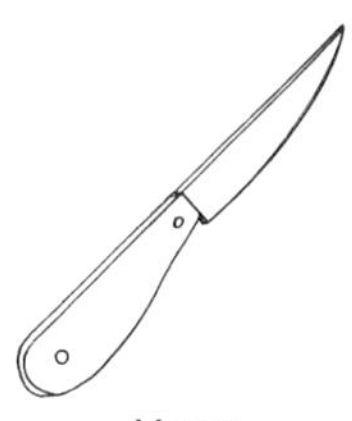

Messer

- **Me·tho·de** [me'to:də] <-, -n> *die* das Vorgehen nach festen Regeln, Vorgehensweise *eine neue ~ entwickeln* ***Wobi:*** *methodisch*
- **Metz·ge·rei** [mɛt͡sgə'rai̯] <-, -en> *die* (= ÖSTERR *Fleischhauerei*) Geschäft, das Fleisch und Wurst verkauft *in der ~ Wurst kaufen* ***Wobi:*** *Metzger*

Meu·te ['mɔy̯tə] <-, -n> *die* **1.** viele Jagdhunde *Die ~ hetzte los, um den Fuchs zu fangen.* **2.** eine Gruppe von Menschen, die sich aggressiv verhält *Die ~ zieht durch die Straßen.*

mied [mi:t] *prät von* **meiden**

mie·fen ['mi:fn̩] <mieft, miefte, gemieft> *itr (umg)* schlecht riechen, stinken *Hier mieft es.*

Mie·ne ['mi:nə] <-, -n> *die* Gesichtsausdruck *eine böse ~ machen;* **gute ~ zum bösen Spiel machen** gegen den eigenen Willen etwas tun oder andere tun lassen *Er machte gute ~ zum bösen Spiel und sagte nichts.;* **ohne eine ~ zu verziehen** ohne seine Gefühle zu zeigen *Er ertrug die Schmerzen, ohne eine ~ zu verziehen.*

mies [mi:s] <mieser, miesest-> *adj (umg pej)* schlecht, gemein und hinterhältig *Sein Verhalten ist ziemlich ~!*

Mies·ma·cher(in) <-s, -> *der (umg pej)* jd, der über alles schlecht redet *Er ist ein richtiger ~, ihm gefällt überhaupt nichts.*

- **Mie·te** ['mi:tə] <-, -n> *die* Geld, das man für die Benutzung einer Sache bezahlt *Die ~ für die Wohnung ist ziemlich hoch., zur ~ wohnen, die ~ pünktlich bezahlen* ***Wobi:*** *Mieterhöhung*
- **mie·ten** ['mi:tn̩] <mietet, mietete, gemietet> *tr* [K] ***jd mietet etw*** *akk* gegen Bezahlung benutzen *Sie mieteten ein Boot und fuhren auf den See., eine Wohnung ~* ***Wobi:*** *Mieter(in)*

Miete
In deutschen Städten reichen die Mietpreise für Wohnungen von fünf Euro pro Quadratmeter in Ostdeutschland und in kleineren Städten bis zu über zehn Euro pro Quadratmeter in Hamburg, München oder Frankfurt.

Mig·rä·ne [mi'grɛ:nə] <-, -n> *die* sehr starke Kopfschmerzen *Bei ~ soll man im Bett bleiben.*

Mik·ro·chip <-s, -s> *der* kleines Plättchen mit elektrischen Schaltkreisen *Die heutige Computertechnik funktioniert nur durch den ~.*

Mik·ro·fiche <-s, -s> *der/das* Karte mit sehr klein abgebildeten Texten, die man vergrößern und dann lesen kann *Auf einen ~ passen viele verkleinerte Buchseiten.*

Mi·k·ro·fon <-s, -e> *das* Gerät, mit dem man Gesang oder Sprache lauter machen kann *ans ~ treten, Bitte sprechen Sie ins ~!*

Mik·ros·kop [mikro'sko:p] <-s, -e> *das* optisches Gerät, mit dem man Dinge vergrößert anschauen kann *durch das ~ blicken* ***Komp:*** *Elektronen-*

Mi·k·ro·wel·le ['mi:krovɛlə] <-, -n> *die* Küchengerät, in dem man Speisen mit Hilfe von elektromagnetischen Wellen warm macht *Er*

Mikrofon

macht sich das Essen in der ~.

• **Milch** [mɪlç] <-> *kein pl die* die weiße Flüssigkeit, die man vor allem von Kühen bekommt und die als Grundnahrungsmittel dient *~ in den Kaffee nehmen* ***Wobi:** milchig* ***Komp:** -glas, -kaffee, Butter-, Kondens-, Voll-*

Milch·kaf·fee <-s, -> *der* Kaffee mit sehr viel Milch *~ ist eigentlich eine französische Spezialität.*

Milch·stra·ße <-, -n> *die* die Sterne am Nachthimmel, die als heller Streifen erscheinen *in einer klaren Nacht die ~ sehen*

mild [mɪlt] <milder, mildest-> *adj* **1.** sanft, warm *~e Luft* **2.** nachsichtig, nicht streng *ein ~er Richter* ***Wobi:** Milde, mildern*

Mi·lieu [mi'li̯øː] <-s, -s> *das* soziales Umfeld *Er stammt aus einfachem ~.* ***Komp:** Arbeiter-, Großstadt-*

mi·li·tant [mili'tant] <militanter, militantest-> *adj* gewalttätig, kriegerisch *~e Gegner der Atomkraft*

Mi·li·tär [mili'tɛːɐ̯] <-s> *kein pl das* (≈*Armee*) alle Streitkräfte eines Staates *Er war zwanzig Jahre als Berufssoldat beim ~.* ***Wobi:** militärisch* ***Komp:** -diktatur*

Mi·li·tär·dienst <-(e)s> *kein pl der* Zeit, die man in der Armee sein muss *seinen ~ ableisten*

Mil·li·me·ter ['mɪlimeːtɐ] <-s, -> *der* eine Längeneinheit *Ein Zentimeter besteht aus zehn ~n.*

Mil·li·on [mɪ'li̯oːn] <-, -en> *die* die Zahl 1.000.000 *Er hat eine ~ in der Lotterie gewonnen.*

Mi·mik ['miːmɪk] <-> *kein pl die* Wechsel im Gesichtsausdruck *Schauspieler müssen ihre ~ trainieren.*

• **Min·der·heit** <-, -en> *die* der kleinere Teil einer Gruppe *in der ~ sein, ethnische ~*

min·der·jäh·rig ['mɪndɐjɛːrɪç] <-, -> *adj* vor dem Gesetz noch nicht für sich selbst verantwortlich *In Deutschland ist man unter 18 Jahren ~.* ***Wobi:** Minderjährige(r)*

min·der·wer·tig <minderwertiger, minderwertigst-> *adj* von schlechter Qualität *~es Material*

• **min·des·tens** ['mɪndəstn̩s] *adv* (↔*höchstens*) wenigstens *Für das Essen brauchen wir ~ zwei Kilo Kartoffeln.*

Mi·ne ['miːnə] <-, -n> *die* **1.** MIL kleine Granate, Bombe im Boden *Er ist auf eine ~ getreten und verblutet.* **2.** Röhrchen in einem Kugelschreiber mit der Schreibflüssigkeit *Die ~ des Kugelschreibers ist leer.* **3.** Bergwerk *eine ~stilllegen* ***Komp:** Bleistift-, Gold-, Land-, See-, Silber-, Tret-*

• **Mi·ne·ral·was·ser** <-s> *kein pl das* (= CH , = ÖSTERR *Mineral*) Trinkwasser mit vielen Mineralien *viel ~ trinken*

mi·ni·mal [mini'maːl] <minimaler, minimalst-> *adj* so gering/niedrig wie möglich *Seine Ausgaben sind ~.*

Mi·ni·mum ['miːnimʊm] <-s, -ma> *das* (↔*Maximum*) die geringste Menge von etw *nur ein ~ an Geld zur Verfügung haben*

Mi·ni·rock <-(e)s, -röcke> *der* sehr kurzer Rock *Sie trägt heute einen ~.*

• **Mi·nis·ter(in)** [mi'nɪstɐ] <-s, -> *der* leitendes Mitglied einer Regierung *Er ist zum ~ ernannt worden.* ***Komp:** Außen-, Finanz-, Innen-, Verteidigungs-*

Mi·nis·ter·prä·si·dent(in) <-en, -en> *der* Leiter einer bundesdeutschen Landesregierung *Der ~ rief die Minister zusammen.*

Mi·no·ri·tät [minori'tɛːt] <-, -en> *die* (≈*Minderheit*) kleine Volksgruppe in einem Land *In fast jedem Land gibt es ethnische ~en.*

Mi·nus ['miːnʊs] <-> *kein pl das* (↔*Plus*) Schulden *Er hat ein ~ in der Kasse., Er ist im ~.*

mi·nus ['miːnʊs] *adv* **1.** (↔*plus*) weniger *Zehn ~ vier ist sechs.* **2.** unter Null Grad Celsius *Wir haben 20 Grad ~.*

Mi·nu·te [mi'nuːtə] <-, -n> *die* der 60ste Teil einer Stunde *Eine Stunde hat 60 ~n., Es dauert keine fünf ~n, bis …*

• **mi·schen** ['mɪʃn̩] <mischt, mischte, gemischt> **I.** *tr* **1.** [K] ***jd mischt etw*** *akk* mehrere Dinge zusammentun, vermengen *Der Koch mischte die Eier und das Mehl.* **2.** [K] ***jd mischt etw*** *akk* durcheinander bringen *Er mischte die Karten und teilte aus.* **II.** *refl* [K] ***jd mischt sich*** *akk* ***unter etw*** *akk* hineinbegeben *sich unters Volk ~*

Misch·masch ['mɪʃmaʃ] <-(e)s, (-e)> *der (umg)* Durcheinander, Mixtur *Das Essen war ein ~ aus allen möglichen Resten.*

Mi·schung <-, -en> *die* Mixtur *Der Cocktail ist eine ~ aus Wodka und Orangensaft, Dieser Hund ist eine ~ aus Boxer und Pudel.*

mi·se·ra·bel [mizə'raːbl̩] <miserabler, miserabelst-> *adj* **1.** (*pej*) sehr schlecht und daher ärgerlich *Das Essen schmeckt ~.* **2.** elend, sehr schlecht *Er hat die Grippe und fühlt sich ~., Es geht ihm ~.*

miss·ach·ten [mɪs'ʔaxtn̩] <missachtet, missachtete, missachtet> *tr* **1.** [K] ***jd missachtet jdn/etw*** *akk* (↔*achten*) mit Absicht nicht berücksichtigen *Er hat die Vorschrift missachtet.* **2.** [K] ***jd missachtet jdn/etw*** *akk* (↔*achten*) jdm keine Aufmerksamkeit schenken *Er fühlt sich missachtet.* ***Wobi: Missachtung***

miss·bil·li·gen [mɪs'bɪlɪgn̩] <missbilligt, missbilligte, missbilligt> *tr* [K] ***jd missbilligt etw*** *akk* (*geh*) tadelnd ablehnen, nicht akzeptieren *Der Richter missbilligte die Tat des Angeklagten.* ***Wobi: Missbilligung***

Miss·brauch ['mɪsbrau̯x] <-(e)s> *kein pl der* übermäßiger, nicht erlaubter Gebrauch *der ~ eines öffentlichen Amtes* ***Komp: Alkohol-***

miss·brau·chen [mɪs'brau̯xn̩] <missbraucht, missbrauchte, missbraucht> *tr* **1.** [K] ***jd missbraucht jdn/etw*** *akk* [***für etw*** *akk*] zu stark oder nicht erlaubt gebrauchen *Sie ~ ihre Position zu ihrem persönlichen Vorteil.* **2.** [K] ***jd missbraucht jdn*** einer Person sexuelle Gewalt antun *Das Kind wurde sexuell missbraucht.*

• **Miss·er·folg** <-(e)s, -e> *der* (≈*Scheitern*) etw, das negativ endet/keinen Erfolg hat *Das ganze Unternehmen war ein ~.*

Miss·fal·len ['mɪsfalən] <-s> *kein pl das* (*geh*) Widerwillen, Abneigung *sein ~ ausdrücken, jds ~ erregen*

miss·fal·len [mɪs'falən] <missfällt, missfiel, missfallen> *itr* (*geh*) nicht gefallen *Es missfällt mir, wenn du rauchst.*

miss·han·deln [mɪs'handl̩n] <misshandelt, misshandelte, misshandelt> *tr* [K] ***jd misshandelt jdn*** jdm weh tun, Schmerzen zufügen *Eltern dürfen ihre Kinder nicht ~.* ***Wobi: Misshandlung***

Ministerpräsident
Das österreichische Gegenstück zum deutschen Ministerpräsidenten ist der Landeshauptmann. Der Regierungschef eines Schweizer Kantons ist der Kantonalpräsident, in ländlichen Kantonen der Landamtmann.

miss·lạng [mɪs'laŋ] *prät von* **misslingen**

miss·lịn·gen [mɪs'lɪŋən] <misslingt, misslang, misslungen> *itr* <*sein*> nicht gelingen, keinen Erfolg haben *Der Versuch misslang.*

miss·lụn·gen [mɪs'lʊŋən] *part perf von* **misslingen**

mịss·mu·tig <missmutiger, missmutigst-> *adj* schlecht gelaunt *ein ~er Blick*

• **Mịss·trau·en** ['mɪstrau̯ən] <-s> *kein pl das* (↔*Vertrauen*) das Gefühl von Zweifel, ob man jdm vertrauen kann *~ gegen jdn haben*

miss·trau·en [mɪs'trau̯ən] <misstraut, misstraute, misstraut> *itr* [K] *jd misstraut jdm* nicht vertrauen *Er misstraut ihr.*

• **Mịss·ver·ständ·nis** ['mɪsfɛɐ̯ʃtɛntnɪs] <-ses, -se> *das* Nicht- oder Falschverstehen *Hier handelt es sich um ein ~.*

• **mịss·ver·ste·hen** ['mɪsfɛɐ̯ʃteːən] <missversteht, missverstand, missverstanden> *tr* [K] *jd missversteht jdn/etw akk* nicht oder falsch verstehen *Ich glaube, Sie haben mich missverstanden., Er hat ihre Andeutung missverstanden.*

Mịst [mɪst] <-(e)s> *kein pl der* **1.** der Kot und Urin von Tieren, vermischt mit Stroh *Der ~ muss aus dem Stall gebracht werden.* **2.** Kurzform für Misthaufen *Die Hühner scharren auf dem ~.* **3.** (*umg! pej*) Blödsinn, Quatsch *Was soll der ~?, Da hast du ~ gemacht!*

• **Mịst·kü·bel** <-s, -> *der* (ÖSTERR) *siehe* **Mülleimer**

• **mịt** [mɪt] *präp +dat* **1.** mittels, durch *~ Messer und Gabel essen, ~ anderen Worten ..., eine Linie ~ dem Lineal ziehen* **2.** zusammen, gemeinsam *~ den Kollegen einen Ausflug machen, sich lange ~ jdm unterhalten* **3.** betreffend *Das hat nichts ~ dir zu tun.*

Mịt·ar·beit <-> *kein pl die* aktive Teilnahme *Seine ~ an dem Projekt war sehr wichtig.*

• **mịt|ar·bei·ten** ['mɪtʔarbai̯tn̩] <arbeitet mit, arbeitete mit, mitgearbeitet> *itr* aktiv teilnehmen *an dem Projekt ~, im Unterricht ~*

Mịt·ar·bei·ter(in) <-s, -> *der* Angestellter *Der Chef lobte seine ~.;* **freier** ~ jd, der als Selbstständiger irgendwo mitarbeitet *als freier ~ bei einer Zeitung arbeiten*

• **Mịt·be·stim·mung** <-> *kein pl die* das Recht von jdm mitzuentscheiden *für mehr ~ kämpfen* ***Wobi: mitbestimmen***

Mịt·be·woh·ner(in) <-s, -> *der* jd, der mit einem anderen Menschen zusammenwohnt *den neuen ~ kennen lernen*

Mịt·bring·sel ['mɪtbrɪŋzl̩] <-s, -> *das* kleines Geschenk, das jd mitbringt *Der Vater hat seiner Tochter ein ~ aus Australien mitgebracht.*

mịt·ein·an·der [mɪtʔai̯'nandɐ] *adv* **1.** einer mit dem anderen *gut ~ auskommen* **2.** gemeinsam, zusammen *Sie gingen ~ zur Schule.*

• **mịt|fah·ren** <fährt mit, fuhr mit, mitgefahren> *itr* <*sein*> zum gleichen Ort fahren wie jd anders *Sie fahren mit dem Auto in die Stadt? Könnte ich ~?*

Mịt·ge·fühl <-(e)s> *kein pl das* Mitleid mit jdm, dem es nicht gut geht *Sie hatte sein volles ~.*

• **Mịt·glied** ['mɪtgliːt] <-(e)s, -er> *das* jd, der zu einer Gemeinschaft gehört *~ im Schachverein sein*

• **mịt|hel·fen** <hilft mit, half mit, mitgeholfen> *itr* unterstützen *Die Kinder helfen mit, wo sie können.* ***Wobi: Mithilfe***

Mịt·leid ['mɪtlai̯t] <-(e)s> *kein pl das* das Mitfühlen mit jdm, dem es nicht gut geht *mit jdm ~ haben* ***Wobi: mitleidig***

• **mit|ma·chen** <macht mit, machte mit, mitgemacht> **I.** *tr* **1.** [K] ***jd macht etw*** *akk* ***mit*** sich beteiligen *einen Kurs ~* **2.** [K] ***jd macht etw*** *akk* ***mit*** leiden *Als er jung war, hat er viel mitgemacht.* **II.** *itr* sich beteiligen *Bei dieser Aktion mache ich nicht mit.*

• **mit|neh·men** <nimmt mit, nahm mit, mitgenommen> *tr* **1.** [K] ***jd nimmt jdn/etw*** *akk* ***mit*** transportieren *Kannst du mich ~?, Er nahm das Buch mit nach Hause.* **2.** [K] ***etw nimmt jdn mit*** sehr müde machen, erschöpfen *Die Prüfung hat sie total mitgenommen.*

Mit·schuld <-> *kein pl die* Mitverantwortung *Er hatte eine große ~ an dem Unfall.*

Mit·schü·ler(in) <-s, -> *der* Klassenkamerad; jd, der in dieselbe Schulklasse geht *Seine ~ waren alle nett.*

Mit·spra·che·recht <-(e)s> *kein pl das* das Recht von jdm, bei wichtigen Entscheidungen seine Meinung zu sagen *Sie haben in diesem Punkt ~.*

Mit·tag ['mɪtaːk] <-s, -e> *der* **1.** Tageszeit von etwa zwölf bis zwei Uhr *Gegen ~ steht die Sonne am höchsten.* **2.** Arbeitspause zum Mittagessen *Ich mache jetzt ~.* ***Komp: -sschlaf, -szeit***

Mit·tag·es·sen <-s, -> *das* die meist warme (Haupt)Mahlzeit, die mittags gegessen wird *das ~ einnehmen, zum ~ gibt es …*

mit·tags ['mɪtaːks] *adv* zur Mittagszeit *M~ geht er in die Kantine.*

Mit·tags·pau·se <-, -n> *die* Pause, die man während der Arbeit zum Mittagessen macht *Die ~ geht von 12 bis 13 Uhr.*

• **Mit·te** ['mɪtə] <-, -n> *die* **1.** Zentrum, Punkt, der von allen Ecken oder Seiten gleich weit entfernt ist *Die Kirche steht in der ~ des Platzes., ~ Mai, Sie ist ~ zwanzig., ~ des Jahres, jdn in die ~ nehmen* **2.** POL Gruppe zwischen linker und rechter Ideologie *die politische ~, Vertreter der ~*

• **mit|tei·len** ['mɪttai̯lən] <teilt mit, teilte mit, mitgeteilt> **I.** *tr* [K] ***jd teilt jdm etw*** *akk* ***mit*** informieren *Er teilte seinem Chef die Neuigkeiten mit.* **II.** *refl* [K] ***jd teilt sich*** *akk* ***jdm mit*** persönliche Probleme besprechen *Er teilte sich seinem besten Freund mit.* ***Wobi: Mitteilung***

• **Mit·tel** ['mɪtl̩] <-s, -> *das* **1.** Möglichkeit, Instrument *Das ist das geeignete ~, um …* **2.** Kurzform für Arzneimittel *sich ein ~ verschreiben lassen* **3.** *nur pl* Kurzform für Zahlungsmittel, Geld *Das Krankenhaus wird aus öffentlichen ~n finanziert.*

mit·tel·mä·ßig <mittelmäßiger, mittelmäßigst-> *adj* durchschnittlich, nicht besonders *Er ist nur ~ begabt.* ***Wobi: Mittelmäßigkeit***

• **Mit·tel·punkt** <-(e)s, -e> *der* der Punkt in der Mitte eines Kreises *den ~ des Kreises bestimmen;* **im ~ stehen** allgemeine Beachtung finden, auffallen *im ~ des Interesses stehen*

Mit·tel·stand <-(e)s> *kein pl der* Teil der Bevölkerung mit durchschnittlichem Einkommen *Der ~ klagt über schlechte Geschäfte.*

• **mit·ten** ['mɪtn̩] *adv* in der Mitte *~ in der Nacht, ~ im Winter*

Mit·ter·nacht [mɪtɐnaxt] <-> *kein pl die* zwölf Uhr nachts *Die Uhr schlägt ~.*

• **mitt·le·re** ['mɪtlərə] <-, -> *nur attr adj* **1.** in der Mitte *Der ~ der drei Schalter ist der größte.* **2.** durchschnittlich *ein ~s Einkommen*

Mitternacht

mit·ler·wei·le ['mɪtlɐ'vailə] *adv* in der Zwischenzeit *M~ hat er die Sprache gelernt.*

Mitt·woch ['mɪtvɔx] <-(e)s, -e> *der* der 3. Tag der Woche *jeden ~ zum Sport gehen*

mitt·wochs ['mɪtvɔxs] *adv* am Mittwoch *~ zum Sport gehen*

Möbel

• **Mö·bel** ['mø:bl̩] <-> *kein sing pl* Gegenstände zum Einrichten einer Wohnung wie Stuhl, Tisch, Schrank etc. *~ aufbauen/bestellen* ***Komp:** -haus*

Mö·bel·stück <-(e)s, -e> *das* einzelner Einrichtungsgegenstand, z. B. ein Schrank *ein antikes/schönes ~*

Mo·bi·li·tät [mobili'tɛ:t] <-> *kein pl die* Beweglichkeit *Die Firma erwartet von den Arbeitnehmern ~.*

Mo·bil·te·le·fon <-s, -e> *das* TELKOM Handy *das ~ in der Manteltasche tragen*

• **möb·lie·ren** [mø'bli:rən] <möbliert, möblierte, möbliert> *tr* K *jd möbliert etw akk* Möbelstücke hineinstellen *eine Wohnung ~, ein möbliertes Zimmer vermieten*

• **Mo·de** ['mo:də] <-, -n> *die* die Art von Kleidung, die für eine bestimmte Zeit typisch ist *die neueste ~ tragen, sich nach der ~ richten* ***Komp:** -geschäft, -nschau, -schöpfer, Damen-, Herren-, Sommer-*

Mo·del ['mɔdl̩] <-s, -s> *das* Mannequin, Fotomodell *Sie ist Schauspielerin und ~.*

Mo·dell [mo'dɛl] <-s, -e> *das* **1.** verkleinerte Darstellung eines großen Gegenstands *Das ~ zeigt, wie die Brücke später aussehen soll.* **2.** Nachbildung von etw *~e von Schiffen basteln* **3.** Person, die einem Künstler als Vorbild für Gemälde/Fotografien dient *jdm ~ stehen* ***Komp:** -bau, Auto-, Flugzeug-, Foto-, Schiffs-*

Mo·dem ['mo:dɛm] <-s, -s> *das* DV Gerät zur Datenübertragung über die Telefonleitung *mit Hilfe eines ~s ins Internet gehen*

• **mo·dern** [mo'dɛrn] <moderner, modernst-> *adj* **1.** zeitgemäß *ein ~es Unternehmen* **2.** modisch *Die Frisur ist gerade ~.*

mo·disch ['mo:dɪʃ] <modischer, modischst-> *adj* nach der neuesten Mode, modern *Dieser Haarschnitt ist absolut ~.*

Mo·dul [mo'du:l] <-s, -e> *das* Baustein *Das Konzept sieht mehrere ~e vor, die sich ergänzen.*

Mo·fa ['mo:fa] <-(s), -s> *das* eine Art Fahrrad mit Motor *Das ~ fährt 25 km/h.*

mo·geln ['mo:gl̩n] <mogelt, mogelte, gemogelt> *itr* (*umg ≈schummeln*) nicht ehrlich sein *Er mogelte beim Kartenspiel.*

• **mö·gen** ['mø:gn̩] <mag, mochte, gemocht> **I.** *tr* **1.** K *jd mag jdn/etw akk* gern haben *Ich mag ihn., Ich habe ihn von Anfang an nicht gemocht.* **2.** sollen *Herr Müller, Sie möchten bitte sofort zu Hause anrufen.* **3.** können; drückt eine Vermutung aus *Da ~ Sie Recht haben., Das mag ja sein, aber …* **II.** *itr* wollen *Ich möchte allein sein., Ich möchte nach Hause!*

• **mög·lich** ['mø:klɪç] *adj* so, dass es sein kann; machbar *Es ist ~, dieses Ziel zu erreichen.;* **alles M~e** viele Dinge *Er hat mir alles M~e erzählt.* ***Wobi:** möglicherweise*

• **Mög·lich·keit** <-, -en> *die* das Möglichsein, Chance *Besteht die ~, dass er sich geirrt hat?*

• **mög·lichst** *adv* wenn möglich, wenn es geht *Komm ~ bald nach Hause!*

Möh·re ['mø:rə] <-, -n> *die* (*≈Karotte, Mohrrübe, gelbe Rübe*) hellrotes Wurzelgemüse *aus ~n einen Salat machen*

Möhre

• **Mo·ment** [mo'mɛnt] <-(e)s, -e> *der* (*≈Augenblick*) kurze Zeitspanne *Einen ~, bitte!, Im ~ kann ich nicht., Im ersten ~ war er völlig überrascht., etw im letzten ~ schaffen*

• **mo·men·tan** <-, -> *adj* augenblicklich *Die ~e Lage im Krisengebiet ist sehr ernst.*

Mon·ar·chie [monar'çi:] <-, -n> *die* Staatsform mit einem König oder Kaiser an der Spitze *England hat eine konstitutionelle ~.*

Monarchie
Im Deutschen Reich und in Österreich wurde die Monarchie am Ende des 1. Weltkriegs (1918) abgeschafft. Damals verloren der deutsche und der österreichische Kaiser und mit ihnen die Könige von Bayern, Württemberg und Baden den Thron. Die Schweiz war noch nie eine Monarchie.

• **Mo·nat** ['mo:nat] <-s, -e> *der* einer der zwölf Teile eines Jahres *die Telefonrechnung für den ~ Mai* ***Wobi: monatlich***

Mo·nats·kar·te <-, -n> *die* Fahrkarte, die für einen Monat gilt *Er hat eine ~ für den Bus.*

• **Mond** [mo:nt] <-(e)s, -e> *der* großer Himmelskörper, den man nachts am Himmel sieht *Der ~ scheint., zunehmender/abnehmender ~;* **hinter dem ~ leben** *(umg)* altmodische Ansichten haben, nicht in der Welt von heute leben *Du lebst wohl hinter dem ~!* ***Komp: -finsternis, -schein, Halb-, Neu-, Voll-***

Mond

• **Mo·ni·tor** ['mo:nito:ɐ̯] <-s, -e> *der* (DV: *≈Bildschirm*) Fläche eines Computers, auf der man Bilder sehen kann *den ~ des Computers ausschalten*

Mo·no·gra·fie [monogra'fi:] <-, -n> *die* einbändiges wissenschaftliches Werk/Buch *eine ~ über Schiller verfassen*

Mo·no·pol [mono'po:l] <-s, -e> *das* alleiniges Recht, ein Produkt herzustellen oder zu verkaufen *ein staatliches ~*

mo·no·ton [mono'to:n] <monotoner, monotonst-> *adj* eintönig, langweilig *~e Arbeit* ***Wobi: Monotonie***

Mon·tag ['mo:nta:k] <-(e)s, -e> *der* der erste Tag der Woche *Am ~ beginnt die Arbeitswoche.*

Mon·ta·ge [mɔn'ta:ʒə] <-, -n> *die* Zusammenbau, Aufbau *die ~ der Autoteile;* **auf ~ sein** auswärts als Monteur arbeiten *Er war auf ~ in Köln.* ***Wobi: montieren***

Moor [mo:ɐ̯] <-(e)s, -e> *das* Morast, Sumpfland, Gegend mit sehr nassem Boden *In Schottland gibt es viele ~e.*

Moos [mo:s] <-es, (-e)> *das* weiche grüne Planze, die an feuchten Plätzen wächst *weiches ~*

Mo·ped ['mo:pɛt] <-s, -s> *das* kleines Motorrad *Mein ~ fährt 60 km/h.*

Mo·ral [mo'ra:l] <-> *kein pl die* sittliche Wertvorstellung *eine lockere ~, eine strenge ~, die ~ von der Geschichte* ***Wobi: moralisch Komp: -vorstellungen, Doppel-***

• **Mord** [mɔrt] <-(e)s, -e> *der* das Töten eines Menschen *einen ~ begehen* ***Wobi: morden Komp: -fall, Raub-, Sexual-***

Mör·der(in) ['mœrdɐ] <-s, -> *der* jd, der einen Menschen getötet hat *den ~ verurteilen*

• **mor·gen** ['mɔrgn̩] *adv* am Tag nach heute *M~ scheint die Sonne., ~ in einer Woche, Bis ~!, ~ Mittag;* **der/die/das ... von ~** so, wie es in der nahen Zukunft sein wird *das Auto von ~*

• **Mor·gen** ['mɔrgn̩] <-s, -> *der* Tageszeit bei Sonnenaufgang *Der ~*

dämmerte., am frühen ~, heute ~, um sieben am ~

• **Mor·gen·es·sen** <-s, -> *das* (CH) Frühstück *Was möchten Sie zum ~?*

Mor·gen·man·tel <-s, -mäntel> *der* ein Mantel aus weichem Stoff, den man im Haus trägt *im ~ aus dem Bad kommen*

Mor·gen·muf·fel <-s, -> *der (umg)* jd, der morgens nur langsam wach wird und dann schlechte Laune hat *ein ~ sein*

• **mor·gens** ['mɔrgn̩s] *adv* am Morgen *~ früh aufstehen*

• **mor·gige(-r, -s)** ['mɔrgɪç] <-, -> *adj* den nächsten Tag betreffend *Sie kann den ~en Tag kaum erwarten.*

Mos·lem ['mɔslɛm] <-s, -s/Muslime> *der* Anhänger des Islam *ein gläubiger ~* ***Wobi: moslemisch***

Most [mɔst] <-(e)s, -e> *der* **1.** trüber Saft aus Früchten *~ wird meist aus Äpfeln und Trauben gemacht.* **2.** Traubensaft, aus dem man Wein macht *Der ~ gärt.*

Mo·tiv [mo'tiːf] <-s, -e> *das* **1.** Grund für eine Handlung *Das ~ für den Mord war Eifersucht., ohne ~* **2.** etw, was Künstler inspiriert *Er fand seine schönsten ~e in der Natur.* **3.** MUS kleinste Einheit einer Melodie *ein markantes ~*

Mo·ti·va·ti·on [motiva'ts̮i̯oːn] <-, -en> *die* **1.** Eifer, Lust *Ihre ~ ließ im Laufe der Arbeit nicht nach.* **2.** Grund für eine Handlung *Die ~ für ihr Verhalten bleibt unverständlich.* ***Wobi: motivieren***

• **Mo·tor** ['moːtoːɐ̯/mo'toːɐ̯] <-s, -en> *der* eine Maschine, die etw in Bewegung setzt *Der ~ des Autos hat 150 PS.* ***Komp: Benzin-, Diesel-, Elektro-***

• **Mo·tor·rad** <-(e)s, -räder> *das* ein Fahrzeug mit zwei Rädern und Motor *~ fahren, mit dem ~ nach Italien fahren* ***Komp: - fahrer(in)***

mot·zen ['mɔts̮n̩] <motzt, motzte, gemotzt> *itr (umg pej)* meckern, schimpfen *Was gibt's zu ~?*

Mountainbike

Moun·tain·bike ['maʊntɪnbaɪk] <-s, -s> *das* robustes Fahrrad, mit dem man auch abseits der Straßen fahren kann *~ fahren* ***Wobi: Mountainbiker(in)***

Mö·we ['møːvə] <-, -n> *die* weißer Vogel, der am Wasser lebt *Am Meer sind immer viele ~n.*

Mü·cke ['mʏkə] <-, -n> *die* ein fliegendes Insekt, das sticht und Blut saugt *von einer ~ gestochen werden* ***Komp: -nstich***

• **mü·de** ['myːdə] <müder, müdest-> *adj* so, dass man schlafen möchte *~ von der Arbeit kommen, mit ~r Stimme* ***Wobi: Müdigkeit***

muf·fig ['mʊfɪç] <muffiger, muffigst-> *adj* so, dass es schlecht riecht, weil die Fenster lange geschlossen waren *Die Luft in geschlossenen Räumen ist ~.*

• **Mü·he** ['myːə] <-, -n> *die* Anstrengung, Bemühen *Sie gab sich ~, alles richtig zu machen., nicht der ~ wert sein, jdm viel ~ machen*

mü·he·los <müheloser, mühelosest-> *adj* (↔*mühevoll, schwer*) ohne Mühe, leicht *etw ~ bewältigen*

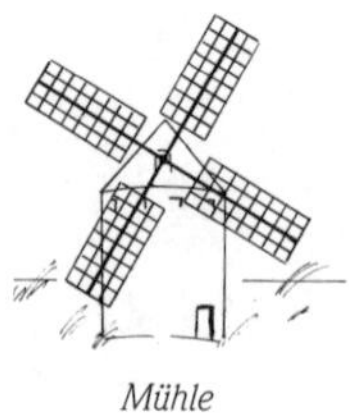

Mühle

Müh·le ['myːlə] <-, -n> *die* Gerät oder Anlage, in der Korn zu Mehl gemahlen wird *Getreide in die ~ bringen* ***Komp: Wind-, Wasser-***

Mull [mʊl] <-(e)s, -e> *der* ein Stoff, mit dem man Wunden verbindet *~ benutzt man zum Verbinden von Wunden.* ***Komp: -verband***

• **Müll** [mʏl] <-(e)s> *kein pl der* Abfall, wertlose Reste *etw in den ~*

werfen ***Komp:*** *Sonder-*

Mụll·ab·fuhr <-> *kein pl die* Unternehmen, das den Müll abholt *Die ~ kommt einmal wöchentlich.*

• **Mụll·ei·mer** <-s, -> *der* (= ÖSTERR *Mistkübel*) Behälter für Abfall *etw in den ~ werfen*

Mụll·ton·ne <-, -n> *die* großer Behälter für den Abfall eines Hauses *Die ~ ist schon wieder voll.*

mul·ti·kul·tu·rẹll <-, -> *adj* so, dass etw Elemente aus vielen Kulturen hat *die ~e Gesellschaft*

mul·ti·pli·zi̱e·ren [mʊltipli'ts̮i:rən] <multipliziert, multiplizierte, multipliziert> *tr* MATH [K] ***jd multipliziert etw*** *akk* ***mit etw*** *dat* eine Zahl mit einer anderen malnehmen *Fünf multipliziert mit drei ist fünfzehn.*

• **Mụnd** [mʊnt] <-(e)s, Münder> *der* die Öffnung im Gesicht, durch die der Mensch isst *den ~ öffnen;* **den ~ halten** *(umg)* still sein, nichts sagen *Halte jetzt endlich den ~!* ***Komp:*** *-geruch, -wasser*

Mụnd·art ['mʊntʔa:ɐ̯t] <-, -en> *die* Dialekt *die verschiedenen ~en Deutschlands*

mụ̈n·dig ['mʏndɪç] <-, -> *adj* **1.** volljährig *mit 18 ~ sein* **2.** verantwortungsbewusst *M~e Bürger wollen selber entscheiden.*

• **mụ̈nd·lich** ['mʏntlɪç] <-, -> *adj* (↔*schriftlich*) in Form eines Gespräches *eine ~e Vereinbarung treffen, ~e Prüfung, Alles Weitere ~!*

Mụ̈n·dung ['mʏndʊŋ] <-, -en> *die* der Ort, an dem ein Gewässer in ein anderes fließt *die ~ des Flusses* ***Wobi:*** *münden*

Mụ̈ns·ter ['mʏnstɐ] <-s, -> *das* eine große Kirche *das Straßburger/Ulmer ~*

Münster

mụn·ter ['mʊntɐ] <munterer, munterst-> *adj* **1.** lebhaft, lustig *ein ~es Kind* **2.** wach *Bist du schon ~?*

Mụ̈n·ze ['mʏnts̮ə] <-, -n> *die* Geldstück *eine römische ~, Können Sie mir den Schein in ~n wechseln?;* **jdm etw mit gleicher ~ heimzahlen** sich bei jdm rächen *Er zahlte ihm seine Gemeinheit mit gleicher ~ heim.*

mụr·meln ['mʊrml̩n] <murmelt, murmelte, gemurmelt> *itr* leise und unverständlich sprechen *Er murmelte vor sich hin.*

mụr·ren ['mʊrən] <murrt, murrte, gemurrt> *itr* meckern, schimpfen *Er murrte über das Essen.*

mụ̈r·risch ['mʏrɪʃ] <mürrischer, mürrischst-> *adj* schlecht gelaunt *~ blicken*

• **Mu·se̱·um** [mu'ze:ʊm] <-s, -seen> *das* Gebäude, in dem Kunstwerke ausgestellt werden *ins ~ gehen, Der Louvre ist ein berühmtes ~.*

• **Mu·si̱k** [mu'zi:k] <-> *kein pl die* Kunst, die mit Hilfe von Tönen Melodien erzeugt *gerne klassische ~ hören, ~ machen* ***Wobi:*** *Musiker* ***Komp:*** *-instrument*

mu·si·ka̱·lisch [muzi'ka:lɪʃ] <musikalischer, musikalischst-> *adj* so, dass jd Talent für die Musik hat *Das Kind ist sehr ~.*

mu·si·zi̱e·ren [muzi'ts̮i:rən] <musiziert, musizierte, musiziert> *itr* Musik machen *Weil sie Geige und er Klavier spielt, können sie viel gemeinsam ~.*

Mụs·kel ['mʊskl̩] <-s, -n> *der* das Gewebe im Körper, das die Bewegung möglich macht *kräftige ~n haben* ***Wobi:*** *muskulös* ***Komp:***

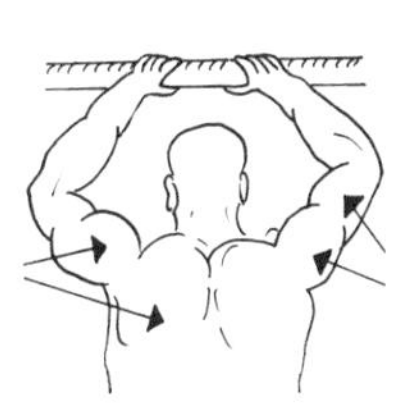

Muskeln

-protz

Mụs·kel·ka·ter <-s> *kein pl der* Schmerzen in den Muskeln, die man hat, weil man sich zu viel bewegt hat *nach dem Sport ~ haben*

Mü̲s·li ['my:sli] <-s, -s> *das* eine Speise aus Getreide, Obst und Milch oder Jogurt *zum Frühstück ~ essen*

• **mụ̈s·sen** ['mʏsn̩] <muss, musste, gemusst/müssen> *itr* **1.** gezwungen sein *Er muss seine Pflicht erfüllen., Du musst es nicht tun, wenn du nicht willst., Musst du schon gehen?, Das muss leider sein.* **2.** verwendet, um auszudrücken, dass etw wahrscheinlich ist *Ich muss geschlafen haben., Es ~ fünf gewesen sein.*

mụss·te ['mʊstə] *prät von* **müssen**

Mụs·ter ['mʊstɐ] <-s, -> *das* **1.** Probe, Modell *Hier ist ein ~ des neuen Produkts.* **2.** Abbildungen auf einem Stoff *ein fröhliches ~ auf dem Kleid* **3.** Vorbild *Sie ist ein ~ an Zuverlässigkeit.*

mụs·tern ['mʊstɐn] <mustert, musterte, gemustert> *tr* **1.** [K] ***jd mustert jdn*** kritisch/genau anschauen *jdn aufmerksam ~* **2.** MIL [K] ***jd mustert jdn*** prüfen, ob jd für den Militärdienst geeignet ist *Die jungen Männer wurden gemustert.* ***Wobi: Musterung***

• **Mu̲t** [mu:t] <-(e)s> *kein pl der* Tapferkeit *~ haben, Verlier nicht den ~!, Kopf hoch! Nur ~!, jdm ~ machen* ***Wobi: mutig***

mu̲t·los <mutloser, mutlosest-> *adj* ohne Mut *Nach dieser Niederlage war er völlig ~.*

• **Mụt·ter**[1] ['mʊtɐ] <-, Mütter> *die* eine Frau, die ein Kind geboren hat *der ~ im Haushalt helfen* ***Wobi: bemuttern Komp: -schutz***

• **Mụt·ter**[2] ['mʊtɐ] <-, -n> *die* TECH Sicherung an einer Schraube *~n festdrehen*

1

2
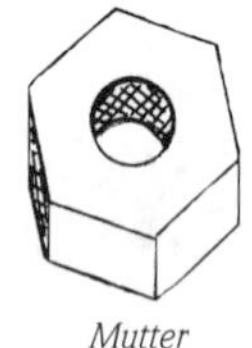

Mutter

mụ̈t·ter·lich ['mʏtɐlɪç] <mütterlicher, mütterlichst-> *adj* wie eine Mutter *eine ~e Frau*

Mụt·ter·söhn·chen <-s, -> *das* (*umg pej*) ein Junge, der zu stark an der Mutter hängt *ein richtiges ~ sein*

Mụt·ter·spra·che <-, -n> *die* Sprache, die ein Kind zuerst erlernt *Ihre ~ ist Deutsch.* ***Wobi: Muttersprachler***

Mụt·ter·tag <-(e)s, -e> *der* Festtag im Mai, an dem die Mutter gefeiert wird *der Mutter zum ~ Blumen schenken*

Mụ̈t·ze ['mʏt͡sə] <-, -n> *die* Kopfbedeckung *eine ~ tragen* ***Komp: Baseball-, Basken-, Pudel-, Woll-***

My̲·thos ['my:tɔs] <-, Mythen> *der* alte/traditionelle Geschichte eines Volkes, die sich meistens mit Göttern beschäftigt *der ~ des Prometheus* ***Wobi: mythisch, Mythologie***

N

N, n [ɛn] <-, -> *das* der 14. Buchstabe des Alphabets *Das Wort ‚Nase' beginnt mit dem Buchstaben ~.*

na [na(:)] *interj* **1.** *(umg)* verwendet, um eine Aussage zu verstärken *N~ also!, N~ eben!, N~ bitte!* **2.** verwendet, um eine Aufforderung zu verstärken *N~, wird's bald?* **3.** verwendet, um Erstaunen auszudrücken *N~ so was!*

Na·bel ['na:bl̩] <-s, -> *der* **1.** ANAT Kurzform für Bauchnabel *der ~ des Embryos* **2.** Zentrum *Die Börse ist der ~ des Handels.* ***Komp:** -schnur*

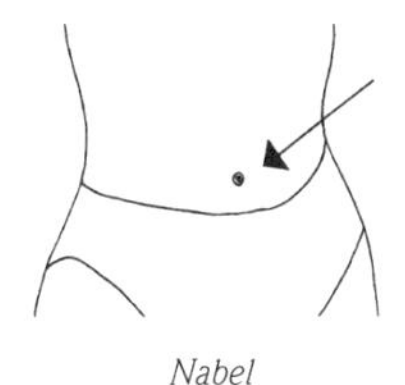

Nabel

• **nach** [na:x] *präp + dat* **1.** später als *einer ~ dem anderen* **2.** wenn eine bestimmte Zeit vorbei ist *~ zwanzig Minuten* **3.** in eine bestimmte Richtung *Ich ziehe ~ München., ~ Hause* **4.** (CH) entlang *Gehen Sie immer der Straße ~.* **5.** gemäß, entsprechend, laut *~ dem Gesetz, meiner Meinung ~*

nach|ah·men ['na:xʔa:mən] <ahmt nach, ahmte nach, nachgeahmt> *tr* [K] ***jd ahmt jdn/etw** akk **nach*** imitieren, etw genau so machen wie jd anders *den Lehrer ~*

• **Nach·bar(in)** ['naxba:ɐ̯] <-n/-s, -n> *der* jd, der nebenan wohnt *die ~n grüßen* ***Komp:** -dorf, -haus, -schaft*

• **nach·dem** [na:x'de:m] *konj* drückt aus, dass etw auf etw anderes folgt *N~ sie das Haus verlassen hatte, fuhr sie in die Stadt.;* **je ~, wie …** es kommt darauf an, ob … *Je ~, wie sie sich verhalten, werde ich reagieren.*

• **nach|den·ken** <denkt nach, dachte nach, nachgedacht> *itr* sich über etw Gedanken machen *Er dachte über die Ereignisse der letzten Tage nach.*

Nach·druck[1] <-(e)s> *kein pl der* Bestimmtheit *mit ~ auf etw hinweisen*

Nach·druck[2] <-(e)s, -e> *der* neue Auflage *Bei dem Buch handelt es sich um einen ~.*

nach|for·schen <forscht nach, forschte nach, nachgeforscht> *itr* intensiv versuchen, Informationen über etw zu bekommen *Er forschte intensiv nach und fand endlich die verschwundenen Bilder.* ***Wobi:** Nachforschung*

• **Nach·fra·ge** <-, -n> *die* **1.** Erkundigung, Frage *Wie geht's? – Danke der ~!* **2.** Interesse, Kauflust *eine starke ~, Die ~ steigt ständig, bald ist alles ausverkauft., Angebot und ~* ***Wobi:** nachfragen*

nach|füh·len <fühlt nach, fühlte nach, nachgefühlt> *tr* [K] ***jd fühlt** [jdm] **etw** akk **nach*** die gleichen Gefühle haben wie der andere *Das kann ich dir ~.*

nach|fül·len <füllt nach, füllte nach, nachgefüllt> *tr* [K] ***jd füllt etw** akk **nach*** ein leeres Gefäß wieder füllen *die Gläser ~*

nach·gie·big ['na:xgi:bɪç] <nachgiebiger, nachgiebigst-> *adj* weich, bereit nachzugeben, entgegenkommend *Er ist immer sehr ~.* ***Wobi:** Nachgiebigkeit*

nach·hau·se *adv* (CH, ÖSTERR) nach Hause *~ gehen*

• **nach·her** [na:x'he:ɐ̯/'na:xhe:ɐ̯] *adv* danach, später *Wir können ~ noch ins Kino gehen.*

Nach·hil·fe ['na:xhɪlfə] <-> *kein pl die* zusätzlicher Unterricht für schwache Schüler *~ in Mathematik geben*

Nach·kom·me ['na:xkɔmə] <-n, -n> *der* Nachfahre, jüngerer Verwandter *Er ist ein direkter ~ des Königs.*

Nach·lass ['na:xlas] <-es, -e/-lässe> *der* **1.** Senkung des Preises für eine Sache, Rabatt *Sie bekam einen ~ auf die Schuhe.* **2.** das Erbe *Der ~ seines Vaters belief sich auf zwei Millionen.*

nach·läs·sig ['na:xlɛsɪç] <nachlässiger, nachlässigst-> *adj* sorglos, nicht vorsichtig, schlampig *Er geht sehr ~ mit seinen Sachen um.* ***Wobi: Nachlässigkeit***

Nach·mit·tag ['na:xmɪta:k] <-s, -e> *der* die zweite Tageshälfte *Jeden ~ geht sie im Park spazieren.* ***Wobi: nachmittags***

Nach·na·me <-ns, -n> *der* Zuname, Familienname *Sein Vorname ist Heinz, sein ~ Müller.*

• **Nach·richt** ['na:xrɪçt] <-, -en> *die* **1.** persönliche Mitteilung *Er hat ihre ~ bekommen.* **2.** Meldung, Neuigkeit *Die ~ vom Tod des Präsidenten verbreitete sich sehr schnell.* **3.** *nur pl* kurze Sendung im Radio oder Fernsehen über politische und andere aktuelle Ereignisse *die ~en um sieben Uhr anschauen, ~en hören* ***Komp: -enmagazin, -ensprecher***

nach|rü·cken <rückt nach, rückte nach, nachgerückt> *itr* <*sein*> hinterherkommen, nach oben steigen *auf der Warteliste langsam ~*

Nach·ruf <-(e)s, -e> *der* Würdigung eines Toten *Der Chefredakteur schrieb einen ~ auf den Verstorbenen.*

nach|sa·gen <sagt nach, sagte nach, nachgesagt> *tr* **1.** [K] ***jd sagt [jdm] etw*** *akk* ***nach*** nachsprechen, wiederholen *Die Geschworenen sagten den Eid nach.* **2.** [K] ***jd sagt [jdm] etw*** *akk* ***nach*** von jdm etw behaupten *Man sagt ihm nach, dass er geizig ist.*

• **nach|schla·gen** <schlägt nach, schlug nach, nachgeschlagen> *tr* [K] ***jd schlägt etw*** *akk* ***nach*** ein Wort in einem Lexikon oder Wörterbuch suchen *die Bedeutung eines Wortes im Wörterbuch ~*

Nach·schub <-(e)s> *kein pl der* MIL neues Material, neue Verpflegung/Proviant *für ~ sorgen*

Nach·sicht <-> *kein pl die* Geduld, Rücksicht *Die Eltern übten ~ mit ihren Kindern.* ***Wobi: nachsichtig***

• **Nach·spei·se** <-, -n> *die* Dessert, Nachtisch *Als ~ gab es Eis.*

Nach·spiel <-s, -e> *das* Konsequenzen *Ihr Verhalten wird noch ein ~ haben!*

näch·ste *adj superl von nah* **1.** in der geringsten Entfernung *Die ~ Ortschaft ist fünf Kilometer entfernt.* **2.** jd/etw, der/das zeitlich folgt *~ Woche, Der N~, bitte!*

Nacht [naxt] <-, Nächte> *die* (↔*Tag*) die Zeit zwischen Abend und Morgen *Die ~ war sehr dunkel.*; **über** ~ bis zum nächsten Morgen *Sie blieben über ~.* ***Komp: -schicht, -wache***

• **Nach·teil** ['na:xtai̯l] <-(e)s, -e> *der* **1.** Gegenargument, negative Wirkung *Die Wohnung hat einen Nachteil: Sie ist sehr dunkel.* **2.** schlechte Lage im Vergleich zu anderen *Er befand sich seinem Kon-*

kurrenten gegenüber im ~. **3.** Schaden *Es soll bestimmt nicht zu deinem ~ sein!*

Nạcht·es·sen <-s, -> *das* (SD, CH ≈*Abendessen*) letzte Mahlzeit des Tages *um sechs Uhr das ~ einnehmen*

Nạcht·hemd <-(e)s, -en> *das* ein Kleid, das besonders Frauen im Bett tragen *ein ~ aus Baumwolle*

Nạch·ti·gall ['naxtɪgal] <-, -en> *die* ein Singvogel *Die ~ ist bekannt für ihren schönen Gesang.*

• **Na̲ch·tisch** <-(e)s, -e> *der* (≈*Dessert, Nachspeise*) letzter Gang nach der Hauptmahlzeit *Zum ~ gab es Eis.*

nạ̈cht·lich ['nɛçtlɪç] <-, -> *adj* in der Nacht *ein ~er Spaziergang*

na̲ch|tra·gen <trägt nach, trug nach, nachgetragen> *tr* **1.** K ***jd trägt jdm etw*** *akk* ***nach*** hinterhertragen *Er trug ihr die Tasche nach, die sie vergessen hatte.* **2.** K ***jd trägt etw*** *akk* ***nach*** später ergänzen *Lassen Sie mich bitte noch folgende Bemerkung ~.* **3.** K ***jd trägt jdm etw*** *akk* ***nach*** nicht verzeihen *Er trug seiner Frau die Beleidigungen noch jahrelang nach.*

na̲ch·träg·lich ['naːxtrɛːklɪç] <-, -> *adj* **1.** später, im Nachhinein *Es handelt sich hierbei um eine ~e Ergänzung des Textes.* **2.** verspätet *N~ herzlichen Glückwunsch!*

nạchts [naxts] *adv* in der Nacht *N~ schlafen die meisten Menschen.*

Nạcht·tisch <-(e)s, -e> *der* kleines Möbelstück, das neben dem Bett steht *Sie legte die Brille auf den ~.* ***Komp:** -lampe*

na̲ch|voll·zie·hen <vollzieht nach, vollzog nach, nachvollzogen> *tr* K ***jd vollzieht etw*** *akk* ***nach*** verstehen, den Argumenten folgen *Er konnte ihre Argumentation nicht ~.*

Na̲ch·weis ['naːxvais] <-es, -e> *der* Beweis, Bescheinigung *Er musste einen ~ über die Prüfung vorlegen.*

na̲ch|weisen <weist nach, wies nach, nachgewiesen> *tr* K ***jd weist** [jdm] **etw*** *akk* ***nach*** beweisen *Sie konnten ihm den Einbruch nicht ~.*

na̲ch·weis·lich ['naːxvaislɪç] <-, -> *adj* so, dass es Beweise gibt *ein ~er Irrtum*

Na̲ch·welt <-> *kein pl die* alle Menschen, die nach dem eigenen Tod leben *Erst die ~ erkannte das Genie des Dichters.*

Na̲ch·wort <-(e)s, -e> *das* abschließender Kommentar in einem Buch *Der Verleger schrieb das ~ zum Roman.*

Na̲ch·wuchs <-(e)s> *kein pl der* **1.** Kinder, Nachkommen *Unsere Nachbarn haben ~.* **2.** neue Mitarbeiter *Die Firma sucht nach qualifiziertem ~.*

Nạ·cken ['nakn̩] <-s, -> *der* Körperpartie zwischen Hinterkopf und Rücken *Er hat so lange gelesen, dass ihm jetzt sein ~ wehtut.;* **jdn im ~ haben** *(umg)* von jdm verfolgt/bedroht werden *Der Gangster hatte die Polizei im ~.*

nạckt [nakt] <-, -> *adj* ohne Kleider *jdn ~ sehen;* **die ~en Tatsachen** *(umg)* Tatsachen ohne Kommentar oder Wertung *nichts als die ~en Tatsachen*

Na̲·del ['naːdl̩] <-, -n> *die* **1.** langer, an einem Ende spitzer Metallstift, der zum Nähen benutzt wird *mit ~ und Faden den Knopf annähen* **2.** BOT eines der vielen kleinen grünen Teile an Bäumen, die keine Blätter haben *die ~n der Fichte* ***Komp:** -baum, -öhr,*

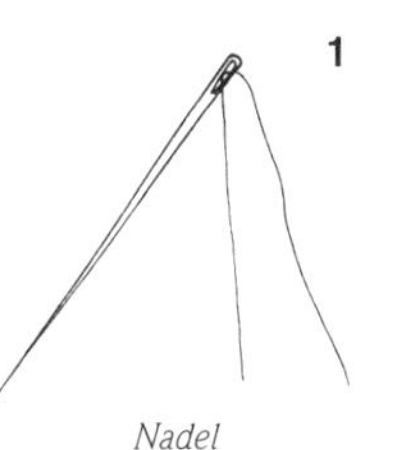

Nadel

Häkel-, Strick-, Tannen-

Na·del·baum <-(e)s, -bäume> *der* Baum, der keine Blätter, sondern Nadeln trägt *Die Tanne ist ein ~.*

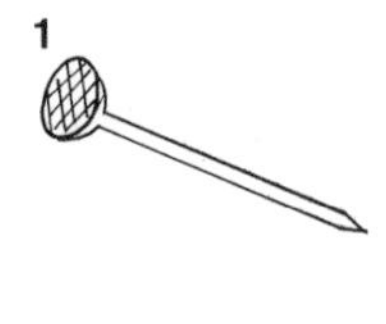

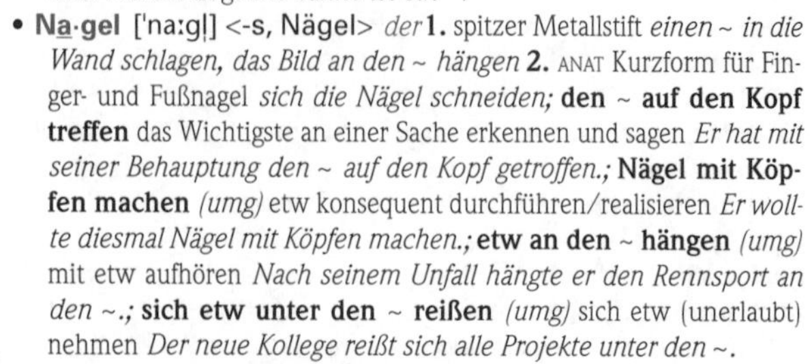

• **Na·gel** ['na:gl̩] <-s, Nägel> *der* **1.** spitzer Metallstift *einen ~ in die Wand schlagen, das Bild an den ~ hängen* **2.** ANAT Kurzform für Finger- und Fußnagel *sich die Nägel schneiden;* **den ~ auf den Kopf treffen** das Wichtigste an einer Sache erkennen und sagen *Er hat mit seiner Behauptung den ~ auf den Kopf getroffen.;* **Nägel mit Köpfen machen** *(umg)* etw konsequent durchführen/realisieren *Er wollte diesmal Nägel mit Köpfen machen.;* **etw an den ~ hängen** *(umg)* mit etw aufhören *Nach seinem Unfall hängte er den Rennsport an den ~.;* **sich etw unter den ~ reißen** *(umg)* sich etw (unerlaubt) nehmen *Der neue Kollege reißt sich alle Projekte unter den ~.*

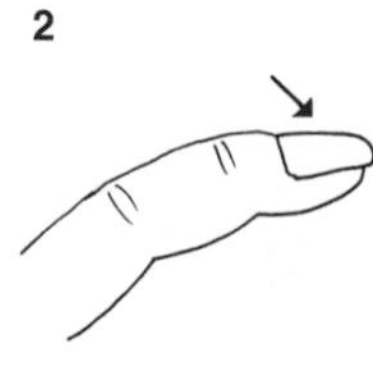
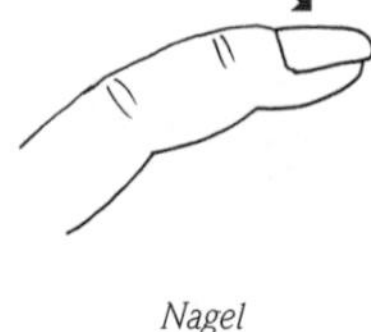

Nagel

na·gen ['na:gn̩] <nagt, nagte, genagt> *itr* knabbern, kleine Stücke von etw abbeißen *Die Mäuse ~ am Käse.*

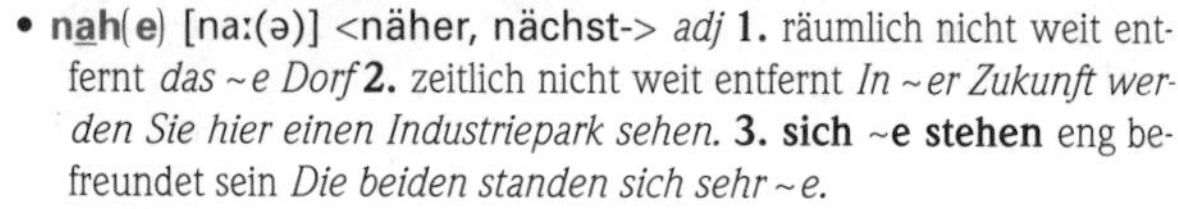

• **nah(e)** [na:(ə)] <näher, nächst-> *adj* **1.** räumlich nicht weit entfernt *das ~e Dorf* **2.** zeitlich nicht weit entfernt *In ~er Zukunft werden Sie hier einen Industriepark sehen.* **3. sich ~e stehen** eng befreundet sein *Die beiden standen sich sehr ~e.*

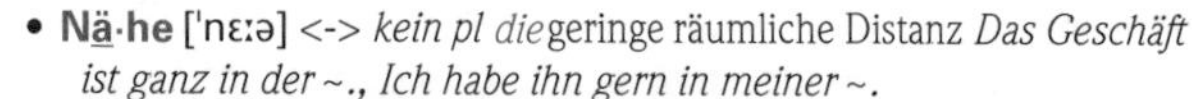

• **Nä·he** ['nɛ:ə] <-> *kein pl die* geringe räumliche Distanz *Das Geschäft ist ganz in der ~., Ich habe ihn gern in meiner ~.*

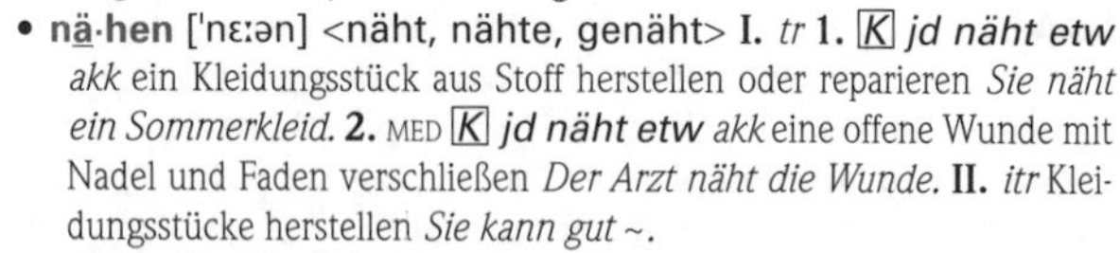

• **nä·hen** ['nɛ:ən] <näht, nähte, genäht> **I.** *tr* **1.** [K] ***jd näht etw** akk* ein Kleidungsstück aus Stoff herstellen oder reparieren *Sie näht ein Sommerkleid.* **2.** MED [K] ***jd näht etw** akk* eine offene Wunde mit Nadel und Faden verschließen *Der Arzt näht die Wunde.* **II.** *itr* Kleidungsstücke herstellen *Sie kann gut ~.*

nä·her ['nɛ:ɐ] *adj komp von nah* **1.** in relativ geringer Distanz *die ~e Umgebung* **2.** ausführlich, genauer *Können Sie das ~ beschreiben?*

• **nä·hern** ['nɛ:ɐn] <nähert, näherte, genähert> *refl* [K] ***jd nähert sich** akk **jdm/etw** dat* sich zu jdm hin bewegen, näher herankommen *Der Zug näherte sich langsam der Brücke., Die Temperatur nähert sich dem Gefrierpunkt.*

na·he·zu ['na:ə'tsu:] *adv* beinahe, fast *N~ alle Nachbarn sind im Gesangverein.*

nahm [na:m] *prät von* **nehmen**

Näh·ma·schi·ne <-, -n> *die* Maschine zum Nähen *Als Schneiderin besitzt sie eine ~.*

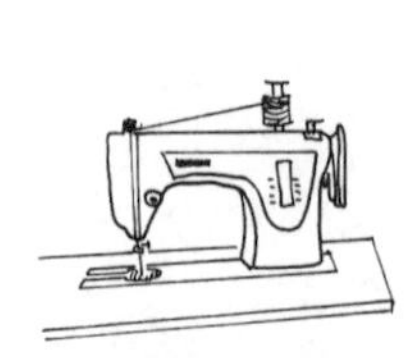

Nähmaschine

nahr·haft <nahrhafter, nahrhaftest-> *adj* so, dass es gesund ist und schnell satt macht *ein ~es Essen*

Nähr·stoff <-(e)s, -e> *der* Stoff, der für die Ernährung notwendig ist *Vitamine sind sehr wichtige ~e für den Menschen.*

Nah·rung <-> *kein pl die* das, was Menschen und Tiere essen und trinken *Die Tiere waren auf der Suche nach ~.*

• **Nah·rungs·mit·tel** <-s, -> *das* Lebensmittel, Dinge zum Essen *Kartoffeln sind ein wichtiges ~.* ***Komp:** Grund-*

Nähr·wert <-(e)s> *kein pl der* Bedeutung eines Nahrungsmittels für die Ernährung *Der ~ von Kartoffeln ist sehr groß.*

Naht [na:t] <-, Nähte> *die* Linie, die beim Nähen entsteht und zwei Teile eines Stoffes zusammenhält *Die ~ ist aufgeplatzt.*

naht·los <-, -> *adj* **1.** ohne erkennbaren Übergang *Er war ~ braun am ganzen Körper.* **2.** ohne Unterbrechung, reibungslos *ein ~er Über-*

gang von der alten zur neuen Regierung

Nah·ver·kehr <-(e)s> *kein pl der* Verkehr über kurze Entfernungen *den öffentlichen ~ benutzen*

na·iv [na'i:f] <naiver, naivst-> *adj* treuherzig, gutgläubig, unkritisch *Sie ist trotz ihres Alters ziemlich ~.* ***Wobi:*** *Naivität*

• **Na·me** ['na:mə] <-ns, -n> *der* Bezeichnung, die eine Person oder einen Gegenstand von anderen unterscheidet *Sein ~ ist Müller., Wie ist Ihr ~?;* **das Kind beim ~n nennen** etw genau benennen, die Wahrheit sagen *Du kannst das Kind ruhig beim ~n nennen.*

Na·mens·tag <-(e)s, -e> *der* Festtag eines Heiligen, der von den Personen mit demselben Namen gefeiert wird *Zum ~ schenkte er ihr Blumen.*

• **näm·lich** ['nɛ:mlɪç] *adv* **1.** verwendet, um eine Aussage nachträglich deutlicher zu machen *Sie konnten sich nicht leiden, sie waren ~ Konkurrenten.* **2.** weil, drückt eine Begründung für bereits Gesagtes aus *Ich kann nicht kommen, ich habe ~ noch zu tun.*

nann·te [' nantə] *prät von* **nennen**

na·nu [na'nu:] *interj* verwendet, um Überraschung auszudrücken *N~, wer kommt denn da?*

Nar·be ['narbə] <-, -n> *die* bleibende Stelle auf der Haut, die durch eine Verletzung entstanden ist *Seit der Operation hat sie eine lange ~.*

Nar·ko·se [nar'ko:zə] <-, -n> *die* Betäubung, die der Arzt jdm vor einer Operation gibt *Sie bekam eine ~, bevor sie operiert wurde.* ***Wobi:*** *narkotisieren*

Narr ['nar] <-en, -en> *der (pej)* Dummkopf *Er ist ein großer ~.;* **jdn zum ~en halten** *(umg)* jdn mit Absicht täuschen *Sie hat ihn zum ~en gehalten und immer nur ausgenutzt.;* **einen ~en an jdm gefressen haben** *(umg)* jdn besonders gern haben *Die Chefin hat einen ~en an ihr gefressen.*

Nar·zis·se [nar'tsɪsə] <-, -n> *die* BOT eine gelbe oder weiße Frühlingsblume *ein Strauß ~n*

na·schen ['naʃn̩] <nascht, naschte, genascht> **I.** *tr* [K] *jd nascht etw akk* ein bisschen von etw essen *Er nascht gerne Süßigkeiten.* **II.** *itr* **1.** Süßigkeiten essen, weil man Appetit hat *Er saß vor dem Fernseher und naschte.* **2.** probieren, obwohl es eigentlich verboten ist *Sie naschte von dem Kuchenteig.*

• **Na·se** ['na:zə] <-, -n> *die* das Organ zum Riechen *eine lange/markante ~;* **jdm etw unter die ~ reiben** *(umg)* jdn auf unangenehme Weise auf etw aufmerksam machen *Er rieb ihr unter die ~, dass er erfolgreicher war.;* **jdm auf der ~ herumtanzen** keine Rücksicht nehmen *Die Kinder tanzen ihren Eltern auf der ~ herum.;* **jdm etw auf die ~ binden** jdm etw sagen, was er/sie nicht wissen soll *Er wollte ihr nicht auf die ~ binden, dass er schon wieder in Urlaub fuhr.;* **seine ~ in fremder Leute Angelegenheiten stecken** sich für Dinge interessieren, die einen nichts angehen *Er steckte seine ~ immer in fremder Leute Angelegenheiten.;* **jdm die Würmer aus der ~ ziehen müssen** jdn lange um eine Information bitten müssen, nur sehr schwer Auskunft bekommen *Er musste ihr die Würmer aus der ~ ziehen, um eine ausführliche Antwort zu bekommen.;* **die ~ voll haben von etw** genug haben von etw, auf etw keine Lust mehr haben

Nase

Er hatte die ~ voll von ihren Sonderwünschen. ***Komp:** Haken-, Stups-*

Nas·horn <-(e)s, -hörner> *das* großes Tier mit einem Horn auf der Schnauze *Das ~ lebt in Afrika.*

• **nass** [nas] <nasser, nassest-> *adj* (↔*trocken*) voll mit Wasser *Nach dem Regen hatte sie ~e Schuhe.; ~* **bis auf die Haut** völlig nass *Nach dem Regenschauer war sie ~ bis auf die Haut.* ***Wobi:** Nässe*

Na·ti·on [na'ts̮i̯o:n] <-, -en> *die* Land, Volk, Staat *die ~en der Welt* ***Wobi:** national*

Na·ti·o·nal·hym·ne <-, -n> *die* offizielles Lied, das zu einem Staat gehört *bei der Siegerehrung die ~ spielen*

Na·ti·o·na·li·tät [nats̮i̯onali'tɛ:t] <-, -en> *die* Staatsangehörigkeit *Welche ~ haben Sie?*

• **Na·ti·o·nal·rat** <-(e)s> *kein pl der* (CH, ÖSTERR) Parlament Österreichs und eine der gesetzgebenden Kammern der Schweiz *Der ~ berät über die Gesetze.*

Na·ti·o·nal·so·zi·a·lis·mus [nats̮i̯o'na:lzots̮i̯alɪsmʊs] <-> *kein pl der* HIST deutscher Faschismus zwischen 1933 und 1945 *~ ist die Bezeichnung für die Politik Hitlers.* ***Wobi:** Nationalsozialist, nationalsozialistisch*

Na·ti·o·nal·staat <-(e)s, -en> *der* Staat einer Nation *der deutsche ~*

NATO ['na:to] <-> *kein pl die* Abkürzung für North Atlantic Treaty Organization *Die ~ ist ein Verteidigungsbündnis., Mitglied in der ~ werden*

• **Na·tur** [na'tu:ɐ̯] <-> *kein pl die* **1.** Umwelt, die nicht durch den Menschen und die Technik verändert ist *Die ~ ist die Lebensgrundlage für alle Lebewesen.* **2.** Ursprung, Herkunft *von ~ aus schüchtern, Das liegt in der ~ der Dinge.* ***Komp:** -schutz*

• **na·tür·lich** [na'ty:ɐ̯lɪç] <natürlicher, natürlichst-> **I.** *adj* frei und ungezwungen *Sie hat ein ~es Wesen.* **II.** *adv* selbstverständlich *N~ werde ich Ihnen helfen!*

Na·tur·wis·sen·schaft <-, -en> *die* Wissenschaft, die sich mit der Erforschung von Naturphänomenen beschäftigt *Physik, Chemie und Biologie sind ~en.* ***Wobi:** naturwissenschaftlich*

Nazi ['na:ts̮i] <-s, -s> *der* Kurzform für Nationalsozialist; die Bezeichnung eines Anhängers des Nationalsozialismus *Er war ein überzeugter ~.* ***Komp:** Neo-*

• **Ne·bel** ['ne:bl̩] <-s> *kein pl der* Wolken, die so tief sind, dass die Luft nicht klar ist *wegen des dichten ~s langsamer fahren*

• **ne·ben** ['ne:bn̩] *präp* **1.** *+dat auf die Frage ‚wo?', +akk auf die Frage ‚wohin?'* an der Seite von etw anderem *Die Schule liegt ~ dem Rathaus., Er legt das Buch ~ den Computer.* **2.** *+dat* (≈*außer*) außerdem, zusätzlich *N~ Geige spielt sie auch Flöte.* **3.** *+dat* an *Unser Haus liegt direkt ~ der Hauptstraße.*

• **ne·ben·an** [ne:bn̩'ʔan] *adv* neben etw *N~ sind neue Nachbarn eingezogen.*

• **ne·ben·bei** [ne:bn̩'bai̯] *adv* **1.** gleichzeitig, nebenher *Das ist kein Problem, das kann man ~ machen.* **2.** außerdem, beiläufig *N~ möchte ich darauf hinweisen, dass ...*

Ne·ben·ef·fekt <-(e)s, -e> *der* weitere Auswirkung/Folge *ein positiver ~*

ne·ben·ein·an·der [ne:bn̩ʔai̯'nandɐ] *adv* Seite an Seite *Die beiden wohnen ~ im gleichen Haus.*

Ne·ben·kos·ten <-> *kein sing pl* Geld, das ein Mieter für Heizung, Gas und Strom zusätzlich zur Miete bezahlen muss *100 Euro ~ kommen zur Miete hinzu.*

Ne·ben·wir·kung <-, -en> *meist pl die* meist negative zusätzliche Auswirkung *Die ~en entnehmen Sie bitte der Packungsbeilage.*

• **neb·lig** ['ne:blɪç] <nebliger, nebligst-> *adj* voller Nebel *ein ~er Novembermorgen*

• **Nef·fe** ['nɛfə] <-n, -n> *der* Sohn des Bruders oder der Schwester *Er hat drei ~n und zwei Nichten.*

Ne·ga·tiv ['ne:gati:f] <-s, -e> *das* das Bild von einem Film, von dem man das eigentliche Bild macht *Er machte fünf Abzüge vom ~.*

• **ne·ga·tiv** ['ne:gati:f] <negativer, negativst-> *adj* (↔*positiv*) nicht optimistisch; so, dass man an kein gutes Ende glaubt *Sie hat eine ~e Lebenseinstellung., ~e Folgen haben*

• **neh·men** ['ne:mən] <nimmt, nahm, genommen> *tr* **1.** fassen und zu sich hinbewegen *Er nahm eine Scheibe Brot mit Wurst und eine mit Käse.* **2.** benutzen *ein Taxi ~* **3.** wegnehmen *Diese Nachricht hat mir jede Freude an ihrem Besuch genommen.;* **etw in die Hand ~** sich um etw kümmern, die Verantwortung für etw übernehmen *Ich nehme das jetzt selbst in die Hand.;* **etw (sehr) genau ~** sehr genau sein *Sie nimmt ihre Arbeit sehr genau.;* **Ich nehme …** beim Einkaufen verwendet, ‚Ich hätte gern …' *Ich nehme 1 kg Äpfel.*

Neid [nait] <-(e)s> *kein pl der* schlechtes Gefühl, weil man etw nicht hat, was ein anderer hat *mit ~ auf den Erfolg des anderen schauen*

nei·disch ['nai̯dɪʃ] <neidischer, neidischst-> *adj* so, dass man Neid empfindet *Er war ~ auf seinen Bruder.*

Nei·gung <-, -en> *die* **1.** Gefälle *Die ~ der Straße beträgt hier fünf Prozent.* **2.** Tendenz, Hang *eine ~ zum Pessimismus haben*

• **nein** [nai̯n] *adv* (↔*ja*) Ausdruck der Ablehnung *mit ‚ja' oder ~ antworten*

Nek·tar ['nɛktar] <-s> *kein pl der* mit Fruchtfleisch und Zucker vermischter Obstsaft *Im ~ ist weniger Fruchtfleisch als in Saft.*

Nel·ke ['nɛlkə] <-, -n> *die* **1.** meist rote oder rosa Blume *Er legte ~n auf das Grab.* **2.** dunkelbraunes Gewürz *Sie würzt den Braten mit ~n.*

• **nen·nen** ['nɛnən] <nennt, nannte, genannt> **I.** *tr* **1.** [K] ***jd nennt jdn/etw** akk* ***irgendwie*** bezeichnen *Er nannte seinen Sohn Michael.* **2.** [K] ***jd nennt etw** akk* vorschlagen *Können Sie mir einen guten Arzt ~?* **II.** *refl* [K] ***jd/etw nennt sich** akk* ***irgendwie*** sich bezeichnen *Er nennt sich Tom, weil er den Namen Thomas nicht mag.*

Ne·o·fa·schis·mus [neofa'ʃɪsmʊs] <-> *kein pl der* neu aufkommender Faschismus *Der ~ orientiert sich am Faschismus der 30er Jahre.*

Ne·o·na·zi ['ne:ona:tsi] <-s, -s> *der* Anhänger einer neonazistischen Bewegung *Angst vor ~s haben* ***Wobi:* *Neonazismus, neo-***

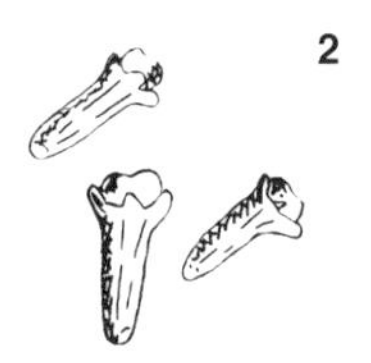

Nelke

nazistisch

Ne·on·licht <-(e)s, -er> *das* künstliches Licht *kaltes ~*

Nerv [nɛrf] <-s, -en> *der* ANAT Verbindungen im Körper, durch die Signale vom Gehirn in die Körperteile und umgekehrt geleitet werden *sich einen ~ einklemmen;* **jdm auf die ~en gehen** *(umg)* jdn so lange nicht in Ruhe lassen, bis er sich gestört fühlt *Er ging seiner Mutter solange auf die ~en, bis er spielen durfte.;* **die ~en verlieren** die Ruhe verlieren und irrational handeln *Er hat nach der Scheidung völlig die ~en verloren.*

ner·ven ['nɛrfn̩] <nervt, nervte, genervt> *tr* [K] *jd/etw nervt jdn* [*mit etw dat*] *(umg)* stören, sodass es jdn nervös macht *Er nervte sie mit seinen andauernden Anrufen.*

Ner·ven·sä·ge <-, -n> *die* (*umg pej*) jd, der andere belästigt/nicht in Ruhe lässt *Ihr Sohn ist eine richtige ~.*

• **ner·vös** [nɛr'vøːs] <nervöser, nervösest-> *adj* (*↔ruhig*) schreckhaft, unruhig, unausgeglichen *Sie ist eine sehr ~e Frau.* ***Wobi:*** *Nervosität*

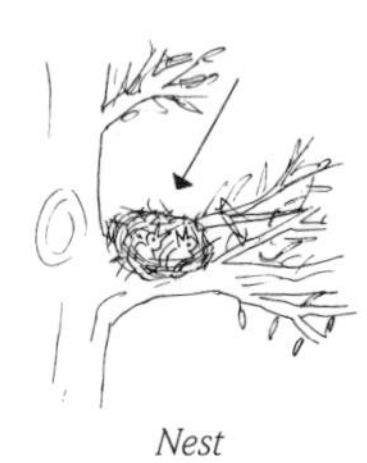
Nest

Nest [nɛst] <-(e)s, -er> *das* **1.** aus Zweigen und anderem Material geformter Brut- und Nistplatz von Vögeln *Vögel bauen ~er.* **2.** (*pej umg*) Kleinstadt, Dorf *ein langweiliges ~*

• **nett** [nɛt] <netter, nettest-> *adj* **1.** freundlich, höflich, gut erzogen *ein ~er Junge* **2.** hübsch *ein ~es Kostüm*

net·to ['nɛto] *adv* (*↔brutto*) ohne Steuern, Sozialabgaben usw. *Er verdient ~ gerade so viel, dass er leben kann.*

• **Netz** ['nɛt͡s] <-es, -e> *das* **1.** miteinander verknüpfte Schnüre oder Fäden, die etw halten *Die Fischer werfen das ~ aus.* **2.** TECH TV DV EL System aus vielen Leitungen zur Versorgung der Menschen mit Wasser, Strom etc. *an das ~ angeschlossen werden, ans ~ gehen* **3.** SPORT das Fußballtor *Der Ball geht ins ~.*

Netz·haut <-, -häute> *die* lichtempfindliche Haut des Auges *Bei Augenkrankheiten ist die ~ oft geschädigt.*

Netz·span·nung <-, -en> *die* Spannung eines Stromnetzes *Die ~ beträgt 220 Volt.*

• **neu** [nɔy̯] <neuer, neu(e)st-> *adj* **1.** (*↔alt*) erst vor kurzem hergestellt, vorher noch nicht da *Das ist ein ganz ~es Auto.* **2.** aktuell *die ~(e)sten Nachrichten, Sie hat einen ~en Freund.; (umg)* frisch *Hier hast du ein ~es Hemd, das alte ist ganz verschwitzt.;* **jdm ist etw ~** jd wusste etw noch nicht *Sie wollen bald umziehen? Das ist mir ~.*

Neu·bau ['nɔy̯bau̯] <-(e)s, -ten> *der* Gebäude, das vor kurzer Zeit gebaut wurde *Sie sind in einen ~ eingezogen.*

• **neu·gie·rig** <neugieriger, neugierigst-> *adj* so, dass man Neugier empfindet *Die Nachbarin ist eine ~e Person.* ***Wobi:*** *Neugier(de)*

Neu·ig·keit ['nɔy̯ɪçkai̯t] <-, -en> *die* Nachricht, die noch nicht bekannt ist *Haben Sie schon die ~en gehört?*

Neu·jahr ['nɔy̯jaːɐ̯] <-(e)s> *kein pl das* der erste Januar, der erste Tag nach dem Jahreswechsel *jdm zu ~ gratulieren, Prost ~!* ***Wobi:*** *-snacht*

• **neu·lich** ['nɔy̯lɪç] *adv* vor kurzer Zeit *N~ habe ich einen alten Schulfreund getroffen.*

• **neun** [nɔy̯n] *num* die Zahl 9 *Drei mal drei macht ~.*

• **neun·zehn** ['nɔyntse:n] *num* die Zahl 19 *Sie hat mit ~ ihr Abitur gemacht.*

• **neun·zig** ['nɔyntsɪç] *num* die Zahl 90 *ein Alter von ~ Jahren erreichen*

neut·ral [nɔy'tra:l] <-, -> *adj* **1.** unparteiisch; so, dass jd/etw zu keiner Partei gehört *Die Schweiz war im Zweiten Weltkrieg ~.* **2.** LING so, dass ein Wort den Artikel ‚das' hat *Das Wort ‚Auto' ist ~.*

Neut·rum ['nɔytrʊm] <-s, -tra> *das* LING Genus, das weder maskulin noch feminin ist, sächliches Geschlecht *Der Artikel ‚das' kennzeichnet das ~.*

Neu·zeit <-> *kein pl die* Epoche, die auf das Mittelalter folgt *Die ~ beginnt ca. 1.500 n. Chr.*

• **nicht** [nɪçt] *adv* verwendet, um eine Verneinung auszudrücken *Er wollte ~ auf seine Eltern hören.*

• **Nich·te** ['nɪçtə] <-, -n> *die* Tochter des Bruders oder der Schwester *Er hatte drei ~n und zwei Neffen.*

• **Nicht·rau·cher(in)** <-s, -> *der* jd, der nie raucht *~ leben gesünder.*

• **nichts** [nɪçts] *pron* (↔*etwas*) drückt aus, dass etw nicht da ist *Es gab ~ zu essen., ~ Neues wissen*

Nicht·zu·tref·fen·de(s) *das* etw, das nicht stimmt *~s bitte streichen!*

• **ni·cken** ['nɪkn̩] <nickt, nickte, genickt> *itr* den Kopf mehrfach auf und ab bewegen und damit ‚ja' ausdrücken *Als Antwort auf die Frage nickte er.*

• **nie** [ni:] *adv* (≈*niemals*) zu keiner Zeit, unter keinen Umständen *Er wollte sie ~ wiedersehen.*

nie·der·ge·schla·gen <niedergeschlagener, niedergeschlagenst-> *adj* deprimiert, traurig *nach einem Misserfolg ~ sein*

nie·der|le·gen <legt nieder, legte nieder, niedergelegt> **I.** *tr* **1.** [K] ***jd legt etw** akk* ***nieder*** hinlegen *Er legte den Hammer nieder und ging nach Hause.* **2.** [K] ***jd legt etw** akk* ***nieder*** aufhören, etw zu tun *sein Amt als Bürgermeister ~* **II.** *refl* [K] ***jd legt sich** akk* ***nieder*** sich hinlegen *Er legte sich nieder und schlief.*

Nie·der·schlag <-(e)s, -schläge> *der* Regen, Schnee etc. *Für das Wochenende sind Niederschläge vorausgesagt.* ***Komp:*** ***-smenge***

nie·der·schmet·ternd <niederschmetternder, niederschmetterndst-> *adj* sehr deprimierend *Das war ein ~es Ergebnis.*

nied·lich ['ni:tlɪç] <niedlicher, niedlichst-> *adj* süß, entzückend, nett *ein ~es kleines Mädchen*

• **nied·rig** ['ni:drɪç] <niedriger, niedrigst-> *adj* nicht hoch, flach über dem Boden *ein ~er Tisch*

nie·mals ['ni:ma:ls] *adv* (≈*nie*) zu keiner Zeit *Er wollte sie ~ wiedersehen.*

• **nie·mand** ['ni:mant] *pron* (↔*jemand*) kein Mensch *Ich sehe ~en.*

Nie·re ['ni:rə] <-, -n> *die* Organ, das durch Ausscheidung von Urin das Gift aus dem Körper nimmt *Der Mensch hat zwei ~n.;* **etw geht jdm an die ~n** *(umg)* etw schockiert jdn *Das Erlebnis ist ihm an die ~n gegangen.*

nie·seln ['ni:zl̩n] <nieselt, nieselte, genieselt> *itr* leicht regnen *Es nieselte leicht.*

Ni·ko·laus ['nɪkolaus] <-, -läuse> *der* **1.** männlicher Vorname *Zar ~* **2.** REL heiliger Bischof von Myra; heute dargestellt durch einen alten

Nikolaus

Mann mit einem Sack voller Süßigkeiten für die guten Kinder *Der ~ kommt!, die Geschichte vom Heiligen ~ erzählen* **3.** REL Tag zu Ehren des Heiligen Nikolaus *N~ ist jedes Jahr am sechsten Dezember.*

Ni·ko·tin [niko'ti:n] <-s> *kein pl das* giftiger Stoff in Zigaretten und Zigarren *N~ macht süchtig.*

nip·pen ['nɪpn̩] <nippt, nippte, genippt> *itr* nur ein bisschen trinken *Er nippte nur an seinem Glas.*

• **nir·gends** ['nɪrgn̩ts] *adv* an keinem Ort *Er konnte die Brille ~ finden.*

Ni·sche ['ni:ʃə] <-, -n> *die* Vertiefung in einer Mauer, Ecke *Sie hat den Schrank in eine ~ gestellt, in der er nicht stört.*

Ni·veau [ni'vo:] <-s, -s> *das* Bildungsstufe, intellektueller Stand *Das ist unter seinem ~., auf hohem sprachlichem ~*

no·bel ['no:bl̩] <nobler, nobelst-> *adj* **1.** *(umg)* großzügig *Er war ein nobler Gastgeber.* **2.** elegant, teuer *Das ist aber ein nobles Auto.*

No·bel·preis [no'bɛlprais] <-es, -e> *der* Auszeichnung für besondere Leistungen in der Wissenschaft *den ~ für Chemie/Physik/Literatur/Medizin bekommen/verleihen* ***Komp: -träger, Friedens-***

• **noch** [nɔx] **I.** *adv* **1.** Ausdruck einer zeitlichen Begrenzung *Er geht ~ zur Schule.* **2.** außerdem *Was weißt du sonst ~?, N~ etw?, Wünschen Sie ~ etw?* **3.** irgendwann *Du wirst es schon ~ verstehen.* **II.** *konj* Ausdruck einer fehlenden Alternative *weder A ~ B;* ~ **mal** ein zweites Mal *Können Sie das ~ mal wiederholen?*

noch·mals ['nɔxma:ls] *adv* erneut, zum wiederholten Male *Ich habe es dir ~ aufgeschrieben.*

No·mi·na·tiv ['no:minati:f] <-s, -e> *der* LING erster Fall, Kasus *Das Subjekt eines Satzes steht im ~.*

Non·ne ['nɔnə] <-, -n> *die* Frau in einem religiösen Orden *Die ~n des Klosters ziehen sich zum Gebet zurück.*

Nonne

• **Nord** [nɔrt] <-> *kein art* Norden *Wind aus ~* ***Komp: -bahnhof, -deutschland, -europa***

• **Nor·den** ['nɔrdn̩] <-s> *kein pl der* die Himmelsrichtung, die auf der Landkarte oben ist *Das Zimmer liegt nach ~., Im ~ ziehen Wolken auf.*

nörd·lich ['nœrtlɪç] <nördlicher, nördlichst-> **I.** *adj* im Norden *~er Polarkreis* **II.** *präp +gen* im Norden von etw gelegen *N~ der Stadt finden Sie einen alten Bauernhof.*

nör·geln ['nœrgl̩n] <nörgelt, nörgelte, genörgelt> *itr* immer wieder über Kleinigkeiten schimpfen *Immer nörgelt sie an allem herum.*

Norm [nɔrm] <-, -en> *die* Regel, an der sich alle orientieren *Wir reden hier von der ~ und nicht von der Ausnahme.;* **die ~ sein** normal sein, allgemein anerkannt sein *So ein Verhalten ist leider die ~.*

• **nor·mal** [nɔr'ma:l] <-, -> *adj* so wie alle anderen *Sie war ein völlig ~es Kind.*

• **nor·ma·ler·wei·se** *adv* in der Regel *N~ stehe ich um sieben Uhr auf.*

nor·ma·li·sie·ren [nɔrmali'zi:rən] <normalisiert, normalisierte, normalisiert> *refl* [K] ***etw normalisiert sich*** etw wird wieder normal *Die Beziehungen zwischen den Staaten haben sich normalisiert.*

nor·mie·ren [nɔr'mi:rən] <normiert, normierte, normiert> *tr*

[K] ***jd normiert etw*** *akk* etw einheitlich machen, regeln *Die Rechtschreibung ist normiert.* ***Wobi:*** *Normierung*

• **Not** [noːt] <-, Nöte> *die* **1.** Mangel, Elend *Durch das Unwetter herrschte große ~ im Land.* **2.** Schwierigkeit *Er hatte seine liebe ~ mit der Lösung dieser Aufgabe., Die Prinzessin befand sich in ~.;* **zur ~** falls nötig *Zur ~ kannst du heute Nacht bei uns schlafen.;* **irgendwo ist ~ am Mann** *(umg)* irgendwo wird Hilfe benötigt *Weil viele Mitarbeiter krank waren, war in der Produktion ~ am Mann.;* **~ macht erfinderisch.** in einer schwierigen Situation fallen einem gute Lösungen ein *Er benutzt das Taschenmesser als Schraubenzieher – ~ macht erfinderisch.* ***Komp:*** *-ausgang*

Not·arzt, -ärz·tin <-(e)s, -ärzte> *der* Arzt, der in Notfällen hilft *Da ihr Mann am Wochenende krank wurde, rief sie den ~.*

Not·aus·gang <-(e)s, -gänge> *der* Ausgang, der speziell für Notfälle reserviert ist *Wegen Feuergefahr muss der ~ immer geöffnet sein.*

• **No·te** [ˈnoːtə] <-, -n> *die* **1.** Beurteilung *Er hat in der Arbeit die beste ~ bekommen., die ~ Eins* **2.** POL Schriftstück *Der Botschafter überreichte dem Präsidenten eine ~ seiner Regierung.* **3.** MUS grafisches Zeichen für einen Ton *~n lesen können* **4.** charakterliche Eigenart *einer Sache eine persönliche ~ geben* **5.** (CH) Geldschein *eine Fünfzigfrankennote wechseln*

Note·book [ˈnoːtbuk] <-s, -s> *das* (DV: ≈*Laptop*) tragbarer Computer mit integriertem Bildschirm *N~s lassen sich leicht transportieren.*

Not·fall <-(e)s, -fälle> *der* gefährliche Situation, in der man sofort handeln muss *Ein ~ ist aufgetreten.*

not·falls [ˈnoːtfals] *adv* gegebenenfalls, wenn nötig *N~ musst du ihr noch mal schreiben.*

• **nö·tig** [ˈnøːtɪç] <nötiger, nötigst-> *adj* notwendig, erforderlich *Brauchst du Hilfe? – Nein, danke, ist nicht ~.*

no·tie·ren <notiert, notierte, notiert> *tr* [K] ***jd notiert sich*** *dat* ***etw*** *akk* kurz etw aufschreiben *Das ist wichtig, das notiere ich mir.*

• **No·tiz** [noˈtiːts] <-, -en> *die* **1.** kleiner Zeitungsartikel *In der Tageszeitung fand er eine ~ über den Einbruch.* **2.** aufgeschriebene Merkhilfe *sich ~en machen;* (**keine**) **~ nehmen von etw** (nicht) zur Kenntnis nehmen, (nicht) beachten *Er nahm keine ~ von ihren Bemühungen.*

• **Not·ruf** <-(e)s, -e> *der* **1.** telefonischer Hilferuf bei einem Notfall *Die Feuerwehr hat einen ~ bekommen.* **2.** Telefonnummer bei Polizei und Feuerwehr für Notfälle *Polizei und Feuerwehr sind unter einem ~ zu erreichen.*

Not·wehr <-> *kein pl die* Gewalt gegen jdn, um sich selber zu schützen *Er hat den Einbrecher in ~ verletzt.*

• **not·wen·dig** [ˈnoːtvɛndɪç] <notwendiger, notwendigst-> *adj* so, dass es sein muss; nötig *Die Zahnbehandlung ist ein ~es Übel.*

No·vem·ber [noˈvɛmbɐ] <-(s), -> *der* der 11. Monat des Jahres *Im ~ ist Volkstrauertag.*

nüch·tern [ˈnʏçtɐn] <nüchterner, nüchternst-> *adj* **1.** nicht betrunken *Er war völlig ~, als er in den Graben gefahren ist.* **2.** MED ohne vorher etwas zu essen *Zur Blutabnahme müssen Sie ~ kommen.* **3.** vernünftig *Wir wollen das Ganze mal ~ betrachten.* **4.** fade, trocken *Sein Vortrag war ziemlich ~.*

• **Nu·del** ['nuːdl̩] <-, -n> *die* Nahrungsmittel aus Mehl und Eiern, z. B. Spagetti *~n mit Tomatensoße* ***Komp:*** *-salat, -suppe*

• **Null** [nʊl] <-, -en> *die* **1.** die Ziffer 0 *Eine Zahl mit 6 ~en.* **2.** (*umg pej*) Versager, jd ohne Erfolg *In beruflichen Dingen ist er eine ~.*

• **null** [nʊl] *num* die Zahl 0 *Um ~ Uhr zwei ist der offizielle Start.*

Nu·me·rus ['nuːmərʊs] <-, -ri> *der* LING Anzahl *Singular und Plural sind Numeri.; ~* **clausus** Abiturnote, die man erreichen/haben muss, wenn man ein bestimmtes Fach studieren möchte *Der ~ clausus für Medizin liegt bei 1,2.*

• **Num·mer** ['nʊmɐ] <-, -n> *die* **1.** Zahl *Jedes Haus hat eine Haus~.* **2.** Ausgabe einer Zeitung oder Zeitschrift *Er hat die letzte ~ der Zeitung nicht bekommen.* **3.** (*umg*) Typ *Dein Freund ist aber eine komische ~.* ***Wobi:*** *nummerieren* ***Komp:*** *Fax-, Telefon-*

• **Num·mern·schild** <-es, -er> *das* Schild mit einer speziellen Nummer, die Autos, Motorräder etc. haben müssen *Das ~ ist deutlich zu erkennnen.*

• **nun** [nuːn] *adv* **1.** jetzt *Was ~?, Das habe ich ~ davon!* **2.** verwendet, um abzuschwächen oder einzuschränken *Er will ~ mal nicht., N~ ja, aber …*

• **nur** [nuːɐ̯] *adv* (≈*lediglich*) verwendet, um eine Aussage einzuschränken, Das kostet ~ fünf Euro. *Ich möchte ~ darauf hinweisen, dass …*

nu·scheln ['nʊʃl̩n] <nuschelt, nuschelte, genuschelt> **I.** *tr* [K] ***jd nuschelt etw*** *akk* leise und undeutlich sprechen *Er nuschelte ihr etw ins Ohr, das sie nicht verstand.* **II.** *itr* leise und undeutlich sprechen *Nuschle nicht so!*

Nüsse

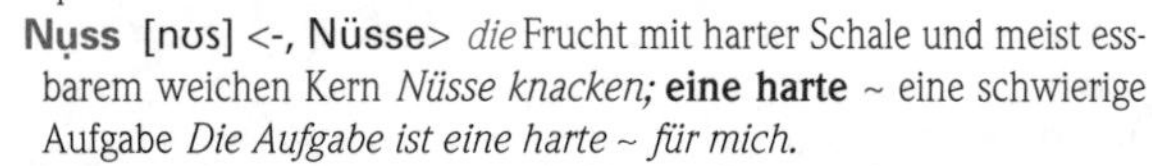

Nuss [nʊs] <-, Nüsse> *die* Frucht mit harter Schale und meist essbarem weichen Kern *Nüsse knacken;* **eine harte** ~ eine schwierige Aufgabe *Die Aufgabe ist eine harte ~ für mich.*

Nut·zen ['nʊtsn̩] <-s, -> *der* **1.** Vorteil, Gewinn *Wer hat den ~ davon?* **2.** Nützlichkeit *Ich stelle den ~ dieses Projektes in Frage.*

• **nüt·zen** ['nʏtsn̩] (SD, ÖSTERR, CH) *siehe* **nutzen**

• **nut·zen** ['nʊtsn̩] <nutzt, nutzte, genutzt> **I.** *tr* **1.** [K] ***jd nutzt etw*** *akk* gebrauchen *Er nutzt die Möglichkeiten des Computers.* **2.** [K] ***etw nutzt etw/nichts*** Gewinn/keinen Gewinn bringen *Es nutzt nichts/wenig, wenn …* **II.** *itr* Vorteil/Gewinn bringen *Wem nutzt denn die ganze Diskussion?*

• **nütz·lich** ['nʏtslɪç] <nützlicher, nützlichst-> *adj* **1.** von Nutzen für jdn *Das ist eine ~e Einrichtung.* **2.** hilfreich *Sie gab ihm sehr ~e Tipps.*

Nut·zung <-> *kein pl die* Gebrauch *Die ~ der Anlage ist Privatpersonen untersagt.*

Ny·lon ['nailɔn] <-> *kein pl das* chemisch hergestellter Stoff *Strümpfe aus ~*

O

O, o [oː] <-, -> *das* der 15. Buchstabe des Alphabets *Das Wort ‚Ort' beginnt mit dem Buchstaben ~.*

Ö, ö [øː] <-, -> *das* der Umlaut des o *Das Wort ‚Österreich' schreibt man mit ~.*

o [oː] *interj* **1.** verwendet, um Überraschung oder Bestürzung zu äußern *O je, was machen wir jetzt?* **2.** verstärkte Zustimmung *O ja!* **3.** verstärkte Ablehnung *O nein!*

• **ob** [ɔp] *konj* **1.** leitet eine indirekte Frage ohne Fragepronomen ein *Er weiß nicht, ~ sie heute oder morgen kommt., O~ sie mich wohl liebt?* **2.** vergleichend *Sie tat, als ~ sie von nichts wüsste.* **3.** *(umg)* verwendet zur Verstärkung einer Behauptung *Und ~ ich stärker bin!*

ob·dach·los <-, -> *adj* ohne Wohnung *Nachdem er seinen Arbeitsplatz verloren hatte, wurde er auch noch ~.* ***Wobi:* *Obdachlose(r)***

• **o·ben** ['oːbn̩] *adv* **1.** (↔*unten*) in der Höhe *hier/dort ~, ~ auf dem Dach* **2.** darüber liegendes Stockwerk *Ich glaube, er ist ~ in seinem Zimmer.* **3.** an der Spitze einer Hierarchie *Der Befehl kommt von ~.* **4.** im Text schon vorher gesagt *siehe ~!*

• **O·ber** ['oːbɐ] <-s, -> *der* (≈*Kellner*) männliche Bedienung in einem Restaurant *Einen Moment noch, bitte, der ~ kommt gleich.*

Ober
Das weibliche Pendant zum Ober ist die ‚Bedienung' oder auch das ‚Fräulein'. Eine Oberin dagegen ist z. B. die Leiterin eines Klosters. Will man im Restaurant den Ober oder die weibliche Bedienung ansprechen, macht man entweder nur ein Handzeichen oder man sagt ‚Hallo!'.

O·ber·arm <-(e)s, -e> *der* oberer Teil des Armes *sich den ~ brechen*

• **o·be·re** ['oːbərə] <-, oberst-> *attr adj* so, dass etw oben oder darüber ist *Kannst du mir bitte mal die ~n Bücher von dem Stapel geben?;* **die ~n Zehntausend** *(umg)* die Reichsten der Gesellschaft *Die ~n Zehntausend genießen besondere Privilegien.*

O·ber·flä·che ['oːbɐflɛçə] <-, -n> *die* **1.** obere Seite *Die ~ des Sees funkelte in der Sonne.* **2.** äußerer Eindruck einer Situation *An der ~ schien alles ruhig, doch darunter rumorte es.*

o·ber·fläch·lich ['oːbɐflɛçlɪç] <oberflächlicher, oberflächlichst-> *adj* **1.** *(pej)* nicht gut überlegt, ohne geistige Tiefe *auf Partys ~e Gespräche führen* **2.** flüchtig, nicht genau *bei ~er Betrachtung* ***Wobi:* *Oberflächlichkeit***

o·ber·halb ['oːbɐhalp] *präp +gen* (↔*unterhalb*) über etw *O~ von 1.500 m schneit es.*

O·ber·haupt <-(e)s, -häupter> *das* führende Position innerhalb einer Organisation *Der Papst ist das ~ der katholischen Kirche.* ***Komp:* *Staats-***

o·ber·ir·disch <-, -> *adj* (↔*unterirdisch*) über (und nicht unter) der Erde *Braunkohle ~ abbauen*

o·bers·te ['oːbɐstə] *superl von obere adj* am höchsten gelegen *Könntest du mir bitte das ~ Buch vom Stapel geben?*

O·ber·schen·kel <-s, -> *der* oberer Teil des Beins *sich den ~ brechen*

O·ber·stu·fe <-, -n> *die* die Klassen 11, 12 und 13 des deutschen Gymnasiums *Schüler der ~*

Ob·jekt [ɔp'jɛkt] <-(e)s, -e> *das* **1.** Gegenstand, Ding *Bei dem Sehtest konnte er manche ~e nur schwer erkennen.* **2.** Gegenstand *ein*

Kunst~ betrachten **3.** LING Satzergänzung *Akkusativ~, Dativ~*

ob·jek·tiv [ɔpjɛk'tiːf] <objektiver, objektivst-> *adj* (↔*subjektiv*) so, dass man keine Vorurteile hat; sachlich, neutral ~ *sein, jdn ~ beurteilen* ***Wobi: objektivieren, Objektivität***

Obst

• **Obst** [oːpst] <-(e)s> *kein pl das* Früchte, die man essen kann, z. B. Äpfel und Birnen ~ *und Gemüse*

ob·szön [ɔps'tsøːn] <öbszöner, obszönst-> *adj* unanständig, anstößig *~e Ausdrücke*

• **ob·wohl** [ɔp'voːl] *konj* verwendet, um einen Gegensatz auszudrücken *O~ die Sonne schien, trug er einen warmen Mantel.*

Och·se ['ɔksə] <-n, -n> *der* **1.** kastriertes männliches Rind *Der ~ wurde geschlachtet.* **2.** (*umg!*) Schimpfwort *Blöder ~!*

öd(e) ['øːd(ə)] <öder, ödst-> *adj* **1.** trocken, ohne Pflanzen *eine ~e Landschaft* **2.** verlassen, unbewohnt *Die Insel ist ~.* **3.** *(umg)* langweilig *Der Film war ziemlich ~.*

• **o·der** ['oːdɐ] *konj* verwendet, um eine Alternative auszudrücken *Regen ~ Schnee;* **entweder ... ~ ...** verwendet, um eine Alternative auszudrücken *Entweder wir gehen jetzt spazieren und essen später, ~ wir essen zuerst und gehen dann spazieren.*

• **O·fen** ['oːfn̩] <-s, Öfen> *der* **1.** Gerät zum Backen *Sie schiebt den Kuchen in den ~.* **2.** Gerät zum Heizen *Es ist so kalt draußen, dass wir schon den ~ anmachen müssen.*

• **of·fen** ['ɔfn̩] <-, -> *adj* **1.** (↔*geschlossen, zu*) nicht geschlossen, geöffnet *Kannst du bitte die Tür ~ lassen?, Das Geschäft ist ~.* **2.** unbeantwortet *Wir ließen die Frage zunächst ~.* **3.** ehrlich *Lassen Sie mich Ihnen ~ sagen, dass …* **4.** für etw bereit *Ich bin neuen Vorschlägen gegenüber stets ~.;* **bei jdm ~e Türen einrennen** jdn von einer Meinung überzeugen wollen, die er selbst schon hat *Mit dieser Meinung rennst du bei mir ~e Türen ein.;* **ein ~es Wort mit jdm reden** jdm sagen, was man wirklich denkt *Lassen Sie mich mal ein ~es Wort mit Ihnen reden.* ***Wobi: Offenheit***

• **of·fen·bar** ['ɔfn̩baːɐ̯] *adv* wie es scheint *O~ weiß er nicht, was er machen soll.*

• **öf·fent·lich** ['œfn̩tlɪç] <-, -> *adj* **1.** (↔*privat*) für alle offen *Die Gerichtsverhandlung war ~.* **2.** für die Allgemeinheit *~e Bibliotheken* **3.** die Gesellschaft allgemein betreffend *eine Persönlichkeit des ~en Lebens*

• **Öf·fent·lich·keit** <-> *kein pl die* alle Bürger *die ~ informieren*

• **of·fi·zi·ell** [ɔfi'tsi̯ɛl] <-, -> *adj* **1.** mit amtlichem Auftrag *Die ~e Begründung lautete anders.* **2.** förmlich *Er bekam eine ~e Einladung.*

Of·fi·zier [ɔfi'tsiːɐ̯] <-s, -e> *der* Soldat, der einen höheren Rang hat *der diensthabende ~*

• **öff·nen** ['œfnən] <öffnet, öffnete, geöffnet> **I.** *tr* [K] ***jd öffnet etw*** *akk* (↔*schließen*) aufmachen *Sie öffnet die Tür.* **II.** *refl* [K] ***jd öffnet sich*** *akk* ***jdm*** jdm Vertrauen schenken *Nur zögernd öffnete sich der Junge seinen neuen Schulkameraden.* **III.** *itr* [K] ***jd öffnet*** eine Wohnungs- oder Haustür aufmachen *Es hat geklingelt. Kannst du mal ~?;* [K] ***etw öffnet*** aufmachen *Das Geschäft öffnet um neun Uhr.*

Öffner

Öff·ner <-s, -> *der* Gerät, mit dem man Flaschen und Dosen öffnen kann *Er öffnet die Konservendose mit einem Büchsen~.* ***Komp:***

Büchsen-, Dosen-, Flaschen-

Öff·nung <-, -en> *die* **1.** Stelle, an der etw herauskommen oder hineingelangen kann *Durch die ~ ist Wasser eingedrungen.* **2.** Prozess des Sich Öffnens *die ~ Osteuropas*

• **oft** [ɔft] *adv* häufig, viele Male *Er besucht sie ~., Es kommt nicht ~ vor, dass …*

• **öf·ter(s)** ['œftɐ(s)] *adv* gelegentlich, ab und zu *Er kam ~ bei ihr vorbei.*

oh [oː] *interj* verwendet, um Überraschung und Erstaunen auszudrücken *O~, wirklich?, O~, das hätte ich nicht gedacht.*

• **oh·ne** ['oːnə] **I.** *präp* **1.** drückt aus, dass jd oder etw nicht da oder vorhanden ist *Kaffee ~ Zucker* **2.** etw/jdn nicht miteingeschlossen *O~ dich sind wir nur zu dritt.* **II.** *konj* verwendet, um auszudrücken, dass man etw nicht tut/getan hat *O~ nachzudenken fuhr er einfach los., Meine Tasche fiel vom Fahrrad, ~ dass ich es bemerkt habe.*

ohn·mäch·tig ['oːnmɛçtɪç] <-, -> *adj* bewusstlos *Sie wurde ~ und fiel um.*

• **Ohr** [oːɐ̯] <-(e)s, -en> *das* Körperteil am Kopf, mit dem man hört *auf einem ~ taub sein;* **sich aufs ~ legen** *(umg)* sich zum Schlafen hinlegen *Ich leg mich mal aufs ~.;* **ganz ~ sein** *(umg)* aufmerksam zuhören *Erzähl ruhig weiter, ich bin ganz ~.;* **viel um die ~en haben** *(umg)* viel zu tun haben *Tut mir Leid, dass ich mich so lange nicht gemeldet habe, aber ich hatte so viel um die ~en!;* **bis über beide ~en** total, völlig *Er ist bis über beide ~en verliebt.;* **jdn übers ~ hauen** *(umg)* jdn betrügen *Bei diesem Handel bist du aber gründlich übers ~ gehauen worden.;* **die ~en steif halten** *(umg)* gut auf sich aufpassen, durchhalten *Alles Gute und halt die ~en steif!*

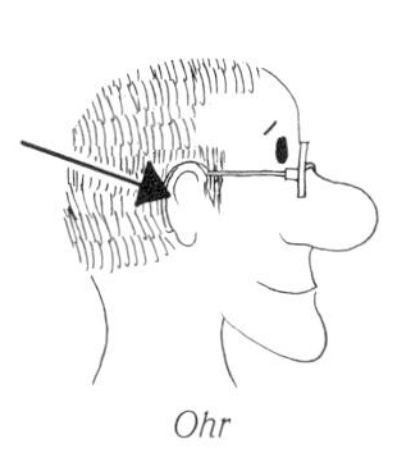

Ohr

Ohr·fei·ge <-, -n> *die* Schlag mit der Hand ins Gesicht *jdm eine ~ geben*

Ohr·ring <-(e)s, -e> *der* Schmuckstück für das Ohr *~e tragen*

Ö·ko·lo·gie [økolo'giː] <-> *kein pl die* Lehre von den Wechselbeziehungen zwischen Lebewesen und ihrer Umwelt *Die ~ ist ein relativ junger Forschungszweig.* ***Wobi:* *ökologisch***

Ok·ta·ve [ɔk'taːvə] <-, -n> *die* MUS Intervall von acht Tönen, z. B. von ‚A' bis ‚a' *Sie kann zwei ~n singen.*

Ok·to·ber [ɔk'toːbɐ] <-(s), (-)> *der* der 10. Monat des Jahres *am ersten Wochenende im ~*

• **Öl** [øːl] <-(e)s, -e> *das* **1.** (≈*Erdöl*) schwarzer, flüssiger Stoff, der aus der Erde kommt und die Basis für Benzin und viele andere Stoffe bildet *~ fördern, nach ~ bohren* **2.** Flüssigkeit z. B. aus Sonnenblumen oder Oliven, die man zur Zubereitung von Speisen benutzt *Salat mit Essig und ~ anmachen;* ~ **ins Feuer gießen** *(umg)* etw noch schlimmer machen *Hör schon auf, sie so zu ärgern, du gießt nur noch mehr ~ ins Feuer.* ***Komp:* *-sardine, Erd-, Getriebe-, Roh-, Speise-***

Öl·far·be <-, -n> *die* aus Ölen hergestellte Farbe *mit ~n malen*

Öl·ge·mäl·de <-s, -> *das* meist größeres Bild, das mit Ölfarben gemalt wurde *Im Museum hängen viele ~.*

O·li·ve [o'liːvə] <-, -n> *die* in den Mittelmeerländern wachsende Frucht *~n pressen* ***Komp:* *-nöl***

Öl·pest <-> *kein pl die* starke Verschmutzung des Meeres durch Öl, das aus einem Schiff ausgelaufen ist *Das Tankerunglück hat eine ~*

ausgelöst.

O·lym·pi·a·de [olʏm'pi̯a:də] <-, -n> *die* (≈*Olympische Spiele*) eine große Sportveranstaltung, die alle vier Jahre stattfindet und bei der Sportler aus allen Nationen in sehr vielen Sportarten um Medaillen kämpfen *Die Mannschaft gewann bei der ~ eine Goldmedaille.* ***Wobi:** olympisch* ***Komp:** Sommer-, Winter-*

O·ma ['o:ma] <-, -s> *die* (*umg* ≈*Omi*) Großmutter *Die Ferien durften die Kinder bei ihrer ~ verbringen.*

O·me·lett [ɔm'lɛt] <-s, -s> *das* eine Eierspeise *ein ~ mit Speck*

Om·ni·bus ['ɔmnibʊs] <-ses, -se> *der* (≈*Bus, Autobus*) ein großes Fahrzeug für viele Personen *mit dem ~ fahren*

• **On·kel** ['ɔŋkl̩] <-s, -> *der* Bruder der Mutter oder des Vaters *mein ~ und meine Tante*

O·pa ['o:pa] <-s, -s> *der* (*umg* ≈*Opi*) Großvater *~, erzähl uns eine Geschichte!*

O·per ['o:pɐ] <-, -n> *die* **1.** Theaterstück, in dem nicht gesprochen, sondern gesungen wird *eine ~ von Verdi aufführen* **2.** Gebäude, in dem Opern aufgeführt werden *Die ~ wird gerade renoviert.*

• **O·pe·ra·ti·on** [opəra'ts̮i̯:on] <-, -en> *die* großer medizinischer Eingriff *sich einer ~ unterziehen, Er hatte eine ~ am Knie.*

• **o·pe·rie·ren** [opə'ri:rən] <operiert, operierte, operiert> **I.** *tr* [K] *jd operiert jdn* an jdm einen chirurgischen Eingriff vornehmen *sich ~ lassen* **II.** *itr* einen chirurgischen Eingriff vornehmen *Der Chirurg operierte sechs Stunden ohne Pause.*

• **Op·fer** ['ɔp͡fɐ] <-s, -> *das* **1.** jd, dem etwas Schlimmes passiert ist *die ~ des Erdbebens* **2.** großer Verzicht *Es bedeutet ein großes ~ für sie, heute zu Hause zu bleiben.* **3.** Geld, das man für jdn/für einen guten Zweck gibt *Das ~ des heutigen Sonntags ist für unsere eigene Kirche bestimmt.* ***Wobi:** opfern* ***Komp:** Mord-, Todes-*

• **Op·po·si·ti·on** [ɔpozi'ts̮i̯o:n] <-, -en> *die* **1.** gegenteilige Meinung *~ beziehen* **2.** POL die Parteien, die nicht an der Regierung sind *die ~ wählen* ***Wobi:** opponieren, oppositionell*

op·ti·mal [ɔpti'ma:l] <-, -> *adj* sehr gut, bestmöglich *Das ist nicht ~ gelaufen.*

Op·ti·mis·mus [ɔpti'mɪsmʊs] <-> *kein pl der* (↔*Pessimismus*) die Haltung, nur das Positive zu sehen *Sein ungebrochener ~ ging ihr auf die Nerven.* ***Wobi:** optimistisch*

• **O·ran·ge** [o'rã:ʒə/o'raŋʒə] <-, -n> *die* (≈*Apfelsine*) orangefarbene Zitrusfrucht *eine ~ schälen, ~n auspressen* ***Komp:** -nbaum, -nsaft*

Or·ches·ter [ɔr'kɛstɐ/ɔr'çɛstɐ] <-s, -> *das* größere Gruppe von Musikern, die gemeinsam meist klassische Musik spielen *Das ~ gibt heute Abend ein Konzert.*

Or·chi·dee [ɔrçi'de:ə] <-, -n> *die* eine tropische Blume *Die ~n standen in voller Blüte.*

Or·den ['ɔrdn̩] <-s, -> *der* **1.** REL religiöse Vereinigung *einen ~ gründen* **2.** Auszeichnung für eine besondere Leistung *jdm einen ~ für etw verleihen*

2

Orden

• **or·dent·lich** ['ɔrdn̩tlɪç] <ordentlicher, ordentlichst-> *adj* **1.** aufgeräumt *Sein Schreibtisch sah sehr ~ aus.* **2.** anständig, gut *Unser Nachbar ist ein ~er Mensch.* **3.** *(umg)* kräftig *ein ~es Frühstück* ***Wo-***

***bi:** Ordentlichkeit*

or·di·när [ɔrdiˈnɛːɐ̯] <ordinärer, ordinärst-> *adj* **1.** vulgär, unanständig *eine ~e Ausdrucksweise* **2.** alltäglich *Das ist keine Wespe, sondern eine ganz ~e Fliege.*

• **Or·di·na·ti·on** [ɔrdinaˈtsi̯oːn] <-, -en> *die* **1.** (ÖSTERR) Arbeitsort eines Arztes, Arztpraxis *Wenn Sie Schmerzen haben, dann kommen Sie zu mir in die ~.* **2.** (ÖSTERR) Sprechstunde eines Arztes *~ heute Nachmittag von 14 bis 17 Uhr 30*

• **ord·nen** [ˈɔrdnən] <ordnet, ordnete, geordnet> *tr* [K] ***jd ordnet etw** akk* in eine Ordnung bringen *Er ordnete die Akten auf seinem Schreibtisch.*

Ord·ner[1] <-s, -> *der* stabile Mappe zum Abheften von Blättern *im Büro viele ~ haben, einen neuen ~ anlegen*

Ord·ner(in)[2] <-s, -> *der* jd, der bei einer Versammlung etc. für Ordnung sorgt *~ tragen meistens auffällige Armbinden.*

• **Ord·nung** [ˈɔrdnʊŋ] <-, -en> *die* die Art, in der etw gegliedert ist; kein Durcheinander *eine bestimmte/strenge ~, ~ halten, in ~ bringen* **1.** [K] ***etw ist in ~*** funktionieren *Die Maschine ist wieder in ~.* **2.** [K] ***etw ist in ~*** etw ist gut so, wie es ist; etw ist kein Problem *Das ist völlig in ~.* **3.** [K] ***jd ist in ~*** jd ist sympathisch *Er ist völlig in ~.*

Or·gan [ɔrˈgaːn] <-s, -e> *das* Teil des Körpers, der eine bestimmte Funktion hat *Herz und Nieren sind wichtige ~e.*

• **Or·ga·ni·sa·ti·on** [ɔrganizaˈtsi̯oːn] <-, -en> *die* **1.** das Organisieren *Die ~ des Treffens brauchte viel Zeit.* **2.** Vereinigung *Kirchliche Verbände und ~en übernehmen wichtige soziale Aufgaben.* ***Wobi:** organisatorisch*

or·ga·nisch [ɔrˈgaːnɪʃ] <-, -> *adj* **1.** aus der Natur *Obstschalen sind organischer Abfall.* **2.** MED die Organe betreffend *Der Patient hat keine ~en Schäden.*

• **or·ga·ni·sie·ren** [ɔrganiˈziːrən] <organisiert, organisierte, organisiert> **I.** *tr* **1.** [K] ***jd organisiert etw** akk* etw sorgfältig planen und vorbereiten *ein Treffen ~* **2.** [K] ***jd organisiert etw** akk* besorgen, holen *Ich organisiere mal ein paar Getränke.* **II.** *refl* [K] ***jd organisiert sich** akk* sich zu einer Gruppe zusammenschließen *Wir müssen uns ~, wenn wir etwas erreichen wollen.*

Or·ga·nist(in) [ɔrgaˈnɪst] <-en, -en> *der* jd, der Orgel spielt *Der ~ begleitet den Gesang der Kirchengemeinde.*

Or·gel [ˈɔrgl̩] <-, -n> *die* Tasteninstrument mit großen Pfeifen, besonders in Kirchen *~ spielen, von der ~ begleitet werden*

O·ri·ent [ˈoːri̯ɛnt] <-> *kein pl der* die Länder Vorderasiens *Der ~ hat eine reiche Märchentradition.*

o·ri·en·tie·ren [ori̯ɛnˈtiːrən] <orientiert, orientierte, orientiert> *refl* **1.** [K] ***jd orientiert sich** akk [**an/nach jdm/etw** dat]* den richtigen Weg finden *Auf seiner Wanderung orientierte er sich an der Sonne.* **2.** [K] ***jd orientiert sich** akk **an etw** dat* sich ausrichten, im Verhalten anpassen *Weil er neu im Büro war, orientierte er sich an seinen Kollegen.*

O·ri·en·tie·rung <-, -en> *die* **1.** das Zurechtfinden *die ~ verlieren* **2.** das Informieren *Diese Veranstaltung ist als ~ für die Neuen gedacht.* ***Komp:** -sgespräch, -sveranstaltung*

• **O·ri·gi·nal** [origiˈnaːl] <-s, -e> *das* **1.** ursprüngliches Werk, das

Echte, keine Kopie *Dies ist nur eine Kopie des Gemäldes, das ~ liegt im Safe.* **2.** origineller Mensch *Dein neuer Freund ist wirklich ein ~!*

o·ri·gi·nell [origi'nɛl] <origineller, originellst-> *adj* **1.** geistvoll, witzig *Seine Witze sind wirklich ~.* **2.** neuartig *eine ~e Idee*

• **Ort** [ɔrt] <-(e)s, -e> *der* **1.** Platz, Stelle *Die Reporter waren bald am ~ des Geschehens.* **2.** Dorf, Städtchen, Ortschaft *Er wohnt nicht hier, sondern im nächsten ~.* **3.** FILM LIT THEAT Schauplatz *~ der Handlung*

Or·tho·gra·fie [ɔrtogra'fi:] <-, -n> *die* (≈*Rechtschreibung*) das korrekte Schreiben nach Rechtschreibregeln *Seine ~ ist sehr schwach.* ***Wobi:*** *orthografisch*

Ort·schaft <-, -en> *die* Dorf, Gemeinde, Ort *in einer kleinen ~ leben*

Orts·ge·spräch <-(e)s, -e> *das* (TELKOM: ↔*Ferngespräch*) Telefongespräch innerhalb eines Ortes *ein ~ führen*

Osterhase
Zu Ostern werden für Kinder Ostereier (bunte Eier oder Schokoladeneier) im Garten oder in der Wohnung versteckt, die sie dann suchen müssen. Kleinere Kinder glauben, dass die Eier vom Osterhasen gebracht werden.

Os·si ['ɔsi] <-s, -s> *der* (↔*Wessi umg!*) Bewohner der östlichen (neuen) Bundesländer Deutschlands *Es gibt immer noch viele Missverständnisse zwischen ~s und Wessis.*

• **Ost** [ɔst] <-> *kein art* Osten *Wind aus ~, Güter aus ~ und West* ***Komp:*** *-bahnhof, -deutschland, -europa*

• **Os·ten** ['ɔstn̩] <-s> *kein pl der* **1.** die Himmelsrichtung, die auf der Landkarte rechts ist *Im ~ geht die Sonne auf, im Westen geht sie unter.* **2.** GEOG die Länder Osteuropas *Der ~ wird für Europa als Handelspartner immer wichtiger.* **3.** POL Länder des ehemaligen Warschauer Pakts *Der ~ befand sich hinter dem Eisernen Vorhang.*

Os·ter·ha·se <-n, -n> *der* Figur eines Hasen, der die Eier bunt bemalt und sie an Ostern bringt *Der ~ hat die Eier im Garten versteckt, und nun musst du sie suchen.*

Os·tern <-> *kein pl das* christliches Fest, an dem die Auferstehung von Jesus Christus gefeiert wird *Frohe ~!*

öst·lich ['œstlɪç] <östlicher, östlichst-> **I.** *adj* zum Osten gehörig *die ~en Kulturen, Das Industriegebiet befindet sich in den ~en Teilen der Stadt.* **II.** *präp +gen* im Osten *~ der Elbe, Berlin liegt ~ von Hamburg.*

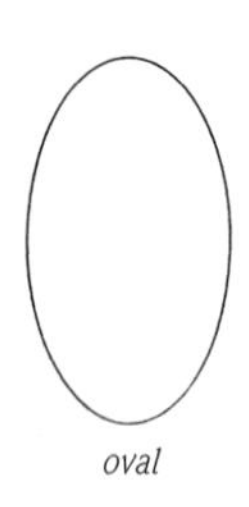

oval

o·val [o'va:l] <-, -> *adj* so, dass es die Form von einem Ei hat *Eier sind nicht rund, sondern ~.*

O·ze·an ['o:tsea:n] <-s, -e> *der* das Meer *Atlantischer/Indischer/ Pazifischer ~*

O·zon [o'tso:n] <-s> *kein pl das* ein Gas *~ schützt unsere Haut vor den UV-Strahlen der Sonne.* ***Komp:*** *-schicht*

O·zon·loch <-(e)s, -löcher> *das* Loch in der Ozonschicht um die Erde *Die Auswirkungen des ~s sind besonders in Australien schon zu spüren.*

P

P, p [peː] <-, -> *das* der 16. Buchstabe des Alphabets *Das Wort ‚Pause' beginnt mit dem Buchstaben ~.*

• **Paar** [paːɐ̯] <-(e)s, -e> *das* **1.** zwei Dinge, die zusammen eine Einheit bilden *ein ~ Schuhe* **2.** zwei Menschen, die zusammengehören *Sie sind seit zwei Jahren ein ~.*

• **paar** [paːɐ̯] *pron* einige, eine unbestimmte kleine Anzahl *ein ~ Bücher kaufen, vor ein ~ Tagen, Es waren nur ein ~ Leute da., Schreibst du mir ein ~ Zeilen?*

Pacht [paxt] <-, -en> *die* **1.** das Geld, das man jdm bezahlt, damit man eine Sache, z. B. ein Lokal, kommerziell nutzen darf *eine hohe ~ verlangen* **2.** Geldbetrag, den man für die Benutzung eines Grundstücks bezahlen muss *Der Bauer konnte die ~ nicht mehr bezahlen.* ***Wobi:*** *pachten, Pächter*

• **Päck·chen** ['pɛkçən] <-s, -> *das* **1.** kleines Paket *ein ~ von den Eltern bekommen* **2.** Packung, Schachtel *ein ~ Zigaretten*

• **pa·cken** ['pakn̩] <packt, packte, gepackt> *tr* **1.** [K] *jd packt jdn/etw akk* festhalten *Der Polizist packte den Verbrecher am Arm.* **2.** [K] *etw packt jdn* begeistern, gut gefallen *Das Fußballspiel hat ihn völlig gepackt.* **3.** [K] *jd packt etw akk* etw in einen Behälter legen *Er packte seinen Koffer.* **4.** *(umg)* [K] *jd packt etw akk* schaffen *Der Zug geht in zehn Minuten, ~ wir das noch?, Ich pack's nicht!*

pa·ckend <packender, packendst-> *adj* fesselnd, spannend *ein ~er Film, eine ~e Erzählung*

• **Pa·ckerl** ['pakɐl] <-s, -> *das* **1.** (ÖSTERR) kleines Paket *ein ~ bekommen* **2.** (ÖSTERR) Packung, Schachtel *ein ~ Zigaretten*

Pa·ckung <-, -en> *die* Päckchen, Schachtel *eine ~ Kekse/Zigaretten*

Pä·da·go·gik [pɛda'goːgɪk] <-> *kein pl die* Wissenschaft von der Erziehung *Die ~ ist ein Teilgebiet der Lehrerausbildung.* ***Wobi:*** *Pädagoge, pädagogisch*

• **Pa·ket** [pa'keːt] <-(e)s, -e> *das* großer Karton, große Schachtel mit etw darin *etw als ~ schicken*

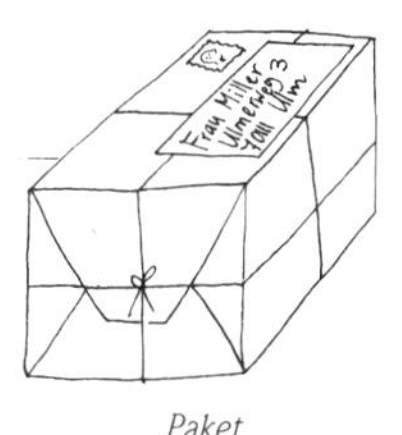

Paket

Pakt [pakt] <-(e)s, -e> *der* Abkommen, Übereinkommen *einen ~ schließen* ***Wobi:*** *paktieren*

Pa·last [pa'last] <-es, Paläste> *der* **1.** Sitz eines Königs/Kaisers *Der König empfing die Gäste in seinem ~.* **2.** *(umg)* sehr schönes, großes Haus *Du hast ja einen richtigen ~!*

• **Pa·la·tschin·ke** [pala'tʃɪŋkə] <-, -n> *die* (ÖSTERR) Eierkuchen, Pfannkuchen *P~n machen*

Pal·me ['palme] <-, -n> *die* ein tropischer Baum mit sehr großen Blättern *Auf der Insel wachsen ~n.*; **jdn auf die ~ bringen** *(umg)* jdn wütend machen *Die dumme Bemerkung brachte sie auf die ~.*

Pam·pel·mu·se ['pampl̩muːzə] <-, -n> *die* (≈*Grapefruit*) große, meist gelbe Zitrusfrucht *eine ~ mit dem Löffel essen*

pa·nie·ren [pa'niːrən] <paniert, panierte, paniert> *tr* [K] *jd paniert etw akk* Fleisch oder Gemüse vor dem Braten in Mehl oder Paniermehl (Semmelbrösel) wenden *ein paniertes Schnitzel*

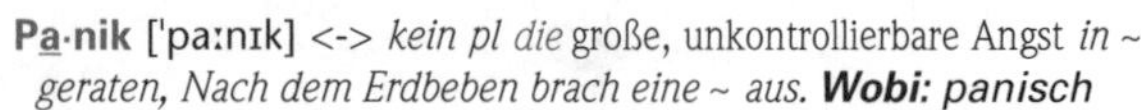

Pa·nik ['pa:nɪk] <-> *kein pl die* große, unkontrollierbare Angst *in ~ geraten, Nach dem Erdbeben brach eine ~ aus.* ***Wobi: panisch***

• **Pan·ne** ['panə] <-, -n> *die* technischer Fehler *Er hatte eine ~ mit dem Auto., Während der Fernsehtalkshow ist eine ~ passiert: Plötzlich waren Bild und Ton weg.*

Panter

Pan·t(h)er <-s, -> *der* eine große Raubkatze mit schwarzem Fell *Der ~ jagt eine Antilope.*

Pan·tof·fel [pan'tɔfl̩] <-s, -n> *der* Hausschuh *im Haus ~n tragen;* **unter dem ~ stehen** (*umg pej*) von der Ehefrau beherrscht werden, unselbstständig sein *Der Mann steht völlig unter dem ~.*

Pan·to·mi·me [panto'mi:mə] <-, -n> *die* **1.** wortlose Darstellung einer Szene nur mit Hilfe von Gestik und Mimik *eine ~ spielen* **2.** Schauspieler, der Pantomimen darstellt *Der ~ faszinierte die Zuschauer mit seinem Spiel.*

Pan·zer ['pantsɐ] <-s, -> *der* **1.** HIST Rüstung, Schutzschild *Der Ritter trug einen ~, wenn er in die Schlacht zog.* **2.** MIL mit starken Metallplatten geschütztes Fahrzeug, das auf Ketten fährt *Die Armee stieß mit ihren ~n vor.* **3.** ZOOL harte äußere Schicht von bestimmten Tieren *Die Schildkröte hat einen ~ auf Bauch und Rücken.*

Pa·pa ['papa] <-s, -s> *der* (*umg ≈Papi, Vati*) Vater *Hast du schon mit ~ gesprochen?*

Pa·pa·gei [papa'gai̯] <-s, -en> *der* ein tropischer Vogel *Der ~ meiner Nachbarin spricht alles nach.*

Pa·per·back ['peɪpəbɛk] <-s, -s> *das* Taschenbuch *Der Roman ist als ~ erschienen.*

• **Pa·pier** [pa'pi:ɐ̯] <-s, -e> *das* **1.** meist weißes Material, auf das man schreibt *Er nahm ein Blatt ~ und schrieb einen Brief.* **2.** Schriftstück *Der Botschafter nahm das ~ und las es aufmerksam durch.* **3.** *nur pl* offizielle Ausweisdokumente, z.B. Reisepass und Führerschein *Der Polizist verlangte die ~e des Fahrers.* ***Komp: -fabrik, -taschentuch, Brief-, Pack-, Schreib-, Umwelt-***

Pa·pier·korb <-(e)s, -körbe> *der* Abfalleimer für Papier *etw in den ~ werfen*

Papp·be·cher <-s, -> *der* Trinkgefäß aus dickem Papier *Kaffee aus ~n trinken*

Pap·pe ['papə] <-, -n> *die* sehr dickes Papier *ein Karton aus ~;* **nicht von ~ sein** *(umg)* stark/kräftig sein *Der Schlag war nicht von ~.*

Pap·ri·ka¹ ['paprika] <-s> *kein pl der* ein scharfes, rotes Gewürz *~ wird oft zum Würzen von Huhn verwendet.*

Pap·ri·ka² ['paprika] <-, -(s)> *die* ein rotes, gelbes oder grünes Gemüse *Es gibt rote, gelbe und grüne ~.* ***Komp: -schote***

Papst [pa:pst] <-es, Päpste> *der* Oberhaupt der katholischen Kirche *zum ~ gewählt werden* ***Wobi: päpstlich***

Papst
Nach katholischer Lehre ist der Papst der Nachfolger des Apostels Petrus, der von Jesus Christus als Oberhaupt der christlichen Kirche eingesetzt wurde. Der Papst wird von den katholischen Kardinälen gewählt.

Pa·ra·bel [pa'ra:bl̩] <-, -n> *die* Erzählung mit einem Vergleich (Gleichnis), aus dem man etw über das menschliche Verhalten lernen soll *Die ~ ist eine eigene literarische Gattung.*

Pa·ra·de [pa'ra:də] <-, -n> *die* Aufmarsch von Soldaten/Truppen für eine staatliche Feier *Der General nimmt die ~ ab.*

Pa·ra·de·bei·spiel <-(e)s, -e> *das* besonders gutes Beispiel *ein ~ für Hilfsbereitschaft abgeben*

- **Pa·ra·dei·ser** [para'daizɐ] <-, -> *der* (ÖSTERR) Tomate *~ ernten*

Pa·ra·dies [para'di:s] <-es, -e> *das* **1.** REL Ort, an dem nach christlichem Glauben die guten Menschen nach ihrem Tod sein werden *Die Guten kommen ins ~.* **2.** besonders schöner, angenehmer Ort *Diese Insel ist das reinste ~.* ***Wobi:** paradiesisch*

pa·ra·dox [para'dɔks] <-, -> *adj* (scheinbar) widersprüchlich *eine ~e Situation* ***Wobi:** Paradox(on)*

Pa·ra·graf [para'gra:f] <-en, -en> *der* Abschnitt eines Gesetzes oder Vertrages *gegen ~ fünf des Grundgesetzes verstoßen*

Pa·ral·le·le [para'le:lə] <-, -n> *die* **1.** MATH Linien, die immer gleich weit voneinander entfernt sind *Zeichnen Sie die ~ zu dieser Geraden!* **2.** etw, was gleich/ähnlich ist *Es gibt eine ~ zwischen den beiden Texten., Man kann eine ~ zu dem anderen Fall ziehen.* ***Wobi:** parallel*

Pa·ra·sit [para'zi:t] <-en, -en> *der* sehr kleines Tier, das auf einem anderen Lebewesen lebt *Flöhe sind ~en, die Hunde befallen.*

pa·rat [pa'ra:t] *adv* bereit *eine Lösung ~ haben*

Par·füm [par'fy:m] <-s, -s> *das* Flüssigkeit, die gut riecht und die vor allem Frauen auf die Haut tun *Sie hat ein angenehmes ~.*

- **Park** [park] <-s, -s> *der* großer Garten, Grünfläche in einer Stadt *im ~ spazieren gehen*
- **par·ken** ['parkn̩] <parkt, parkte, geparkt> **I.** *tr* [K] *jd parkt etw akk* ***irgendwo*** (= CH *parkieren*) ein Auto abstellen *Wo hast du dein Auto geparkt?* **II.** *itr* ein Auto abstellen *Er parkte auf der Rückseite des Gebäudes.*

Par·kett [par'kɛt] <-(e)s, -e> *das* Fußboden aus Holz *Sie ließen im ganzen Haus ~ legen.*

- **Park·haus** <-es, -häuser> *das* Gebäude, in dem man das Auto parken kann *das Auto ins ~ stellen*
- **Park·platz** <-es, -plätze> *der* Platz, wo man Autos abstellt *einen ~ suchen*

Park·schei·be <-, -n> *die* Scheibe mit Zeitangaben wie auf einer Uhr, auf der man den Zeitpunkt, zu dem man sein Auto geparkt hat, einstellt *Hier braucht man eine ~.*

- **Park·uhr** <-, -en> *die* Uhr am Straßenrand, in die man Geld einwerfen muss, um für eine bestimmte Zeit parken zu dürfen *Münzen in die ~ einwerfen*
- **Par·la·ment** [parla'mɛnt] <-(e)s, -e> *das* die vom Volk gewählten Vertreter, die Gesetze beschließen *jdn ins ~ wählen* ***Wobi:** Parlamentarier **Komp:** Europa-*
- **Par·tei** [par'tai] <-, -en> *die* **1.** POL politische Interessensgemeinschaft *eine ~ der Mitte* **2.** Mieter einer Wohnung *Bei uns im Haus wohnen sechs ~en.* **3.** Interessensgruppe *nicht beteiligte ~, schuldige ~;* **für jdn/etw ~ ergreifen** jdn/etw verteidigen *Er ergriff im Streit mit den Nachbarn ~ für seine Frau.* ***Wobi:** Parteinahme*

par·tei·isch [par'taiɪʃ] <-, -> *adj* (↔*unparteiisch*) so, dass man für eine von zwei oder mehr Parteien ist *Die Rede ist nicht objektiv, sie ist ~.*

- **Par·ter·re** [par'tɛr(ə)] <-s, -s> *das* (ÖSTERR, CH) Erdgeschoss *im ~ wohnen*

Par·tie [par'ti:] <-, -n> *die* **1.** Teil, Ausschnitt *Die untere ~ ist heller* *als die obere.* **2.** SPORT ein Spiel *eine ~ Schach spielen* **3.** (möglicher) Ehepartner mit viel Geld *Sie ist eine gute ~., Sie hat eine gute ~ gemacht.*

Par·ti·tur [parti'tuːɐ̯] <-, -en> *die* die Noten eines Musikstücks *Der Dirigent studiert die ~.*

Par·ti·zip [parti'tsiːp] <-s, -ien> *das* LING Verbform, die auch als Adjektiv benutzt werden kann *Das ~ Präsens/Perfekt von ‚waschen' ist ‚waschend'/‚gewaschen'.*

• **Part·ner(in)** ['partnɐ] <-s, -> *der* **1.** Geschäftskollege, Mitbesitzer einer Firma *Die beiden sind gleichberechtigte ~.* **2.** Freund/Freundin, mit dem/der man wie in einer Ehe zusammenlebt *Sie konnte sich auf ihren ~ verlassen.* ***Wobi: Partnerschaft***

Part·ner·stadt <-, -städte> *die* befreundete Stadt in einem anderen Land *Wir haben eine neue ~ in Russland.*

• **Par·ty** ['paːɐ̯ti] <-, -s> *die* (lockeres) Fest, Feier *zu einer ~ eingeladen sein* ***Komp: Geburtstags-, Tanz-***

1

2

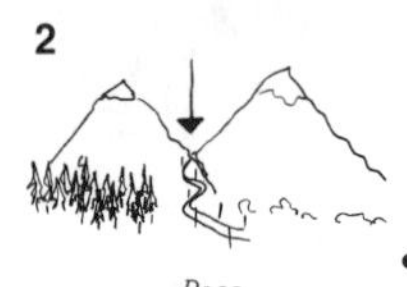

Pass

• **Pass** [pas] <-es, Pässe> *der* **1.** Ausweis *Dürfte ich bitte Ihren ~ sehen?, Der ~ ist noch gültig bis ...* **2.** eine Straße, die über einen Berg führt *einen ~ überqueren, einen ~ im Winter sperren* ***Komp: -kontrolle, -straße, Reise-***

• **Pas·sa·gier** [pasa'ʒiːɐ̯] <-s, -e> *der* Reisende(r) in einem Zug/Flugzeug/auf einem Schiff *Die ~e werden gebeten, sich anzuschnallen.*; **blinder ~** jd, der sich auf einem Schiff oder in einem Flugzeug versteckt und für die Mitreise nicht bezahlt hat *Das Flugzeug hatte einen blinden ~ an Bord.*

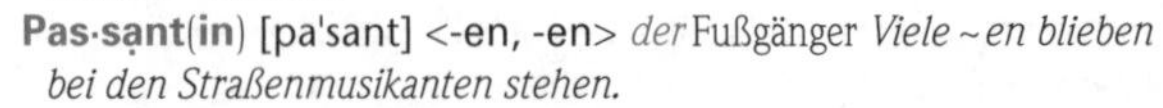

Pas·sant(in) [pa'sant] <-en, -en> *der* Fußgänger *Viele ~en blieben bei den Straßenmusikanten stehen.*

Pass·bild <-(e)s, -er> *das* (≈*Passfoto*) die Fotografie in einem Ausweis/Pass *neue ~er anfertigen lassen*

• **pas·sen** ['pasn̩] <passt, passte, gepasst> *itr* **1.** von der Größe oder Form her richtig sein *P~ Ihnen die Schuhe?, Das Kleid passt wie angegossen., Der Schlüssel passt.* **2.** harmonieren *Diese Farben ~ nicht gut zueinander., Das Paar passt gut zusammen.* **3.** (an)genehm sein, zeitlich möglich sein *Passt es Ihnen am Montag?, Wann passt es Ihnen?* **4.** (ÖSTERR) stehen (Kleidung) *Der Mantel passt dir gut!*

• **pas·sie·ren** [pa'siːrən] <passiert, passierte, passiert> **I.** *tr* [K] ***jd passiert etw*** *akk* durch etw fahren; an jdm/etw vorbeifahren *die Grenze ~* **II.** *itr <sein>* sich ereignen, geschehen *Ein Unglück ist passiert., Stell dir vor, was passiert ist!, Was passiert, wenn ich hier draufdrücke?*

Pas·siv ['pasiːf] <-s, (-e)> *das* (LING: ↔*Aktiv*) Verbform, bei der das zum Subjekt wird, mit dem etw geschieht *Das ~ von "ich liebe" ist "ich werde geliebt".*

• **pas·siv** ['pasiːf/pa'siːf] <passiver, passivst-> *adj* (↔*aktiv*) so, dass jd sehr wenig selbst unternimmt; untätig *Er ist ziemlich ~ – er sitzt jeden Abend vor dem Fernseher.* ***Wobi: Passivität***

Pas·tor ['pastoːɐ̯] <-s, -en> *der* (REL: ND) meist evangelischer Pfarrer *Der ~ sprach ein Gebet.*

Pa·te ['paːtə] <-n, -n> *der* Person, die mit den Eltern die Verantwortung für die christliche Erziehung des Kindes übernimmt *einen ~n haben* ***Komp: -nkind, -nschaft; Firm-, Tauf-***

Pa·tent [pa'tɛnt] <-(e)s, -e> *das* das alleinige Recht, eine Erfindung wirtschaftlich zu nutzen *ein ~ anmelden*

pa·tent [pa'tɛnt] <patenter, patentest-> *adj* geschickt, klug *ein ~er Kerl*

Pa·tent·lö·sung <-, -en> *die* Lösung, die immer gültig ist *Es gibt keine ~ für dieses Problem.*

Pa·thos ['paːtɔs] <-> *kein pl das* Ergriffenheit, Leidenschaft *das ~ in seiner Stimme*

• **Pa·ti·ent(in)** [pa'tsiɛnt] <-en, -en> *der* Kranker, der behandelt wird *Der Arzt befragte den ~en nach seiner Krankheit.*

Pat·ri·ot(in) [patri'oːt] <-en, -en> *der* jd, der eine starke Liebe zu seinem Vaterland fühlt *ein glühender ~* ***Wobi:*** *patriotisch, Patriotismus*

Pat·sche ['patʃə] <-> *kein pl die (umg)* schwierige Situation *in der ~ sitzen, jdm aus der ~ helfen*

Pau·ke ['paukə] <-, -n> *die* MUS große Trommel in der Form einer Halbkugel *Er schlug die ~.;* **auf die ~ hauen** *(umg)* intensiv feiern *Vor der Hochzeit wollte der Bräutigam noch mal richtig auf die ~ hauen.*

pau·schal [pau'ʃaːl] <-, -> *adj* **1.** ohne Details zu berücksichtigen, im Ganzen *jdn ~ verurteilen* **2.** alles inbegriffen *~ bezahlen*

Pau·scha·le [pau'ʃaːlə] <-, -n> *die* **1.** Einheitspreis *für Flug und Hotel eine ~ bezahlen* **2.** Schätzbetrag *Das Finanzamt setzte eine ~ für das kommende Geschäftsjahr an.* ***Komp:*** *Pauschalreise*

• **Pau·se** ['pauzə] <-, -n> *die* kurze Unterbrechung der Arbeit zur Erholung *Du kannst nicht nur arbeiten, mach doch mal eine ~.* ***Komp:*** *-nbrot, Arbeits-, Mittags-, Ruhe-, Zigaretten-*

Pa·vil·lon ['pavɪljɔŋ] <-s, -s> *der* Rundbau, oft in Parks *ein Konzert im ~ des Schlosses hören*

Pa·zi·fis·mus [patsi'fɪsmʊs] <-> *kein pl der* die Haltung/Einstellung, dass man Gewalt in jeder Form ablehnt *dem ~ verpflichtet sein* ***Wobi:*** *Pazifist(in)*

PC [peː'tseː] <-s, -s> *der* Kurzform für Personalcomputer *den ~ einschalten/ausschalten*

• **Pech** ['pɛç] <-(e)s> *kein pl das* **1.** (*umg* ↔ *Glück*) Missgeschick, Unglück *Es war ~, dass die Scheibe kaputt gegangen ist., Was für ein ~!* **2.** schwarze, klebrige Masse, die aus Erdöl gewonnen wird *Das Dach wurde mit ~ wasserdicht gemacht.;* **wie ~ und Schwefel zusammenhalten** *(umg)* untrennbar sein, sehr gute Freunde sein *Die beiden Freunde halten zusammen wie ~ und Schwefel.*

Pech·sträh·ne <-, -n> *die (umg)* längere Phase, in der man kein Glück hat *Der Spieler hat eine ~.*

Pe·dal [pe'daːl] <-s, -e> *das* Teil des Fahrrads, auf das man mit dem Fuß drückt *Ein Fahrrad hat zwei ~e.*

pe·dan·tisch [pe'dantɪʃ] <-, -> *adj* übergenau, sehr genau *eine ~e Art haben*

Pe·gel ['peːgl̩] <-s, -> *der* Wasserstand *Der ~ des Flusses ist stark gestiegen.* ***Komp:*** *Wasser-*

pein·lich ['painlɪç] <peinlicher, peinlichst-> *adj* **1.** unangenehm *Es ist mir sehr ~, aber ich muss es Ihnen einmal sagen.* **2.** sehr genau *Er achtet ~st auf sein Äußeres.*

Peit·sche ['paitʃə] <-, -n> *die* dünner Stock, an dessen Ende ein dünnes Seil befestigt ist *das Pferd mit der ~ schlagen* ***Wobi:*** *(aus-)peitschen*

Pelz [pɛlts] <-es, -e> *der* **1.** Fell eines Tieres *Der Bär hat einen dicken ~.* **2.** Mantel aus dem Fell eines Tieres *einen ~ tragen* ***Komp:*** *-mantel, -mütze*

Pen·del ['pɛndl̩] <-s, -> *das* ein Ding, das sich hin und her bewegt *Das ~ der Uhr schwingt hin und her.*

pen·deln ['pɛndl̩n] <pendelt, pendelte, gependelt> *itr* <*sein*> **1.** hin- und herschwingen *Sie ließ ihre Beine ~.* **2.** täglich vom Wohnort zum Arbeitsort fahren *zwischen Darmstadt und Frankfurt ~*

Pend·ler(in) ['pɛndlɐ] <-s, -> *der* jd, der jeden Tag zur Arbeit in eine andere Stadt fährt *Der Morgenzug ist voller ~.*

pe·ni·bel [pe'ni:bl̩] <penibler, penibelst-> *adj* sehr genau *einen Zeitplan ~ einhalten*

pen·nen ['pɛnən] <pennt, pennte, gepennt> *itr* (*umg!*) schlafen *auf dem Sofa ~*

Pen·ner(in) <-s, -> *der* (*umg! pej*) jd, der keine Wohnung hat, Obdachloser *der ~ auf der Parkbank*

• **Pen·si·on** [pɛn'zi̯o:n] <-, -en> *die* **1.** Rente eines Beamten *eine ~ beziehen* **2.** (ÖSTERR) Rente *eine ~ bekommen* **3.** Lebenszeit nach dem Arbeitsleben *Mit 65 Jahren ist er in ~ gegangen.* **4.** Gästehaus *Sie hat die Nacht in einer ~ verbracht.*

• **pen·si·o·nie·ren** <pensioniert, pensionierte, pensioniert> *tr* in Pension/Rente gehen *Sie ist pensioniert worden., Er hat sich vorzeitig ~ lassen.*

per [pɛr] *präp* **1.** mittels, durch *Sie schickte ihm die Mitteilung ~ Post.* **2.** kaufmännisch: pro, für *Sie bekommen drei Euro ~ Artikel.*

Per·fekt ['pɛrfɛkt] <-(e)s> *kein pl das* LING eine Verbform der Vergangenheit *Das ~ von ‚gehen' ist ‚ist gegangen'.*

Perfekt
Das Perfekt benutzt man beim Reden häufiger als beim Schreiben, wo man oft das Präteritum verwendet. In der gesprochenen Sprache wiederum kommt das Perfekt in Süddeutschland, Österreich und der Schweiz häufiger vor als in Norddeutschland.

• **per·fekt** [pɛr'fɛkt] <perfekter, perfektest-> *adj* **1.** vollkommen, sehr gut *eine ~e Vorbereitung* **2.** *(umg)* organisiert, vorbereitet *Dann ist ja alles ~.*

Pe·ri·o·de [pe'ri̯o:də] <-, -n> *die* **1.** Zeitabschnitt *In dieser ~ kann ich keine neuen Aufgaben übernehmen.* **2.** (≈ *Tage*) monatliche Blutung bei Frauen, Menstruation *Sie bekam ihre ~ nicht pünktlich.*

Per·le [pɛr'le:] <-, -n> *die* teure kleine, weiße Kugel, die man in Muscheln findet *eine Kette aus ~n* ***Komp:*** *-nkette*

per·ma·nent [pɛrma'nɛnt] <-, -> *adj* ständig, ohne Unterbrechung *Dieser ~e Lärm nervt.*

• **Per·ron** [pɛ'rõ:] <-s, -s> *der/das* (CH) Bahnsteig *auf dem ~ stehen*

• **Per·son** [pɛr'zo:n] <-, -en> *die* **1.** Mensch, Individuum *Er hatte die ~ in der Nacht nicht erkannt.* **2.** THEAT FILM Figur, Gestalt *In diesem Drama gibt es fünf ~en.* **3.** LING Personalendung beim Verb *Die Verbform ‚geht' steht in der dritten ~ Singular.*

Per·so·nal [pɛrzo'na:l] <-s> *kein pl das* die Angestellten *das ~ einer Firma* ***Komp:*** *-chef(in)*

Per·so·nal·aus·weis <-es, -e> *der* Dokument zur Identifizierung einer Person *Jeder Bürger muss einen ~ bei sich haben.*

Per·so·nal·com·pu·ter <-s, -> *der* kleiner Computer, der als Einzelarbeitsplatz genutzt wird, PC *Heutzutage hat fast jeder einen ~.*

Per·so·na·li·en [pɛrzo'na:li̯ən] <-> *kein sing pl* persönliche Angaben zu einer Person *Geburtsdatum, Name und Familienstand gehören zu den ~.*

Per·so·nal·pro·no·men <-s, -nomina> *das* LING Pronomen, das für die Person steht, über die gesprochen wird *‚Er', ‚sie', ‚es' sind ~.*

• **per·sön·lich** [pɛr'zø:nlɪç] <persönlicher, persönlichst-> *adj* **1.** zu einer bestimmten Person gehörend, privat *seine ~en Gegenstände, eine ~e Frage* **2.** selbst *Der Kaiser ~ kam in die Stadt.*

Per·sön·lich·keit <-, -en> *die* **1.** Charakter *eine starke ~ haben, Junge Menschen müssen ihre ~ ausbilden.* **2.** bedeutender, bekannter Mensch *eine ~ des öffentlichen Lebens, eine historische ~*

Per·spek·ti·ve [pɛrspɛk'ti:və] <-, -n> *die* **1.** die Art, wie räumliche Verhältnisse in einer Zeichnung dargestellt werden *Auf diesem Gemälde stimmt die ~ nicht.* **2.** Aussicht für die Zukunft *Man muss den Jugendlichen neue ~n eröffnen.* **3.** Blickwinkel *Aus meiner ~ sieht das alles anders aus.* ***Komp:** Frosch-, Vogel-*

Pe·rü·cke [pe'rʏkə] <-, -n> *die* künstliche Haare *eine ~ tragen*

per·vers [pɛr'vɛrs] <perverser, perversest-> *adj* **1.** sexuell anders als die Norm *~ (veranlagt) sein* **2.** *(umg)* unglaublich, unmöglich *Das ist ja schon ~, welche Mengen der essen kann.* ***Wobi:** Perverse(r), Perversion, Perversität*

pes·si·mis·tisch [pɛsi'mɪstɪʃ] <pessimistischer, pessimistischst-> *adj* (↔*optimistisch*) negativ eingestellt; so, dass man nichts Gutes erwartet *Da bin ich ziemlich ~., Ich sehe das eher ~.* ***Wobi:** Pessimismus, Pessimist*

Pest [pɛst] <-> *kein pl die* Krankheit, Seuche, die von Ratten übertragen wird und sich sehr schnell ausbreitet *Im Mittelalter sind viele Menschen an der ~ gestorben.;* **jdn/etw hassen wie die** ~ *(umg)* jdn sehr hassen *Er hasste seinen Gegner wie die ~.;* **stinken wie die** ~ *(umg!)* sehr stark und unangenehm riechen *Er hatte sich lange nicht gewaschen und stank wie die ~.*

Pe·ter·si·lie [petɐ'zi:li̯ə] <-, (-n)> *die* ein grünes Kraut, das als Gewürz verwendet wird *den Salat mit ~ würzen*

Pfad [pfa:t] <-(e)s, -e> *der* kleiner Weg *Durch den Wald führte ein schmaler ~.* ***Komp:** Trampel-*

Pfand [pfant] <-(e)s, Pfänder> *das* **1.** Gegenstand, den man jdm statt Geld gibt. Wenn man das Geld später bezahlt, bekommt man den Gegenstand zurück. *ein ~ wieder einlösen* **2.** Geldbetrag, den man wiederbekommt, wenn man einen geliehenen Gegenstand zurückbringt *Auf dieser Flasche sind 20 Cent ~.* ***Komp:** -haus*

pfän·den ['pfɛndn̩] <pfändet, pfändete, gepfändet> *tr* K ***jd pfändet jdn/etw** akk* jdm etw wegnehmen, um seine Schulden damit zu bezahlen *Der Gerichtsvollzieher pfändet die Stereoanlage.*

Pfand·fla·sche <-, -n> *die* Flasche, für die man Geld (Pfand) zurückbekommt, wenn man sie ins Geschäft zurückbringt *~n sammeln und zurückbringen*

• **Pfan·ne** ['pfanə] <-, -n> *die* **1.** Kurzform für Bratpfanne *Fleisch in der ~ braten, Er schlug zwei Eier in die ~.* **2.** (CH) Kochtopf *in der ~ Kartoffeln kochen;* **jdn in die ~ hauen** *(umg!)* hereinlegen, betrügen *Er hat seinen besten Freund in die ~ gehauen.*

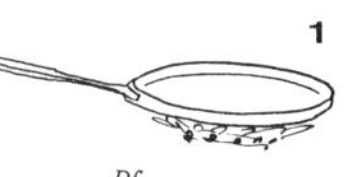

Pfanne

• **Pfann·ku·chen** <-s, -> *der* (SD) Eierkuchen *~ werden aus Mehl und*

Pfarrer
In Süddeutschland, Österreich und der Schweiz nennt man sowohl die katholischen als auch die evangelischen Geistlichen ‚Pfarrer'. In Norddeutschland gibt es dagegen evangelische und auch katholische ‚Pastoren'.

Eiern gemacht.

Pfar·rer ['pfarɐ] <-s, -> *der* Geistlicher, der von der Kirche für eine Gemeinde eingesetzt ist *Der ~ hält sonntags immer eine Predigt.*

• **Pfef·fer** ['pfɛfɐ] <-s> *kein pl der* scharfes Gewürz *das Ei mit Salz und ~ würzen;* **jd kann/soll bleiben, wo der ~ wächst** (*umg!*) jd soll weggehen und nie wiederkommen *Der hat mich so geärgert, der soll bleiben, wo der ~ wächst.*

Pfef·fer·min·ze ['pfɛfɐmɪntsə] <-> *kein pl die* eine Pflanze mit erfrischendem Geschmack *~ pflücken* ***Komp: Pfefferminztee***

Pfei·fe ['pfaifə] <-, -n> *die* **1.** Kurzform für Trillerpfeife *Der Sportlehrer hatte immer eine ~ dabei.* **2.** Gegenstand, in den man Tabak tut, um zu rauchen *~ rauchen* **3.** (*umg! pej*) Versager *Du bist die größte ~, die herumläuft!;* **nach jds ~ tanzen** *(umg)* tun, was jd sagt *Sie tanzen alle nach der ~ des Chefs.*

pfei·fen ['pfaifn̩] <pfeift, pfiff, gepfiffen> **I.** *tr* K ***jd pfeift etw*** *akk* Luft durch die gespitzten Lippen blasen und so einen Ton produzieren *Sie pfiff ein Lied vor sich her.* **II.** *itr* K ***jd pfeift auf jdn/etw*** *akk (umg)* auf etw verzichten, keinen Wert darauf legen *Er pfiff auf Geld und Ruhm.*

Pfeil ['pfail] <-(e)s, -e> *der* **1.** Stock mit einer scharfen Spitze an einem Ende, der mit einem Bogen abgeschossen wird *mit ~ und Bogen jagen* **2.** Markierung, die wie ein Pfeil aussieht *die Wörter mit einem ~ verbinden*

• **Pfen·nig** ['pfɛnɪç] <-s, -e> *der* kleinste Münze in Deutschland bis zur Einführung des Euro *100 ~e sind eine Mark.*

Pferd [pfeːɐ̯t] <-(e)s, -e> *das* ein großes Tier, auf dem man reitet *ein ~ vor den Wagen spannen, ein ~ satteln;* **keine zehn ~e bringen jdn zu etw** *(umg)* jd wird etw auf keinen Fall tun *Keine zehn ~e bringen mich dazu, von hier fortzugehen.;* **mit jdm ~e stehlen können** *(umg)* sich auf jdn absolut verlassen können *Mit ihm kannst du wirklich ~e stehlen, er lässt dich nie im Stich.;* **arbeiten wie ein ~** *(umg)* sehr hart arbeiten *Er arbeitet wie ein ~, um seine Familie zu ernähren.*

Pfer·de·schwanz <-es, -schwänze> *der* eine Frisur, bei der lange Haare am Hinterkopf zusammengebunden werden *die Haare zu einem ~ binden*

Pfiff [pfɪf] <-(e)s, -e> *der* Ton, der beim Pfeifen entsteht *Sie hörte einen ~ und lief zur Ecke.;* **etw hat ~** *(umg)* etw ist modern und schick *Diese Mode hat ~.*

pfiff [pfɪf] *prät von* **pfeifen**

pfif·fig ['pfɪfɪç] <pfiffiger, pfiffigst-> *adj* klug, schlau *Er ist ein ~es Kerlchen.*

Pfings·ten ['pfɪŋstn̩] <-> *kein pl das* das christliche Fest, das fünfzig Tage nach Ostern stattfindet *Zu ~ haben wir frei.*

Pfir·sich ['pfɪrzɪç] <-s, -e> *der* gelb-rote, sehr saftige Frucht, die in warmen Ländern wächst *~e gibt es nur im Sommer.*

• **Pflan·ze** ['pflantsə] <-, -n> *die* alle Bäume, Sträucher und Blumen *Ich liebe ~n., ~n züchten*

pflan·zen ['pflantsn̩] <pflanzt, pflanzte, gepflanzt> *tr* K ***jd pflanzt etw*** *akk* eine Pflanze mit Wurzeln in die Erde setzen, damit sie dort wächst *im Garten einen Baum pflanzen*

- **Pflas·ter** ['pflastɐ] <-s, -> *das* **1.** selbstklebendes Verbandsmaterial *Die Mutter klebte ihm ein ~ auf die Wunde.* **2.** Straßenbelag aus einzelnen Steinen *Der Wagen rumpelte über das ~.;* **ein teures ~** *(umg)* eine sehr teure Gegend *Frankfurt ist ein teures ~.;* **ein heißes ~** *(umg)* eine gefährliche Gegend *Die Bahnhofsgegend ist ein heißes ~.* ***Wobi:*** *pflastern*
- **Pflau·me** ['pflaumə] <-, -n> *die* **1.** süße Frucht mit blau-roter Haut und einem Kern *Aus ~n kann man Kuchen und Kompott machen.* **2.** (*umg! pej*) Blödmann, Trottel *Du bist vielleicht eine ~!*
- **pfle·gen** ['pfle:gn̩] <pflegt, pflegte, gepflegt> **I.** *tr* **1.** [K] ***jd pflegt jdn*** sich um jdn kümmern, jdn betreuen *Die Krankenschwester pflegt den Patienten.* **2.** [K] ***jd pflegt etw*** *akk* sich um etw kümmern *den Rasen ~, Freundschaften ~* **II.** *refl* [K] ***jd pflegt sich*** *akk* auf sein Äußeres achten *Pflege dich doch ein wenig und lauf nicht immer in so alten Kleidern herum.* **III.** *itr* (*geh*) etw regelmäßig tun, etw gewohnt sein *Nach dem Essen pflegte er einen Spaziergang zu machen.* ***Wobi:*** *Pflege*

Pfle·ger(in) <-s, -> *der* jd, der beruflich kranke/alte Menschen pflegt *Der ~ brachte den Kranken das Essen.* ***Komp:*** *Alten-, Kranken-*

- **Pflicht** [pflɪçt] <-, -en> *die* Aufgabe, die man tun muss *seine ~ (gegenüber jdm) erfüllen, seine ~ verletzen/vernachlässigen* ***Komp:*** *-gefühl, -verteidiger*

pflicht·be·wusst <pflichtbewusster, pflichtbewusstest-> *adj* so, dass man seine Aufgaben genau kennt und erfüllt *eine ~e Mitarbeiterin*

pflü·cken ['pflʏkn̩] <pflückt, pflückte, gepflückt> *tr* [K] ***jd pflückt etw*** *akk* von einem Baum oder Busch nehmen *Er pflückte die Kirschen aus Nachbars Garten.*

Pflug [pflu:k] <-(e)s, Pflüge> *der* Gerät, mit dem der Boden aufgelockert wird *das Pferd vor den ~ spannen* ***Wobi:*** *pflügen*

Pfört·ner(in) ['pfœrtnɐ] <-s, -> *der* jd, der den Eingang zu einem Gebäude bewacht *am ~ vorbeigehen* ***Wobi:*** *Pforte*

Pfo·te ['pfo:tə] <-, -n> *die* **1.** Füße von manchen Tieren *Die Katze schlich auf leisen ~n durch die Wohnung.* **2.** (*umg! pej*) Hand *Nimm deine ~n da weg!* ***Komp:*** *Hunde-*

Pfote

pfui [pfui] *interj* **1.** drückt Ekel aus *P~, das schmeckt ja schrecklich!* **2.** verwendet, um Wut/Ärger auszudrücken *P~, wie gemein!*

Pfund [pfʊnt] <-(e)s, -e> *das* eine Gewichtseinheit, 500g, ein halbes Kilogramm *ein ~ Tomaten kaufen*

Pfüt·ze ['pfʏtsə] <-, -n> *die* Wasser auf dem Boden *in eine ~ treten*

Pha·se ['fa:zə] <-, -n> *die* Teil, Abschnitt *Wir befinden uns momentan in einer schwierigen ~.*

Phi·lo·so·phie [filozo'fi:] <-, -n> *die* die Wissenschaft, die grundlegende Fragen stellt, z.B. nach dem Sinn der Welt, der Rolle des Menschen usw. *die ~ der Antike, die ~ Kants* ***Wobi:*** *Philosoph(in)*

phleg·ma·tisch [flɛ'gma:tɪʃ] <-, -> *adj* sehr passiv *eine ~e Art haben* ***Wobi:*** *Phlegma*

Pho·ne·tik [fo'ne:tɪk] <-> *kein pl die* LING die Wissenschaft von den sprachlichen Lauten *Die ~ erforscht Stellung, Funktion und Wirkung einzelner Laute.* ***Wobi:*** *phonetisch*

- **Phy·sik** [fy'zi:k] <-> *kein pl die* Naturwissenschaft, die das Verhalten unbelebter Objekte, der Materie und der Kräfte untersucht ~ *studieren* ***Wobi:** physikalisch, Physiker(in)* ***Komp:** Atom-, Kern-*

phy·sisch ['fy:zɪʃ] <-, -> *adj* körperlich *~e Schmerzen*

Pi·a·nist(in) [pi̯a'nɪst] <-en, -en> *der* jd, der beruflich Klavier spielt *ein berühmter ~*

Pi·ckel ['pɪkl̩] <-s, -> *der* eitrige, rote Entzündung der Haut *einen ~ ausdrücken*

• **Pick·nick** ['pɪknɪk] <-s, -e/-s> *das* Mahlzeit im Freien *ein ~ im Grünen machen* ***Wobi:** picknicken*

pie·pen ['pi:pn̩] <piept, piepte, gepiept> *itr* Laute produzieren wie ein kleiner Vogel *Ein Vogel piept.;* **zum P~ sein** *(umg)* unglaublich sein, lächerlich sein *Das ist doch zum P~!*

• **Pil·le** ['pɪlə] <-, -n> *die* **1.** Tablette *~n nehmen* **2.** Kurzform für Antibabypille; Tablette, die eine Frau einnehmen kann, damit sie nicht schwanger wird *die ~ nehmen*

Pi·lot(in) [pi'lo:t] <-en, -en> *der* jd, der ein Flugzeug steuert *Der ~ prüft die Instrumente.*

Pils [pɪls] <-es, -> *das* eine helle Biersorte *ein ~ bestellen/zapfen*

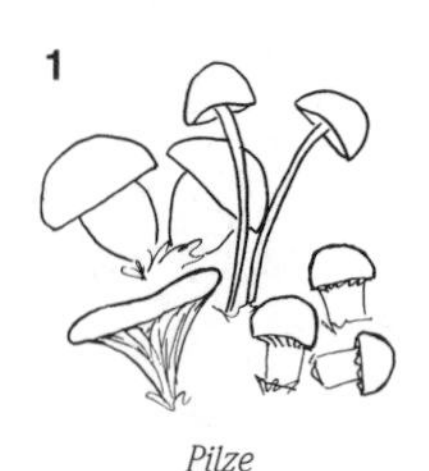
1

Pilze

Pilz [pɪlt͡s] <-es, -e> *der* **1.** (= ÖSTERR *Schwamm, Schwammerl*) Pflanze, die keine Blätter und keine Blüten hat und vor allem im Wald wächst *Champignons sind essbare ~e.* **2.** MED Erkrankung der Haut *an einem ~ leiden;* **wie ~e aus der Erde schießen** sich unkontrolliert und sehr schnell vermehren *Neubauten schießen wie ~e aus der Erde.* ***Komp:** Atom-, Fuß-, Gift-*

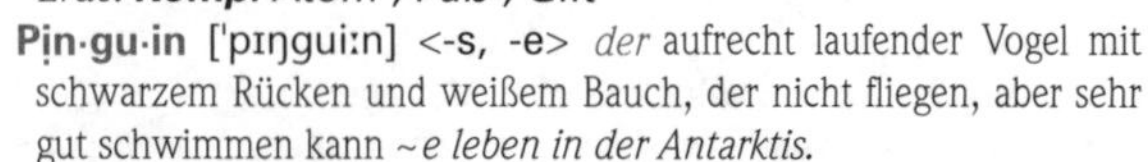

Pin·gu·in ['pɪŋgui:n] <-s, -e> *der* aufrecht laufender Vogel mit schwarzem Rücken und weißem Bauch, der nicht fliegen, aber sehr gut schwimmen kann *~e leben in der Antarktis.*

Pin·sel ['pɪnzl̩] <-s, -> *der* Werkzeug zum Malen aus einem Stiel und Borsten *mit ~ und Farbe*

Pin·zet·te [pɪn't͡sɛtə] <-, -n> *die* eine Art Zange zum Greifen und Festhalten kleiner Gegenstände *mit einer ~ den Dorn aus der Hand ziehen*

Pis·to·le [pɪs'to:lə] <-, -n> *die* eine Schusswaffe *Der Räuber zog die ~.;* **jdm die ~ auf die Brust setzen** *(umg)* jdn zwingen, etw schnell zu entscheiden oder zu erledigen *Er setzte ihr die ~ auf die Brust.;* **wie aus der ~ geschossen** *(umg)* prompt, sofort *Er antwortete auf die Fragen wie aus der ~ geschossen.*

PKW ['pe:kave:] <-(s), -s> *der* (auch: Pkw) Kurzform für ‚Personenkraftwagen', Auto *den ~-Führerschein machen*

Pla·ge ['pla:gə] <-, -n> *die* **1.** Qual *Diese vielen Wespen dieses Jahr sind eine echte ~.* **2.** sehr große Anstrengung *Es ist wirklich eine ~ mit dieser Arbeit.* ***Wobi:** plagen* ***Komp:** Insekten-*

• **Pla·kat** [pla'ka:t] <-(e)s, -e> *das* ein sehr großes Blatt Papier, das irgendwo hängt und auf dem meist Werbung steht *Überall hängen ~e für diese Veranstaltung.* ***Wobi:** plakatieren*

• **Plan** [pla:n] <-(e)s, Pläne> *der* **1.** Vorhaben *Sie hat große Pläne im Sinn.* **2.** Übersichtskarte *Haben sie einen ~ von dieser Gegend?* **3.** Zeichnung vom Grundriss eines Gebäudes *Der Architekt macht einen ~ vom Haus.* ***Komp:** Stadt-*

• **pla·nen** ['pla:nən] <plant, plante, geplant> *tr* [K] *jd plant etw akk* etw vorbereiten, organisieren *den Urlaub ~*

Pla·net [pla'ne:t] <-en, -en> *der* Himmelskörper *Die Erde und der Mond sind zwei ~en.*

plan·mä·ßig <-, -> *adj* **1.** wie geplant *die ~e Durchführung der Arbeiten* **2.** dem Fahrplan entsprechend *P~e Abfahrt des Zuges ist 8.07 Uhr.*

• **Plas·tik¹** ['plastɪk] <-, -en> *die* Skulptur *Diese ~ ist von Henry Moore.*

• **Plas·tik²** ['plastɪk] <-(s)> *kein pl das* ein Kunststoff *eine Tüte aus ~* ***Komp:*** *-dose, -folie, -tüte*

platt [plat] <platter, plattest-> *adj* **1.** *(umg)* eben, flach *~es Land* **2.** *(umg)* nichts sagend, gewöhnlich *ein ~er Witz* **3.** *(umg)* überrascht *Da bin ich wirklich ~.*

• **Plat·te** ['platə] <-, -n> *die* **1.** flaches Stück aus einem bestimmten Material *eine ~ aus Metall* **2.** Schallplatte *Heute gibt es viel mehr CDs als ~n.* **3.** *(umg)* Glatze *Mir fallen die Haare aus, ich kriege eine ~.*

Plat·ten·spie·ler <-s, -> *der* Gerät, auf dem Schallplatten abgespielt werden *Sie stellte den ~ an und begann zu tanzen.*

• **Platz** [plats] <-es, Plätze> *der* **1.** Stelle, Ort *Treffen wir uns am gewohnten ~!, Für Demonstrationen auf öffentlichen Plätzen braucht man eine Genehmigung.* **2.** freier Raum *Hast du noch ~ in deinem Zimmer?* **3.** das, worauf man sitzt *Alle Plätze waren schon besetzt.* **4.** SPORT Spielfeld *Der Schiedsrichter schickte den Mittelstürmer vom ~.;* ~ **nehmen** sich hinsetzen *Nehmen Sie doch ~!* ***Komp: Markt-***

plat·zen ['platsn̩] <platzt, platzte, geplatzt> *itr* <*sein*> **1.** zerspringen, kaputt gehen *Ein Luftballon platzt, wenn man ihn zu stark aufbläst.* **2.** *(umg)* nicht stattfinden *Die Party ist geplatzt., einen Termin ~ lassen* **3. platzen vor Neid/Neugier** sehr neidisch/neugierig sein *Ich bin fast geplatzt vor Neugier auf ihren Freund.*

Platz·re·ser·vie·rung <-, -en> *die* Reservierung eines Sitzplatzes *Für längere Fahrten mit dem Zug sollte man eine ~ haben.*

plau·dern ['plaudɐn] <plaudert, plauderte, geplaudert> *itr* **1.** sich locker unterhalten *Die beiden Frauen blieben stehen und plauderten ein wenig.* **2.** weitererzählen, was eigentlich niemand wissen soll *Klaus hat mal wieder geplaudert, nun wissen es alle.*

plau·si·bel [plau'zi:bl̩] <plausibler, plausibelst-> *adj* verständlich, nachvollziehbar *eine plausible Erklärung*

Play·boy ['pleɪbɔɪ] <-s, -s> *der* Mann, der viele Frauen hat *Er war ein richtiger ~, der nie mit der gleichen Frau ausging.*

Plei·te ['plaitə] <-, -n> *die* **1.** *(umg)* Konkurs *Der Laden machte ~ und musste schließen.* **2.** *(umg)* Misserfolg *Die ganze Sache war eine riesige ~.*

• **plötz·lich** ['plœtslɪç] <-, -> *adj* unerwartet, auf einmal *eine ~e Idee, P~ ging die Tür auf.*

plump [plʊmp] <plumper, plumpst-> *adj* **1.** ungeschickt, unbeholfen *eine ~e Ausrede* **2.** unhöflich *ein ~er Annäherungsversuch* **3.** unförmig, dick *ein ~er Körper*

plün·dern ['plʏndɐn] <plündert, plünderte, geplündert> *tr* [K] *jd plündert etw akk* ausrauben, alles stehlen *Die Soldaten plünderten die Stadt.*

Plu·ral ['plu:ra:l] <-s, -e> *der* LING Mehrzahl *Manche Wörter kön-*

nen keinen ~ bilden.

plus [plʊs] **I.** *konj* (MATH: ↔*minus*) verwendet, um auszudrücken, dass man addiert *Zwei ~ drei macht fünf.* **II.** *präp +nom/(gen)* zusätzlich, außerdem *Das kostet 150 Euro ~ Mehrwertsteuer.* **III.** *adv* über Null Grad Celsius *Wir haben heute fünf Grad ~.*

Plus·quam·per·fekt ['plʊskvampɛrfɛkt] <-s, -e> *das* LING eine Verbform der Vergangenheit *Das ~ kennzeichnet eine Handlung, die schon vor einer anderen Handlung in der Vergangenheit abgeschlossen wurde.*

• **Pneu** [pnɔy] <-s, -s> *der* (CH) Reifen, Autoreifen, Fahrradreifen *den ~ aufpumpen*

Po [poː] <-(s), -s> *der (umg)* Gesäß, Hintern *Er rutschte aus und fiel auf den ~.*

Po·di·um ['poːdi̯ʊm] <-s, Podien> *das* Podest, Bühne für Veranstaltungen *Das Orchester kam auf das ~ und begann zu spielen.*

Po·e·sie [poe'ziː] <-> *kein pl die* Lyrik, Dichtkunst *ein Text voller ~*

Poin·te ['po̯ɛ̃ːtə] <-, -n> *die* überraschender Schluss einer Erzählung *die ~ des Witzes*

Pokal

Po·kal [po'kaːl] <-s, -e> *der* SPORT ein meist silbernes oder goldenes Gefäß, das man dem Sieger eines sportlichen Wettkampfes als Preis gibt *Die Mannschaft nahm nach ihrem Sieg den ~ entgegen.* ***Komp:* *Wander-***

Pol [poːl] <-s, -e> *der* **1.** GEOG Endpunkt der Erdachse *Die Erde hat zwei ~e: den Nord~ und den Süd~.* **2.** EL Punkt, von dem aus der Strom fließt *Plus~ und Minus~*

• **Po·li·tik** [poli'tiːk] <-, (-en)> *die* **1.** alles im öffentlichen Leben, was mit der Gestaltung/der Regelung des Zusammenlebens in einem Staat zu tun hat *sich für ~ interessieren* **2.** politische Haltung *eine ~ der Mitte betreiben, eine konservative/fortschrittliche ~*

• **po·li·tisch** [po'litiʃ] <politischer, politischst-> *adj* die Politik betreffend *eine ~e Frage/Angelegenheit, ~ interessiert sein*

• **Po·li·ti·ker(in)** [po'liːtikɐ] <-s, -> *der* jd, der Politik betreibt *~ aller Parteien*

• **Po·li·zei** [poli'tsai̯] <-> *kein pl die* (= ÖSTERR *Gendamerie*) Institution, die für öffentliche Ordnung und Sicherheit sorgt *die ~ anrufen* ***Komp:* *-auto, -revier***

• **Po·li·zist(in)** [poli'tsɪst] <-en, -en> *der* (= ÖSTERR *Gendarm*) Mitarbeiter der Polizei *als ~ arbeiten*

• **Pols·ter** ['pɔlstɐ] <-s, -> *das* **1.** (SD, ÖSTERR ≈*Kissen*) dicker, weicher Gegenstand, auf dem man bequem sitzen kann *ein ~ auf den harten Stuhl legen* **2.** *(umg)* Geldreserven *Er hat ein ausreichendes ~ auf der Bank.* ***Wobi:* *polstern***

Pol·ter·a·bend <-s, -e> *der* Fest am Abend vor der Hochzeit *Die Gäste zerschlagen auf dem ~ Geschirr.*

pol·tern ['pɔltɐn] <poltert, polterte, gepoltert> *itr* **1.** sich laut/geräuschvoll bewegen *Er polterte durch die Wohnung.* **2.** laut sprechen *Der alte Bauer polterte los.*

Pommes frites [pɔm'frɪt] <-> *kein sing pl* in heißem Öl gebackene Kartoffelstücke *Bitte einmal ~ mit Ketschup!*

Po·ny ['pɔni] <-s, -s> *das* **1.** kleines Pferd *Sie machten einen Ausflug mit ihren ~s.* **2.** der Teil der Haare über der Stirn *den ~ kürzer*

Polterabend
Am Abend vor der Hochzeit zerschlagen Freunde und Verwandte des Brautpaares Geschirr vor dem Haus. Dieser Brauch soll in der Ehe Glück bringen. Die Tradition des Polterabends ist seit dem 16. Jahrhundert bekannt.

machen ***Komp:*** *-frisur*

Po·po [po'po:] <-(s), -s> *der* (*umg*≈*Po*) Gesäß, Hintern *einen Klaps auf den ~ geben*

po·pu·lär [popu'lɛ:ɐ̯] <populärer, populärst-> *adj* bekannt, beliebt *ein ~er Schlager* ***Wobi:*** *Popularität*

• **Port·mon·nee** (**Porte·mon·naie**) [pɔrtmɔ'ne:] <-s, -s> *das* **1.** Geldbörse, Geldbeutel *Er steckte das Geld in das ~.* **2.** (CH) Brieftasche *die Dokumente in das ~ stecken*

Por·tier [pɔr'ti̯e:] <-s, -s> *der* jd, der in einem Hotel an der Rezeption arbeitet *Der ~ gibt dem Gast den Schlüssel.*

• **Por·ti·on** [pɔr'ts̮i̯o:n] <-, -en> *die* die Menge, die man bei einer Mahlzeit isst *Ich nehme die große ~.;* **eine halbe** ~ *(umg)* kleine, dünne Person *Setz dich zu uns – du halbe ~ hast hier auch noch Platz!*

Por·to ['pɔrto] <-s, (-ti)> *das* Geld, das man bezahlen muss, damit die Post einen Brief transportiert *Der Brief kostet einen Euro ~.*

Por·zel·lan [pɔrts̮ɛ'la:n] <-s, -e> *das* weißes Material, aus dem man Geschirr herstellt *Das Geschirr ist aus ~., wertvolles ~*

Po·si·ti·on [pozi'ts̮i̯o:n] <-, -en> *die* Stellung *jds ~ in der Firma*

• **po·si·tiv** ['po:ziti:f] <positiver, positivst-> *adj* (↔*negativ*) bejahend, zustimmend *eine ~e Grundhaltung/Einstellung*

• **Post** [pɔst] <-> *kein pl die* **1.** Kurzform für Postamt *Ich muss noch zur/auf die ~ gehen.* **2.** *(umg)* Briefträger *Die ~ war noch nicht da.* **3.** Briefe, Pakete etc. *die ~ durchsehen, die ~ holen*

Post·amt <-(e)s, -ämter> *das* Geschäftsstelle der Post *Auf dem ~ können Sie Briefe und Pakete aufgeben.*

Post·bo·te, -tin <-n, -n> *der* (≈*Briefträger*) jd, der beruflich die Post verteilt *Der ~ kommt um zehn Uhr.*

• **Post·card** <-, -s> *die* (CH) Telefonkarte *eine neue ~ kaufen*

Pos·ten ['pɔstn̩] <-s, -> *der* **1.** Anstellung, Arbeitsstelle *Er hat einen ~ bei der Stadtverwaltung.* **2.** aufgezählte Waren auf einer Liste oder Rechnung *Es waren fünf ~ auf der Liste.* **3.** MIL Wache *Der ~ überprüft die Ausweispapiere.;* **wieder auf dem** ~ **sein** *(umg)* fit/gesund sein *Er ist wieder hundertprozentig auf dem ~.;* **auf verlorenem** ~ **stehen** chancenlos sein, keine Aussicht auf Erfolg haben *Er stand mit seiner Idee auf verlorenem ~.*

Postbote

• **Post·kar·te** <-, -n> *die* (≈*Ansichtskarte*) eine Karte mit einem Bild, die man ohne Umschlag verschickt *aus dem Urlaub eine ~ schicken*

• **Post·leit·zahl** <-, -en> *die* Zahlencode der Post für eine Stadt oder einen Stadtteil *Die Städte in Deutschland haben eine fünfstellige ~.*

• **Pöst·ler(in)** ['pœstlɐ] <-s, -> *der* (CH) Briefträger *Der ~ kommt!*

po·ten·zi·ell [potɛn'ts̮i̯ɛl] <-, -> *adj* möglich *Es handelt sich um eine ~e Gefahrenquelle.* ***Wobi:*** *Potenzial*

• **Pou·let** ['ulɛ] <-s, -s> *das* (CH) Hähnchen *ein ~ essen*

Pracht [praxt] <-> *kein pl die* sehr große Schönheit *Die Blumen sind eine wahre ~.* ***Wobi:*** *prächtig*

Prä·fix [prɛ'fɪks] <-es, -e> *das* LING Vorsilbe *‚ab-' ist ein ~.*

prä·gen ['prɛ:gn̩] <prägt, prägte, geprägt> *tr* formen, langfristig beeinflussen *Er ist vom Verhalten seiner Eltern geprägt.*

prag·ma·tisch [pra'gma:tɪʃ] <pragmatischer, pragmatischst-> *adj* an einem praktischen Zweck/Nutzen orientiert *eine*

~e Entscheidung, ein Problem ~ lösen

prah·len ['pra:lən] <prahlt, prahlte, geprahlt> *itr* angeben *Er prahlte mit seinen Erfolgen.*

• **Prak·ti·kant(in)** [prakti'kant] <-en, -en> *der* jd, der ein Praktikum macht *Er hat ein halbes Jahr als ~ gearbeitet.*

• **Prak·ti·kum** ['praktikʊm] <-s, -ka> *das* eine Tätigkeit in einer Firma für eine kurze Zeit und geringe Bezahlung, um etw zu lernen *Er hat ein ~ in einem Verlag gemacht.*

• **prak·tisch** ['praktɪʃ] <praktischer, praktischst-> *adj* **1.** auf die Praxis bezogen, nützlich *~e Erfahrung besitzen* **2.** fast, so gut wie, beinahe *Die Untersuchung ist ~ nutzlos.*

Pra·li·ne [pra'li:nə] <-, -n> *die* kleines Stück Schokolade mit einer Füllung *Er schenkte ihr zum Geburtstag ~n.*

Prä·po·si·ti·on [prɛpozi'ts̮i̯o:n] <-, -en> *die* LING Wort, das Substantive oder Pronomen in Beziehung zueinander setzt *‚In', ‚an', ‚auf' sind ~en.*

Prä·sens ['prɛ:zɛns] <-> *kein pl das* LING Verbform der Gegenwart *‚Ich gehe gern spazieren' steht im ~.*

Prä·sen·ta·ti·on [prɛzɛnta'ts̮i̯o:n] <-, -en> *die* Vorstellung einer Sache vor vielen Leuten *eine ~ vorbereiten*

Prä·ser·va·tiv ['prɛzɛrvati:f] <-s, -e> *das* Kondom *ein ~ benutzen*

• **Prä·si·dent(in)** [prɛzi'dɛnt] <-en, -en> *der* **1.** Staatsoberhaupt einer Republik *der ~ der Vereinigten Staaten von Amerika* **2.** von den Mitgliedern gewählter Vorsitzender z.B. eines Vereins *Er ist ~ des Sportvereins.*

Prä·te·ri·tum [prɛ'te:ritʊm] <-s> *kein pl das* LING eine Verbform der Vergangenheit *das ~ der unregelmäßigen Verben üben* ***Komp:* *-formen***

• **Pra·xis**[1] ['praksɪs] <-> *kein pl die* die Art, wie es alle machen *Das ist doch heute die gängige ~.*

• **Pra·xis**[2] ['praksɪs] <-, -xen> *die* (= ÖSTERR *Ordination*) Arbeitsort eines Arztes *Wenn Sie Schmerzen haben, dann kommen Sie zu mir in die ~.*

prä·zis [prɛ'ts̮i:s] <präziser, präzisest-> *adj* genau *Ich bitte Sie um eine ~e Darstellung.*

Pre·digt ['pre:dɪçt] <-, -en> *die* Vorlesung und Interpretation eines Bibeltextes *Der Pfarrer hielt eine ~ über die Auferstehung.*; **jdm eine ~ halten** *(umg)* mit jdm schimpfen *Die Eltern hielten ihr eine ~, weil sie schon wieder zu spät war.* ***Wobi:* *predigen***

• **Preis** [prai̯s] <-es, -e> *der* **1.** Geldbetrag, Geldwert *Der ~ für das Auto beträgt 15.000 Euro.* **2.** finanzieller oder ideeller Wert *Alles hat seinen ~.* **3.** Auszeichnung/Belohnung für eine besonders gute Leistung *Sie gewann den ersten ~.* ***Komp:* *-schild***

• **preis·wert** <preiswerter, preiswertest-> *adj* billig *Das ist aber ein ~es Kleid.*

prel·len ['prɛlən] <prellt, prellte, geprellt> *tr* **1.** [K] ***jd prellt etw*** *akk* mit einem Körperteil gegen etw stoßen und sich dabei leicht verletzen *Er hat sich die Schulter geprellt.* **2.** [K] ***jd prellt jdn um etw*** *akk (umg)* betrügen *Er prellte seinen Kumpel um dessen Anteil.* ***Wobi:* *Prellung***

Pre·mi·e·re [prə'mi̯e:rə] <-, -n> *die* erste Aufführung *Die ~ des*

Films war ein Riesenerfolg. ***Komp:*** ***Film-, Theater-***

- **Pres·se** ['prɛsə] <-> *kein pl* *die* alle Zeitungen eines Landes *Die ~ berichtet über den neuesten Skandal.* ***Komp: -erklärung, -freiheit, -konferenz, -sprecher***

pres·sen ['prɛsn̩] <presst, presste, gepresst> *tr* **1.** [K] ***jd presst etw*** *akk* ausdrücken, den Saft herausholen *Orangen ~* **2.** in eine bestimmte Richtung drücken *den Kopf in das Kissen ~*

- **pres·sie·ren** [prɛ'siːrn̩] <pressiert, pressierte, pressiert> *itr* (CH) sich beeilen *Wir müssen ~.*

Pres·ti·ge [prɛs'tiːʒ(ə)] <-s> *kein pl* *das* Ansehen *Das ~ des Regierungschefs hat in letzter Zeit schwer gelitten.* ***Komp: -objekt***

Pries·ter(in) ['priːstɐ] <-s, -> *der* Pfarrer, Geistlicher *Der ~ tauft das Kind.*

- **pri·ma** ['priːma] *adj (umg)* toll, sehr gut *Ich finde es ~, dass du mit ins Kino kommst., Das ist eine ~ Idee.*

Pri·mar·schu·le <-, -n> *die* (CH) Grundschule, Volksschule *in die erste Klasse der ~ gehen*

pri·mi·tiv [primi'tiːf] <primitiver, primitivst-> *adj* **1.** (*pej*) auf niedrigem geistigen Niveau *Sie findet seine ~e Art schrecklich.* **2.** einfach *eine ~ Konstruktion*

Prinz, Prin·zes·sin [prɪnts] <-en, -en> *der* Sohn (Tochter) eines Königs/einer Königin *Der ~ soll seinem Vater auf den Thron folgen.*

Prin·zip [prɪn'tsiːp] <-s, -ien> *das* Grundsatz, Regel *Er ist ein Mann mit ~ien., Das geht gegen seine ~ien.*

Pri·o·ri·tät [priori'tɛːt] <-, -en> *die* größere Wichtigkeit; etw, was dringend ist *höchste ~ haben, ~en setzen*

Pri·se ['priːzə] <-, -n> *die* ein wenig *eine ~ Salz*

- **pri·vat** [pri'vaːt] <-, -> *adj* **1.** persönlich, nicht für die Öffentlichkeit bestimmt *eine ~e Angelegenheit* **2.** nicht staatlich *ein ~es Unternehmen* ***Komp: Privatwirtschaft***

Pri·vat·pa·ti·ent(in) <-en, -en> *der* jd, der nicht bei einer gesetzlichen, sondern bei einer privaten Krankenkasse versichert ist *~ sein*

Pri·vi·leg [privi'leːk] <-(e)s, -ien> *das* Sonderrecht von wenigen Personen *~ien genießen*

- **pro** [proː] *präp +akk* **1.** (↔*kontra, gegen*) für *Sind Sie ~ oder kontra Atomkraft?* **2.** für, jeweils, je *~ Kopf/Person, drei Euro ~ Stück*

Pro·be ['proːbə] <-, -n> *die* **1.** Versuch, Test *eine ~ machen* **2.** Musterpackung *Könnte ich bitte eine ~ von dieser Creme bekommen?* **3.** THEAT Einüben eines Stückes ohne Publikum *Die Schauspieler trafen sich pünktlich zur ~.*

pro·ben ['proːbn̩] <probt, probte, geprobt> **I.** *tr* [K] ***jd probt etw*** *akk* eine Rolle einstudieren *Die Schauspieler probten das Stück immer wieder.* **II.** *itr* üben *Wir müssen noch viel ~, bevor wir das Stück aufführen können.*

Pro·be·zeit <-, -en> *die* Zeitspanne am Anfang eines Arbeitsverhältnisses, in der jd ohne Angabe von Gründen gekündigt werden kann *Die ~ beträgt ein halbes Jahr.*

- **pro·bie·ren** [pro'biːrən] <probiert, probierte, probiert> *tr* **1.** [K] ***jd probiert etw*** *akk* ein wenig von einer Speise/einem Getränk nehmen, um den Geschmack zu testen *vom Kuchen/den Salat/den Wein ~* **2.** [K] ***jd probiert etw*** *akk* testen *ein neues Haarwaschmit-*

P

tel ~ **3.** [K] ***jd probiert, etw*** *akk* ***zu tun*** versuchen *Ich probiere mal, ob das Gerät funktioniert.*

• **Prob·lem** [pro'ble:m] <-s, -e> *das* Schwierigkeit *ein ~ lösen, sich mit einem ~ auseinander setzen* ***Wobi: Problematik, problematisch***

• **pro·blem·los** <problemloser, problemlosest-> *adj* ohne Probleme *eine ~e Zusammenarbeit*

• **Pro·dukt** [pro'dʊkt] <-(e)s, -e> *das* **1.** Erzeugnis *Die Firma will ihr neues ~ weiterentwickeln.* **2.** Ergebnis, Resultat *das ~ seiner Überlegungen*

• **Pro·duk·ti·on** [prodʊk'ts̮i̯o:n] <-, -en> *die* **1.** Herstellung, Fertigstellung *Die ~ beginnt nächste Woche., die ~ steigern* **2.** hergestellte Dinge, Ware *Die ~ verkauft sich sehr gut.*

pro·duk·tiv [prodʊk'ti:f] <produktiver, produktivst-> *adj* so, dass man viel schafft *eine ~e Phase* ***Wobi: Produktivität***

• **pro·du·zie·ren** [produ'ts̮i:rən] <produziert, produzierte, produziert> **I.** *tr* [K] ***jd produziert etw*** *akk* herstellen *Die Firma produziert Süßwaren.* **II.** *refl* [K] ***jd produziert sich*** *akk* (*pej*) angeben *Immer muss er sich vor seiner Freundin ~.* ***Wobi: Produzent***

pro·fes·si·o·nell [profɛsi̯o'nɛl] <professioneller, professionellst-> *adj* so, dass man etw als Beruf ausübt *ein ~er Musiker* ***Wobi: Professionalität***

Pro·fes·sor(in) [pro'fɛso:ɐ̯] <-s, -en> *der* jd, der an einer Universität/Fachhochschule ein bestimmtes Fach lehrt *~ für englische Literatur/für Mathematik*

• **Pro·fi** ['pro:fi] <-s, -s> *der* **1.** (*meist in Zusammensetzungen*) jd, der etw als Beruf ausübt *~musiker, Fußball~, Rad~* **2.** *(umg)* jd, der etw sehr gut kann *Günther ist ein ~, der bringt deinen PC wieder zum Laufen.*

Pro·fil [pro'fi:l] <-s, -e> *das* **1.** Seitenansicht des Kopfes *Die Zeichnung stellt ihn im ~ dar.* **2.** Charakter, individuelle Eigenschaften *versuchen, dem Unternehmen ein klares ~ zu geben*

pro·fi·tie·ren [profi'ti:rən] <profitiert, profitierte, profitiert> *itr* aus etw Nutzen ziehen, Vorteil haben *Er profitierte von seiner langjährigen Berufserfahrung.* ***Wobi: Profit***

Prog·no·se [pro'gno:zə] <-, -n> *die* Voraussage *eine ~ abgeben* ***Wobi: prognostizieren***

• **Pro·gramm** [pro'gram] <-s, -e> *das* **1.** festgelegte Abfolge einer Veranstaltung *Das ~ sieht einen kleinen Empfang vor.* **2.** DV Kurzform für Softwareprogramm *Ich habe ein neues ~ für die Textverarbeitung.* **3.** THEAT Beschreibung eines Bühnenstückes und seiner Darsteller *Er kaufte sich im Foyer noch schnell ein ~.* **4.** TV Sendefolge *Und nun das ~ für den heutigen Abend.* **5.** TV Sendekanal *Was läuft im anderen ~?, das dritte ~* **6.** Heft, in dem die Abfolge der Veranstaltungen oder Sendungen abgedruckt ist *Was steht für heute im ~?* **7.** Sortiment *Dieses Möbelstück haben wir leider nicht mehr im ~.*

pro·gram·mie·ren [progra'mi:rən] <programmiert, programmierte, programmiert> **I.** *tr* DV [K] ***jd programmiert etw*** *akk* ein Computerprogramm schreiben *Ich brauche drei Tage, um das zu ~.* **II.** *itr* DV beruflich Programme schreiben *als Informatiker viel ~* ***Wobi: Programmierer***

• **Pro·jẹkt** [pro'jɛkt] <-(e)s, -e> *das* Vorhaben, komplexe Aufgabe *Er hat damit begonnen, das ~ zu planen.* ***Wobi:*** ***-leiter(in)***, ***-leitung***

Pro·jẹk·tor [pro'jɛkto:ɐ̯] <-s, -en> *der* **1.** Gerät, mit dem man Bilder vergrößert wiedergibt *Bilder mit einem ~ auf die Leinwand werfen* **2.** FILM Gerät, mit dem man Filme abspielen kann *den Film in den ~ einlegen* ***Komp:*** ***Overhead-***

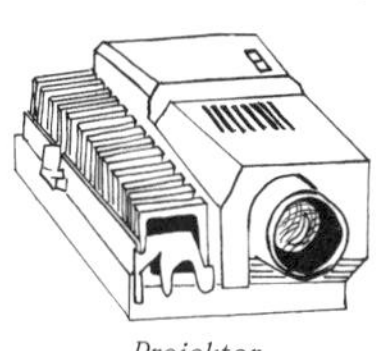

Projektor

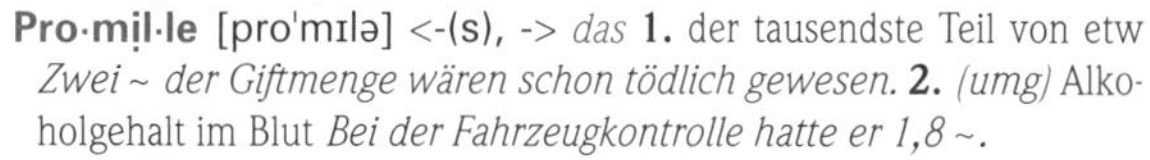

Pro·mịl·le [pro'mɪlə] <-(s), -> *das* **1.** der tausendste Teil von etw *Zwei ~ der Giftmenge wären schon tödlich gewesen.* **2.** *(umg)* Alkoholgehalt im Blut *Bei der Fahrzeugkontrolle hatte er 1,8 ~.*

Pro·mịl·le·gren·ze <-, -n> *die* Alkoholmenge, die man beim Autofahren höchstens im Blut haben darf *In Deutschland gilt eine ~ von 0,5.*

pro·mi·nẹnt [promi'nɛnt] <prominenter, prominentest-> *adj* bekannt, berühmt *eine ~e Persönlichkeit*

Pro·mo·ti·o̲n [promo'tsi̯o:n] <-, -en> *die* Universitätsabschluss mit Doktortitel *Für eine ~ schreibt man eine Dissertation.*

Pro·pa·gạn·da [propa'ganda] <-> *kein pl die* unkritische Darstellung von (politischen) Ideen, um die Meinung der Menschen zu beeinflussen *~ machen* ***Wobi:*** ***propagieren***

Pro·phe̲t(in) [pro'fe:t] <-en, -en> *der* jd, der eine neue Religion verkündet/bekannt macht *der ~ Mohammed* ***Wobi:*** ***prophetisch***, ***prophezeien***

Pro·por·ti·o̲n [propɔr'tsi̯o:n] <-, -en> *die* Größenverhältnis *Die ~en des Körpers auf dem Bild stimmen nicht.* ***Wobi:*** ***unproportioniert***

Pro̲·sa ['pro:za] <-> *kein pl die* (↔*Poesie*) Form der Sprache, die nicht durch Vers, Rhythmus oder Reim gebunden ist *Die meisten Literaten schreiben in ~.*

• **Pros·pẹkt** [pro'spɛkt] <-(e)s, -e> *der/das* meist farbiges Informations- oder Werbeblatt *Der Zeitschrift liegen viele ~e bei.*

• **pro̲st** [pro:st] *interj* zum Wohl, Trinkspruch *P~! Auf eure Gesundheit!*

Pros·ti·tu·ti·o̲n [prostitu'tsi̯o:n] <-> *kein pl die* Anbieten sexueller Handlungen für Geld *ein Gesetz gegen ~* ***Wobi:*** ***prostituieren***, ***Prostituierte***

• **Pro·tẹst** [pro'tɛst] <-(e)s, -e> *der* das, was man offen sagt oder tut, wenn man gegen etw ist *gegen jdn/etw ~ äußern/erheben*

• **pro·tes·tạn·tisch** [protɛs'tantɪʃ] <-, -> *adj* (≈*evangelisch*) zum Protestantismus gehörend *die ~e Kirche* ***Wobi:*** ***Protestant***, ***Protestantismus***

Pro·tes·tan·tịs·mus [protɛstan'tɪsmʊs] <-> *kein pl der* christliche Lehren, die auf Luther, Calvin u.a. zurückgehen *die Verbreitung des ~*

• **pro·tes·ti̲e̲·ren** [protɛs'ti:rən] <protestiert, protestierte, protestiert> *itr* sich beschweren *Der Betriebsrat protestierte gegen die Lohnkürzungen.*

Pro·the̲·se [pro'te:zə] <-, -n> *die* Ersatz für einen Körperteil *eine ~ tragen* ***Komp:*** ***Arm-***, ***Bein-***, ***Hüft-***, ***Zahn-***

Pro·to·kọll [proto'kɔl] <-s, -e> *das* **1.** Mitschrift *Der Richter ließ den Anwälten ein ~ zukommen.* **2.** schriftliche Zusammenfassung einer Sitzung *Wer schreibt heute das ~?* **3.** aufgeschriebene Aussage ei-

protestantisch
Der Norden und Osten Deutschlands sind zum größten Teil protestantisch, während der Westen und Süden sowie Österreich katholisch geprägt sind. In der Schweiz gibt es etwa gleich viele protestantische (evangelische und reformierte) und katholische Kantone.

nes Zeugen bei der Polizei *Der Zeuge musste das ~ unterschreiben.*

Pro·vi·ant [pro'vi̯ant] <-(e)s, (-e)> *der* Verpflegung, Lebensmittel *Er hat sich für den Ausflug mit ~ versorgt.*

Pro·vinz [pro'vɪnt͡s] <-, -en> *die* **1.** Teil eines Landes, Region *eine ~ in Spanien* **2.** ländliche Gegend *Sie kam aus der ~ in die Großstadt.*

Pro·vi·si·on [provi'zi̯o:n] <-, -en> *die* finanzieller Anteil, den jd dafür bekommt, dass er für jdn ein Geschäft abschließt *Er kassiert für jeden verkauften Wagen eine ~ von 10 Prozent.*

pro·vi·so·risch [provi'zo:rɪʃ] <-, -> *adj* vorübergehend, nicht für immer *Das ist nur eine ~e Reparatur.*

pro·vo·zie·ren [provo't͡si:rən] <provoziert, provozierte, provoziert> *tr* **1.** [K] ***jd provoziert jdn*** mit Absicht reizen, wütend machen *Die Studenten provozierten die Polizei mit ihren Parolen., Er fühlte sich provoziert.* **2.** [K] ***jd provoziert etw*** *akk* herausfordern *Er provozierte durch seine Fahrweise einen Unfall.* ***Wobi: Provokation***

Pro·zent [pro't͡sɛnt] <-(e)s, -e> *das* der hundertste Teil von etw *16 ~ Mehrwertsteuer, Die Preise sind um fünf ~ gestiegen.*; **~e bekommen** *(umg)* etw ein bisschen billiger bekommen *Als Angestellter bekommt er in dem Laden ~e.*

• **Pro·zess** [pro't͡sɛs] <-es, -e> *der* **1.** Gerichtsverfahren *Er hat seinen ~ gewonnen/verloren., gegen jdn einen ~ führen* **2.** Vorgang, Entwicklung *Es ist ein langer ~, bis man sich von einer schweren Krankheit erholt hat.*

Pro·zes·si·on [prot͡sɛ'si̯o:n] <-, -en> *die* eine kirchliche Feier, bei der der Priester mit vielen Menschen durch die Straßen geht *eine Fronleichnams~*

prü·de ['pry:də] <prüder, prüdest-> *adj* so, dass man nicht über sexuelle Dinge sprechen mag *~ Ansichten vertreten*

• **prü·fen** ['pry:fn̩] <prüft, prüfte, geprüft> *tr* **1.** [K] ***jd prüft jdn*** Kenntnisse abfragen *Der Lehrer prüfte die Schüler.* **2.** [K] ***jd prüft etw*** *akk* ausprobieren *eine Batterie ~* **3.** [K] ***jd prüft etw*** *akk* kontrollieren *die Akten ~* **4.** [K] ***jd prüft etw*** *akk* überlegen und entscheiden, ob etw gut ist *Sie prüfte den Vorschlag ihres Angestellten.*

• **Prü·fung** ['pry:fʊŋ] <-, -en> *die* Test, in dem Wissen abgefragt wird *eine ~ bestehen, bei einer ~ durchfallen, für eine ~ lernen*

Prü·gel ['pry:gl̩] <-> *kein sing pl* Schläge *Er bekam ~ von seinem Vater.*

prü·geln ['pry:gl̩n] <prügelt, prügelte, geprügelt> **I.** *tr* [K] ***jd prügelt jdn*** schlagen *Der Vater prügelte seine Kinder.* **II.** *refl* [K] ***jd prügelt sich*** *akk* [***mit jdm***] sich mit jdm schlagen *Die beiden Jungen prügelten sich auf dem Schulhof.*

pst [pst] *interj* verwendet, um auszudrücken, dass jd leise sein soll *P~! Hier in der Bibliothek ist Reden verboten.*

Psy·che ['psy:çə] <-, -n> *die* das, was am Menschen seelisch/nicht körperlich ist *eine gestörte ~* ***Wobi: psychisch***

Psy·cho·lo·ge, -gin [psyço'lo:gə] <-n, -n> *der* jd, der sich beruflich mit den seelischen Vorgängen im Menschen beschäftigt *als ~ arbeiten*

• **Psy·cho·lo·gie** [psyçolo'gi:] <-, (-n)> *die* Wissenschaft von den seelischen Vorgängen im Menschen *~ studieren* ***Wobi: psycholo-***

gisch

Pu·ber·tät [pubɛr'tɛːt] <-> *kein pl die* die Jahre, in denen sich ein Kind zu einem jungen Erwachsenen entwickelt *Jugendliche in der ~ sind schwierig.* ***Wobi:*** *pubertär*

Pub·lic·re·la·tions ['pablɪkrɪ'leɪʃɛnz] <-> *kein sing pl* Öffentlichkeitsarbeit *~ machen*

• **Pu·bli·kum** ['puːblikʊm] <-s> *kein pl das* **1.** Öffentlichkeit *Der Schriftsteller wendete sich an ein breites ~.* **2.** Zuhörerschaft, Zuschauer *Das ~ im Theater war begeistert.*

Pud·ding ['pʊdɪŋ] <-s, -e/-s> *der* eine Süßspeise *~ zum Nachtisch essen* ***Komp:*** *Schokoladen-, Vanille-*

Pu·del ['puːdl̩] <-s, -> *der* ein relativ kleiner Hund mit schwarzem oder weißem Fell mit Locken *Die alte Dame liebt ihren ~ über alles.*

Pudel

Pu·der ['puːdɐ] <-s, -> *der* Kosmetikartikel in Form von Pulver, das man auf die Haut tut *Man verwendet ~, damit die Haut nicht so fettig glänzt.*

• **Pull·o·ver** [pʊ'loːvɐ] <-s, -> *der* warmes Kleidungsstück, das man über Hemd oder Bluse trägt *Zieh dir einen ~ an, es ist kalt draußen!* ***Komp:*** *Rollkragen-*

Puls [pʊls] <-es, -e> *der* die gleichmäßige Bewegung, mit der das Herz Blut durch den Körper pumpt *Der Arzt misst den ~ des Patienten.* ***Komp:*** *-frequenz*

• **Pult** [pʊlt] <-(e)s, -e> *das* (CH) Schreibtisch *sich ans ~ setzen*

Pul·ver ['pʊlvɐ] <-s, -> *das* Stoff aus sehr feinen Körnern *Steine zu einem feinen ~ mahlen* ***Komp:*** *-schnee*

pum·me·lig ['pʊməlɪç] <pummeliger, pummeligst-> *adj (umg)* etw dick, rundlich *ein ~es Kind*

Pum·pe ['pʊmpə] <-, -n> *die* **1.** Gerät, das z. B. Wasser durch Rohre/Leitungen bewegt *Sie haben eine ~ installiert, um Wasser aus dem Keller abzupumpen.* **2.** *(umg)* Herz *Die ~ macht Probleme.* ***Wobi:*** *pumpen*

• **Punkt** [pʊŋkt] <-(e)s, -e> *der* **1.** Satzzeichen *der ~ am Ende eines Satzes* **2.** SPORT Wertungseinheit bei einem Wettkampf *Der Sieger hat zehn ~e gemacht.* **3.** Ort *An diesem ~ werden wir uns wieder treffen.* **4.** Stichwort auf der Tagesordnung *Kommen wir nun zu ~ fünf.*; **der tote ~** Zustand großer Müdigkeit *den toten ~ überwinden*

• **pünkt·lich** ['pʏŋktlɪç] <pünktlicher, pünktlichst-> *adj* zeitlich genau, zur richtigen Zeit *~ ankommen* ***Wobi:*** *Pünktlichkeit*

Pu·pil·le [pu'pɪlə] <-, -n> *die* der schwarze Kreis im Auge, durch den das Licht kommt *Seine ~n weiteten sich vor Angst.*

• **Pup·pe** ['pʊpə] <-, -n> *die* Spielzeug, das wie ein Kind aussieht *Als Kinder haben wir mit ~n gespielt.*

Puppe

pur [puːɐ̯] <-, -> *adj* **1.** unvermischt, rein *~es Gold* **2.** völlig, total *~er Unsinn*

Putsch [pʊtʃ] <-(e)s, -e> *der* gewaltsamer Umsturz einer Regierung *Das Militär plante einen ~, um den Präsidenten zu stürzen.*

• **put·zen** ['pʊtsn̩] <putzt, putzte, geputzt> *tr* [K] ***jd putzt etw*** *akk* reinigen, sauber machen *Sie putzte die Fenster.*

Putz·frau <-, -en> *die* (*≈Raumpflegerin, Zugehfrau*) Frau, die Böden wischt, Teppiche saugt etc. *Die ~ kommt einmal die Woche.*

put·zig ['pʊtsɪç] <putziger, putzigst-> *adj* süß, niedlich *Das ist ja* *ein ~es Hündchen.*

Puz·zle ['pazl̩] <-s, -s> *das* Spiel, bei dem man viele Einzelteile zu einem Bild zusammenlegen muss *In den Ferien hat sie ein ~ mit 3.000 Teilen gelegt.*

Pyjama

Py·ja·ma [py'd͡ʒaːma] <-s, -s> *der* Schlafanzug *Sie schläft immer im ~ und nie im Nachthemd.*

Py·ra·mi·de [pyra'miːdə] <-, -n> *die* ein spitzes Bauwerk mit einer viereckigen Grundfläche und dreieckigen Seiten *die ägyptischen ~n*

Q

Q, q [kuː] <-, -> *das* der 17. Buchstabe des Alphabets *Das Wort ‚Quark' beginnt mit dem Buchstaben ~.*

Qua·drat <-(e)s, -e> *das* Viereck mit vier gleich langen Seiten und vier gleich großen Winkeln *ein ~ zeichnen;* **x^2** (MAT: *gesprochen: ‚x Quadrat' oder ‚x hoch zwei'*) x mit sich selbst multipliziert *$4^2 = 16$* ***Wobi:** quadratisch*

qua·ken ['kvaːkn̩] <quakt, quakte, gequakt> *itr* Laute produzieren, wie sie für einen Frosch/eine Ente typisch sind *Die Frösche ~ im Teich.*

Qual [kvaːl] <-, -en> *die* körperlicher oder seelischer Schmerz, großes Leid *eine ~ sein* ***Wobi:** quälen, Quälerei*

qua·li·fi·zie·ren [kvalifi'tsiːrən] <qualifiziert, qualifizierte, qualifiziert> *refl* **1.** (↔*disqualifizieren*) [K] ***jd qualifiziert sich** akk* [**für etw** *akk*] sich als geeignet/gut erweisen/zeigen *sich für einen Wettkampf ~* **2.** [K] ***jd qualifiziert sich** akk* [**für etw** *akk*] weiterbilden, ausbilden *sich für einen Beruf ~*

• **Qua·li·tät** [kvali'tɛːt] <-, -en> *die* Wert *von guter ~ sein, eine gute ~ haben* ***Wobi:** qualitativ*

Qualm [kvalm] <-(e)s> *kein pl der* (≈*Rauch*) das, was aus dem Schornstein/von der Zigarette aufsteigt *vor lauter ~ nichts erkennen können* ***Wobi:** qualmen, qualmig, verqualmt*

qual·voll ['kvaːlfɔl] <qualvoller, qualvollst-> *adj* so, dass man große Schmerzen hat *ein ~er Tod*

Quan·ti·tät [kvanti'tɛːt] <-, -en> *die* Menge, Anzahl *in der Produktion die ~ steigern* ***Wobi:** quantitativ*

• **Quark** [kvark] <-s> *kein pl der* **1.** (= ÖSTERR *Topfen*) ein Lebensmittel aus Milch, das die Form eines weißen, festen Breis hat *gern ~ essen* **2.** (*umg pej*) Quatsch, Unsinn *Erzähl doch keinen ~!* ***Komp:** -speise*

Quar·tal [kvar'taːl] <-s, -e> *das* jeweils drei Monate eines Jahres *Das 1. Quartal geht von Januar bis März., zum Ende des ~s kündigen*

qua·si ['kvaːzi] *adv* gewissermaßen, sozusagen *Er arbeitet hier ~ als Manager.*

quas·seln ['kvasl̩n] <quasselt, quasselte, gequasselt> *itr* (*umg pej*) ohne Pause reden, quatschen *stundenlang am Telefon ~*

Quatsch [kvatʃ] <-es> *kein pl der* (*umg pej*) Unsinn, Blödsinn *So ein ~!, Mach keinen ~!*

quat·schen ['kvatʃn̩] <quatscht, quatschte, gequatscht> *itr* (*umg*) plaudern, sich unterhalten *stundenlang mit der Nachbarin ~*

Quel·le ['kvɛlə] <-, -n> *die* **1.** Ursprung, Herkunft *die ~ der Elbe, die ~ einer Information* **2.** Angabe der benutzten Literatur bei wissenschaftlichen Arbeiten *~n angeben;* **aus zuverlässiger ~** von einer zuverlässigen Person *die Informationen aus zuverlässiger ~ erhalten;* **an der ~ sitzen** gute Möglichkeiten haben, an bestimmte Informationen/Dinge heranzukommen *Ich sitze an der ~, soll ich dir auch so einen Laptop besorgen?*

quen·geln ['kvɛŋl̩n] <quengelt, quengelte, gequengelt> *itr (umg)* weinerlich sein, nörgeln, nicht gut gelaunt sein *Das Kind quengelt schon seit einer Stunde.*

• **quer** [kveːɐ̯] *adv* schräg, nicht gerade ~ *über die Straße gehen;* **kreuz und** ~ überall(hin) *kreuz und ~ durch das Land reisen*

quer·feld·ein [kveːɐ̯fɛlt'ʔa͜in] *adv* mitten durch das Gelände hindurch, ohne einen Weg/eine Straße ~ *wandern*

quie·ken ['kviːkn̩] <quiekt, quiekte, gequiekt> *itr* **1.** Laute produzieren, die für ein junges Schwein typisch sind *Die Ferkel ~.* **2.** so lachen, wie es für ein Baby typisch ist *Das Baby quiekt vor Vergnügen.*

quiet·schen ['kviːt͜ʃn̩] <quietscht, quietschte, gequietscht> *itr* einen hohen, unangenehmen Ton produzieren *Die Bremsen ~., Die Tür quietscht, sie muss geölt werden.*

Quirl [kvɪrl] <-(e)s, -e> *der* Küchengerät zum Umrühren/Mischen *den Pudding mit einem ~ anrühren* ***Wobi:*** *quirlen*

quitt [kvɪt] <-, -> *nur präd adj* so, dass man keine gegenseitigen Verpflichtungen mehr hat *Ich habe die Rechnung bezahlt – jetzt sind wir ~!*

• **Quit·tung** ['kvɪtʊŋ] <-, -en> *die* Bescheinigung über einen bestimmten Geldbetrag *im Restaurant eine ~ verlangen, eine ~ ausstellen* (*über etw*); **die ~ kriegen** eine Strafe bekommen *Irgendwann kriegst du die ~ für deine Faulheit!*

Quo·te ['kvoːtə] <-, -n> *die* der zahlenmäßige Anteil, den jd an etw hat *eine ~ von 25%* ***Komp:*** *-nregelung*

R

R, **r** [ɛr] <-, -> *das* der 18. Buchstabe des Alphabets *Das Wort ‚Radio' beginnt mit dem Buchstaben ~.*

Ra·batt [ra'bat] <-(e)s, -e> *der* Preisreduzierung *~ bei Barzahlung, 5% ~ auf etw geben*

Ra·che ['raxə] <-> *kein pl die* Handlung, um jdn für etw zu bestrafen *~ üben, jdn aus ~ töten* ***Wobi: rächen***

• **Rad** [ra:t] <-(e)s, Räder> *das* **1.** runder Gegenstand, der rollen kann *die Räder am Auto wechseln;* **das fünfte ~ am Wagen sein** überflüssig sein, nicht willkommen sein *Sie fühlt sich immer wie das fünfte ~ am Wagen.* **2.** (= CH *Velo*) Fahrrad *Ich fahre bei jedem Wetter mit dem ~.;* *~* **fahren** mit dem Fahrrad fahren *Wir sind heute drei Stunden ~ gefahren.*

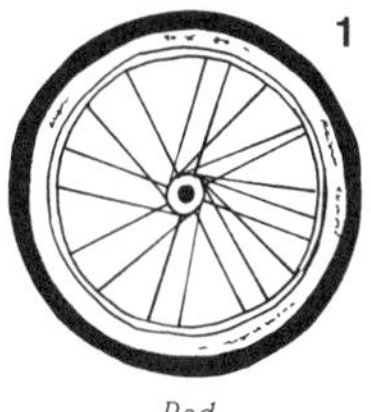

Rad

Ra·dar·kon·trol·le <-, -n> *die* Kontrolle der Geschwindigkeit durch die Polizei *in eine ~ geraten*

ra·deln ['ra:dl̩n] <radelt, radelte, geradelt> *itr <sein>* (SD, ÖSTERR) mit dem Fahrrad fahren *zum See ~*

ra·die·ren [ra'di:rən] <radiert, radierte, radiert> *itr* etw, das mit Bleistift geschrieben ist, mit einem Radiergummi entfernen *Wer hat hier radiert?*

Ra·dier·gum·mi <-s, -s> *der* Gegenstand zum Entfernen von etw, dass mit Bleistift geschrieben ist *einen ~ benutzen*

Ra·dies·chen [ra'di:sçən] <-s, -> *das* Pflanze in Form einer kleinen Kugel, die außen rot und innen weiß ist und scharf schmeckt *~ waschen*

ra·di·kal [radi'ka:l] <radikaler, radikalst-> *adj* absolut gegen oder für etw, extrem *Sie lehnt das Rauchen ~ ab., ~e Veränderungen*

• **Ra·dio** ['ra:di̯o] <-s, -s> *das* **1.** Gerät zum Hören von Rundfunksendern *~ hören, etw im ~ hören* **2.** Rundfunksender *~ Berlin hören*

ra·di·o·ak·tiv [radi̯oʔak'ti:f] <-, -> *adj* so, dass etw die schädlichen Strahlen von Atomkernen produziert *~e Strahlung* ***Wobi: Radioaktivität***

Radio

raf·fen ['rafn̩] <rafft, raffte, gerafft> *tr* **1.** [K] ***jd rafft etw*** *akk* kürzen *Ich muss den Text ~ – er ist noch zu lang.* **2.** *(umg)* verstehen *Endlich hast du den Witz gerafft.*

raf·fi·niert <raffinierter, raffiniertest-> *adj* **1.** geschickt *ein ~er Bursche* **2.** gut überlegt *ein ~er Plan*

• **Rahm** [ra:m] <-(e)s> *kein pl der* (SD, ÖSTERR, CH) Sahne *~ in die Soße geben*

Rah·men ['ra:mən] <-s, -> *der* Einfassung *für das Bild einen ~ kaufen;* **aus dem ~ fallen** sich auffällig verhalten *Er fällt immer aus dem ~.* ***Wobi: rahmen Komp: -bedingung, -handlung***

Ram·pen·licht <-(e)s> *kein pl das* **im ~ stehen** in der Öffentlichkeit/auf der Bühne/im Mittelpunkt stehen *Er steht gern im ~.*

Ramsch [ramʃ] <-(e)s> *kein pl der* (*umg pej*) unnützes Zeug, qualitativ schlechte Produkte *~ verkaufen* ***Komp: -laden***

Rand [rant] <-(e)s, Ränder> *der* **1.** (↔*Mitte*) äußerer Teil *am ~*

der Stadt wohnen **2.** schmaler Streifen an der Seite von einem Blatt Papier *eine Bemerkung an den ~ schreiben;* **mit etw zu ~e kommen** *(umg)* zurechtkommen, schaffen *Er kommt mit der Aufgabe gut zu ~e.*

ran·da·lie·ren [randa'li:rən] <randaliert, randalierte, randaliert> *itr* laut durch die Straßen ziehen und Sachen kaputt machen *nach dem Fußballspiel ~* ***Wobi:*** *Randalierer*

Rang [raŋ] <-(e)s, Ränge> *der* **1.** Stufe, Stellung in einer Hierarchie *von höherem ~ sein* **2.** THEAT hinterer, höherer Teil im Zuschauerraum *im ~ sitzen*

rang [raŋ] *prät von* **ringen**

ran·ken ['raŋkn̩] <rankt, rankte, gerankt> *refl* [K] ***etw rankt sich*** *akk* ***um etw*** *akk* hoch und um etw herum wachsen *Der Efeu rankt sich um das Geländer.*

ran|kom·men <kommt ran, kam ran, rangekommen> *itr* <*sein*> (*umg, Kurzform für ‚herankommen'*) **an jdn ~** es schaffen, mit jdm zu sprechen oder eine Beziehung zu jdm aufzubauen *An den berühmten Schauspieler kommst du nicht ran!;* **niemanden an sich ~ lassen** distanziert sein *Sie lässt niemanden an sich ~!*

ran|ma·chen <macht ran, machte ran, rangemacht> *refl* (*umg, Kurzform für ‚heranmachen'*) [K] ***jd macht sich*** *akk* ***an jdn ran*** sich jdm so nähern, dass es für diese Person unangenehm ist *Er macht sich an jede Frau ran.*

rann·te ['rantə] *prät von* **rennen**

Ran·zen ['rantsn̩] <-s, -> *der* Schultasche, Schulmappe *den ~ auf den Rücken schnallen*

ran·zig ['rantsɪç] <ranziger, ranzigst-> *adj* so, dass Fett verdorben/alt ist *~e Butter*

• **Rap·pen** ['rapn̩] <-s, -> *der* Münze in der Schweiz, 100 Rp. = 1 Franken (sfr) *Das macht zwei Franken und 95 ~.*

ra·sant [ra'zant] <rasanter, rasantest-> *adj* sehr schnell *eine ~e Fahrweise, die ~e Entwicklung des Computers*

rasch [raʃ] <rascher, raschest-> *adj* schnell *~ gehen, eine ~e Entscheidung*

ra·scheln ['raʃl̩n] <raschelt, raschelte, geraschelt> *itr* ein Geräusch machen, wie wenn sich Blätter im Wind bewegen *mit Papier ~*

Ra·sen ['ra:zn̩] <-s, -> *der* gepflegte Grasfläche *den ~ mähen*

ra·sen ['ra:zn̩] <rast, raste, gerast> *itr* <*sein*> sich sehr schnell fortbewegen *mit dem Auto über die Autobahn ~*

ra·send <rasender, rasendst-> *adj* sehr wütend *Du machst mich noch ~!;* **~e Kopfschmerzen haben** sehr starke Kopfschmerzen haben *Ich habe ~e Kopfschmerzen.*

sich rasieren

• **ra·sie·ren** [ra'zi:rən] <rasiert, rasierte, rasiert> *tr* [K] ***jd rasiert jdn/sich*** *akk* jdm/sich den Bart entfernen/abschneiden *sich nass/trocken ~* ***Wobi:*** *Rasierer, Rasur*

Ra·sier·klin·ge <-, -n> *die* der scharfe Teil des Rasierapparates *neue ~n kaufen*

Ras·se ['rasə] <-, -n> *die* eine Gruppe von Menschen oder Tieren *die menschliche ~, eine neue ~ von Hunden züchten* ***Komp:*** *Menschen-, Hunde-*

Ras·sis·mus [ra'sɪsmʊs] <-> *kein pl der* der Glaube, dass eine Rasse besser ist als die anderen *den ~ bekämpfen* ***Wobi:*** *Rassist, rassistisch*

Rast [rast] <-, -en> *die* Pause *auf der Fahrt eine kurze ~ machen* ***Wobi:*** *rasten* ***Komp:*** *-platz*

Rast·hof <-(e)s, -höfe> *der* Gaststätte an der Autobahn *an einem ~ anhalten*

• **Rat**[1] [raːt] <-(e)s, (Ratschläge)> *der* Hilfe mit Worten, Tipp, Ratschlag *jdm einen ~ geben, jdn um ~ fragen*

• **Rat**[2] [raːt] <-(e)s, Räte> *der* Gruppe von Vertretern, die beraten und oft auch Gesetze beschließen *der ~ der Ältesten* ***Komp:*** *Betriebs-, Kirchen-, Regierungs-, Stadt-*

Ra·te ['raːtə] <-, -n> *die* Teilbetrag von einer Gesamtsumme *das Auto auf ~n kaufen, etw in ~n zahlen*

• **ra·ten** ['raːtn̩] <rät, riet, geraten> *itr* **1.** einen Rat/Tipp geben *jdm in einer Angelegenheit ~, Wozu würden Sie mir ~?* **2.** versuchen, etw herauszufinden/eine Frage zu lösen *Rate mal, was der Fernseher gekostet hat!;* **Dreimal darfst du ~!** verwendet, um auszudrücken, dass die Antwort sehr einfach ist *Dreimal darfst du ~, wer die ganze Schokolade aufgegessen hat!*

Rat·ge·ber(in)[1] <-s, -> *der* Berater *Sie ist meine beste ~in!*

Rat·ge·ber[2] <-s, -> *der* Buch o.Ä. mit Tipps und Informationen zu einem bestimmten Thema *ein ~ für gesunde Ernährung*

• **Rat·haus** <-es, -häuser> *das* Gebäude der Stadtverwaltung und des Bürgermeisters einer Stadt *im ~ etw zu erledigen haben*

ra·ti·fi·zie·ren [ratifi'tsiːrən] <ratifiziert, ratifizierte, ratifiziert> *tr* [K] ***jd ratifiziert etw*** *akk* durch das Parlament bestätigen *ein Gesetz ~*

ra·ti·o·nal [ratsio'naːl] <rationaler, rationalst-> *adj* (↔*irrational*) vernünftig *eine ~e Sichtweise*

ra·ti·o·na·li·sie·ren [ratsionali'ziːrən] <rationalisiert, rationalisierte, rationalisiert> *tr* [K] ***jd rationalisiert etw*** *akk* etw so verändern, dass es mehr Gewinn bringt *Arbeitsmethoden ~* ***Wobi:*** *Rationalisierung*

rat·los <ratloser, ratlosest-> *adj* so, dass man keine Hilfe/keinen Ausweg weiß *Wir stehen diesem Problem ~ gegenüber.* ***Wobi:*** *Ratlosigkeit*

rat·sam ['raːtzaːm] <ratsamer, ratsamst-> *adj* empfehlenswert, hilfreich *Es ist ~, auf die Wanderung warme Kleidung mitzunehmen.*

• **Rat·schlag** <(e)s, -schläge> *der* Tipp, Rat *jdm einen ~ geben, für jdn einen nützlichen ~ haben*

Rät·sel ['rɛːtsl̩] <-s, -> *das* **1.** Denkaufgabe/Spiel, bei der/dem man etw erraten muss *jdm ein ~ aufgeben, Das ist des ~s Lösung!* **2.** Geheimnis, etw, das man nicht versteht *Dein Verhalten ist mir ein ~.* ***Wobi:*** *rätselhaft, rätseln* ***Komp:*** *Kreuzwort-, Silben-*

rau [rau̯] <rauer, rauest-> *adj* **1.** uneben, rissig, nicht glatt *eine ~e Oberfläche, ~e Haut* **2.** MED wund, entzündet *einen ~en Hals haben* **3.** kalt und windig *~es Klima;* **in ~en Mengen** *(umg)* sehr viel *Wir haben Spagetti in ~en Mengen!*

rau·ben ['rau̯bn̩] <raubt, raubte, geraubt> *tr* [K] ***jd raubt*** *[jdm]* ***etw*** *akk* gewaltsam wegnehmen, stehlen *wertvollen Schmuck ~;* **jdm seine Zeit ~** jds Zeit in Anspruch nehmen *Mit seinen ständigen*

Fragen raubt er mir meine Zeit. ***Wobi:* *Raub***

Rauch [raux] <-(e)s> *kein pl der* (≈*Qualm*) die Wolken, die aufsteigen, wenn man etw verbrennt *Vom Schornstein steigt ~ auf.* ***Wobi:* *rauchig***

• **rau·chen** ['rauxn̩] <raucht, rauchte, geraucht> **I.** *tr* K ***jd raucht etw*** *akk* Tabak konsumieren *Zigaretten ~* **II.** *itr* **1.** Zigaretten konsumieren *Warum rauchst du schon wieder?* **2.** Rauch entwickeln *Warum raucht es hier?*

• **Rau·cher(in)** <-s, -> *der* **1.** (↔*Nichtraucher*) Mensch, der regelmäßig Zigaretten/Pfeife etc. raucht *Wir bitten die ~, im hinteren Bereich Platz zu nehmen.* **2.** Abteil im Zug für Raucher *Eine Rückfahrkarte nach Bern, erste Klasse, ~, bitte!*

räu·chern ['rɔyçɐn] <räuchert, räucherte, geräuchert> *tr* K ***jd räuchert etw*** *akk* durch Rauch haltbar machen *Schinken ~*

rau·fen ['raufn̩] <rauft, raufte, gerauft> *itr* (im Spiel) miteinander kämpfen *Die Kinder ~ um den Ball.*

• **Raum** [raum] <-(e)s, Räume> *der* **1.** Zimmer *ein gemütlicher ~* **2.** Gebiet *im ländlichen ~ wohnen;* **im ~ ... leben/wohnen** in der Nähe von ... leben/wohnen *im ~ Frankfurt leben* ***Komp:* *-aufteilung***

räu·men ['rɔymən] <räumt, räumte, geräumt> *tr* **1.** K ***jd räumt etw*** *akk* leer machen, ausziehen *das Lager ~, die Wohnung ~* **2.** K ***jd räumt etw*** *akk* ***irgendwohin*** wegtragen, an eine andere Stelle bringen *das Geschirr vom Tisch ~;* **das Feld ~** verschwinden, weggehen *Ohne etw erreicht zu haben, räumten sie das Feld.*

Raum·fahrt <-> *die kein pl* Erforschung des Weltalls *bemannte/unbemannte ~*

räum·lich ['rɔymlɪç] <-, -> *adj* **1.** den Raum betreffend *~ beengt wohnen* **2.** dreidimensional *etw ~ darstellen*

Räu·mung ['rɔymʊŋ] <-, -en> *die* das Leermachen *die ~ des Lagers zum Sommerschlussverkauf, Die ~ der Wohnung erfolgt zum 1. Mai., die ~ des Unfallortes* ***Komp:* *-sklage, -sverkauf***

Rau·pe ['raupə] <-, -n> *die* längliches kleines Tier mit vielen Füßen, Larve des Schmetterlings *~n bekämpfen*

Rau·reif <-s> *kein pl der* weiße Eisschicht auf Zweigen und Gräsern, die sich durch Kälte und feuchte Luft bildet *~ liegt auf den Wiesen.*

raus [raus] Kurzform für ‚heraus' *~kommen*

raus|be·kom·men <bekommt raus, bekam raus, rausbekommen> *tr* **1.** (*umg, Kurzform für ‚herausbekommen'*) K ***jd bekommt etw*** *akk* ***raus*** Geld zurückerhalten *Einen Moment, Sie bekommen noch zwei Euro raus!* **2.** (*umg*) K ***jd bekommt etw*** *akk* ***raus*** herausfinden, Informationen bekommen *Haben Sie etw ~?, Haben Sie ~, wer es war?*

Rausch [rauʃ] <-(e)s, (Räusche)> *der pl selten* **1.** Zustand, wenn man betrunken ist oder Drogen genommen hat *vom Wein einen ~ bekommen, seinen ~ ausschlafen* **2.** sehr große Begeisterung *Die Fans steigerten sich in einen (wahren) ~ hinein.*

rau·schen ['rauʃn̩] <rauscht, rauschte, gerauscht> *itr* ein Geräusch machen wie fließendes Wasser oder Blätter im Wind *Das Meer rauscht., Die Bäume ~ im Wind.;* **~der Beifall** starker Applaus *Die Schauspielerin erhielt ~den Beifall.*

Rausch·gift <-(e)s, -e> *das* (≈*Droge*) Stoff, der abhängig macht,

z. B. Heroin ~ *nehmen* ***Komp:*** *-händler*

rausch·gift·süch·tig <-, -> *adj* drogenabhängig *~e Jugendliche* ***Wobi:*** *Rauschgiftsüchtige(r)*

raus|flie·gen <fliegt raus, flog raus, rausgeflogen> *itr* <*sein*> **1.** *(umg)* entlassen werden *Ich bin aus der Firma rausgeflogen.* **2.** *(umg)* einen Raum verlassen müssen *aus dem Klassenzimmer ~*

raus|ge·ben <gibt raus, gab raus, rausgegeben> *tr (umg, Kurzform für ‚herausgeben')* [K] ***jd gibt jdm etw*** *akk* **raus** Wechselgeld/Restgeld zurückgeben *Sie haben mir zu wenig rausgegeben!, Haben Sie es nicht kleiner? Auf zwanzig Euro kann ich nicht ~!*

räus·pern ['rɔy̯spɐn] <räuspert, räusperte, geräuspert> *refl* [K] ***jd räuspert sich*** *akk* leichtes Husten *Sie räusperte sich, um auf sich aufmerksam zu machen.*

raus|schmei·ßen <schmeißt raus, schmiss raus, rausgeschmissen> *tr* **1.** *(umg)* [K] ***jd schmeißt jdn [irgendwo]*** **raus** hinauswerfen *Ich bin neulich aus der Disko rausgeschmissen worden.* **2.** *(umg)* [K] ***jd schmeißt jdn [irgendwo]*** **raus** fristlos entlassen *jdn aus der Firma ~;* **rausgeschmissenes Geld** unnütz/sinnlos ausgegebenes Geld *Das ist rausgeschmissenes Geld!*

• **re·a·gie·ren** [rea'giːrən] <reagiert, reagierte, reagiert> *itr* auf etw mit einer bestimmten Handlung antworten *auf eine Frage mit einer klugen Antwort ~, beleidigt ~*

• **Re·ak·ti·on** [reak'ts̮i̯oːn] <-, -en> *die* Handlung, mit der jd/etw reagiert *eine schnelle ~ zeigen, Hier ist die ~ auf Ihren Brief.* ***Komp:*** *-sfähigkeit*

• **re·a·li·sie·ren** [reali'siːrn̩] <realisiert, realisierte, realisiert> *tr* aus einer Idee Wirklichkeit machen *einen Plan ~*

• **re·a·lis·tisch** [rea'lɪstɪʃ] <realistischer, realistischst-> *adj* wie in der Wirklichkeit *Der Film zeigt ein ~es Bild des Mittelalters.* ***Wobi:*** *Realität*

Re·al·schu·le <-, -n> *die* Schule, die v. a. auf kaufmännische oder technische Berufe vorbereitet *auf die ~ gehen*

> *Realschule*
> Die Realschulen in Deutschland schließen mit der ‚mittleren Reife' nach der 10. Klasse ab. In Realschulen muss man mindestens eine Fremdsprache (meist Englisch) lernen. In der Schweiz bezeichnet man das 7. bis 9. Schuljahr für handwerklich begabte Schülerinnen und Schüler als Realschule.

re·bel·lie·ren [rebɛ'liːrən] <rebelliert, rebellierte, rebelliert> *itr* heftig protestieren, einen Aufstand machen *Die Studenten ~ schon seit Wochen.* ***Wobi:*** *Rebell*

Re·chen·schaft <-> *kein pl die* Auskunft/Bericht über das, was man getan hat *jdn zur ~ ziehen, über etw ~ ablegen müssen;* **jdm keine ~ schuldig sein** jdm sein Tun nicht erklären müssen *Dafür bin ich dir keine ~ schuldig.* ***Komp:*** *-sbericht*

• **Re·cher·che** [re'ʃɛrʃə] <-, -n> *die* Nachforschung *Die ~n im neuesten Mordfall sind ergebnislos geblieben.* ***Wobi:*** *recherchieren*

• **rech·nen** ['rɛçnən] <rechnet, rechnete, gerechnet> **I.** *tr* MATH [K] ***jd rechnet etw*** *akk* eine mathematische Aufgabe lösen *eine schwierige Aufgabe ~* **II.** *itr* MATH eine mathematische Aufgabe lösen *Sie rechnet gerade.;* **mit jdm/etw ~** erwarten; denken, dass etw geschieht *Ich hatte damit gerechnet, diese Woche fertig zu werden., Mit dir habe ich nicht gerechnet!*

Rech·ner ['rɛçnɐ] <-s, -> *der* Computer *den ~ anschalten*

• **Rech·nung** <-, -en> *die* **1.** Liste, die sagt, wie viel Geld man bezahlen muss *eine ~ schreiben;* **etw geht auf jds ~** jd bezahlt für jd anders mit *Das geht auf meine ~!* **2.** die Rechenaufgabe *eine kompli-*

zierte ~

• **Recht** [rɛçt] <-(e)s, -e> *das* **1.** Anspruch *ein ~ auf etw haben* **2.** die Gesetze, die das Leben der Menschen in einem Staat regeln *das deutsche ~;* ~ **haben** das Richtige meinen/sagen *Du hast ~!;* ~ **geben** jdm sagen, dass er das Richtige denkt/sagt *Ich gebe dir ~!* ***Komp: Arbeits-, Scheidungs-, Staats-, Straf-, Völker-, Zivil-***

• **recht** [rɛçt] *adj* **1.** richtig *die ~e Antwort wissen;* **zur ~en Zeit** zur passenden Zeit *Du hast genau zur ~en Zeit angerufen!* **2.** richtig, gut *R~ so, das machst du gut!, Wenn ich mich ~ erinnere, kommst du aus Dresden, oder?* **3.** relativ, einigermaßen *Ich fühle mich ~ gut heute., Es war ~ nett dort.*

• **rech·te(-r, -s)** [rɛçt] <-, -> *adj* (↔*linke*) auf der Seite, auf der nicht das Herz liegt *die ~e Hand*

Recht·eck <-(e)s, -e> *das* Fläche mit vier gleich großen Ecken und jeweils zwei gegenüber liegenden gleich langen Seiten *ein ~ zeichnen* ***Wobi: rechteckig***

recht·fer·ti·gen <rechtfertigt, rechtfertigte, gerechtfertigt> *tr* [K] ***jd rechtfertigt etw*** *akk* begründen *seine Handlungen ~* ***Wobi: Rechtfertigung***

recht·mä·ßig <-, -> *adj* so, dass es dem Gesetz entspricht *der ~e Besitzer, Das steht mir ~ zu.*

• **rechts** [rɛçts] *adv* (↔*links*) auf der Seite, auf der nicht das Herz liegt *nach ~ abbiegen, R~ von hier sehen Sie das Schloss!;* ~ **eingestellt sein** politisch eine konservative oder nationalistische Meinung haben *Er ist ziemlich ~.* ***Komp: -extrem, -radikal***

Rechts·an·walt, -anwältin <-(e)s, -wälte> *der* Jurist, der jdn in einem Rechtsstreit berät oder (besonders vor Gericht) vertritt *sich einen ~ nehmen*

Recht·schrei·bung <-, -en> *die* (≈*Orthografie*) durch Regeln bestimmte richtige Schreibung *die ~ des Deutschen üben*

Rechts·ex·tre·mis·mus <-> *kein pl der* (↔*Linksextremismus*) politische Haltung mit nationalistischen Ideen *den ~ bekämpfen* ***Wobi: Rechtsextremist***

Rechts·hän·der ['rɛçtshɛndɐ] <-s, -> *der* (↔*Linkshänder*) jd, der mit der rechten Hand schreibt *~ sein*

rechts·wid·rig <rechtswidriger, rechtswidrigst-> *adj* so, dass es gegen das Gesetz verstößt, nicht legal *eine ~e Handlung, ~ parken*

recht·wink·lig <-, -> *adj* so, dass etw einen 90-Grad-Winkel hat *ein ~es Dreieck*

recht·zei·tig <-, -> *adj* zum richtigen Zeitpunkt *eine ~e Mitteilung, sich ~ anmelden/abmelden*

re·cy·celn [ri'saikl̩n] <recycelt, recycelte, recycelt> *tr* [K] ***jd recycelt etw*** *akk* wieder verwerten, bereits benutzte Rohstoffe wieder brauchbar machen *Plastik ~* ***Wobi: Recycling***

Re·dak·ti·on [redak'tsi̯o:n] <-, -en> *die* Abteilung in einem Verlag/bei einer Zeitschrift/beim Rundfunk, die Inhalte auswählt und z.B. Texte für die Veröffentlichung vorbereitet *in einer ~ arbeiten* ***Wobi: redaktionell, Redakteur, Redaktor, redigieren***

• **Re·de** ['re:də] <-, -n> *die* Vortrag, Ansprache *eine ~ halten, eine ~ über etw;* **etw ist nicht der ~ wert** es lohnt sich nicht, über etw zu sprechen *Danke für deine Hilfe. – Nicht der ~ wert!;* **jdn zur ~ stel-**

Rechteck

rechts
In der Politik steht ‚rechts' für konservative Parteien oder Einstellungen, ‚links' dagegen für sozialistische und sozialdemokratische Parteien. Diese Bedeutungen stammen aus der Sitzordnung des französischen Parlaments am Anfang des 19. Jahrhunderts.

Rechtschreibung
Am 1. Juli 1996 wurde das Wiener Abkommen zur Reform der deutschen Rechtschreibung unterschrieben. Die neuen Regeln gelten offiziell seit dem 1. August 1998. In einer Übergangsphase bis 2005 sollen aber Schreibungen nach den neuen und den alten Regeln gelten.

len jdn sehr genau über etw befragen *Ich habe ihn zur ~ gestellt, aber er hat geschwiegen.* ***Komp:** -freiheit, Hochzeits-*

• **re·den** ['re:dn̩] <redet, redete, geredet> **I.** *itr* sprechen *Er redet ohne Ende., lauter/leiser ~* **II.** *tr* K ***jd redet mit jdm** [**über jdn/ etw** akk]* sprechen *mit dem Freund über den Urlaub ~, Mit dir rede ich nicht (mehr).*; **mit jdm ein Wörtchen ~** *(umg)* schimpfen *Was für eine Frechheit, ich werde mal ein Wörtchen mit ihm ~!;* **nicht mit sich ~ lassen** seine Meinung nicht ändern *Was Qualität angeht, lässt sie nicht mit sich ~.*

Re·de·wen·dung <-, -en> *die* feste Einheit aus mehreren Wörtern *„Mit der Tür ins Haus fallen" ist eine ~.*

re·du·zie·ren [redu'tsi:rən] <reduziert, reduzierte, reduziert> *tr* K ***jd reduziert etw** akk* verringern, kleiner machen *die Preise ~*

Re·fe·rat [refə'ra:t] <-(e)s, -e> *das* kleiner Vortrag, Bericht *im Seminar ein ~ halten* ***Wobi:** referieren*

Re·flex [re'flɛks] <-es, -e> *der* schnelle, nicht überlegte Reaktion auf etw *~e sind angeboren.* ***Komp:** -bewegung*

re·f·le·xiv [reflɛ'ksi:f] <-, -> *adj* LING so, dass ein Verb das Pronomen ‚sich' braucht *‚Sich verlieben' ist ein ~es Verb.* ***Komp:** Reflexivpronomen*

• **Re·form** [re'fɔrm] <-, -en> *die* Erneuerung, Änderung, um etw besser zu machen *eine ~ in der Bildungspolitik* ***Wobi:** reformieren*

• **re·for·miert** <-, -> *adj* (CH) protestantisch, evangelisch *Ich bin ~.*

• **Re·gal** [re'ga:l] <-s, -e> *das* Möbelstück aus mehreren Brettern, z. B. für Bücher *ein Buch ins ~ stellen, an der Wand ein ~ anbringen* ***Komp:** Bücher-*

Regal

• **Re·gel** ['re:gl̩] <-, -n> *die* **1.** Vorschrift *die ~n beachten* **2.** Menstruation *über Schmerzen während der ~ klagen;* **in der ~** gewöhnlich, im Allgemeinen, normalerweise *in der ~ pünktlich sein;* **sich etw zur ~ machen** sich etw zur Gewohnheit machen *Er machte es sich zur ~, jeden Abend Sport zu treiben.* ***Komp:** -arbeitszeit, -fall*

• **re·gel·mä·ßig** <regelmäßiger, regelmäßigst-> *adj* (↔*unregelmäßig*) immer wieder im gleichen Abstand, oft *Fährt der Bus ~?, ~ spazieren gehen* ***Wobi:** Regelmäßigkeit*

• **re·geln** ['re:gl̩n] <regelt, regelte, geregelt> *tr* K ***etw/jd regelt etw** akk* etw mit Regeln ordnen, festlegen *Der Polizist regelt den Straßenverkehr., Das Gesetz regelt eindeutig, dass ..., Es ist noch nichts geregelt.* ***Wobi:** Regelung*

re·gel·wid·rig <regelwidriger, regelwidrigst-> *adj* gegen die Regel *~es Verhalten*

• **Re·gen** ['re:gn̩] <-s> *kein pl der* Wassertropfen, die vom Himmel fallen *im ~ spazieren gehen, Es sieht nach ~ aus., Heute soll es ~ geben.;* **jdn im ~ stehen lassen** *(umg)* jdn nicht unterstützen, jdm nicht helfen *Sie ließen ihn nach seiner Scheidung nicht im ~ stehen.* ***Komp:** -bogen, -mantel, -schirm; Niesel-*

Re·gie [re'ʒi:] <-, -n> *die* THEAT FILM künstlerische Leitung *die ~ führen;* **etw in eigener ~ machen** selbstständig etw machen, etw in eigener Verantwortung durchführen *das Projekt in eigener ~ machen;* **die ~ übernehmen** die Leitung übernehmen *Sie übernahm die ~, und die Sache klappte.* ***Wobi:** Regisseur* ***Komp:** -anweisung*

• **re·gie·ren** [re'gi:rən] <regiert, regierte, regiert> *itr* die Macht haben und herrschen *Der König regierte seit über 40 Jahren.*

• **Re·gie·rung** [re'gi:rʊŋ] <-, -en> *die* die Personen, die in einem Land die Macht haben und es regieren *die ~en der Länder, an die ~ kommen* ***Komp:*** *-santritt, -sapparat, -sbeamter, -schef, -serklärung, -spartei, -swechsel*

Re·gi·on [re'gi̯o:n] <-, -en> *die* Landstrich, Gebiet *in eine ländliche ~ ziehen* ***Wobi:*** *regional*

• **reg·nen** ['re:gnən] <regnet, regnete, geregnet> *itr* als Wassertropfen vom Himmel fallen *Es regnet.*

re·ha·bi·li·tie·ren [rehabili'ti:rən] <rehabilitiert, rehabilitierte, rehabilitiert> *tr* K ***jd rehabilitiert jdn*** die früheren Rechte wiedergeben, den guten Ruf/das Ansehen wieder herstellen *den Minister nach dem Skandal ~* ***Wobi:*** *Rehabilitierung*

rei·ben ['rai̯bn̩] <reibt, rieb, gerieben> **I.** *tr* K ***jd reibt etw*** *akk* etw auf einer Fläche hin und her bewegen und dabei zerkleinern *Käse ~* **II.** *refl* K ***jd reibt sich*** *dat* ***etw*** *akk* mit der Hand intensiv über einen Körperteil streichen *sich die Augen ~, sich seine blauen Flecken ~* ***Wobi:*** *Reibung*

rei·bungs·los <reibungsloser, reibungslosest-> *adj* ohne Probleme *~ verlaufen*

Reich [rai̯ç] <-(e)s, -e> *das* (Herrschafts-)Gebiet, Bereich *ein kleines ~, im ~ der Tiere* ***Komp:*** *Kaiser-, König-*

• **reich** [rai̯ç] <reicher, reichst-> *adj* (↔*arm*) so, dass man einen großen Besitz/viel Geld hat *~ sein und sorgenfrei leben;* **eine ~e Auswahl an etw** eine große Auswahl an etw *eine ~e Auswahl an Obst und Gemüse* ***Komp:*** *verkehrs-, wort-*

rei·chen ['rai̯çn̩] <reicht, reichte, gereicht> **I.** *tr* K ***jd reicht jdm etw*** *akk* geben *die Hand ~, Kannst du mir mal bitte die Butter ~?* **II.** *itr* **1.** genug sein *Danke, diese Portion reicht!, Reicht die Milch?* **2.** eine bestimmte Größe haben *Mein Garten reicht von hier bis dort drüben.;* **jdm reicht's** *(umg)* jd möchte etw nicht mehr *Jetzt reicht's mir aber!*

reich·lich ['rai̯çlɪç] <reichlicher, reichlichst-> *adj* **1.** genug, viel *~ Zeit haben* **2.** *(umg)* sehr *Das ist ja ~ wenig!, ~ langweilig*

Reich·tum ['rai̯çtu:m] <-(e)s, -tümer> *der* (↔*Armut*) Vermögen, großer Besitz, viel Geld *großer ~, zu ~ gelangen*

• **reif** [rai̯f] <reifer, reifst-> *adj* **1.** (↔*unreif*) so, dass man es ernten/essen kann *~e Früchte* **2.** erwachsen *Er ist schon sehr ~ für seine 15 Jahre.* ***Wobi:*** *Reife, reifen* ***Komp:*** *früh-, geschlechts-, über-*

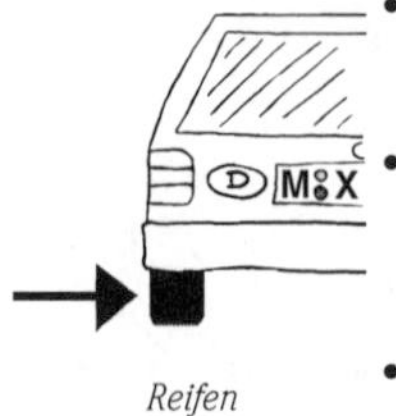
Reifen

• **Rei·fen** ['rai̯fn̩] <-s, -> *der* (KFZ: = CH *Pneu*) mit Luft gefüllter Gummischlauch für die Räder von Fahrzeugen *für das Auto neue ~ kaufen* ***Komp:*** *-panne, -wechsel, Auto-, Fahrrad-*

• **Rei·he** ['rai̯ə] <-, -n> *die* **1.** Linie *sich in einer ~ aufstellen* **2.** Menge, Vielzahl *Es gibt eine ~ von Büchern zu diesem Thema.;* **aus der ~ tanzen** auffallen, sich nicht an die festgelegte Ordnung halten *Er tanzt gern aus der ~.;* **an der ~ sein** dran sein *Du bist an der ~!*

• **Rei·hen·fol·ge** <-, -n> *die* festgelegte Ordnung *alphabetische ~, die richtige ~ beachten*

reih·um [rai̯'ʔʊm] *adv* von einem zum anderen *etw ~ gehen lassen*

Reim [rai̯m] <-(e)s, -e> *der* ähnlicher Klang von Silben oder Wörtern *ein Gedicht ohne ~e;* **sich auf etw keinen ~ machen können**

(umg) etw nicht verstehen *Darauf kann ich mir keinen ~ machen.*

rei·men ['raimən] <reimt, reimte, gereimt> *refl* K ***etw reimt sich*** *akk* [***auf etw*** *akk/* ***mit etw*** *dat*] gleich klingen, sich ähnlich anhören *,Dein' und ,mein' ~ sich., ,Dein' reimt sich auf ,mein'.*

• **rein** [rain] <reiner, reinst-> **I.** *adj* **1.** sauber *~e Wäsche* **2.** ausschließlich, völlig *~er Neid, ein Kleid aus ~er Wolle;* **ein ~es Gewissen haben** nichts verheimlicht haben, alles richtig gemacht haben *Ich habe ein ~es Gewissen!* **II.** *PART* absolut, völlig *Ich habe ~ gar nichts damit zu tun!, Davon habe ich nur ~ zufällig erfahren.*

rein|fal·len <fällt rein, fiel rein, reingefallen> *itr* <*sein*> (*umg, Kurzform von ,hereinfallen'*) sich täuschen lassen *auf jdn ~*

• **rei·ni·gen** ['rainɪgn̩] *tr* K ***jd reinigt etw/ sich*** *akk* (≈*putzen*) sauber machen, waschen *die Wäsche ~, den Teppich ~, sich gründlich ~* ***Wobi:*** *Reinigung*

rein·zie·hen <zieht rein, zog rein, reingezogen> *tr* K ***jd zieht jdn in etw*** *akk* ***rein*** *(umg)* beteiligen *jdn in seine eigenen Probleme ~;* **sich etw ~** (*umg!*) etw intensiv genießen *sich Musik ~*

• **Reis** [rais] <-es, (-e)> *der* Getreide, das in warmen Ländern auf Feldern wächst, die oft unter Wasser stehen *~ pflanzen* ***Komp:*** *-brei, -feld, Milch-*

• **Rei·se** ['raizə] <-, -n> *die* längere Fahrt von einem Ort zum anderen *eine ~ nach Chile machen, eine ~ um die Welt, vor Antritt der ~;* **jdm eine gute ~ wünschen** jdm gute Fahrt wünschen *Sie wünschte mir eine gute ~.* ***Wobi:*** *Reisende(r)* ***Komp:*** *-gepäck, -route, -tasche, Geschäfts-*

• **Rei·se·bü·ro** <-s, -s> *das* Firma, die Reisen organisiert und verkauft *im ~ eine Reise buchen*

Rei·se·füh·rer <-s, -> *der* **1.** Buch mit Informationen über einen bestimmten Urlaubsort *einen ~ kaufen* **2.** jd, der eine Reisegruppe leitet *~ sein*

• **rei·sen** ['raizn̩] <reist, reiste, gereist> *itr* <*sein*> eine Reise machen *gerne ~, gern in fremde Länder ~*

Reiß·aus [rais'ʔaus] **~ nehmen** fliehen, weglaufen *Als er kam, nahm sie ~.*

rei·ßen ['raisn̩] <reißt, riss, gerissen> *tr* K ***jd reißt*** [***jdm***] ***etw*** *akk* [***in etw*** *akk*] etw mit den Händen zerteilen *Papier in Stücke ~;* ein Loch in etw machen *Ich habe mir ein Loch in die Hose gerissen.;* **sich um etw ~** etw unbedingt haben wollen *Um dieses Buch ~ sich alle.*

rei·ßend <reißender, reißendst-> *adj* **1.** wild, mit starker Strömung *ein ~er Fluss* **2.** stark *einen ~en Schmerz in der Brust spüren;* **~en Absatz finden** sehr gut zu verkaufen sein *Das neue Produkt findet ~en Absatz.*

Reiß·ver·schluss <-es, -schlüsse> *der* Konstruktion zum Öffnen und Verschließen an Kleidungsstücken, Taschen, Zelten etc. *den ~ auf-/zumachen*

rei·ten ['raitn̩] <reitet, ritt, geritten> *itr* <*sein*> sich auf einem Tier (Pferd, Esel, Kamel) fortbewegen *regelmäßig durch den Wald ~* ***Wobi:*** *Reiter(in)*

Reiz [raits] <-es, -e> *der* das Spannende/Interessante, das einen neugierig macht *der ~ des Neuen, der ~ des Verbotenen, einen ~ auf*

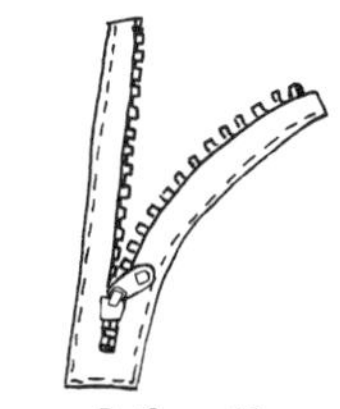
Reißverschluss

jdn ausüben

rei·zen ['raitsn̩] <reizt, reizte, gereizt> *tr* **1.** K ***etw reizt jdn*** jdm Lust machen *Das Angebot reizt mich sehr.* **2.** K ***jd/etw reizt jdn*** provozieren *Sein Verhalten reizt mich.* **3.** K ***etw reizt etw*** *akk* wund machen *Dieser Stoff reizt Augen und Haut.*

rei·zend ['raitsn̩t] <reizender, reizendst-> *adj* wundervoll, angenehm, sehr schön *ein ~er Anblick, eine ~e Person*

• **Re·kla·me** [re'klaːmə] <-, -n> *die* Werbung *~ für etw machen*

re·kon·stru·ie·ren [rekɔnstru'iːrən] <rekonstruiert, rekonstruierte, rekonstruiert> *tr* **1.** K ***jd rekonstruiert etw*** *akk* etw wieder so machen, wie es in der Vergangenheit war *ein altes Gebäude ~* **2.** K ***jd rekonstruiert etw*** *akk* sich etw in Gedanken noch einmal vorstellen *den Unfall ~*

• **Re·kord** [re'kɔrt] <-(e)s, -e> *der* SPORT die beste Leistung, die zu einer bestimmten Zeit in etw erreicht wurde *einen ~ im 100-Meter-Lauf aufstellen, einen ~ brechen*

re·la·tiv [rela'tiːf/'relatiːf] <-, -> *adj* (*≈ziemlich*) einigermaßen, verhältnismäßig *~ gut singen können, ein ~ teures Bild*

re·le·vant [rele'vant] <relevanter, relevantest-> *adj* (*↔irrelevant*) bedeutend, wichtig *wissenschaftlich ~ sein*

• **Re·li·gi·on** [reli'gi̯oːn] <-, -en> *die* **1.** Glaube an einen Gott *eine fremde ~* **2.** Schulfach, in dem Religion unterrichtet wird *in der vierten Stunde ~ haben* ***Wobi: religiös***

Ren·dez·vous [rãde'vuː] <-, -> *das* privates Treffen zu zweit, meist zwischen einer Frau und einem Mann *Er hat heute Abend ein ~.*

• **ren·nen** ['rɛnən] <rennt, rannte, gerannt> *itr* <*sein*> schnell laufen *um das Haus ~, um die Wette ~*

re·no·vie·ren [reno'viːrən] <renoviert, renovierte, renoviert> *tr* K ***jd renoviert etw*** *akk* durch Arbeiten wie Malen und Tapezieren neu gestalten *die Wohnung ~* ***Wobi: Renovierung***

• **Ren·te** ['rɛntə] <-, -n> *die* **1.** Altersruhestand *in ~ gehen, in ~ sein* **2.** regelmäßiges Einkommen, das man im Alter vom Staat bekommt *eine niedrige ~ beziehen/bekommen/kriegen* ***Komp: -nalter, -nanspruch, -nbeitrag, -nversicherung, Witwen-, Zusatz-***

ren·tie·ren [rɛn'tiːrən] <rentiert, rentierte, rentiert> *refl* K ***etw rentiert sich*** [***für jdn***] lohnen, Gewinn bringen *Der Laden rentiert sich nicht mehr., Dein Einsatz hat sich rentiert.*

• **Re·pa·ra·tur** [repəra'tuːɐ̯] <-, -en> *die* Wiederherstellung eines kaputten Gegenstands *den CD-Spieler in ~ geben, Das Auto ist gerade in ~.*

• **re·pa·rie·ren** [repa'riːrən] <repariert, reparierte, repariert> *tr* K ***jd repariert etw*** *akk* wiederherstellen; etw, das kaputt ist, wieder in Ordnung bringen *Spielzeug ~, das Auto ~*

Re·por·ter(in) [re'pɔrtɐ] <-s, -> *der* jd, der beruflich für den Rundfunk/das Fernsehen von Ereignissen berichtet *als ~ von der Tour de France berichten*

re·prä·sen·tie·ren [reprɛzɛn'tiːrən] <repräsentiert, repräsentierte, repräsentiert> *tr* K ***jd repräsentiert etw*** *akk* darstellen, in der Öffentlichkeit vertreten *die Firma ~*

Re·pu·blik [repu'bliːk] <-, -en> *die* Staat mit einer demokratisch gewählten Regierung *die österreichische ~*

Re·ser·ve [re'zɛrvə] <-, -n> *die* für den Notfall gedachter Vorrat *einige ~n an Geld besitzen, etw in ~ haben;* **jdn aus der ~ locken** versuchen, dass jd seine Zurückhaltung verliert, jdn dazu bringen, seine Gefühle zu zeigen *Wir haben ihn letztlich doch aus der ~ gelockt.* ***Komp:*** *-kanister, -rad*

• **re·ser·vie·ren** [rezɛr'viːrən] <reserviert, reservierte, reserviert> *tr* K ***jd reserviert etw*** *akk* im Voraus bestellen, freihalten lassen *im Restaurant einen Tisch ~*

re·ser·viert <reservierter, reserviertest-> *adj* zurückhaltend, verschlossen *Er verhielt sich sehr ~.*

re·sig·nie·ren [rezɪg'niːrən] <resigniert, resignierte, resigniert> *itr* alle Hoffnung aufgeben, sich mit etw abfinden *Du musst doch nicht gleich ~! Beim nächsten Versuch geht es bestimmt besser!*

Res·pekt [re'spɛkt] <-(e)s> *kein pl der* Achtung, Wertschätzung *~ vor jdm haben, den ~ verlieren* ***Wobi: respektieren, respektlos***

• **Rest** [rɛst] <-(e)s, -e> *der* das, was übrig ist *Nun iss doch den ~ noch auf!, Den ~ der Arbeit mache ich!;* **jdm den ~ geben** *(umg)* verursachen, dass jd mit seinen Nerven am Ende ist *Der dauernde Regen gab mir den ~!*

• **Res·tau·rant** [rɛsto'rãː] <-s, -s> *das* Gaststätte *mittags in einem ~ essen*

res·tau·rie·ren [rɛstau̯'riːrən] <restauriert, restaurierte, restauriert> *tr* K ***jd restauriert etw*** *akk* wiederherstellen, erneuern *ein historisches Gebäude ~*

• **Re·sul·tat** [rezʊl'taːt] <-(e)s, -e> *das* Ergebnis *ein gutes ~ erzielen, zu einem ~ kommen*

• **ret·ten** ['rɛtn̩] <rettet, rettete, gerettet> *tr* K ***jd rettet jdn/etw/sich*** *akk* in Sicherheit bringen *jdn vor dem Ertrinken ~, sich vor dem Feuer ~;* **sich vor etw nicht ~ können** *(umg)* von etw sehr viel/zu viel haben *sich vor lauter Arbeit nicht ~ können*

• **Ret·tung** <-, -en> *die* **1.** Befreiung aus einer Gefahr *Leider kam die ~ zu spät.* **2.** (ÖSTERR) Krankenwagen *die ~ rufen;* **jds letzte ~** jds letzte Hoffnung *Du bist meine letzte ~!* ***Komp:*** *-saktion, -shubschrauber, -swagen*

Reue ['rɔy̯ə] <-> *kein pl die* das Gefühl, wenn man sich wünscht, etw nicht getan zu haben *~ über sein Verhalten zeigen*

re·van·chie·ren [revã'ʃiːrən] <revanchiert, revanchierte, revanchiert> *refl* **1.** K ***jd revanchiert sich*** *akk* [***bei jdm***] [***für etw*** *akk*] sich rächen *sich bei jdm für dessen Bemerkung ~* **2.** K ***jd revanchiert sich*** *akk* [***bei jdm***] [***für etw*** *akk*] sich bei jdm für etw bedanken, indem man ihm das Gleiche gibt/schenkt *Ich revanchiere mich gelegentlich für die Einladung!*

Re·vo·lu·ti·on [revolu'ts̯i̯oːn] <-, -en> *die* **1.** grundlegende Erneuerung *Diese Entdeckung bedeutet eine ~ für die gesamte Biologie.* **2.** POL politischer Umsturz, Änderung der Staatsform durch Gewalt *eine ~ unterstützen*

Re·vol·ver [re'vɔlvɐ] <-s, -> *der* Pistole *den ~ ziehen, mit einem ~ schießen*

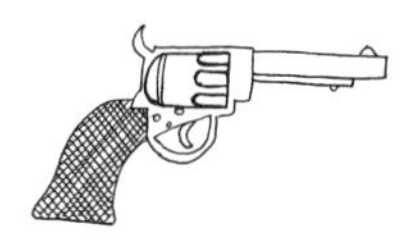

Revolver

• **Re·zept** [re'ts̯ɛpt] <-(e)s, -e> *das* **1.** MED Schreiben für den Apotheker, welches Medikament er dem Patienten geben soll *sich beim Arzt* *ein ~ holen* **2.** Anleitung zum Kochen oder Backen *ein gutes ~ für Kirschtorte haben*

- **Re·zep·ti·o̲n** [retsɛpˈtsi̯oːn] <-, -en> *die* Empfang beim Eingang eines Hotels *sich an der ~ melden, den Schlüssel an der ~ abgeben*
- **re·zẹpt·frei** <-, -> *adj* (*↔rezeptpflichtig*) so, dass man für ein Medikament kein Rezept braucht *ein ~es Arzneimittel*

Rhyth·mus [ˈrʏtmʊs] <-, -men> *der* Takt *sich im ~ der Musik bewegen, den ~ wechseln*

Ri̲·bi·sel [ˈriːbiːzl̩] <-, -n> *die* (ÖSTERR) Johannisbeere *~n ernten*

rịch·ten [ˈrɪçtn̩] <richtet, richtete, gerichtet> **I.** *tr* [K] ***jd richtet etw*** *akk* lenken, zielen, in die richtige Stellung/Lage bringen *die Augen auf ein Bild ~, eine Frage an jdn ~, eine Pistole auf jdn ~* **II.** *refl* **1.** [K] ***jd richtet sich*** *akk* (*≈herrichten*) sich (schön) anziehen, frisieren usw. *Ich muss mich noch ~, dann komme ich!* **2.** [K] ***jd/etw richtet sich*** *akk* ***nach jdm/etw*** *dat* sich jds Wünschen unterordnen; sich an die Umstände anpassen *Ich richte mich ganz nach dir., sich nach dem Wetter ~*

Rịch·ter(in) [ˈrɪçtɐ] <-s, -> *der* jd, der am Gericht arbeitet und Urteile fällt *~ am Amtsgericht sein* ***Wobi: richten***

- **rịch·tig** [ˈrɪçtɪç] <-, -> *adj* **1.** (*↔falsch*) ohne Fehler, korrekt *die ~e Lösung, die ~e Aussprache, Geht deine Uhr ~?* **2.** echt, wirklich *Hier herrscht ein ~es Durcheinander.;* **etw ~ machen** etw ohne Fehler machen *Sie macht ihre Arbeit ~.;* **etw ~ stellen** korrigieren *Ich möchte ~ stellen, dass ich daran unschuldig bin.* ***Wobi: Richtigkeit***
- **Rịch·tung** [ˈrɪçtʊŋ] <-, -en> *die* **1.** Ziel *in die richtige ~ gehen/fahren, Ich fahre ~ Frankfurt.* **2.** Ansicht, Meinung *die herrschende ~ in der Philosophie*

ri̲e̲b [riːp] *prät von* **reiben**

- **ri̲e̲·chen** [ˈriːçn̩] <riecht, roch, gerochen> **I.** *tr* [K] ***jd riecht etw*** *akk* mit der Nase wahrnehmen *Parfüm ~;* **jdn nicht ~ können** jdn überhaupt nicht mögen *Er kann mich nicht ~.;* **Das kann ich doch nicht ~!** verwendet, um auszudrücken, dass man etw nicht wissen kann *Das kann ich doch nicht ~, dass morgen deine Großeltern zu Besuch kommen!* **II.** *itr* [K] ***etw riecht irgendwie*** mit der Nase wahrnehmbar sein *Die Rose riecht gut.*

ri̲e̲f [riːf] *prät von* **rufen**

Ri̲e̲·se [ˈriːzə] <-n, -n> *der* **1.** Märchenfigur, die sehr viel größer als ein Mensch ist *~n und Zwerge gibt es nur im Märchen.* **2.** *(umg)* übergroßer Mensch *Im Vergleich zu ihr ist er ein ~.*

ri̲e̲·seln [ˈriːzl̩n] <rieselt, rieselte, gerieselt> *itr* <*sein*> leise und langsam niederfallen *Leise rieselt der Schnee.*

ri̲e̲t [riːt] *prät von* **raten**

Rịnd [rɪnt] <-es, -er> *das* großes Tier mit Hörnern, das Gras frisst und das man wegen seiner Milch und seines Fleisches als Nutztier hält *~er halten* ***Komp: -erbraten, -fleisch, -vieh***

- **Rịng** [rɪŋ] <-(e)s, -e> *der* Schmuckstück für den Finger *sich einen ~ an den Finger stecken, die ~e tauschen* ***Komp: -finger, Ehe-, Verlobungs-***

rịn·gen [ˈrɪŋən] <ringt, rang, gerungen> *itr* **1.** SPORT kämpfen und versuchen, den Gegner zu Boden zu drücken *Die Athleten ~ im* *griechisch-römischen Stil.* **2.** kämpfen, streben *um mehr Unterstützung ~;* **mit dem Tod** ~ (*geh*) so schwer krank sein, dass man wahrscheinlich bald stirbt *Nach dem Autounfall rang sie mit dem Tod.* ***Wobi:*** *Ringer*

• **Ri·si·ko** ['ri:ziko] <-s, -s/-ken> *das* Gefahr, Wagnis *ein ~ eingehen;* **etw auf eigenes ~ tun** für die Folgen des eigenen Handelns selbst verantwortlich sein *Du kannst es tun, aber auf eigenes ~!, Ich will kein ~ eingehen.*

ris·kie·ren [rɪs'ki:rən] <riskiert, riskierte, riskiert> *tr* [K] ***jd riskiert etw*** *akk* etw tun, obwohl es negative Folgen haben kann *Das riskiere ich!, Mit diesem Verhalten riskierst du deine Stelle!*

roch [rɔx] *prät von* **riechen**

• **Rock** [rɔk] <-(e)s, Röcke> *der* **1.** (= CH *Jupe*) von der Hüfte hängendes Kleidungsstück für Frauen *einen ~ tragen* **2.** (CH) Kleid *ein bunter ~* ***Komp:*** *Falten-, Mini-, Schotten-*

Rock

ro·deln ['ro:dl̩n] <rodelt, rodelte, gerodelt> *itr* <*sein*> Schlitten fahren *im Winter gerne ~*

ro·den ['ro:dn̩] <rodet, rodete, gerodet> *tr* [K] ***jd rodet etw*** *akk* Bäume fällen *den Wald ~* ***Wobi:*** *Rodung*

• **roh** [ro:] <roher, rohest-> *adj* nicht gekocht *~es Fleisch, ein ~es Ei*

Rohr [ro:ɐ̯] <-(e)s, -e> *das* runder, hohler Gegenstand zum Leiten von Flüssigkeiten *~e legen* ***Komp:*** *-bruch, Wasser-*

Roh·stoff <-(e)s, -e> *der* unbearbeitetes Material aus der Natur *~e gewinnen, Öl ist ein wertvoller ~.*

• **Rol·le** ['rɔlə] <-, -n> *die* **1.** runder, drehbarer Gegenstand *eine ~ Garn kaufen* **2.** THEAT FILM Figur, die jd spielen muss *Der Schauspieler hat seine ~ gut gespielt., eine interessante ~ spielen* **3.** SPORT Bewegung, bei der man sich über den Kopf auf den Boden abrollt *eine ~ vorwärts/rückwärts;* **keine ~ spielen** nicht wichtig sein *Geld spielt bei ihm keine ~.*

rol·len ['rɔlən] <rollt, rollte, gerollt> **I.** *tr* [K] ***jd rollt etw*** *akk* etw auf einer Fläche so bewegen, dass es sich dreht *Die Kinder ~ den Baumstamm den Hang hinunter.;* **den Stein ins R~ bringen** etw auslösen, verursachen *Ihre Äußerung hat den Stein erst richtig ins R~ gebracht!* **II.** *itr* <*sein*> sich drehend fortbewegen *Der Ball rollte vom Spielfeld.*

Roll·stuhl <-(e)s, -stühle> *der* ein Stuhl mit Rädern für Menschen, die nicht gehen können *an den ~ gefesselt sein* ***Komp:*** *-fahrer(in)*

Roll·trep·pe <-, -n> *die* Treppe, die sich automatisch nach oben/unten bewegt *im Kaufhaus die ~ benutzen*

Rollstuhl

Ro·man [ro'ma:n] <-s, -e> *der* längere Erzählung *einen spannenden ~ lesen* ***Komp:*** *Kriminal-, Liebes-*

ro·man·tisch [ro'mantɪʃ] <romantischer, romantischst-> *adj* so, dass es die Gefühle betont/anspricht *ein ~er Mensch, eine der ~sten Landschaften Deutschlands*

rönt·gen ['rœntgn̩] <röntgt, röntgte, geröntgt> *tr* [K] ***jd röntgt jdn/etw*** *akk* mit Röntgenstrahlen durchleuchten, untersuchen *jds Lunge ~*

ro·sa ['ro:za] <-, -> *adj* zartrot *ein ~ Kleid tragen;* **jdn/etw durch die ~ Brille sehen** nur das Gute an jdm/etw sehen *Sie sieht ihn durch die ~ Brille.*

Ro·se ['ro:zə] <-, -n> *die* angenehm riechende Blume mit großen Blüten und Dornen *rote ~n verschenken*

Ro·si·ne [ro'zi:nə] <-, -n> *die* getrocknete Weintraube *ein Kuchen mit ~n*

ros·ten ['rɔstn̩] <**rostet, rostete, gerostet**> *itr* eine rötlich-braune Schicht auf altem Eisen entwickeln *Das Fahrrad rostet.*

rös·ten ['rœ:stn̩] <**röstet, röstete, geröstet**> *tr* K ***jd röstet etw** akk* ohne Fett braten *Brot ~, Kaffee ~*

• **rot** [ro:t] <**röter, rötest-**> *adj* von der Farbe des Blutes *~e Wangen haben, vor Aufregung einen ~en Kopf bekommen;* ~ **werden** im Gesicht rot werden, weil einem etw peinlich ist *Als sie ihn ansah, wurde er ~.* ***Wobi:** Rotwein*

Rou·ti·ne [ru'ti:nə] <-, -n> *die* eine gute Fähigkeit in etw, das man oft tut *zur ~ werden*

Row·dy ['raudi] <-s, -s> *der* gewalttätiger junger Mann *~s haben die Telefonzelle beschädigt.*

rück·bli·ckend <-, -> *adj* die Vergangenheit betreffend *R~ lässt sich sagen, dass es gar nicht so schwer war.*

• **Rü·cken** ['rʏkn̩] <-s, -> *der* hintere Seite des Oberkörpers *jdm den ~ zuwenden, mit dem ~ in Fahrtrichtung sitzen;* **hinter jds** ~ während jd nicht da ist *Sie haben hinter meinem ~ über mich geredet.;* **jdm in den ~ fallen** jdm nicht helfen, gegen jdn sein *Warum fällst du mir immer in den ~?*

rü·cken ['rʏkn̩] <**rückt, rückte, gerückt**> **I.** *itr* <*sein*> sich zur Seite bewegen *Können Sie etw ~?;* **in weite Ferne** ~ unerreichbar werden *Die Verwirklichung dieses Plans rückte in weite Ferne.;* **näher** ~ näher heranbewegen *Rück doch näher heran!* **II.** *tr* <*haben*> K ***jd rückt etw** akk* an eine andere Stelle schieben *den Stuhl zur Seite ~*

Rück·er·stat·tung <-, -en> *die* das Zurückgeben von Geld, weil das Gekaufte nicht gut war *die ~ der Reisekosten*

• **Rück·fahr·kar·te** <-, -n> *die* Fahrkarte für die Hin- und Rückfahrt *eine ~ nach Bern kaufen*

• **Rück·fahrt** <-, -en> *die* Reise vom Zielort zum Ausgangsort/nach Hause zurück *die ~ antreten, auf der ~ sein*

• **Rück·kehr** <-> *kein pl die* das Zurückkehren/Wiederkommen nach einer Reise *jds ~ erwarten*

• **Rück·licht** <-(e)s, -er> *das* Lampe(n) am hinteren Ende des Autos, Fahrrads etc. *Dein ~ ist kaputt.*

Ruck·sack ['rʊkzak] <-(e)s, -säcke> *der* Tasche, die man auf dem Rücken trägt *den ~ aufsetzen*

Rucksack

• **Rück·sicht** ['rʏkzɪçt] <-, -en> *meist sing die* das Beachten von Gefühlen und Interessen anderer *~ auf jdn nehmen* ***Wobi:** rücksichtslos/-voll*

• **rück·wärts** ['rʏkvɛrts] <-, -> *adv* (↔*vorwärts*) mit dem Rücken/der Rückseite zuerst *~ fahren*

ru·dern ['ru:dɐn] <**rudert, ruderte, gerudert**> *itr* <*sein/haben*> SPORT sich in einem Boot mit meist zwei Rudern fortbewegen *am Wochenende ~ gehen*

• **ru·fen** ['ru:fn̩] <**ruft, rief, gerufen**> **I.** *tr* **1.** K ***jd ruft jdn*** laut jds Namen sagen, damit er kommt *die Mutter ~* **2.** K ***jd ruft jdn*** holen *den Arzt ~;* **sich etw ins Gedächtnis** ~ sich erinnern *Ich muss mir* *diese Vokabeln wieder ins Gedächtnis ~.* **II.** *itr* schreien *um Hilfe ~;* **wie gerufen kommen** im richtigen Moment kommen *Du kommst wie gerufen!*

• **Ru·he** ['ru:ə] <-> *kein pl die* **1.** (↔*Lärm*) Schweigen, Stille *In der Kirche herrscht ~.* **2.** Geduld *in jeder Situation ~ besitzen* **3.** Erholung *sich ein bisschen ~ gönnen;* **jd hat die ~ weg** *(umg)* jd macht alles sehr langsam *Er hat die ~ weg.;* **Immer mit der ~!** nicht so schnell!, nur keinen Stress! *Immer mit der ~! Ich komme ja schon!;* **~, bitte!** Aufforderung, leise zu sein *~ bitte, sonst kann ich mich nicht konzentrieren!;* **jdn in ~ lassen** jdn nicht stören/belästigen *Lass mich endlich in ~!*

• **ru·hig** ['ru:ɪç] <ruhiger, ruhigst-> *adj* **1.** gelassen, sorglos *etw ~ hinnehmen, Da kannst du ganz ~ sein!, Er sprach mit ~er Stimme.* **2.** geräuschlos, leise *sich ~ verhalten* **3.** nur *Komm ~ rein! Du störst gar nicht.*

Ruhm [ru:m] <-(e)s> *kein pl der* hohes Ansehen in der Öffentlichkeit *durch hervorragende Leistungen ~ erlangen*

rüh·ren ['ry:rən] <rührt, rührte, gerührt> **I.** *tr* **1.** [K] ***jd rührt etw*** *akk* eine weiche Masse oder Flüssigkeit z.B. mit einem Löffel kreisend bewegen *die Suppe ~* **2.** [K] ***jd/etw rührt jdn*** innerlich bewegen *Der Bericht rührte mich.* **II.** *refl* [K] ***jd rührt sich*** *akk* sich bewegen *Hier kann man sich ja nicht ~, so eng ist es!*

Ru·i·ne [ru'i:nə] <-, -n> *die* zerstörtes, oft altes Gebäude *die ~ des alten Schlosses besichtigen* ***Komp:*** *Burg-*

Ruine

ru·i·nie·ren [rui'ni:rən] <ruiniert, ruinierte, ruiniert> *tr* **1.** [K] ***jd/etw ruiniert jdn/etw*** *akk* (finanziell) extrem schaden *Er hat mein Geschäft ruiniert!* **2.** [K] ***jd ruiniert etw*** *akk* verderben/beschädigen, so dass es nicht mehr zu gebrauchen ist *die Kleider ~*

rum|krie·gen <kriegt rum, kriegte rum, rumgekriegt> *tr* [K] ***jd kriegt jdn rum*** (*umg, Kurzform für ‚herumkriegen'*) zu etw überreden *Ich habe ihn rumgekriegt, mit mir ins Kino zu gehen.*

rum|trei·ben <treibt rum, trieb rum, rumgetrieben> *refl* (*umg, Kurzform von ‚herumtreiben'*) [K] ***jd treibt sich*** *akk* ***irgendwo rum*** *(umg)* ziellos in der Gegend herumlaufen *sich im Wald ~*

• **rund** [rʊnt] <runder, rundest-> **I.** *adj* so, dass es die Form einer Kugel/eines Kreises hat *Der Ball ist ~., ~e Backen haben* **II.** *adv* etwa, ungefähr *schon ~ zwei Stunden auf jdn warten, ~ 100 Euro dafür bezahlt haben*

• **Rund·funk** ['rʊntfʊŋk] <-s> *kein pl der* **1.** Radio *etw im ~ hören* **2.** (CH) Radio *den ~ einschalten* ***Komp:*** *-anstalt, -programm, -sender*

run·zeln ['rʊnts̮l̩n] <runzelt, runzelte, gerunzelt> *tr* [K] ***jd runzelt etw*** *akk* in Falten legen *die Stirn ~*

rüs·tig ['rʏstɪç] <rüstiger, rüstigst-> *adj* so, dass ein alter Mensch noch kräftig und unternehmungslustig ist *Für ihre 80 Jahre ist sie noch sehr ~.*

Rutsch [rʊtʃ] <-(e)s, -e> *der* **Guten ~!** verwendet, um jdm Glück für das neue Jahr zu wünschen *Einen guten ~ ins neue Jahr!*

rut·schen ['rʊtʃn̩] <rutscht, rutschte, gerutscht> *itr* <sein> nicht gerade gehen/fahren können, weil es glatt ist *auf dem Eis ~;* **ein Stück ~** sich zur Seite bewegen, rücken *Rutsch mal ein Stück!*

S

S, s [ɛs] <-, -> *das* der 19. Buchstabe des Alphabets *Das Wort ‚Sekt' beginnt mit dem Buchstaben ~.;* **das scharfe** ~ der Buchstabe ‚ß' *Das Wort ‚Fuß' endet mit einem scharfen ~.*

Saal [zaːl] <-(e)s, Säle> *der* sehr großer Raum, der für Veranstaltungen mit vielen Menschen benutzt wird *Der diesjährige Tanzball findet in einem großen ~ statt.* ***Wobi: Fest-, Sitzungs-***

sach·dien·lich <-, -> *adj* für eine Sache nützlich *ein ~er Hinweis zur Ermittlung des Täters*

• **Sa·che** ['zaxə] <-, -n> *die* **1.** Ding, Gegenstand *Ihre ~n lagen auf dem ganzen Fußboden herum., seine ~n packen* **2.** Thema *Das tut nichts zur ~., Kommen wir zur ~!, Das ist Ihre ~.;* **eine gute** ~ etw, was für alle gut ist *Entwicklungshilfe ist eine gute ~.;* **mit 90/… ~n** *(umg)* mit 90/… Stundenkilometern *mit mehr als 100 ~n in eine Radarkontrolle geraten;* **etw ist/ist nicht jds** ~ jd mag etw/mag etw nicht *Scharf gewürztes Essen ist nicht jedermanns ~.*

sach·lich ['zaxlɪç] <sachlicher, sachlichst-> *adj* **1.** sachbezogen, eine Tatsache betreffend *Diese Äußerung ist ~ falsch.* **2.** objektiv *Wir hätten gerne eine ~e Darstellung.*

säch·lich ['zɛçlɪç] <-, -> *adj* LING so, dass ein Substantiv den Artikel ‚das' hat *Das Substantiv ‚Haus' ist ~.*

Sach·scha·den <-s, -schäden> *der* das, was an einem Gegenstand kaputt ist *Der am Auto entstandene ~ beträgt mehrere tausend Euro.*

Sack

Sack [zak] <-(e)s, Säcke> *der* Beutel aus Stoff, der zum Transport benutzt wird *einen ~ Kartoffeln kaufen;* **die Katze im ~ kaufen** *(umg)* sich auf etw einlassen, von dem man nicht weiß, ob es gut ist *Ich wünsche eine Probefahrt, ich kaufe doch nicht die ~ im Sack.*

• **Sa·ckerl** ['zakɐl] <-s, -> *das* (ÖSTERR) Tüte aus Papier oder Plastik *Brauchen Sie ein ~?*

Sack·gas·se <-, -n> *die* Straße, die irgendwo endet, wo man nicht weiterfahren kann *in der ~ wenden müssen;* **jd ist mit etw in eine ~ geraten** jd hat einen Punkt erreicht, an dem er nicht mehr weiter kommt *Er ist mit seinem Projekt in eine ~ geraten.*

sä·en ['zɛːən] <sät, säte, gesät> *tr* **1.** [K] *jd sät etw akk* Saat/Samen auf das Feld werfen *Der Bauer sät im Frühjahr den Weizen.* **2.** [K] *jd sät etw akk* etw verursachen *Unfrieden ~* ***Wobi: Saat***

• **Saft** [zaft] <-(e)s, Säfte> *der* Flüssigkeit aus Obst oder Gemüse *zum Frühstück frischen ~ anbieten* ***Komp: -presse, Apfel-, Orangen-, Tomaten-***

saf·tig ['zaftɪç] <saftiger, saftigst-> *adj* **1.** voll von Saft *Die Orangen sind besonders ~.* **2.** *(umg)* teuer *eine ~e Rechnung*

Sa·ge ['zaːgə] <-, -n> *die* sehr alte Erzählung über Helden und ihre Abenteuer *die ~ von Siegfried und dem Schatz der Nibelungen*

Sä·ge ['zɛːgə] <-, -n> *die* Werkzeug, mit dem man Holz und Metall zerschneiden kann *~ und Hammer im Werkzeugkasten aufbewahren* ***Wobi: sägen***

Säge

• **sa·gen** ['zaːgn̩] <sagt, sagte, gesagt> *tr* [K] *jd sagt etw akk* sich äußern, sprechen *Er sagte mir, dass er nach Hause geht.;* **Das hat nichts zu ~.** das bedeutet nichts *Es gibt Probleme? Das hat nichts zu ~.;* **wie man so (schön) sagt** verwendet, um auszudrücken, dass man einen häufigen Begriff/eine Redensart benutzt *Ihr ging es also um ‚Selbstverwirklichung', wie man so sagt.;* **sag bloß ...** verwendet, um die Hoffnung auszudrücken, dass etw nicht der Fall ist *Sag bloß, du hast vergessen, den Herd abzustellen?;* **Wem sagst du das/~ Sie das?** das weiß ich selbst *Wem sagst du das, ich habe dort selbst zehn Jahre gearbeitet.;* **etw sagt jdm etw/nichts** jd kennt einen Begriff (nicht) *Sagt dir der Begriff ‚Idiom' etwas?;* **jd kann etw laut ~** verwendet, um auszudrücken, dass man jds Meinung für richtig hält *Das ist eine Riesenenttäuschung! – Das kannst du aber laut ~!*

sah [za:] *prät von* **sehen**

• **Sah·ne** ['za:nə] <-, (-n)> *die* Teil der Milch mit sehr viel Fett, der durch Schlagen fest wird *Obstkuchen mit ~, Nehmen Sie ~ in den Kaffee?, eine Soße mit saurer ~* ***Komp: Kaffee-***

• **Sai·son** [zɛ'zõ:/zɛ'zɔŋ] <-, -s> *die* bestimmter Zeitabschnitt eines Jahres, in dem man etw Bestimmtes machen kann *Während der ~ herrscht am Strand Hochbetrieb.* ***Komp: Bade-, Sommer-, Urlaubs-, Winter-***

Sai·te ['zajtə] <-, -n> *die* eine Art Faden an einem Musikinstrument, mit dem man Töne produzieren kann *An der Gitarre ist eine ~ gerissen.;* **andere ~n aufziehen** *(umg)* strenger werden, härter durchgreifen *In Zukunft ziehe ich andere ~n auf.*

Sak·ko ['zako] <-s, -s> *der/das* Jacke für einen Mann *Das neue ~ passt ausgezeichnet zur grauen Hose.*

Sa·lär [za'lɛ:ɐ̯] <-(e)s, -e> *das* (ÖSTERR, CH) Gehalt *ein gutes ~ haben*

• **Sa·lat** [za'la:t] <-(e)s, -e> *der* **1.** eine kalte Speise aus Gemüse u.A., die man roh mit einer Soße z.B. aus Öl und Essig, Salz und Pfeffer isst. *Schweinebraten mit Knödeln und gemischtem ~, als Vorspeise einen ~ nehmen* **2.** Pflanze, aus der man einen Salat macht *einen ~ kaufen;* **Da haben wir den ~!** *(umg)* jetzt haben wir ein Problem *Da haben wir den ~! Warum hast du denn nicht aufgepasst!* ***Komp: -schüssel, Blatt-, Gurken-, Kartoffel-, Kopf-, Nudel-, Tomaten-***

• **Sal·be** ['zalbə] <-, -n> *die* medizinische Creme, die man auf die Haut streicht *Gegen die Verbrennungen verschreibt ihm der Arzt eine ~.*

• **Salz** [zalts] <-es, -e> *das* weißes Gewürz, mit dem Speisen pikanter gemacht werden *~ wird oft aus Meerwasser gewonnen, das man verdunsten lässt.;* **das ~ in der Suppe** das Interessante/Spannende an etw *Die Gefahr ist für ihn das ~ in der Suppe.* ***Wobi: salzen, salzig*** ***Komp: -streuer, Streu-***

Sa·men ['za:mən] <-s, -> *der* kleines Korn, aus dem eine neue Pflanze wachsen kann *Der ~ muss erst keimen, bevor daraus eine neue Blume wächst.*

Sam·mel·be·griff <-(e)s, -e> *der* Begriff, der mehrere gleichartige Dinge oder Lebewesen zusammenfasst *Literatur ist der ~ für alle Gattungen der Prosa und Lyrik.*

• **sam·meln** ['zamln̩] <sammelt, sammelte, gesammelt> **I.** *tr* **1.** [K] *jd sammelt etw akk* etw zu einer größeren Menge zusammentragen *Briefmarken ~* **2.** [K] ***jd sammelt etw*** *akk* ernten *im Herbst Pilze ~* **II.** *refl* **1.** [K] ***jd sammelt sich*** *akk* ***irgendwo*** sich an einem Punkt treffen *Die Gruppe sammelte sich vor dem Eingang.* **2.** [K] ***jd sammelt sich*** *akk* sich konzentrieren *Vor der Prüfung versuchte er noch einmal, sich zu ~.* ***Wobi:*** *Sammler, Sammlung*

Sams·tag ['zamsta:k] <-s, -e> *der* der 6. Tag der Woche *am ~ einen Stadtbummel machen*

sämt·lich ['zɛmtlɪç] <-, -> *adj* alle *~e Kinder, ~e Personen*

Sand [zant] <-(e)s> *der kein pl* feine, körnige Substanz aus sehr kleinen Steinen *im ~ spielen;* **Geld in den ~ setzen** *(umg)* umsonst viel Geld ausgeben *Er hat das ganze Geld in den ~ gesetzt.;* **im ~e verlaufen** ohne konkrete Ergebnisse bleiben *Die Verhandlungen verliefen im ~e.* ***Wobi:*** *sandig* ***Komp:*** *-kasten, -strand, Treib-*

San·da·le [zan'da:lə] <-, -n> *die* offener Sommerschuh *~n tragen.*

Sand·mann <-(e)s> *kein pl der* (≈*Sandmännchen*) Märchenfigur, die den Kindern abends Sand in die Augen streut, damit sie besser einschlafen *Abends erzählt die Mutter den Kindern vom ~.*

sand·te ['zantə] *prät von* **senden**

sanft [zanft] <sanfter, sanftest-> *adj* **1.** freundlich und gut, zärtlich *ein ~es Wesen haben, Sie hat eine ~e Art.* **2.** angenehm *~es Licht*

sang [zaŋ] *prät von* **singen**

• **Sän·ger(in)** ['zɛŋɐ] <-s, -> *der* jd, der singt *Der Chor besteht aus achtzig ~n.*

sa·nie·ren [za'ni:rən] <saniert, sanierte, saniert> *tr* [K] ***jd saniert etw*** *akk* ein Haus wieder modern machen, renovieren *Die Stadtverwaltung beschloss, die alten Häuser zu ~.* ***Wobi:*** *Sanierung*

sa·ni·tär [zani'tɛ:ɐ̯] <-, -> *adj* die Hygiene betreffend *~e Anlagen*

Sa·ni·tä·ter(in) [zani'tɛ:tɐ] <-s, -> *der* jd, der beruflich verletzten Menschen hilft *Die ~ trugen den Kranken auf der Bahre weg.*

sank [zaŋk] *prät von* **sinken**

sank·ti·o·nie·ren [zaŋkt͡si̯o'ni:rən] <sanktioniert, sanktionierte, sanktioniert> *tr* [K] ***jd sanktioniert etw*** *akk* offiziell bestätigen *Das neue Gesetz wurde vom Parlament sanktioniert.*

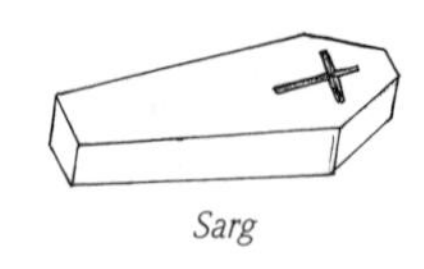

Sarg

Sarg [zark] <-(e)s, Särge> *der* großer langer Kasten, in den Tote gelegt werden *den ~ in das Grab hinablassen*

saß [za:s] *prät von* **sitzen**

Sa·tel·lit [zatɛ'li:t] <-en, -en> *der* Gerät, das in den Weltraum geschossen wird und dann um die Erde kreist *ein ~ zur Übertragung von Fernsehprogrammen*

• **satt** [zat] <satter, sattest-> *adj* **1.** nicht hungrig *Nach dem reichhaltigen Essen fühlte er sich richtig ~.* **2.** *nur attr* kräftig *~e Farben;* **etw ~ haben** *(umg)* etw nicht länger ertragen/akzeptieren, etw nicht mehr wollen *Ich habe dein ewiges Schimpfen ~.*

• **Satz** [zat͡s] <-es, Sätze> *der* **1.** LING eine abgeschlossene sprachliche Einheit aus mehreren Wörtern *Er antwortete ihr in kurzen Sätzen.* **2.** SPORT Spielabschnitt *Er führte im entscheiden Match mit zwei zu eins Sätzen.* **3.** bestimmte Zahl zusammengehöriger Gegenstände *Er kaufte sich einen kompletten ~ neuer Reifen.* **4.** MUS in sich geschlossener Teil eines Musikstücks *Sie hörten den ersten ~ der Brandenburgi-*

schen Konzerte.

Sat·zung ['zatsʊŋ] <-, -en> *die* schriftlich festgehaltene Ordnung/ Regeln z. B. eines Vereins *Das entspricht unserer ~.*

Satz·zei·chen <-s, -> *das* grafisches Zeichen, das einen Satz/Text gliedert *~ setzen, Punkt und Komma sind ~.*

• **sau·ber** ['zaubɐ] <sauberer, sauberst-> *adj* **1.** rein, nicht schmutzig *Das Badezimmer glänzte, so ~ war es.* **2.** *(umg)* gut *Das war ja eine ~e Leistung!;* ~ **machen** reinigen, putzen *die Küche ~ machen* ***Wobi: Sauberkeit***

säu·bern ['zɔybɐn] <säubert, säuberte, gesäubert> *tr* [K] ***jd säubert etw*** *akk/* ***jdn*** [***von etw*** *dat*] reinigen *Er säuberte seinen Anzug vom Staub.* ***Wobi: säuberlich, Säuberung***

• **Sau·ce** ['zoːsə] <-, -n> *siehe* **Soße**

• **sau·er** ['zauɐ] <saurer, sauerst-> *adj* **1.** (↔*süß*) so, dass etw viel Säure enthält *Die Äpfel schmecken ziemlich ~.* **2.** CHEM so, dass etw Säure enthält *saurer Regen* **3.** nicht mehr gut, schlecht *Die Milch ist ~.* **4.** *(umg)* verärgert, wütend *Ich glaube, er war ziemlich ~ wegen meiner Verspätung., Er ist ~ auf mich.*

Sau·e·rei [zauə'rai] <-, -en> *die (umg)* Schweinerei *So 'ne ~!*

Sau·er·kraut <-(e)s> *kein pl das* in Essig eingelegter, kleingeschnittener Weißkohl *Würstchen mit ~*

Sau·er·stoff ['zauɐʃtɔf] <-(e)s> *kein pl der* chemisches Element *Menschen und Tiere brauchen ~.* ***Komp: -flasche, -maske, -zelt***

sau·fen ['zaufn̩] <säuft, soff, gesoffen> **I.** *tr* **1.** (*ein Tier*) [K] ***ein Tier säuft etw*** *akk* trinken *Das Pferd säuft Wasser aus der Tränke.* **2.** (*ein Mensch umg! pej*) [K] ***jd säuft etw*** *akk* sehr viel Alkohol trinken *eine Flasche nach der anderen ~* **II.** *itr* (*umg! pej*) sehr viel Alkohol trinken *~ wie ein Loch*

Säu·fer(in) ['zɔyfɐ] <-s, -> *der* (*umg! pej*) jd, der zu viel Alkohol trinkt *jdn einen ~ nennen*

sau·gen[1] ['zaugn̩] <saugt, sog, gesogen> *itr* Flüssigkeit mit den Lippen in den Mund hineinziehen *Das Baby sog an der Flasche.;* **sich etw aus den Fingern** ~ *(umg)* etw frei erfinden *Sie hat sich die Geschichte aus den Fingern gesogen.*

sau·gen[2] ['zaugn̩] <saugt, saugte, gesaugt> *tr* [K] ***jd saugt etw*** *akk* mit einem Staubsauger reinigen *Sie saugte das Wohnzimmer.*

Säu·ge·tier <-(e)s, -e> *das* Tier, das seine Jungen mit Milch ernährt *Schweine sind ~e.*

Säug·ling ['zɔyklɪŋ] <-s, -e> *der* Baby, Neugeborenes *Wie alt ist denn der ~?*

Säu·le ['zɔylə] <-, -n> *die* senkrechte, runde Stütze in einem Gebäude *Das Vordach ruht auf fünf ~n.*

Säule

Saum [zaum] <-(e)s, Säume> *der* nach innen umgeschlagener Stoffrand an einem Kleidungsstück *Der ~ ihres Kleides ist aufgegangen.*

Sau·na ['zauna] <-, -s/Saunen> *die* sehr heißer Raum, in den man geht, um stark zu schwitzen *in die ~ gehen*

Sa·xo·fon [zakso'foːn] <-(e)s, -e> *das* ein Blasinstrument *in einer Jazzband ~ spielen* ***Wobi: Saxofonist(in)***

S-Bahn <-, -en> *die* schneller Zug, der vor allem in Großstädten ein-

S

gesetzt wird *Der Vorort ist durch die ~ mit der Großstadt verbunden.*

schä·big ['ʃɛːbɪç] <**schäbiger, schäbigst-**> *adj* **1.** abgenutzt, nicht schön *eine ~e Jacke* **2.** schlecht, gemein *ein ~er Charakter*

Schach [ʃax] <**-s**> *kein pl das* **1.** Brettspiel für zwei Personen mit je 32 schwarzen und weißen Feldern, auf denen je 16 Figuren bewegt werden. Ziel eines Spielers ist es, den König des Gegners zu schlagen *Spielst du ~?* **2.** Spielstellung, die den König bedroht *~!;* **jdn in ~ halten** bedrohen *Mit seiner Pistole hielt der Räuber die Angestellten in ~.* ***Komp:* *-brett, -spiel***

- **Schach·tel** ['ʃaxtl̩] <**-, -n**> *die* kleiner Karton, Päckchen *Fotos in einer ~ aufbewahren, eine ~ Zigaretten*
- **scha·de** ['ʃaːdə] <**-, -**> *nur präd adj* **1.** bedauerlich, traurig *Es ist ~, dass du nicht zu meinem Geburtstag kommen kannst.* **2.** so, dass etw zu wertvoll für einen bestimmten Zweck ist *Das Buch ist für ein so kleines Kind zu ~., sich für etw zu ~ sein*

Schä·del ['ʃɛːdl̩] <**-s, -**> *der* der Teil des Kopfes, der aus Knochen besteht *ein kantiger ~;* **jdm brummt der ~** *(umg)* jd hat Kopfschmerzen *Mir brummt der ~ vom Lernen.*

- **Scha·den** ['ʃaːdn̩] <**-s, Schäden**> *der* das Kaputtsein, Zerstörung *Das Auto hat einen ~., einen ~ wieder gutmachen;* **einen ~ anrichten** machen, dass etw kaputt geht *Er hat einen großen ~ angerichtet.* ***Komp:* *-ersatz, Total-***
- **scha·den** ['ʃaːdn̩] <**schadet, schadete, geschadet**> *itr* für jdn/etw negativ sein *Rauchen schadet der Gesundheit., Ein wenig frische Luft schadet dir gar nichts.*

Scha·den·freu·de <**-**> *kein pl die* Freude über das Leid eines anderen *Sie lachte vor ~, als sie hörte, dass er denselben Fehler gemacht hatte wie sie.* ***Wobi:* *schadenfroh***

schä·di·gen ['ʃɛːdɪgn̩] <**schädigt, schädigte, geschädigt**> *tr* K ***jd/etw schädigt jdn/etw*** *akk* einen Schaden verursachen *Die Gerüchte ~ seinen guten Ruf.*

schäd·lich ['ʃɛːtlɪç] <**schädlicher, schädlichst-**> *adj* ungesund *Rauchen ist ~.*

Schäd·ling ['ʃɛːtlɪŋ] <**-s, -e**> *der* kleines Tier, das einer Pflanze schadet *~e chemisch/mit natürlichen Mitteln bekämpfen*

Schad·stoff <**-(e)s, -e**> *der* chemischer Stoff, der der Umwelt schadet *die ~e in der Luft*

Schaf

Schaf [ʃaːf] <**-(e)s, -e**> *das* Tier, das Wolle, Milch und Fleisch liefert *die ~e füttern.;* **das schwarze ~** der Außenseiter in einer Gruppe *Weil er die Ausbildung abgebrochen hatte, war er das schwarze ~ der Familie.*

Schä·fer·hund <**-(e)s, -e**> *der* einem Wolf ähnlicher Hund, der oft als Wach- oder Polizeihund dient *Polizeihunde sind oft ~e.*

- **schaf·fen**[1] ['ʃafn̩] <**schafft, schuf, geschaffen**> *tr* K ***jd schafft etw*** *akk* (zum ersten Mal) machen, realisieren, einrichten *ein Kunstwerk ~, Arbeitsplätze ~*
- **schaf·fen**[2] ['ʃafn̩] <**schafft, schaffte, geschafft**> *tr* K ***jd schafft etw*** *akk* fertig bringen *Das wäre geschafft!;* **Ordnung ~** aufräumen *im Büro mal wieder Ordnung ~;* **Klarheit ~** etw erklären, Missverständnisse klären *Ein Wort von ihm könnte Klarheit ~.*

Schaff·ner(in) ['ʃafnɐ] <**-s, -**> *der* jd, der im Zug die Fahrkarten kontrolliert *Der ~ fragte nach den Fahrkarten.*

Schal [ʃa:l] <-s, -e/-s> *der* längeres Tuch, das man zum Schutz gegen Kälte um den Hals trägt *Er legte sich den ~ um den Hals.*

Scha·le ['ʃa:lə] <- , -n> *die* **1.** flaches Gefäß *eine ~ mit Weintrauben* **2.** äußere ‚Haut' einer Frucht *Der Apfel hat aber eine harte ~.;* **sich in ~ werfen** *(umg)* sich schick anziehen *sich für die Hochzeit in ~ werfen*

schä·len ['ʃɛ:lən] <schält, schälte, geschält> **I.** *tr* K *jd schält etw akk* die äußere ‚Haut' entfernen *Kartoffeln ~* **II.** *refl* K *etw schält sich* Haut löst sich nach einem Sonnenbrand *Nach dem Sonnenbrand schälte sich sein Rücken.*

Schall [ʃal] <-(e)s, (-e/Schälle)> *der* alle Schwingungen, die Menschen und Tiere hören können *Manche Flugzeuge können schneller fliegen als der ~.* ***Wobi:* beschallen, schalldicht *Komp:* -dämpfer, Ultra-**

Schall·plat·te <-, -n> *die* größere runde Scheibe mit Musik *eine ~ auflegen*

Schallplatte

• **schal·ten** ['ʃaltn̩] <schaltet, schaltete, geschaltet> *itr* **1.** K *jd schaltet etw akk auf …* ein Gerät einstellen, indem man einen Schalter betätigt *Er schaltet die Steuerung auf Automatik.* **2.** KFZ einen anderen Gang einlegen *in den dritten (Gang) ~* **3.** *(umg)* reagieren *Er schaltete blitzschnell und trat auf die Bremse.*

• **Schal·ter** ['ʃaltɐ] <-s, -> *der* **1.** EL ein Knopf oder (kleiner) Hebel *Er ging zum ~ und knipste das Licht an und aus.* ***Komp:* Licht- 2.** eine Art Theke, an der z. B. Fahrkarten verkauft werden *sich am ~ eine Fahrkarte nach München kaufen* ***Komp:* Fahrkarten-, Post-**

Schalt·jahr <-(e)s, -e> *das* ein Jahr, in dem der Februar 29 Tage hat *Das Jahr 2.000 ist ein ~.*

Schalt·tag <-(e)s, -e> *der* zusätzlicher Tag in jedem Schaltjahr *Der ~ ist immer der 29. Februar.*

Schal·tung <-, -en> *die* Gerät zum Wechseln zwischen den Gängen, z. B. bei einem Auto *die ~ betätigen* ***Komp:* Gang-, Ketten-, Naben-**

schä·men ['ʃɛ:mən] <schämt, schämte, geschämt> *refl* **1.** K *jd schämt sich akk [vor jdm]* sich schlecht fühlen, weil einem eine Situation zu intim ist *Nach dem Sport duscht sie sich nie mit den anderen, weil sie sich schämt.* **2.** K *jd schämt sich akk [für etw akk]* sich schlecht fühlen, weil man etw Falsches/Dummes gemacht hat *Er schämt sich für sein Verhalten.* ***Wobi:* Scham, beschämend**

Schan·de ['ʃandə] <-> *kein pl die* **jdm ~ machen** dem Ruf einer Person schaden *Mach uns keine ~!*

• **scharf** [ʃarf] <schärfer, schärfst-> *adj* **1.** so, dass etw gut schneidet *ein ~es Messer* **2.** stark gewürzt, z. B. mit viel Pfeffer *~es Essen* **3.** streng *gegen Kriminalität ~ durchgreifen* **4.** *(umg)* so, dass man jdn/etw unbedingt haben möchte *jdn ganz ~ auf etw machen, ~ auf jdn/etw sein*

Schär·fe ['ʃɛrfə] <-, -n> *die* **1.** Eigenschaft zu schneiden *Er prüfte die ~ der Klinge.* **2.** FOT Klarheit eines Fotos *Die ~ des Fotos ist optimal.* **3.** Deutlichkeit *Das muss einmal in aller ~ gesagt werden.*

schär·fen ['ʃɛrfn̩] <schärft, schärfte, geschärft> *tr* K *jd* *schärft etw akk* schleifen, scharf machen *Messer ~*

• **Schạt·ten** ['ʃatn̩] <**-s, -**> *der* **1.** vor Sonne geschützter Ort *Der alte Mann ruhte sich im ~ aus.* **2.** schwarzes Bild vom Körper auf dem Boden, wenn die Sonne scheint *Abends werden die ~ länger.;* **in jds ~ stehen** weniger beachtet werden als jd anders *Er steht im ~ seiner Frau.;* **jdn in den ~ stellen** jdn durch die eigene Leistung unbedeutend erscheinen lassen *Sie stellte mich mit ihrem Sieg in den ~.*

schạt·tig ['ʃatɪç] <**schattiger, schattigst-**> *adj* so, dass es im Schatten liegt *Hinter dem Haus ist es immer ~.*

Schạtz [ʃat͜s] <**-es, Schätze**> *der* **1.** Sammlung wertvoller Gegenstände *einen ~ an einem geheimen Ort vergraben* **2.** Liebste(r) *Seine Frau ist für ihn sein größter ~., ~, kannst du mal kommen?*

schä̜t·zen ['ʃɛt͜sn̩] <**schätzt, schätzte, geschätzt**> *tr* **1.** [K] ***jd schätzt jdn/etw*** *akk* hochachten, ehren *etw zu ~ wissen, gering ~* **2.** [K] ***jd schätzt etw*** *akk* ***irgendwie*** vermuten; etw annehmen, ohne genaue Informationen zu haben *Wie alt schätzt du ihn?* **3.** [K] ***ich schätze, dass ...*** *(umg)* ich nehme an, dass ..., ich vermute ... *Ich schätze, dass er mal wieder zu spät kommt.*

Schä̜t·zung <**-, -en**> *die* Vermutung/Annahme über die Größe/den Umfang von etw *Nach einer ersten ~ beläuft sich der Schaden auf etwa 50.000 Euro.*

schä̜t·zungs·wei·se *adv* ungefähr, circa *Es handelt sich ~ um tausend Stück Vieh.*

• **schau·en** ['ʃa͜uən] <**schaut, schaute, geschaut**> *itr* **1.** [K] ***jd schaut irgendwie*** einen bestimmten Gesichtsausdruck machen *böse/finster/freundlich ~, aus dem Fenster ~* **2.** [K] ***jd schaut irgendwohin*** blicken, gucken *aus dem Fenster ~, Schau mal her!*

schau·er·lich *adj* so, dass es Angst macht *ein ~er Anblick*

2

Schaufel und Besen

Schau·fel ['ʃa͜ufl̩] <**-, -n**> *die* **1.** ein Gerät, mit dem man ein Loch in die Erde macht *Er nahm die ~ und grub ein Loch.* **2.** Gerät zum Saubermachen, auf das man den Dreck tut *~ und Besen*

schau·feln ['ʃa͜ufl̩n] <**schaufelt, schaufelte, geschaufelt**> *tr* **1.** [K] ***jd schaufelt etw*** *akk* graben, mit einer Schaufel Erde entfernen *ein Loch ~* **2.** *(umg)* [K] ***jd schaufelt etw*** *akk* [***in sich*** *akk* ***hinein***] sehr schnell essen, ohne richtig zu kauen *Er schaufelte das Essen in sich hinein.*

• **Schau·fens·ter** <**-s, -**> *das* Fenster eines Geschäfts, in dem die Ware ausgestellt wird *~ ansehen, ein ~ dekorieren* ***Komp:*** ***-auslage, -bummel, -puppe***

Schau·kel ['ʃa͜ukl̩] <**-, -n**> *die* Holzbrett, das an zwei Seilen hängt und auf dem man hin und her schwingen kann *Als Kinder hatten wir eine ~ in unserem Garten.* ***Wobi: schaukeln***

Schau·lus·ti·ge(r) <**-n, -/-n**> *der meist pl* (*pej*) jd, der sehen will, was bei einem Unfall passiert ist *Der Unfall lockte viele ~ an.*

Schaum [ʃa͜um] <**-(e)s**> *kein pl der* viele kleine weiße oder graue Luftblasen, die aneinander kleben *Die Badewanne war voller ~.*

Schau·platz <**-(e)s, -plätze**> *der* Ort des Geschehens *Sie gingen an den ~ des Verbrechens.*

Schau·spiel ['ʃa͜uʃpiːl] <**-(e)s, -e**> *das* **1.** THEAT Aufführung, Stück *Das neue ~ kommt beim Publikum gut an.* **2.** Anblick *Der Sturm war ein beeindruckendes ~.*

- **Schau·spie·ler(in)** ['ʃauʃpi:lɐ] <-s, -> *der* jd, der in einem Theaterstück oder Film mitspielt *Bekannte ~ spielen in dem Stück mit.*
- **Scheck** [ʃɛk] <-s, -s> *der* (= CH *Check*) Formular, das man zum Bezahlen benutzen kann, wenn man bei einer Bank ein Konto hat *einen ~ ausstellen, einen ~ einlösen*
- **Scheck·kar·te** <-, -n> *die* Plastikkarte, die als Ausweis gilt, wenn man Geld von seinem Konto haben möchte *mit der ~ Geld abheben*

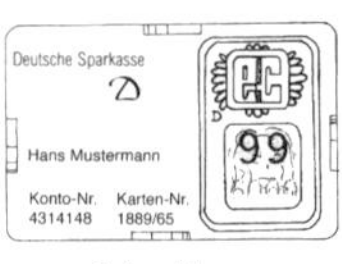

Scheckkarte

Schei·be ['ʃaibə] <-, -n> *die* **1.** flacher, runder Gegenstand *Galileo hat behauptet, die Erde sei keine ~.* **2.** Fensterscheibe *die ~n putzen* **3.** ein dünn geschnittenes Stück von einem Nahrungsmittel *Ich hätte gerne noch eine ~ Brot/Käse/Wurst.;* **sich von jdm eine ~ abschneiden können** *(umg)* sich jdn zum Vorbild nehmen *Von deinem Bruder kannst du dir eine ~ abschneiden.*

Schei·ben·wi·scher <-s, -> *der* ein Gerät, das bei Regen die Scheiben eines Autos sauber hält *bei Regen die ~ einschalten*

- **schei·den** ['ʃaidn̩] <scheidet, schied, geschieden> *tr* [K] ***jd scheidet jdn/etw*** *akk* eine Ehe für ungültig erklären *Der Richter hat die Ehe geschieden.;* **jd ist geschieden** jd ist nicht mehr verheiratet *Sind Sie ledig, verheiratet oder geschieden?;* **sich ~ lassen** die Ehe auflösen lassen, sich trennen *Wir lassen uns ~.*

Schei·dung <-, -en> *die* Auflösung einer Ehe *die ~ einreichen, in ~ leben*

- **Schein¹** [ʃain] <-(e)s, -e> *der* (≈*Geldschein*) Banknote *Münzen und ~e* ***Komp: Zehneuro-, Zwanzigeuro-, Hunderteuro-***
- **Schein²** [ʃain] <-(e)s> *kein pl der* **1.** das Leuchten, Reflexion *im schwachen ~ des Lichtes* **2.** äußeres Ansehen, Anschein *den ~ wahren, Der ~ trügt oft.*

schein·bar *adj* nicht wirklich, nur nach außen *Er antwortete ihr mit ~er Betroffenheit.*

- **schei·nen** ['ʃainən] <scheint, schien, geschienen> *itr* **1.** leuchten *Die Sonne scheint.* **2.** wirken, als ob *Er scheint es wirklich zu sein.*

Schein·wer·fer <-s, -> *der* sehr helle, weit reichende Lampe, z. B. am Auto *im Dunkeln die ~ einschalten, auf der Baustelle ~ aufstellen*

schei·tern ['ʃaitɐn] <scheitert, scheiterte, gescheitert> *itr* *<sein>* nicht gelingen *Der Versuch ist gescheitert., Der Plan scheiterte am Widerstand der Bevölkerung.*

Sche·ma ['ʃe:ma] <-s, -s/-mata> *das* **1.** Plan, Muster *nach einem bestimmten ~ vorgehen* **2.** Diagramm *Das ~ zeigt die Struktur der Firma.*

Schen·kel ['ʃɛŋkl̩] <-s, -> *der* Teil des Beines von der Hüfte bis zum Knie und vom Knie bis zum Fuß *sich auf die ~ schlagen* ***Komp: Ober-, Unter-***

- **schen·ken** ['ʃɛŋkn̩] <schenkt, schenkte, geschenkt> **I.** *tr* [K] ***jd schenkt jdm etw*** *akk* jdm etw geben, ohne dafür Geld zu erwarten *Er schenkte ihr zum Geburtstag einen Ring.* **II.** *refl* [K] ***jd schenkt sich*** *dat* ***etw*** *akk (umg)* sein lassen, etw nicht tun *Er schenkte sich einen erneuten Versuch.;* **Das ist geschenkt!** das ist sehr billig *Sie kriegen alles zwanzig Prozent billiger, das ist geschenkt!*

Scher·be ['ʃɛrbə] <-, -n> *die* Teil eines zerbrochenen Gegenstandes aus Glas/Porzellan *Die Fensterscheibe ist in tausend ~n zerbrochen.*

Schere

• **Sche·re** ['ʃeːrə] <-, -n> *die* Gegenstand, mit dem man Stoff, Papier usw. schneidet *mit einer ~ die Haare schneiden*

Sche·re·rei [ʃeːrə'rai̯] <-, -en> *meist pl die (umg)* Ärger, Schwierigkeiten *jdm viele ~en machen*

Scherz [ʃɛrts] <-es, -e> *der* Spaß, Jux, Witz *Das war nur ein ~., Ich bin nicht zu ~en aufgelegt.* ***Wobi: scherzen, scherzhaft***

Scherz·keks <-es, -e> *der (umg)* lustige Person, über deren Scherz man aber nicht unbedingt lachen kann *Dein Bruder ist aber auch ein ~.*

scheu [ʃɔy̯] <scheuer, scheust-> *adj* sehr ängstlich, schüchtern *~ wie ein Reh*

scheu·en ['ʃɔy̯ən] <scheut, scheute, gescheut> **I.** *tr* [K] ***jd scheut etw** akk* etw vermeiden wollen, Angst haben vor etw *Er scheut die Verantwortung., keine Mühe ~, keine Kosten ~* **II.** *refl* **1.** [K] ***jd scheut sich** akk **davor, etw zu tun/vor etw** dat* etw nicht tun wollen *Sie scheut sich davor, ihn anzurufen.* **2.** [K] ***jd scheut sich** akk [**vor jdm**]* Angst haben *Er scheut sich vor nichts und niemandem.*

scheu·ern ['ʃɔy̯ɐn] <scheuert, scheuerte, gescheuert> **I.** *tr* [K] ***jd scheuert etw** akk* putzen, schrubben *Sie nahm den Schrubber und scheuerte den Fußboden.* **II.** *itr* [K] ***etw scheuert** [**an etw** dat]* sich reiben *Die neuen Schuhe ~.;* **jdm eine** ~ *(umg)* jdm eine Ohrfeige geben *Mensch, ich scheuer dir gleich eine!*

Scheu·ne ['ʃɔy̯nə] <-, -n> *die* Holzhaus, in dem man Stroh, Getreide oder Geräte aufbewahrt *Der Bauer lagert in seiner ~ Stroh und Weizen.*

scheuß·lich ['ʃɔy̯slɪç] <scheußlicher, scheußlichst-> *adj* hässlich, fürchterlich *Das ist ja ein ~es Wetter!*

• **Schicht** ['ʃɪçt] <-, -en> *die* **1.** flach verteilte Menge einer Substanz *eine ~ Farbe auftragen, Auf den Büchern liegt eine dicke ~ Staub.* **2.** gesellschaftliche Klasse *Leute aus allen ~en* **3.** Abschnitt des Arbeitstages in einem (Industrie-)Betrieb *Die Früh~ endet um 12 Uhr.* ***Komp: Bevölkerungs-, Früh-, Nacht-, Spät-, -arbeit, -wechsel***

• **schick** [ʃɪk] <schicker, schickst-> *adj* elegant, modisch *ein ~es Kleid*

• **schi·cken** ['ʃɪkn̩] <schickt, schickte, geschickt> *tr* **1.** [K] ***jd schickt jdn irgendwohin*** jdm einen Auftrag geben, irgendwohin zu gehen und etw zu erledigen *jdn einkaufen ~* **2.** [K] ***jd schickt etw** akk [**irgendwohin**]* transportieren lassen *Er schickte mir die Unterlagen per Post., Schick ihm die Ergebnisse per Fax/E-Mail.*

Schick·sal ['ʃɪkzaːl] <-s, -e> *das* Bestimmung, Los *Jeder Mensch hat sein eigenes ~.;* **jdn seinem ~ überlassen** jdm nicht helfen *Anstatt seinem Freund zu helfen, überließ er ihn seinem ~.*

• **schie·ben** ['ʃiːbn̩] <schiebt, schob, geschoben> *tr* [K] ***jd schiebt etw** akk **irgendwohin*** etw nach vorne bewegen *den Kinderwagen ~, Er schob den Schrank in die andere Ecke.*

Schieds·rich·ter(in) <-s, -> *der* Person, die bei Ballspielen aufpasst, dass die Spieler die Regeln einhalten *Der ~ pfiff das Spiel ab.*

• **schief** [ʃiːf] <schiefer, schiefst-> *adj* krumm, nicht gerade *Dein Hut sitzt ~!, Das Bild hängt ~.;* **jdn ~ ansehen** *(umg)* jdm misstrauen

Warum wird er von den Kollegen ~ angesehen?

schie·len ['ʃiːlən] <schielt, schielte, geschielt> *itr* **1.** einen Augenfehler haben, bei dem die Blickrichtung der beiden Augen nicht parallel ist *Weil er stark schielt, muss er eine Brille tragen.* **2.** heimlich nach etw schauen *um die Ecke ~*

schien [ʃiːn] *prät von* **scheinen**

Schien·bein ['ʃiːnbain] <-(e)s, -e> *das* vorderer Unterschenkelknochen *jdm gegen das ~ treten*

schie·ßen ['ʃiːsn̩] <schießt, schoss, geschossen> **I.** *tr* [K] ***jd schießt ein Tier*** mit einer Schusswaffe töten *Der Jäger hat zwei Hasen geschossen.* **II.** *itr* eine Schusswaffe gebrauchen *Der Bankräuber schoss blitzschnell.* **III.** *itr* <sein> *(umg)* sich schnell bewegen *Ein Auto schoss um die Ecke.*

• **Schiff** [ʃɪf] <-(e)s, -e> *das* großes Wasserfahrzeug *Ein ~ läuft aus dem Hafen aus., Im Hafen liegen viele ~e vor Anker., An Bord des ~es waren 1.000 Passagiere.* ***Komp: -bruch, -fahrt, Kriegs-, Segel-***

Schiff

schi·ka·nie·ren [ʃika'niːrən] <schikaniert, schikanierte, schikaniert> *tr* [K] ***jd schikaniert jdn*** quälen, jdm Schwierigkeiten machen *die Lehrlinge ~* ***Wobi: Schikane***

• **Schild** [ʃɪlt] <-(e)s, -er> *das* Tafel mit einer Information *Das ~ zeigt absolutes Halteverbot an., Auf dem ~ steht „Betreten verboten!“.* ***Komp: Namens-, Stopp-, Verkehrs-***

Schild·krö·te ['ʃɪltkrøːtə] <-, -n> *die* kriechendes Tier mit vier kurzen Beinen und einem Panzer *Bei Gefahr zieht die ~ den Kopf und die Beine in ihren Panzer.* ***Komp: Riesen-, Wasser-***

schil·lern ['ʃɪlɐn] <schillert, schillerte, geschillert> *itr* glänzen, Licht in verschiedenen Farben reflektieren *Der Ölfilm schillerte auf dem Wasser.*

• **Schilling** ['ʃɪlɪŋ] <-s, -(e)> *der* österreichische Währungseinheit bis zur Einführung des Euro (1S = 100 Groschen) *Das macht genau 45 ~.*

Schim·mel[1] ['ʃɪml̩] <-s, -> *der* weißes Pferd *auf einem ~ reiten*

Schim·mel[2] ['ʃɪml̩] <-s> *kein pl der* Pilz, der auf feuchten/faulen Lebensmitteln entsteht *Das Brot war von ~ überzogen.* ***Wobi: schimmeln, verschimmelt***

schim·mern ['ʃɪmɐn] <schimmert, schimmerte, geschimmert> *itr* schwach leuchten *Die Sterne ~ am Himmel.*

Schim·pan·se [ʃɪm'panzə] <-n, -n> *der* kleinster Menschenaffe *im Zoo ~n sehen*

• **schimp·fen** ['ʃɪmpfn̩] <schimpft, schimpfte, geschimpft> *itr* seine Wut laut aussprechen *Er schimpfte über die neue Steuer., Sie schimpft mit ihrem Kind., Die Mitarbeiter ~ auf ihren Chef.* ***Wobi: Schimpfwort***

Schin·ken ['ʃɪŋkn̩] <-s, -> *der* Fleisch, das geräuchert wird, damit es lange haltbar ist *den ~ aufschneiden, Schwarzwälder ~*

• **Schirm** [ʃɪrm] <-(e)s, -e> *der* Schutz gegen Regen oder Sonne aus einem Stiel und einem (großen) Stück Stoff *Obwohl es regnete, nahm er keinen ~ mit.* ***Komp: Regen-, Sonnen-***

Schlacht [ʃlaxt] <-, -en> *die* Kampf; Teil eines Krieges *Die ~ dauerte mehrere Tage.* ***Komp: -feld***

Schirm

S

schlach·ten ['ʃlaxtn̩] <schlachtet, schlachtete, geschlachtet> *tr* [K] ***jd schlachtet ein Tier*** ein Tier töten und zerteilen *ein Schwein ~* ***Wobi: Schlachter***

Schlaf [ʃlaːf] <-(e)s> *kein pl der* Ruhezustand des Körpers in der Nacht *keinen ~ finden, einen festen/leichten ~ haben*

Schlaf·an·zug <-(e)s, -züge> *der* (≈*Pyjama*) Kleidungsstück, das man zum Schlafen trägt *sich den ~ anziehen*

Schlä·fe ['ʃlɛːfə] <-, -n> *die* Teil des Kopfes zwischen Auge und Ohr *sich die ~n reiben*

• **schla·fen** ['ʃlaːfn̩] <schläft, schlief, geschlafen> *itr* im Zustand des Schlafes sein *Er lag im Bett und schlief tief und fest.;* **bei jdm** ~ irgendwo übernachten *Heute dürfen die Kinder bei ihren Großeltern ~.;* **mit jdm** ~ Geschlechtsverkehr haben *Sie haben noch nicht miteinander geschlafen.*

schlaff [ʃlaf] <schlaffer, schlaffst-> *adj* **1.** kraftlos *Seine Arme hingen ~ herab.* **2.** welk, matt *Ihre Haut ist ganz ~.*

Schlaf·sack <-(e)s, -säcke> *der* ein warmer Sack, in dem man schlafen kann *zum Zelten den ~ mitnehmen*

Schlaf·zim·mer <-s, -> *das* Raum, in dem man schläft *das ~ vor dem Schlafengehen lüften*

Schlag [ʃlaːk] <-(e)s, Schläge> *der* **1.** heftiger Stoß *Er bekam von seinem Gegner einen ~ auf die Brust.* **2.** EL Stromstoß *Als er den kaputten Stecker aus der Dose zog, bekam er einen ~.;* **ein ~ ins Gesicht** Beleidigung *Die Ablehnung war für ihn ein ~ ins Gesicht.;* **mit einem** ~ plötzlich *Mit einem ~ waren all ihre Träume zerstört.;* **~ auf ~** sehr schnell hintereinander *Dann ging alles ~ auf ~.*

Schlag·an·fall <-(e)s, -fälle> *der* MED Störung im Gehirn *einen ~ bekommen*

• **schla·gen** ['ʃlaːgn̩] <schlägt, schlug, geschlagen> **I.** *tr* **1.** [K] ***jd schlägt jdn*** prügeln, hauen *jdn ins Gesicht ~* **2.** [K] ***jd schlägt jdn*** besiegen *jdn im Tennis ~* **II.** *refl* [K] ***jd schlägt sich*** *akk* ***mit jdm*** sich prügeln *Er hat sich mit seinem Klassenkameraden geschlagen.;* **sich gut** ~ *(umg)* etw gut machen *Er hat sich im Wettbewerb gut geschlagen.* **III.** *itr* die Uhrzeit anzeigen *Gerade hat es vier geschlagen.*

Schla·ger ['ʃlaːgɐ] <-s, -> *der* **1.** MUS Lied in Deutsch mit einfacher Melodie und einfachem Text *~ handeln meist von Liebe.* **2.** (≈*Hit*) etw, das zeitweise sehr beliebt ist *Die neuen Spiele sind ein echter ~.* ***Komp: Kassen-, Verkaufs-***

Schlä·ge·rei [ʃlɛːgə'rai] <-, -en> *die* das Sich Schlagen mehrerer Personen *In der Kneipe brach eine wüste ~ aus.*

schlag·fer·tig <schlagfertiger, schlagfertigst-> *adj* so, dass man schnell witzig und intelligent antworten kann *eine ~e Antwort*

Schlag·loch <-(e)s, -löcher> *das* größeres Loch in der Straße *eine Straße mit vielen Schlaglöchern*

• **Schlag·o·bers** <-> *kein pl das* (ÖSTERR) *siehe* **Schlagsahne**

Schlag·sah·ne <-, (-n)> *die* (≈*Sahne*) Teil der Milch mit sehr viel Fett, der durch Schlagen fest wird *Kuchen mit ~*

Schlag·wort <-(e)s, -wörter> *das* ungenau gebrauchter Begriff *Das ist nur ein ~.*

• **Schlag·zei·le** <-, -n> *die* Überschrift in einer Zeitung *~n machen*

Schlag·zeug <-(e)s, -e> *das* MUS ein Instrument, das aus mehreren

Trommeln besteht und das man im Sitzen spielt *in einer Jazzband ~ spielen* ***Wobi:* Schlagzeuger**

Schlamm [ʃlam] <-(e)s> *kein pl der* feuchte, aufgeweichte Erde *Nach all dem Regen blieb der Wagen im ~ stecken.*

schlam·pig ['ʃlampɪç] <schlampiger, schlampigst-> *adj* **1.** unordentlich *Deine Freundin ist ziemlich ~.* **2.** nicht sorgfältig, nicht genau *Da haben Sie aber ~ gearbeitet.*

Schlan·ge ['ʃlaŋə] <-, -n> *die* **1.** ZOOL längliches Tier ohne Beine *Die Kobra ist eine sehr giftige ~.* **2.** lange Reihe *eine lange Auto~, Die Menschen stehen an der Kasse ~.* ***Komp:* *Auto-, Menschen-***

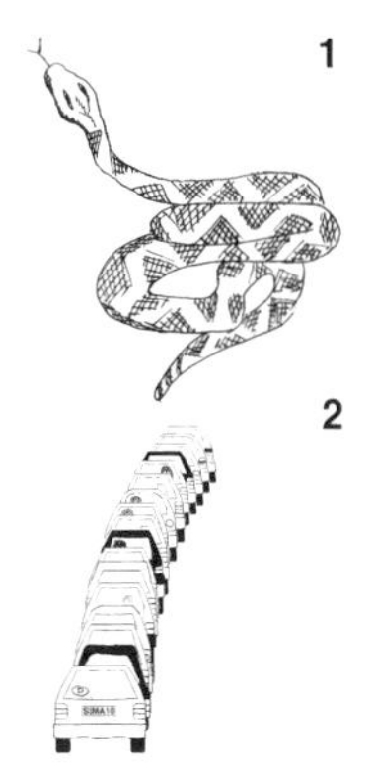

Schlange

• **schlank** [ʃlaŋk] <schlanker, schlankst-> *adj* (↔*dick*) dünn *eine ~e Figur haben*

schlau [ʃlau̯] <schlauer, schlaust-> *adj* klug, geschickt, intelligent *etw ~ anstellen*

Schlauch [ʃlau̯x] <-(e)s, Schläuche> *der* **1.** elastische Röhre aus Gummi oder Kunststoff, durch die Flüssigkeit fließt *Wasser durch einen ~ leiten* **2.** mit Luft gefüllte Gummiröhre für Autoreifen, Fahrradreifen etc. *Als er über eine Glasscherbe fuhr, platzte sein ~.* ***Komp:* *Fahrrad-, Garten-***

• **schlecht** [ʃlɛçt] <schlechter, schlechtest-> *adj* **1.** (↔*gut*) nicht gut, von geringer Qualität *Der Handwerker machte ~e Arbeit., Sie ist keine ~e Lehrerin., Er spricht ein ~es Deutsch.* **2.** nicht mehr zum Essen/Trinken geeignet *Die Milch ist ~.;* **jdm geht es ~** jd ist krank oder hat große finanzielle Probleme *Geht es ihm immer noch ~?, Den Nachbarn geht es zur Zeit ziemlich ~.;* **jdm ist ~** jd hat Magenschmerzen *Mir ist ~.;* **jd ist ~ gelaunt** jd hat schlechte Laune *Vorsicht, er ist heute ziemlich ~ gelaunt.*

schle·cken ['ʃlɛkn̩] <schleckt, schleckte, geschleckt> *tr* [K] ***jd schleckt etw** akk (umg)* (an) etw lecken *Er schleckte sein Eis.*

schlei·chen ['ʃlai̯çn̩] <schleicht, schlich, geschlichen> *itr <sein>* sich leise und vorsichtig bewegen *Sie schlich auf Zehenspitzen zur Tür.*

Schlei·er ['ʃlai̯ɐ] <-s, -> *der* feiner Stoff, der oft durchsichtig ist *den ~ heben;* **den ~ lüften** ein Geheimnis öffentlich machen *Sie lüftete den ~ ihrer Herkunft.* ***Komp:* *Hochzeits-***

schlei·er·haft <-, -> *adj (umg)* rätselhaft, unerklärlich *Es ist mir völlig ~, wie du das schaffst.*

Schlei·fe ['ʃlai̯fə] <-, -n> *die* eine Art geknotetes Band, das als Schmuck dient *eine ~ im Haar*

Schleife

schlei·fen ['ʃlai̯fən] <schleift, schliff, geschliffen> *tr* [K] ***jd schleift etw*** etw scharf oder glatt machen, indem man es reibt *Messer ~, das Holz ~*

Schlei·mer(in) <-s, -> *der (umg pej)* jd, der sich beliebt machen will und dafür auch lügt *Der neue Kollege ist ein richtiger ~.*

schlem·men ['ʃlɛmən] <schlemmt, schlemmte, geschlemmt> *itr* mit viel Genuss gut und viel essen *Wir haben am Sonntagabend geschlemmt.*

schlen·dern ['ʃlɛndɐn] <schlendert, schlenderte, geschlendert> *itr <sein>* gemütlich gehen *Hand in Hand durch den Park ~*

schlep·pen ['ʃlɛpn̩] <schleppt, schleppte, geschleppt> **I.** *tr* **1.** [K] ***jd schleppt etw** akk* etw mit großer Mühe hinter sich herziehen, schwer tragen *Er schleppte die Kisten bis in den dritten Stock.* **2.** [K] ***jd schleppt jdn irgendwohin*** *(umg)* jdn mitnehmen, obwohl er zuerst nicht will *Obwohl sie eigentlich nicht wollte, schleppte er sie mit auf die Party.* **II.** *refl* [K] ***jd schleppt sich*** *akk* ***irgendwohin*** sich mit letzter Kraft fortbewegen *Sie schleppte sich trotz Grippe zur Arbeit.*

schlep·pend <schleppender, schleppendst-> *adj* **1.** langsam und schwer *einen ~en Gang haben* **2.** langsam *Das Gespräch kam nur ~ in Gang.*

schleu·dern ['ʃlɔydɐn] <schleudert, schleuderte, geschleudert> **I.** *tr* **1.** [K] ***jd schleudert etw*** *akk* werfen, stoßen *In seiner Wut schleuderte er das Heft in die Ecke.* **2.** [K] ***jd schleudert etw*** *akk* Wäsche nach dem Waschen in einem Gerät schnell drehen, damit sie trockener wird *Wäsche ~* **II.** *itr* KFZ von der Fahrbahn abkommen, weil die Straße glatt/nass ist *Der Wagen schleuderte und prallte gegen einen Baum.* ***Wobi: Schleuder***

schleu·nigst *adv* so schnell wie möglich *Verschwinde, aber ~!*

schlich [ʃlɪç] *prät von* **schleichen**

schlicht [ʃlɪçt] <schlichter, schlichtest-> *adj* einfach, schmucklos *Sie trägt ein ~es Kleid.*

schlich·ten ['ʃlɪçtn̩] <schlichtet, schlichtete, geschlichtet> *tr* [K] ***jd schlichtet etw*** *akk* beruhigen *einen Streit ~* ***Wobi: Schlichtung***

schlief [ʃliːf] *prät von* **schlafen**

• **schlie·ßen** ['ʃliːsn̩] <schließt, schloss, geschlossen> **I.** *tr* **1.** [K] ***jd schließt etw*** *akk* zumachen *die Tür hinter sich ~, eine Datei ~* **2.** [K] ***jd schließt etw*** *akk* vereinbaren, abmachen *einen Vertrag ~* **II.** *itr* **1.** zumachen *Tut uns Leid, unser Geschäft ist geschlossen.* **2.** schlussfolgern *Aus ihren Äußerungen schloss er, dass sie ihn verlassen wollte.* ***Wobi: Schließung***

Schließ·fach <-(e)s, -fächer> *das* eine Art kleiner Schrank, den man mietet, um darin Sachen sicher aufzuheben *in der Bank ein ~ mieten, Er schloss seinen Koffer am Bahnhof in ein ~ ein.*

• **schließ·lich** ['ʃliːslɪç] *adv* **1.** endlich *S~ gestand er ihr seine Liebe.* **2.** am Ende *Er hat es ~ doch noch gemerkt.* **3.** verwendet, um etw zu betonen *Er ist ~ mein Bruder.*

• **schlimm** [ʃlɪm] <schlimmer, schlimmst-> *adj* schlecht, böse *eine ~e Zeit durchmachen, Es wird immer ~er., Es hätte ~er kommen können., Um so ~er!, Es könnte ~er sein.*

Schlips [ʃlɪps] <-es, -e> *der* Krawatte *zum Anzug einen ~ tragen;* **sich auf den ~ getreten fühlen** *(umg)* sich beleidigt fühlen *Durch ihre Witze fühlte er sich auf den ~ getreten.*

Schlit·ten ['ʃlɪtn̩] <-s, -> *der* Transportmittel, meist für Kinder, mit dem man auf Schnee fahren kann *~ fahren*

• **Schloss** [ʃlɔs] <-es, Schlösser> *das* **1.** Wohnsitz eines Königs u.Ä. *ein ~ besichtigen* **2.** Gerät zum Sichern z. B. eines Fahrrads *ein sicheres ~* **3.** Gerät zum Öffnen und Schließen einer Tür *Das ~ an der Haustür schließt nicht mehr richtig.;* **hinter ~ und Riegel sitzen** im Gefängnis sitzen *Er saß wegen eines Banküberfalls hinter ~ und Riegel.*

schloss [ʃlɔs] *prät von* **schließen**

1

2

Schloss

Schlụcht [ʃlʊxt] <-, -en> *die* ein tiefes, enges Tal *in eine ~ blicken*

schlụch·zen ['ʃlʊxtsn̩] <schluchzt, schluchzte, geschluchzt> *itr* weinen, sodass man es hört *Sie war sehr unglücklich und schluchzte vor sich hin.*

Schlụck [ʃlʊk] <-(e)s, -e> *der* so viel Flüssigkeit, wie man auf einmal in den Mund nimmt *Er trank einen ~ aus seinem Glas.*

schlụ·cken ['ʃlʊkn̩] <schluckt, schluckte, geschluckt> **I.** *tr* **1.** [K] ***jd schluckt etw*** *akk* etw aus dem Mund in den Magen bringen *Tabletten ~* **2.** [K] ***jd schluckt etw*** *akk (umg)* etw gegen seinen Willen akzeptieren *Ob es dir passt oder nicht: Du wirst diese Entscheidung ~ müssen!* **3.** *(umg)* verbrauchen *Wie viel Benzin schluckt dein Auto?* **II.** *itr* etw aus dem Mund in den Magen bringen *Erst kauen, dann ~!*

schlu̲g [ʃluːk] *prät von* **schlagen**

schlụ̈p·fen ['ʃlʏpfn̩] <schlüpft, schlüpfte, geschlüpft> *itr* *<sein>* **1.** anziehen *in die Kleider ~* **2.** ZOOL aus dem Ei kommen *Die Vögel sind schon geschlüpft.*

schlụr·fen ['ʃlʊrfn̩] <schlurft, schlurfte, geschlurft> *itr <sein>* langsam laufen, ohne die Füße richtig hochzuheben *Man hörte den alten Mann über den Gang ~.*

schlụ̈r·fen ['ʃlʏrfn̩] <schlürft, schlürfte, geschlürft> **I.** *tr* [K] ***jd schlürft etw*** *akk* Flüssigkeit laut in den Mund nehmen *Er schlürfte den Wein.* **II.** *itr* beim Trinken laute Geräusche machen *Schlürf doch nicht so!*

• **Schlụss[1]** [ʃlʊs] <-es> *kein pl der* Ende, Halt *~ damit!, ~ für heute!;* **mit jdm ~ machen** sich von jdm trennen *Sie machte mit ihrem Freund ~.*

• **Schlụss[2]** [ʃlʊs] <-es, Schlüsse> *der* Folgerung, Urteil *Welchen ~ ziehen Sie daraus?, ein voreiliger ~*

• **Schlụ̈s·sel** ['ʃlʏsl̩] <-s, -> *der* Instrument, mit dem man eine Tür schließen oder öffnen kann *Er nahm den ~ und schloss die Haustür auf.* ***Komp: -anhänger, Wohnungs-, Haustür-***

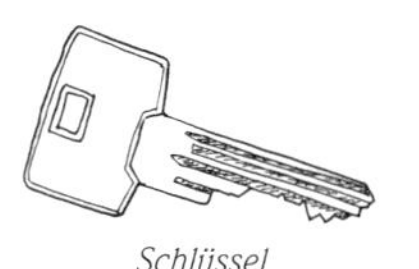

Schlüssel

Schlụ̈s·sel·bund <-(e)s, -e> *der* Ring, an dem die einzelnen Schlüssel festgemacht werden *Ich habe alle meine Schlüssel an einem ~.*

Schlụ̈s·sel·loch <-(e)s, -löcher> *das* Öffnung, in die man einen Schlüssel steckt, um das Schloss zu öffnen *durchs ~ gucken*

Schlụss·fol·ge·rung <-, -en> *die* Folgerung, Ergebnis *Er zog seine ~en aus der Diskussion.*

Schlụss·ver·kauf <-(e)s, -käufe> *der* Verkauf von Waren zu sehr billigen Preisen, um in den Lagern Platz für neue Ware zu bekommen *Den Pullover habe ich im ~ bekommen.* ***Komp: Sommer-, Winter-***

schmạ̈ch·tig ['ʃmɛçtɪç] <schmächtiger, schmächtigst-> *adj* nicht kräftig, schwach *Er ist ziemlich klein und ~.*

schmạck·haft <schmackhafter, schmackhaftest-> *adj* lecker, gut schmeckend *Das Fleisch ist sehr ~.;* **jdm etw ~ machen** jdm Lust auf etw machen, jds Interesse wecken *Er machte ihr die Reise ~, indem er von der herrlichen Landschaft erzählte.*

• **schma̲l** [ʃmaːl] <schmaler/schmäler, schmalst-/schmälst-> *adj* **1.** eng *Die Gasse war sehr ~, man kam mit dem Auto nicht durch.* **2.** schlank *Sie ist sehr ~ in den Hüften.*

S

Schma·rọt·zer <-s, -> *der* (*pej*) Nichtsnutz; jd, der auf Kosten anderer lebt *Er war ein ~, der nicht arbeiten wollte.* ***Wobi: schmarotzen***

schmạt·zen ['ʃmatsn̩] <schmatzt, schmatzte, geschmatzt> *itr* laut/geräuschvoll essen *Du sollst beim Essen nicht ~!*

• **schmẹ·cken** ['ʃmɛkn̩] <schmeckt, schmeckte, geschmeckt> **I.** *tr* [K] ***jd schmeckt etw*** *akk* mit der Zunge den Geschmack von etw wahrnehmen *Er hatte einen so starken Schnupfen, dass er nichts ~ konnte.* **II.** *itr* [K] ***etw schmeckt*** [***irgendwie***] einen bestimmten Geschmack haben *Das schmeckt mir gut., Das Essen schmeckt nach nichts!*

schmei·cheln ['ʃmaiçl̩n] <schmeichelt, schmeichelte, geschmeichelt> *itr* jdm viele Komplimente machen *Er fühlte sich durch ihr Lob sehr geschmeichelt.* ***Wobi: Schmeichelei, Schmeichler***

schmei·ßen ['ʃmaisn̩] <schmeißt, schmiss, geschmissen> *tr* [K] ***jd schmeißt etw*** *akk* werfen *Er schmiss ihr den Ring vor die Füße.;* **eine Sache ~** *(umg)* etw nicht zu Ende führen, etw vorzeitig beenden *Er bekam Angst und schmiss die Sache.*

schmẹl·zen ['ʃmɛltsn̩] <schmilzt, schmolz, geschmolzen> **I.** *tr* [K] ***jd/etw schmilzt etw*** *akk* etw durch große Hitze flüssig machen *Die Sonne hat das Eis geschmolzen.* **II.** *itr* <*sein*> flüssig werden *Das Eis schmilzt.*

• **Schmẹrz** [ʃmɛrts] <-es, -en> *der* Gefühl, das man bei Verletzungen des Körpers/der Seele empfindet *Er schrie vor ~en., Ich habe ~en im Bein.* ***Wobi: schmerzen Komp: -mittel***

schmẹrz·haft <schmerzhafter, schmerzhaftest-> *adj* **1.** so, dass etw sehr wehtut *Der Beinbruch war ziemlich ~.* **2.** traurig *Es ist ~ zu erfahren, dass man betrogen wurde.*

schmẹrz·lich <schmerzlicher, schmerzlichst-> *adj* so, dass es seelisch wehtut *ein ~er Verlust, Ihm wurde ~ bewusst, dass sie ihn verlassen hatte.*

Schmetterling

Schmẹt·ter·ling ['ʃmɛtɐlɪŋ] <-s, -e> *der* kleines Tier (Insekt) mit großen, oft bunten Flügeln *einen ~ sehen*

schmie·den ['ʃmiːdn̩] <schmiedet, schmiedete, geschmiedet> *tr* [K] ***jd schmiedet etw*** *akk* etw aus Metall formen *aus Eisen Werkzeuge ~*

schmie·gen ['ʃmiːgn̩] <schmiegt, schmiegte, geschmiegt> *refl* [K] ***jd schmiegt sich*** *akk* ***an jdn/etw*** *akk* sich eng andrücken/anlehnen *sich an jds Schulter ~*

schmie·ren ['ʃmiːrən] <schmiert, schmierte, geschmiert> **I.** *tr* [K] ***jd schmiert etw*** *akk* streichen, gleichmäßig verteilen *Butter auf eine Scheibe Brot ~* **II.** *itr* **1.** undeutlich/unleserlich schreiben *Du sollst nicht so ~, das kann ja keiner lesen.* **2.** sehr fettig sein *Die Fahrradkette schmiert.;* **eine geschmiert bekommen** *(umg)* eine Ohrfeige bekommen *Sie bekam eine geschmiert, weil sie frech war.*

schmie·rig ['ʃmiːrɪç] <schmieriger, schmierigst-> *adj* **1.** fettig, ölig *~e Hände haben* **2.** (*umg pej*) widerlich, unangenehm *ein ~er kleiner Gangster*

schmịn·ken ['ʃmɪŋkn̩] <schminkt, schminkte, geschminkt> **I.** *tr* [K] ***jd schminkt jdn*** jdn mit Make-up schön machen *Die Schau-*

spieler werden geschminkt. **II.** *refl* [K] ***jd schminkt sich*** *akk* sich mit Kosmetika verschönern *Sie schminkt sich regelmäßig, wenn sie ausgeht.* ***Wobi: Schminke***

schmiss [ʃmɪs] *prät von* **schmeißen**

schmol·len [ˈʃmɔlən] <schmollt, schmollte, geschmollt> *itr* zeigen, dass man beleidigt ist, indem man nicht spricht *Warum schmollst du denn jetzt schon wieder? Habe ich dich beleidigt?*

schmo·ren [ˈʃmɔːrən] <schmort, schmorte, geschmort> *itr* langsam braten *Der Braten muss noch eine Stunde im eigenen Saft ~.;* **jdn ~ lassen** *(umg)* jdn warten lassen *Er erzählte seinem Freund nichts, sondern ließ ihn ~.*

• **Schmuck** [ʃmʊk] <-(e)s> *kein pl der* **1.** Ketten, Ringe, Ohrringe etc. *nur teuren ~ tragen* **2.** Dekoration *Als ~ hängten sie noch einige Girlanden auf.* ***Wobi: schmücken Komp: Christbaum-***

• **Schmug·gel** [ˈʃmʊgl̩] <-s> *kein pl der* illegaler Transport von Waren in andere Länder *den Drogen~ bekämpfen* ***Wobi: schmuggeln, Schmuggler Komp: Drogen-, Waffen-***

schmun·zeln [ˈʃmʊnt͡sl̩n] <schmunzelt, schmunzelte, geschmunzelt> *itr* über etw lächeln *Sie musste ~, wenn sie ihrer Tochter beim Spielen zusah.*

schmu·sen [ˈʃmuːzn̩] <schmust, schmuste, geschmust> *itr* miteinander zärtlich sein *zärtlich miteinander ~*

Schmutz [ʃmʊt͡s] <-es> *kein pl der* Dreck *den ~ wegmachen;* **jdn/etw in den ~ ziehen** vor anderen schlecht machen, etw sehr Negatives über jdn/etw sagen *Er zog die ehemaligen Kollegen in den ~.*

• **schmut·zig** [ˈʃmʊt͡sɪç] <schmutziger, schmutzigst-> *adj* dreckig *Seine Hose war ganz ~.*

Schna·bel [ˈʃnaːbl̩] <-s, Schnäbel> *der* **1.** ‚Mund' von Vögeln *Der Vogel hat einen Regenwurm im ~.* **2.** (*umg!*) Mund *Halt den ~!*

Schnaps [ʃnaps] <-es, Schnäpse> *der* Getränk mit sehr viel Alkohol *Nach dem fetten Essen brauchte er erst mal einen ~.*

Schnaps·idee <-, -n> *die* (*umg pej*) verrückter Einfall *Wer hatte denn die ~, im Winter im See baden zu gehen?*

schnar·chen [ˈʃnarçn̩] <schnarcht, schnarchte, geschnarcht> *itr* während des Schlafens laut ein- und ausatmen *Er schnarchte so stark, dass sie neben ihm nicht einschlafen konnte.*

Schnau·ze [ˈʃnaut͡sə] <-, -n> *die* **1.** Maul, Mund und Nase von manchen Tieren *Der Hund hatte eine blutige ~.* **2.** (*umg!*) Mund *Halt die ~!*

Schne·cke [ˈʃnɛkə] <-, -n> *die* kleines, kriechendes Tier *~n im Garten bekämpfen;* **jdn zur ~ machen** *(umg)* mit jdm sehr heftig schimpfen *Wenn der Chef das merkt, macht er uns zur ~.* ***Komp: -nhaus***

Schnecke

• **Schnee** [ʃneː] <-s> *kein pl der* gefrorenes Wasser, das in weißen Flocken langsam auf die Erde fällt *Meterhoher ~ bedeckt die Bergstraße.* ***Komp: -fall, -flocke, -sturm, Neu-, Pulver-***

Schnee·be·sen <-s, -> *der* Küchengerät zum Schlagen von Eiern und Sahne *mit dem ~ die Sahne schlagen*

• **schnei·den** [ˈʃnaidn̩] <schneidet, schnitt, geschnitten> **I.** *tr* [K] ***jd schneidet etw*** *akk* etw mit einem scharfen Gegenstand abtrennen *Papier, Brot ~* **II.** *refl* **1.** [K] ***jd schneidet sich*** *akk* [*mit*

S

etw dat] sich mit einem scharfen Gegenstand verletzen *Er hat sich mit dem Messer in die Hand geschnitten.* **2.** [K] ***jd schneidet sich*** *dat* ***etw*** *akk* etw mit einer Schere abtrennen *sich die Nägel ~, sich die Haare ~ lassen*

Schnei·der(in) ['ʃnaidɐ] <-s, -> *der* jd, der beruflich Kleidung herstellt und repariert *Der ~ hat mir die Hosen gekürzt.*

• **schnei·en** ['ʃnaiən] <schneit, schneite, geschneit> *itr* als Schnee auf die Erde fallen *Es schneit., Der Himmel bewölkte sich, und es begann zu ~.*

• **schnell** [ʃnɛl] <schneller, schnellst-> *adj* (↔*langsam*) mit großer Geschwindigkeit *Sie reagiert ziemlich ~., Mach ~!, ~ nach Hause laufen, Das ging ja ~., Wie komme ich am ~sten zum Bahnhof?* ***Wobi: Schnelligkeit***

Schnell·hef·ter <-s, -> *der* Mappe für Blätter/Akten/Papier usw. *~ gibt es im Schreibwarengeschäft.*

Schnellimbiss
In Deutschland bekommt man im Schnellimbiss vor allem Bratwurst und Pommes (frites), oft auch griechisches Gyros und türkischen Dönerkebab. In Österreich geht man zum Würstelstand, um z. B. eine Burenwurst zu essen. In der Schweiz gibt es eher so genannte ‚Take-aways' mit internationaler Küche: u. a. italienische, albanische oder asiatische Kost.

Schnell·im·biss <-es, -e> *der* Fast-Food-Restaurant *im ~ Pommes frites und Hamburger essen*

Schnell·zug <-(e)s, -züge> *der* schneller Zug, der nur an größeren Bahnhöfen hält *mit dem ~ von Bremen nach Dortmund fahren*

schnip·pisch ['ʃnɪpɪʃ] <schnippischer, schnippischst-> *adj* respektlos, frech *eine ~e Antwort geben*

Schnitt [ʃnɪt] <-(e)s, -e> *der* **1.** Öffnung, nachdem man etw geschnitten hat *Der Chirurg machte zwei ~e.* **2.** durchschnittlicher Wert *Der ~ lag bei zwölf Punkten pro Aufgabe.* **3.** Durchschnittsgeschwindigkeit *Die Radrennfahrer fuhren einen ~ von 41 Stundenkilometer.* **4.** Frisur *Du hast einen schönen ~.*

schnitt [ʃnɪt] *prät von* **schneiden**

Schnit·te ['ʃnɪtə] <-, -n> *die* **1.** Scheibe *Möchten Sie noch eine ~ Brot?* **2.** belegtes Brot *Er nimmt sich seine ~n mit ins Büro.*

Schnitt·lauch ['ʃnɪtlaux] <-(e)s> *kein pl der* Küchenkraut, das die Form dünner, grüner Röhrchen hat *Petersilie, Basilikum und ~ gehören in jede Küche.*

Schnit·zel ['ʃnɪtsl̩] <-s, -> *das* eine Scheibe (gebratenes) Fleisch *Ein Wiener ~ mit Pommes frites, bitte!, ein paniertes ~ mit Kartoffelsalat*

schnit·zen ['ʃnɪtsn̩] <schnitzt, schnitzte, geschnitzt> *tr* [K] ***jd schnitzt etw*** *akk* mit dem Messer Figuren/Formen aus Holz machen *Figuren ~*

schnor·ren ['ʃnɔrən] <schnorrt, schnorrte, geschnorrt> *tr* [K] ***jd schnorrt etw*** *akk* (*pej*) um etw bitten *eine Zigarette ~* ***Wobi: Schnorrer***

schnüf·feln ['ʃnʏfl̩n] <schnüffelt, schnüffelte, geschnüffelt> *itr* **1.** intensiv riechen *Der Hund schnüffelte an dem Baum.* **2.** heimlich fremde Sachen durchsuchen *Sie schnüffelte in den Sachen ihres Mannes.* ***Wobi: Schnüffler***

Schnul·ler ['ʃnʊlɐ] <-s, -> *der* weiches Stück Gummi, an dem Kleinkinder saugen *Sie gab dem Kind einen ~.*

Schnul·ze ['ʃnʊltsə] <-, -n> *die* (*umg pej*) kitschiges, sentimentales Lied *Sie hört immer nur ~n.*

• **Schnup·fen** ['ʃnʊpfn̩] <-s, -> *der* eine Erkältung, bei der die Nase läuft *~ haben, ~ bekommen*

Schnuller

Schnur [ʃnuːɐ̯] <-, Schnüre> *die* Band, dicker Faden *Ich brauche* *eine ~, um das Paket zuzumachen.* ***Wobi: schnüren***

Schnurr·bart ['ʃnʊrba:ɐ̯t] <-(e)s, -bärte> *der* Bart über der Oberlippe *sich einen ~ wachsen lassen*

schnur·ren ['ʃnʊrən] <schnurrt, schnurrte, geschnurrt> *itr* ein leises Geräusch der Zufriedenheit produzieren *Die Katze schnurrte zufrieden.*

schob [ʃo:p] *prät von* **schieben**

Schock [ʃɔk] <-s, -s> *der* heftiger Schreck *Bei dem Unfall erlitt sie einen ~.*

scho·ckie·ren [ʃɔ'ki:rən] <schockiert, schockierte, schockiert> *tr* K ***jd/etw schockiert jdn*** ein Gefühl des Schreckens/Entsetzens bei jdm verursachen *Ihr öffentliches Sprechen über Tabus schockierte die Gesellschaft.*

• **Scho·ko·la·de** [ʃoko'la:də] <-, -n> *die* süßes Nahrungsmittel aus Kakao, Zucker und Fett *ein Stück ~ essen*

• **schon** [ʃo:n] *adv* **1.** bereits *Ich lebe ~ seit zwei Jahren in Berlin.* **2.** vorher *Sind Sie ~ (mal) in Spanien gewesen?* **3.** bloß *Wenn ich das ~ höre!;* **Geh ~!** Geh endlich! *Na, los! Geh ~!;* **Ja ~, aber …** eigentlich ja, aber … *Sie haben ja ~ Recht, aber Sie müssen auch seine Situation verstehen.*

• **schön** [ʃø:n] <schöner, schönst-> *adj* **1.** hübsch *Sie ist eine ~e Frau.* **2.** angenehm *Es ist ein ~es Gefühl, so geliebt zu werden.* **3.** gut *Das ist ja alles ganz ~, aber wie soll es weitergehen?* **4.** ziemlich *Das geht mir ganz ~ auf die Nerven.;* **Es ist ~.** Das Wetter ist gut. *Es ist ~ heute.;* **~, dass …** es freut mich, dass … *S~, dass du mitkommst!* ***Wobi: beschönigen, Schönheit, verschönern***

scho·nen ['ʃo:nən] <schont, schonte, geschont> **I.** *tr* **1.** K ***jd schont jdn*** vorsichtig, rücksichtsvoll behandeln *Der Kritiker schonte keinen der Politiker.* **2.** K ***jd schont etw*** *akk* vorsichtig und sorgfältig behandeln *Dinge, die man sich ausleiht, sollte man ~!* **II.** *refl* K ***jd schont sich*** *akk* sich nicht anstrengen *Nach der langen Krankheit sollten Sie sich ~.*

schöp·fen ['ʃœpfn̩] <schöpft, schöpfte, geschöpft> *tr* **1.** K ***jd schöpft etw*** *akk* Flüssigkeit hochheben *Sie ging zum Brunnen, um Wasser zu ~.* **2.** K ***jd schöpft etw*** *akk* bekommen *neuen Mut ~, Verdacht ~*

Schöp·fer(in) <-s, -> *der* **1.** Gott *Gepriesen sei der ~ von Himmel und Erde!* **2.** jd, der ein Kunstwerk geschaffen hat *Michelangelo ist ein ~ großer Kunstwerke.*

schöp·fe·risch ['ʃœpfərɪʃ] <schöpferischer, schöpferischst-> *adj* kreativ; so, dass man sehr gute künstlerische Ideen hat *Sie hat eine ~e Ader.*

Schöp·fung <-, -en> *die* **1.** Neuheit, Werk *die neueste ~ des Modedesigners* **2.** REL Universum, Welt *Gottes ~*

schoss [ʃɔs] *prät von* **schießen**

schräg [ʃrɛ:k] <schräger, schrägst-> *adj* **1.** ungerade, schief *eine Dachwohnung mit ~en Wänden* **2.** diagonal *Die Diagonale läuft ~ von einer Ecke zur anderen., ~ gegenüber*

Schräg·strich <-(e)s, -e> *der* das Satzzeichen ‚/' *einen ~ setzen/machen*

• **Schrank** [ʃraŋk] <-(e)s, Schränke> *der* (= ÖSTERR *Kasten*) großes

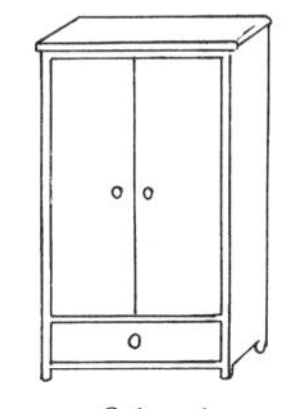

Schrank

Möbelstück für Kleider, Lebensmittel o.Ä. *die Wäsche in den ~ legen*

Schrau·be ['ʃraubə] <-, -n> *die* Stift aus Metall, den man z. B. in Holz oder Metall festdreht, damit etw zusammenhält *Er zog alle ~n an dem Regal noch mal fest.;* **Bei jdm ist eine ~ locker.** (*umg!*) jd ist verrückt *Der ist doch nicht normal, bei dem ist doch eine ~ locker.*

Schre·ber·gar·ten <-s, -gärten> *der* privater Kleingarten *Wir gehen am Sonntag in den ~.*

Schreck [ʃrɛk] <-(e)s, -e(n)> *der* plötzliches Gefühl der Angst *einen ~ bekommen, jdm einen ~en einjagen, mit dem ~en davonkommen*

• **schre·cken** ['ʃrɛkn̩] <schreckt, schreckte, geschreckt> *refl* [K] ***jd schreckt sich*** *akk* (ÖSTERR) sich erschrecken *Er hat sich sehr geschreckt.*

• **schreck·lich** ['ʃrɛklɪç] <schrecklicher, schrecklichst-> *adj* **1.** furchtbar, schlimm *ein ~es Erlebnis* **2.** *(umg)* sehr *Das ist nicht so ~ wichtig., S~ gerne!*

Schrei [ʃrai] <-(e)s, -e> *der* lauter Ton, den man produziert *Sie öffnete ihren Mund zu einem lauten ~.;* **der letzte ~** *(umg)* neueste Mode *Ihr Hut war wirklich der letzte ~.*

• **Schrei·ben** ['ʃraibn̩] <-s, -> *das* offizieller Brief *Die Sekretärin beantwortete das ~.*

• **schrei·ben** ['ʃraibn̩] <schreibt, schrieb, geschrieben> **I.** *tr* [K] ***jd schreibt etw*** *akk* Buchstaben/Zeichen auf Papier bringen *S~ Sie Ihren Namen in Druckschrift!, Wie schreibt man das?* **II.** *itr* **1.** [K] ***jd schreibt jdm*** korrespondieren, Briefe wechseln *Wir ~ uns., Ich habe ihm geschrieben, er soll kommen.* **2.** [K] ***etw schreibt*** funktionieren *Der Kugelschreiber schreibt nicht mehr.*

Schreib·ma·schi·ne <-, -n> *die* Maschine, mit der man schreibt, indem man einzelne Tasten drückt *Heute werden eher Computer als ~n benutzt., mit ~ schreiben*

• **Schreib·tisch** <-(e)s, -e> *der* (= CH *Pult*) spezieller Tisch für Büroarbeiten o.Ä. *sich an den ~ setzen*

• **schrei·en** ['ʃraiən] <schreit, schrie, geschrien> *itr* sehr laute Töne produzieren *Die Kinder fingen an zu ~.*

schrie [ʃriː] *prät von* **schreien**

schrieb [ʃriːp] *prät von* **schreiben**

• **Schrift** [ʃrɪft] <-, -en> *die* **1.** Handschrift *Deine ~ ist kaum zu lesen.* **2.** Schriftart *Times und Arial sind zwei unterschiedliche ~en.* **3.** vollständiges Zeichensystem *die kyrillische ~, die lateinische ~;* **die Heilige ~** Bibel *Die Heilige ~ erzählt vom Leben Jesu.*

• **schrift·lich** ['ʃrɪftlɪç] <-, -> *adj* so, dass etw geschrieben ist *~e Beweise brauchen, etw ~ festhalten, Das kann ich dir ~ geben!*

Schrift·spra·che <-, -n> *die* Sprache, die geschrieben wird *die ~ benutzen*

Schrift·stel·ler(in) ['ʃrɪftʃtɛlɐ] <-s, -> *der* Autor, Verfasser von Literatur *Nicht jeder ~ schreibt auch gute Bücher.*

schrill [ʃrɪl] <schriller, schrillst-> *adj* **1.** so, dass etw sehr hoch und laut klingt *Sie hat eine ~e Stimme.* **2.** extravagant, speziell *Ihre Kleidung ist wirklich ~.*

• **Schritt** [ʃrɪt] <-(e)s, -e> *der* **1.** Bewegen eines Fußes vor den anderen *Er machte einen ~ nach vorne.* **2.** Art, wie jd geht *Schweren ~es* *ging er davon.* **3.** Stelle der Hose, an der die beiden Beine zusammengenäht sind *Die Hose war im ~ zu eng.;* **sich zu einem ~ entscheiden** beschließen, etw Bestimmtes zu tun *Ich habe mich zu diesem ~ entschlossen, weil …*

Schrott [ʃrɔt] <-(e)s> *kein pl der* Altmetall *Nach dem Unfall war das Auto nur noch ~.* ***Komp:** -platz*

schrub·ben ['ʃrʊbn̩] <schrubbt, schrubbte, geschrubbt> **I.** *tr* [K] *jd schrubbt etw akk* mit einer Art Besen und einem Lappen sauber machen, indem man kräftig darüber reibt *Sie schrubbte den Fußboden.* **II.** *refl* [K] *jd schrubbt sich akk* sich intensiv waschen *Sie schrubbte sich nach der Gartenarbeit die Hände.* ***Wobi:** Schrubber*

schrump·fen ['ʃrʊmpfn̩] <schrumpft, schrumpfte, geschrumpft> *itr* <*sein*> kleiner werden *Die Hose ist beim Waschen geschrumpft.*

Schub·kar·ren <-s, -> *der* (≈*Schubkarre*) kleiner Wagen mit einem Rad und zwei Griffen, mit dem man etw transportieren kann *Sand im ~ transportieren*

Schub·la·de <-, -n> *die* Kasten, den man aus einem Möbelstück herausziehen kann *Briefe in die ~ stecken/legen*

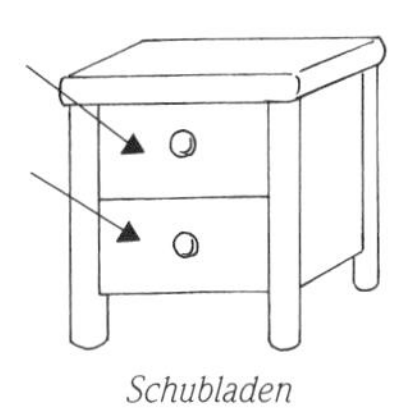

Schubladen

schüch·tern ['ʃʏçtɐn] <schüchterner, schüchternst-> *adj* scheu, ängstlich *Mädchen gegenüber ist er sehr ~.* ***Wobi:** Schüchternheit*

schuf [ʃuːf] *prät von* **schaffen**

Schuft [ʃʊft] <-(e)s, -e> *der* Betrüger *Er ist ein ~. Er hat seine Freunde verraten.*

schuf·ten ['ʃʊftn̩] <schuftet, schuftete, geschuftet> *itr (umg)* sehr hart arbeiten *wie ein Wilder ~*

• **Schuh** [ʃuː] <-(e)s, -e> *der* Kleidungsstück, das man am Fuß trägt *die ~e putzen;* **jdm etw in die ~e schieben** *(umg)* jdm die Schuld an etw geben *Er schob seinen Komplizen den Einbruch in die ~e.* ***Komp:** -band, -sohle, Haus-, Ski-, Turn-, Wander-*

• **Schul·ar·beit** <-, -en> *die* (ÖSTERR) Klassenarbeit, schriftlicher Test in der Schule *eine ~ schreiben*

Schul·ar·bei·ten <-, -> *kein sing pl* (≈*Hausaufgaben*) Aufgaben für zu Hause, die die Kinder in der Schule aufbekommen *viele ~ aufhaben, Bitte mach zuerst deine ~!*

• **Schuld** [ʃʊlt] <-> *kein pl die* moralische oder juristische Verantwortung für eine negative Tat *jdm die ~ an etw geben, Daran bin ich nicht ~., Wer hat die ~ an dem Unfall?*

• **Schulden** ['ʃʊldn̩] <-> *kein sing pl* das Geld, das man von jdm ausgeliehen hat und ihm wieder zurückzahlen muss *~ machen, aus den ~ herauskommen, seine ~ begleichen* ***Wobi:** Schuldner*

schul·den ['ʃʊldn̩] <schuldet, schuldete, geschuldet> *tr* [K] *jd schuldet jdm etw akk* jdm Geld für eine Leistung/Ware geben müssen *Du schuldest mir noch 3,50 Euro.*

• **schul·dig** ['ʃʊldɪç] <-, -> *adj* so, dass man Schuld hat *Er wurde ~ gesprochen.;* **jdm etw ~ sein** jd muss jdm etw (zurück)geben *Du bist mir noch 3,50 Euro ~.*

• **Schu·le** ['ʃuːlə] <-, -n> *die* Institution, wo Lehrer Kinder unterrichten *in die ~ gehen, neun Jahre lang zur ~ gehen*

• **Schü̲·ler**(**in**) [ˈʃyːlɐ] <-s, -> *der* jd, der in die Schule geht ~ *sein* ***Komp:*** *-ausweis*

Schu̲l·pflicht <-> *kein pl die* Gesetz, nach dem jedes Kind die Schule besuchen muss *In Deutschland besteht ~.*

Schu̲l·ran·zen <-s, -> *der* (*≈Schultasche, Schulsack*) Tasche für die Schulsachen *Kinder sollten den ~ auf dem Rücken tragen.*

Schu̲l·stun·de <-, -n> *die* Unterrichtseinheit in der Schule *In Deutschland sind ~n 45 Minuten lang.*

Schụl·ter [ˈʃʊltɐ] <-, -n> *die* Körperteil links und rechts vom Hals *sich die ~ verletzen;* ~ **an** ~ nebeneinander, sehr nah beieinander *~ an ~ stehen;* **mit den ~n zucken** die Schultern heben und senken, um auszudrücken, dass man etw nicht weiß o.Ä. *Er konnte auf die Frage nur mit den ~n zucken.;* **etw auf die leichte ~ nehmen** etw nicht ernst nehmen *Der Fußballspieler nahm die Verwarnung auf die leichte ~.*

Schu̲·lung <-, -en> *die* Lehrgang *eine ~ für neue Mitarbeiter*

schụm·meln [ˈʃʊml̩n] <schummelt, schummelte, geschummelt> *itr (umg)* betrügen *Sie schummelte beim Kartenspielen.*

Schụnd [ʃʊnt] <-(e)s> *kein pl der* (*pej*) etw Wertloses *In diesem Laden wird nur ~ verkauft.*

schụn·keln [ˈʃʊŋkl̩n] <schunkelt, schunkelte, geschunkelt> *itr* sich im Sitzen zur Musik hin und her bewegen *Im Bierzelt ~ die Leute zur Musik.*

Schụp·pe [ˈʃʊpə] <-, -n> *die* **1.** ZOOL ein kleines Plättchen, wie es für die Haut von Fischen typisch ist *die ~n eines Fisches* **2.** abgestorbenes Stückchen Haut *Seine Haare waren voller ~n.;* **etw fällt jdm wie ~n von den Augen** etw wird jdm plötzlich klar *Als sie mir von ihren Erfahrungen erzählte, fiel es mir wie ~n von den Augen.*

Schụp·pen [ˈʃʊpn̩] <-s, -> *der* **1.** kleines einfaches Häuschen *Der Bauer stellt seine Geräte im ~ unter.* **2.** *(umg)* Lokal *Kennst du den neuen ~ am Bahnhof schon?*

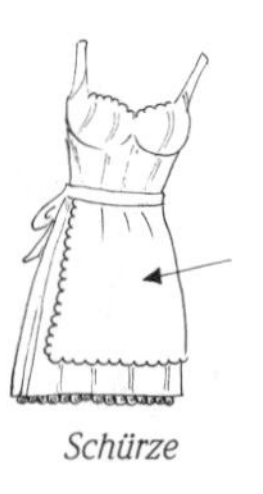

Schürze

Schụ̈r·ze [ˈʃʏrt͡sə] <-, -n> *die* Stoff, den man sich umbindet, um die Kleidung bei Arbeiten in der Küche vor Schmutz zu schützen *Jede Köchin hat auch eine ~.*

• **Schụss** [ʃʊs] <-es, Schüsse> *der* **1.** das Schießen mit einer Pistole o.Ä. *Der Polizist feuerte zwei Schüsse auf den Gangster ab.* **2.** SPORT das Treten eines Fußballs *Der ~ traf die Latte.* **3.** kleine Menge Flüssigkeit, die man zu einem Getränk gibt *Möchten Sie noch einen ~ Rum in den Tee?, Kaffee mit einem ~ Milch* **4.** (*umg!*) das Spritzen von Heroin *Der Junkie setzte sich einen ~.;* **ein ~ in den Ofen sein** *(umg)* erfolglos sein *Der letzte Versuch war ein ~ in den Ofen.;* **weit vom ~ sein** weit entfernt sein *Der Bauernhof war weit vom ~.;* **etw in ~ bringen** etw reparieren *Er brachte das alte Auto wieder in ~.*

Schụ̈s·sel [ˈʃʏsl̩] <-, -n> *die* tiefes, rundes Gefäß *eine ~ voll Obst*

Schu̲s·ter [ˈʃuːstɐ] <-s, -> *der* jd, der beruflich Schuhe herstellt oder repariert *Die Schuhsohlen sind ganz abgelaufen, die Schuhe müssen zum ~.*

schụ̈t·teln [ˈʃʏtl̩n] <schüttelt, schüttelte, geschüttelt> **I.** *tr* [K] ***jd schüttelt etw*** *akk* etw schnell hin- und herbewegen *die Flasche ~* **II.** *refl* [K] ***jd schüttelt sich*** *akk* seinen Körper für kurze Zeit heftig bewegen *sich vor Lachen/vor Ekel ~*

schụ̈t·ten ['ʃʏtn̩] <schüttet, schüttete, geschüttet> **I.** *tr* [K] ***jd schüttet etw*** *akk* gießen *Sie schüttete den Kaffee in die Kanne.* **II.** *itr* stark regnen *Es schüttete so stark, dass man nichts mehr sehen konnte.*

• **Schụtz** [ʃʊts] <-es> *kein pl der* **1.** Sicherheit *Unter einem großen Baum suchte er ~ vor dem Regen.* **2.** Verteidigung, Unterstützung, Hilfe *jdn gegen Vorwürfe in ~ nehmen*

Schụtz·blech <-(e)s, -e> *das* Metallteil, das über dem Reifen eines Fahrrads oder Motorrads angebracht ist und vor Schmutz schützt *das ~ festschrauben*

• **schụ̈t·zen** ['ʃʏtsn̩] <schützt, schützte, geschützt> **I.** *tr* [K] ***jd schützt jdn/etw*** *akk* Schutz geben, verteidigen *Er schützte die Frauen und Kinder.* **II.** *refl* [K] ***jd schützt sich*** *akk* sich auf die Verteidigung vorbereiten, sich verteidigen *Er schützte sich gegen Angriffe von außen.*

Schụtz·helm <-(e)s, -e> *der* feste Kopfbedeckung, die vor Verletzungen schützt *Motorradfahrer müssen ~e tragen.*

Schụtz·imp·fung <-, -en> *die* Impfung/Einnehmen eines Medikaments, damit man eine bestimmte Krankheit nicht bekommt *Er bekam eine ~ gegen Gelbfieber, bevor er nach Afrika reiste.*

• **schwạch** [ʃvax] <schwächer, schwächst-> *adj* **1.** nicht stark *Er ist ziemlich ~.* **2.** schlecht *ein ~er Witz, Das ist (aber) ein ~es Bild!* **3.** wenig, etw *Das Flugzeug ist nur noch ganz ~ zu hören.* **4.** LING regelmäßig *ein ~es Verb;* **sich ~ fühlen** sich nicht gesund fühlen *Ich fühle mich heute ~.* ***Wobi: schwächen***

Schwạ̈·che ['ʃvɛçə] <-, -n> *die* Kraftlosigkeit *Nach der langen Krankheit fühlte er seine ~.;* **jd hat eine ~ für jdn/etw** jd mag jdn/etw sehr gern *Sie hat eine ~ für Antiquitäten.*

Schwạch·sinn <-(e)s> *kein pl der (umg)* Unsinn *Er erzählte völligen ~.* ***Wobi: schwachsinnig***

Schwa̲·ger ['ʃvaːgɐ] <-s, -> *der* Ehemann der eigenen Schwester oder Bruder der Ehefrau *den ~ besuchen*

Schwạl·be ['ʃvalbə] <-, -n> *die* schnell fliegender Singvogel mit spitzen Flügeln und gezacktem Schwanz *Die ~n kehren im Frühjahr aus Afrika zurück.*

Schwạmm [ʃvam] <-(e)s, Schwämme> *der* weicher Gegenstand, der viel Wasser aufsaugt und den man zum Waschen benutzt *sich mit einem ~ den Rücken waschen;* **~ drüber!** *(umg)* Vergessen wir das! *~ drüber, lass uns von was anderem reden!*

schwạmm [ʃvam] *prät von* **schwimmen**

Schwạm·merl ['ʃvamɐl] <-s, -(n)> *der* (BOT: SD, ÖSTERR) Pilz *~(n) suchen*

schwạm·mig ['ʃvamɪç] <schwammiger, schwammigst-> *adj* **1.** weich *ein ~er Körper* **2.** ungenau *~e Formulierungen*

Schwa̲n [ʃvaːn] <-(e)s, Schwäne> *der* großer weißer Schwimmvogel mit sehr langem Hals *Sie fütterten die Schwäne auf dem Teich.;* **Mein lieber ~!** *(umg)* verwendet, um Erstaunen auszudrücken *Mein lieber ~, hast du hier aber aufgeräumt!*

schwạnd [ʃvant] *prät von* **schwinden**

• **schwạn·ger** ['ʃvaŋɐ] <-, -> *adj* so, dass eine Frau ein Kind erwartet *Meine Frau ist im sechsten Monat ~.* ***Wobi: Schwangerschaft***

schwan·ken ['ʃvaŋkn̩] <schwankt, schwankte, geschwankt> *itr* **1.** hin und her wanken *Er war so betrunken, dass er schwankte.* **2.** zögern *Er schwankte lange, ob er annehmen sollte oder nicht.* **3.** verschieden sein *Der Preis schwankt von Geschäft zu Geschäft.*

Schwanz [ʃvants] <-es, Schwänze> *der* bewegliche Verlängerung am Rücken eines Tieres *Der Hund wedelt mit dem ~.*

Schwarm [ʃvarm] <-(e)s, Schwärme> *der* **1.** Gruppe von Vögeln oder Fischen *Er sah einen ~ Wildgänse vorüberfliegen.* **2.** Idol *Fast jeder Jugendliche hat einen ~.*

schwarz [ʃvarts] <-, -> **I.** *adj* die dunkelste Farbe *eine ~e Katze* **II.** *adv* illegal *Sie hatten den Schnaps ~ gebrannt.;* **für jdn/etw sieht es ~ aus** die Chancen für jdn/etw sind schlecht *Es sieht für unseren Plan ziemlich ~ aus!;* **jd sieht ~ für jdn/etw** jd sieht für jdn/etw nicht viele Chancen *Ich sehe ~ für die Zukunft.*

Schwar·ze(r) ['ʃvartsə ('ʃvartsɐ)] <-n, -n> *der/die* Mensch mit dunkler Hautfarbe *~ als Nachbarn haben*

schwarz|fah·ren <fährt schwarz, fuhr schwarz, schwarzgefahren> *itr* <*sein*> ohne einen Fahrschein mitfahren *Er ist schwarzgefahren und muss nun Strafe zahlen.*

Schwarz·markt <-(e)s, -märkte> *der* inoffizieller, verbotener Markt *Eintrittskarten für das Finale waren nur noch auf dem ~ zu bekommen.*

schwe·ben ['ʃveːbn̩] <schwebt, schwebte, geschwebt> *itr* <*sein*> sich in der Luft/im Wasser ohne eigene Kraft langsam bewegen *Die Feder schwebte durch die Luft.*

• **schwei·gen** ['ʃvaign̩] <schweigt, schwieg, geschwiegen> *itr* nichts sagen, nicht reden *Er schwieg und gab ihr keine Antwort.* ***Wobi: Schweigen***

schweig·sam ['ʃvaikzaːm] <schweigsamer, schweigsamst-> *adj* **1.** still *S~ hörte sie ihm zu.* **2.** so, dass jd wenig redet *Er ist ein ~er Mann.* ***Wobi: Schweigsamkeit***

Schwein

Schwein [ʃvain] <-(e)s, -e> *das* **1.** rosa Tier mit vier kurzen Beinen, das in vielen Ländern gegessen wird *~e züchten* **2.** (*umg!*) Schimpfwort *Du ~!;* **~ haben** *(umg)* Glück haben *Du hast im Lotto gewonnen? Hast du ein ~!, Bei dem Fahrradunfall ist nichts passiert. Sie hat ~ gehabt.* ***Komp: -efleisch***

Schwei·ne·rei [ʃvainə'rai] <-, -en> *die* **1.** (*pej*) Unordnung *eine ~ machen* **2.** (*pej*) Gemeinheit *Er hat das Geheimnis verraten? So eine ~!*

Schweiß [ʃvais] <-es> *kein pl der* die Flüssigkeit, die aus der Haut kommt, wenn jdm zu warm ist oder sich jd sehr anstrengt *Der ~ stand ihm auf der Stirn.* ***Wobi: schweißnass Komp: -tropfen***

schwel·len ['ʃvɛlən] <schwillt, schwoll, geschwollen> *itr* <*sein*> dicker/größer werden *Das Bein schwoll sofort nach dem Sturz an.*

Schwel·lung <-, -en> *die* der Zustand/die Stelle, dass/wo etw geschwollen ist *Durch den Schlag hatte er eine ~ unter dem Auge., Die ~ klingt langsam ab.*

schwen·ken ['ʃvɛŋkn̩] <schwenkt, schwenkte, geschwenkt> **I.** *tr* [K] ***jd schwenkt etw*** *akk* hin und her bewegen *die Fahne ~* **II.** *itr* drehen *Die Kamera schwenkte auf das Haus.*

- **schwer** [ʃveːɐ̯] <schwerer, schwerst-> **I.** *adj* **1.** (↔*leicht*) von großem Gewicht *Das Paket ist sehr ~.* **2.** schlimm *Der Sturm hat ~e Schäden verursacht.* **3.** (↔*einfach*) schwierig *Es war ~, die richtigen Worte zu finden., die ~e Aufgabe lösen* **4.** groß *ein ~er Vorwurf* **II.** *adv (umg)* sehr *Ich muss ~ aufpassen., Da hast du dich aber ~ getäuscht!* ***Wobi:*** *Schwere*

Schwer·be·hin·der·te(r) <-n, -n> *der/die* jd, der sein ganzes Leben eine schwere geistige oder körperliche Krankheit hat *Rollstuhlfahrer gelten als ~.*

schwer·fäl·lig <schwerfälliger, schwerfälligst-> *adj* langsam, ungeschickt *~e Bewegungen, ein ~er Mensch*

schwer·hö·rig <schwerhöriger, schwerhörigst-> *adj* so, dass man nur schlecht hört *Alte Menschen sind oft ~.*

Schwer·in·dus·trie <-> *kein pl die* die Industrie, die Eisen produziert und verarbeitet *Die ~ steckt in der Krise.*

Schwer·kraft <-> *kein pl die* Anziehungskraft der Erde *die ~ überwinden*

Schwer·punkt <-(e)s, -e> *der* **1.** PHYS Punkt, der das Gleichgewicht eines Körpers bestimmt *den ~ berechnen* **2.** der wichtigste Teil/Bereich von etw *Der ~ der Ausstellung liegt auf moderner Kunst., der ~ der Diskussion*

Schwert [ʃveːɐ̯t] <-(e)s, -er> *das* Waffe mit kurzem Griff und langer Klinge *mit dem ~ kämpfen*

Schwert

- **Schwes·ter** [ˈʃvɛstɐ] <-, -n> *die* **1.** Tochter der eigenen Eltern *Ich habe vier Geschwister: zwei ~n und zwei Brüder.* **2.** Nonne *Die ~n des Ordens kümmern sich um Arme und Kranke.* **3.** (≈*Krankenschwester*) Krankenpflegerin *Die ~ kam, um Fieber zu messen.*
- **Schwie·ger·el·tern** <-> *kein sing pl* Eltern des Ehepartners *die ~ einladen*
- **Schwie·ger·mut·ter** <-, -mütter> *die* Mutter des Ehepartners *ein gutes Verhältnis zur ~ haben*
- **Schwie·ger·sohn** <-(e)s, -söhne> *der* Ehemann der eigenen Tochter *Mein ~ hilft meiner Tochter im Haushalt.*
- **Schwie·ger·toch·ter** <-, -töchter> *die* Ehefrau des eigenen Sohnes *Sie konnte ihre ~ nicht leiden.*
- **Schwie·ger·va·ter** <-s, -väter> *der* Vater des Ehepartners *Ihr ~ war ein gemütlicher Mann.*
- **schwie·rig** [ˈʃviːrɪç] <schwieriger, schwierigst-> *adj* nicht leicht, problematisch *Sie hatte eine ~e Aufgabe zu lösen.*
- **Schwie·rig·keit** <-, -en> *die* Problem *in ~en geraten, ~en überwinden*

Schwimm·bad <-(e)s, -bäder> *das* öffentliches Gebäude, in dem man schwimmen kann *Das ~ ist geschlossen.*

- **schwim·men** [ˈʃvɪmən] <schwimmt, schwamm, geschwommen> *itr* <sein/haben> **1.** [K] ***jd schwimmt irgendwo/irgendwohin*** sich im Wasser fortbewegen *~ lernen, im See ~, ans andere Ufer ~* **2.** [K] ***etw schwimmt*** auf dem Wasser bleiben *Holz schwimmt.* **3.** [K] ***etw schwimmt*** *(umg)* unter Wasser stehen *Die Wanne ist übergelaufen und das ganze Badezimmer schwimmt.*; **ins S~ geraten** unsicher werden *Er geriet während der Prüfung ins S~.* ***Wobi:*** *Schwimmer*

Schwin·del ['ʃvɪndl̩] <-s, -> *der* **1.** MED ein Gefühl, bei dem man glaubt, dass sich alles um einen herum dreht *Ihn erfasste ein leichter ~, und er musste sich setzen.* **2.** Täuschung, Betrug *Auf den ~ falle ich nicht herein!* ***Wobi: schwind(e)lig Komp: -anfall***

schwin·deln¹ ['ʃvɪndl̩n] <schwindelt, schwindelte, geschwindelt> *itr* [K] ***jdn schwindelt es*** ein Schwindelgefühl haben *Es schwindelte ihn und er fiel hin.*

schwin·deln² ['ʃvɪndl̩n] <schwindelt, schwindelte, geschwindelt> *itr (umg)* ein bisschen lügen *Du hast doch alle Kekse gegessen, du hast geschwindelt!*

schwin·den ['ʃvɪndn̩] <schwindet, schwand, geschwunden> *itr <sein>* weniger werden *Die Hoffnung auf ein gutes Ende schwand.*

Schwips [ʃvɪps] <-es, -e> *der (umg)* leichter Rausch *vom Wein einen ~ haben* ***Wobi: beschwipst***

• **schwit·zen** ['ʃvɪt͜sn̩] <schwitzt, schwitzte, geschwitzt> *itr* Schweiß produzieren *Sie schwitzte schon bei dem Gedanken an die Prüfung.*

schwor [ʃvoːɐ̯] *prät von* **schwören**

schwö·ren ['ʃvøːrən] <schwört, schwor, geschworen> **I.** *tr* [K] ***jd schwört etw*** *akk* versprechen, dass man die Wahrheit sagt *Ich schwöre, dass ich unschuldig bin.* **II.** *itr* versprechen, dass man die Wahrheit sagt *Ich schwöre!;* **auf etw schwören** etw für das Beste halten *Bei Schnupfen schwöre ich auf Dampfbäder.* ***Wobi: Schwur***

• **schwul** [ʃvuːl] <-, -> *adj (umg)* homosexuell *Es gibt ~e Männer und lesbische Frauen.* ***Wobi: Schwule(r)***

schwül [ʃvyːl] <schwüler, schwülst-> *adj* feucht-warm *ein ~er Sommertag*

Schwung [ʃvʊŋ] <-(e)s, (Schwünge)> *der* **1.** Motivation, Energie *Sie ging mit ~ in den neuen Tag.* **2.** kraftvolle und schnelle Bewegung *Er nutzte den ~ der Abfahrt, um den nächsten Hügel hinaufzufahren.* **3.** *(umg)* Stapel, Haufen *Er kaufte sich einen ~ Zeitschriften.*

> *Sechs*
> Die Sechs ist in Deutschland die schlechteste Schulnote. Sie bedeutet ‚ungenügend'. Die beste Note ist die Eins. In vielen Kantonen der Schweiz ist es umgekehrt: Die Sechs ist die beste Note und die Eins die schlechteste. In Österreich ist die Fünf die schlechteste Note.

Sechs [zɛks] <-, -en> *die* die Ziffer 6 *eine ~ schreiben*

• **sechs** [zɛks] *num* die Zahl 6 *Früher hatte die Woche ~ Arbeitstage., sich ~ Richtige im Lotto wünschen*

Sech·ser ['zɛksɐ] <-s, -> *die* **1.** (SD, ÖSTERR, CH) die Zahl 6 *einen ~ schreiben* **2.** sechs richtige Zahlen im Lotto *sich einen ~ im Lotto wünschen*

sechs·hun·dert [zɛks'hʊndɐt] *num* die Zahl 600 *~ Euro bezahlen*

sechs·tau·send ['zɛkstau̯znt] *num* die Zahl 6.000 *Die Armee besteht aus ~ Soldaten.*

sechs·te ['zɛkstə] <-, -> *adj* in einer Reihenfolge die 6. Stelle *Er ist als ~r an der Reihe.*

• **sech·zehn** ['zɛçt͜seːn] *num* die Zahl 16 *Mit ~ Jahren darf man heiraten.*

• **sech·zig** ['zɛçt͜sɪç] *num* die Zahl 60 *Mit ~ Jahren war er dreifacher Großvater.*

• **See¹** [zeː] <-s, -n> *der* große Fläche mit Wasser *auf den ~ hinausrudern*

• **See²** [zeː] <-> *kein pl die* Meer, Ozean *Schon als kleiner Junge träumte er davon, als Matrose zur ~ zu fahren.* ***Komp: -bad,***

-fisch, -reise, -schlacht

See·gang <-(e)s> *kein pl der* Wellen auf dem Meer *Bei heftigem Wind herrscht starker ~.*

see·krank <-, -> *adj* so, dass jdm übel ist, weil er auf einem Schiff fährt *Die meisten Menschen werden leicht ~.*

See·le ['zeːlə] <-, -n> *die* unsterblicher Teil des Menschen *Der Pfarrer betete für die ~n der Verstorbenen.* ***Wobi: seelisch***

Seel·sor·ge <-> *kein pl die* religiöser Trost *Priester betreiben in ihrer Gemeinde die ~.* ***Komp: Telefon-***

See·mann ['zeːman] <-(e)s, -männer/Seeleute> *der* jd, der beruflich zur See fährt *Kapitäne und Matrosen sind Seeleute.*

See·not <-> *kein pl die* Situation, in der ein Schiff in Gefahr ist unterzugehen *Das Schiff geriet bei Sturm in ~.*

Se·gel ['zeːgl̩] <-s, -> *das* MAR großes, oft dreieckiges Tuch an Booten, die sich mit Wind fortbewegen *mit vollen ~n fahren, die ~ setzen* ***Wobi: segeln Komp: -schiff***

Se·gel·boot <-(e)s, -e> *das* Boot mit Segeln *den Atlantik mit einem ~ überqueren*

Segelboot

Se·gel·oh·ren <-> *kein sing pl (umg)* stark abstehende Ohren *~ haben*

Se·gen ['zeːgn̩] <-s, -> *der* **1.** REL göttlicher Schutz *Der Papst erteilt zu Ostern den ~.* **2.** großes Glück *ein wahrer ~* ***Wobi: segnen***

• **se·hen** ['zeːən] <sieht, sah, gesehen> *tr* **1.** [K] ***jd sieht jdn/etw** akk* mit den Augen wahrnehmen, beobachten *Hier gibt es nichts zu ~., Man hat ihn gesehen, als er das Gebäude betrat.* **2.** [K] ***jd sieht jdn*** treffen *Ich habe ihn neulich erst gesehen.* **3.** [K] ***jd sieht etw** akk **irgendwie*** jd hat eine bestimmte Meinung zu etw *Das sollte man alles nicht so eng ~.;* [K] ***jd sieht nach jdm/etw** dat* schauen, ob alles o.k. ist/ob es jdm gut geht *Sieh mal bitte nach den Kindern.;* **Daran sieht man, dass ...** Das zeigt, dass ... *Daran sieht man, dass er es ehrlich meint.;* **jd kann etw nicht mehr** ~ etw nicht mehr mögen, weil man genug davon hat *das Kantinenessen nicht mehr ~ können;* **siehe ...** Bitte schauen Sie ... *siehe Seite 7;* **Sieh mal!** Guck mal! *Sieh mal da: ein Regenbogen!*

• **Se·hens·wür·dig·keit** <-, -en> *die* touristische Attraktion *die ~en einer Stadt besichtigen*

Seh·ne ['zeːnə] <-, -n> *die* ANAT Verbindung zwischen Muskel und Knochen *sich eine ~ zerren* ***Wobi: sehnig Komp: -nzerrung***

seh·nen ['zeːnən] <sehnt, sehnte, gesehnt> *refl* [K] ***jd sehnt sich** akk **nach jdm/etw** dat* sich etw sehr wünschen *Ich sehne mich danach, meine Mutter wiederzusehen.*

Sehn·sucht ['zeːnzʊxt] <-> *kein pl die* starker Wunsch nach etw/jdm *Er hatte ~ nach seiner Familie.*

sehn·süch·tig ['zeːnzʏçtɪç] <sehnsüchtiger, sehnsüchtigst-> *adj* voller Sehnsucht *Sie wirft ~e Blicke auf ihn.*

• **sehr** [zeːɐ̯] *adv* **1.** in hohem Maße, reichlich *Das Buch ist ~ gut geschrieben., Das ist ~ gut möglich., Bitte mit ~ wenig Milch., Ich bin nicht ~ musikalisch.* **2.** (*verwendet in Höflichkeitsformen*) **bitte/danke** ~ bitte/danke *Bitte ~, Ihr Kaffee! – Danke ~!*

Sei·de ['zaidə] <-, -n> *die* leichter, glänzender Stoff *reine ~* ***Wobi: seidig***

• **Sei·fe** ['zaifə] <-, -n> *die* festes oder flüssiges Mittel zum Waschen oder Reinigen *sich mit ~ die Hände waschen, ein Stück ~*

Sei·fen·oper <-, -n> *die (umg)* sentimentale Fernsehserie *Im Vorabendprogramm läuft eine ~.*

Seil [zail] <-(e)s, -e> *das* eine sehr dicke und feste Schnur *ein ~ zum Abschleppen des Autos benutzen* ***Komp: Abschlepp-***

Seil·bahn <-, -en> *die* Bahn, die an einem Drahtseil Kabinen auf einen Berg hinauf- und hinabtransportiert *Die ~ ist die einzige Verbindung zwischen der Hütte und dem Tal.*

• **sein**[1] [zain] <ist, war, gewesen> *Vollverb itr <sein>* in einem bestimmten Zustand oder mit einer bestimmten Eigenschaft *Er ist Deutscher., Sie ist Ärztin., Das ist aber schön!, Wer ist das?, Sei mir nicht böse!, Was ist?, Das kann schon ~.;* **etw ist zu (+inf)** etw kann gemacht werden *Diese Arbeit ist leicht zu schaffen.;* **etw ist zu (+inf)** etw soll/muss gemacht werden *Es ist noch viel zu tun.;* **für/gegen etw** ~ etw gut/schlecht finden *für/gegen Demokratie ~;* **es ist … Uhr** die Uhrzeit ist … Uhr *Es ist genau drei Uhr.;* **es sei denn, …** wenn nicht Folgendes passiert: … *Wir gehen ins Schwimmbad, es sei denn, es regnet.*

> *sein*
> Hinweis für Verben, die das Perfekt mit ‚sein' bilden: Es heißt: ‚Ich bin nach Köln gefahren', aber: ‚Ich habe einen Mercedes gefahren.' ‚Ich bin mit meinem Kollegen zur Arbeit gefahren', aber: ‚Ich habe meinen Kollegen (mit meinem Auto) zur Arbeit gefahren.'

• **sein**[2] [zain] <ist, war, -> *Hilfsverb itr* zur Bildung von Verbformen *Ich bin gestern gekommen., Ich war gerade angekommen, da klingelte das Telefon.*

• **sein**[3] [zain] *pron* Possesivpronomen 3. pers sing von ‚er' *Es war ~ Auto und es war ~e Wohnung.*

• **seit** [zait] *präp* von einem bestimmten Zeitpunkt an *Er lebt da schon ~ 1980., Ich komme schon ~ 1990 regelmäßig hierher., Ich habe sie ~ zwei Jahren nicht gesehen., Ich kenne ihn schon ~ Jahren., ~ langem, erst ~ kurzem, ~ neuestem*

seit·dem [zait'de:m] **I.** *konj* seit der Zeit, als *S~ du weg bist, hat sich nichts geändert.* **II.** *adv* von diesem Zeitpunkt an *Er kam zu meinem Geburtstag, und ~ habe ich ihn nicht mehr gesehen.*

• **Sei·te** ['zaitə] <-, -n> *die* **1.** eine von den Flächen, die einen Gegenstand begrenzen *die sechs ~n eines Würfels* **2.** der seitliche Teil des Körpers *sich von einer ~ auf die andere drehen* **3.** eine der beiden Flächen eines Papierblattes *auf ~ 95 den ersten Absatz lesen, Das Buch hat 300 ~n.;* **etw zur ~ legen** etw woanders hinlegen *Sie legt das Buch zur ~.;* **jdm zur ~ stehen** jdm helfen, jdn unterstützen *Besonders in Krisenzeiten stand er ihr immer zur ~.;* **auf der einen ~ …, auf der anderen ~ …** einerseits …, andererseits … *Auf der einen ~ lobt man ihn, auf der anderen ~ kritisiert man ihn.*

Se·kre·tär(in) [zekre'tɛ:ɐ] <-s, -e> *der* jd, der Schreibarbeiten macht *Sie ist Sekretärin in einer großen Firma.*

Se·kre·ta·ri·at [zekreta'ria:t] <-(e)s, -e> *das* Abteilung, in der Schreibarbeiten u.Ä. ausgeführt werden *Er meldete sich im ~ zur Prüfung an.*

Sekt [zɛkt] <-(e)s, -e> *der* Wein, der leicht schäumt und sehr kalt getrunken wird, eine Art Champagner *zu Silvester mit einem Glas ~ anstoßen, den ~ kalt stellen*

Se·kun·de [ze'kʊndə] <-, -n> *die* sechzigster Teil einer Minute *Es ist genau 14 Uhr, 25 Minuten und 30 ~n., auf die ~ genau*

• **selbe(-r, -s)** [zɛlpə] *pron* gleich *am ~n Tag*

• **sẹlbst** [zɛlpst] **I.** *pron* Pronomen, das verwendet wird, um etw zu betonen *ich ~, Ich mache das lieber ~.* **II.** *adv* sogar *S~ wenn ...*

Sẹlbst·be·die·nung <-> *kein pl die* Aussuchen der Waren direkt durch den Kunden ohne weitere Beratung oder Service *In Supermärkten und an den meisten Tankstellen ist ~.*

Sẹlbst·be·herr·schung <-> *kein pl die* Kontrolle über die eigenen Handlungen/Gefühle *Er war nahe daran, seine ~ zu verlieren.*

sẹlbst·be·wusst <selbstbewusster, selbstbewusstest-> *adj* so, dass man weiß, was man kann *Sie hat ein sehr ~es Auftreten.* ***Wobi: Selbstbewusstsein***

Sẹlbst·mord <-(e)s, -e> *der* die Handlung, bei der jd sich selbst tötet *~ begehen*

sẹlbst·sicher <selbstsicherer, selbstsicherst-> *adj* so, dass man sich des eigenen Könnens sicher ist *Aufgrund seiner Erfolge fühlte er sich sehr ~.*

• **sẹlb(st)·stän·dig** <selbstständiger, selbstständigst-> *adj* **1.** ohne fremde Hilfe/Anleitung *eine Lösung ~ erarbeiten* **2.** so, dass man sein eigener Chef ist *Nach der Meisterprüfung hat er sich ~ gemacht.* ***Wobi: Selb(st)ständigkeit***

• **sẹlbst·ver·ständ·lich** <-, -> *adj* natürlich, klar *Das ist doch ~., Ich erledige das ~ sofort.*

Sẹlbst·ver·trau·en <-s> *kein pl das* Vertrauen in das, was man kann *Sie hat ein gesundes ~.*

Sẹlbst·ver·wirk·li·chung <-> *kein pl die* Realisierung von dem, was man sich für sein Leben gewünscht hat *das Streben nach ~*

se̲·lig ['ze:lɪç] <seliger, seligst-> *adj* **1.** REL im Bewusstsein der göttlichen Gnade *S~ ist derjenige, der ...* **2.** glücklich *Sie sah ihn ~ an.* ***Wobi: Seligkeit***

• **sẹl·ten** ['zɛltn̩] <seltener, seltenst-> *adj* **1.** nicht häufig *So etw passiert wirklich ~., Er war ein ~er Gast in diesem Lokal.* **2.** ungewöhnlich *ein ~es Exemplar*

• **sẹlt·sam** ['zɛltza:m] <seltsamer, seltsamst-> *adj* sonderbar, komisch *Sie hatte eine ~e Art zu reden.*

• **Se·mẹs·ter** [ze'mɛstɐ] <-s, -> *das* **1.** eine der beiden Hälften des Studienjahres *Er studiert im 8. ~ Medizin.* **2.** (ÖSTERR) Schulhalbjahr *Im zweiten ~ bekam sie ein besseres Zeugnis.* ***Komp: -ferien, Sommer-, Winter-***

Se·mi·na̲r [zemi'na:ɐ̯] <-s, -e> *das* **1.** Institut einer Universität *Das ~ für Germanistik ist über Ostern geschlossen.* **2.** Kurs *ein ~ über Management*

• **Sẹm·mel** [zɛml̩] <-, -n> *die* (SD, ÖSTERR) Brötchen *Brot und ~n auf den Tisch stellen;* **wie warme ~n weggehen** sehr gut verkauft werden *Die Sonderangebote gehen weg wie warme ~n.*

• **sẹn·den¹** ['zɛndn̩] <sendet, sandte, gesandt> *tr* [K] ***jd sendet [jdm] etw*** *akk* schicken *Er sendet Ihnen die herzlichsten Grüße., eine E-Mail ~*

• **sẹn·den²** ['zɛndn̩] <sendet, sendete (sandte), gesendet (gesandt)> *tr* TV [K] ***etw sendet etw*** *akk* bringen *Das Fernsehen sendet heute Abend eine Direktübertragung des Fußballspiels.*

Sẹn·der <-s, -> *der* TV Fernsehstation *Der ~ brachte Nachrichten direkt aus dem Krisengebiet.*

• **Sẹn·dung** <-, -en> *die* **1.** Brief- oder Paketpost *Sie hat die ~ mit der Post erhalten.* **2.** TV Ausstrahlung, Übertragung *Ich habe gestern eine interessante ~ im Fernsehen gesehen.*

Sẹnf ['zɛnf] <-(e)s, -e> *der* scharfes, gelbliches Gewürz aus Senfkörnern und Essig *ein Paar Wiener Würstchen mit ~;* **seinen ~ zu etw geben** *(umg)* seine Meinung zu etw sagen *Möchtest du vielleicht auch noch deinen ~ dazu geben?*

Se̱·ni·or(in) ['ze:ni̯o:ɐ̯] <-s, -en> *der* **1.** älterer Mensch, Rentner *eine rüstige ~in* **2.** *(umg)* Seniorchef *Was sagt denn der ~ zu der ganzen Sache?*

sẹnken ['zɛŋkn̩] <senkt, senkte, gesenkt> *tr* **1.** TECH [K] ***jd senkt etw*** *akk* nach unten bewegen *Der Kran senkte die Fässer in die Baugrube.* **2.** niedriger machen *die Preise für Nahrungsmittel ~* ***Wobi: Senkung***

• **sẹnk·recht** ['zɛŋkrɛçt] <-, -> *adj* (↔*waagerecht*) in einer Linie von oben nach unten *Ein Hubschrauber kann ~ starten., eine ~e Linie zeichnen*

Sen·sa·ti·o̱n [zɛnza'ts̮i̯o:n] <-, -en> *die* sehr eindrucksvolles Ereignis *Der Artikel in der Zeitung war eine ~.* ***Wobi: sensationell***

sen·si̱·bel [zɛn'zi:bl̩] <sensibler, sensibelst-> *adj* empfindsam, gefühlvoll *Sie ist eine sehr sensible Person., auf etw ~ reagieren* ***Wobi: Sensibilität***

sen·ti·men·ta̱l [zɛntimɛn'ta:l] <sentimentaler, sentimentalst-> *adj* so, dass es in sehr starker Weise die Gefühle betont *ein ~er Film*

se·pa·ra̱t [zepa'ra:t] <-, -> *adj* einzeln, getrennt von anderen *~e Zimmer buchen*

Sep·tẹm·ber [zɛp'tɛmbɐ] <-(s), -> *der* der 9. Monat des Jahres *Im ~ reifen die ersten Äpfel.*

Se̱·rie ['ze:ri̯ə] <-, -n> *die* **1.** Fernsehsendung *Am Samstag läuft eine neue ~ im Fernsehen.* **2.** Reihe, Folge *eine ~ von Überfällen auf Tankstellen* **3.** Massenproduktion *Das neue Automodell geht ab morgen in ~.*

se·ri·ö̱s [ze'ri̯ø:s] <seriöser, seriösest-> *adj* ehrlich, glaubwürdig *eine ~e Firma*

Ser·vice ['zø:ɐ̯vɪs] <-> *kein pl der* Bedienung *Der ~ in diesem Restaurant ist erstklassig.*

Ser·vi̱ce [zɛr'vi:s] <-(s), -> *das* Geschirr *ein ~ für zehn Personen*

ser·vi̱e·ren [zɛr'vi:rən] <serviert, servierte, serviert> *tr* [K] ***jd serviert [jdm] etw*** *akk* Essen bringen *Der Kellner servierte das Dessert.*

Ser·vi·ẹt·te [zɛr'vi̯ɛtə] <-, -n> *die* kleines Tuch aus Stoff oder Papier zum Reinigen des Mundes nach dem Essen *neben jeden Teller eine ~ legen*

sẹr·vus ['zɛrvʊs] *interj* (SD, ÖSTERR) Gruß- und Abschiedsformel *In Bayern sagt man zum Abschied ‚~', in Niedersachsen ‚tschüs'.*

1

Sessel

• **Sẹs·sel** ['zɛsl̩] <-s, -> *der* **1.** bequeme Sitzgelegenheit für eine Person *Jeden Abend schläft er im ~ vor dem Fernseher ein.* **2.** (ÖSTERR) Stuhl *Setz dich auf den ~ hier!*

• **sẹt·zen** ['zɛts̮n̩] <setzt, setzte, gesetzt> **I.** *tr* **1.** [K] ***jd setzt jdn irgendwohin*** hinsetzen *das Kind in den Kinderstuhl ~* **2.** [K] ***jd***

setzt jdm etw *akk* festlegen, eine Vorschrift machen *eine letzte Frist ~* **3.** [K] ***jd setzt etw*** *akk* pflanzen *Der Gärtner setzte die jungen Pflanzen in den Garten.* **4.** [K] ***jd setzt etw*** *akk* Geld beim Spiel wetten *Er setzte 1.000 Euro auf das Pferd mit der Nummer 17.* **II.** *refl* [K] ***jd setzt sich*** *akk* sich niederlassen *Darf ich mich zu Ihnen ~?, Setz dich neben mich!, sich auf einen Stuhl ~;* [K] ***etw setzt sich*** in einer Flüssigkeit nach unten sinken *Warten Sie, bis sich der Kaffeesatz gesetzt hat.*

Seu·che ['zɔy̯çə] <-, -n> *die* MED Epidemie *Im Flüchtlingslager ist eine ~ ausgebrochen.*

seuf·zen ['zɔy̯ft͜sn̩] <seufzt, seufzte, geseufzt> *itr* tief und laut ausatmen *Ihr war ganz schwer um das Herz, und so musste sie ~.* ***Wobi: Seufzer***

Sẹx [zɛks] <-(es)> *kein pl der* Geschlechtsverkehr *~ haben* ***Wobi: sexy***

se·xịs·tisch <sexistischer, sexistischst-> *adj* so, dass etw Frauen oder Männer diskriminiert *Ihre Äußerungen sind ziemlich ~.*

Se·xu·a·li·tät [zɛksu̯ali'tɛːt] <-> *kein pl die* alle Gefühle und Handlungen, die im Geschlechtstrieb begründet sind *die weibliche und die männliche ~* ***Wobi: sexuell***

Shạm·poo ['ʃampu] <-(s), -s> *das* spezielle flüssige Seife für die Haare *ein mildes ~*

• **sịch** [zɪç] *pron* **1.** Reflexivpronomen bzw. Pronomen der 3. pers sing/pl akk *Er kennt ~ hier nicht aus.* **2.** Reflexivpronomen bzw. Pronomen der 3. pers sing/pl dat *Er gefällt ~ am besten im Anzug., Sie wäscht ~ die Haare.*

• **sị·cher** ['zɪçɐ] <sichere, sicherst-> *adj* **1.** ohne Gefahr *vor etw ~ sein, ein ~er Sieg für den Champion* **2.** gewiss, zweifellos *Sind Sie sich ~?, Der Erfolg ist dir ~.* **3.** selbstbewusst *ein ~es Auftreten*

• **Sị·cher·heit** <-, (-en)> *die* **1.** *kein pl* der Zustand, dass jd/etw nicht (mehr) in Gefahr ist *Sie war den Gangstern entkommen und befand sich in ~.* **2.** Gewissheit *Er hatte die ~, dass sie kommt.;* **mit** ~ ganz sicher *Sie kommt mit ~.*

Sị·cher·heits·gurt <-(e)s, -e> *der* festes Band, das man sich im Auto umschnallt, um bei einem Unfall besser geschützt zu sein *Das Anlegen des ~es ist in Deutschland Pflicht.*

Sị·cher·heits·na·del <-, -n> *die* gebogene Nadel mit einem Verschluss *Sie steckte das Tuch mit einer ~ fest.*

sị·cher·lich *adv* zweifellos, bestimmt *Er wird ~ noch kommen.*

• **sị·chern** ['zɪçɐn] <sichert, sicherte, gesichert> *tr* **1.** [K] ***jd sichert etw*** *akk* sicher machen *Sie sicherten die Fenster vor dem Sturm.* **2.** DV [K] ***jd sichert etw*** *akk* eine Kopie von Daten machen *eine Datei ~*

Sị·che·rung <-, -en> *die* **1.** DV das Sichern von Daten *Denken Sie an eine ~ Ihrer Daten?* **2.** EL ein Gerät, das in elektrischen Leitungen den Strom unterbricht, wenn zu starker Strom fließt *eine ~ auswechseln*

Sịcht [zɪçt] <-> *kein pl die* **1.** Sehen *Nebel behindert die ~.* **2.** Sichtverhältnisse *(gute) schlechte ~*

• **Sie** [ziː] *pron* Anrede/Höflichkeitsform im sing und pl *Bitte kommen ~, Frau Meier!, Bitte kommen ~ doch alle herein!*

• **sie** [ziː] *pron* **1.** Personalpronomen 3. pers sing f *S~ war es nicht, ich*

S

war es., Ich besuche ~ morgen. **2.** Personalpronomen pl im nom und akk *Da kommen Papa und Mama. Endlich sind ~ da.*

• **sie·ben** ['ziːbn̩] *num* die Zahl 7 *Schneewittchen und die ~ Zwerge*

• **sie·ben·hun·dert** ['ziːbn̩'hʊndɐt] *num* die Zahl 700 *~ Euro kosten*

Sie·ben·sa·chen ['ziːbn̩'zaxn̩] <-> *kein sing pl (umg)* alles, was man besitzt *Er packte seine ~ und verschwand für immer.*

sieb·tens ['ziːptn̩s] *adv* an 7. Stelle in einer Reihenfolge *S~ weise ich Sie darauf hin, dass …*

• **sieb·zehn** ['ziːpt͡seːn] *num* die Zahl 17 *Sie ist erst ~ Jahre alt und damit noch nicht volljährig.*

• **sieb·zig** ['ziːpt͡sɪç] *num* die Zahl 70 *Opa ist ~ Jahre alt geworden.*

Sie·de·punkt <-(e)s, -e> *der* Temperatur, bei der eine Flüssigkeit zu kochen beginnt *Der ~ für Wasser liegt bei 100 Grad Celsius.*

Sieg [ziːk] <-(e)s, -e> *der* gewonnener Kampf im Krieg oder Sport *den ~ davontragen, den ~ im Viertelfinale erringen* ***Wobi: besiegen, siegen, Sieger, siegreich***

siezen ['ziːt͡sn̩] <siezt, siezte, gesiezt> *tr* K ***jd siezt jdn*** (*↔duzen*) jd mit ‚Sie' anreden *Siezt du deine Arbeitskollegen noch immer?*

Sig·nal [zɪ'gnaːl] <-s, -e> *das* Zeichen *ein ~ geben*

Sil·be ['zɪlbə] <-, -n> *die* Teil eines Wortes *Das Wort ‚Stimmung' besteht aus den beiden ~n ‚Stim-' und ‚-mung'.*

Sil·ber ['zɪlbɐ] <-s> *kein pl das* ein Edelmetall, aus dem man z. B. Schmuck macht *Schmuck aus Gold und ~, Besteck aus ~*

Sil·ber·hoch·zeit <-, -en> *die* Jubiläum nach 25 Ehejahren *~ feiern*

Sil·hou·et·te [zi'lu̯ɛtə] <-, -n> *die* Ränder/Schatten von Personen oder Landschaften *Sie konnte die ~ der Alpen in der Ferne erkennen.*

Sil·ves·ter [zɪl'vɛstɐ] <-s, -> *das* die Nacht vom 31. Dezember auf den 1. Januar *~ feiern* ***Komp: -rakete***

sim·pel ['zɪmpl̩] <simpler, simpelst-> *adj* einfach *Die Aufgabe ist ganz ~ zu lösen.*

si·mul·tan [zimʊl'taːn] <-, -> *nur attr adj* gleichzeitig *~e Arbeitsschritte* ***Komp: Simultanübersetzung***

Sin·fo·nie [zɪnfo'niː] <-, -n> *die* Musikstück für ein Orchester *eine ~ komponieren*

• **sin·gen** ['zɪŋən] <singt, sang, gesungen> *tr* K ***jd singt etw*** *akk* mit der Stimme eine Melodie/ein Lied vortragen *ein Lied ~* ***Wobi: Gesang***

Sin·gle [sɪŋgl] <-s, -s> *der* jd, der alleine lebt *Es gibt heute immer mehr ~s.*

Sin·gu·lar ['zɪŋgulaːɐ̯] <-s, -e> *der* (LING: *↔Plural*) Einzahl *Der ~ von ‚Pferde' ist ‚Pferd'.*

• **sin·ken** ['zɪŋkn̩] <sinkt, sank, gesunken> *itr <sein>* **1.** untergehen *Das Schiff sank in einem schweren Sturm.* **2.** fallen *im Wert ~, Der Preis ist stark gesunken., Er ist in ihrer Achtung gesunken.*

• **Sinn** [zɪn] <-(e)s, -e> *der* **1.** Organ zur Wahrnehmung/Empfindung *Hören, Riechen, Sehen, Schmecken, Tasten sind die fünf ~e des Menschen.* **2.** Zweck *Das hat keinen ~., Was für einen ~ soll das haben?* **3.** Bedeutung *der ~ des Lebens* ***Wobi: sinnvoll, sinnlos Komp: -esorgan***

sinn·ge·mäß <-, -> *adj* ungefähr, nicht wörtlich *etw ~ wiedergeben*

siezen
Obwohl sich das ‚Du' immer mehr verbreitet, ist das ‚Sie' wichtig. Lehrer siezen Schüler ab etwa 17 Jahre. In der Regel siezt man Verkäufer, Bankangestellte, Beamte oder die Bedienung im Restaurant. In Kneipen hingegen duzt man die Bedienung immer häufiger.

Silvester
Die letzte Nacht des Jahres feiert man meist mit Freunden. Um Mitternacht stößt man mit Sekt an und wünscht sich ein ‚gutes neues Jahr'. Dann macht man ein Feuerwerk. Eine Tradition ist das Bleigießen: Man gießt heißes Blei in kaltes Wasser. Dann versucht man, die entstehende Figur in Bezug auf die Zukunft zu deuten.

sinn·lich <sinnlicher, sinnlichst-> *adj* **1.** erotisch *Sie ist sehr ~.* **2.** zu den Sinnen gehörend *die ~e Wahrnehmung* ***Wobi: Sinnlichkeit***

Si·re·ne [zi'reːnə] <-, -n> *die* Lautsprecher, der laute, schrille Töne als Warnsignale aussendet *Die ~n gingen los, als das Feuer ausbrach.*

Sit·te ['zɪtə] <-, -n> *die* **1.** Brauch *die ~ der Gastfreundschaft* **2.** die moralischen Regeln eines Volkes *Andere Länder, andere ~n.*

sitt·lich <sittlicher, sittlichst-> *adj* den Sitten entsprechend *der Verfall der ~en Werte*

• **Si·tu·a·ti·on** [zitua'tsioːn] *die* Lage, Umstände *jdn in eine schwierige ~ bringen*

• **Sitz** [zɪts] <-es, -e> *der* **1.** etw/ein Platz, auf dem man sitzen kann *Der ~ des Fahrers ist zu niedrig.* **2.** Ort, an dem eine Firma etc. ist *Die Firma hat ihren ~ in der Schweiz.* **3.** Platz, Stimme *Die Partei hat 135 ~e im Parlament.*

• **sit·zen** ['zɪtsn̩] <sitzt, saß, gesessen> *itr* <*haben* (SD, ÖSTERR, CH *sein*)> **1.** K ***jd sitzt irgendwo*** (↔*liegen, stehen*) sich so in ruhiger Stellung befinden, dass der Oberkörper aufrecht ist *auf einem Stuhl ~, bequem ~* **2.** K ***etw sitzt irgendwie*** passen *Der Anzug sitzt nicht richtig, er ist zu groß.* **3.** *(umg)* K ***jd sitzt*** im Gefängnis sein *Er sitzt, weil er eine Bank überfallen hat.; ~* **bleiben** in der Schule eine Klasse wiederholen müssen *Er ist mit einer Sechs in Mathematik ~ geblieben.*

Sitz·platz <-es, -plätze> *der* Platz, auf dem man sitzt *Sie hatte einen ~ in der ersten Reihe des Theaters., einen ~ reservieren*

• **Sit·zung** <-, -en> *die* Konferenz *Die ~ fand hinter verschlossenen Türen statt.*

• **Skan·dal** [skan'daːl] <-s, -e> *der* ein Ereignis, das die Öffentlichkeit schockiert/ärgert *Eine zufällige Entdeckung löste den ~ aus., Der ~ zieht immer weitere Kreise.* ***Wobi: skandalös***

Ske·lett [ske'lɛt] <-(e)s, -e> *das* Knochengerüst eines Körpers *Das menschliche ~ besteht aus mehreren hundert Knochen.*

skep·tisch ['skɛptɪʃ] <skeptischer, skeptischst-> *adj* so, dass man Zweifel an etw hat *Er war sehr ~ in Bezug auf das neue Projekt.* ***Wobi: Skepsis***

• **Ski** [ʃiː] <-(s), -/-er> *der* (= ÖSTERR *Schi*) langes Brett, das man am Fuß festmacht, um über Schnee zu fahren *die ~er anschnallen, ~ fahren, ~ laufen* ***Komp: -bindung, -kurs, -lehrer, -mütze, -stock, Langlauf-,***

Ski

Skiz·ze ['skɪtsə] <-, -n> *die* einfache Zeichnung *eine ~ anfertigen* ***Wobi: skizzieren***

Skript [skrɪpt] <-(e)s, -s/-e> *das* Kurzform für Manuskript *das ~ einer Vorlesung*

Skru·pel ['skruːpl̩] <-s, -> *der* Schuldgefühl *keine ~ haben, etw zu tun* ***Wobi: skrupellos***

Skulp·tur [skʊlp'tuːɐ̯] <-, -en> *die* Plastik *eine Sammlung von antiken ~en*

skur·ril [skʊ'riːl] <skurriler, skurrilst-> *adj* seltsam, sonderbar, ungewöhnlich *~e Ideen*

Slip [slɪp] <-s, -s> *der* Unterhose *einen ~ tragen* ***Komp: Damen-, Herren-***

• **Smog** [smɔk] <-s> *kein pl der* eine Art Nebel aus Auto- und Indus-

S

trieabgasen *Im Sommer ist der ~ besonders gefährlich.*

Smo·king ['smo:kɪŋ] <-s, -s> *der* festlicher Abendanzug für Herren *auf dem Ball einen ~ tragen*

• **so** [zo:] **I.** *adv* **1.** auf diese Art *Ich mache das ~ und nicht anders.* **2.** in einem bestimmten Maß *Er ist ~ groß, dass er sich bücken muss., Ich bin ja ~ müde., S~ viel zu Ihrer Information.* **3.** circa, ungefähr *Ich komme ~ gegen acht Uhr, o.k.?, Sie heißt Müller oder Möller oder ~.* **II.** *konj* verwendet, um eine Folge auszudrücken *Er war arm, ~ dass er betteln musste.* **III.** eigentlich *Was machen Sie denn ~ in Ihrer Freizeit?;* **S~?** Ach, ja?, Das ist ja interessant! *Wir haben uns entschieden zu heiraten. – S~?*

• **so·bald** [zo'balt] *konj* gleich wenn, sofort wenn *S~ er kommt, gehen wir., Ich komme, ~ ich kann.*

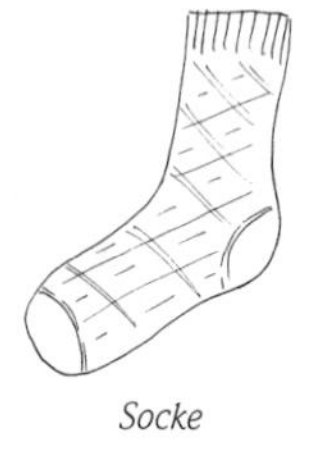
Socke

So·cke ['zɔkə] <-, -n> *die* kurzer Strumpf *Er trug weiße ~n zu seinem dunklen Anzug.;* **sich auf die ~n machen** *(umg)* loslegen, aufbrechen *Machen wir uns auf die ~n, der Weg ist weit!*

• **so·dass** [zo'das] *konj* verwendet, um eine Folge von etw zu nennen *Sie lief ohne Schirm im Regen, ~ sie nass wurde.*

• **So·fa** ['zo:fa] <-s, -s> *das* (≈*Couch*) bequeme Sitzgelegenheit für mehrere Personen *Sie sitzen auf dem ~ und sehen fern.*

so·fern [zo'fɛrn] *konj* vorausgesetzt, dass; wenn *Ich werde das Haus kaufen, ~ meine Frau zustimmt.*

soff [zɔf] *prät von* **saufen**

• **so·fort** [zo'fɔrt] *adv* augenblicklich, jetzt gleich *Du sollst ~ nach Hause kommen.*

sog [zo:k] *prät von* **saugen**

• **so·gar** [zo'ga:ɐ̯] *adv* mehr, als man erwarten kann/würde *Der Kunde kann ~ zwischen zehn verschiedenen Farben wählen.*

Soh·le ['zo:lə] <-, -n> *die* **1.** ANAT unterer Teil des Fußes, auf dem man steht *Seine ~n brannten, weil er ohne Schuhe gelaufen war.* **2.** unterer Teil des Schuhs *Die ~n ihrer Schuhe sind durchgelaufen.*

• **Sohn** [zo:n] <-(e)s, Söhne> *der* (↔*Tochter*) männliches Kind *einen ~ und zwei Töchter haben*

• **so·lang(e)** [zo'laŋə] *konj* eine bestimmte Zeit lang, für eine bestimmte Zeitdauer *S~ sie krank ist, kann sie nicht in die Schule gehen.*

• **solch** [zɔlç] <-, -> *pron* **1.** der/die/das Gleiche *Ich hätte gerne ~e Schuhe wie du.* **2.** *(umg)* riesig, sehr groß *Ich hab ~en Durst!*

• **Sol·dat** [zɔl'da:t] <-en, -en> *der* Angehöriger einer Armee *als ~ dienen, als ~ an der Front kämpfen*

so·li·da·risch [zoli'da:rɪʃ] <solidarischer, solidarischst-> *adj* so, dass man sich gegenseitig unterstützt *~ sein mit jdm, sich mit jdm ~ erklären*

• **sol·len** ['zɔlən] <soll, sollte, gesollt/sollen> *itr* **1.** verwendet, um zu sagen, was jd tun muss *Du sollst sofort nach Hause kommen.* **2.** verwendet, um einen Wunsch auszudrücken *Du sollst dich wie zu Hause fühlen.* **3.** verwendet, wenn man sich nicht ganz sicher ist, ob es stimmt *Sie soll nach Berlin umgezogen sein.*

so·mit [zo'mɪt] *adv* deshalb, folglich *Du hast mich betrogen, ~ kannst du nicht mehr mit meiner Hilfe rechnen.*

Som·mer ['zɔmɐ] <-s, -> *der* (↔*Winter*) die wärmste Jahreszeit *im ~ baden gehen* ***Komp:*** *-ferien, -schlussverkauf, -sprossen*

Som·mer·zeit <-> *die* Zeit, in der die Uhren um eine Stunde vorgestellt sind *In der mitteleuropäischen ~ stellt man die Uhren eine Stunde vor.*

• **Son·der·an·ge·bot** <-(e)s, -e> *das* niedrigerer Preis, der nur für eine begrenzte Zeit gültig ist *Dieses Kleid ist im ~., Besonders im Schlussverkauf gibt es viele ~e.*

son·der·bar ['zɔndɐbaːɐ̯] <sonderbarer, sonderbarst-> *adj* seltsam, komisch *Was ist daran so ~?*

Son·der·müll <-(e)s> *kein pl der* giftiger Abfall, der getrennt gesammelt werden muss *Batterien gehören in den ~.*

• **son·dern** ['zɔndɐn] *konj* aber, stattdessen *Sie wollte nicht wandern, ~ schwimmen gehen.;* **nicht nur ..., ~ auch ...** sowohl ... als auch ... *Er wollte im Urlaub nicht nur schwimmen, ~ auch angeln.*

• **Son·der·preis** <-es, -e> *der* niedrigerer Preis *Das alles gibt es zum ~ von nur 10 Euro.*

Son·der·schu·le <-, -n> *die* Schule für Kinder, die Schwierigkeiten beim Lernen haben oder behindert sind *Rektor einer ~ sein*

Sonn·a·bend ['zɔnʔaːbn̩t] <-s, -e> *der* (ND) Samstag *Am ~ gehen wir aus.*

• **Son·ne** ['zɔnə] <-, -n> *die* großer Stern, der am Tag Licht und Wärme gibt *Tagsüber scheint die ~, nachts der Mond.* ***Komp:* -nbrille, -nschein, -nstrahl**

Sonne

Son·nen·blu·me <-, -n> *die* große gelbe Blume, die aussieht wie eine Sonne *eine ~ in die Vase stellen*

Son·nen·brand <-(e)s, -brände> *der* Verbrennung der Haut durch die Sonne *Sie hat am Strand einen ~ bekommen.*

Son·nen·stich <-(e)s, -e> *der* Kopfschmerzen und Übelkeit, die man durch zu viel Sonne bekommt *einen ~ bekommen*

son·nig ['zɔnɪç] <sonniger, sonnigst-> *adj* von der Sonne beschienen *Diese Seite ist ~, die andere Seite ist schattig.*

Sonn·tag ['zɔntaːk] <-(e)s, -e> *der* der 7. Tag der Woche *am ~ einen Ausflug machen* ***Wobi:* sonntäglich**

• **sonst** [zɔnst] *adv* **1.** außerdem, zusätzlich *S~ noch etwas?* **2.** gewöhnlich, normalerweise *wie ~ auch* **3.** oder *Komm jetzt, ~ schaffen wir es nicht mehr pünktlich.*

• **Sor·ge** ['zɔrgə] <-, -n> *die* Gefühl der Angst um jdn/etw *Eltern machen sich oft ~n um ihre Kinder., Mach dir deshalb keine ~n!*

• **sor·gen** ['zɔrgn̩] <sorgt, sorgte, gesorgt> **I.** *refl* K ***jd sorgt sich*** *akk* [***um jdn/etw*** *akk*] Angst haben, sich ernste Gedanken machen *Er sorgte sich um die weitere Entwicklung der Firma.* **II.** *itr* sich kümmern um *Bitte ~ Sie dafür, dass die Kinder pünktlich ins Bett kommen., Dafür werde ich ~.*

Sorge·recht <-(e)s> *kein pl das* Recht, für die Erziehung eines Kindes zu sorgen *Die Eltern streiten sich um das ~.*

sorg·fäl·tig <sorgfältiger, sorgfältigst-> *adj* gründlich, genau *Ein solches Projekt braucht eine ~e Vorbereitung.*

sorg·los ['zɔrkloːs] <sorgloser, sorglosest-> *adj* **1.** ohne aufzupassen, ohne nachzudenken *Sie ist sehr ~ im Umgang mit Geld.* **2.** ohne Angst, ohne Sorgen *Er ist von Natur aus ein fröhlicher und ~er Mensch.*

sorg·sam ['zɔrkzaːm] <sorgsamer, sorgsamst-> *adj* vorsichtig

S

Gehe bitte ~ mit den Sachen um!

Sor·te ['zɔrtə] <-, -n> *die* Art, Marke *eine bestimmte ~ Zigaretten rauchen, Diese ~ Äpfel mag ich nicht.*

sor·tie·ren [zɔr'tiːrən] <sortiert, sortierte, sortiert> *tr* [K] ***jd sortiert etw*** *akk* etw ordnen *Sie stand vor dem Regal und sortierte die Bücher.*

• **So·ße** ['zoːsə] <-, -n> *die* dicke Flüssigkeit, die man z. B. zu Fleisch oder Gemüse isst *Zum Fisch gab es eine ~ aus Butter und Weißwein.*

• **Sou·ve·nir** [zuvə'niːɐ̯] <-s, -s> *das* kleines Geschenk, das man jdm mitbringt; Andenken *ein ~ aus dem Urlaub mitbringen*

sou·ve·rän [zuvə'rɛːn] <souveräner, souveränst-> *adj* **1.** POL unabhängig *ein ~er Staat* **2.** überlegen *die schwierige Lage ~ meistern, ~ über etw hinwegsehen*

• **so·viel** [zo'fiːl] *konj* ~ **ich weiß, ...** nach meiner Information ... *S~ ich weiß, kommt er heute nicht.*

so·wie [zo'viː] *konj* **1.** sobald, im gleichen Augenblick *S~ ich Bescheid weiß, rufe ich dich an.* **2.** ebenfalls, auch, und *Ihre Eltern ~ ihre Geschwister waren zur Hochzeit gekommen.*

• **so·wie·so** [zovi'zoː] *adv* selbstverständlich *Ich gehe ~ hin.*

• **so·wohl** [zo'voːl] *konj* ebenso ... wie *Er kann ~ singen wie auch tanzen.; ~* **... als auch ...** das eine ebenso wie das andere *Sie war ~ reich als auch schön.*

• **so·zi·al** [zo'ts̯i̯aːl] <sozialer, sozialst-> *adj* **1.** gut für die Mitmenschen *Sie hat eine sehr ~e Einstellung.* **2.** gesellschaftlich *Er stammt aus einem ~ schwachen Milieu., Es gibt viele ~e Probleme.*

So·zi·al·hil·fe <-> *kein pl die* Geld vom Staat für arme Menschen *von der ~ leben*

So·zi·a·lis·mus [zots̯i̯a'lɪsmʊs] <-> *kein pl der* politische Bewegung mit dem Ziel, Geld und Güter gleichmäßig unter allen Menschen zu verteilen *der real existierende ~* ***Wobi: Sozialist, sozialistisch***

So·zi·o·lo·gie [zots̯i̯olo'giː] <-> *kein pl die* Lehre vom Zusammenleben der Menschen *Er hat ~ und Psychologie studiert.*

so·zu·sa·gen [zoːts̯u'zaːgn̩] *adv* wenn man es so ausdrücken will, quasi *Es handelt sich hierbei ~ um eine Kombination beider Methoden.*

spal·ten ['ʃpaltn̩] <spaltet, spaltete, gespaltet/gespalten> *tr* **1.** [K] ***jd spaltet etw*** *akk* mit einem Schlag in zwei Teile teilen *Er spaltete den Holzklotz mit einer Axt.* **2.** [K] ***etw spaltet etw*** *akk* eine Institution in zwei Gruppen (mit unterschiedlichen Meinungen) trennen *Dieser Streit kann die Partei ~.*

spann [ʃpan] *prät von* **spinnen**

span·nen ['ʃpanən] <spannt, spannte, gespannt> **I.** *tr* [K] ***jd spannt etw*** *akk* etw gerade ziehen, etw festziehen *die Wäscheleine ~* **II.** *itr* **1.** zu eng sein *Die Hose spannt.* **2.** (*umg!* SD, ÖSTERR) verstehen, kapieren *Er hat gespannt, dass seine Eltern ohne ihn in Urlaub fahren wollen.*

• **span·nend** <spannender, spannendst-> *adj* aufregend, sehr interessant *Das war aber ein ~er Film.*

Span·nung *die* **1.** EL Stromstärke *Die ~ beträgt 220 Volt.* **2.** Erregung, Ungeduld, Neugier *etw mit ~ erwarten*

Spar·buch <-(e)s, -bücher> *das* kleines Buch von der Bank, in dem steht, wie viel Geld man auf seinem Konto gespart hat *Sie zahlte regelmäßig Geld auf ihr ~ ein.*

Spar·büch·se <-, -n> *die* kleine Dose, in die man Geld hineinwirft, das man sparen möchte *Jeden Tag wirft er einen Euro in seine ~.*

• **spa·ren** ['ʃpaːrən] <spart, sparte, gespart> **I.** *tr* **1.** [K] ***jd spart etw*** *akk* Geld nicht ausgeben/nicht verbrauchen, damit man es später noch hat *Er sparte Geld für ein neues Auto.* **2.** [K] ***jd spart etw*** *akk* von etw möglichst wenig verbrauchen *Energie ~, Diese Methode spart viel Arbeit.* **II.** *refl* [K] ***jd spart sich*** *dat* ***etw*** *akk* sich nicht die Mühe machen, etw zu tun *Den Weg kann man sich ~., Spar dir deine Ratschläge!* **III.** *itr* **1.** Geld nicht ausgeben, damit man es später noch hat *Er sparte auf ein neues Fahrrad.* **2.** möglichst wenig verbrauchen *Wir arbeiten hart und ~.*

Spar·gel ['ʃpargl̩] <-s, -> *der* längliche weiße oder grüne Gemüseart, die im Frühjahr geerntet wird *~ isst man mit neuen Kartoffeln und Schinken., ~ schälen* ***Komp:*** ***-stange, -suppe***

Spar·kon·to <-s, -konten> *das* Konto, auf dem das gesparte Geld gebucht wird *Sie hatte ein ~ bei ihrer Bank.*

• **spar·sam** ['ʃpaːɐ̯zaːm] <sparsamer, sparsamt-> *adj* **1.** (↔*verschwenderisch*) so, dass man wenig Geld ausgibt *ein sehr ~er Mensch* **2.** so, dass etw wenig verbraucht *ein ~er Motor* ***Wobi: Sparsamkeit***

• **Spaß** [ʃpaːs] <-es, Späße> *der* **1.** etw, was lustig ist; Scherz *Das war doch nur ein kleiner ~., Ich sage das nicht zum ~.* **2.** Vergnügen, Lustgefühl *Tanzen macht mir ~, Das Spiel hat mir überhaupt keinen ~ gemacht.* ***Wobi: spaßen, spaßig***

• **spät** [ʃpɛːt] <später, spätest-> *adj* **1.** (↔*früh*) am Ende eines Zeitraums *~ ins Bett gehen, Zu ~er Stunde kamen noch Gäste., die ~en neunziger Jahre* **2.** nach einem erwarteten/vereinbarten Zeitpunkt *zu etw zu ~ kommen, Ich bin zu ~ zur Schule gekommen., von früh bis ~ arbeiten;* **Was willst du ~er einmal werden?** Welchen Beruf willst du lernen, wenn du erwachsen bist? *Was willst du denn ~er einmal werden?;* **Wie ~ ist es?** Wie viel Uhr ist es? *Wie ~ ist es gerade?*

Spa·ten ['ʃpaːtn̩] <-s, -> *der* schmale Schaufel zum Graben *mit dem ~ ein Loch in die Erde graben*

Spaten

• **spa·zie·ren** [ʃpa'tsiːrən] <spaziert, spazierte, spaziert> *itr* <*sein*> herumgehen *durch die Stadt ~;* ~ **gehen** zur Entspannung und ohne Eile gehen *regelmäßig ~ gehen*

Spa·zier·gang <-(e)s, -gänge> *der* das Spazierengehen *einen ~ machen*

Specht [ʃpɛçt] <-(e)s, -e> *der* Vogel mit kräftigem Schnabel, der seine Nahrung in Bäumen sucht *Der ~ klopft.*

Specht

Speck [ʃpɛk] <-(e)s, -e> *der* fettes Schweinefleisch *Eier mit ~, ~ anbraten*

Spe·di·ti·on [ʃpedi'tsi̯oːn] <-, -en> *die* Firma, die Dinge (mit Lastwagen) transportiert *eine ~ für den Umzug kommen lassen*

Spei·chel ['ʃpai̯çl̩] <-s> *kein pl der* (≈*Spucke*) Flüssigkeit im Mund, die zur Verdauung der Speisen beiträgt *~ trägt zur Verdauung bei.*

Spei·cher ['ʃpai̯çɐ] <-s, -> *der* **1.** (≈*Dachboden*) Raum unter dem

Dach *Kisten auf dem ~ verstauen* **2.** Behälter zur Aufbewahrung *Der neue ~ fasst 50.000 Kubikmeter Wasser.* **3.** DV Kurzform für Festplattenspeicher (oder Arbeitsspeicher) *Ist der ~ groß genug für die neuen Dateien?* ***Komp:*** *-kapazität*

• **spei·chern** [ˈʃpai̯çɐn] <speichert, speicherte, gespeichert> *tr* sichern *eine Datei ~, die Daten ~*

• **Spei·se** [ˈʃpai̯zə] <-, -n> *die* Gericht, Mahlzeit *Die ~n auf der Karte hatten fantasievolle Namen.* ***Wobi:*** *speisen* ***Komp:*** *-eis, Lieblings-, Mehl-, Nach-, Süß-, Vor-*

• **Spei·se·kar·te** <-, -n> *die* Liste im Restaurant mit allen Speisen und deren Preisen *Bitte die ~!*

spek·ta·ku·lär [ʃpɛktakuˈlɛːɐ̯] <spektakulärer, spektakulärst-> *adj* so, dass etw Aufsehen erregt *ein ~er Auftritt*

spe·ku·lie·ren [ʃpekuˈliːrən] <spekuliert, spekulierte, spekuliert> *itr* **1.** versuchen Geld zu bekommen, indem man sich auf unsichere Geschäfte einlässt *Er hatte an der Börse spekuliert und sein ganzes Vermögen verloren.* **2.** [K] ***jd spekuliert auf etw*** *akk* erwarten, etw als sicher voraussetzen *Er spekulierte darauf, dass sein Vater ihm das ganze Geld vererben würde.* ***Wobi:*** *Spekulant*

Spen·de [ˈʃpɛndə] <-, -n> *die* Geld oder Dinge, die man jdm als Unterstützung gibt *Er zahlte eine ~ an das Kinderhilfswerk.* ***Wobi:*** *spenden*

spen·die·ren [ʃpɛnˈdiːrən] <spendiert, spendierte, spendiert> *tr* [K] ***jd spendiert*** *[jdm]* ***etw*** *akk* jdm etw bezahlen *Er spendierte seinen Freunden eine Runde Bier.*

sper·ren [ˈʃpɛrən] <sperrt, sperrte, gesperrt> **I.** *tr* **1.** [K] ***jd sperrt*** *[jdm]* ***etw*** *akk* abstellen *Sie haben mir das Gas gesperrt., den Strom ~* **2.** [K] ***jd sperrt etw*** *akk* die Durchfahrt/den Durchgang verhindern *Wegen eines Unfalls ist die Straße gesperrt .* **3.** SPORT [K] ***jd sperrt jdn*** die Teilnahme am Spiel verbieten *Der Spieler wurde wegen eines Fouls für drei Spiele gesperrt.* **4.** [K] ***jd sperrt etw*** *akk* machen, dass man etw nicht benutzen kann *einen Scheck ~, das Konto ~* **II.** *refl* [K] ***jd sperrt sich*** *akk* [***gegen etw*** *akk*] sich gegen etw wehren; sich weigern, etw zu tun *Er sperrte sich dagegen, die Autorität des Lehrers anzuerkennen.*

Sperr·müll <-(e)s> *kein pl der* Müll, der zu groß für eine Mülltonne ist *~ wegbringen*

Spe·sen [ˈʃpeːzn̩] <-> *kein sing pl* zusätzliche Kosten *Sie kann die ~ für die Reise von der Steuer absetzen.*

• **Spe·zi·al-** Extra-, Sonder- *~gebiet, ~geschäft für Lederwaren*

Spe·zi·a·list(in) [ʃpet͡si̯aˈlɪst] <-en, -en> *der* Fachmann, Fachfrau *ein ~ für Computertechnik*

Spe·zi·a·li·tät [ʃpet͡si̯aliˈtɛːt] <-, -en> *die* **1.** Speise, die jd sehr gut zubereiten kann *Meine ~ ist gefüllte Ente.* **2.** ein Gericht, das für eine Region besonders typisch ist *Spätzle sind eine schwäbische ~.*

spe·zi·ell [ʃpeˈt͡si̯ɛl] <spezieller, speziellst-> *adj* besonders *Es ist mir eine ~e Freude …*

• **Spie·gel** [ˈʃpiːgl̩] <-s, -> *der* Glas, in dem man sich selbst sehen kann *sein Gesicht im ~ betrachten*

Spie·gel·ei <-(e)s, -er> *das* ein Ei, das man in der Pfanne brät *Er machte sich schnell zwei ~er.*

Spiegel

spie·geln ['ʃpiːgl̩n] <spiegelt, spiegelte, gespiegelt> *refl* [K] ***jd/etw spiegelt sich*** *akk* [***in etw*** *dat*] reflektiert werden *Ihr Gesicht spiegelte sich im Wasser.*

• **Spiel** [ʃpiːl] <-(e)s, -e> *das* **1.** das Spielen *Das ~ machte allen Spaß.* **2.** Gegenstand, mit dem man spielen kann *Sie schenkte ihr ein ~ zum Geburtstag.* **3.** SPORT Wettkampf *Die Olympischen ~e finden alle vier Jahre statt.* ***Komp:*** ***-feld, -karte, -platz, -sachen, -waren, -zeug, Brett-, Fußball-, Karten-***

Spiel·bank <-, -en> *die* Spielkasino *regelmäßige Besucher der ~*

• **spie·len** ['ʃpiːlən] <spielt, spielte, gespielt> **I.** *tr* **1.** [K] ***jd spielt ein Instrument*** Musik machen *Gitarre ~;* [K] ***jd spielt ein Spiel*** in der Freizeit etw nach Regeln tun, das Spaß macht *Fußball ~, Er spielt leidenschaftlich gern Schach.* **2.** [K] ***jd spielt jdn*** THEAT FILM darstellen *Er spielt seine Rolle glänzend.* **3.** [K] ***jd spielt etw*** *akk* so tun als ob *Spiel nicht die Unschuldige!* **II.** *itr* sich vergnügen, sich amüsieren *Die Kinder spielten auf der Straße.;* **etw spielt keine Rolle** etw ist unwichtig *Das spielt keine Rolle.*

Spiel·film <-(e)s, -e> *der* Film zur Unterhaltung *der ~ im ersten Programm*

Spiel·re·gel <-, -n> *die meist pl* Regel eines Spiels *sich an die ~n halten/gegen die ~n verstoßen*

• **Spiel·zeug** <-(e)s,-e> *das* Dinge zum Spielen für Kinder *den Kindern ~ zu Weihnachten schenken* ***Komp:*** ***-auto, -eisenbahn***

spie·ßig ['ʃpiːsɪç] <spießiger, spießigst-> *adj* (*umg pej ≈spießbürgerlich*) konservativ *Sie hat ~e Ansichten über das Zusammenleben.*

Spi·nat [ʃpi'naːt] <-(e)s> *kein pl der* ein Gemüse mit großen, grünen Blättern *Zu Mittag gab es ~, Kartoffelbrei und Spiegeleier.*

Spin·ne ['ʃpɪnə] <-, -n> *die* kleines Tier mit acht Beinen, das aus einem Faden sein eigenes Netz bauen kann *Die ~ saß in ihrem Netz., Die ~ lässt sich an einem Faden von der Decke herunter.*

Spinne

spin·nen ['ʃpɪnən] <spinnt, spann, gesponnen> **I.** *tr* [K] ***jd spinnt etw*** *akk* [***zu etw*** *dat*] viele Fäden zu einem Netz verknoten *Die Spinne spinnt unter dem Tisch ein Netz.* **II.** *itr (umg)* verrückt sein *Spinnst du?, Du spinnst wohl!* ***Wobi:*** ***Spinner(in)***

Spi·on(in) [ʃpi̯oːn] <-s, -e> *der* **1.** (*≈Agent*) jd, der versucht, geheime Informationen zu bekommen *einen ~ fassen* **2.** kleines Loch in der Wohnungstür *Sie schaut durch den ~, um zu sehen, wer geklingelt hat.* ***Wobi:*** ***Spionage, spionieren***

Spi·ri·tu·o·sen [ʃpiri'tu̯oːzn̩] <-> *kein sing pl* alkoholische Getränke *~ dürfen nicht an Jugendliche verkauft werden.*

• **Spi·tal** [ʃpi'taːl] <-s, Spitäler> *das* (ÖSTERR, CH) Krankenhaus *Man lieferte den Verletzten ins nächste ~ ein.*

• **spitz** [ʃpɪt͡s] <spitzer, spitzest-> *adj* **1.** mit einem scharfen Ende *~e Ecken, Der Bleistift ist ~.* **2.** verletzend, beleidigend *eine ~e Bemerkung* ***Wobi:*** ***spitzen, Spitzer***

spitze ['ʃpɪt͡sə] *interj* klasse *Das war eine tolle Leistung. ~!*

Spit·ze ['ʃpɪt͡sə] <-, -n> *die* **1.** oberster Punkt *die ~ eines Messers/einer Fahnenstange* **2.** Führungsschicht *Die ~ des Konzerns war für eine Fusion mit dem Konkurrenten.;* **etw auf die ~ treiben** etw übertreiben, etw bis an die äußerste Grenze bringen *Die Bemerkung*

S

trieb ihre Wut auf die ~. **3.** scharfe Bemerkung *eine ~ gegen jdn*

Spitz·na·me <-ns, -n> *der* ein Name, den man jdm zum Spaß gibt *Eigentlich heißt er Thomas, aber sein ~ ist Toto.*

Split·ter ['ʃplɪtɐ] <-s, -> *der* sehr kleiner Teil z. B. von Holz *Ich habe einen ~ im Finger.*

split·tern ['ʃplɪtɐn] <splittert, splitterte, gesplittert> *itr* <*sein*> in viele Einzelteile zerspringen *Das Fensterglas ist gesplittert.*

Spon·sor(in) ['ʃpɔnzɐ] <-s, -en> *der* jd, der Sportler (finanziell) unterstützt *~en für die neue Sporthalle suchen* ***Wobi:** sponsern*

spon·tan [ʃpɔn'taːn] <spontaner, spontanst-> *adj* plötzlich, ohne lange nachzudenken *Die Fahrt nach Griechenland war ein ~er Entschluss.*

• **Sport** ['ʃpɔrt] <-(e)s> *kein pl der* körperliche Bewegung, körperliches Training *~ ist für die Gesundheit des Menschen sehr wichtig., ~ treiben* ***Wobi:** Sportler* ***Komp:** -art, -halle, -medizin, -platz, -verein, Ball-, Rad-, Winter-*

• **sport·lich** ['ʃpɔrtlɪç] <sportlicher, sportlichst-> *adj* **1.** den Sport betreffend *die ~en Leistungen* **2.** so, dass jd regelmäßig Sport macht *eine ~e Figur haben* **3.** flott, schick *~e Kleidung, ein ~es Auto, Er ist ein ~er Typ.*

Spott [ʃpɔt] <-(e)s> *kein pl der* sehr böser Witz gegen jdn *Er konnte ihren ~ nicht ertragen.*

spott·bil·lig [ʃpɔt'bɪlɪç] <-, -> *adj (umg)* sehr preiswert *etw im Schlussverkauf ~ kaufen*

spot·ten ['ʃpɔtn̩] <spottet, spottete, gespottet> *itr* sich auf eine böse Art über jdn lustig machen *Sie spottete über sein Versagen.*

spöt·tisch ['ʃpœtɪʃ] <spöttischer, spöttischst-> *adj* voll Spott *ein ~er Blick*

sprach [ʃpraːx] *prät von* **sprechen**

• **Spra·che** ['ʃpraːxə] <-, -n> *die* **1.** System von gesprochenen Lauten und/oder geschriebenen Zeichen *Sie spricht fünf ~n, darunter Russisch.* **2.** Art zu sprechen *Sie hat eine sehr gepflegte ~.;* **etw zur ~ bringen** ein bestimmtes Thema ansprechen *Er brachte seinen Wunsch zur ~.;* **eine lebende/tote ~** eine Sprache, die noch/nicht mehr gesprochen wird *Latein ist eine tote ~.;* **etw verschlägt jdm die ~** etw überrascht jdn so sehr, dass er nicht sprechen kann *Die Vorwürfe verschlugen ihm fast die Sprache.;* **Raus mit der ~!** *(umg)* verwendet, um jdn aufzufordern, etw offen zu sagen *Warst du es oder nicht? Raus mit der ~!* ***Komp:** Fach-, Gebärden-, Programmier-, Zeichen-*

Sprach·er·werb <-> *kein pl der* Erlernen einer Sprache *Der ~ ist in der Kindheit am leichtesten.* ***Komp:** Erst-, Zweit-*

Sprach·feh·ler <-s, -> *der* Defekt, durch den man bestimmte Laute nicht richtig aussprechen kann *Er hat einen ~, er lispelt.*

Sprach·kurs <-es, -e> *der* Kurs, in dem man eine Sprache lernt *Um Italienisch zu lernen, besuchte er einen ~ in Florenz.*

Sprach·wis·sen·schaft <-, -en> *die* Linguistik *Die ~ beschäftigt sich mit der Erforschung von Sprachsystemen.*

sprang [ʃpraŋ] *prät von* **springen**

• **spre·chen** ['ʃprɛçn̩] <spricht, sprach, gesprochen> **I.** *tr* **1.** [K] *jd spricht etw akk* in einer Sprache reden können *Sie spricht*

Russisch und Spanisch. **2.** [K] ***jd spricht jdn*** mit jdm reden *Kann ich dich einen Moment ~?* **II.** *itr* **1.** reden, sich über etw äußern, anderen seine Meinung mitteilen *Das kleine Kind konnte noch nicht ~., Er sprach über das neue Projekt.* **2.** [K] ***jd spricht irgendwie*** jd spricht in einer bestimmten Weise *deutlich/undeutlich/mit einem Akzent ~, Bitte ~ Sie ein bisschen lauter!*

Spre·cher(in) <-s, -> *der* **1.** LING die Person, die gerade spricht *In einem Dialog gibt es einen ~ und einen Zuhörer.* **2.** jd, der eine Gruppe nach außen vertritt *Er war ~ der Partei.* **3.** Ansager im Radio oder Fernsehen *Der ~ kündigte die Nachrichten an.*

• **Sprech·stun·de** <-, -n> *die* **1.** Zeit, in der man eine Person sprechen kann, um von ihr einen Rat/Auskünfte zu bekommen *Der Professor hat morgen wieder ~.* **2.** (= ÖSTERR *Ordination*) Zeit, in der ein Arzt zu sprechen ist *in die ~ des Hausarztes gehen*

spren·gen ['ʃprɛŋən] <sprengt, sprengte, gesprengt> *tr* **1.** [K] ***jd sprengt etw*** *akk* etw mit Sprengstoff zerstören *Sie sprengten die Brücke mit Dynamit.* **2.** zerbrechen, zerreißen *die Ketten ~;* **etw sprengt den Rahmen** etw ist zu viel *Seine Ideen sprengten den Rahmen des finanziell Möglichen.* **3.** [K] ***jd sprengt etw*** *akk* Wasser auf einer Fläche verteilen *im Sommer den Rasen ~*

Spreng·stoff <-(e)s, -e> *der* Stoff, der explodieren kann *Dynamit und Nitroglyzerin sind ~e.*

• **Sprich·wort** ['ʃprɪçvɔrt] <-(e)s, -wörter> *das* kluger, allen bekannter Satz *„Morgenstund hat Gold im Mund" ist ein altes ~.* ***Wobi:*** *sprichwörtlich*

• **sprin·gen** ['ʃprɪŋən] <springt, sprang, gesprungen> *itr* <*sein*> **1.** hüpfen, sich mit den Beinen kräftig vom Boden abstoßen und sich nach oben bewegen *Er sprang ans andere Ufer., drei Meter weit ~ können* **2.** platzen, kaputt gehen *Dünnes Glas springt leicht.;* **etw ~ lassen** *(umg)* etw spendieren, Geld ausgeben *Er ließ für alle Champagner ~.* **3.** sich verändern *Die Ampel springt von Gelb auf Rot.*

• **Sprit·ze** ['ʃprɪtsə] <-, -n> *die* ein Gerät mit einer Nadel, mit dem man ein flüssiges Medikament durch die Haut in den Körper bringen kann *Er bekam eine ~ gegen die starken Schmerzen.*

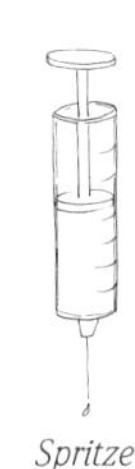
Spritze

sprit·zen ['ʃprɪtsn̩] <spritzt, spritzte, gespritzt> **I.** *tr* **1.** [K] ***jd spritzt [jdm] etw*** *akk* MED eine Injektion/Spritze geben *Der Arzt spritzte dem Patienten ein Schmerzmittel.* **2.** [K] ***jd spritzt etw [irgendwie]*** *akk* lackieren *Der Mechaniker spritzte das Auto rot.* **II.** *itr* Wassertropfen verteilen *Es spritzte nach allen Seiten, als er den Stein in die Pfütze warf.*

sprit·zig ['ʃprɪtsɪç] <spritziger, spritzigst-> *adj* lebendig, lebhaft *eine ~e Rede*

Spru·del ['ʃpruːdl̩] <-s, -> *der* Mineralwasser mit Kohlensäure *Könnte ich bitte ein Glas ~ bekommen?*

sprü·hen ['ʃpryːən] <sprüht, sprühte, gesprüht> *tr* [K] ***jd sprüht etw*** *akk* mit einer Spraydose fein verteilen *Der Maler sprühte die Farbe auf die Autotür.*

• **Sprung** [ʃprʊŋ] <-(e)s, Sprünge> *der* **1.** Bewegung, bei der jd springt *Er wagte einen ~ vom Dreimeterbrett.* **2.** Riss *Das Glas hat einen ~.;* **jdm auf die Sprünge helfen** *(umg)* jdm etw erklären *Ich* *verstehe das nicht, los, hilf mir mal auf die Sprünge!;* **keine großen Sprünge machen können** *(umg)* sich nicht viel leisten können *Ich verdiene nicht viel Geld, da kann ich keine großen Sprünge machen.*

Spu·cke [ˈʃpʊkə] <-> *kein pl die* (≈*Speichel*) Flüssigkeit im Mund *eine Briefmarke mit ~ befeuchten;* **jm bleibt die ~ weg** jd ist völlig überrascht *Ihr habt 4:0 gewonnen? Mir bleibt die ~ weg!*

spu·cken [ˈʃpʊkn̩] <spuckt, spuckte, gespuckt> *itr* **1.** Speichel aus dem Mund fliegen lassen *in die Hände ~* **2.** *(umg)* sich erbrechen, sich übergeben *Das Essen war verdorben und ich musste die ganze Nacht ~.*

spu·ken [ˈʃpuːkn̩] <spukt, spukte, gespukt> *itr* drückt aus, dass an einem Ort Geister sind *In dem alten Schloss spukt es.* ***Wobi:*** *Spuk*

- **spü·len** [ˈʃpyːlən] <spült, spülte, gespült> *tr* **1.** [K] *jd spült etw akk* abwaschen *das schmutzige Geschirr ~* **2.** [K] *jd spült etw* Flüssigkeit verteilen *mit dem Medikament dreimal pro Tag den Mund ~*

Spül·ma·schi·ne <-, -n> *die* Maschine, die automatisch das Geschirr spült *Die ~ war fertig, und man konnte das saubere Geschirr herausnehmen.*

- **Spur** [ʃpuːɐ̯] <-, -en> *die* **1.** Abdruck von Füßen, Rädern usw. im Boden *die ~en der Tiere im Schnee* **2.** winzige Menge, Prise *eine ~ Salz* **3.** Fahrbahnstreifen *Er wechselte die ~, um rechts abzubiegen.*

spü·ren [ˈʃpyːrən] <spürt, spürte, gespürt> *tr* **1.** [K] *jd spürt etw akk* fühlen *Ich spürte, wie die Spinne sich mein Bein hoch bewegte.* **2.** bemerken *Ich spürte, dass er wütend wurde.*

spur·los *adv* ohne Wirkung *Die ganze Aufregung ging ~ an ihr vorüber.*

- **Staat** [ʃtaːt] <-(e)s, -en> *der* politische Einheit mit international anerkannten Grenzen *ein demokratischer ~* ***Komp:*** *-sbesuch, -sgrenze, -soberhaupt*
- **staat·lich** <-, -> *adj* zum Staat gehörend *~e Gelder*

Staats·akt <-(e)s, -e> *der* offizielles feierliches Ereignis *Anlässlich des Präsidentenbesuches gab es einen ~.*

- **Staats·an·ge·hö·rig·keit** <-, -en> *die* Nationalität *die deutsche ~ haben*

Staats·an·walt <-(e)s, -anwälte> *der* Anwalt des Staates vor Gericht *Der ~ forderte eine strenge Bestrafung des Verbrechers.* ***Komp:*** *-schaft*

Staats·bür·ger(in) <-s, -> *der* Bürger eines Staates, Staatsangehöriger *Er ist ~ der Österreichischen Republik.* ***Wobi:*** *staatsbürgerlich*

Staats·dienst <-(e)s> *kein pl der* Beschäftigung durch den Staat als Arbeitgeber *Alle Beamten stehen im ~.*

Staats·e·xa·men <-s, -examina> *das* vom Staat anerkanntes Examen *Lehrer, Rechtsanwälte und Ärzte müssen in Deutschland ein ~ ablegen, um ihr Studium abzuschließen.*

Staats·o·ber·haupt <-(e)s, -häupter> *das* Politiker in der höchsten Position eines Staates *Das ~ traf sich mit seinen Beratern.*

sta·bil [ʃtaˈbiːl] <stabiler, stabilst-> *adj* **1.** so, dass es sehr lange hält *ein ~er Schrank* **2.** fest, sicher, zuverlässig *eine ~e Währung* ***Wobi:*** *Stabilität*

stach [ʃtaːx] *prät von* **stechen**

Sta·chel [ˈʃtaxl̩] <-s, -n> *der* spitzes Teil an einer Pflanze/einem Tier *Die Wespe hat einen ~., die ~n eines Kaktus/eines Igels*

Sta·di·on [ˈʃtaːdi̯ɔn] <-s, Stadien> *das* große Sportanlage mit vielen Sitzplätzen *Das ~ war wegen des Endspiels ausverkauft.*

Sta·di·um [ˈʃtaːdi̯ʊm] <-s, Stadien> *das* Zustand, Stufe in einer Entwicklung *eine Krankheit im vorgerückten ~* ***Komp:* *Anfangs-, End-***

• **Stadt** [ʃtat] <-, Städte> *die* **1.** (↔*Dorf*) viele Häuser und Geschäfte *Die ~ hat 30.000 Einwohner.* **2.** Zentrum *in die ~ fahren* **3.** Institution, die der Stadt gehört, z. B. die Verwaltung *bei der ~ arbeiten* ***Komp:* *Groß-, Hafen-, Klein-, Millionen-, Universitäts-, Welt-, -gebiet, -kern, -mitte, -park, -rand***

• **städ·tisch** [ˈʃtɛːtɪʃ/ˈʃtɛtɪʃ] <-, -> *adj* **1.** im Besitz einer Stadt, von einer Stadt verwaltet/organisiert *das Kind in den ~en Kindergarten schicken* **2.** (↔*ländlich*) wie in einer Stadt *Das ist ja richtig ~ hier!*

• **Stadt·plan** <-(e)s, -pläne> *der* Karte mit den Straßen und Plätzen einer Stadt *den ~ studieren*

• **Stadt·prä·si·dent(in)** <-en, -en> *der* (CH) Bürgermeister in Schweizer Städten *der ~ von Bern*

Stag·na·ti·on [ʃtagnaˈt͜si̯oːn] <-> *kein pl die* Stillstand *~ als Rückschritt betrachten* ***Wobi:* *stagnieren***

Stahl [ʃtaːl] <-(e)s> *kein pl der* sehr hartes Eisen *~ wird für die Herstellung z. B. von Rohren benutzt.*

stahl [ʃtaːl] *prät von* **stehlen**

Stall [ʃtal] <-(e)s, Ställe> *der* Gebäude für Tiere *Die Kühe werden abends in den ~ getrieben.* ***Komp:* *Kuh-, Schweine-***

Stamm [ʃtam] <-(e)s, Stämme> *der* **1.** der stärkste und dickste Teil eines Baumes *Ein Baum besteht aus einem ~, den Ästen, Wurzeln und Blättern.* **2.** LING Teil eines Wortes, dem man eine Endung anhängen kann *‚Steh-' ist der ~ von ‚stehen'.* **3.** ethnisch zusammengehörende Gruppe von Menschen *der ~ der Sioux-Indianer*

stam·men [ˈʃtamən] <stammt, stammte, gestammt> *itr* **1.** [K] ***jd stammt aus etw*** *dat* herkommen, abstammen *Sie stammt aus Italien/aus Rom.* **2.** herkommen, sein *Die Uhr stammt noch von meinem Vater., Das Rezept stammt von meiner Tante.* **3.** [K] ***etw stammt von jdm*** etw ist von jdm gemacht worden *Das Bild stammt von Paul Klee.* **4.** in einer bestimmten Zeit gemacht worden sein *Das Schloss stammt aus dem Barock.*

Stamm·tisch <-(e)s, -e> *der* fester Kreis von Personen, die sich regelmäßig immer am gleichen Tisch in einem Lokal treffen *Jeden Freitag geht er zum ~.*

stamp·fen [ˈʃtamp͜fn̩] <stampft, stampfte, gestampft> **I.** *tr* [K] ***jd stampft etw*** *akk* zerkleinern *Kartoffeln ~* **II.** *itr* mit dem Fuß laut und kräftig auftreten *vor Wut mit dem Fuß ~*

Stand [ʃtant] <-(e)s, Stände> *der* **1.** Verkaufstisch im Freien, z. B. auf dem Markt *am ~ stehen und die Kunden bedienen* **2.** SPORT Kurzform für ‚Spielstand' *Der ~ zur Halbzeit war 1:0.* **3.** Lage, Situation *nach ~ der Dinge, beim jetzigen ~ der Dinge;* **aus dem** ~ ohne Vorbereitung *So aus dem ~ heraus kann ich das auch nicht sagen.* ***Komp:* *Imbiss-, Markt-***

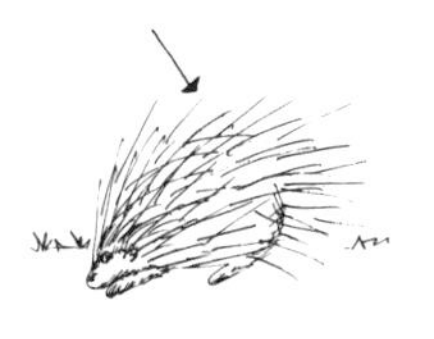

Stachel

Stammtisch
Wenn in traditionellen Gaststätten oder Restaurants ein Schild mit der Aufschrift ‚Stammtisch' steht, dann sollte man sich nicht dorthin setzen. Auf diesen Tisch wird von der Bedienung oft streng aufgepasst. Dieser Tisch ist für die Stammgäste reserviert.

stand [ʃtant] *prät von* **stehen**

Stan·dard ['ʃtandart] <-s, -s> *der* Norm *Eine Klimaanlage im Auto ist noch kein ~.*

stan·dar·di·sie·ren [ʃtandardi'ziːrən] <standardisiert, standardisierte, standardisiert> *tr* [K] ***jd standardisiert etw*** *akk* normen, gleich machen *Arbeitsabläufe ~* ***Wobi: Standardisierung***

Stä̩nd·chen ['ʃtɛntçən] <-s, -> *das* Lied, das man für einen anderen singt *Zum Geburtstag brachten sie ihm ein ~.*

• **Stän·de·rat** <-(e)s, -räte> *der* die Kantonsvertretung in der Schweiz *Der ~ tagt regelmäßig.*

Stan·des·amt <-(e)s, -ämter> *das* Behörde, in der man heiratet und der man Geburten und Todesfälle meldet *Sie melden die Geburt ihrer Tochter auf dem ~.*

stan·des·amt·lich <-, -> *adj* (= CH *zivil*) vor dem Standesamt *Sie heiraten nur ~.*

Stan·des·be·am·te(r) <-n, -n> *der/die* Beamter auf dem Standesamt *sich vor dem ~n das Jawort geben*

stand·haft <standhafter, standhaftest-> *adj* so, dass man fest bei seiner Meinung bleibt *sich ~ weigern, ~ bleiben*

stän·dig ['ʃtɛndɪç] <-, -> *adj* **1.** permanent, andauernd *~er Wohnsitz, ~es Mitglied* **2.** immer wieder, wiederholt *~ zu spät kommen, ~ krank sein*

Stand·ort <-(e)s, -e> *der* Platz, an dem sich eine Firma befindet *ein günstiger ~*

• **Stand·punkt** <-(e)s, -e> *der* Meinung *Meinen ~ zu diesem Thema kennst du ja., Ich stehe auf dem ~, dass die Entscheidung richtig war.*

stank [ʃtaŋk] *prät von* **stinken**

Sta·pel ['ʃtaːpl̩] <-s, -> *der* geordneter Haufen, Menge *ein ~ Bücher/Holz*

sta·peln ['ʃtaːpl̩n] <stapelt, stapelte, gestapelt> **I.** *tr* [K] ***jd stapelt etw*** *akk* übereinander tun *Er hat die Bücher bis zur Decke gestapelt.* **II.** *refl* [K] ***etw stapelt sich*** von etw ist zu viel da *Das Geschirr stapelte sich bis zur Decke., Die Arbeit stapelt sich.*

• **Star**[1] [ʃtaːɐ̯] <-(e)s> *kein pl der* MED Augenkrankheit, die blind machen kann *am grauen/grünen ~ leiden*

• **Star**[2] [ʃtaːɐ̯] <-s, -s> *der* jd, der aus dem Bereich der Kunst/des Films/des Sports stammt und sehr bekannt ist *die ~s des Rock und Pop* ***Komp: -anwalt, Fernseh-, Film-, Fußball-, Pop-, Rock-***

starb [ʃtarp] *prät von* **sterben**

• **stark** [ʃtark] <stärker, stärkst-> *adj* **1.** so, dass man viel Kraft hat *~e Arme* **2.** *(umg)* großartig *Das Konzert war ~!* **3.** intensiv, kräftig *~er Kaffee/Tee, ~er Regen* **4.** sehr *Er hat ~ zugenommen.;* **ein ~er Raucher** jd, der sehr viel raucht *Er ist ein ~er Raucher: Er raucht 60 Zigaretten pro Tag.*

Stär·ke ['ʃtɛrkə] <-, (-n)> *die* **1.** körperliche Kraft *Er hat eine außergewöhnliche ~.* **2.** Intensität *Die ~ ihrer Gefühle überraschte ihn.* **3.** Dicke *Die ~ der Bretter ist 2,5 cm.* **4.** Anzahl *Die ~ der Klasse beträgt 30 Schüler.* **5.** starke Seite, Talent *Seine ~ liegt im Organisieren.*

starr·sin·nig <starrsinniger, starrsinnigst-> *adj* so, dass man andere Meinungen nicht annimmt *Je älter er wurde, desto ~ er wurde er.*

• **Start** [ʃtart] <-(e)s, -s/(-e)> *der* **1.** Beginn *Er hatte einen schlechten ~.* **2.** Abheben eines Flugzeugs/einer Rakete *~ und Landung eines Flugzeugs sind am gefährlichsten.* **3.** SPORT Beginn eines Rennens/Wettkampfes *am ~ stehen*

• **star·ten** [ˈʃtartn̩] <startet, startete, gestartet> **I.** *tr* **1.** [K] ***jd startet etw*** *akk* ein Flugzeug/eine Rakete in die Luft bringen *Der Pilot startet das Flugzeug.* **2.** [K] ***jd startet etw*** *akk* etw in Gang setzen, etw beginnen *Er startete einen neuen Versuch.* **II.** *itr* <*sein*> **1.** losfliegen, losfahren *Das Flugzeug startete., Steig ein, wir müssen endlich ~.* **2.** SPORT das Rennen beginnen *Die Läufer starteten auf das Zeichen.*

• **Sta·ti·on** [ʃtaˈt͡si̯oːn] <-, -en> *die* **1.** Abschnitt innerhalb einer längeren Entwicklung/Unternehmung *Abteilungsleiter, Vertriebsleiter, Geschäftsführer sind die ~en seiner Karriere.* **2.** Haltestelle für Bus, Staßenbahn usw. *Es sind noch fünf ~en bis zum Bahnhof.* **3.** Abteilung im Krankenhaus *Der Patient liegt auf ~ fünf.;* **irgendwo ~ machen** eine Reise unterbrechen und sich irgendwo aufhalten *Wir haben in Berlin zwei Tage ~ gemacht.*

Sta·tis·tik [ʃtaˈtɪstɪk] <-, -en> *die* tabellarische Darstellung von Ereignissen in Zahlen *eine ~ zur Argumentation heranziehen* ***Wobi: statistisch***

• **statt**[1] [ʃtat] *präp +gen* anstatt, an Stelle von *Gehen wir lieber ins Kino ~ ins Theater.*

• **statt**[2] [ʃtat] *konj* (*≈anstatt*) wird verwendet, um eine Alternative darzustellen *Er arbeitet auch mittags, ~ mal eine Pause zu machen.*

statt·des·sen *adv* anstelle einer bestimmten Sache/Person *Die Party fiel aus. S~ wurden wir zu einem Essen eingeladen.*

• **statt|fin·den** [ˈʃtatfɪndn̩] <findet statt, fand statt, stattgefunden> *itr* sich ereignen, sein *Das Konzert findet im Festsaal statt.*

Sta·tue [ˈʃtaːtu̯ə] <-, -n> *die* Büste/Plastik, die einen Menschen/ein Tier darstellt *Die ~ zeigt den jungen Herkules.*

Sta·tus [ˈʃtaːtʊs] <-> *kein pl der* Stellung, die jd in der Gesellschaft hat *Er wollte seinen ~ um jeden Preis erhalten.* ***Komp: -symbol***

• **Stau** [ʃtau̯] <-(e)s, -s> *der* viele Autos, die hintereinander auf der Straße stehen und nicht weiterfahren können (z.B. wegen eines Unfalls oder wegen zu dichten Verkehrs) *~ auf der Autobahn*

Staub [ʃtau̯p] <-(e)s> *kein pl der* die vielen kleinen Schmutzteilchen in der Luft, die sich besonders auf Möbelstücken sammeln *Die Regale waren voller ~.;* **~ saugen** (**~saugen**) mit einem elektrischen Gerät Schmutz vom Teppich nehmen *Ich muss im Wohnzimmer ~ saugen.;* **viel ~ aufwirbeln** Aufregung verursachen *Die Steueraffäre des Politikers hat viel ~ aufgewirbelt.* ***Wobi: stauben, staubig Komp: -schicht***

Staub·sau·ger <-s, -> *der* Gerät, mit dem man Staub saugt *Sie nahm den ~ und saugte den Teppich.*

stau·en [ˈʃtau̯ən] <staut, staute, gestaut> **I.** *tr* [K] ***jd staut etw*** *akk* etw aufhalten, indem man den Weg versperrt *den Fluss ~* **II.** *refl* [K] ***etw staut sich*** etw geht nicht mehr weiter *Der Verkehr staute sich an der Unfallstelle.*

stau·nen ['ʃtaunən] <**staunt, staunte, gestaunt**> *itr* überrascht/verwundert sein *Da staunst du, was?*

• **Steak** [ʃteːk] <**-s, -s**> *das* eine Scheibe Rindfleisch, die man kurz brät *~s essen*

stẹ·chen ['ʃtɛçn̩] <**sticht, stach, gestochen**> **I.** *tr* **1.** [K] ***ein Tier sticht jdn*** mit einem Stachel verletzen *Die Wespe hat ihn ins Bein gestochen.* **2.** [K] ***jd sticht jdn*** jdn mit einem spitzen Gegenstand verletzen *Er stach seinen Gegner mit einem Messer.* **II.** *refl* [K] ***jd sticht sich*** *akk* sich an einem spitzen Gegenstand verletzen *Ich habe mich in den Daumen gestochen.* **III.** *itr* spitze Stacheln haben und daher verletzen können *Rosen können ~.*

Stecker und Steckdose

• **Stẹck·do·se** <**-, -n**> *die* Stromanschluss in der Wand *den Stecker aus der ~ ziehen*

• **stẹ·cken** ['ʃtɛkn̩] <**steckt, steckte, gesteckt**> **I.** *tr* [K] ***jd steckt etw*** *akk* ***irgendwohin*** einpacken *Sie steckte das Buch in die Tasche.* **II.** *itr* sich befinden *im Stau ~, Wo steckst du bloß?*

• **Stẹ·cker** <**-s, -**> *der* der Teil eines elektrischen Gerätes, den man in die Steckdose steckt *Der Computer kann nicht funktionieren, solange der ~ nicht in der Steckdose ist.*

• **ste·hen** ['ʃteːən] <**steht, stand, gestanden**> *itr* <*sein/haben*> **1.** [K] ***jd steht irgendwie*** sich auf den Beinen in aufrechter Position halten *gerade ~* **2.** [K] ***etw steht irgendwo*** irgendwo gebaut/gewachsen sein *Das Haus steht an der Kreuzung./Die Eiche steht dort seit hundert Jahren.* **3.** [K] ***etw steht irgendwo*** geschrieben sein *In der Zeitung steht ein interessanter Artikel.* **4.** [K] ***es steht irgendwie*** SPORT der Spielstand ist … *Es steht 1:0.* **5.** gut zu jdm passen *Die Jacke steht dir!;* ~ **bleiben** nicht weitergehen/weiterfahren *Halt, ~ bleiben!, Meine Uhr ist ~ geblieben.;* ~ **lassen** zurücklassen, nicht mitnehmen *alles ~ und liegen lassen*

• **steh·len** ['ʃteːlən] <**stiehlt, stahl, gestohlen**> *tr* [K] ***jd stiehlt etw*** *akk* etw nehmen, das einem nicht gehört *Er hat das Auto gestohlen.*

steif [ʃtaif] <**steifer, steifst-**> *adj* **1.** unbeweglich *Er hatte vor Kälte ganz ~e Finger.* **2.** unnatürlich, förmlich *Sie legte ein sehr ~es Benehmen an den Tag.*

• **stei·gen** ['ʃtaign̩] <**steigt, stieg, gestiegen**> *itr* <*sein*> **1.** hinaufklettern *Er wollte auf den Berg steigen.* **2.** wachsen, zunehmen *Der Kurs der Aktien steigt täglich.* **3.** (ÖSTERR) treten *aus Versehen auf den Schwanz vom Hund ~*

stei·gern ['ʃtaigɐn] <**steigert, steigerte, gesteigert**> **I. 1.** *tr* [K] ***jd steigert etw*** *akk* vergrößern, erhöhen, vermehren *Mit seiner neuen Methode steigerte er den Ertrag um das Zehnfache.* **2.** LING den Komparativ/Superlativ bilden *das Adjektiv ‚schön' ~: ‚schöner', ‚am schönsten'* **II.** *refl* **1.** [K] ***etw steigert sich*** wachsen, mehr werden *Seine Wut steigerte sich immer mehr.* **2.** [K] ***jd steigert sich*** *akk* [***in etw*** *dat*] sich verbessern *Du kannst dich in deiner Leistung sicherlich noch ~.*

• **steil** [ʃtail] <**steiler, steilst-**> *adj* sehr schräg *Dieser Weg ist ziemlich ~.*

• **Stein** [ʃtain] <**-(e)s, -e**> *der* **1.** das Material, aus dem z.B. Berge sind *harter ~* **2.** ein kleines Stück aus dem Material, aus dem Berge sind *einen ~ werfen* **3.** der große, harte Kern in bestimmten Obstsorten *der ~ eines Pfirsichs;* **jdm fällt ein ~ vom Herzen** jd ist sehr erleichtert *Er ist gesund nach Hause gekommen – da fällt mir aber ein ~ vom Herzen!;* **jdm ~e in den Weg legen** jdm Schwierigkeiten machen *Seine Kollegen legten ihm laufend ~e in den Weg, um seine Karriere zu behindern.*

• **Stel·le** ['ʃtɛlə] <-, -n> *die* **1.** Ort *Treffen wir uns an der gleichen ~ wie gestern?* **2.** Anstellung *sich um eine ~ bewerben* **3.** Abteilung in einer Behörde etc. *Welche ~ ist dafür zuständig?;* **an jds ~** in jds Situation *An deiner ~ würde ich ihn anrufen.;* **auf der ~** sofort *auf der ~ umdrehen und zurückfahren*

• **stel·len** ['ʃtɛlən] <stellt, stellte, gestellt> **I.** *tr* **1.** [K] ***jd stellt etw*** *akk* ***irgendwohin*** einen Platz geben *Er stellt die Kanne auf den Tisch.* **2.** [K] ***jd stellt*** *[jdm]* ***etw*** *akk* geben *Arbeitsmaterialien werden gestellt.* **3.** [K] ***jd stellt etw*** *akk* ***irgendwie*** einstellen *die Heizung niedriger ~, das Radio leiser/lauter ~, den Wecker auf fünf Uhr ~;* **eine Frage ~** fragen *Ich möchte eine Frage ~.* **II.** *refl* **1.** [K] ***jd stellt sich*** *akk [jdm]* sich ergeben, aufgeben *Er stellte sich nach wochenlanger Flucht der Polizei.* **2.** [K] ***jd stellt sich*** *akk* ***irgendwie*** so tun, als ob man irgendwie wäre *sich dumm ~*

• **Stel·lung** <-, -en> *die* **1.** Körperhaltung *In dieser ~ könnte ich nicht schlafen.* **2.** MIL militärischer Rang *Er hat die ~ des Oberkommandeurs.* **3.** Ansehen, Position *Er hat eine hohe gesellschaftliche ~.;* **~ nehmen** seine Meinung sagen *Dazu möchte ich ~ nehmen.*

Stell·ver·tre·ter(in) <-s, -> *der* jd, der die Aufgaben seines Chefs übernimmt, wenn der Chef nicht da ist *Da der Chef nicht selber kommen konnte, schickte er seinen ~.*

• **Stem·pel** ['ʃtɛmpl̩] <-s, -> *der* **1.** Bürogegenstand, mit dem man z.B. seine Adresse oder das Datum auf Papier drücken kann *Hast du einen ~ da? Ich muss den Brief jetzt abschicken.* **2.** der Abdruck eines Stempels *Ist ein ~ auf der Urkunde?* ***Wobi: stempeln***

• **ster·ben** ['ʃtɛrbn̩] <stirbt, starb, gestorben> *itr* <*sein*> aufhören zu leben *Er starb im Alter von 89 Jahren.*

Ste·re·o·an·la·ge <-, -n> *die* mehrere elektronische Geräte, mit denen man Musik hören kann *die ~ aufdrehen*

ste·ril [ʃte'riːl] <steriler, sterilst-> *adj* keimfrei, absolut sauber *~e ärztliche Instrumente*

• **Stern** [ʃtɛrn] <-(e)s, -e> *der* **1.** einer der vielen hellen Punkte, die man in der Nacht am Himmel sieht *Der ganze Himmel war voller ~e.* **2.** Figur, die aussieht wie ein Stern *einen ~ malen*

Stern

Stern·zei·chen <-s, -> *das* ein astrologisches Symbol, das man mit Menschen verbindet, die zu einem bestimmten Zeitpunkt des Jahres geboren sind *Welches ~ hast du? – Waage., ‚Jungfrau', ‚Löwe' und ‚Skorpion' sind ~.*

stets [ʃteːts] *adv* immer *Er war ~ bereit, ihr zu helfen.*

• **Steu·er**[1] ['ʃtɔy̯ɐ] <-s, -> *das* das Teil, mit dem man ein Auto/Schiff/Fahrrad etc. nach links und rechts bewegt *Der Kapitän hatte das ~ fest in der Hand.* ***Wobi: steuern Komp: -knüppel, -rad***

• **Steu·er**[2] ['ʃtɔy̯ɐ] <-, -n> *die* Geld, das man per Gesetz dem Staat zahlen muss *~n pünktlich bezahlen, ~n hinterziehen* ***Komp: -berater, -hinterziehung, -reform, -zahler, Einkommens-,***

Lohn-, Mehrwert-

Steu·er·er·klä·rung <-, -en> *die* ein Bericht über das Jahresgehalt, mit dem das Finanzamt bestimmt, wie viel Steuern man bezahlen muss *dem Finanzamt die ~ vorlegen*

Steu·e·rung <-, -en> *die* **1.** Lenken, Leiten *die ~ der Produktion* **2.** gesamter Mechanismus, der zum Steuern gebraucht wird *Die ~ der Anlage muss regelmäßig überprüft werden.*

Stich [ʃtɪç] <-(e)s, -e> *der* **1.** das Durchstechen mit Nadel und Faden *Mit drei ~en war die Wunde genäht.* **2.** Verletzung durch ein Insekt *Der ~ brannte und juckte.* **3.** Schmerz *Er fühlte einen ~ in der Herzgegend.*; **einen ~ haben** *(umg)* ein bisschen verrückt sein *Sag mal, hast du einen ~?* ***Komp: Mücken-, Insekten-***

Stich·wort[1] [ˈʃtɪçvɔrt] <-(e)s, -wörter> *das* eines der Wörter, die in einem Wörterbuch erklärt oder übersetzt sind *ein Wörterbuch mit 100.000 Stichwörtern*

Stich·wort[2] [ˈʃtɪçvɔrt] <-(e)s, -worte> *das* Notizen *für die Rede einen Zettel mit ~en bei sich haben*

sti·ckig [ˈʃtɪkɪç] <stickiger, stickigst-> *adj* mit schlechter/verbrauchter Luft *Er hielt es in dem ~en Raum nicht länger aus.*

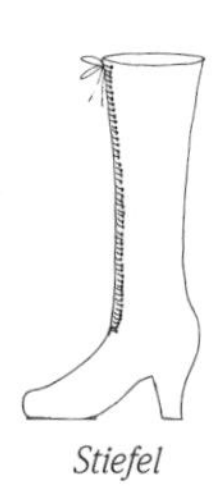

Stiefel

Stie·fel [ˈʃtiːfl̩] <-s, -> *der* hoher Schuh, der bis zum Knie reichen kann *~ trägt man bei kaltem oder nassem Wetter.*

Stief·kind <-(e)s, -er> *das* Kind, das der Ehepartner aus einer früheren Beziehung mit in die Ehe bringt *Sie ist nicht seine eigene Tochter, sondern ein ~.*

Stief·mut·ter <-, -mütter> *die* Frau, die der Vater später geheiratet hat und die jetzt die Rolle der Mutter übernimmt *Das ist nicht meine richtige Mutter, sondern meine ~.*

Stief·va·ter <-s, -väter> *der* Mann, den die Mutter später geheiratet hat und der jetzt die Rolle des Vaters übernimmt *Ich verstehe mich mit meinem ~ nicht sehr gut.*

stieg [ʃtiːk] *prät von* **steigen**

• **Stie·ge** [ˈʃtiːgə] <-, -en> *die* (ÖSTERR) Treppe *Dort hinten ist die ~.*

Stiel [ʃtiːl] <-(e)s, -e> *der* **1.** länglicher Griff *die Pfanne am ~ halten* **2.** BOT Stängel, fester länglicher Teil einer Blume *Rosen haben lange ~e.*

Stier [ʃtiːɐ̯] <-(e)s, -e> *der* männliches Rind *Kraft haben wie ein ~*

Stift [ʃtɪft] <-(e)s, -e> *der* Schreibgerät *mit dem ~ schreiben* ***Komp: Blei-***

stif·ten [ˈʃtɪftn̩] <stiftet, stiftete, gestiftet> *tr* **1.** [K] ***jd stiftet*** [***jdm***] ***etw*** *akk* schenken, geben *Der Millionär stiftete dem Kinderheim einen großen Betrag.* **2.** [K] ***jd stiftet etw*** *akk* verursachen *Er wollte Frieden zwischen den Gegnern ~., Unfrieden ~*

Stil [ʃtiːl] <-(e)s, -e> *der* **1.** Art und Weise, wie man etw macht *Dieser ~ gefällt mir nicht., Das ist kein guter ~!* **2.** typische Art für die Kunst in einer bestimmten Zeit *der ~ des Expressionismus*

• **still** [ʃtɪl] <stiller, stillst-> *adj* **1.** ruhig, schweigend *Sie war schon als Baby ein ~es Kind.* **2.** unbewegt, ruhig *beim Friseur ~ sitzen* ***Wobi: Stille***

stil·len [ˈʃtɪlən] <stillt, stillte, gestillt> *tr* **1.** [K] ***jd stillt etw*** *akk* befriedigen *Er stillte seinen Hunger und Durst mit Kuchen und Milch.* **2.** [K] ***jd stillt jdn*** einem Baby die Brust geben *Die Mutter* *stillte das Baby.*

Stimm·band <-(e)s, -bänder> *meist pl das* elastisches Band im Hals, mit dem man Töne produzieren kann *Ihre Stimmbänder waren entzündet, sodass sie nicht singen konnte.*

Stimm·bruch <-(e)s> *kein pl der* Wechsel zu einer tieferen Stimme bei Jungen in der Pubertät *Mit sechzehn war er im ~.*

• **Stim·me** <-, -n> *die* **1.** Fähigkeit, Töne/Laute zu produzieren *eine angenehme ~ haben, Sie hat keine besonders gute ~., Ich habe keine ~ mehr.* **2.** Votum bei einer Wahl *jdm seine ~ geben, Er gewann mit einer Mehrheit von 150 ~n.* **3.** MUS Teil einer Komposition, der gleichzeitig mit anderen Teilen gespielt oder gesungen wird *Du singst die zweite ~.*

• **stim·men** ['ʃtɪmən] <stimmt, stimmte, gestimmt> **I.** *tr* **1.** [K] ***jd stimmt etw*** *akk* MUS ein Instrument einstellen *Der Klavierstimmer kam, um das Klavier zu ~.* **2.** [K] ***etw stimmt jdn irgendwie*** *akk* machen, dass sich jd irgendwie fühlt *Das Gedicht stimmte ihn traurig.* **II.** *itr* **1.** richtig sein *Das stimmt aber nicht, was du da sagst.* **2.** wählen *für (gegen) jdn ~, Für wen haben Sie gestimmt?;* **Stimmt so!** verwendet, wenn man in einem Restaurant bezahlt und dem Ober sagen will, dass er kein Geld mehr zurückgeben muss *Stimmt so!*

stimm·haft <-, -> *adj* (LING: ↔*stimmlos*) so ausgesprochen, dass die Stimmbänder schwingen *Die Laute b, d und g sind ~.*

stimm·los <-, -> *adj* (LING: ↔*stimmhaft*) so ausgesprochen, dass die Stimmbänder nicht schwingen *Die Laute p, t und k sind ~.*

• **Stim·mung** <-, -en> *die* Gefühlszustand, Laune *nicht in der richtigen ~ sein, Auf dem Fest herrscht gute ~ .*

• **stin·ken** ['ʃtɪŋkn̩] <stinkt, stank, gestunken> *itr* sehr schlecht riechen *Hier stinkt es.;* **etw stinkt jdm** *(umg)* etw ärgert jdn *Mir stinkt es, dass du nie aufräumst.*

Sti·pen·di·um [ʃti'pɛndi̯ʊm] <-s, -dien> *das* Geld für ein Studium oder für Forschung, das man nicht zurückzahlen muss *Er hat ein ~ bekommen, um in den USA zu studieren.*

Stirn [ʃtɪrn] <-, -en> *die* Teil des Gesichtes zwischen Augen und Haaren *die ~ runzeln, eine hohe ~ haben*

• **Stock**[1] [ʃtɔk] <-(e)s, Stöcke> *der* langer Ast *Er brach sich einen ~ ab.*

• **Stock**[2] [ʃtɔk] <-(e)s, (Stockwerke)> *der* Etage, Stockwerk *im fünften ~ wohnen*

stocken ['ʃtɔkn̩] <stockt, stockte, gestockt> *itr* **1.** plötzlich nicht mehr weitergehen/weitermachen *Er stockte, als er sie auf der anderen Straßenseite sah., Das Gespräch geriet plötzlich ins ~.* **2.** sich stauen *Der Verkehr stockte an der Unfallstelle.*

Stock·werk <-(e)s, -e> *das* (≈*Stock, Geschoss/Geschoß, Etage*) alle Räume eines Gebäudes, die auf gleicher Höhe liegen *Das Gebäude hat sieben ~e.*

• **Stoff** [ʃtɔf] <-(e)s, -e> *der* **1.** Material, aus dem man Kleidung herstellt *Der ~ für die Hose war nicht billig.* **2.** Substanz *eine Medizin mit schädlichen ~en* **3.** (*umg!*) Rauschgift *sich ~ beschaffen* **4.** Material, Motiv *~ für ein Buch*

stöh·nen ['ʃtøːnən] <stöhnt, stöhnte, gestöhnt> *itr* ausatmen und dabei einen tiefen Laut produzieren *Sie stöhnte, als sie den Berg Arbeit vor sich sah.*

• **stolz** [ʃtɔlts] <stolzer, stolzest-> *adj* **1.** voll Selbstbewusstsein und Freude über seine Arbeit/seinen Erfolg etc. ~ *auf seine Arbeit sein* **2.** sehr viel, sehr hoch *eine ~e Summe bezahlen;* **jd ist zu ~ für etw** jd findet sich zu gut für eine Tätigkeit, jd ist arrogant *Er ist wohl zu ~ für diese Arbeit.* ***Wobi: Stolz***

• **stop·pen** ['ʃtɔpn̩] <stoppt, stoppte, gestoppt> **I.** *tr* **1.** [K] ***jd stoppt jdn/etw*** *akk* anhalten *Der Polizist stoppte den Autofahrer.* **2.** [K] ***jd stoppt etw*** *akk* die Zeit messen *Der Sportlehrer stoppte die Zeit beim 100-Meter-Lauf.* **II.** *itr* halten *Sie ~ an der roten Ampel.*

Stopp·schild <-(e)s, -er> *das* Verkehrsschild, an dem man anhalten muss *Wer ein ~ überfährt, muss Strafe zahlen.*

Stoppschild

• **stö·ren** ['ʃtøːrən] <stört, störte, gestört> **I.** *tr* **1.** [K] ***jd/etw stört jdn/etw*** *akk* [***bei etw*** *dat*] schlecht finden *Der Lärm störte ihn bei der Arbeit., Das Einzige, was mich an dem Kleid stört, ist die Länge.* **2.** [K] ***jd/etw stört jdn*** unterbrechen *Entschuldigung, darf ich Sie mal kurz ~?* **II.** *itr* unterbrechen *Bitte nicht ~!*

Stö·rung <-, -en> *die* **1.** Unterbrechung *Entschuldigen Sie bitte die ~, aber …* **2.** Fehler *Wir hatten eine ~ in der Anlage, deshalb gab es keinen Strom.*

Stoß [ʃtoːs] <-es, Stöße> *der* **1.** kurzer, schneller Schlag *Er versetzte ihr einen ~ und sie fiel zu Boden.* **2.** Erschütterung *Sie spürte einen ~, als das Erdbeben begann.* **3.** Haufen, Stapel *Ich muss noch diesen ~ Akten bearbeiten.*

sto·ßen ['ʃtoːsn̩] <stößt, stieß, gestoßen> **I.** *tr* [K] ***jd stößt jdn*** einen Stoß geben, schubsen *Warum stößt du mich?;* **jdn vor den Kopf ~** jdn schockieren *Sie hat ihn mit ihrer Entscheidung vor den Kopf gestoßen.* **II.** *refl* [K] ***jd stößt sich*** *akk* [***an etw*** *dat*] sich wehtun *Er hat sich an der Tischkante gestoßen.* **III.** *itr* <*sein*> gegen etw laufen *Ich bin an den Tisch gestoßen.*

stot·tern ['ʃtɔtɐn] <stottert, stotterte, gestottert> *itr* **1.** einen Sprachfehler haben, bei dem man einzelne Silben/Wörter wiederholt ausspricht *Immer wenn er nervös wird, fängt er an zu ~.* **2.** KFZ ungleichmäßig laufen *Der Motor stotterte plötzlich.*

• **Stra·fe** ['ʃtraːfə] <-, -n> *die* **1.** Bestrafung *eine harte/gerechte/verdiente ~* **2.** Bußgeld *Sie musste 25 Euro ~ dafür zahlen.* ***Komp: Gefängnis-, Geld-, Haft-***

straff [ʃtraf] <straffer, straffst-> *adj* **1.** glatt, fest *Sie hat mit sechzig noch eine ~e Haut.* **2.** eng, exakt *~ organisiert sein*

Straf·zet·tel <-s, -> *der* Zettel am Auto, mit dem die Polizei sagt, dass man falsch geparkt hat (und Strafe zahlen muss) *Er fand einen ~ an seinem Auto.*

Strahl [ʃtraːl] <-(e)s, -en> *der* ein schmaler Streifen Licht oder Wasser *Die Sonnen~en fielen in das Zimmer.* ***Komp: Licht-, Laser-, Sonnen-, Wasser-***

strah·len ['ʃtraːlən] <strahlen, strahlte, gestrahlt> *itr* **1.** scheinen *Der Himmel war blau und die Sonne strahlte.* **2.** Radioaktivität aussenden *Der Reaktorkern strahlt.* **3.** ein sehr glückliches Gesicht machen *Sie strahlte über das ganze Gesicht.*

stramm [ʃtram] <strammer, strammst-> *adj* **1.** fest gespannt *ein*

Seil ~ anziehen **2.** *(umg)* stark *~e Muskeln haben*

• **Strand** [ʃtrant] <-(e)s, Strände> *der* Meeresufer aus Sand oder kleinen Steinen *Sie liegt am ~ und genießt die Sonne.* ***Komp: Kies-, Sand-***

Strand·korb <-(e)s, -körbe> *der* große, nur vorne offene Sitzmöglichkeit, die gegen Wind und Sonne am Meer schützt *Die Familie hat sich am Meer einen ~ gemietet.*

Strandkorb
Strandkörbe sind so typisch für Strände an der Nord- und Ostsee wie Liegestühle für die Strände am Mittelmeer. Im Norden ist die Luft auch im Sommer oft kühl, und der Wind ist unangenehm. Im Strandkorb ist es dagegen angenehm warm.

Stra·pa·ze [ʃtraˈpaːt͡sə] <-, -n> *die* Anstrengung, Qual *Er unterzog sich den ~n einer Diät.* ***Wobi: strapazieren***

• **Stra·ße** [ˈʃtraːsə] <-, -n> *die* breiter Weg für Autos *Autos müssen auf der ~ fahren.* ***Komp: Bundes-, Land-, Wasser-***

• **Stra·ßen·bahn** <-, -en> *das* (≈ *Tram*) kleiner Zug, der in der Stadt fährt *mit der ~ fahren*

Stra·ßen·schild <-(e)s, -er> *das* Schild, auf dem der Name einer Straße steht *Auf dem ~ steht ‚Beethovenstraße'.*

Stra·ßen·ver·hält·nis·se <-> *kein sing pl* Zustand der Straßen *Die ~ waren katastrophal, überall war Eis und Schnee auf den Straßen.*

Stra·te·gie [ʃtrateˈgiː] <-, -n> *die* Taktik, genau geplantes Vorgehen *eine ~ anwenden* ***Wobi: strategisch***

Strauch [ʃtraux] <-(e)s, Sträucher> *der* Busch *Johannisbeeren und Stachelbeeren wachsen an Sträuchern.*

Strauß[1] [ʃtraus] <-es, Sträuße> *der* mehrere Blumen, die man zusammen in eine Vase stellt *Er schenkte ihr einen ~ Rosen.*

Strauß[2] [ʃtraus] <-es, -e> *der* sehr großer Vogel, der nicht fliegen kann *Der ~ legt sehr große Eier.* ***Komp: -enei, -enfeder***

1

2

Strauß

Stre·ber(in) [ˈʃtreːbɐ] *der (umg pej)* Schüler, der sehr viel lernt *Weil Peter ein ~ ist, mag ihn keiner.*

• **Stre·cke** [ˈʃtrɛkə] <-, -n> *die* **1.** Distanz *Er hat eine ~ von über 800 km zurückgelegt.* **2.** Route *Welche ~ sollen wir fahren, über Hannover oder über Bremen?*

stre·cken [ˈʃtrɛkn̩] <streckt, streckte, gestreckt> **I.** *tr* **1.** [K] ***jd streckt etw*** *akk* gerade machen *Er streckte den Hals, um etw zu sehen.* **2.** [K] ***jd streckt etw*** *akk* verlängern, verdünnen *die Suppe mit Wasser ~* **II.** *refl* [K] ***jd streckt sich*** *akk* Arme und Beine weit vom Körper wegbringen *sich nach dem Aufwachen ~*

Streich [ʃtraiç] <-(e)s, -e> *der* etwas Unerlaubtes zum Spaß machen *Sie haben ihm einen ~ gespielt.*

strei·cheln [ˈʃtraiçl̩n] <streichelt, streichelte, gestreichelt> *tr* [K] ***jd streichelt jdn/etw*** *akk* zärtlich mit der Hand über etw gehen *Er streichelte die Katze, bis sie anfing zu schnurren.*

strei·chen [ˈʃtraiçn̩] <streicht, strich, gestrichen> **I.** *tr* **1.** [K] ***jd streicht etw*** *akk* anmalen *Der Maler strich die ganze Wohnung.* **2.** [K] ***jd streicht etw*** *akk* stoppen *Sie strichen alle weiteren Ausgaben.* **3.** [K] ***jd streicht etw*** *akk* etw auf etw anderes tun *ein Brot ~* **II.** *itr* **1.** zärtlich mit der Hand über etw gehen *Er strich mit der Hand über ihren Kopf.* **2.** ziellos herumlaufen *durch die Stadt ~*

• **Streich·holz** <-es, -hölzer> *das* (= CH, = ÖSTERR *Zündholz*) kleines Stäbchen aus Holz zum Feuermachen *ein ~ anzünden*

strei·fen [ˈʃtraifn̩] <streift, streifte, gestreift> *tr* **1.** [K] ***jd streift jdn/etw*** *akk* leicht berühren *Er streifte sie mit dem Ärmel seiner Jacke.* **2.** [K] ***etw streift jdn*** leicht berühren *Die Kugel streifte ihn nur.*

S

3. K *jd streift etw akk* etw nur kurz ansprechen *Er streifte das Thema in seinem Vortrag.*

• **Streik** [ʃtrai̯k] <-(e)s, -s> *der* Protest, bei dem viele Arbeiter oder Angestellte für längere Zeit aufhören zu arbeiten *Die Arbeiter sind im ~, weil die Firma den Lohn nicht bezahlen will.* ***Komp: -brecher, -posten***

• **strei·ken** [ˈʃtrai̯kn̩] <streikt, streikte, gestreikt> *itr* die Arbeit unterbrechen, um etw zu fordern *Die Arbeiter ~ für höhere Löhne.*

• **Streit** [ʃtrai̯t] <-(e)s, -e> *der* heftige Auseinandersetzung *Die beiden haben ~ miteinander., im ~ auseinander gehen*

• **strei·ten** [ˈʃtrai̯tn̩] <streitet, stritt, gestritten> **I.** *refl* K ***jd streitet sich** akk* [***mit jdm über etw** akk*] sehr ärgerlich und meist sehr laut miteinander sprechen, weil man unterschiedlicher Meinung ist *Die beiden stritten sich darüber, wer denn nun Recht hatte.* **II.** *itr* **1.** Streit haben *Müsst ihr immer ~?* **2.** kämpfen *Die beiden Staaten ~ um die Vorherrschaft.*

streng [ʃtrɛŋ] <strenger, strengst-> *adj* **1.** autoritär; so, dass man viel Leistung erwartet *Sie ist eine ~e Lehrerin.* **2.** exakt, ohne Ausnahme *Bei uns herrscht eine ~e Ordnung.* ***Wobi: Strenge***

• **Stress** [ʃtrɛs] <-(es)> *kein pl der* nervliche Belastung, z. B. durch viel Arbeit *unter ~ stehen*

stres·sen [ˈʃtrɛsn̩] <stresst, stresste, gestresst> *tr* K ***jd/etw stresst jdn*** anstrengen *Die neue Arbeit stresst ihn.*

streu·en [ˈʃtrɔy̯ən] <streut, streute, gestreut> *tr* K ***jd streut etw** akk* etw auf den Boden werfen und dabei gleichmäßig verteilen *Sand auf den Schnee ~, damit niemand ausrutscht*

Strich [ʃtrɪç] <-(e)s, -e> *der* gerade Linie *ein senkrechter ~;* **auf den ~ gehen** *(umg)* sich prostituieren *auf den ~ gehen;* **jdm einen ~ durch die Rechnung machen** *(umg)* jdn daran hindern, seinen Plan zu realisieren *Indem er das Haus kaufte, machte er der Konkurrenz einen ~ durch die Rechnung.*

strich [ʃtrɪç] *prät von* **streichen**

Strich·punkt <-(e)s, -e> *der* (*≈Semikolon*) das Satzzeichen ‚;' *Ein ~ trennt stärker als ein Komma.*

stri·cken [ˈʃtrɪkn̩] <strickt, strickte, gestrickt> *tr* K ***jd strickt etw** akk* mit Wolle und zwei langen Stricknadeln Kleidungsstücke herstellen *einen Pullover ~*

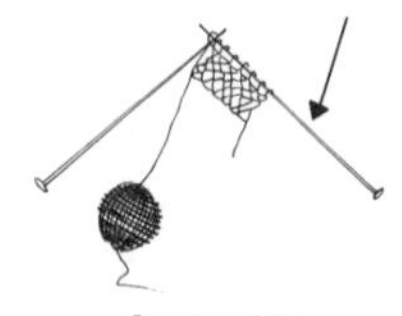

Stricknadeln

Strick·na·del <-, -n> *die* Nadel, die speziell zum Stricken dient *Großmutters ~n*

strikt [ˈʃtrɪkt] <strikter, striktest-> *adj* streng, absolut *~e Regeln, ~ gegen etw sein*

stritt [ʃtrɪt] *prät von* **streiten**

Stroh [ʃtroː] <-(e)s> *kein pl das* getrocknete Getreidehalme *Im Stall steht das Vieh auf ~.*

• **Strom**[1] [ʃtroːm] <-(e)s, Ströme> *der* großer Fluss *Der Nil ist ein großer ~ in Ägypten.;* **gegen den ~ schwimmen** nicht das tun, was alle tun *Er musste immer gegen den ~ schwimmen.*

• **Strom**[2] [ʃtroːm] <-(e)s> *kein pl der* EL Elektrizität *~ sparen* ***Komp: -leitung, -verbrauch, Gleich-, Wechsel-***

strö·men [ˈʃtrøːmən] <strömt, strömte, geströmt> *itr* <sein> in sehr großer Menge fließen/kommen *Schweiß strömte ihm übers*

Gesicht., Menschen strömten aus der Halle.

Stro·phe ['ʃtroːfə] <-, -n> *die* **1.** MUS Liedabschnitt *Nach jeder ~ kommt der Refrain.* **2.** LIT Abschnitt in einem Gedicht *Das Gedicht hat zehn ~n.*

Stru·del ['ʃtruːdl̩] <-s, -> *der* Sog, Wasserwirbel *Der ~ riss das Schiff in die Tiefe.*

Struk·tur [ʃtrʊk'tuːɐ̯] <-, -en> *die* System, Ordnung *die ~ eines Satzes, alte ~en aufbrechen* ***Wobi:* *strukturell*** ***Komp:* *-wandel***

• **Strumpf** [ʃtrʊmpf] <-(e)s, Strümpfe> *der* Socke *Zieh dir bitte Strümpfe an, abends ist es noch kalt.* ***Komp:* *-hose, Knie-***

• **Stück** [ʃtʏk] <-(e)s, -e> *das* **1.** Teil eines Ganzen *Sie teilte den Kuchen in zehn ~e.* **2.** Drama *Das ~ hat die Zuschauer fasziniert.* **3.** MUS Kurzform für Musikstück/Theaterstück *Sie lauschte dem ~ mit geschlossenen Augen.* ***Komp:* *-preis, Geld-, Gepäck-, Schmuck-***

• **Stu·dent(in)** [ʃtu'dɛnt] <-en, -en> *der* jd, der an einer Universität oder Fachhochschule studiert *Die ~en bereiten sich auf ihre Prüfungen vor.*

Stu·die ['ʃtuːdi̯ə] <-, -n> *die* wissenschaftliche Untersuchung über ein Thema *Seine ~ bezog sich nur auf das 18. Jahrhundert.*

• **stu·die·ren** [ʃtu'diːrən] <studiert, studierte, studiert> **I.** *tr* **1.** [K] ***jd studiert etw*** *akk* ein Studium machen *Sie studiert im fünften Semester Medizin.* **2.** [K] ***jd studiert etw*** *akk* prüfend betrachten, genau anschauen *Sonderangebote im Katalog ~* **II.** *itr* eine Hochschule (Universität etc.) besuchen *Sie studiert in Marburg., an der Universität im vierten Semester ~* ***Wobi:* *Studierende(r)***

• **Stu·dio** ['ʃtuːdi̯o] <-s, -s> *das* FILM TV Aufnahmeraum *Zu Gast im ~ ist heute ein sehr bekannter Musiker.*

• **Stu·di·um** ['ʃtuːdi̯ʊm] <-s, -dien> *das* **1.** akademische Ausbildung *das ~ der Physik* **2.** genaue Erforschung *eingehendes ~ der Bücher* ***Komp:* *Germanistik-, Mathematik-, Medizin-, Physik-***

• **Stu·fe** ['ʃtuːfə] <-, -n> *die* **1.** Teil einer Treppe, auf den man einen Fuß stellt *Diese Treppe hat 150 ~n.* **2.** Stadium *Die nächste ~ der Untersuchung wurde eingeleitet.* **3.** Niveau *Gehen Sie lieber in den Sprachkurs eine ~ tiefer.* **4.** Rang *Ein Soldat und ein General stehen nicht auf einer ~.*

• **Stuhl** [ʃtuːl] <-(e)s, Stühle> *der* ein Möbelstück, auf dem man sitzen kann *Nimm dir doch einen ~ und setz dich!;* **etw haut jdn vom ~** *(umg)* etw überrascht jdn sehr *Als ich das hörte, hat's mich fast vom ~ gehauen.* ***Komp:* *Büro-, Dreh-, Liege-***

Stuhl

• **stumm** [ʃtʊm] <-, -> *adj* **1.** so, dass man nicht sprechen kann *Sie kann nicht sprechen, sie ist von Geburt an ~.* **2.** schweigend, ohne etw zu sagen *ein ~er Zuhörer, jdn ~ ansehen* ***Komp:* *taub-***

stumpf [ʃtʊmpf] <stumpfer, stumpfst-> *adj* (↔*scharf*) so, dass man damit nicht schneiden kann *Hast du nur ~e Messer, oder gibt es auch ein scharfes?*

Stun·de ['ʃtʊndə] <-, -n> *die* **1.** Zeiteinheit von 60 Minuten *Der Tag hat 24 ~n.* **2.** eine Unterrichtseinheit in der Schule *Sie gibt jede Woche sechs ~n (in) Mathematik.* ***Komp:* *-nlohn, Arbeits-, Frei-***

Stun·den·plan <-(e)s, -pläne> *der* Reihenfolge der Unterrichtsstunden (in der Schule) *Die Kinder haben im neuen Schuljahr einen vollen ~.*

stur [ʃtuːɐ̯] <sturer, sturst-> *adj (umg)* so, dass man nicht bereit ist, seine Meinung zu ändern *Du bist aber auch ~.*

• **Sturm** [ʃtʊrm] <-(e)s, Stürme> *der* **1.** Unwetter, sehr starker Wind *Der Himmel bewölkte sich und ein ~ kam auf.* **2.** SPORT die Spieler einer Mannschaft, die angreifen *Der ~ griff die Abwehr der gegnerischen Mannschaft an.;* **gegen etw ~ laufen** gegen etw protestieren *Die Bürgerinitiativen liefen ~ gegen den Bau des Kraftwerks.* ***Wobi: stürmen***

Sturz [ʃtʊrt͡s] <-es, Stürze> *der* **1.** Fall *Er hat sich bei seinem ~ schlimme Verletzungen zugezogen.* **2.** POL Fall *der ~ einer Regierung*

• **stür·zen** [ˈʃtʏrt͡sn̩] <stürzen, stürzte, gestürzt> **I.** *tr* [K] ***jd stürzt jdn*** POL jdm mit Gewalt sein Amt nehmen *Das Volk hat den König gestürzt.* **II.** *refl* **1.** [K] ***jd stürzt sich*** *akk* ***auf etw*** *akk* sich etw schnell und mit großer Freude nehmen *sich auf die Zeitung ~, Die Kinder stürzten sich auf den Kuchen.* **2.** [K] ***jd stürzt sich*** *akk* ***in etw*** *akk* sich in eine schwierige Situation bringen *sich in Schulden ~, sich ins Unglück ~, sich in Unkosten ~* **III.** *itr* <*sein*> **1.** hinfallen *Er ist beim Eislaufen gestürzt.* **2.** rennen *Als er das Klingeln hörte, stürzte er sofort zur Tür.*

stüt·zen [ˈʃtʏt͡sn̩] <stützt, stützte, gestützt> **I.** *tr* **1.** [K] ***etw stützt etw*** *akk* Halt geben *Die Säulen ~ das Dach.* **2.** [K] ***jd/etw stützt etw*** *akk* jd/etw ist ein Beweis für etw *einen Verdacht durch etw ~* **II.** *refl* **1.** [K] ***jd stützt sich*** *akk* ***auf etw*** *akk* an etw festhalten *Der alte Mann stützt sich beim Gehen auf seinen Stock.* **2.** [K] ***etw stützt sich auf etw*** *akk* als Grundlage haben, basieren *Seine Anklage stützt sich nur auf Vermutungen.* ***Wobi: Stütze***

Sub·jekt [zʊpˈjɛkt] <-(e)s, -e> *das* LING der Teil eines Satzes, der im Nominativ steht *das ~ bestimmen*

sub·jek·tiv [zʊpjɛkˈtiːf] <-, -> *adj* (↔*objektiv*) aus der persönlichen Perspektive *Das sind doch deine ~en Ansichten.*

Sub·stan·tiv [ˈzʊpstantiːf] <-s, -e> *das* LING Nomen, Hauptwort *~e haben einen Artikel.*

Sub·ven·ti·on [zʊpvenˈt͡si̯oːn] <-, -en> *die* finanzielle Unterstützung, die eine Firma vom Staat erhält *~en erhalten*

sub·ven·ti·o·nie·ren [zʊpvent͡si̯oˈniːrən] <subventioniert, subventionierte, subventioniert> *tr* [K] ***jd subventioniert etw*** *akk* mit Geld vom Staat unterstützen *Der Betrieb wird subventioniert.*

• **su·chen** [ˈzuːxn̩] <sucht, suchte, gesucht> *tr* [K] ***jd sucht etw*** *akk* überall nachsehen, ob dort jd/etw ist, den/das man braucht *Sie suchte ihren Pullover., Wo hast du gesteckt? Ich habe dich überall gesucht., Wir ~ eine Wohnung., Sie suchte Rat bei ihrem Anwalt.*

Sucht [zʊxt] <-, Süchte> *die* **1.** MED krankhafte Abhängigkeit von etw *Ihre Alkohol~ ruiniert ihren Körper.* **2.** zu starkes Verlangen nach etw *die ~ nach Ruhm* ***Wobi: süchtig Komp: Alkohol-, Drogen-, Rauschgift-, Tabletten-***

• **Süd** [zyːt] <-> *kein art* Süden *Wind aus ~* ***Komp: -bahnhof, -deutschland, -europa***

• **Süden** [ˈzyːdn̩] <-s> *kein pl der* (≈*Süd*) die Himmelsrichtung, die auf der Landkarte unten ist *Im ~ ist es wärmer als im Norden.* ***Wobi: südlich***

Süden
Wie in vielen anderen Ländern auch existiert in Deutschland ein relativ großer Gegensatz zwischen Nord und Süd. Der Norden ist flach und grenzt ans Meer, der Süden ist hügelig und grenzt an die Alpen. Der Norden ist vor allem protestantisch, der Süden eher katholisch.

• **Sụm·me** ['zʊmə] <-, -n> *die* **1.** MATH Ergebnis einer Addition *Die ~ aus zwei plus vier ist sechs.* **2.** Höhe eines Geldbetrags *Die ~ belief sich auf mehrere tausend Euro.*

Sụmpf [zʊmp͜f] <-(e)s, Sümpfe> *der* **1.** Gebiet mit sehr feuchtem, weichem Boden *Sie legten den ~ trocken, um neues Weideland zu gewinnen.* **2.** Zustand ohne Moral/Anstand *Er bewegt sich in einem ~ aus Korruption und Verbrechen.* ***Wobi:*** *sumpfig*

Sụ̈n·de ['zʏndə] <-, -n> *die* Missachtung eines religiösen Gebotes *um Vergebung der ~n bitten*

• **su̲·per** ['zu:pɐ] <-, -> *adj (umg)* prima, klasse *Das war ein ~ Witz!*

Su̲·per·la·tiv ['zu:pɐlati:f] <-s, -e> *der* LING die Steigerungsform eines Adjektives *Der ~ von ‚schön' ist ‚am schönsten'., Der ~ von ‚gut' ist ‚am besten'.*

• **Su̲·per·markt** ['zu:pɐmarkt] <-(e)s, -märkte> *der* großes Lebensmittelgeschäft *im ~ einkaufen gehen*

• **Sụp·pe** ['zʊpə] <-, -n> *die* flüssiges, heißes Essen *Als ersten Gang gab es eine sehr feine ~.*; **die ~ auslöffeln müssen** *(umg)* die negativen Folgen einer Handlung wieder gutmachen müssen *Er hat den Fehler verursacht, jetzt muss er die ~ auslöffeln.*; **sich eine schöne ~ einbrocken** *(umg)* sich in eine unangenehme Situation bringen *Er hatte sich mit seinen Lügen eine schöne ~ eingebrockt.*

Surf·brett <-(e)s, -er> *das* Brett zum Wellenreiten oder Surfen *Er nahm das ~ und fuhr an den Strand.*

sur·fen ['zø:ɐ̯fn̩] <surft, surfte, gesurft> *itr* <*sein/haben*> **1.** SPORT sich mit einem Brett auf dem Meer bewegen *~ gehen* **2.** DV [K] *jd surft [im Internet]* sich (zur Unterhaltung) verschiedene Seiten im Internet ansehen *im Internet ~*

• **sü̲ß** [zy:s] <süßer, süßest-> *adj* **1.** (↔*bitter*) so, dass es den Geschmack von Zucker hat *Das ist ein ~er Kuchen mit viel Zucker.* **2.** lieblich, kindlich, hübsch *Sie hat ein ~es Gesicht.* ***Wobi: Süße***

Sü̲ß·stoff <-(e)s, (-e)> *der* künstlicher Stoff, der statt Zucker/Honig zum Süßen von Speisen verwendet wird *Sie nimmt ~, um nicht dick zu werden.*

• **Sym·bo̲l** [zʏm'bo:l] <-s, -e> *das* **1.** Sinnbild *Die Taube ist das ~ für Frieden.* **2.** DV Bild, Zeichen *ein Doppelklick mit der Maus auf das ~* ***Wobi:*** *symbolisch*

Sym·pa·thi̲e [zʏmpa'ti:] <-, -n> *die* **jd hat/empfindet ~ für jdn** jdn mögen *Ich empfinde große ~ für sie.*

• **sym·pa̲·thisch** [zʏm'pa:tiʃ] <sympathischer, sympathischst-> *adj* angenehm, freundlich, nett *Er war mir gleich ~., Sie ist eine ~e Frau.*

Sy·na·go̲·ge [zyna'go:gə] <-, -n> *die* REL Gebäude, wo sich eine jüdische Gemeinschaft zum Beten etc. trifft *zum Beten in die ~ gehen*

syn·chro·ni·si̲e·ren [zʏnkroni'zi:rən] <synchronisiert, synchronisierte, synchronisiert> *tr* FILM [K] *jd synchronisiert etw akk* einen Film übersetzen und die Übersetzung passend zum Bild machen *In Deutschland werden ausländische Filme in der Regel synchronisiert.*

Sy·no·ny̲m [zyno'ny:m] <-s, -e> *das* LING Wort, das dieselbe Bedeutung hat wie ein anderes *‚Möhre' und ‚Karotte' sind ~e.*

• **Sys·te̲m** [zʏs'te:m] <-s, -e> *das* Schema, Prinzip, Ordnung *nach*

S

einem bestimmten ~ arbeiten, in einem demokratischen ~ leben ***Wobi:*** *systematisch*

Sze·ne ['stse:nə] <-, -n> *die* **1.** Handlung, Ereignis *Die ~ ereignete sich in einer Bar.* **2.** THEAT kleiner Teil eines Aktes in einem Drama *in der dritten ~ des zweiten Aktes* **3.** *(umg)* Milieu *sich in der ~ auskennen* ***Komp:*** *-kneipe, -treff, Drogen-*

T

T, t [teː] <-, -> *das* der 20. Buchstabe des Alphabets *Das Wort ‚Tante' beginnt mit dem Buchstaben ~.*

Ta·bak ['tabak/'taːbak/ta'bak] <-s, -e> *der* Pflanze, aus der man Zigarren, Zigaretten usw. herstellt *~ anbauen* ***Komp: -händler, -waren, Pfeifen-***

• **Ta·bak·la·den** <-s, -läden> *der* Geschäft, in dem man Zigaretten etc. kaufen kann *Zigaretten im ~ kaufen*

ta·bel·la·risch <-, -> *adj* in einer Tabelle, als Tabelle *einen ~en Lebenslauf schicken*

• **Ta·bel·le** [ta'bɛlə] <-, -n> *die* Darstellung in Form von Blöcken, Listen oder Spalten *die Daten in eine ~ eintragen*

Tab·lett [ta'blɛt] <-(e)s, -s/(-e)> *das* Brett mit Griffen zum Transportieren von Speisen, Geschirr etc. *das Geschirr auf ein ~ stellen*

Tablett

• **Tab·let·te** [ta'blɛtə] <-, -n> *die* Medikament in der Form einer sehr kleinen, flachen, runden Scheibe; Pille *eine ~ gegen Kopfschmerzen einnehmen*

ta·bu [ta'buː] <-, -> *nur präd adj* so, dass man nicht darüber reden darf *Dieses Thema ist ~.*

Ta·bu [ta'buː] <-s, -s> *das* etw, über das man nicht reden darf *Dieses Thema ist ein ~.*

• **Ta·fel** ['taːfl̩] <-, -n> *die* **1.** eine Art Brett, auf das man schreiben kann *Die Lehrerin schreibt die Lösung an die ~.* **2.** eine Art kleine, flache Platte *eine ~ Schokolade kaufen* **3.** großer, festlich gedeckter Tisch *sich an die ~ setzen, die ~ decken* ***Komp: -obst, -wasser, Informations-***

• **Tag** [taːk] <-(e)s, -e> *der* **1.** der Zeitraum von 24 Stunden, von Mitternacht bis Mitternacht *noch vier ~e bis Weihnachten, Er kommt erst in zwei ~en.* **2.** (↔*Nacht*) die hellen Stunden eines Tages *ein sonniger ~, noch bei ~ am Reiseziel ankommen;* ~ **werden** hell werden *Es wird ~.;* ~ **für** ~ jeden Tag *~ für ~ auf einen Anruf warten;* **von dem ~ an** seit diesem Tag *Von dem ~ an habe ich ihn nicht mehr gesehen.;* **Guten ~!** Begrüßungsformel *Er erkannte sie und sagte: „Guten ~!";* **etw an den ~ bringen** herausfinden, aufdecken *ein Geheimnis an den ~ bringen;* **eine Frau hat ihre ~e** eine Frau hat ihre Menstruation *Ich fühle mich nicht gut, ich habe meine ~e.;* **den lieben langen ~** *(umg)* den ganzen Tag *den lieben langen ~ faulenzen*

tag·aus [taːk'ʔaus] *adv* ~, **tagein** jeden Tag, immer *~, tagein das Gleiche tun*

Ta·ge·buch <-(e)s, -bücher> *das* Buch, in das man regelmäßig seine Erlebnisse und Gedanken hineinschreibt *~ schreiben*

Ta·ges·licht <-(e)s> *kein pl das* Sonnenlicht *am Schreibtisch am liebsten bei ~ arbeiten;* **ans ~ kommen** herauskommen, aufgedeckt werden *Letztlich kam der ganze Schwindel doch ans ~.*

Ta·ges·ord·nung <-, -en> *die* Reihenfolge der Themen bei einer Versammlung/Konferenz *ein dringendes Problem auf die ~ setzen;*

zur ~ übergehen eine Sache nicht weiter besprechen/diskutieren *Jetzt lasst uns wieder zur ~ übergehen!*

Ta·ges·zei·tung <-, -en> *die* Zeitung, die jeden Tag erscheint *eine ~ abonnieren*

täg·lich ['tɛːklɪç] <-, -> *adj* jeden Tag *der ~e Einkauf, ~ duschen*

tags·ü·ber ['taːksʔyːbɐ] *adv* (↔*nachts*) am Tag *~ arbeiten*

Ta·gung ['taːgʊŋ] <-, -en> *die* Konferenz, Versammlung *auf eine ~ fahren* ***Wobi: tagen***

Tail·le ['taljə] <-, -n> *die* schmalste Stelle des Körpers zwischen Oberkörper und Hüfte *eine schlanke ~ haben*

Takt[1] [takt] <-(e)s, -e> *der* Einteilung von Musik in gleiche Einheiten *den ~ angeben, den ~ halten, aus dem ~ kommen*

Takt[2] [takt] <-(e)s> *kein pl der* das Gefühl für das Verhalten, das in einer bestimmten Situation anderen Menschen gegenüber richtig ist *~ zeigen* ***Wobi: taktlos Komp: -gefühl***

Tageszeitung
In Deutschland gibt es etwa 400 Tageszeitungen, von denen täglich ca. 30 Millionen Stück verkauft werden. Große Tageszeitungen sind u. a. ,Bild', die ,Frankfurter Allgemeine Zeitung' und die ,Süddeutsche Zeitung'. In Österreich sind es u. a. die ,Kronenzeitung' und ,Der Standard', in der Schweiz ,Der Tagesanzeiger' und die ,Neue Zürcher Zeitung'.

• **Tal** [taːl] <-(e)s, Täler> *das* das tief liegende Gebiet zwischen Bergen *durch ein ~ wandern, Berg und ~*

Ta·lent [ta'lɛnt] <-(e)s, -e> *das* **1.** besondere Begabung; etw, was man von Geburt an sehr gut kann *ein ~ zu/für etw haben* **2.** begabte Person *junge ~e fördern* ***Wobi: talentiert***

Tan·go ['taŋgo] <-s, -s> *der* argentinischer Tanz *einen ~ tanzen*

• **tan·ken** ['taŋkn̩] <tankt, tankte, getankt> **I.** *tr* [K] ***jd tankt etw*** *akk* Benzin auffüllen *Benzin ~, nur bleifrei ~* **II.** *itr* ein Auto etc. mit Benzin versorgen/füllen *vor der langen Reise ~, Ich muss noch ~.*

• **Tank·stel·le** <-, -n> *die* Ort, an dem man Benzin kaufen und nachfüllen kann *zur ~ fahren*

Tan·ne ['tanə] <-, -n> *die* Nadelbaum *~n pflanzen* ***Komp: -nbaum, -nzapfen***

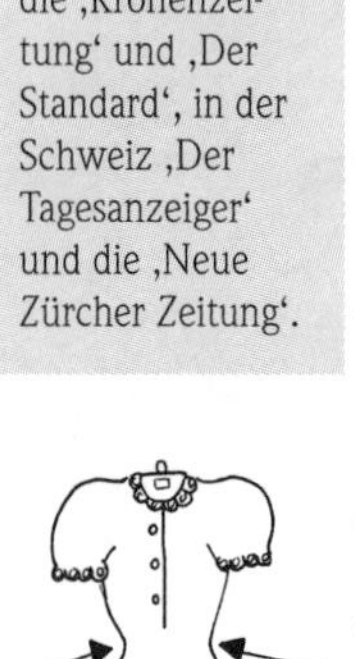

Taille

• **Tan·te** ['tantə] <-, -n> *die* Schwester von Vater oder Mutter *die ~ besuchen*

• **Tanz** [tants] <-es, Tänze> *der* rhythmische Bewegung zur Musik *Darf ich Sie um den nächsten ~ bitten?* ***Komp: -schule, -stunde, Volks-, Jazz-***

• **tan·zen** ['tantsn̩] <tanzt, tanzte, getanzt> **I.** *tr* [K] ***jd tanzt etw*** *akk* [*mit jdm*] sich nach einer bestimmten Musik bewegen *einen Walzer ~* **II.** *itr* sich nach der Musik bewegen *in der Disko ~*

Ta·pe·te [ta'peːtə] <-, -n> *die* Papier, das man an die Wand klebt *eine gemusterte ~* ***Wobi: tapezieren Komp: -nmuster, -nrolle***

tap·fer ['tapfɐ] <tapferer, tapferst-> *adj* mutig, ohne Angst *~ durchhalten* ***Wobi: Tapferkeit***

• **Ta·rif** [ta'riːf] <-s, -e> *der* **1.** festgelegter Preis für die Leistung einer offiziellen Institution *die ~e für Briefe und Postkarten erhöhen* **2.** (= ÖSTERR *Kollektivlohn*) vertraglich festgelegter Geldbetrag (Lohn, Gehalt etc.) *nach ~ bezahlt werden, über/unter ~ bezahlt werden* ***Komp: -abschluss, -erhöhung, -lohn, -parteien***

• **Ta·sche** ['taʃə] <-, -n> *die* **1.** Beutel aus Stoff oder Leder *eine schwere ~ tragen* **2.** kurz für ,Hosentasche' *die Hände in die ~n stecken;* **jdn in die ~ stecken** *(umg)* besser als jd sein *Sie steckt ihn in die ~.;* **jdm auf der ~ liegen** *(umg)* vom Geld eines anderen leben *Sie liegt ihren Eltern noch immer auf der ~.* ***Komp: Akten-, Hand-, Hosen-, Reise-***

- **Ta·schen·buch** <-(e)s, -bücher> *das* Buch ohne festen Umschlag *Der Roman ist jetzt auch als ~ erschienen.*

Ta·schen·geld <-(e)s> *kein pl das* regelmäßig gezahlter Geldbetrag (meist von den Eltern an ihre Kinder) für kleine persönliche Ausgaben *Das Mädchen kauft sich ein Eis von ihrem ~.*

Ta·schen·lam·pe <-, -n> *die* kleine Lampe, die mit Batterie funktioniert *im Zelt eine ~ anmachen*

Ta·schen·tuch <-(e)s, -tücher> *das* kleines Tuch aus Stoff/Papier zum Naseputzen *das ~ verlieren, ein ~ einstecken* ***Komp: Papier-***

- **Tas·se** ['tasə] <-, -n> *die* Gefäß mit Henkel für (heiße) Getränke *die ~n spülen, eine ~ Tee trinken;* **nicht alle ~n im Schrank haben** (*umg!*) verrückt sein *Die hat wohl nicht alle ~n im Schrank!*

Tasse

- **Tas·ta·tur** [tasta'tu:ɐ̯] <-, -en> *die* alle Tasten (bei Computer, Schreibmaschine, Klavier) *die ~ abdecken, die ~ an den Computer anschließen*
- **Tas·te** ['tastə] <-, -n> *die* kleines Teil, das man mit dem Finger nach unten drücken kann (bei Klavier, Schreibmaschine, Computer, Telefon etc.) *auf die ~n hauen, eine ~ drücken*

tat [ta:t] *prät von* **tun**

- **Tat** [ta:t] <-, -en> *die* das Handeln *eine gute ~, Worte ersetzen keine ~en;* **in der ~** wirklich *Du hattest in der ~ Recht!;* **in die ~ umsetzen** verwirklichen, realisieren *seine Pläne in die ~ umsetzen*
- **Tä·ter(in)** ['tɛ:tɐ] *der* jd, der ein Verbrechen begeht *Der ~ ist noch unbekannt.*
- **Tä·tig·keit** <-, -en> *die* **1.** Arbeit, Beruf *Der Lehrerberuf ist eine interessante ~., Welche ~ üben Sie aus?* **2.** Beschäftigung *eine abwechslungsreiche ~* ***Komp: -sbereich***

tä·to·wie·ren [tɛto'vi:rən] <tätowiert, tätowierte, tätowiert> *tr* [K] ***jd tätowiert jdn/ etw*** *akk* mit einer Nadel und Farben ein Bild in die Haut machen *jdm eine Rose auf den Arm ~* ***Wobi: Tätowierung***

- **Tat·sa·che** ['ta:tzaxə] <-, -n> *die* das, was Wirklichkeit ist; Faktum *Die negative Bilanz ist eine traurige ~.*
- **tat·säch·lich** ['ta:tzɛçlɪç/ta:t'zɛçlɪç] <-, -> *adj* wirklich *ein ~er Vorfall, Ich habe mir ein neues Auto gekauft. – T~?*

Tau[1] [tau̯] <-(e)s, -e> *das* dickes Seil *das Schiff mit einem ~ festmachen*

Tau[2] [tau̯] <-(e)s> *kein pl der* kleine Wassertropfen, die morgens auf Pflanzen und auf dem Boden liegen *nasse Schuhe vom ~ bekommen* ***Komp: Morgen-***

- **taub** [tau̯p] <-, -> *adj* **1.** (*≈gehörlos*) so, dass man nicht hören kann *Er ist von Geburt an ~.* **2.** betäubt, ohne Empfindung *ein ~es Bein, Meine Hände waren ~ vor Kälte.;* **sich ~ stellen** so tun, als ob man nicht hören kann *Stell dich nicht ~, du weißt doch genau, was ich meine!*

taub·stumm <-, -> *adj* so, dass man nicht hören und nicht sprechen kann *~ sein*

tau·chen ['tau̯xn̩] <taucht, tauchte, getaucht> *itr* *<sein/haben>* so schwimmen, dass der Körper ganz unter Wasser ist *im Meer nach etw ~, in einer Bucht ~* ***Wobi: Taucher***

Tauch·sie·der <-s, -> *der* elektrisches Gerät zum Kochen von Was-

Tauchsieder

ser *Wasser mit einem ~ zum Kochen bringen*

tau·en ['tau̯ən] <taut, taute, getaut> **I.** *itr* <*sein*> [K] ***etw taut*** flüssig werden, schmelzen *Der ganze Schnee ist getaut.* **II.** *itr* <*hat*> [K] ***Es taut.*** es ist wärmer als Null Grad Celsius, und Eis und Schnee schmelzen *Gestern hat es noch getaut, und heute ist es wieder eisig kalt.*

tau·fen ['tau̯fn̩] <tauft, taufte, getauft> *tr* **1.** [K] ***jd tauft jdn*** REL das christliche Ritual, bei dem jd in die Kirche aufgenommen wird *Der Pfarrer tauft das Baby.* **2.** [K] ***jd tauft jdn/etw** akk* [***auf den Namen ...***] einen Namen geben *ein Schiff ~* ***Wobi:** Taufe* ***Komp:** Taufpate, Taufzeuge*

taug·lich ['tau̯klɪç] <-, -> *adj* geeignet, fähig *für einen bestimmten Beruf ~ sein* ***Wobi:** taugen, Tauglichkeit*

tau·schen ['tau̯ʃn̩] <tauscht, tauschte, getauscht> *tr* [K] ***jd tauscht etw** akk **gegen etw** akk* etw weggeben und dafür etw anderes bekommen *Briefmarken ~* ***Wobi:** Tausch*

täu·schen ['tɔy̯ʃn̩] <täuscht, täuschte, getäuscht> **I.** *tr* [K] ***jd täuscht jdn*** jdm mit Absicht etw Falsches sagen, vormachen *So leicht können Sie mich nicht ~!* **II.** *itr* nicht echt sein *Seine Freundlichkeit täuscht! Sei vorsichtig!* **III.** *refl* [K] ***jd täuscht sich** akk* [***in etw** dat*] sich irren *Ich habe mich in der Richtung getäuscht.*; [K] ***jd täuscht sich** akk **in jdm*** jdn falsch einschätzen, eine falsche Vorstellung von jdm haben *Wir haben uns in ihr sehr getäuscht.*

tau·send ['tau̯zn̩t] *num* die Zahl 1.000 *~ Menschen;* ~ **Dinge zu tun haben** *(umg)* sehr viel zu tun haben *Ich habe ~ Dinge zu tun.* ***Komp:** -fach, -jährig*

tau·send·mal ['tau̯zn̩tmaːl] *adv* **1.** 1.000 Mal *Die Maschine kann den Vorgang ~ pro Stunde ausführen.* **2.** *(umg)* sehr oft *Ich habe dir schon ~ gesagt, dass ...*

tau·sends·te(**-r, -s**) ['tau̯zn̩t͡stə] *adj* an 1.000. Stelle in einer Reihenfolge *Gratuliere, Sie sind der ~ Besucher, Sie haben gewonnen!*

- **Ta·xi** ['taksi] <-s, -s/(Taxen)> *das* Auto mit Fahrer, der gegen Bezahlung Personen transportiert *sich ein ~ nehmen, ein ~ rufen* ***Komp:** -fahrer, -stand*

> *Taxi*
> Taxis werden telefonisch bestellt, auf der Straße angehalten, oder man geht zum nächsten Taxistand. Bezahlt wird der Betrag auf dem Taxameter, und man gibt etwas Trinkgeld. Der Taxifahrer darf zusätzlich etwas für größere Gepäckstücke und für das Abholen berechnen. Sammeltaxis gibt es in der Regel nicht.

- **Team** [tiːm] <-s, -s> *das* Gruppe mit einer gemeinsamen Aufgabe, Mannschaft *in der Firma im ~ arbeiten, zwei ~s mit je fünf Spielern bilden* ***Komp:** -arbeit, -geist*
- **Tech·nik** ['tɛçnɪk] <-, -en> *die* **1.** alle Verfahren/Methoden, die Erkenntnisse der Naturwissenschaften für den Menschen nutzen *der Fortschritt von Wissenschaft und ~* **2.** Funktionsweise, Verfahren, Methode *eine komplizierte ~* ***Wobi:** Techniker*
- **tech·nisch** <-, -> *adj* die Technik betreffend *ein ~er Fehler;* **aus ~en Gründen** weil bestimmte Geräte/Apparate/etc. nicht (richtig) funktionieren *Aus ~en Gründen bleibt unser Geschäft heute geschlossen.*
- **Tee** [teː] <-s, -s> *der* heißes Getränk aus Blättern bestimmter Pflanzen, z. B. Pfefferminze *~ kochen, eine Tasse schwarzen ~ trinken* ***Komp:** -beutel, -gebäck, -löffel, -stube, Früchte-*

Teich [tai̯ç] <-(e)s, -e> *der* sehr kleiner See *im ~ angeln, im Garten einen ~ anlegen*

Teig [tai̯k] <-(e)s, -e> *der* weiche Masse, aus der man Kuchen, Brot, etc. macht *~ kneten* ***Komp:** -waren, Blätter-, Brot-, Kuchen-*

• **Teil**[1] [tail] <-(e)s, -e> *der* Stück von einem Ganzen *der hügelige ~ des Landes, Der größte ~ der Arbeit ist fertig.;* **zum größten** ~ das meiste *Die Arbeit ist zum größten ~ fertig.;* **sich seinen ~ denken** sich seine eigenen Gedanken machen, ohne sie laut zu sagen *Ich habe mir meinen ~ gedacht, als ich das gesehen habe.* ***Komp:** -summe, -stück, Körper-*

• **Teil**[2] [tail] <-(e)s, -e> *das* Stück von einer Maschine/einem technischen Gerät *ein ~ austauschen, das ~ bestellen müssen*

• **tei·len** ['tailən] <teilt, teilte, geteilt> *tr* **1.** [K] ***jd teilt etw** akk* in mehrere Stücke zerlegen *die Torte in zwölf Stücke ~* **2.** [K] ***jd teilt etw** akk **mit jdm*** jdm einen gleich großen Teil von etw abgeben *die Schokolade mit allen Kindern ~;* **geteilter Meinung sein** eine andere Meinung haben *Wir sind fast immer geteilter Meinung.*

• **teil·möb·liert** <-, -> *adj* nur mit wenigen Möbeln *~e Wohnung zu vermieten*

• **teil|neh·men** ['tailne:mən] <nimmt teil, nahm teil, teilgenommen> *itr* sich beteiligen *an einer Veranstaltung ~, an einem Lehrgang ~* ***Wobi:** Teilnahme*

• **Teil·neh·mer(in)** <-s, -> *der* jd, der sich an etw beteiligt; jd, der anwesend ist *~ einer Konferenz sein*

teils [tails] *adv* **~ ..., ~ ...** zum Teil so ..., zum anderen Teil so ... *Das Wetter war ~ sonnig, ~ wolkig.*

teil·wei·se [tailvaizə] <-, -> *adj* zum Teil *Der Roman ist ~ sehr spannend.*

• **Te·le·fon** [tele'fo:n] <-s, -e> *das* (≈*Fernsprecher*) Apparat, mit dem man mit anderen Personen sprechen kann, auch wenn diese weit weg sind *ans ~ gehen* ***Komp:** -anruf, -anschluss, -gebühr, -leitung*

Te·le·fon·aus·kunft <-, -künfte> *die* TELKOM zentrale Stelle, bei der man die Telefonnummer jeder Person erfragen kann *die ~ anrufen*

• **Te·le·fon·buch** <-(e)s, -bücher> *das* Buch, in dem alle Telefonnummern eines Gebietes stehen *im ~ nach einer Nummer suchen*

Te·le·fon·ge·spräch <-(e)s, -e> *das* Gespräch am Telefon *ein ~ führen*

• **te·le·fo·nie·ren** [telefo'ni:rən] <telefoniert, telefonierte, telefoniert> *itr* durch das Telefon sprechen *den ganzen Tag ~, mit den Eltern ~*

te·le·fo·nisch <-, -> *adj* per Telefon *~ anfragen, eine ~e Mitteilung erhalten, Er ist ~ unter folgender Nummer zu erreichen: ...*

• **Te·le·fon·ka·bi·ne** <-, -n> *die* (CH) Telefonzelle *in die ~ gehen*

• **Te·le·fon·kar·te** <-, -n> *die* (= CH *Postcard*) Plastikkarte, mit der man (statt mit Geld) von einem öffentlichen Telefon telefonieren kann *auf der Post eine ~ kaufen*

Te·le·fon·num·mer <-, -n> *die* Zahl, die man ins Telefon tippt, wenn man jdn anruft *Wie ist denn Ihre ~?, die ~n austauschen*

• **Te·le·fon·wert·kar·te** <-, -n> *die* (ÖSTERR) *siehe* **Telefonkarte**

• **Te·le·fon·zel·le** <-, -n> *die* kleines Häuschen mit einem Telefon zur öffentlichen Benutzung *von einer ~ aus anrufen*

Te·le·fon·zen·tra·le <-, -n> *die* Büro, das alle Telefongespräche annimmt und weiterleitet, z. B. in großen Firmen *sich von der ~ verbinden lassen*

Te·le·gramm [tele'gram] <-s, -e> *das* schnelle, kurze schriftliche

Nachricht, die über große Entfernungen übermittelt wird *jdm zum Geburtstag ein ~ senden, ein ~ aufgeben* ***Komp: -stil***

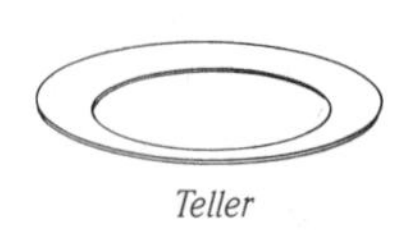

Teller

- **Tel·ler** ['tɛlɐ] <-s, -> *der* flaches oder tiefes, rundes Teil des Geschirrs, von dem man isst *Kartoffeln, Fleisch und Gemüse auf den ~ tun* ***Komp: Kuchen-, Suppen-***

Tem·pe·ra·ment [tɛmp(ə)ra'mɛnt] <-(e)s, -e> *das* **1.** Wesensart, Charakter *ein ruhiges ~ besitzen* **2.** Lebhaftigkeit, Energie *Sie besitzt viel ~.*

- **Tem·pe·ra·tur** [tɛmpəra'tu:ɐ̯] <-, -en> *die* Wärme eines Körpers oder Stoffes *die ~ der Luft messen, die ~ in Celsius angeben;* **erhöhte ~ haben** fast Fieber haben *Er hustet und hat erhöhte ~.*

Tem·po ['tɛmpo] <-s, -s/-pi> *das* Geschwindigkeit *ein hohes ~, das ~ einhalten;* **~!** Aufforderung zur Eile *~, der Zug fährt gleich!* ***Komp: -limit***

Ten·denz [tɛn'dɛnts] <-, -en> *die* Art, Neigung, Richtung *Sie hat die ~, die Dinge zu ernst zu nehmen.* ***Wobi: tendieren***

- **Ten·nis** ['tɛnɪs] <-> *kein pl das* Sportart, bei der man einen kleinen Ball mit einem Schläger über ein Netz bewegen muss *Sie spielt seit ihrem achten Lebensjahr ~.* ***Komp: -halle, -platz, -schläger, -star, Tisch-***
- **Tep·pich** ['tɛpɪç] <-s, -e> *der* weicher Belag auf dem Fußboden *den ~ saugen;* **etw unter den ~ kehren** *(umg)* verheimlichen, einen Fehler o.Ä. nicht bekannt werden lassen *Probleme unter den ~ kehren* ***Komp: -boden, -klopfer***
- **Ter·min** [tɛr'mi:n] <-s, -e> *der* zu einem bestimmten Zweck festgelegter Zeitpunkt *einen ~ beim Arzt haben;* **einen ~ einhalten** pünktlich fertig sein *Sie hat den ~ wieder nicht eingehalten.;* **schon einen anderen ~ haben** schon verabredet sein *Um vier kann ich nicht, ich habe da schon einen anderen ~.* ***Komp: -kalender, -plan***
- **Ter·ras·se** [tɛ'rasə] <-, -n> *die* nicht überdachter Platz vor oder hinter dem Haus zum Sitzen *auf der ~ sitzen*

Ter·ri·to·ri·um [tɛri'to:ri̯ʊm] <-s, -rien> *das* begrenztes Gebiet *das ~ eines anderen Staates betreten* ***Wobi: territorial***

Ter·ror ['tɛro:ɐ̯] <-s> *kein pl der* gewalttätiges, rücksichtsloses Handeln, um Menschen Angst zu machen *politischer ~* ***Wobi: terrorisieren, Terrorismus, Terrorist(in), terroristisch Komp: -anschlag***

Test [tɛst] <-(e)s, -s/(-e)> *der* Kontrolle zur Feststellung bestimmter Leistungen, Prüfung *im Unterricht einen ~ durchführen*

Tes·ta·ment [tɛsta'mɛnt] <-(e)s, -e> *das* Dokument, in dem steht, wer die Sachen eines Toten (Verstorbenen) bekommt *sein ~ machen* ***Wobi: testamentarisch Komp: -seröffnung***

tes·ten ['tɛstn̩] <testet, testete, getestet> *tr* [K] ***jd testet jdn/etw*** *akk* die Leistung prüfen, kontrollieren *die Bremsen ~*

Teufel

- **teu·er** ['tɔyɐ] <teurer, teuerst-> *adj* **1.** (↔*billig*) so, dass es viel Geld kostet *Wie ~ ist es?, eine teure Wohnung* **2.** sehr gut, wichtig *ein teurer Freund;* **Da ist guter Rat ~.** verwendet, wenn man nicht weiß, was man tun soll *In dieser Situation ist guter Rat ~.*

Teu·fel ['tɔyfl̩] <-s, -> *der* das Böse als Person *Der ~ ist der Inbegriff des Bösen.;* **Pfui ~!** (*umg!*) Ausruf zum Ausdruck von Ekel *Pfui ~, ist das dreckig hier!;* **in ~s Küche kommen** *(umg)* Ärger bekommen

Wir kommen noch in ~s Küche, wenn du nicht aufhörst!; **den ~ an die Wand malen** *(umg)* glauben, dass das Schlimmste passiert *Mal doch nicht den ~ an die Wand!*

- **Text** [tɛkst] <-(e)s, -e> *der* **1.** Sätze, die zusammen einen Sinn ergeben *einen wissenschaftlichen ~ verfassen* **2.** MUS die Worte, die zu einem Lied gehören *den ~ lernen*
- **The·a·ter** [te'a:tɐ] <-s, -> *das* **1.** Haus, in dem Bühnenstücke aufgeführt werden *ins ~ gehen* **2.** *(umg)* Ärger, Aufregung *Mach nicht so ein ~ und komm jetzt!* ***Komp:** -besuch, -karte, -kasse, -stück*

The·ke ['te:kə] <-, -n> *die* eine Art Tisch in einem Lokal/in einem Laden, hinter dem der Ober/der Verkäufer steht *an der ~ stehen, Die Verkäuferin reicht die Wurst über die ~.*

- **The·ma** ['te:ma] <-s, -men> *das* das, worüber man spricht/schreibt *das ~ der Diskussion, vom ~ abschweifen, das ~ verfehlen*

The·o·lo·gie [teolo'gi:] <-> *kein pl die* Wissenschaft von der Religion *~ studieren* ***Wobi:** Theologe, theologisch*

The·o·rie [teo'ri:] <-, -n> *die* der wissenschaftliche Versuch, etw zu erklären *eine physikalische ~* ***Wobi:** Theoretiker, theoretisch*

The·ra·pie [tera'pi:] <-, -n> *die* langfristige Behandlung von Kranken *eine ~ machen*

Ther·mo·me·ter [tɛrmo'me:tɐ] <-s, -> *das* Gerät zur Messung der Temperatur *das ~ ablesen* ***Komp:** Fieber-*

The·se ['te:zə] <-, -n> *die* wissenschaftliche Behauptung *eine ~ aufstellen*

Tick [tɪk] <-(e)s, -s> *der (umg)* seltsame Gewohnheit *Der Kerl hat doch einen ~!*

ti·cken ['tɪkn̩] <tickt, tickte, getickt> *itr* ein gleichmäßiges klopfendes Geräusch machen *Die Uhr tickt.;* **nicht richtig ~** (*umg!*) spinnen, verrückt sein *Du tickst (ja) nicht richtig!*

- **Ti·cket** ['tɪkət] <-s, -s> *das* (= CH *Billett*) Fahrkarte (für einen Flug oder eine Schiffsreise) *Ihr ~, bitte!* ***Komp:** Flug-*

Tief [ti:f] <-s, -s> *das* (↔*Hoch*) meist mit Regenwetter verbundener niedriger Luftdruck *Das ~ zieht nach Osten ab.*

- **tief** [ti:f] <tiefer, tiefst-> *adj* (↔*hoch*) so, dass es weit nach unten geht *ein ~es Loch graben, ~es Wasser, eine ~e Stimme;* **~ schlafen** fest schlafen *Sie schlief ~ und bemerkte nicht, dass ich hereinkam.;* **bis ~ in die Nacht hinein** bis spät in die Nacht *bis ~ in die Nacht hinein feiern;* **im ~sten Winter** mitten im Winter *im ~sten Winter ohne Schal und Mütze hinausgehen* ***Wobi:** Tiefe*
- **Tier** [ti:ɐ̯] <-(e)s, -e> *das* Hunde, Katzen, Affen, Schlangen etc. *sich im Zoo die ~e anschauen;* **ein hohes ~** *(umg)* eine wichtige Person *Aus ihm ist ein hohes ~ geworden.* ***Komp:** -arzt, -versuch, Haus-, Raub-*

Tin·te ['tɪntə] <-, -n> *die* farbige Flüssigkeit zum Schreiben *den Füller mit ~ füllen;* **in der ~ sitzen** *(umg)* Schwierigkeiten haben *Ich sitze ziemlich in der ~!* ***Komp:** -nfass, -nfleck, -nstrahldrucker*

- **Tipp** [tɪp] <-s, -s> *der* Rat, Hinweis *dem Freund einen ~ geben, Kannst du mir einen ~ geben, wie ich leichter Vokabeln lernen kann?*
- **tip·pen** ['tɪpn̩] <tippt, tippte, getippt> **I.** *tr* K *jd tippt etw akk* mit der Schreibmaschine/dem Computer schreiben *einen Brief ~* **II.** *itr* raten *Falsch getippt!*

tipp·topp ['tɪp'tɔp] <-, -> *adj (umg)* sehr ordentlich, sehr sauber *Bei ihr ist es immer ~.*

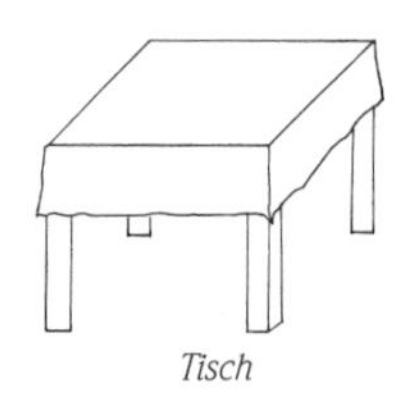

Tisch

• **Tisch** [tɪʃ] <-(e)s, -e> *der* Möbel, auf dem man isst oder arbeitet *das Essen auf den ~ stellen, sich an den ~ setzen, den ~ decken;* **etw unter den ~ fallen lassen** *(umg)* absichtlich nicht mehr über etw sprechen *eine peinliche Sache unter den ~ fallen lassen* ***Komp:*** ***-bein, -decke, -tuch, -wein, Ess-, Küchen-, Schreib-***

Tisch·ler(in) ['tɪʃlɐ] <-s, -> *der* (≈*Schreiner*) jd, der Möbel herstellt *~ werden, den Beruf des ~s erlernen* ***Wobi:*** ***Tischlerei***

• **Ti·tel** ['tiːtl̩] <-s, -> *der* **1.** Name eines Buches, Films etc. *der ~ des Buches* **2.** (CH) Überschrift eines Zeitungsartikels *ein provozierender ~* **3.** Bezeichnung einer Position *sich den Weltmeister~ holen, einen Doktor~ haben* ***Komp:*** ***-bild, -blatt, -seite, -verteidiger, Doktor-***

to·ben ['toːbn̩] <tobt, tobte, getobt> *itr* **1.** wild/heftig sein *Gestern tobte ein Sturm.* **2.** wild spielen, Lärm machen *Die Kinder ~ im Garten.*

• **Toch·ter** ['tɔxtɐ] <-, Töchter> *die* (↔*Sohn*) weibliches Kind *Ich habe eine ~ und einen Sohn.*

• **Tod** [toːt] <-(e)s, (-e)> *der* das Ende des Lebens *sich vor dem ~ fürchten;* **jdn zu ~e erschrecken** jdn sehr erschrecken *Du hast mich zu ~e erschreckt!;* **zu ~e langweilen** *(umg)* sich sehr langweilen *Der Film hat mich zu ~e gelangweilt.* ***Komp:*** ***-esanzeige, -esstrafe***

töd·lich ['tøːtlɪç] <-, -> *adj* so, dass man stirbt *eine ~e Waffe, ein ~er Unfall; ~* **verunglücken** bei einem Unfall sterben *Sie ist bei einem Autounfall ~ verunglückt.*

• **Toi·let·te** [toa'lɛtə] <-, -n> *die* (≈*Klo, 00*) WC *auf die/zur ~ gehen, auf der ~ sein* ***Komp:*** ***-npapier, -nspülung***

> *Toilette*
> Wenn man in Deutschland, Österreich oder der Schweiz einem Gastgeber sagen will, dass man auf die Toilette gehen möchte, fragt man: „Dürfte ich mal Ihre Toilette benutzen?".

toi, toi, toi ['tɔy 'tɔy 'tɔy] *interj* verwendet, um jdm alles Gute/viel Glück zu wünschen *T~ für deine Prüfungen!*

• **to·le·rant** [tole'rant] <toleranter, tolerantest-> *adj* so, dass man andere so akzeptiert, wie sie sind; verständnisvoll *sich ~ gegenüber jdm verhalten, ~ sein* ***Wobi:*** ***Toleranz, tolerieren***

• **toll** [tɔl] <toller, tollst-> *adj (umg)* super, klasse *ein ~es Buch*

Toll·patsch ['tɔlpatʃ] <-(e)s, -e> *der* (*umg pej*) ungeschickter Mensch *ein ~ sein*

Töl·pel ['tœlpl̩] <-s, -> *der (pej)* dummer, ungeschickter Mensch *ein ~ sein*

• **To·ma·te** [to'maːtə] <-, -n> *die* (= ÖSTERR *Paradeiser*) rotes fleischiges Gemüse *~n essen* ***Komp:*** ***-nketschup, -nmark, -nsalat***

Ton¹ [toːn] <-(e)s, (-e)> *der* weiche Erde, aus der man z. B. Töpfe und Vasen macht *eine Vase aus ~ formen*

Ton² [toːn] <-(e)s, Töne> *der* **1.** Laut *keinen ~ hören* **2.** Art und Weise, wie man etw sagt *etw in freundlichem ~ sagen;* **keinen ~ von sich geben** schweigen, nichts sagen *Sie hat noch nicht einen ~ von sich gegeben.;* **Der ~ macht die Musik.** die Art und Weise, wie man etw sagt, ist wichtig *Das solltest du anders ausdrücken, der ~ macht die Musik!*

Ton·band <-(e)s, -bänder> *das* Band zum Aufnehmen von Musik *ein ~ abspielen, etw auf ~ aufnehmen* ***Komp:*** ***-gerät***

Ton·ne ['tɔnə] <-, -n> *die* großer Behälter *den Müll in die ~ werfen*

Komp: *Müll-, Regen-*

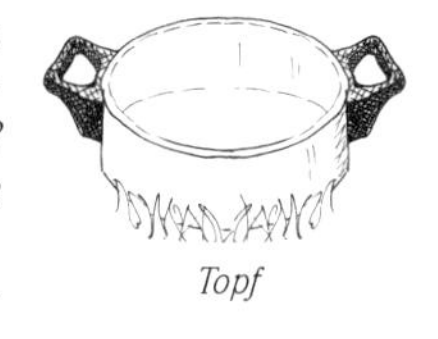

Topf

- **Topf** [tɔpf] <-(e)s, Töpfe> *der* Gefäß zum Kochen *den ~ mit den Kartoffeln auf den Herd stellen;* **alles in einen ~ werfen** *(umg)* keine Unterschiede machen *Warum wirfst du immer alles in einen ~?*
- **Topfen** ['tɔpfn̩] <-s> *kein pl der* (SD, ÖSTERR) Quark *mit ~ gefüllte Pfannkuchen*

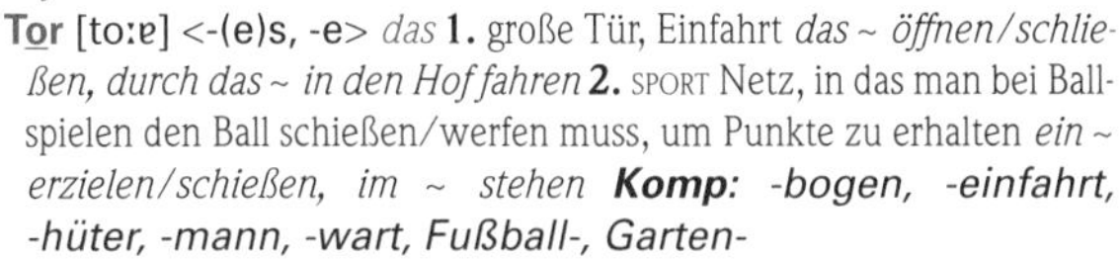

Tor [to:ɐ] <-(e)s, -e> *das* **1.** große Tür, Einfahrt *das ~ öffnen/schließen, durch das ~ in den Hof fahren* **2.** SPORT Netz, in das man bei Ballspielen den Ball schießen/werfen muss, um Punkte zu erhalten *ein ~ erzielen/schießen, im ~ stehen* ***Komp:*** *-bogen, -einfahrt, -hüter, -mann, -wart, Fußball-, Garten-*

tor·keln ['tɔrkl̩n] <torkelt, torkelte, getorkelt> *itr* <*sein*> unsicher gehen und dabei hin- und herschwanken, besonders nachdem man zu viel Alkohol getrunken hat *von der Kneipe nach Hause ~*

Tor·te ['tɔrtə] <-, -n> *die* runder Kuchen mit Sahne und/oder Früchten *eine ~ backen* ***Komp:*** *-nheber, Obst-*

- **tot** [to:t] <-, -> *adj* ohne Leben, gestorben *Er ist seit zwei Jahren ~., ein ~es Tier finden*

to·tal [to'ta:l] <-, -> *adj* ganz, vollständig *~ kaputt sein*

To·te(r) ['to:tə] *der/die* Mensch, der gestorben ist *im Wald einen ~n finden, Bei dem Unfall gab es fünf ~.*

- **tö·ten** ['tø:tn̩] <tötet, tötete, getötet> *tr* [K] ***jd tötet jdn*** umbringen, das Leben nehmen *ein Tier ~, Sie wurde letztes Jahr bei einem Unfall getötet.*

tot|la·chen <lacht tot, lachte tot, totgelacht> *refl* [K] ***jd lacht sich*** *akk* ***tot*** *(umg)* sehr lachen *sich über einen Witz ~*

tot|schwei·gen <schweigt tot, schwieg tot, totgeschwiegen> *tr* [K] ***jd schweigt jdn/etw*** *akk* ***tot*** über etw nicht reden, damit man es vergisst *Probleme ~*

tot|stel·len <stellt tot, stellte tot, totgestellt> *refl* [K] ***jd/ein Tier stellt sich*** *akk* ***tot*** so tun, als ob man tot ist *Er überlebte den Angriff, weil er sich tot gestellt hatte.*

Tou·pet [tu'pe:] <-s, -s> *das* künstliche Haare *ein ~ tragen*

Tour [tu:ɐ̯] <-, -en> *die* Ausflug *eine kleine ~ mit dem Fahrrad machen;* **in einer ~** *(umg)* ununterbrochen, ohne aufzuhören *in einer ~ meckern;* **krumme ~en** *(umg)* Verbrechen, Verbotenes *Macht er wieder krumme ~en?* ***Komp:*** *Fahrrad-*

- **Tou·rist(in)** [tu'rɪst] <-en, -en> *der* Urlauber; Fremder, der etw besichtigt *Die ~en besichtigen die Sehenswürdigkeiten.* ***Wobi:*** *Tourismus*
- **Tou·ris·ten·in·for·ma·tion** <-, -en> *die* Büro, wo man Informationen über Sehenswürdigkeiten, Hotels etc. einer Stadt bekommt; Verkehrsverein *Ich frage mal in der ~, was es hier zu sehen gibt.*

Tra(b)·bi ['trabɪ] <-s, -s> *der (umg)* Kurzform für ‚Trabant', Automarke der ehemaligen DDR *~ fahren*

- **Tra·di·ti·on** [tradi'tsi̯o:n] <-, -en> *die* Brauch/Sitte *alte ~en pflegen* ***Wobi:*** *traditionell*

traf [tra:f] *prät von* **treffen**

- **Tra·fik** [tra'fɪk] <-, -en> *die* (ÖSTERR) Tabak- und Zeitschriftenladen *Zigaretten in der ~ kaufen* ***Wobi:*** *Trafikant(in)*

trag·bar <-, -> *adj* **1.** so, dass es gut zu transportieren ist *das ~e Ra-*

Trabbi
Der Trabbi war das verbreitetste Auto in der DDR. Das typische Modell P601 wurde von 1958 bis 1989 gebaut, bestand zu einem großen Teil aus Plastik und fuhr mit einem 2-Takt-Motor.

dio **2.** so, dass man es noch anziehen kann *ein ~es Kleid* **3.** (*≈erträglich*) so, dass man es ertragen/tolerieren kann *Sein Verhalten ist nicht länger ~.*

trä·ge ['trɛːgə] <**träger, trägst-**> *adj* faul, langsam, lustlos *~ Bewegungen*

• **tra·gen** ['traːgn̩] <**trägt, trug, getragen**> *tr* **1.** K ***jd trägt jdn/etw*** *akk* beim Gehen in der Hand/auf dem Arm halten *eine Tasche ~* **2.** K ***jd/etw trägt etw*** *akk* einen Namen haben *Die Straße trägt den Namen eines Politikers.* **3.** K ***etw trägt etw*** *akk* hervorbringen *Der Apfelbaum trägt zum ersten Mal Früchte.* **4.** K ***jd trägt etw*** *akk* ein Kleidungsstück anhaben *ein neues Kleid ~* **5.** K ***jd trägt etw*** *akk* bezahlen *Die Kosten trägt die Firma.;* **etw bei sich ~** mit sich führen *Den Ausweis müssen Sie immer bei sich ~!*

Tra·gö·die [tra'gøːdi̯ə] <**-, -n**> *die* (*↔Komödie*) dramatisches Theaterstück mit traurigem Ende *sich im Theater eine ~ anschauen*

• **trai·nie·ren** [trɛ'niːrən] <**trainiert, trainierte, trainiert**> **I.** *tr* K ***jd trainiert jdn/etw*** *akk* auf einen Wettkampf vorbereiten *eine Mannschaft ~* **II.** *itr* seinen eigenen Körper fit machen *regelmäßig ~*

• **Trai·ning** ['trɛːnɪŋ] <**-s, -s**> *das* Vorbereitung auf einen Wettkampf *regelmäßig zum ~ gehen* ***Komp: -sanzug, -shose, -slager***

• **Tram** [tram] <**-/-s, -s**> *die/*CH *das* (SD, CH) Straßenbahn *mit der ~ zum Bahnhof fahren, das ~ nehmen*

tram·peln ['trampl̩n] <**trampelt, trampelte, getrampelt**> *itr* laut mit den Füßen auftreten *Die Zuschauer klatschen und ~ vor Begeisterung.*

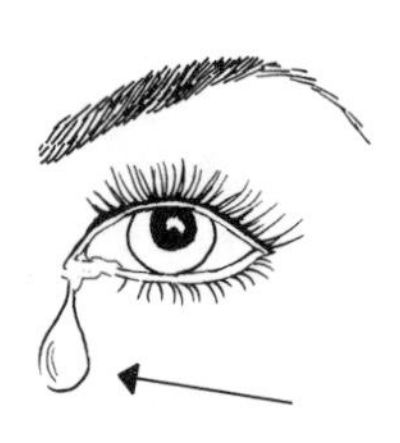

Träne

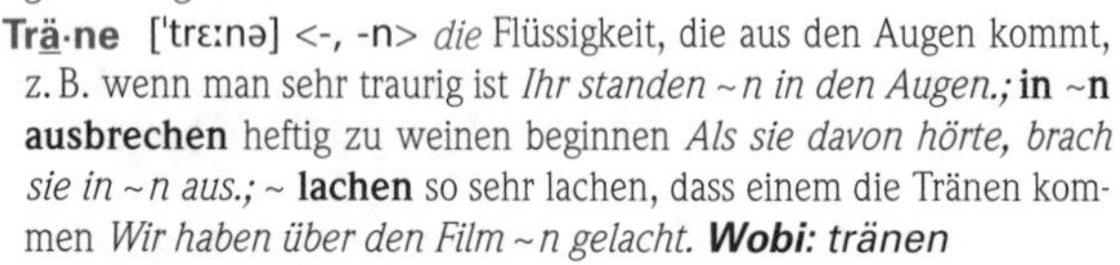

Trä·ne ['trɛːnə] <**-, -n**> *die* Flüssigkeit, die aus den Augen kommt, z. B. wenn man sehr traurig ist *Ihr standen ~n in den Augen.;* **in ~n ausbrechen** heftig zu weinen beginnen *Als sie davon hörte, brach sie in ~n aus.;* **~ lachen** so sehr lachen, dass einem die Tränen kommen *Wir haben über den Film ~n gelacht.* ***Wobi: tränen***

trank [traŋk] *prät von* **trinken**

tran·si·tiv ['tranzitiːf] <**-, -**> *adj* LING so, dass ein Verb ein Akkusativobjekt braucht *ein ~es Verb*

Trans·plan·ta·ti·on [transplanta'ts̑i̯oːn] <**-, -en**> *die* MED das Operieren von Organen eines Menschen in den Körper eines anderen *eine ~ durchführen* ***Komp: Herz-, Nieren-***

• **Trans·port** [trans'pɔrt] <**-(e)s, -e**> *der* Beförderung von einem Ort zu einem anderen *der ~ per Eisenbahn* ***Wobi: transportabel***

• **trans·por·tie·ren** [transpɔr'tiːrən] <**transportiert, transportierte, transportiert**> *tr* K ***jd transportiert jdn/etw*** *akk* von einem Ort zu einem anderen bringen, befördern *Güter ~, einen Patienten ins Krankenhaus ~*

Trans·ves·tit [transvɛs'tiːt] <**-en, -en**> *der* ein Mann, der sich wie eine Frau verhält und kleidet *~ sein*

trat [traːt] *prät von* **treten**

trat·schen ['traːt͡ʃn̩] <**tratscht, tratschte, getratscht**> *itr* (*umg ≈klatschen*) schlecht über andere Leute reden *stundenlang mit der Nachbarin ~* ***Wobi: Tratsch***

trau·en ['tra̯uən] <**traut, traute, getraut**> **I.** *tr* K ***jd traut jdn*** verheiraten *das junge Paar standesamtlich ~* **II.** *itr* vertrauen, glauben *Ich traute meinen Ohren nicht.;* **jdm nicht über den Weg ~**

(umg) nicht vertrauen *Ich traue ihm nicht über den Weg.* **III.** *refl* [K] ***jd traut sich** akk, **etw zu tun*** (≈*wagen*) den Mut haben, etw zu tun *Nach dem Streit traute sie sich nicht, ihn anzurufen.*

trau·ern ['trauɐn] <trauert, trauerte, getrauert> *itr* [K] ***jd trauert um jdn/etw** akk* traurig sein, weil man jdn/etw verloren hat *um seine Mutter ~* ***Wobi:** Trauer*

• **Traum** [traum] <-(e)s, Träume> *der* etw, das man im Schlaf erlebt *einen schönen ~ haben;* **jds ~ geht in Erfüllung** ein Wunsch wird Wirklichkeit *Mein ~ ging in Erfüllung, ich traf mein großes Idol.* ***Wobi:** träumen* ***Komp:** -beruf, -deuter, -frau, -mann*

• **träu·men** ['trɔymən] <träumt, träumte, geträumt> *itr* einen Traum haben *jede Nacht ~, schlecht ~;* **sich etw nicht ~ lassen** etw Schönes nicht für möglich halten *Das hätte ich mir nicht ~ lassen!*

traum·haft <traumhafter, traumhaftest-> *adj* wunderbar, sehr schön *ein ~er Strand*

• **trau·rig** ['traurɪç] <trauriger, traurigst-> *adj* **1.** (↔*fröhlich*) ohne Freude *~ sein* **2.** so, dass es jdm die Freude nimmt *ein ~es Ereignis* ***Wobi:** Traurigkeit*

Tref·fen ['trɛfn̩] <-s, -> *das* Zusammenkunft, Begegnung *das ~ der Staats- und Regierungschefs*

• **tref·fen** ['trɛfn̩] <trifft, traf, getroffen> **I.** *tr* **1.** [K] ***jd trifft jdn/etw** akk* (das Ziel) erreichen *das Tor ~, jdn mit dem Ball ~* **2.** [K] ***jd trifft jdn*** begegnen *Freunde ~;* **nicht ~** das Ziel verfehlen *Der Fußballer hat das Tor nicht getroffen.* **II.** *refl* [K] ***jd trifft sich** akk **mit jdm*** jdm begegnen (weil man sich verabredet hat) *sich regelmäßig ~, Ich treffe mich morgen mit den anderen.;* **sich getroffen fühlen** sich emotional verletzt fühlen *Sie fühlt sich immer gleich getroffen.*

Treff·punkt <-(e)s, -e> *der* Ort, an dem man sich verabredet hat *rechtzeitig am ~ sein*

• **trei·ben** ['traibn̩] <treibt, trieb, getrieben> *tr* [K] ***jd treibt jdn/etw** akk* bewegen, schicken *die Kühe auf die Weide ~;* **Sport ~** Sport machen *regelmäßig Sport ~*

• **Trend** [trɛnt] <-s, -s> *der* Entwicklung in eine bestimmte Richtung *der neueste ~* ***Komp:** -setter, Mode-*

• **tren·nen** ['trɛnən] <trennt, trennte, getrennt> **I.** *tr* [K] ***jd trennt jdn/etw** akk* auseinander bringen, lösen *Uns kann nichts ~., Nähte ~* **II.** *refl* [K] ***jd/etw trennt sich** akk **von jdm/etw** dat* jdn verlassen, sich lösen *sich von seinem Partner ~, Von der Uhr kann ich mich nicht ~: Sie ist von meiner Oma.*

Tren·nung <-, -en> *die* **1.** Ehescheidung, Beendigung einer Beziehung *die ~ vom Ehepartner* **2.** räumliche Distanz *eine lange ~* ***Komp:** -sstrich*

• **Trep·pe** ['trɛpə] <-, -n> *die* (= ÖSTERR *Stiege*) Stufen, auf denen man nach oben/unten gehen kann *die ~ hinaufgehen/hinuntergehen, eine steile ~ in den Keller* ***Komp:** -nabsatz, -ngeländer, -nhaus*

Tre·sen ['tre:zn̩] <-s, -> *der* Theke in einer Kneipe oder einem Restaurant *hinter dem ~ stehen*

Tre·sor [tre'zo:ɐ̯] <-s, -e> *der* verschließbarer Schrank zur sicheren Aufbewahrung von Wertgegenständen *Geld und Schmuck im ~ einschließen*

Tresor

• **tre·ten** ['tre:tn̩] <tritt, trat, getreten> **I.** *tr* [K] ***jd tritt jdn/etw*** *akk* einen Stoß mit dem Fuß geben *Er hat mich getreten.* **II.** *itr* <*sein*> (= ÖSTERR *steigen*) mit den Füßen berühren *Er ist in eine Pfütze getreten., gegen etw ~;* **näher** ~ herankommen *T~ Sie näher!*

• **treu** [trɔy̯] <treuer, treuest-> *adj* so, dass man jdn nicht verlässt *ein ~er Freund;* **seinem Vorsatz ~ bleiben** sich an seinen Vorsatz halten *Er blieb seinem Vorsatz immer ~.* ***Wobi:* *Treue***

Trick [trɪk] <-s, -s> *der* List, sehr geschicktes Vorgehen *Verrate mir den ~!*

trieb [triːp] *prät von* **treiben**

• **trin·ken** ['trɪŋkn̩] <trinkt, trank, getrunken> **I.** *tr* [K] ***jd trinkt etw*** *akk* eine Flüssigkeit zu sich nehmen *Tee/Kaffee ~, Kann ich etw zu ~ haben?* **II.** *itr* eine Flüssigkeit zu sich nehmen *schnell ~;* **zu ~ anfangen** regelmäßig viel Alkohol zu sich nehmen *Er hat vor Jahren angefangen zu ~.;* **etw ~ gehen** in eine Kneipe/Bar gehen *Wollen wir noch etw ~ gehen?* ***Wobi:* *Trinker(in)***

trink·fest <trinkfester, trinkfestest-> *adj* so, dass man viel Alkohol trinken kann, ohne betrunken zu werden *~ sein*

Trinkgeld
Trinkgeld geben ist zwar freiwillig, wird aber oft erwartet. Wenn man mit dem Service zufrieden ist, gibt man der Bedienung in Cafés und Restaurants etwa 10 Prozent, in einem Wiener Kaffeehaus gibt man bis zu 15 Prozent. Auch Taxifahrer und Friseure erhalten Trinkgeld.

• **Trink·geld** <-(e)s, -er> *das* kleinerer Geldbetrag, den man dem Kellner/dem Taxifahrer zusätzlich gibt *jdm ein ~ geben*

Trink·was·ser <-s> *kein pl das* sauberes Wasser, das man trinken kann *Kein ~!* ***Wobi:* *-versorgung***

Tritt [trɪt] <-(e)s, -e> *der* Stoß mit dem Fuß *jdm einen ~ geben*

Tri·umph [tri'ʊmf] <-(e)s, -e> *der* sehr großer Erfolg *Sein Sieg war ein großer ~.* ***Wobi:* *triumphieren*** ***Komp:* *-bogen***

• **tro·cken** ['trɔkn̩] <trockener, trockenst-> *adj* (↔*nass*) frei von Feuchtigkeit *heißes und ~es Wetter, Die Wäsche ist ~.*

• **trock·nen** ['trɔknən] <trocknet, trocknete, getrocknet> **I.** *tr* [K] ***jd trocknet etw*** *akk* trocken machen *die Haare mit einem Föhn ~* **II.** *itr* trocken werden *Die Wäsche trocknet.*

Trö·del ['trøːdl̩] <-s> *kein pl der (umg)* wertlose Sachen, altes Zeug *~ sammeln* ***Komp:* *-markt***

trö·deln ['trøːdl̩n] <trödelt, trödelte, getrödelt> *itr* Zeit verschwenden, langsam sein *Trödel nicht immer so!* ***Wobi:* *Trödelei***

trog [troːk] *prät von* **trügen**

Trom·mel ['trɔml̩] <-, -n> *die* rundes Musikinstrument, auf das man schlägt *die ~ schlagen* ***Wobi:* *trommeln, Trommler(in)***

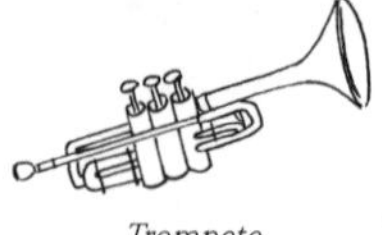

Trompete

Trom·pe·te [trɔm'peːtə] <-, -n> *die* Blasinstrument aus Blech *~ spielen* ***Wobi:* *trompeten, Trompeter***

Tro·pen ['troːpn̩] <-> *kein sing pl* sehr feuchte, warme Klimazone *Diese Pflanze wächst nur in den ~.* ***Wobi:* *tropisch***

• **Trop·fen**[1] ['trɔp͜fn̩] <-s, -> *der* geringe Menge Flüssigkeit *ein ~ Blut, Die ersten ~ fallen, gleich wird es regnen.* ***Komp:* *Regen-, Wasser-***

• **Trop·fen**[2] ['trɔp͜fn̩] <-> *kein sing pl* MED flüssige Medizin *regelmäßig seine ~ nehmen* ***Komp:* *Nasen-***

trop·fen ['trɔp͜fn̩] <tropft, tropfte, getropft> *itr* Flüssigkeit in Form von Tropfen verlieren *Der Wasserhahn tropft schon wieder., Pass auf mit dem Glas, es tropft!*

trös·ten ['trøːstn̩] <tröstet, tröstete, getröstet> **I.** *tr* [K] ***jd tröstet jdn*** jdm, der traurig ist, beistehen und Mut zusprechen *den Kranken ~* **II.** *refl* [K] ***jd tröstet sich*** *akk* ***mit jdm/etw*** *dat* sich Ersatz schaffen *sich mit einer Tafel Schokolade ~* ***Wobi:*** ***Trost***

trost·los <trostloser, trostlosest-> *adj* **1.** hoffnungslos, freudlos *ein ~es Leben* **2.** leer, öde, ohne Bäume *eine ~e Landschaft* ***Wobi:*** ***Trostlosigkeit***

Trot·toir [trɔ'to̯aːɐ̯] <-s, -s/-e> *das* (CH) Bürgersteig *das ~ benutzen*

• **trotz** [trɔts] *präp +gen* obwohl etw dagegen spricht *~ der Kälte im Meer baden*

• **trotz·dem** ['trɔtsdeːm] *adv* dennoch *Ich werde ~ kommen.*

trüb(e) ['tryːb(ə)] <trüber, trübst-> *adj* **1.** *(↔klar)* so, dass man nicht hindurchsehen kann *eine ~ Flüssigkeit* **2.** so, dass der Himmel voller Wolken ist *~s Wetter*

trug [truːk] *prät von* **tragen**

trü·gen ['tryːgn̩] <trügt, trog, getrogen> *tr* K ***etw trügt jdn*** täuschen *Wenn mich nicht alles trügt, habe ich ihn in der Stadt gesehen.;* **Der Schein trügt.** etw sieht anders aus, als es ist *Der Schein trügt, sie ist in Wirklichkeit ziemlich frech.* ***Wobi:*** ***trügerisch***

Tru·he ['truːə] <-, -n> *die* große Kiste mit einem Deckel *eine ~ aus Holz* ***Komp:*** ***Schatz-, Wäsche-***

Trüm·mer ['trʏmɐ] <-> *kein sing pl* die Reste von etw, das zerstört worden ist *Die Häuser liegen in ~n.* ***Komp:*** ***-feld, -haufen***

Trup·pe ['trʊpə] <-, -n> *die* MIL alle Soldaten einer Einheit *die ~n reduzieren*

• **T-Shirt** ['tiːʃəːt] <-s, -s> *das* Hemd aus Baumwolle mit kurzen Ärmeln *ein ~ anziehen*

• **Tuch** [tuːx] <-(e)s, Tücher> *das* Stück Stoff *ein ~ um den Hals binden* ***Komp:*** ***Hals-, Kopf-***

tüch·tig ['tʏçtɪç] <tüchtiger, tüchtigst-> *adj* leistungsfähig, fleißig *~ sein;* ~ **essen** viel essen *Nun iss mal ~ – es ist genug da.* ***Wobi:*** ***Tüchtigkeit***

Tu·gend ['tuːgn̩t] <-, -en> *die* moralisch gute Eigenschaft *viele ~en haben* ***Wobi:*** ***tugendhaft***

Tul·pe ['tʊlpə] <-, -n> *die* eine Blume mit einer gelben, roten oder rosa Blüte *~n aus Holland*

Tulpe

• **tun** [tuːn] <tut, tat, getan> *tr* K ***jd tut etw*** *akk* machen *seine Arbeit ~;* **zu ~ haben** arbeiten (müssen) *Ich habe noch zu tun.;* **alle Hände voll zu ~ haben** sehr viel Arbeit haben *Ich habe alle Hände voll zu ~.;* **nur so ~** in Wirklichkeit nicht so sein *Sie tut nur so, als ob sie krank wäre.;* **nichts mehr mit jdm zu ~ haben wollen** keinen Kontakt mehr zu jdm haben wollen *Ich will nichts mehr mit ihm zu ~ haben!*

Tun·nel ['tʊnl̩/tʊ'nɛl] <-s, -(s)> *der* Bauwerk für Straßen und Gleise unter der Erde/durch einen Berg *durch einen ~ fahren*

• **Tür(e)** [tyːɐ̯(ə)] <-, -(e)n> *die* das Ding, mit dem man ein Haus/eine Wohnung zumacht *die ~ öffnen/schließen, in der ~ stehen, an die ~ klopfen;* **zwischen ~ und Angel** im Vorübergehen, in Eile *So zwischen ~ und Angel kann ich das nicht erklären!;* **~ an ~ mit jdm leben** Nachbar von jdm sein *Ich lebe ~ an ~ mit ihr.;* **etw steht vor der ~** es ist nur noch wenig Zeit bis zu etw *Weihnachten steht vor der ~, und ich habe noch keine Geschenke!* ***Komp:*** ***-klinke, -rahmen, Auto-, Haus-, Schrank-, Wohnungs-***

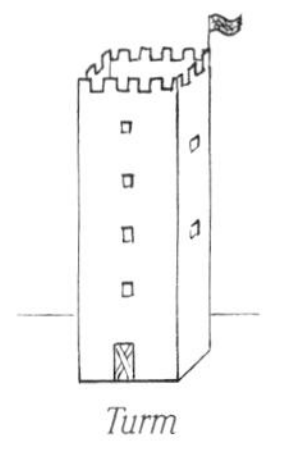
Turm

Turm [tʊrm] <-(e)s, Türme> *der* schlankes, hohes Gebäude *einen*

~ *besteigen* ***Komp:*** *Aussichts-, Fernseh-, Kirch-*

tur·nen ['tʊrnən] <turnt, turnte, geturnt> *itr* Gymnastik machen *regelmäßig ~* ***Wobi:*** *Turner(in)*

Tür·schnal·le <-, -n> *die* (ÖSTERR) Türklinke *die ~ drücken*

- **Tü·te** ['ty:tə] <-, -n> *die* Beutel aus Papier oder Plastik *alles in eine ~ packen;* **etw kommt nicht in die** ~ *(umg)* jd erlaubt etw nicht *Das kommt nicht in die ~!*
- **Typ** [ty:p] <-s, -en> *der* **1.** Modell *Wir reparieren alle ~en.* **2.** Mensch *Sie ist ein ruhiger ~.* **3.** *(umg)* Kerl, junger Mann *ein netter ~;* **jd ist jds** ~ jd gefällt jdm *Er ist nicht mein ~.*
- **ty·pisch** ['ty:pɪʃ] <typischer, typischst-> *adj* charakteristisch *Dieses Verhalten ist ~ für ihn.*

ty·ran·ni·sie·ren [tyrani'zi:rən] <tyrannisiert, tyrannisierte, tyrannisiert> *tr* [K] *jd tyrannisiert jdn* *(pej)* jdm seinen Willen aufzwingen, unterdrücken *Ich lasse mich von dir nicht ~!*

U

U, **u** [uː] <-, -> *das* der 21. Buchstabe des Alphabets *Das Wort ‚und' beginnt mit dem Buchstaben ~.*

Ü, **ü** [yː] <-, -> *das* der Umlaut des ‚U' *Das Wort ‚über' schreibt man mit ~.*

U-Bahn <-, -en> *die* Zug, der unter der Erde fährt *mit der ~ fahren* ***Komp:*** *-station*

U-Bahn

ü·bel ['yːbl̩] <übler, übelst-> *adj* **1.** unangenehm *eine üble Angelegenheit regeln, in eine üble Lage geraten* **2.** böse, schlecht *ein übler Bursche* **3.** so, dass jdm sehr schlecht ist *Mir ist ~.;* **nicht** ~ *(umg)* nicht schlecht *Dein Vorschlag ist nicht ~.;* **wohl oder** ~ gegen den eigenen Willen *Er wird es wohl oder ~ tun müssen.;* **jdm etw ~ nehmen** auf jdn böse sein wegen etw *jdm eine Bemerkung ~ nehmen*

ü·ben ['yːbn̩] <übt, übte, geübt> **I.** *tr* K ***jd übt etw*** *akk* etw immer wieder tun, um es zu lernen *Mathematik ~, lesen ~;* **Kritik an etw (jdm)** ~ etw/jdn kritisieren *Der Kanzler übte Kritik am Verhalten des Ministers.* **II.** *itr* etw immer wieder tun, um es zu lernen *Stör mich bitte nicht, ich übe gerade!*

• **ü·ber** ['yːbɐ] *präp* **1.** *+dat auf die Frage ‚wo?', +akk auf die Frage ‚wohin?'* (↔*unter*) räumlich darüber, oberhalb ~ *dem Tisch eine Lampe aufhängen, die Lampe ~ den Tisch hängen, ~ einem Café wohnen, ein Bild ~ das Sofa hängen* **2.** *+akk* auf die andere Seite ~ *die Straße gehen, ~ das Feld laufen* **3.** *+akk* während, für eine bestimmte Zeit *Wir fahren ~s Wochende ans Meer.* **4.** *+akk* bei Zahlenangaben: in Höhe von *einen Scheck ~ 1.000 Euro ausstellen* **5.** *+akk* mehr als *Die Stadt hat ~ 300.000 Einwohner., Nur für Kinder ~ zwölf!, Es dauerte ~ eine Woche, bis ich eine Antwort von ihm erhielt.* **6.** *+akk* via, durch einen bestimmten Ort ~ *München nach Salzburg fahren* **7.** *+akk* mit dem Thema *ein Buch ~ Italien kaufen;* **Fehler ~ Fehler** viele Fehler, voll von Fehlern *Er machte Fehler ~ Fehler.;* **bis ~ beide Ohren** total, völlig *Er ist bis ~ beide Ohren verliebt.;* **etw geht jdm ~ alles** jd mag etw besonders gern *Literatur geht ihr ~ alles.;* ~ **Nacht** bis zum nächsten Morgen *Sie blieben ~ Nacht.;* ~ **den Dingen stehen** sich von etw nicht beeindrucken lassen, sich nicht aus der Ruhe bringen lassen *Sie ist immer souverän und steht ~ den Dingen.*

• **ü·ber-** ['yːbɐ] zu sehr, zu viel *~breit, ~freundlich, ~lang*

• **ü·ber·all** [yːbɐ'ʔal] *adv* an jedem Ort, in jedem Bereich ~ *gut sein, jdn ~ suchen*

Ü·ber·blick ['yːbɐblɪk] <-(e)s> *kein pl der* **1.** freie Sicht *Vom Fernsehturm aus hat man einen guten ~ über die Stadt.* **2.** Zusammenfassung *einen kurzen ~ über etw geben;* **sich einen ~ über etw verschaffen** das Wesentliche erfassen *sich einen ~ über die bisherigen Arbeiten verschaffen;* **den ~ verlieren** die Zusammenhänge nicht mehr erkennen *Er hat den ~ verloren.* ***Wobi: überblicken***

ü·ber·den·ken [yːbɐ'dɛŋkn̩] <überdenkt, überdachte, überdacht> *tr* K ***jd überdenkt etw*** *akk* noch einmal gründlich über

U

etw nachdenken *Du solltest die Sache noch einmal ~!*

Ü·ber·do·sis <-, -sen> *die* lebensgefährliche, zu große Menge eines Medikaments oder einer Droge *eine ~ Schlaftabletten nehmen*

ü·ber·dreht <überdrehter, überdrehtest-> *adj (umg)* übermütig, sehr lebhaft *Die Kinder sind völlig ~!*

ü·ber·durch·schnitt·lich <-, -> *adj* besonders, sehr, über dem Durchschnitt *~ fleißig sein, Die Leistungen der Schülerin sind ~.*

ü·ber·ein·an·der [y:bɐʔai̯'nandɐ] *adv* eine(-r/-s) auf der (dem) anderen *Die Bücher liegen alle ~.*

Ü·ber·ein·kunft [y:bɐ'ʔai̯nkʊnft] <-, -künfte> *die* Vereinbarung *eine stillschweigende ~, eine ~ erzielen* ***Wobi: übereinkommen***

ü·ber·ein|stim·men [y:bɐ'ʔai̯nʃtɪmən] <stimmt überein, stimmte überein, übereingestimmt> *itr* die gleiche Meinung haben *in den wesentlichen Punkten mit jdm ~* ***Wobi: Übereinstimmung***

ü·ber·emp·find·lich <-, -> *adj* so, dass man sehr schnell beleidigt ist *Sei vorsichtig mit dem, was du sagst! Sie ist ~!* ***Wobi: Überempfindlichkeit***

• **ü·ber·fah·ren** [y:bɐ'fa:rən] <überfährt, überfuhr, überfahren> *tr* [K] ***jd überfährt jdn/etw*** *akk* über jdn/etw fahren und dadurch verletzen oder töten *einen Menschen/ein Tier ~*

1

überfallen

ü·ber·fal·len [y:bɐ'falən] <überfällt, überfiel, überfallen> *tr* **1.** [K] ***jd überfällt etw*** *akk/****jdn*** angreifen *eine Bank ~, eine alte Frau ~* **2.** [K] ***jd überfällt jdn*** *(umg)* unerwartet besuchen *die Freunde abends ~;* **jdn mit Fragen** ~ viele Fragen stellen *Die Schüler überfielen den Lehrer mit Fragen.* ***Wobi: Überfall***

ü·ber·flüs·sig ['y:bɐflʏsɪç] <-, -> *adj* unnötig *eine ~e Bemerkung*

ü·ber·for·dern [y:bɐ'fɔrdɐn] <überfordert, überforderte, überfordert> *tr* [K] ***jd überfordert jdn*** [***mit etw*** *dat*] zu hohe Leistungen von jdm erwarten *Die Schüler sind mit dieser Aufgabe noch überfordert.*

ü·ber·füh·ren [y:bɐ'fy:rən] <überführt, überführte, überführt> *tr* [K] ***jd überführt jdn einer Sache*** *gen* beweisen, dass jd ein Verbrechen getan hat *jd des Diebstahls ~, Er wurde der Steuerhinterziehung überführt.* ***Wobi: Überführung***

ü·ber·füllt <-, -> *adj* so, dass irgendwo zu viele Menschen/Dinge sind *ein ~er Zug/Hörsaal* ***Wobi: Überfüllung***

ü·ber·ge·ben [y:bɐ'ge:bn̩] <übergibt, übergab, übergeben> **I.** *tr* **1.** [K] ***jd übergibt jdm etw*** *akk* jdm etwas geben *eine wichtige Arbeit persönlich ~* **2.** [K] ***jd übergibt jdm etw*** *akk* die Verantwortung für etw übertragen/überlassen *seinem Nachfolger das Amt ~, eine Sache einem Anwalt ~* **II.** *refl* [K] ***jd übergibt sich*** *akk* erbrechen *Bei diesem Anblick musste ich mich fast ~.* ***Wobi: Übergabe***

ü·ber|ge·hen ['y:bɐgeən] <geht über, ging über, übergegangen> *itr <sein>* **1.** sich verwandeln, eine andere Form bekommen *Die Diskussion ging in einen Streit über.* **2.** wechseln *zu einem anderen Thema ~, an einen neuen Eigentümer ~, in jds Besitz ~;* **zum Angriff** ~ angreifen *Der Feind ging zum Angriff über.*

ü·ber·ge·hen [ybɐ'ge:ən] <übergeht, überging, übergangen> *tr <haben>* [K] ***jd übergeht jdn/etw*** *akk* nicht beachten *einen Fehler des Partners ~, jds Einwände ~, sich übergangen fühlen*

Ü·ber·ge·wicht <-(e)s, -e> *das* (↔*Untergewicht*) zu hohes Körpergewicht ~ *haben* ***Wobi: übergewichtig***

ü·ber|grei·fen <greift über, griff über, übergegriffen> *itr* ausbreiten, sich verbreiten *Das Feuer griff auf andere Gebiete über., Die Grippe greift so langsam auf die ganze Abteilung über.*

• **ü·ber·haupt** [y:bɐ'hau̯pt/'y:bɐhau̯pt] *adv* **1.** sowieso *Ich denke ~ nicht daran, mich bei ihm zu melden!* **2.** eigentlich *Weißt du ~, dass sie einen Sohn hat?, Wer sind Sie ~?* **3.** im Allgemeinen *Ich gehe ~ sehr gern ins Theater.*

ü·ber·heb·lich [y:bɐ'he:plɪç] <überheblicher, überheblichst-> *adj* (≈*arrogant*) so, dass man glaubt, besser als andere zu sein ~ *sein* ***Wobi: Überheblichkeit***

ü·ber·höht <-, -> *adj* zu hoch, zu teuer *eine Geldstrafe wegen ~er Geschwindigkeit bekommen, In diesem Restaurant sind die Preise stark ~.*

• **ü·ber·ho·len** [y:bɐ'ho:lən] <überholt, überholte, überholt> *tr* **1.** K *jd überholt jdn/ etw akk* an einem anderen fahrenden Auto etc. vorbeifahren *zwei Autos nacheinander ~* **2.** K *jd überholt etw akk* ein Gerät überprüfen und reparieren *den Motor ~, Das Schiff wurde vor einem Monat vollständig überholt.*

ü·ber·holt <-, -> *adj* nicht mehr modern *~e Ansichten vertreten*

ü·ber|ko·chen ['y:bɐkɔxn̩] <kocht über, kochte über, übergekocht> *itr <sein>* durch zu starkes Kochen über den Topfrand laufen *Pass auf, sonst kocht die Milch über!*

Die Milch kocht über.

ü·ber·las·sen [y:bɐ'lasn̩] <überlässt, überließ, überlassen> *tr* K *jd überlässt jdm etw akk* jdm etw geben/lassen *dem Freund die Entscheidung ~, Das bleibt Ihnen ~!, Ich bin sowieso nicht da, ich kann euch meine Wohnung ~.*

ü·ber|lau·fen ['y:bɐlau̯fn̩] <läuft über, lief über, übergelaufen> *itr <sein>* über den Rand eines Behälters fließen *Die Badewanne läuft über, dreh mal den Wasserhahn ab!*

ü·ber·le·ben [y:bɐ'le:bn̩] <überlebt, überlebte, überlebt> *tr* K *jd überlebt etw akk* am Leben bleiben *Zwei Menschen haben den Unfall überlebt.* ***Wobi: Überlebende(r)***

• **ü·ber·le·gen¹** [y:bɐ'le:gn̩] <überlegt, überlegte, überlegt> **I.** *itr* nachdenken *Sie überlegte eine Weile, dann antwortete sie.* **II.** *tr* K *jd überlegt [sich dat] etw akk* durchdenken *Ich werde mir Ihr Angebot ~., Lass mich mal ~!, Sie hat es sich anders überlegt.*

• **ü·ber·le·gen²** [y:bɐ'le:gn̩] <-, -> *adj* so, dass man mehr weiß/kann als andere *jdm ~ sein, ein ~er Sieg* ***Wobi: Überlegenheit***

• **ü·ber·mor·gen** ['y:bɐmɔrgn̩] *adv* am Tag nach morgen *Ü~ treffen wir uns, o.k.?*

ü·ber·mü·tig ['y:bɐmy:tɪç] <übermütiger, übermütigst-> *adj* sehr lebhaft und ein bisschen frech ~ *sein* ***Wobi: Übermut***

• **ü·ber·nach·ten** [y:bɐ'naxtn̩] <übernachtet, übernachtete, übernachtet> *itr* die Nacht verbringen *nach einem Fest bei Freunden ~, im Hotel ~* ***Wobi: Übernachtung***

• **ü·ber·neh·men** [y:bɐ'ne:mən] <übernimmt, übernahm, übernommen> **I.** *tr* K *jd übernimmt etw akk* annehmen und ausführen, selbst erledigen *eine verantwortungsvolle Aufgabe ~, Verantwortung ~, einen schwierigen Auftrag ~* **II.** *refl* K *jd über-*

Ü

nimmt sich *akk* zu viele Aufgaben auf einmal erledigen wollen *Sie übernimmt sich mit dieser Aufgabe.*

ü·ber·prü·fen [y:bɐˈpry:fn̩] <überprüft, überprüfte, überprüft> *tr* [K] ***jd überprüft jdn/etw*** *akk* kontrollieren, untersuchen *am Flughafen das Gepäck auf Waffen ~, jds Personalien ~* ***Wobi: Überprüfung***

• **ü·ber·que·ren** [y:bɐˈkve:rən] <überquert, überquerte, überquert> *tr* [K] ***jd überquert etw*** *akk* sich auf die andere Seite bewegen, kreuzen *den Fluss ~, die Straße ~*

• **ü·ber·ra·schen** [y:bɐˈraʃn̩] <überrascht, überraschte, überrascht> *tr* **1.** [K] ***jd/etw überrascht jdn/etw*** *akk* etw machen, was nicht erwartet wurde *Wir wurden von einem Gewitter überrascht.* **2.** [K] ***jd überrascht jdn*** [***mit etw*** *dat*] unerwartet eine Freude machen *jdn zum Geburtstag mit einem Geschenk ~* ***Wobi: Überraschung***

• **ü·ber·re·den** [y:bɐˈre:dn̩] <überredet, überredete, überredet> *tr* [K] ***jd überredet jdn*** [***zu etw*** *dat*] durch Worte erreichen, dass jd etw tut *Sie überredete ihn, mit ins Kino zu kommen.* ***Wobi: Überredung***

ü·ber·schät·zen [y:bɐˈʃɛt͡sn̩] <überschätzt, überschätzte, überschätzt> *tr* [K] ***jd überschätzt etw*** *akk/****jdn*** jdn/etw für besser halten, als er/es ist *Ich glaube, du hast deinen Freund einfach überschätzt.*

ü·ber·schla·gen [y:bɐˈʃla:gn̩] <überschlägt, überschlug, überschlagen> **I.** *tr* [K] ***jd überschlägt etw*** *akk* ungefähr berechnen *Wir haben die Kosten grob ~, das wird etwa 5.000 Euro kosten.* **II.** *refl* [K] ***jd/etw überschlägt sich*** *akk* sich kopfüber um sich selbst drehen *Das Auto überschlug sich in der Kurve.*

ü·ber·schnei·den [y:bɐˈʃnaidn̩] <überschneidet, überschnitt, überschnitten> *refl* [K] ***etw überschneidet sich*** [***mit etw*** *dat*] gleichzeitig geschehen *Diese beiden Vorlesungen ~ sich leider.* ***Wobi: Überschneidung***

• **Ü·ber·schrift** [ˈy:bəʃrɪft] <-, -en> *die* (≈*Titel*) die Worte, die über einem Text stehen *die ~ des Kapitels*

Ü·ber·schuss <-es, -schüsse> *der* das, was zu viel ist *der ~ an Getreide*

• **ü·ber·set·zen** [y:bɐˈzɛt͡sn̩] <übersetzt, übersetzte, übersetzt> **I.** *tr* [K] ***jd übersetzt etw*** *akk* in eine andere Sprache bringen *ein Buch aus dem Deutschen ins Englische ~* **II.** *itr* in eine andere Sprache bringen *etw richtig/falsch ~* ***Wobi: Übersetzer, Übersetzung***

ü·ber·set·zen [ˈy:bɐzɛt͡sn̩] <setzt über, setzte über, übergesetzt> *itr* <*sein/haben*> [K] ***jd setzt*** [***irgendwohin***] ***über*** mit einem Schiff an das gegenüberliegende Ufer gelangen *Von Deutschland nach England kann man mit der Fähre ~.*

ü·ber·sicht·lich <übersichtlicher, übersichtlichst-> *adj* so klar angeordnet/dargestellt, dass man es leicht verstehen kann *eine ~e Darstellung*

ü·ber·ste·hen [y:bɐˈʃte:ən] <übersteht, überstand, überstanden> *tr* [K] ***jd übersteht etw*** *akk* überwinden, mit etw fertig werden *eine schwierige Situation ~, Der Patient hat die Operation gut* *überstanden., Das wäre überstanden!*

• **Ü·ber·stun·de** <-, -n> *die* Arbeitszeit, die man länger arbeitet, als im Arbeitsvertrag steht *~n machen*

ü·ber·stür·zen [y:bɐˈʃtʏrt͡sn̩] <überstürzt, überstürzte, überstürzt> **I.** *tr* K ***jd überstürzt etw*** *akk* etw zu schnell tun *Man soll nichts ~!* **II.** *refl* K ***etw überstürzt sich*** schnell nacheinander stattfinden/sich ereignen *Die Ereignisse ~ sich.*

• **Ü·ber·tra·gung** <-, -en> *die* **1.** nicht wörtliche, sondern sinngemäße Übersetzung *die ~ in eine andere Sprache* **2.** eine Sendung im Radio/Fernsehen *die ~ des Fußballspiels* ***Wobi: übertragen***

ü·ber·trei·ben [y:bɐˈtra͜ibn̩] <übertreibt, übertrieb, übertrieben> *tr* **1.** K ***jd übertreibt etw*** *akk* besser oder schlechter darstellen, als es ist *Glaub ihm nicht alles! Er übertreibt gern!* **2.** K ***jd übertreibt etw*** *akk* etw zu viel/zu oft tun *Der Sportler hat das Training übertrieben.* ***Wobi: Übertreibung***

ü·ber·wa·chen [y:bɐˈvaxn̩] <überwacht, überwachte, überwacht> *tr* **1.** K ***jd überwacht etw*** *akk* kontrollieren *die Grenze ~* **2.** K ***jd überwacht jdn*** beobachten, beaufsichtigen *den Verdächtigen rund um die Uhr ~*

ü·ber·wäl·ti·gend [y:bɐˈvɛltɪgn̩t] <-, -> *adj* sehr groß, sehr schön, sehr beeindruckend *Der Sonnenaufgang war von ~er Schönheit., Die Partei ist mit ~er Mehrheit gewählt worden.*

• **ü·ber·wei·sen** [y:bɐˈva͜izn̩] <überweist, überwies, überwiesen> *tr* **1.** K ***jd überweist etw*** *akk* [***irgendwohin***] jdm durch die Bank Geld senden lassen *Geld auf jds Konto ~* **2.** K ***jd überweist jdn*** MED in ein (anderes) Krankenhaus verlegen, zu einem (anderen) Arzt schicken *den Patienten in eine Spezialklinik ~*

Ü·ber·wei·sung <-, -en> *die* **1.** Auftrag an die Bank, jdm einen Geldbetrag zu senden *eine ~ an den Vermieter machen* **2.** das Überweisen von Patienten *jdm eine ~ zum Facharzt ausstellen* ***Komp: -sauftrag***

ü·ber·wie·gend [ˈy:bɐvi:gn̩t] <-, -> *adj* hauptsächlich *In den nächsten Tagen wird es ~ sonnig und warm.*

ü·ber·win·den [y:bɐˈvɪndn̩] <überwindet, überwand, überwunden> **I.** *tr* K ***jd überwindet etw*** *akk* hinter sich lassen *Schwierigkeiten ~, eine schwere Krankheit ~* **II.** *refl* K ***jd überwindet sich*** *akk* etw tun, obwohl man es nicht gern tut *Ich habe mich überwunden, meinen Fehler zuzugeben.* ***Wobi: Überwindung***

• **ü·ber·zeu·gen** [y:bɐˈt͡sɔygn̩] <überzeugt, überzeugte, überzeugt> **I.** *tr* K ***jd überzeugt jdn*** [***von etw*** *dat*] jdn mit Argumenten zu einer Ansicht bringen *Ich konnte sie von meinem Plan ~.* **II.** *refl* K ***jd überzeugt sich*** *akk* [***von etw*** *dat*] nachprüfen *Ü~ Sie sich selbst davon!;* **von etw überzeugt sein** der festen Meinung sein *Ich bin überzeugt davon, dass sie es schaffen wird.*

• **Ü·ber·zeu·gung** <-, -en> *die* feste Meinung *Ich bin der ~, dass dieser Weg der richtige ist. Ich bin zu der ~ gekommen, dass wir etw ändern müssen.*

• **üb·lich** [ˈy:plɪç] <üblicher, üblichst-> *adj* normal *Das ist bei uns so ~., allgemein ~ sein, Der Zug kam mit der ~en Verspätung an.*

• **üb·rig** [ˈy:brɪç] <-, -> *adj* so, dass man etw nicht (mehr) braucht *Ein*

Ü

bisschen Pudding ist noch ~.; **viel für jdn ~ haben** jdn mögen *Sie hat viel für ihn ~.;* ~ **bleiben** als Rest bleiben *Etw ist noch von der Torte ~ geblieben.;* **es bleibt jdm nichts anderes** ~ es gibt keine andere Möglichkeit *Es bleibt ihm nichts anderes ~, als zu kündigen.;* **Etw lässt zu wünschen ~.** Etw ist nicht gut. *Das Hotel ließ zu wünschen ~.*

- **üb·ri·gens** ['y:brɪgn̩s] *adv* was ich noch sagen wollte, nebenbei bemerkt *Ich bin ~ auch eingeladen!*
- **Übung** ['y:bʊŋ] <-, -en> *die* regelmäßige Wiederholung von etw, um geistig oder körperlich fit zu bleiben/um besser zu werden; Aufgabe *Zur ~ mache ich jeden Morgen Gymnastik., eine ~ zum neuen Grammatikstoff machen;* ~ **macht den Meister.** Man muss üben, um gut zu werden. *Fehler passieren, aber ~ macht den Meister!;* **in der ~ bleiben** regelmäßig wiederholen *Um in der ~ zu bleiben, lernt sie jeden Abend Vokabeln.;* **aus der ~ sein** etw längere Zeit nicht getan haben und sich deshalb ungeschickt anstellen *Ich bin völlig aus der ~!* ***Komp:*** *-saufgabe, -sbuch, Grammatik-, Zusatz-*
- **U·fer** ['u:fɐ] <-s, -> *das* Rand von Fluss/See/Meer etc. *ans andere ~ schwimmen, Die Kinder blieben in der Nähe des ~s.*

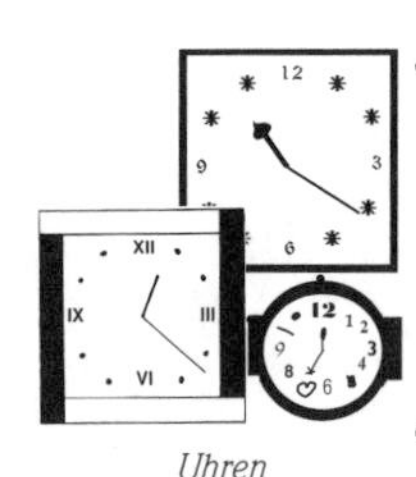

Uhren

- **Uhr** [u:ɐ̯] <-, -en> *die* Gerät zum Anzeigen der Zeit *auf die ~ schauen;* **Es ist ... Uhr.** die Uhrzeit ist ... *Es ist jetzt genau acht ~.;* **Wie viel ~ ist es?** Wie spät ist es? *Um wie viel ~ treffen wir uns?;* **jds ~ geht vor (nach)** eine Uhr geht zu schnell (zu langsam) *Ich glaube, meine ~ geht nach.* ***Komp:*** *-zeiger, Armband-, Bahnhofs-, Digital-, Küchen-*

Uhr·zeit <-, -en> *die* die Zeit auf einer Uhr *jdn nach der ~ fragen*

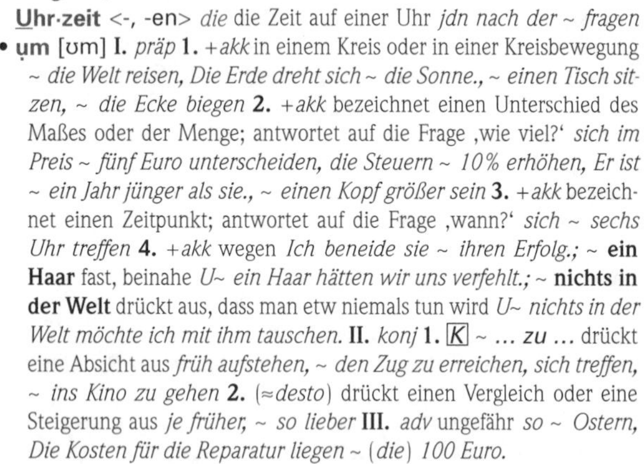

- **um** [ʊm] **I.** *präp* **1.** *+akk* in einem Kreis oder in einer Kreisbewegung *~ die Welt reisen, Die Erde dreht sich ~ die Sonne., ~ einen Tisch sitzen, ~ die Ecke biegen* **2.** *+akk* bezeichnet einen Unterschied des Maßes oder der Menge; antwortet auf die Frage ‚wie viel?' *sich im Preis ~ fünf Euro unterscheiden, die Steuern ~ 10% erhöhen, Er ist ~ ein Jahr jünger als sie., ~ einen Kopf größer sein* **3.** *+akk* bezeichnet einen Zeitpunkt; antwortet auf die Frage ‚wann?' *sich ~ sechs Uhr treffen* **4.** *+akk* wegen *Ich beneide sie ~ ihren Erfolg.;* ~ **ein Haar** fast, beinahe *U~ ein Haar hätten wir uns verfehlt.;* ~ **nichts in der Welt** drückt aus, dass man etw niemals tun wird *U~ nichts in der Welt möchte ich mit ihm tauschen.* **II.** *konj* **1.** [K] *~ ... zu ...* drückt eine Absicht aus *früh aufstehen, ~ den Zug zu erreichen, sich treffen, ~ ins Kino zu gehen* **2.** (≈*desto*) drückt einen Vergleich oder eine Steigerung aus *je früher, ~ so lieber* **III.** *adv* ungefähr *so ~ Ostern, Die Kosten für die Reparatur liegen ~ (die) 100 Euro.*

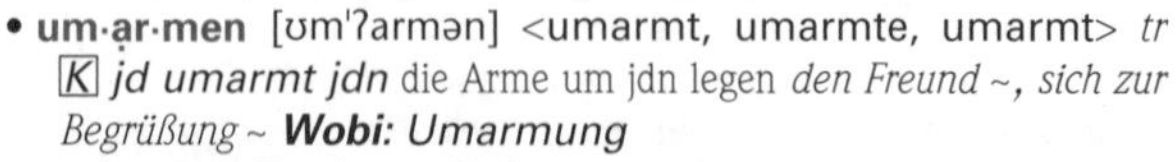

- **um·ar·men** [ʊm'ʔarmən] <umarmt, umarmte, umarmt> *tr* [K] *jd umarmt jdn* die Arme um jdn legen *den Freund ~, sich zur Begrüßung ~* ***Wobi:*** *Umarmung*

um|bau·en ['ʊmbau̯ən] <baut um, baute um, umgebaut> *tr* [K] *jd baut etw akk um* durch Bauen verändern *ein Gebäude ~*

um|blät·tern <blättert um, blätterte um, umgeblättert> *tr* [K] *jd blättert etw akk um* die nächste Seite aufschlagen *die Seite ~*

um|brin·gen <bringt um, brachte um, umgebracht> *tr* [K] *jd/etw bringt jdn um* töten *Sie hat ihn aus Eifersucht umgebracht.;* **etw bringt jdn (noch) um** *(umg)* jd leidet sehr unter etw *Dieses* *endlose Warten bringt mich noch um!*

• **um|dre·hen** **I.** *tr* [K] ***jd dreht etw** akk **um*** auf den Kopf stellen *den Eimer ~;* **den Spieß** ~ zwei sehr verschiedene Situationen vertauschen *Drehen wir doch den Spieß mal um: Du kümmerst dich um den Haushalt, und ich gehe ins Büro.* **II.** *refl* [K] ***jd dreht sich** akk **um*** den Körper wenden und nach hinten blicken *Obwohl ich laut ihren Namen rief, drehte sie sich nicht um., sich im Bett ~* **III.** *itr* <*sein*> wenden, zurückgehen/-fahren *Wir müssen sofort ~, ich habe vergessen, den Herd auszustellen.*

Um·fang ['ʊmfaŋ] <-(e)s> *kein pl der* **1.** die Länge der Linie um einen Kreis/einen Körper *den ~ des Kreises berechnen* **2.** Dicke *Der Baumstamm hat einen gewaltigen ~, ein Buch von 1.000 Seiten ~* ***Wobi:** umfangreich*

• **Um·ge·bung** [ʊm'ge:bʊŋ] <-, -en> *die* **1.** benachbartes Gebiet, Gebiet um etw herum *eine Karte von London und ~* **2.** Nachbarschaft *in einer angenehmen ~ leben*

um|keh·ren <kehrt um, kehrte um, umgekehrt> *itr* <*sein*> wieder zurückgehen/-fahren *Noch bevor sie ihr Ziel erreicht hatten, kehrten sie wieder um.*

um|kip·pen <kippt um, kippte um, umgekippt> **I.** *tr* [K] ***jd kippt etw** akk **um*** verursachen, dass etw auf die Seite fällt *den Mülleimer ~, die Blumenvase ~* **II.** *itr* <*sein*> *(umg)* ohnmächtig werden *bei der Wanderung in der Hitze ~*

• **Um·lei·tung** ['ʊmlaitʊŋ] <-, -en> *die* Ersatzstrecke, wenn eine Straße z. B. wegen eines Unfalls gesperrt ist *Wegen der Baustelle müssen sie eine ~ von fünf Kilometern fahren.* ***Komp:** -sstrecke*

um|rüh·ren <rührt um, rührte um, umgerührt> *tr* [K] ***jd rührt etw** akk **um*** mit einem Löffel o.Ä. vermischen *einen Würfel Zucker in den Tee geben und ~, die Milch ~, damit sie nicht anbrennt*

Um·schlag <-(e)s, -schläge> *der* (= CH *Kuvert*) äußere Hülle für Briefe *den Brief in einen ~ stecken* ***Komp:** Brief-*

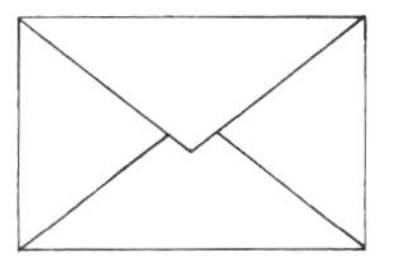
Briefumschlag

• **um·sonst** [ʊm'zɔnst] *adv* **1.** vergeblich, erfolglos *~ auf jdn warten, Meine Bemühungen waren ~.* **2.** (*≈gratis*) ohne Bezahlung *Diese Parfümprobe ist ~.*

Um·stän·de ['ʊmʃtɛndə] <-> *kein sing pl* viel Mühe, Aufwand *Bitte (machen Sie sich) keine ~!, etw ohne große ~ erledigen, jdm ~ machen;* **jdm geht es den ~n entsprechend gut** jdm geht es so gut, wie es in dieser Situation möglich ist *Es geht der Patientin den ~n entsprechend gut.;* **ohne ~** ohne Zögern, spontan *Sie half mir ohne große ~.;* **unter ~n** eventuell, wenn es möglich ist *Unter ~n sehen wir uns morgen.;* **unter keinen ~n** auf gar keinen Fall *Du gehst dort unter keinen ~n hin!;* **in anderen ~n sein** schwanger sein *Sie ist in anderen ~n.*

um·ständ·lich ['ʊmʃtɛntlɪç] <umständlicher, umständlichst-> *adj* so, dass man sich mit etw mehr Mühe macht, als nötig ist *eine sehr ~e Arbeitsweise, Sei doch nicht so ~!*

• **um|stei·gen** <steigt um, stieg um, umgestiegen> *itr* <*sein*> Bus oder Bahn wechseln *Ich muss auf der Fahrt von Berlin nach München nicht ~.*

• **um|tau·schen** <tauscht um, tauschte um, umgetauscht> *tr* **1.** [K] ***jd tauscht etw** akk **um*** Geld in eine andere Währung wechseln *Dollar in Euro* ~ **2.** [K] ***jd tauscht etw*** *akk* ***um*** etw Gekauftes im Geschäft zurückgeben und etw anderes dafür bekommen *Kann ich die Hose ~?*

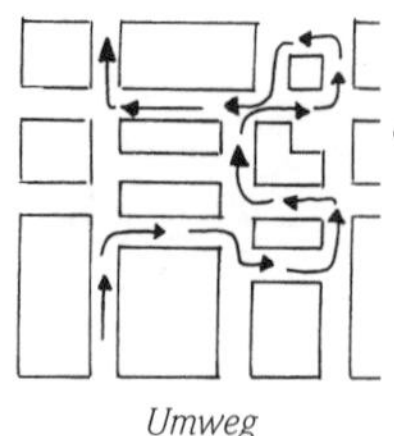

Umweg

Um·weg ['ʊmveːk] <-(e)s, -e> *der* längerer Weg als notwendig *absichtlich einen ~ machen*

• **Um·welt** ['ʊmvɛlt] <-> *kein pl die* alles, was den Menschen umgibt: andere Lebewesen, Pflanzen, Erde, Luft und Wasser; die Natur *die ~ verschmutzen* ***Komp: -schutz, -schützer, -verschmutzung***

um·welt·freund·lich <umweltfreundlicher, umweltfreundlichst-> *adj* so, dass etw der Umwelt möglichst wenig schadet *~e Autos entwickeln*

Um·welt·ver·schmut·zung <-> *kein pl die* Schäden in der Natur durch den Menschen *etw gegen ~ tun*

• **um|zie·hen** <zieht um, zog um, umgezogen> **I.** *refl* [K] ***jd zieht sich*** *akk* ***um*** die Kleidung wechseln *Er zieht sich gerade um.* **II.** *itr* <*sein*> die Wohnung wechseln *Wir ziehen nächste Woche um.* ***Komp:*** *Umzug*

• **un-** ['ʊn] nicht *~bekannt, ~regelmäßig*

• **un·ab·hän·gig** ['ʊnʔaphɛŋɪç] <unabhängiger, unabhängigst-> *adj* (↔*abhängig*) frei, selbstständig *Meine Entscheidung ist getroffen, ~ davon, was Sie meinen!, Sie ist jetzt ~ von ihrem Mann., Die frühere Kolonie wurde 1973 ~.* ***Wobi:*** *Unabhängigkeit*

• **un·an·ge·nehm** ['ʊnʔangəneːm] <unangenehmer, unangenehmst-> *adj* (↔*angenehm*) nicht angenehm, peinlich *jdm ist etw ~, eine ~e Situation, ein ~er Geruch*

un·auf·fäl·lig ['ʊnʔaufɛlɪç] <unauffälliger, unauffälligst-> *adj* (↔*auffällig*) so, dass jd/etw nicht sofort bemerkt wird; dezent *~en Schmuck tragen*

• **un·be·dingt** ['ʊnbədɪŋt] <-, -> *adj* **1.** ohne Einschränkung *~er Gehorsam* **2.** auf jeden Fall *Du musst ~ kommen!, Er wollte sie ~ sehen., Das Buch musst du ~ lesen.*

un·be·fugt ['ʊnbəfuːkt] <-, -> *adj* (↔*befugt*) ohne Erlaubnis *ein Gelände ~ betreten, U~es Betreten verboten!*

un·be·grenzt ['ʊnbəgrɛntst] <-, -> *adj* (↔*begrenzt*) ohne Begrenzung/Ende *~ haltbar sein, über ~e Geldmittel verfügen*

• **un·be·quem** ['ʊnbəkveːm] <unbequemer, umbequemst-> *adj* **1.** unangenehm, lästig *~e Fragen stellen* **2.** (↔*bequem*) nicht komfortabel/gemütlich *ein ~er Sessel* ***Wobi:*** *Unbequemlichkeit*

un·be·rührt ['ʊnbəryːɐ̯t] <-, -> *adj* so, dass etw noch im originalen/natürlichen Zustand ist *~e Natur*

un·be·stän·dig ['ʊnbəʃtɛndɪç] <unbeständiger, unbeständigst-> *adj* (↔*beständig*) so, dass sich etw häufig verändert *~es Wetter* ***Wobi:*** *Unbeständigkeit*

• **und** [ʊnt] *konj* verbindet Sätze, Satzglieder, Wörter und Wortteile *Ich ging schwimmen, ~ er sonnte sich., Vorsicht bitte beim Ein- ~ Aussteigen!, Männer ~ Frauen; ~* **so weiter** etc.; drückt aus, dass man noch mehr nennen könnte *Äpfel, Birnen ~ so weiter*

un·dank·bar ['ʊndaŋkbaːɐ̯] <undankbarer, undankbarst-> *adj* **1.** (↔*dankbar*) so, dass man gleichgültig gegen Freundlichkeiten ist *Sei doch nicht so ~!* **2.** (↔*dankbar*) sehr schwer und anstrengend, aber nicht nützlich und deshalb nicht erfreulich *eine ~e Aufgabe*

***Wobi:** Undankbarkeit*

- **ụn·deut·lich** ['ʊndɔ͜ytlɪç] <undeutlicher, undeutlichst-> *adj* (*↔deutlich*) so, dass man es schlecht/schwer erkennen/verstehen kann *Man kann den Berggipfel nur ~ erkennen., eine ~e Schrift, ~ sprechen*

ụn·dicht ['ʊndɪçt] <-, -> *adj* (*↔dicht*) so, dass Luft, Wasser, Gas etc. hindurchkommen können *ein ~er Wasserhahn, ~e Fenster, die ~e Stelle im Dach reparieren lassen*

ụn·e·he·lich ['ʊnʔeːəlɪç] <-, -> *adj* (*↔ehelich*) so, dass die Eltern nicht verheiratet sind *ein ~es Kind*

- **ụn·ehr·lich** ['ʊnʔeːɐ̯lɪç] <unehrlicher, unehrlichst-> *adj* (*↔ehrlich*) so, dass man lügt oder betrügt *jdm gegenüber ~ sein* ***Wobi:** Unehrlichkeit*

ụn·emp·find·lich ['ʊnʔɛmp͜fɪntlɪç] <unempfindlicher, unempfindlichst-> *adj* **1.** (*↔empfindlich*) gleichgültig *Ihm kann man ruhig die Meinung sagen. Er ist völlig ~.* **2.** so, dass es nicht kaputt geht; strapazierfähig, robust *~e Schuhe, Diese Uhr ist ~ gegen Nässe.*

un·ẹnd·lich [ʊn'ʔɛntlɪç] <-, -> *adj* grenzenlos, endlos *Ist das Universum ~?;* ~ **viel(e)** sehr viel(e) ~ *viel Schmuck besitzen, Dort sind ~ viele Leute.* ***Wobi:** Unendlichkeit*

ụn·er·heb·lich ['ʊnʔɛɐ̯heːplɪç] <-, -> *adj* nicht wichtig, nicht wesentlich *~e Veränderungen*

un·er·träg·lich [ʊnʔɛːɐ̯'trɛːklɪç] <unerträglicher, unerträglichst-> *adj* (*↔erträglich*) so, dass man es nicht aushalten kann *~e Schmerzen spüren, Ich finde ihr Verhalten einfach ~.*

ụn·er·war·tet ['ʊnʔɛɐ̯vartət] <-, -> *adj* (*↔erwartet*) plötzlich, überraschend *der ~e Besuch*

ụn·er·wünscht ['ʊnʔɛɐ̯vʏnʃt] <-, -> *adj* (*↔erwünscht*) so, dass man etw nicht will *eine ~e Schwangerschaft*

ụn·fä·hig ['ʊnfɛːɪç] <unfähiger, unfähigst-> *adj* (*↔fähig*) nicht fähig, nicht geeignet *ein ~er Lehrer* ***Wobi:** Unfähigkeit*

- **Ụn·fall** ['ʊnfal] <-(e)s, -fälle> *der* Unglück im Straßenverkehr, in einer Fabrik etc. *Bei Glatteis und Nebel kam es wieder zu schweren Unfällen auf der Autobahn., Bei dem ~ sind fünf Menschen getötet worden.* ***Komp:** -flucht, -opfer, -risiko, -schaden, -wagen, Arbeits-, Verkehrs-*

Unfall

- **ụn·freund·lich** ['ʊnfrɔ͜yntlɪç] <unfreundlicher, unfreundlichst-> *adj* **1.** (*↔freundlich*) nicht freundlich, nicht höflich *Das ist aber ein ~er Mensch!* **2.** (*↔freundlich*) kühl, windig und regnerisch *~es Wetter*

ụn·frucht·bar ['ʊnfrʊxtbaːɐ̯] <-, -> *adj* **1.** (*↔fruchtbar*) so, dass man keine Kinder bekommen kann *~ sein* **2.** (*↔fruchtbar*) nicht nützlich *~e Diskussionen* **3.** (*↔fruchtbar*) so, dass darauf Pflanzen nicht gut wachsen *~er Boden* ***Wobi:** Unfruchtbarkeit*

Ụn·ge·duld ['ʊngədʊlt] <-> *kein pl die* (*↔Geduld*) das Gefühl, nicht mehr warten zu können *vor ~ platzen* ***Wobi:** ungeduldig*

- **ụn·ge·fähr** ['ʊngəfɛːɐ̯] *adv* (*≈circa ↔genau*) annähernd, etwa *~ 30 Kilometer, Kannst du mir ~ sagen, wie ich dahin komme?*

ụn·ge·heu·er ['ʊngəhɔ͜yɐ] <-, -> *adj* **1.** riesig, sehr groß *eine ungeheure Leistung vollbringen, eine ungeheure Überraschung* **2.** sehr, außerordentlich *Sie ist ~ gut im Sport., Er fuhr eine ~ schnelle Zeit.*

un·ge·lernt ['ʊngəlɛrnt] <-, -> *adj* so, dass man keinen Beruf gelernt hat *ein ~er Arbeiter*

un·ge·ra·de ['ʊngəra:də] <-, -> *adj* (↔*gerade*) nicht durch 2 teilbar *7 ist eine ~ Zahl.*

un·ge·recht ['ʊngərɛçt] <ungerechter, ungerechtest-> *adj* (↔*gerecht*) nicht fair; so, dass man ungleich behandelt wird *eine ~e Entscheidung* ***Wobi: Ungerechtigkeit***

• **un·gern** ['ʊngɛrn] <-, -> *adv* (↔*gern*) ohne Lust *Das tue ich nur höchst ~!, Ich glaube, er tut das nicht einmal ~!*

un·ge·schickt ['ʊngəʃɪkt] <ungeschickter, ungeschicktest-> *adj* **1.** (↔*geschickt*) wenig für etw geeignet *sich bei einer Arbeit ~ anstellen* **2.** nicht diplomatisch, nicht klug *Das war eine ~e Frage.*

un·ge·wiss ['ʊngəvɪs] <ungewisser, ungewissest-> *adj* (↔*gewiss*) nicht sicher *Es ist ~, ob er heute kommt.* ***Wobi: Ungewissheit***

• **un·ge·wöhn·lich** ['ʊngəvø:nlɪç] <ungewöhnlicher, ungewöhnlichst-> *adj* anders als normal *eine für den Frühling ~e Hitze, ein ~ gebildeter Mensch*

Un·ge·zie·fer ['ʊngət͡si:fɐ] <-s> *kein pl das* kleine schädliche Tiere *Kakerlaken, Flöhe, Läuse und Motten sind ~.*

un·ge·zwun·gen ['ʊngət͡svʊŋən] <ungezwungener, ungezwungenst-> *adj* offen, frei, entspannt *sich in ~er Atmosphäre treffen, sich ~ bewegen*

• **Un·glück** ['ʊnglʏk] <-(e)s, -e> *das* **1.** sehr schlimmes/trauriges Ereignis *jdn vor einem ~ bewahren, So ein ~!* **2.** Unfall *Auf der A 1 ereignete sich ein schweres ~.*; **sich ins ~ stürzen** sich in eine traurige/hoffnungslose Situation bringen *Wenn sie diesen Mann heiratet, stürzt sie sich ins ~!*

• **un·glücklich** ['ʊnglʏklɪç] <unglücklicher, unglücklichst-> *adj* traurig, ohne Glück/Freude *Er ist ein ~er Mensch.*

• **un·gül·tig** ['ʊngʏltɪç] <-, -> *adj* nichtig, nicht gültig *eine ~e Fahrkarte, den Vertrag für ~ erklären, einen ~en Pass besitzen* ***Wobi: Ungültigkeit***

ein unheimliches Schloss

• **un·heim·lich** ['ʊnha͜imlɪç] <unheimlicher, unheimlichst-> *adj* **1.** so, dass man Angst bekommt *In diesem Schloss ist mir ~., eine ~e Geschichte;* **jd/etw ist jdm ~** jd hat Angst vor jdm/etw *Dieser Fremde ist mir ~.* **2.** *(umg)* sehr *ein ~ gut gelungenes Essen, ~ viele Menschen*

• **un·höf·lich** ['ʊnhø:flɪç] <unhöflicher, unhöflichst-> *adj* (↔*höflich*) nicht höflich, nicht freundlich *ein ~er Mensch* ***Wobi: Unhöflichkeit***

U·ni·form [uni'fɔrm/'u:nifɔrm] <-, -en> *die* einheitliche Kleidung *Soldaten und Polizisten tragen eine ~.*

• **U·ni·ver·si·tät** [univɛrzi'tɛ:t] <-, -en> *die* (≈*Hochschule*) Institution, an der man studiert *an der ~ studieren* ***Komp: -sklinik, -sprofessor, -sstadt***

Un·kos·ten ['ʊnkɔstn̩] <-> *kein sing pl* Ausgaben *hohe ~ haben;* **sich in ~ stürzen** *(umg)* viel Geld ausgeben *Stürz dich nur nicht in ~ wegen mir!;* **mit ~ verbunden sein** viel Geld kosten *Eine Party ist meistens mit ~ verbunden.*

Un·kraut ['ʊnkra͜ut] <-(e)s> *kein pl das* Pflanzen, die nicht nützlich sind und deshalb stören *im Garten das ~ entfernen, ~ jäten*

un·mit·tel·bar ['ʊnmɪtl̩baːɐ̯] <-, -> *adj* direkt *Wir wohnen in ~er Nachbarschaft., in ~em Zusammenhang stehen*

• **un·mög·lich** ['ʊnmøːklɪç] <unmöglicher, unmöglichst-> *adj* **1.** (↔*möglich*) nicht möglich, nicht denkbar *Das ist ~, was du von mir verlangst!* **2.** *(umg)* lächerlich, komisch *Du siehst ~ aus in diesem Kleid!*

un·mo·ra·lisch ['ʊnmoraːlɪʃ] <unmoralischer, unmoralischst-> *adj* so, dass es der (sexuellen) Moral/den Sitten widerspricht *ein ~es Angebot, ~ leben*

• **un·nö·tig** ['ʊnnøːtɪç] <unnötiger, unnötigst-> *adj* nicht notwendig, überflüssig *sich ~ aufregen, sich ~e Sorgen machen*

un·per·sön·lich ['ʊnpɛrzøːnlɪç] <unpersönlicher, unpersönlichst-> *adj* **1.** (↔*persönlich*) nicht für eine spezielle Person, kühl, förmlich *ein ~es Geschenk, ein ~er Brief* **2.** LING mit dem Subjekt ‚es' gebildet *„Es schneit", ist ein ~er Satz.*

Un·recht ['ʊnrɛçt] <-(e)s> *kein pl das* Ungerechtigkeit, Straftat *Mir ist großes ~ zugefügt worden., ~ begehen;* **im ~ sein** nicht Recht haben *Er ist eindeutig im ~.;* **zu ~** (nicht) ohne Grund *Sie wurde zu ~ bestraft.*

Un·ru·he ['ʊnruːə] <-> *kein pl die* **1.** innere Erregung, Aufregung *eine innere ~ spüren, ~ stiften* **2.** *nur pl* öffentliche Proteste, Demonstrationen *wegen der Preiserhöhungen ~n befürchten, ~n auslösen*

• **un·ru·hig** ['ʊnruːɪç] <unruhiger, unruhigst-> *adj* **1.** (↔*ruhig*) innerlich ohne Ruhe, erregt, nervös *wegen der Prüfung ~ sein* **2.** (↔*ruhig*) laut *Im Klassenzimmer ist es ziemlich ~.*

un·sach·lich ['ʊnzaxlɪç] <unsachlicher, unsachlichst-> *adj* (↔*sachlich*) emotional *eine ~e Diskussion*

Un·schuld ['ʊnʃʊlt] <-> *kein pl die* **1.** Ahnungslosigkeit, Freisein von Schuld *~ vortäuschen* **2.** sexuelle Unerfahrenheit, Jungfräulichkeit *die ~ verlieren;* **die ~ vom Lande spielen** *(umg)* so tun, als ob man nichts wüsste *Du brauchst gar nicht die ~ vom Lande zu spielen!;* **seine Hände in ~ waschen** *(umg)* sagen, dass man nicht schuldig/nicht verantwortlich ist *Ich wasche meine Hände in ~.* ***Wobi: unschuldig***

• **un·ser**(**-e**, **-er**, **-es**) ['ʊnzɐ] *pron* Possessivpronomen der 1. pers pl *~ Haus, Das Auto gehört ~en Eltern., Das ist ~es.*

• **un·si·cher** ['ʊnzɪçɐ] <unsicherer, unsicherst-> *adj* **1.** (↔*sicher*) gefährlich *eine ~e Gegend* **2.** nicht selbstsicher *ein ~er Mensch* **3.** (↔*sicher*) zweifelhaft, nicht endgültig, nicht gewiss *Es ist noch ~, ob ich kommen kann.* **4.** nicht gefestigt, nicht geübt *in Mathematik sehr ~ sein;* **jd macht die Gegend ~** *(umg)* jd hält sich irgendwo auf *Machst du mal wieder die Gegend hier ~?* ***Wobi: Unsicherheit***

Un·sinn ['ʊnzɪn] <-(e)s> *kein pl der* (≈*Quatsch*) Dummheiten, Blödsinn *~! Das stimmt doch gar nicht!, Lass den ~!, ~ reden*

un·so·zi·al ['ʊnzot͡si̯aːl] <unsozialer, unsozialst-> *adj* (↔*sozial*) schlecht für die Gemeinschaft *~e Politik, eine ~e Einstellung*

Un·sum·me ['ʊnzʊmə] <-, -n> *die* sehr hohe Summe *Das Projekt hat ~n gekostet.*

un·tä·tig ['ʊntɛtɪç] <-, -> *adj* **1.** (↔*tätig*) faul *eine ~e Person* **2.** so, dass man nicht handelt; nicht aktiv *~ herumsitzen*

- **un·ten** [ˈʊntn̩] *adv* (↔*oben*) tiefer gelegen *nach ~ gehen, von ~ nach oben;* **bei jdm ~ durch sein** *(umg)* jds Freundschaft verloren haben *Er ist bei mir ~ durch.;* **siehe ~** Verweis auf etw, das man später im Text lesen wird *wie ~ näher erläutert wird, Zu näheren Angaben siehe ~.*
- **un·ter** [ˈʊntɐ] *präp* **1.** *+dat auf die Frage ‚wo?', +akk auf die Frage ‚wohin?'* (↔*über*) tiefer als, niedriger als *Der Ball liegt ~ dem Tisch., Der Ball rollt ~ den Tisch.* **2.** *+dat* zwischen *Es gibt niemanden ~ ihnen, der schon hier war., ~ Freunden* **3.** *+dat* weniger als *~ 50 kg wiegen, weit ~ dem Durchschnitt liegen;* **~ sich sein** so, dass keine Fremden da sind *Jetzt sind wir endlich ~ uns!;* **~ anderem** neben anderen Dingen *Wir machen in unserem Kurs ~ anderem auch Übungen zum Hörverstehen.*

un·ter·bie·ten [ʊntɐˈbiːtn̩] <unterbietet, unterbot, unterboten> *tr* K *jd unterbietet jdn/etw akk* (↔*überbieten*) weniger Geld fordern als andere *einen Preis ~*

un·ter·bre·chen [ʊntɐˈbrɛçn̩] <unterbricht, unterbrach, unterbrochen> *tr* **1.** K *jd unterbricht jdn/etw akk* jdn stören, während er spricht *ein Gespräch ~, Verzeihen Sie, dass ich Sie unterbreche, aber …* **2.** K *jd unterbricht etw akk* für kurze Zeit beenden *die Arbeit ~* ***Wobi:*** *Unterbrechung*

un·ter|brin·gen [ˈʊntɐbrɪŋən] <bringt unter, brachte unter, untergebracht> *tr* **1.** K *jd bringt etw akk [irgendwo] unter* einen Platz finden *die Bücher im Regal ~* **2.** K *jd bringt jdn [irgendwo] unter* einen Platz zum Schlafen finden *Gäste im Hotel ~, Wie sind Sie untergebracht?* ***Wobi:*** *Unterbringung*

- **un·ter·des·sen** [ʊntɐˈdɛsn̩] *adv* in der Zwischenzeit *U~ hat sich hier viel ereignet.*

un·ter·drü·cken [ʊntɐˈdrʏkn̩] <unterdrückt, unterdrückte, unterdrückt> *tr* **1.** K *jd unterdrückt jdn* über jdn herrschen, jdm die Freiheit nehmen *ein Volk ~* **2.** K *jd unterdrückt etw akk* nicht laut sagen, nicht offen zeigen *eine Bemerkung/ein Gefühl/ein Lachen ~* ***Wobi:*** *Unterdrückung*

- **un·te·re(-r, -es)** [ˈʊntərə] *nur attr adj* so, dass etw unten oder darunter ist *Guck mal in der ~n Schublade!*

Unterführung

Un·ter·füh·rung [ʊntɐˈfyːrʊŋ] <-, -en> *die* (Verkehrs-)Weg, der unter einem anderen hindurchführt *die ~ benutzen* ***Komp:*** *Fußgänger-*

Un·ter·gang [ˈʊntɐgaŋ] <-(e)s, -gänge> *der* **1.** das Verschwinden der Sonne am Abend *den Sonnen~ beobachten* **2.** *kein pl* Ende, Zugrundegehen *der ~ des Römischen Reiches* ***Komp:*** *Sonnen-*

un·ter|ge·hen [ˈʊntɐgeːən] <geht unter, ging unter, untergegangen> *itr* <*sein*> **1.** (↔*aufgehen*) hinter dem Horizont verschwinden *Der Mond/die Sonne geht unter.* **2.** unter Wasser gehen, sinken *Das Schiff geht unter.* **3.** zu Grunde gehen *Davon geht doch die Welt nicht unter!* **4.** nicht bemerkt werden, weil zu viele andere Dinge da sind *Sie ist in der Menge untergegangen.*

un·ter·halb [ˈʊntɐhalp] *präp +gen* tiefer als/unter etw gelegen *Auf diesem Berg steht ~ des Schlosses eine Kirche.*

Un·ter·halt [ˈʊntɐhalt] <-(e)s> *kein pl der* Kosten, die zum Leben notwendig sind *Sie muss für ihren ~ aufkommen., seinen ~ selbst* *verdienen* ***Komp:*** *Lebens-*

• **un·ter·hal·ten** [ʊntɐˈhaltn̩] <unterhält, unterhielt, unterhalten> **I.** *refl* **1.** [K] ***jd unterhält sich*** *akk* [***mit jdm***] [***über jdn/etw*** *akk*] ein Gespräch führen, mit jdm reden *sich mit Freunden über einen Film ~* **2.** [K] ***jd unterhält sich*** *akk* ***irgendwie*** sich vergnügen, sich amüsieren *sich auf einem Fest gut ~* **II.** *tr* **1.** [K] ***jd unterhält jdn*** [***mit etw*** *dat*] jdm Vergnügen bereiten/die Zeit vertreiben *die Gäste mit Zauberkunststücken ~* **2.** [K] ***jd unterhält jdn/etw*** *akk* finanziell versorgen, jdm regelmäßig Geld geben *Die Firma unterhält eine Niederlassung im Ausland.*

• **Un·ter·hal·tung** [ʊntɐˈhaltʊŋ] <-, -en> *die* **1.** Amüsement, Vergnügen *Wir wünschen gute ~!* **2.** Gespräch *eine interessante ~ führen* **3.** Erhaltung, Versorgung *die ~ der Villa ist sehr teuer.*

un·ter|kom·men [ˈʊntɐkɔmən] <kommt unter, kam unter, untergekommen> *itr* <*sein*> **1.** Unterkunft finden *Ich bin im Studentenwohnheim untergekommen., in einem teuren Hotel ~* **2.** *(umg)* eine Arbeit finden *Ich bin in der Firma als Sekretärin untergekommen.*

• **Un·ter·kunft** [ˈʊntɐkʊnft] <-, -künfte> *die* (vorübergehende) Wohnung *Ich suche eine ~ für die Zeit meines Praktikums.*

un·ter·le·gen [ʊntɐˈleːgn̩] <-, -> *adj* (↔*überlegen*) schwächer *jdm im Wettkampf ~ sein* ***Wobi:*** ***unterliegen***

Un·ter·mie·te <-> *kein pl die* **zur ~ wohnen** von jdm eine Wohnung/ein Zimmer mieten, der sie/es selbst gemietet hat *Wir wohnen hier zur ~.* ***Wobi:*** ***Untermieter(in)***

Un·ter·neh·men [ʊntɐˈneːmən] <-s, -> *das* große Firma *in einem bekannten ~ arbeiten* ***Komp:*** ***-sberatung***

un·ter·neh·men [ʊntɐˈneːmən] <unternimmt, unternahm, unternommen> *tr* **1.** [K] ***jd unternimmt etw*** *akk* machen, durchführen *eine Reise ~* **2.** [K] ***jd unternimmt etw*** *akk* ***gegen etw*** *akk* jd tut etw gegen etw *Die Regierung muss etw gegen die Arbeitslosigkeit ~.*

un·ter|ord·nen <ordnet unter, ordnete unter, untergeordnet> **I.** *tr* [K] ***jd ist jdm untergeordnet*** *akk* jd hat einen Chef *Die Abteilungsleiter sind der Geschäftsleitung untergeordnet.* **II.** *refl* [K] ***jd ordnet sich*** *akk* [***jdm***] ***unter*** tun, was jd sagt *Die Schüler ordnen sich dem Lehrer unter.*

• **Un·ter·richt** [ˈʊntɐrɪçt] <-s> *kein pl der* das Lernen bei einem Lehrer *jdm ~ in Mathematik geben, am ~ teilnehmen* ***Komp:*** ***-sstunde***

• **un·ter·rich·ten** [ʊntɐˈrɪçtn̩] <unterrichtet, unterrichtete, unterrichtet> **I.** *tr* **1.** [K] ***jd unterrichtet etw*** *akk* etw lehren *Sie unterrichtet Mathematik und Biologie.* **2.** (*geh*) [K] ***jd unterrichtet jdn über etw*** *akk* informieren *Bitte ~ Sie mich regelmäßig über alle Neuigkeiten.* **II.** *itr* Lehrer(in) sein *Er unterrichtet wieder.*

un·ter·sa·gen [ʊntɐˈzaːgn̩] <untersagt, untersagte, untersagt> *tr* (*geh*) [K] ***jd untersagt jdm etw*** *akk* verbieten *der Tochter das Rauchen ~, Der Arzt hat mir Alkohol strengstens untersagt.*

un·ter·schät·zen [ʊntɐˈʃɛt͡sn̩] <unterschätzt, unterschätzte, unterschätzt> *tr* [K] ***jd unterschätzt jdn/etw*** *akk* (↔*überschätzen*) für geringer/schlechter halten, als jd/etw ist *Wir haben das Problem unterschätzt., Wir haben ihn unterschätzt.*

• **un·ter·schei·den** [ʊntɐˈʃaidn̩] <unterscheidet, unterschied, unterschieden> **I.** *tr* [K] ***jd unterscheidet jdn/etw*** *akk* [***von jdm/etw*** *dat*] auseinander halten, einen Unterschied feststellen *Man kann ihn kaum von seinem Bruder ~, so ähnlich sehen sie sich.* **II.** *refl* [K] ***jd/etw unterscheidet sich*** *akk* [***von jdm/etw*** *dat*] [***in etw*** *dat*] anders sein, verschieden sein *sich in vielen Merkmalen ~, Worin ~ sich diese beiden Methoden?*

• **Un·ter·schied** [ˈʊntɐʃiːt] <-(e)s, -e> *der* Verschiedenheit, das Anderssein *ein ~ von zwei Zentimetern, im ~ zu jdm/etw* ***Wobi: unterschiedlich***

un·ter·schla·gen [ʊntɐˈʃlaːgn̩] <unterschlägt, unterschlug, unterschlagen> *tr* **1.** [K] ***jd unterschlägt etw*** *akk* unerlaubt behalten *Geld ~* **2.** [K] ***jd unterschlägt etw*** *akk* verheimlichen *Beweise ~, Wollten Sie mir diese Information ~?* ***Wobi: Unterschlagung***

• **un·ter·schrei·ben** [ʊntɐˈʃraibn̩] <unterschreibt, unterschrieb, unterschrieben> *tr* [K] ***jd unterschreibt etw*** *akk* seinen Namen unter etw schreiben *einen Brief ~, den Vertrag ~*

• **Un·ter·schrift** [ˈʊntɐʃrɪft] <-, -en> *die* der eigene Name, den man unter ein Dokument schreibt *seine ~ unter etw setzen*

und vielen Dank für Ihre Mühe.

Mit freundlichen Grüßen

Anlage: 1

Unterschrift

• **un·ters·te** [ˈʊntɐstə] *superl von* **untere**

un·ter|stel·len [ˈʊntɐʃtɛlən] <stellt unter, stellte unter, untergestellt> **I.** *tr* [K] ***jd stellt etw*** *akk* ***unter*** unter ein schützendes Dach stellen *das Fahrrad ~* **II.** *refl* [K] ***jd stellt sich*** *akk* ***unter*** sich unter ein schützendes Dach stellen *Er stellte sich in der Bushaltestelle unter, bis der Regen vorbei war.*

un·ter·stel·len [ʊntɐˈʃtɛlən] <unterstellt, unterstellte, unterstellt> *tr* [K] ***jd unterstellt jdm etw*** *akk* über jdn etw Negatives sagen/denken, ohne es genau zu wissen *Sie haben mir unterstellt, dass ich lüge., Wollen Sie mir Unvorsichtigkeit ~?* ***Wobi: Unterstellung***

un·ter·strei·chen [ʊntɐˈʃtraiçn̩] <unterstreicht, unterstrich, unterstrichen> *tr* **1.** [K] ***jd unterstreicht etw*** *akk* als wichtig betonen *Ich möchte diesen Punkt besonders ~., jds Leistungen ~* **2.** [K] ***jd unterstreicht etw*** *akk* eine Linie unter bestimmte Worte setzen, um sie zu betonen *die Überschrift mit Bleistift und Lineal ~*

Untertitel
Filme mit Untertiteln sieht man in Deutschland und Österreich selten. Ausländische Filme werden in der Regel synchronisiert. Der Kinobesucher in der Schweiz kann hingegen die meisten Filme im Original mit Untertitel (‚OmU') anschauen.

Un·ter·stu·fe <-, -n> *die* die drei untersten Klassen in Realschulen und Gymnasien (5.-7. Klasse) *in der ~ sein, in der ~ unterrichten*

• **un·ter·stüt·zen** [ʊntɐˈʃtʏtsn̩] <unterstützt, unterstützte, unterstützt> *tr* **1.** [K] ***jd unterstützt jdn*** [***bei etw*** *dat*] helfen *jdn bei einer Arbeit ~* **2.** [K] ***jd unterstützt jdn/etw*** *akk* [***mit etw*** *dat*] (finanziell) fördern, Geld geben *einen Verein ~* ***Wobi: Unterstützung***

• **un·ter·su·chen** [ʊntɐˈzuːxn̩] <untersucht, untersuchte, untersucht> *tr* **1.** [K] ***jd untersucht jdn/etw*** *akk* genau betrachten, prüfen *Der Arzt untersucht den Patienten.* **2.** [K] ***jd untersucht etw*** *akk* (wissenschaftlich) erforschen *ein wissenschaftliches Problem ~*

• **Un·ter·su·chung** <-, -en> *die* **1.** Prüfung durch den Arzt *eine ~ machen lassen* **2.** Aufklärung durch die Polizei *Es wird eine ~ eingeleitet, um das Verbrechen aufzuklären.*

Un·ter·ti·tel <-s, -> *der* **1.** zweite, etw kleiner gedruckte Überschrift eines Zeitungsartikels *den ~ lesen* **2.** FILM Bildunterschrift *einen englischen Film mit deutschen ~n ansehen*

Un·ter·wä·sche ['ʊntɐvɛʃə] <-> *kein pl die* das, was man unter der Kleidung trägt: Unterhemd, Unterhose/Slip etc. *~ aus Seide*

• **un·ter·wegs** [ʊntɐ've:ks] *adv* auf der Fahrt, auf der Reise, auf dem Weg *viel ~ sein;* **bei einer Frau ist etw** *~ (umg)* eine Frau ist schwanger *Bei ihr ist ein Kind ~., Es ist etw ~.*

un·ter·zeich·nen [ʊntɐ'tsaiçnən] <unterzeichnet, unterzeichnete, unterzeichnet> *tr* K *jd unterzeichnet etw akk siehe* **unterschreiben**

un·un·ter·bro·chen ['ʊnʔʊntɐbrɔxn̩] <-, -> *adj* immerzu, ohne Pause *~ meckern*

• **un·ver·ant·wort·lich** ['ʊnfɛɐ̯ʔantvɔrtlɪç] <unverantwortlicher, unverantwortlichst-> *adj* (↔*verantwortungsbewusst*) leichtsinnig, sorglos; so, dass man es nicht verantworten kann *Das ist ~, das Kind bei der Kälte ohne Mütze herumlaufen zu lassen!*

un·ver·bind·lich ['ʊnfɛɐ̯bɪntlɪç] <unverbindlicher, unverbindlichst-> *adj* **1.** ohne Garantie *eine ~e Auskunft* **2.** ohne dass man etw kaufen muss *Lassen Sie es sich ~ zuschicken!* **3.** (↔*verbindlich*) distanziert, nicht sehr freundlich *eine ~e Art haben, Sie ist immer recht ~.*

un·ver·hält·nis·mä·ßig ['ʊnfɛɐ̯hɛltnɪsmɛ:sɪç] <-, -> *adv* übermäßig, zu sehr *Du hast eine ~ gute Note bekommen, dafür dass du überhaupt nicht gelernt hast.*

• **un·ver·hei·ra·tet** ['ʊnfɛɐ̯haira:tət] <-, -> *adj* (≈*ledig*) nicht verheiratet *~e Männer/Frauen*

un·ver·käuf·lich ['ʊnfɛɐ̯kɔyflɪç] <-, -> *adj* nicht zum Verkauf bestimmt *Dies ist nur die Dekoration. Sie ist ~.;* ~**es Muster** Gratisprobe *~es Muster zum Ausprobieren*

un·ver·meid·lich ['ʊnfɛɐ̯maitlɪç] <-, -> *adj* nicht zu vermeiden *Es ist ~, dass man sich bei dieser Arbeit schmutzig macht.*

un·ver·schämt ['ʊnfɛɐ̯ʃɛ:mt] <unverschämter, unverschämtest-> *adj* sehr frech *ein ~es Benehmen an den Tag legen, eine ~e Antwort* ***Wobi: Unverschämtheit***

un·ver·ständ·lich ['ʊnfɛɐ̯ʃtɛntlɪç] <unverständlicher, unverständlichst-> *adj* **1.** so, dass man es nicht verstehen kann *Es ist mir völlig ~, wo meine Uhr ist.* **2.** kaum zu hören, nicht deutlich *Die Aufnahme des Konzerts ist leider ~.*

un·vor·ein·ge·nom·men ['ʊnfo:ɐ̯ʔaingənɔmən] <unvoreingenommener, unvoreingenommenst-> *adj* ohne Vorurteile *jdm ~ entgegentreten*

un·vor·her·ge·se·hen ['ʊnfo:ɐ̯he:ɐ̯gəse:ən] <-, -> *adj* plötzlich, nicht erwartet *~e Schwierigkeiten/Probleme*

un·vor·sich·tig ['ʊnfo:ɐ̯zɪçtɪç] <unvorsichtiger, unvorsichtigst-> *adj* (↔*vorsichtig*) leichtsinnig *~ sein* ***Wobi: Unvorsichtigkeit***

• **un·wahr·schein·lich** ['ʊnva:ɐ̯ʃainlɪç] <unwahrscheinlicher, unwahrscheinlichst-> *adj* **1.** nicht wahrscheinlich *Es ist eher ~, dass sie heute noch kommt.* **2.** *(umg)* sehr *Er kann ~ gut kochen.*

Un·wet·ter ['ʊnvɛtɐ] <-s, -> *das* starkes Gewitter, Regen und Sturm *ein ~ vorhersagen*

Unwetter

• **un·wich·tig** ['ʊnvɪçtɪç] <unwichtiger, unwichtigst-> *adj* (↔*wichtig*) nicht wichtig *stundenlang eine ~e Frage diskutieren*

un·wi·der·steh·lich [ʊnvi:dɐ'ʃte:lɪç] <unwiderstehlicher, unwiderstehlichst-> *adj* so, dass man zu jdm/etw nicht nein sagen kann *ein ~es Angebot, eine ~e Frau*

un·will·kür·lich ['ʊnvɪlky:ɐ̯lɪç] <-, -> *adj* ohne Absicht, wie von selbst *Ich musste ~ lachen., eine ~e Handbewegung*

• **un·wohl** ['ʊnvo:l] <unwohler, unwohlst-> *adj* **1.** so, dass man sich leicht krank fühlt *Ihm ist ~.* **2.** (↔*wohl*) nicht gut/wohl *Ich fühle mich unter ihnen immer ~.* ***Wobi: Unwohlsein***

un·zer·trenn·lich ['ʊnt͜sɛɐ̯trɛnlɪç] <-, -> *adj* sehr eng verbunden *~e Freunde*

un·zu·mut·bar ['ʊnt͜su:mu:tba:ɐ̯] <-, -> *adj* (↔*zumutbar*) so, dass man es von niemandem verlangen kann *Das ist ~! Das mache ich nicht!, eine ~e Aufgabe* ***Wobi: Unzumutbarkeit***

ur·alt ['u:ɐ̯ʔalt] <-, -> *adj* sehr alt *aus ~en Zeiten, Das Problem ist ~.*

Ur·auf·füh·rung <-, -en> *die* Premiere, erste Vorstellung eines Theaterstücks oder Films *Karten für die ~ am Samstag bestellen*

Ur·en·kel(in) ['u:ɐ̯ʔɛŋkl̩] <-s, -> *der* Sohn (Tochter) des Enkels/der Enkelin *Sie hat schon zwei ~.*

ur·ge·müt·lich ['u:ɐ̯gə'my:tlɪç] <-, -> *adj* sehr gemütlich *sich in einer ~en Kneipe treffen*

Ur·groß·el·tern ['u:ɐ̯gro:sʔɛltɐn] <-> *kein sing pl* die Eltern der Großeltern *die ~ besuchen*

Ur·he·ber(in) ['u:ɐ̯he:bɐ] <-s, -> *der* **1.** Verursacher, Verantwortlicher *Wer ist der ~ dieses Streits?* **2.** Verfasser *Alle Rechte liegen beim ~.* ***Komp: -recht***

u·rig ['u:rɪç] <uriger, urigst-> *adj (umg)* einfach und gemütlich *eine ~e Kneipe*

U·rin [u'ri:n] <-s> *kein pl der* Flüssigkeit, die der Mensch/ein Tier ausscheidet *im Labor ~ untersuchen* ***Wobi: urinieren***

Ur·kun·de ['u:ɐ̯kʊndə] <-, -n> *die* Bescheinigung, Zeugnis *eine ~ für gute Leistungen erhalten, jdm eine ~ aushändigen* ***Komp: -nfälschung, Geburts-, Sieger-***

• **Ur·laub** ['u:ɐ̯laʊ̯p] <-(e)s, -e> *der* die Zeit des Jahres, in der man nicht arbeiten muss *~ haben/nehmen, im ~ sein, drei Wochen ~ in Italien machen, in den ~ fahren* ***Wobi: Urlauber(in)*** ***Komp: -sgeld, -ort***

Ur·ne ['ʊrnə] <-, -n> *die* **1.** Gefäß mit der Asche eines Toten *eine ~ beisetzen* **2.** Kasten für die Stimmzettel bei einer Wahl *den Stimmzettel in die ~ werfen;* **an die ~n gehen** wählen gehen *Dieses Jahr gingen weniger Menschen an die ~n.* ***Komp: -ngang, -ngrab, Wahl-***

• **Ur·sa·che** ['u:ɐ̯zaxə] <-, -n> *die* Grund *Und was ist die ~ dafür?*

Ur·sprung ['u:ɐ̯ʃprʊŋ] <-(e)s, -sprünge> *der* Anfang, Herkunft, Wurzel *der ~ des Lebens, seinen ~ in etw haben*

ur·sprüng·lich ['u:ɐ̯ʃprʏŋlɪç] <-, -> *adj* (nur) am Anfang, eigentlich *Mein ~er Plan war, nach Griechenland zu reisen., Wir wollten ~ heute ins Kino gehen.*

• **Ur·teil** ['ʊrtaɪ̯l] <-s, -e> *das* **1.** Entscheidung des Richters *Der Richter sprach das ~., ein ~ vollstrecken* **2.** Ansicht, Meinung *Du kannst*

1

2

Urne

dir kein ~ erlauben, weil du sie nicht kennst., sich ein ~ über etw bilden, ein ~ fällen ***Wobi:*** *urteilen*

Ur·wald ['uːɐ̯valt] <-(e)s, -wälder> *der* (*≈Dschungel*) unberührter, natürlich wachsender Wald *im ~ leben, den ~ zerstören*

u·to·pisch [u'toːpɪʃ] <utopischer, utopischst-> *adj* zu idealistisch, absolut unrealistisch *ein ~es Ziel haben* ***Wobi:*** *Utopie*

V

V, v [faụ] <-, -> *das* der 22. Buchstabe des Alphabets *Das Wort ‚Vogel' beginnt mit dem Buchstaben ~.*

va·ge ['va:gə] <-, -> *adj* nicht klar, undeutlich *nur ~ Vorstellungen von etw haben, Ich kann mich ~ an ihn erinnern.*

va·ri·a·bel [va'ri̯a:bl̩] <variabler, variabelst-> *adj* (*↔konstant*) veränderbar, wandelbar *variable Arbeitszeit*

Va·ri·an·te [va'ri̯antə] <-, -n> *die* eine von verschiedenen Möglichkeiten *eine neue ~ des Spiels ausprobieren*

va·ri·ie·ren [vari'i:rən] <variiert, variierte, variiert> **I.** *tr* K ***jd variiert etw*** *akk* verändern, wandeln, abwechslungsreicher machen *ein Backrezept ~, ein Programm ~* **II.** *itr* wandeln, verändern *beim Stricken die Muster ~*

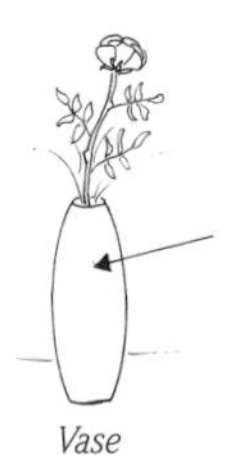

Vase

Va·se ['va:zə] <-, -en> *die* Gefäß für Blumen *die Blumen in eine ~ stellen*

• **Va·ter** ['fa:tɐ] <-s, Väter> *der* Mann, der ein Kind hat *Er ist ~ von zwei Kindern., ~ und Mutter*

Va·ter·land <-(e)s> *kein pl das* Land, in dem man geboren ist *sich gern an sein ~ erinnern*

Va·ter·un·ser [fa:tɐ'ʔʊnzɐ] <-s, -> *das* Bezeichnung des christlichen Gebetes, das mit ‚Vater unser' beginnt *das ~ beten*

Va·ti ['fa:ti] <-s, -s> *der (umg)* liebevolle Bezeichnung für ‚Vater' *~, kannst du mal kommen?*

Ve·ge·ta·ri·er(in) [vege'ta:ri̯ɐ] <-s, -> *der* jd, der kein Fleisch isst *Sie ist ~in.*

• **ve·ge·ta·risch** [vege'ta:rɪʃ] <-, -> *adj* ohne Fleisch *~es Essen, ein ~es Restaurant*

Veil·chen ['faịlçən] <-s, -> *das* **1.** eine lila Frühlingsblume *einen Strauß ~ pflücken* **2.** *(umg)* blaues Auge *jdm ein ~ schlagen* ***Wobi: veilchenblau***

• **Ve·lo** ['ve:lo] <-s, -s> *das* (CH) Fahrrad *~ fahren*

Ve·ne ['ve:nə] <-, -n> *die* (*↔Arterie*) Ader, durch die das Blut zum Herzen hin fließt *hervortretende ~n* ***Wobi: intravenös Komp: -nentzündung***

Ven·til [vɛn'ti:l] <-s, -e> *das* ein Teil von einem Rohr oder Schlauch, das man öffnen kann *ein undichtes ~, das ~ öffnen*

Ventilator

Ven·ti·la·tor [vɛnti'la:to:ɐ̯] <-s, -en> *der* Gerät, das die Luft in einem Raum kühlt *den ~ einschalten* ***Wobi: ventilieren***

• **ver·ab·re·den** [fɛr'apre:dn̩] <verabredet, verabredete, verabredet> *refl* K ***jd verabredet sich*** *akk* [***mit jdm***] [***irgendwo***] einen privaten Termin mit jdm machen *sich für den Abend vor dem Kino ~* ***Wobi: Verabredung***

ver·ab·scheu·en <verabscheut, verabscheute, verabscheut> *tr* K ***jd verabscheut etw*** *akk* etw absolut nicht mögen *Gewalt ~*

• **ver·ab·schie·den** [fɛɐ̯'ʔapʃi:dn̩] <verabschiedet, verabschiedete, verabschiedet> **I.** *tr* **1.** K ***jd verabschiedet jdn*** ‚auf

Wiedersehen‘ sagen *die Mutter auf dem Bahnhof ~* **2.** POL [K] ***jd verabschiedet etw*** *akk* im Parlament beschließen *ein Gesetz ~* **II.** *refl* [K] ***jd verabschiedet sich*** *akk* [***von jdm***] ‚auf Wiedersehen‘ sagen, sich trennen *sich von den Eltern ~*

ver·ạch·ten <verachtet, verachtete, verachtet> *tr* [K] ***jd verachtet jdn/etw*** *akk* absolut schlecht finden *Sie verachtet ihn.*; **etw ist nicht zu ~** *(umg)* etw ist ziemlich gut *Das Dessert ist nicht zu ~.* ***Wobi: verächtlich***

ver·all·ge·mei·nern [fɛɐ̯ʔalgəˈmaɪ̯nɐn] <verallgemeinert, verallgemeinerte, verallgemeinert> *tr* [K] ***jd verallgemeinert etw*** *akk* aus einem Einzelfall auf alle Fälle schließen, generalisieren *Sein heutiges Verhalten darfst du nicht ~, es ist eine Ausnahme!, eine Behauptung ~* ***Wobi: Verallgemeinerung***

ver·ạl·ten [fɛɐ̯ˈʔaltn̩] <veraltet, veraltete, veraltet> *itr <sein>* unmodern werden, weil es bereits etw Neueres gibt *Computer ~ schnell.*

Ve·rạn·da [veˈranda] <-, -den> *die* überdachte Terrasse *auf der ~ sitzen*

Veranda

ver·ạ̈n·der·lich <-, -> *adj* (↔*unveränderlich*) so, dass es sich häufig verändert, unbeständig *~es Wetter* ***Wobi: Veränderlichkeit***

• **ver·ạ̈n·dern** <verändert, veränderte, verändert> **I.** *tr* [K] ***jd/etw verändert jdn/etw*** *akk* umgestalten, anders machen *Die Technik verändert das Arbeitsleben.* **II.** *refl* **1.** [K] ***jd verändert sich*** *akk* anders werden *Unser Sohn hat sich in den letzten Jahren sehr verändert.* **2.** [K] ***jd verändert sich*** *akk* die Arbeit oder die Wohnung wechseln *Wir haben uns verändert: Wir wohnen jetzt in einem Vorort von Hamburg., Ich habe mich beruflich verändert.* ***Wobi: Veränderung***

ver·ạn·lagt <-, -> *adj* so, dass jd bestimmte Talente besitzt *künstlerisch ~ sein* ***Wobi: Veranlagung***

ver·ạn·las·sen <veranlasst, veranlasste, veranlasst> *tr* [K] ***jd veranlasst etw*** *akk* dafür sorgen, dass etw gemacht wird; anordnen *Bitte ~ Sie, dass alles erledigt ist, wenn ich zurückkomme.*

ver·ạn·schau·li·chen [fɛɐ̯ˈʔanʃaʊ̯lɪçn̩] <veranschaulicht, veranschaulichte, veranschaulicht> *tr* [K] ***jd veranschaulicht etw*** *akk* etw mit Bildern/einem Schema/... erklären, sodass man es besser versteht *theoretische Überlegungen an einem Beispiel ~*

ver·ạn·stal·ten [ˈfɛɐ̯ˈʔanʃtaltn̩] <veranstaltet, veranstaltete, veranstaltet> *tr* [K] ***jd veranstaltet etw*** *akk* organisieren und durchführen *ein großes Konzert ~* ***Wobi: Veranstalter***

• **Ver·ạn·stal·tung** <-, -en> *die* das, was veranstaltet wird: Ausstellung, Fest, Konferenz etc. *eine ~ organisieren*

ver·ạnt·wor·ten <verantwortet, verantwortete, verantwortet> **I.** *tr* [K] ***jd verantwortet etw*** *akk* die Folgen von etw tragen *Das kann ich nicht ~!* **II.** *refl* [K] ***jd verantwortet sich*** *akk* [***vor jdm***] [***für etw*** *akk*] sein Handeln erklären/begründen *sich für seine Handlungen ~, Ich muss mich vor niemandem dafür ~.*

• **ver·ạnt·wort·lich** <verantwortlicher, verantwortlichst-> *adj* so, dass man die Folgen von etw trägt *Ich bin für diese Arbeit ~.*; **jdn für etw ~ machen** jdm die Schuld für etw geben *Dafür mache ich Sie ~!*

• **Ver·ant·wor·tung** <-> *kein pl die* Bereitschaft, die Folgen für sein Handeln zu tragen *die volle ~ für etw übernehmen, auf eigene ~;* **jdn zur ~ ziehen** in einem ernsten Gespräch eine Begründung für jds falsches Handeln fordern *Ich werde ihn zur ~ ziehen!*

ver·ant·wor·tungs·be·wusst <verantwortungsbewusster, verantwortungsbewusstest-> *adj* so, dass man seine Verantwortung kennt und ihr gerecht wird *ein ~er Lehrer, ein ~er Umgang mit Kindern*

ver·ar·bei·ten <verarbeitet, verarbeitete, verarbeitet> *tr* **1.** [K] ***jd verarbeitet etw*** *akk* [***zu etw*** *dat*] zu etw machen *Eier, Mehl und Zucker zu einem Teig ~* **2.** [K] ***jd verarbeitet etw*** *akk* geistig mit etw fertig werden, durchdenken *Das muss ich erst ~!, Eindrücke ~*

ver·ar·schen [fɛɐ̯'ʔaːɐ̯ʃn̩] <verarscht, verarschte, verarscht> *tr* (*umg!*) [K] ***jd verarscht jdn*** Witze über jdn machen *Sie haben mich total verarscht!, Sag mal, willst du mich ~, oder was?*

Verb [vɛrp] <-s, -en> *das* LING Wort, das eine Handlung, einen Prozess oder einen Zustand ausdrückt *‚Gehen', ‚wohnen' und ‚sein' sind ~en., unregelmäßige ~en lernen*

ver·bal [vɛr'baːl] <-, -> *adj* mit Worten *jdn ~ beleidigen*

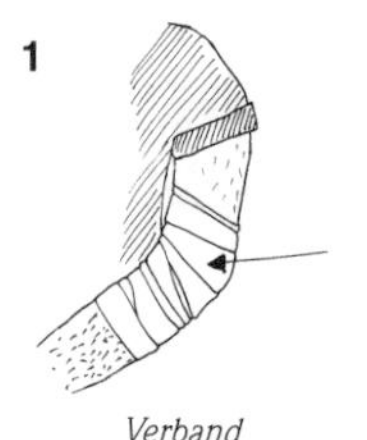

Verband

Ver·band [fɛɐ̯'bant] <-(e)s, -bände> *der* **1.** MED Binde *einen ~ anlegen* **2.** Organisation, Vereinigung *Mitglied in einem ~ sein*

Ver·band(s)·kas·ten <-s, -kästen> *der* kleine Kiste mit Verbandszeug, Pflaster etc. für die erste Hilfe *den ~ immer im Auto haben*

• **ver·bes·sern** <verbessert, verbesserte, verbessert> **I.** *tr* **1.** [K] ***jd verbessert etw*** *akk* sich bemühen, etw besser zu machen *seine sportlichen Leistungen ~* **2.** [K] ***jd verbessert jdn/etw*** *akk* berichtigen *die Fehler im Aufsatz ~, V~ Sie mich bitte, wenn ich etw Falsches sage.* **II.** *refl* **1.** [K] ***jd/etw verbessert sich*** *akk* besser werden *Die Situation verbesserte sich nur allmählich., sich in Mathematik ~* **2.** [K] ***jd verbessert sich*** *akk* eine besser bezahlte berufliche Stellung bekommen *Er konnte sich nach vielen Jahren beruflich ~.*

• **Ver·bes·se·rung** <-, -en> *die* **1.** Korrektur *die ~ von Fehlern* **2.** Änderung zum Positiven *eine ~ der Lage, eine ~ der Beziehungen zu den Nachbarländern*

ver·beu·gen <verbeugt, verbeugte, verbeugt> *refl* [K] ***jd verbeugt sich*** *akk* [***vor jdm***] zum Gruß/als Ausdruck der Hochachtung Kopf und Oberkörper nach vorne bewegen *sich vor dem Bischof ~* ***Wobi: Verbeugung***

ver·bie·gen <verbiegt, verbog, verbogen> *tr* [K] ***jd verbiegt etw*** *akk* so biegen, dass es krumm und nicht mehr zu benutzen ist *Das Messer ist ja ganz verbogen!*

• **ver·bie·ten** <verbietet, verbot, verboten> *tr* (↔*erlauben*) [K] ***jd verbietet*** [***jdm***] ***etw*** *akk* nicht erlauben *Parken verboten!;* **jdm den Mund ~** jdn daran hindern zu sprechen *Ich sage, was ich denke. Er kann mir nicht den Mund ~!*

• **ver·bin·den** <verbindet, verband, verbunden> *tr* **1.** [K] ***jd verbindet etw*** *akk* [***mit etw*** *dat*] in Zusammenhang bringen *Diese Buslinie verbindet fünf Dörfer.* **2.** im Zusammenhang stehen *Die Reise ist mit hohen Kosten verbunden.* **3.** [K] ***jd verbindet jdn/etw*** *akk* MED eine Wunde mit einem Verband umwickeln *einen Verletzten ~* **4.** [K] ***jd verbindet jdn** [mit jdm]* TELKOM eine Telefonverbindung herstellen *Können sie mich bitte mit der Nummer 1234567 ~?, Sie sind leider falsch verbunden!*

ver·bind·lich [fɛɐ̯'bɪntlɪç] <-, -> *adj* (↔*unverbindlich*) **1.** entgegenkommend, freundlich *Du könntest dich ruhig etwas ~er geben.* **2.** so, dass man sich darauf verlassen kann *eine ~e Information, ~ zusagen* ***Wobi:** Verbindlichkeit*

• **Ver·bin·dung** <-, -en> *die* **1.** Beziehung, Kontakt *eine gute ~ zu jdm haben, mit jdm/etw in ~ stehen* **2.** Strecke *Die ~ zwischen Berlin und München ist gut., Ich suche eine günstige ~ mit Bus und Bahn.* **3.** TELKOM Telefonanschluss *eine sehr gute ~ nach Japan, eine ~ herstellen;* **sich mit jdm in ~ setzen** den Kontakt zu jdm aufnehmen *Ich setze mich morgen mit ihr in ~.;* **in ~ mit** im Zusammenhang mit *in ~ damit möchte ich darauf hinweisen, dass …*

ver·bleit <-, -> *adj* (↔*bleifrei*) so, dass es Blei enthält *~es Benzin tanken*

verbleit
Früher tankte man verbleites Benzin (Benzin mit Blei). Weil es für die Umwelt besonders schädlich ist, wurde es verboten. Heute muss ein Auto einen so genannten ‚Katalysator' haben, bei dem man nur bleifreies Benzin verwenden darf.

ver·blu·ten <verblutet, verblutete, verblutet> *itr* <*sein*> sehr viel Blut verlieren und daran sterben *Das Unfallopfer ist verblutet.*

ver·bo·cken <verbockt, verbockte, verbockt> *tr (umg)* [K] ***jd verbockt etw** akk* falsch machen, durchfallen *Was hast du nun schon wieder verbockt?, Ich habe die Prüfung verbockt.*

• **Ver·bot** [fɛɐ̯'bo:t] <-(e)s, -e> *das* Regel, die etw verbietet *das ~ von Tabakwerbung im Fernsehen, gegen ein ~ verstoßen, ein ~ aufheben* ***Komp:** -sschild*

• **ver·bo·ten** **I.** *part perf von* **verbieten** **II.** *adj* nicht erlaubt *Eintritt ~!, Hier ist Rauchen ~!;* **jd/etw sieht ~ aus** *(umg)* jd/etw sieht geschmacklos/wild aus *Der Anzug sieht wirklich ~ aus!*

• **ver·brau·chen** <verbraucht, verbrauchte, verbraucht> *tr* **1.** [K] ***jd verbraucht etw** akk* (für einen bestimmten Zweck) verwenden *Du hast für den Kuchen ja die ganze Milch verbraucht!* **2.** [K] ***etw verbraucht etw** akk* brauchen, benötigen *Das Auto verbraucht acht Liter (auf 100 km).*

Ver·brau·cher(in) <-s, -> *der* jd, der etw kauft *sich mit dem Warenangebot am ~ orientieren* ***Komp:** -schutz*

• **Ver·bre·chen** <-s, -> *das* eine kriminelle Handlung *ein ~ begehen*

• **Ver·bre·cher(in)** <-s, -> *der* jd, der eine kriminelle Handlung begeht *Er ist ein gefährlicher ~.* ***Wobi:** verbrecherisch **Komp:** Schwer-*

Verbotsschilder

ver·brei·ten <verbreitet, verbreitete, verbreitet> **I.** *tr* [K] ***jd verbreitet etw** akk* dafür sorgen, dass etw bekannter wird *Neuigkeiten/Gerüchte ~* **II.** *refl* [K] ***etw verbreitet sich*** immer mehr Menschen betreffen oder bekannter werden *Die Krankheit verbreitete sich schnell., Die Nachricht verbreitete sich schnell.*

ver·bren·nen <verbrennt, verbrannte, verbrannt> **I.** *tr* [K] ***jd verbrennt etw** akk* durch Feuer zerstören *Liebesbriefe ~* **II.** *itr* <*sein*> durch Feuer zerstört werden *Die Briefe verbrannten.*

• **ver·brin·gen** <verbringt, verbrachte, verbracht> *tr* **Zeit mit jdm ~** eine bestimmte Zeit mit jdm zusammen sein *Wir haben im letzten Jahr viel Zeit miteinander verbracht.*

ver·bün·den [fɛɐ̯'bʏndn̩] <verbündet, verbündete, verbündet> *refl* [K] ***jd verbündet sich** akk [mit jdm]* sich zusammentun,

um gemeinsam etw zu erreichen *Sie verbündeten sich und kämpften gemeinsam für ihre Rechte.* ***Wobi:* Verbund, Verbündete(r)**

• **Ver·dạcht** [fɛɐ̯'daxt] <-(e)s> *kein pl der* Vermutung, dass jd schuldig ist *jds ~ erregen, in ~ geraten, jdn in ~ haben, Ich habe den ~, dass er lügt.*

ver·dạ̈ch·tig [fɛɐ̯'dɛçtɪç] <verdächtiger, verdächtigst-> *adj* **1.** so, dass jd beschuldigt wird, etw getan zu haben *Er ist des Mordes ~., Zwei ~e Personen sind festgenommen worden.* **2.** zweifelhaft, unglaubwürdig *Das scheint mir aber ~!*

• **ver·dạ̈ch·ti·gen** [fɛɐ̯'dɛçtɪgn̩] <verdächtigt, verdächtigte, verdächtigt> *tr* [K] ***jd verdächtigt jdn** [**einer Sache** gen]* jdn für schuldig halten *Sie ~ mich des Diebstahls.* ***Wobi:* Verdächtigung**

ver·dạmmt <-, -> **I.** *adj (umg)* sehr *Die sieht ~ gut aus!, Das tut ~ weh!* **II.** *interj (umg)* Ausruf zum Ausdruck von Ungeduld oder Ärger *V~ noch mal!, V~, das habe ich vergessen!*

ver·dạn·ken <verdankt, verdankte, verdankt> *tr* [K] ***jd verdankt jdm etw** akk* jd hat etw nur deshalb, weil es ihm eine andere Person gegeben/vermittelt hat *Ihm habe ich den Job zu ~., Ich habe meinen Eltern alles zu ~.*

ver·dau·en [fɛɐ̯'daʊ̯ən] <verdaut, verdaute, verdaut> *tr* **1.** [K] ***jd verdaut etw** akk* Nahrung im Magen verarbeiten *Essen ~* **2.** [K] ***jd verdaut etw** akk* mit etw fertig werden, geistig verarbeiten *Diese Bemerkung muss ich erst ~.* ***Wobi:* Verdauung**

ver·deut·li·chen [fɛɐ̯'dɔʏ̯tlɪçn̩] <verdeutlicht, verdeutlichte, verdeutlicht> *tr* [K] ***jd verdeutlicht** [**jdm**] **etw** akk* klar machen, erklären *seinen Standpunkt an einem Beispiel ~*

• **ver·die·nen** <verdient, verdiente, verdient> **I.** *tr* **1.** [K] ***jd verdient etw** akk* für eine Arbeit Geld bekommen *viel Geld ~* **2.** [K] ***jd verdient etw** akk* jd soll für etw eine Belohnung bekommen *Lob ~* **II.** *itr* Gehalt/Lohn bekommen *viel/wenig/gut ~*

ver·drạ̈n·gen <verdrängt, verdrängte, verdrängt> *tr* **1.** [K] ***jd verdrängt etw** akk* bewusst nicht an etw denken *alle Sorgen ~, Gefühle ~* **2.** [K] ***jd/etw verdrängt jdn/etw** akk* ersetzen, ablösen *jdn von seiner Stelle/seinem Platz ~, Computer haben die Schreibmaschine verdrängt.* ***Wobi:* Verdrängung**

ver·dụf·ten <verduftet, verduftete, verduftet> *itr* <*sein*> (*umg! ≈abhauen*) verschwinden, weggehen *He, verdufte endlich!*

ver·dụ̈n·nen [fɛɐ̯'dʏnən] <verdünnt, verdünnte, verdünnt> *tr* [K] ***jd verdünnt etw** akk* [***mit etw** dat*] eine Flüssigkeit (meist Wasser) dazugeben *Farbe ~, Saft mit Wasser ~*

ver·dụns·ten <verdunstet, verdunstete, verdunstet> *itr* <*sein*> zu Luft werden *Das Wasser ist in der Sonne verdunstet.* ***Wobi:* Verdunstung**

ver·dụrs·ten <verdurstet, verdurstete, verdurstet> *itr* <*sein*> sterben, weil man zu wenig Wasser hat *Die Pflanzen sind bei der Hitze alle verdurstet.*

ver·ei·di·gen [fɛɐ̯'ʔaɪ̯dɪgn̩] <vereidigt, vereidigte, vereidigt> *tr* [K] ***jd vereidigt jdn** [**auf etw** akk]* schwören lassen *Soldaten/Referendare ~, einen Zeugen vor Gericht ~, den Präsidenten auf die Verfassung ~*

• **Ver·ein** [fɛɐ̯'ʔaɪ̯n] <-(e)s, -e> *der* Gesellschaft, Organisation *Mit-*

vereidigen
Der Staat verlangt von bestimmten Personen eine feierliche Erklärung ihrer Achtung vor der Verfassung, einen Eid. Vereidigt werden Mitglieder der Regierung (Amtseid), Beamte und Berufssoldaten (Diensteid) und Richter (Richtereid). Auch Zeugen vor Gericht können vereidigt werden. In Österreich schwören Studenten bei Abschluss ihres Studiums auf die Universität.

glied in einem ~ sein **Komp:** *Alpen-, Sport-*

ver·ein·ba·ren [fɛɐ̯ˈʔainbaːrən] <vereinbart, vereinbarte, vereinbart> *tr* [K] ***jd vereinbart etw*** *akk* [***mit jdm***] absprechen, etw miteinander ausmachen *Termine/ein Treffen ~, Wir haben vereinbart, dass wir uns gegenseitig helfen.* **Wobi:** ***Vereinbarung***

ver·ein·heit·li·chen [fɛɐ̯ˈʔainhaitlɪçn̩] <vereinheitlicht, vereinheitlichte, vereinheitlicht> *tr* [K] ***jd vereinheitlicht etw*** *akk* gleich machen *In Europa werden viele Gesetze vereinheitlicht.*

ver·ei·ni·gen <vereinigt, vereinigte, vereinigt> *refl* [K] ***jd/etw vereinigt sich*** *akk* [***mit jdm/etw*** *dat*] zu einem Ganzen werden *1990 haben sich die beiden Staaten Deutschlands vereinigt.* **Wobi:** ***vereinigt, Vereinigung*** **Komp:** ***wieder-***

ver·eint <-, -> *adj* so, dass etw eine Einheit bildet, als Ganzes *Mit ~en Kräfte werden wir es schaffen!, das ~e Deutschland*

ver·er·ben <vererbt, vererbte, vererbt> *tr* [K] ***jd vererbt etw*** *akk* [***an jdn***] an seine Kinder weitergeben *sein Vermögen ~, eine Krankheit ~*

• **Ver·fah·ren** [fɛɐ̯ˈfaːrən] <-s, -> *das* **1.** Methode *ein neues ~ entwickeln* **2.** eine Untersuchung vor Gericht *Gegen ihn ist ein ~ eingeleitet worden.*

ver·fah·ren¹ <verfahrener, verfahrenst-> *adj (umg)* sehr kompliziert *eine ~e Angelegenheit*

ver·fah·ren² [fɛɐ̯ˈfaːrən] <verfährt, verfuhr, verfahren> **I.** *refl* *<haben>* [K] ***jd verfährt sich*** *akk* in die falsche Richtung fahren, die Orientierung verlieren *Wir haben uns in der Innenstadt total ~.* **II.** *itr* *<sein>* vorgehen, sich verhalten *in einer Sache geschickt ~*

ver·fal·len¹ <verfällt, verfiel, verfallen> *itr <sein>* **1.** zerfallen, kaputt gehen *In dieser Gegend ~ die Häuser.* **2.** ungültig werden *Die Eintrittskarte verfällt am Ende des Monats.*

ver·fal·len² <verfallener, verfallenst-> *adj* baufällig, kaputt *ein völlig ~es Haus*

Ver·falls·da·tum <-s, -ten> *das* Datum, bis zu dem Lebensmittel/Medikamente haltbar sind *das ~ beachten*

Ver·fas·ser(in) [fɛɐ̯ˈfasɐ] <-s, -> *der* jd, der etw geschrieben hat *Wer ist der ~ dieses Artikels?* **Wobi:** ***verfassen***

Ver·fas·sung <-, -en> *die* **1.** POL die wichtigsten Grundsätze über die Form und den Aufbau eines Staates; Grundgesetz *die ~ ändern* **2.** (gesundheitlicher) Zustand *Er ist in einer guten ~.* **Komp:** ***-sänderung, -sgericht, -sklage, -sreform, -sschutz***

ver·fas·sungs·wid·rig <-, -> *adj* POL so, dass es gegen die Verfassung verstößt *eine ~e Partei verbieten, eine ~e Handlung*

ver·fau·len <verfault, verfaulte, verfault> *itr <sein>* faul werden, schlecht werden *Die Äpfel ~, wenn man sie nicht bald isst.*

ver·flixt [fɛɐ̯ˈflɪkst] <-, -> **I.** *adj (umg)* schwierig, kompliziert, unangenehm *Wenn ich nur die ~e Aufgabe lösen könnte!* **II.** *interj* Ausruf zum Ausdruck von Ärger oder Ungeduld *V~ noch mal!, V~! Warum hilft mir denn niemand?*

ver·flu·chen <verflucht, verfluchte, verflucht> *tr* [K] ***jd verflucht jdn/etw*** *akk* sehr über jdn/etw schimpfen *eine Situation/ein Problem ~*

ver·flucht <-, -> **I.** *part perf von* **verfluchen** **II.** *adj* **1.** (*umg!* ≈ver-

Verfassung
Die Verfassung der Bundesrepublik Deutschland, das Grundgesetz, gilt seit 1949 (im Saarland seit 1957) und seit 1990 auch in der ehemaligen DDR. In Österreich gilt seit 1945 wieder die Verfassung von 1920/29. Die Schweizer Bundesverfassung gilt nur wenig verändert seit 1848.

dammt) schwierig, unangenehm *Wenn es nur die ~en Prüfungen nicht gäbe!* **2.** (*umg!*) sehr *Es geht mir ~ schlecht.* **III.** *interj* Ausruf zum Ausdruck von Ärger oder Ungeduld *V~ noch mal!, V~, hör mir doch endlich mal zu!*

ver·fol·gen <verfolgt, verfolgte, verfolgt> *tr* **1.** [K] ***jd verfolgt jdn*** hinter jdm hergehen, jds Spur folgen *den Einbrecher ~* **2.** [K] ***jd verfolgt etw*** *akk* zu erreichen versuchen *ein Ziel ~* **3.** [K] ***jd verfolgt etw*** *akk* beobachten *jds Entwicklung ~* ***Wobi: Verfolgung, Verfolgte(r)***

ver·füh·ren <verführt, verführte, verführt> *tr* **1.** [K] ***jd/etw verführt jdn zu etw*** *dat* die Ursache dafür sein, dass man etw unbedingt tun möchte *Der Sonderpreis hat mich dazu verführt, diese Hose zu kaufen.* **2.** [K] ***jd verführt jdn*** jdn zu sexuellen Handlungen bringen *Sie hat ihn verführt.* ***Wobi: Verführung, verführerisch***

ver·gam·melt <vergammelter, vergammeltst-> *adj* **1.** faul, schlecht *Die Äpfel sind ~.* **2.** (*umg pej*) alt, abgenutzt *Sie trägt immer ~e Kleidung.*

ver·gan·gen [fɛɐ̯'gaŋən] **I.** *part perf von* **vergehen** **II.** *adj* **1.** früher *in den ~en Jahren* **2.** letzte(-r, -s) *~es Jahr*

• **Ver·gan·gen·heit** [fɛɐ̯'gaŋənhait] <-> *kein pl die* (frühere) Zeit, die schon gewesen ist *In der ~ haben wir uns selten getroffen.* ***Komp: -sbewältigung***

ver·gaß [fɛɐ̯'ga:s] *prät von* **vergessen**

ver·ge·ben <vergibt, vergab, vergeben> *tr* **1.** [K] ***jd vergibt etw*** *akk* [***an jdn***] weggeben, austeilen *einen Auftrag vergeben, einen Preis ~, Ist die Stelle schon ~?* **2.** [K] ***jd vergibt jdm*** verzeihen *jdm eine Bemerkung ~;* **schon ~ sein** *(umg)* schon einen Mann/festen Freund/eine Frau/feste Freundin haben *Ich bin schon ~.*

• **ver·geb·lich** [fɛɐ̯'ge:plɪç] <-, -> *adj* umsonst, ohne Erfolg *sich ~ um Karten bemühen, ~ versuchen, jdn telefonisch zu erreichen*

ver·ge·hen [fɛɐ̯'ge:ən] <vergeht, verging, vergangen> *itr* <*sein*> **1.** vorbeigehen *Wie schnell die Zeit vergeht!* **2.** weggehen, schwächer werden *Die Schmerzen ~ bald wieder.*

• **ver·ges·sen** [fɛɐ̯'gɛsn̩] <vergisst, vergaß, vergessen> *tr* **1.** [K] ***jd vergisst jdn/etw*** *akk* sich nicht erinnern *Vokabeln ~* **2.** [K] ***jd vergisst etw*** *akk* liegen lassen *Ich habe den Fotoapparat auf der Bank im Park ~.;* **etw jdm nie ~** sich immer an jds (gute/schlechte) Tat erinnern *Das werde ich Ihnen nie ~!*

ver·ge·wal·ti·gen [fɛɐ̯gə'valtɪgn̩] <vergewaltigt, vergewaltigte, vergewaltigt> *tr* [K] ***jd vergewaltigt jdn*** sexuell missbrauchen *Sie ist vergewaltigt worden.* ***Wobi: Vergewaltiger, Vergewaltigung***

ver·gif·ten <vergiftet, vergiftete, vergiftet> *tr* [K] ***jd vergiftet jdn/etw*** *akk* mit Gift töten *Insekten ~* ***Wobi: Vergiftung***

• **Ver·gleich** [fɛɐ̯'glaiç] <-(e)s, -e> *der* Betrachtung von mehreren Personen oder Dingen, um Gemeinsamkeiten und Unterschiede festzustellen *einen ~ zwischen den Geschwistern anstellen, Im ~ zu ihm ist sie eher ruhig.*

• **ver·glei·chen** <vergleicht, verglich, verglichen> *tr* [K] ***jd vergleicht jdn/etw*** *akk* [***mit jdm/etw*** *dat*] mehrere Personen oder Dinge betrachten, um Gemeinsamkeiten und Unterschiede festzustellen *eine Person mit einer anderen ~;* **vergleiche S. …** Sehen Sie auf Seite … nach, Abk.: vgl. *Zu diesem Punkt vgl. S. 132*

ver·glich *prät von* **vergleichen**

ver·gli·chen *part perf von* **vergleichen**

• **Ver·gnü·gen** [fɛɐ̯'gny:gn̩] <-s, -> *das* Genuss, Freude, Spaß *Ich mache zum ~ einen Stadtbummel., Das bereitet mir ~., Es war mir ein ~, Sie kennen zu lernen!, Viel ~!;* **etw ist ein teures ~** *(umg)* etw ist sehr teuer *Diese Reise wird ein teures ~.;* **mit dem größten ~** sehr gern *Wir kommen mit dem größten ~!*

ver·gnü·gen [fɛɐ̯'gny:gn̩] <vergnügt, vergnügte, vergnügt> *refl* [K] ***jd vergnügt sich** akk [**mit jdm/ etw** dat]* sich gut unterhalten, amüsieren *sich mit jdm/einer Tätigkeit ~*

ver·grif·fen <-, -> *adj* (vorübergehend) nicht mehr zu kaufen *Das Buch ist zur Zeit ~.*

• **ver·grö·ßern** [fɛɐ̯'grø:sɐn] <vergrößert, vergrößerte, vergrößert> *tr* [K] ***jd vergrößert etw** akk* größer machen *die Firma ~, ein Foto ~, Das Problem hat sich vergrößert.* ***Wobi: Vergrößerung***

vergrößern

• **ver·haf·ten** [fɛɐ̯'haftn̩] <verhaftet, verhaftete, verhaftet> *tr* [K] ***jd verhaftet jdn*** festnehmen, ins Gefängnis bringen *Sie sind verhaftet!* ***Wobi: Verhaftung***

• **Ver·hal·ten** [fɛɐ̯'haltn̩] <-s> *kein pl das* Benehmen *ein höfliches ~*

• **ver·hal·ten** [fɛɐ̯'haltn̩] <verhält, verhielt, verhalten> *refl* [K] ***jd verhält sich** akk **irgendwie*** benehmen, handeln *sich dem Lehrer gegenüber immer höflich ~, sich ruhig ~;* **sich irgendwie ~** irgendwie sein *Die Sache verhält sich anders, als du denkst.*

• **Ver·hält·nis** [fɛɐ̯'hɛltnɪs] <-ses, -se> *das* **1.** Beziehung *ein gutes ~ zu den Eltern haben* **2.** Vergleich, Relation *Diese Schuhe sind im ~ zu den anderen billig.* **3.** Lage, Lebensbedingungen *in armen ~sen aufwachsen, in gesicherten ~sen leben;* **mit jdm ein ~ haben** mit jdm eine sexuelle Beziehung haben *ein ~ mit der Sekretärin haben;* **in keinem ~ zu etw stehen** nicht zusammengehen/zusammenpassen *Deine Arbeit steht doch in keinem ~ zu deinem Lohn.;* **über seine ~se leben** mehr Geld ausgeben, als man verdient *Er lebt über seine ~se.*

ver·hält·nis·mä·ßig *adv* ziemlich, relativ *Ich habe dort ~ viel gelernt., Sie kann ~ gut singen.*

ver·han·deln <verhandelt, verhandelte, verhandelt> **I.** *tr* [K] ***jd verhandelt etw** akk [**mit jdm**]* beraten, besprechen *ein Angebot ~* **II.** *itr* beraten, besprechen *Sie haben auf der Konferenz über Abrüstung verhandelt.* ***Wobi: Verhandlung***

ver·heim·li·chen [fɛɐ̯'haimlɪçn̩] <verheimlicht, verheimlichte, verheimlicht> *tr* [K] ***jd verheimlicht** [jdm] **etw** akk,* [K] ***jd verheimlicht etw** akk **vor jdm*** ein Geheimnis vor jdm haben, etw nicht sagen *Was verheimlichst du mir?* ***Wobi: Verheimlichung***

• **ver·hei·ra·tet** <-, -> *adj* (↔*ledig*) so, dass man in einer Ehe lebt *Er ist ~ und hat zwei Kinder.* ***Wobi: verheiraten***

• **ver·hin·dern** <verhindert, verhinderte, verhindert> *tr* [K] ***jd verhindert etw** akk* dafür sorgen, dass etw nicht geschieht *einen Unfall ~, Das ließ sich leider nicht ~.*

ver·hö·ren <verhört, verhörte, verhört> **I.** *tr* [K] ***jd verhört jdn***

V

jdn vor Gericht intensiv befragen *Der Angeklagte wurde verhört.* **II.** *refl* [K] ***jd verhört sich*** *akk* etw Falsches hören *Das hast du gar nicht gesagt? Dann habe ich mich wohl verhört!*

ver·hụn·gern <verhungert, verhungerte, verhungert> *itr* <*sein*> **1.** an Hunger sterben *Noch immer ~ viele Menschen.* **2.** *(umg)* großen Hunger haben *Wo bleibt das Essen? Ich verhungere!*

ver·hü·ten <verhütet, verhütete, verhütet> *tr* [K] ***jd verhütet etw*** *akk* aufpassen, dass etw nicht geschieht *Waldbrände ~, eine Schwangerschaft ~* ***Wobi:*** *Verhütung*

ver·ịr·ren <verirrt, verirrte, verirrt> *refl* [K] ***jd verirrt sich*** *akk* vom richtigen Weg abkommen, die Orientierung verlieren *sich im Wald ~*

• **ver·kau·fen** <verkauft, verkaufte, verkauft> **I.** *tr* [K] ***jd verkauft etw*** *akk* für Geld weggeben *Äpfel für zwei Euro das Kilo ~, Von dem Buch wurden 300 Exemplare verkauft.* **II.** *refl* [K] ***etw verkauft sich irgendwie*** Käufer finden *Dieses Buch verkauft sich gut.* ***Wobi:*** *Verkauf*

Ver·käu·fer(in) [fɛɐ̯ˈkɔy̯fɐ] <-s, -> *der* jd, der beruflich etw verkauft *Er ist ~.*

• **Ver·kehr** [fɛɐ̯ˈkeːɐ̯] <-(e)s> *kein pl der* **1.** alle Autos, LKWs, Motorräder, Fahrräder etc., die gerade auf den Straßen fahren *Heute ist viel ~., den ~ umleiten* **2.** sexueller Kontakt *~ mit jdm haben* ***Komp:*** *-sampel, -sunfall, Brief-, Geschlechts-*

Ver·kehrs·durch·sa·ge <-, -n> *die* Radiomeldung über den Zustand der Straßen/die Verkehrsdichte *Wir unterbrechen die Sendung für eine wichtige ~.*

Verkehrskontrolle

Ver·kehrs·kon·trol·le <-, -n> *die* polizeiliche Kontrolle von Autofahrern *auf der Straße nach Frankfurt eine ~ durchführen*

• **Ver·kehrs·mit·tel** <-s, -> *das* Fahrzeug zum Transport von Menschen *Autos, Busse, Fahrräder und die Bahn sind ~.;* **öffentliche ~** Bus und Bahn *mit öffentlichen ~n fahren, öffentliche ~ benutzen*

• **Ver·kehrs·ver·ein** <-(e)s, -e> *der* (≈*Verkehrsamt*) Touristeninformation *beim ~ einen Stadtplan kaufen* ***Komp:*** ***Fremden-***

• **Ver·kehrs·zei·chen** <-s, -> *das* Zeichen/Schild zur Regelung des Straßenverkehrs *die ~ beachten*

ver·kehrt <-, -> *adj* falsch *in die ~e Richtung fahren, die Aufgabe ~ lösen, etw ~ machen;* **etw ~ herum anhaben** ein Kleidungsstück so anhaben, dass die Innenseite nach außen oder die Vorderseite nach hinten zeigt *Du hast den Pullover ~ herum an.*

ver·kla·gen <verklagt, verklagte, verklagt> *tr* [K] ***jd verklagt jdn*** [***wegen einer Sache*** *gen*] jdn vor Gericht bringen *die Nachbarn ~*

ver·klei·den <verkleidet, verkleidete, verkleidet> *refl* [K] ***jd verkleidet sich*** *akk* [***irgendwie***] ein Kostüm anziehen, kostümieren *sich zum Fasching ~, sich als Indianer ~*

ver·klẹmmt <verklemmter, verklemmtest-> *adj (umg)* so, dass man nicht offen über sexuelle Fragen reden kann *Sie hat ~e Eltern., Er ist total ~!*

ver·knạl·len <verknallt, verknallte, verknallt> *refl (umg)* [K] ***jd verknallt sich*** *akk* [***in jdn***] verlieben *Ich habe mich in ihn verknallt.*

ver·knei·fen <verkneift, verkniff, verkniffen> *refl (umg)* [K] ***jd***

verkneift sich *dat* **etw** *akk* unterdrücken; sich anstrengen, etw nicht zu tun *sich eine Bemerkung ~*

ver·kra̲·chen <verkracht, verkrachte, verkracht> *refl (umg)* [K] ***jd verkracht sich*** *akk* [***mit jdm***] Streit mit jdm bekommen *sich mit den Eltern ~*

ver·kra̲f·ten [fɛɐ̯'kraftn̩] <verkraftet, verkraftete, verkraftet> *tr* [K] ***jd verkraftet etw*** *akk* aushalten, ertragen *Noch einen Misserfolg verkrafte ich nicht!*

ver·kra̲mpft <verkrampfter, verkrampftest-> *adj* **1.** (↔*locker*) so, dass die Muskeln fest sind *~ dastehen* **2.** unnatürlich, gezwungen *~ lachen*

ver·krü̲p·pelt <verkrüppelter, verkrüppeltst-> *adj* missgebildet, nicht normal *eine ~e Hand*

• **ver·kü̲h·len** <verkühlt, verkühlte, verkühlt> *refl* (ÖSTERR) [K] ***jd verkühlt sich*** *akk* sich erkälten *Er hat sich schon wieder verkühlt.*

ver·ku̲p·peln <verkuppelt, verkuppelte, verkuppelt> *tr (umg pej)* [K] ***jd verkuppelt jdn*** [***mit jdm***] zwei Personen dazu bringen, ein Paar zu werden *Sie hat die beiden verkuppelt.*

Ver·la̲g [fɛɐ̯'la:k] <-(e)s, -e> *der* Unternehmen, das Bücher macht und veröffentlicht *Bei welchem ~ ist das Buch erschienen?*

• **ver·la̲n·gen** <verlangt, verlangte, verlangt> *tr* **1.** [K] ***jd verlangt etw*** *akk* fordern *Disziplin ~* **2.** [K] ***jd verlangt etw*** *akk* haben wollen *Die Kunden ~ mehr Service., Geld ~* **3.** [K] ***etw verlangt etw*** *akk* erfordern, nötig machen *Diese Aufgabe verlangt viel Fleiß.* **4.** [K] ***jd verlangt jdn*** sehen/sprechen wollen *den Chef ~, jdn am Telefon ~* ***Wobi: Verlangen***

• **ver·lä̲n·gern** [fɛɐ̯'lɛŋɐn] <verlängert, verlängerte, verlängert> *tr* **1.** [K] ***jd verlängert etw*** *akk* länger machen *die Hose ~* **2.** [K] ***jd verlängert etw*** *akk* zeitlich länger machen *eine Frist ~, den Ausweis ~ lassen*

Ver·lä̲n·ge·rung <-, -en> *die* **1.** das Längermachen einer Frist *eine ~ beantragen* **2.** SPORT zusätzliche Spielzeit *Es gab ~ und danach Elfmeterschießen.*

• **ver·la̲s·sen¹** <verlässt, verließ, verlassen> **I.** *tr* [K] ***jd verlässt jdn/etw*** *akk* weggehen *morgens das Haus ~, den Freund für immer ~* **II.** *refl* [K] ***jd verlässt sich*** *akk* ***auf jdn/etw*** *akk* vertrauen *sich auf den Wetterbericht ~, Sie können sich darauf ~!*

• **ver·la̲s·sen²** **I.** *part perf von* **verlassen** **II.** *adj* einsam, öde *ein ~es Haus im Wald entdecken, in einer ~en Gegend wohnen*

ver·la̲u·fen <verläuft, verlief, verlaufen> **I.** *itr* <sein> **1.** ablaufen *Alles ist gut ~.* **2.** reichen *Die Grenze verläuft von hier nach dort.;* **im Sande** ~ ohne besonderen Grund aufhören *Das Projekt verlief im Sande.* **II.** *refl* [K] ***jd verläuft sich*** *akk* den richtigen Weg nicht mehr finden *Ich habe mich ~.* ***Wobi: Verlauf, Verlaufen***

ver·le̲·gen¹ [fɛɐ̯'le:gn̩] <verlegt, verlegte, verlegt> *tr* **1.** [K] ***jd verlegt etw*** *akk* an einen bestimmten Platz legen und nicht mehr finden *die Brille ~* **2.** [K] ***jd verlegt etw*** *akk* auf einen anderen Zeitpunkt legen *den Termin auf morgen ~* **3.** MED [K] ***jd verlegt jdn*** an einen anderen Ort bringen *den Patienten auf eine andere Station ~* **4.** [K] ***jd verlegt etw*** *akk* herausgeben, veröffentlichen *ein Buch ~*

ver·le̲·gen² [fɛɐ̯'le:gn̩] <verlegener, -> *adj* peinlich berührt, unsicher ~ *auf eine Frage antworten;* **um Ausreden nicht ~ sein** immer eine Ausrede finden *Sie ist um Ausreden nicht ~.*

Ver·leih <-s, -e> *der* **1.** Stelle, wo man sich etw gegen Geld für eine bestimmte Zeit ausleihen (ausborgen) kann *sich beim Auto~ nach den Preisen erkundigen, zum Fahrrad~ gehen* **2.** das Verleihen gegen Geld *der ~ von Fahrrädern*

ver·lei·hen <verleiht, verlieh, verliehen> *tr* **1.** [K] ***jd verleiht etw*** *akk* jdm etw für eine bestimmte Zeit gegen Geld oder umsonst geben *Autos und Fahrräder ~, Ich habe das Buch verliehen.* **2.** [K] ***jd verleiht*** [***jdm***] ***etw*** *akk* geben *einen Titel/Preis ~*

Ver·lei·hung <-, -en> *die* das Verleihen eines Preises/Titels an jdn *die feierliche ~ des ersten Preises, die ~ des Doktortitels*

ver·ler·nen <verlernt, verlernte, verlernt> *tr* [K] ***jd verlernt etw*** *akk* wieder vergessen, aus der Übung kommen *eine Sprache wieder ~*

• **ver·let·zen** [fɛɐ̯ˈlɛt͡sn̩] <verletzt, verletzte, verletzt> **I.** *tr* **1.** [K] ***jd verletzt jdn/etw*** *akk* [***mit etw*** *dat*] eine Wunde zufügen *das Bein ~, Er wurde bei dem Unfall nicht verletzt.* **2.** [K] ***jd verletzt jdn*** [***mit etw*** *dat*] beleidigen, kränken *jdn mit einer Bemerkung ~* **3.** [K] ***jd verletzt etw*** *akk* gegen etw verstoßen, etw nicht einhalten *ein Gesetz ~, seine Pflicht ~* **II.** *refl* [K] ***jd verletzt sich*** *akk* [***mit etw*** *dat*] sich eine Wunde zufügen *Kinder, wenn ihr so weitermacht, verletzt sich bestimmt noch jemand!, Er verletzte sich beim Wettkampf.* ***Wobi:*** *verletzt*

• **Ver·let·zung** <-, -en> *die* Wunde *Der Fahrer des Unfallwagens hatte nur leichte ~en.*

Der Mann hat mehrere Verletzungen.

• **ver·lie·ben** <verliebt, verliebte, verliebt> *refl* [K] ***jd verliebt sich*** *akk* [***in jdn***] jdn zu lieben beginnen *sich in seine Kollegin ~* ***Wobi:*** *Verliebte(r)*

ver·liebt **I.** *part perf von* **verlieben** **II.** *adj* so, dass man beginnt, Liebe für jdn zu empfinden *in jdn ~ sein;* **bis über beide Ohren ~** *(umg)* sehr verliebt sein *Ich bin bis über beide Ohren in ihn ~.*

• **ver·lie·ren** [fɛɐ̯ˈliːrən] <verliert, verlor, verloren> **I.** *tr* **1.** [K] ***jd verliert etw*** *akk* etw nicht mehr finden *den Schlüssel ~* **2.** nicht mehr haben *den Mut ~, die Hoffnung ~* **II.** *itr* (↔*gewinnen*) nicht Sieger werden *Ich habe die Wette verloren., Sie haben den Prozess verloren., Wir haben das Fußballspiel 1:0 verloren.*

ver·lor [fɛɐ̯ˈloːɐ̯] *prät von* **verlieren**

ver·lo·ren [fɛɐ̯ˈloːrən] <verlorener, verlorenst-> **I.** *part perf von* **verlieren** **II.** *adj* **1.** so, dass man etw nicht gewonnen hat *ein ~es Spiel* **2.** einsam, verlassen *Er sieht ziemlich ~ aus.;* **etw geht ~** etw verschwindet *Meine Uhr ist mir irgendwo ~ gegangen.*

• **Ver·lust** [fɛɐ̯ˈlʊst] <-es, -e> *das* **1.** Verlieren von Gegenständen *der Versicherung den ~ melden* **2.** Verlieren eines Menschen, weil er stirbt *den ~ der Mutter beweinen* **3.** finanzieller Schaden *hohe ~e erleiden;* **mit ~ verkaufen** etw verkaufen, aber dabei keinen Gewinn machen, sondern noch Geld verlieren *Ich verkaufe seit Wochen nur mit ~.*

Ver·mark·tung <-> *kein pl die* (≈*Marketing*) Bekanntmachung und erfolgreicher Verkauf eines Produktes *verschiedene Möglichkeiten der ~ nutzen, die ~ des Fußballvereins*

ver·mei·den <vermeidet, vermied, vermieden> *tr* [K] ***jd vermeidet etw*** *akk* einer Sache aus dem Weg gehen; versuchen, dass etw nicht passiert *Fehler ~, Es lässt sich nicht ~, dass er operiert wird.*

• **ver·mie·ten** <vermietet, vermietete, vermietet> *tr* [K] ***jd vermietet etw*** *akk* [***an jdn***] gegen Geld ein Haus/eine Wohnung etc. zum Wohnen oder zur Benutzung geben *eine Wohnung/ein Haus ~, Zimmer zu ~!*

Ver·mie·ter(in) <-s, -> *der* jd, der jdm eine Wohnung/ein Haus etc. gegen Geld zum Wohnen gibt *ein freundlicher ~*

ver·mis·sen [fɛɐ̯'mɪsn̩] <vermisst, vermisste, vermisst> *tr* **1.** [K] ***jd vermisst jdn/etw*** *akk* Sehnsucht nach jdm/etw haben; traurig sein, dass jd/etw nicht da ist *Sie vermisst ihn sehr.* **2.** [K] ***jd vermisst jdn/etw*** *akk* bemerken, dass jd/etw nicht da ist *Ich vermisse meine Uhr., Der Bergsteiger wird seit drei Tagen vermisst.*

ver·mit·teln <vermittelt, vermittelte, vermittelt> **I.** *tr* **1.** [K] ***jd vermittelt jdn/etw*** *akk* organisieren, besorgen *jdm eine Stelle ~* **2.** [K] ***jd vermittelt jdm etw*** *akk* jdn etw lehren *den Schülern Wissen ~* **II.** *itr* Gegner dazu bringen, miteinander zu reden/zu verhandeln *bei einem Streit ~*

• **Ver·mitt·lung** <-, -en> *die* **1.** das Organisieren, dass jd das bekommt, was er sucht *die ~ eines guten Jobs, die ~ eines Zimmers* **2.** das Lehren *die ~ von Wissen* ***Komp:*** *Job-, Zimmer-*

Ver·mö·gen [fɛɐ̯'møːgn̩] <-s, -> *das* Reichtum, hoher Geldbetrag *ein großes ~ besitzen;* **ein ~ kosten** *(umg)* sehr teuer sein *Das Kleid hat bestimmt ein ~ gekostet!*

• **ver·mu·ten** [fɛɐ̯'muːtn̩] <vermutet, vermutete, vermutet> *tr* [K] ***jd vermutet etw*** *akk* annehmen, glauben *Ich vermute, dass er bald anruft.*

ver·nach·läs·si·gen [fɛɐ̯'naːxlɛsɪgn̩] <vernachlässigt, vernachlässigte, vernachlässigt> **I.** *tr* [K] ***jd vernachlässigt jdn/etw*** *akk* nicht berücksichtigen *einen Aspekt völlig ~* **II.** *refl* [K] ***jd vernachlässigt sich*** *akk* sein Äußeres nicht beachten *Vor lauter Arbeit vernachlässigt sie sich. Sie sollte mal wieder zum Friseur gehen.* ***Wobi:*** *Vernachlässigung*

ver·nei·nen [fɛɐ̯'nainən] <verneint, verneinte, verneint> *tr* [K] ***jd verneint etw*** *akk* (↔*bejahen*) mit ‚nein' antworten *eine Frage ~*

ver·nich·ten [fɛɐ̯'nɪçtn̩] <vernichtet, vernichtete, vernichtet> *tr* [K] ***jd vernichtet jdn/etw*** *akk* zerstören, töten *alte Akten ~, schädliche Insekten ~* ***Wobi:*** *Vernichtung*

Ver·nunft [fɛɐ̯'nʊnft] <-> *kein pl die* die Fähigkeit, etw als richtig oder falsch, gut oder schlecht etc. zu erkennen *Komm zur ~ und mach so etw Verrücktes nicht!;* **jdn zur ~ bringen** jdm einen verrückten/gefährlichen/… Gedanken nehmen; dafür sorgen, dass jd wieder vernünftig wird *Sie hat mich wieder zur ~ gebracht.*

• **ver·nünf·tig** [fɛɐ̯'nʏnftɪç] <vernünftiger, vernünftigst-> *adj* so, dass es der Vernunft entspricht *eine ~e Entscheidung, Sei doch ~!*

• **ver·öf·fent·li·chen** [fɛɐ̯'ʔœfn̩tlɪçn̩] <veröffentlicht, veröffentlichte, veröffentlicht> *tr* (≈*publizieren*) [K] ***jd veröffentlicht etw*** *akk* herausgeben, abdrucken lassen, öffentlich bekannt geben *einen Aufsatz in der Zeitung ~* ***Wobi:*** *Veröffentlichung*

ver·ọrd·nen <verordnet, verordnete, verordnet> *tr* [K] *jd verordnet [jdm] etw akk* bestimmen, dass jd etw einnimmt oder tut *Der Arzt verordnete dem Patienten Bettruhe., Arzneimittel/Medizin ~, etw gesetzlich ~* ***Wobi:*** *Verordnung*

ver·pạ·cken <verpackt, verpackte, verpackt> *tr* [K] *jd verpackt etw akk* einwickeln, einpacken *ein Geschenk ~* ***Wobi:*** *Verpackung*

• **ver·pạs·sen** <verpasst, verpasste, verpasst> *tr* [K] *jd verpasst jdn/etw akk* (≈*versäumen*) zu spät sein, um jdn/etw zu erreichen oder um etw zu tun *den Bus ~, den richtigen Zeitpunkt ~*

ver·pfle̱·gen <verpflegt, verpflegte, verpflegt> *tr* [K] *jd verpflegt jdn* jdm Essen und Trinken geben *Sie verpflegt uns bestens.* ***Wobi:*** *Verpflegung*

ver·pflị·chten [fɛɐ̯ˈpflɪçtn̩] <verpflichtet, verpflichtete, verpflichtet> **I.** *tr* **1.** [K] *jd verpflichtet jdn [zu etw dat]* von jdm das Versprechen bekommen, dass er etw Bestimmtes tut *jdn zum Schweigen ~* **2.** [K] *jd verpflichtet jdn* einem Künstler einen Arbeitsvertrag geben *Das Theater hat für diese Saison einen guten Schauspieler verpflichtet.* **II.** *refl* [K] *jd verpflichtet sich akk zu etw dat* durch einen Vertrag/ein Versprechen versichern, dass man etw Bestimmtes macht *sich ~, die Arbeit pünktlich abzuliefern* ***Wobi:*** *Verpflichtung*

ver·plạp·pern <verplappert, verplapperte, verplappert> *refl (umg)* [K] *jd verplappert sich akk* unbeabsichtigt ein Geheimnis verraten *So ein Pech, jetzt hat sie sich doch verplappert!*

ver·pö̱nt [fɛɐ̯ˈpøːnt] <verpönter, verpöntest-> *adj* so, dass es nicht gern gesehen wird *Faulheit ist hier ~!*

ver·prü̱·geln <verprügelt, verprügelte, verprügelt> *tr* [K] *jd verprügelt jdn* (≈*verhauen*) jdm Schläge geben *Seine Mitschüler haben ihn verprügelt.*

• **ver·ra̱·ten** <verrät, verriet, verraten> *tr* **1.** [K] *jd verrät [jdm] etw akk* etw Geheimes sagen *ein Geheimnis ~, Ich verrate nichts!* **2.** [K] *jd verrät jdn* öffentlich sagen, wo jd ist oder was jd getan hat und ihm damit schaden *frühere Freunde an die Polizei ~* ***Wobi:*** *Verräter, Verrat*

ver·re̱g·net <verregneter, verregnetst-> *adj* so, dass es viel regnet, *ein ~er Urlaub*

• **ver·rei̱·sen** <verreist, verreiste, verreist> *itr* <*sein*> eine Reise machen *in den Ferien ~*

• **ver·rụ̈ckt** [fɛɐ̯ˈrʏkt] <verrückter, verrücktest-> *adj* **1.** geisteskrank *~ sein* **2.** *(umg)* unsinnig, nicht normal *eine ~e Idee;* **jdn ~ machen** jdn völlig durcheinander bringen *Du machst mich ~! Geh endlich!;* ~ **nach etw sein** etw unbedingt haben wollen *Er ist ~ nach Eis.;* ~ **nach jdm sein** jd sehr gern haben, verliebt in jdn sein *Sie ist ~ nach ihm.;* **Ich werd' ~!** Ausruf der Überraschung *Ich werd' ~! Was machst du denn hier?*

ver·sạl·zen <versalzt, versalzte, versalzt/versalzen> *tr* [K] *jd versalzt etw akk* zu viel Salz dazugeben *eine Speise ~*

ver·sạm·meln <versammelt, versammelte, versammelt> *refl* [K] *Personen versammeln sich* sich treffen, zusammenkommen *Das Parlament versammelte sich, um über das Gesetz abzustimmen.*

• **Ver·samm·lung** <-, -en> *die* Treffen, Zusammenkunft *eine ~ einberufen, eine ~ abhalten* ***Komp: -sfreiheit***

Ver·sand·haus <-es, -häuser> *das* Unternehmen, das seine Waren in Katalogen anbietet und direkt an die Kunden liefert *etw bei einem ~ bestellen*

• **ver·säu·men** [fɛɐ̯ˈzɔʏ̯mən] <versäumt, versäumte, versäumt> *tr* **1.** K ***jd versäumt etw*** *akk* nicht tun, was notwendig wäre *Ich habe versäumt, dir rechtzeitig Bescheid zu geben.* **2.** K ***jd versäumt etw*** *akk* (≈*verpassen*) nicht mehr bekommen, nicht mehr erreichen *den Zug ~* **3.** K ***jd versäumt etw*** *akk* nicht nutzen *eine Gelegenheit ~*

• **ver·schie·den** [fɛɐ̯ˈʃiːdn̩] <verschiedener, verschiedenst-> *adj* **1.** (↔*gleich*) unterschiedlich *~e Meinungen vertreten, ~ sein* **2.** mehrere, einige *Ich habe schon ~e Bewerbungen geschrieben.*

ver·schla·fen[1] <verschläft, verschlief, verschlafen> **I.** *tr (umg)* K ***jd verschläft etw*** *akk* vergessen *einen Termin ~* **II.** *itr* zu lange schlafen und deshalb etw verpassen *Entschuldigung, dass ich zu spät komme! Ich habe ~.*

ver·schla·fen[2] **I.** *part perf von* **verschlafen** **II.** *adj* **1.** noch nicht richtig wach, gerade erst aufgewacht *noch sehr ~ aussehen, ~e Augen haben* **2.** langweilig *ein ~es Dorf*

• **ver·schlech·tern** [fɛɐ̯ˈʃlɛçtɐn] <verschlechtert, verschlechterte, verschlechtert> *refl* K ***etw/jd verschlechtert sich*** *akk* (↔*verbessern*) schlechter werden *Der Schüler verschlechtert sich in Englisch., Ihr Gesundheitszustand verschlechterte sich von Tag zu Tag., In den letzten Tagen verschlechterte sich das Wetter.* ***Wobi: Verschlechterung***

ver·schlos·sen [fɛɐ̯ˈʃlɔsn̩] <verschlossener, verschlossenst-> *adj* **1.** zu, mit dem Schlüssel abgeschlossen *vor ~en Türen stehen* **2.** so, dass man wenig von sich erzählt *ein ~er Mensch*

Die Tür ist verschlossen.

ver·schlu·cken <verschluckt, verschluckte, verschluckt> **I.** *tr* K ***jd verschluckt etw*** *akk* etw hinunterschlucken, was man nicht schlucken wollte *seinen Kaugummi ~* **II.** *refl* K ***jd verschluckt sich*** *akk* so schlucken, dass man husten muss *Ich habe mich verschluckt.*

• **ver·schrei·ben** <verschreibt, verschrieb, verschrieben> **I.** *tr* MED K ***jd verschreibt** [jdm]* ***etw*** *akk* ein Rezept ausstellen, ein Medikament verordnen *Der Arzt hat mir Tabletten verschrieben.* **II.** *refl* K ***jd verschreibt sich*** *akk* (ohne Absicht) falsch schreiben *Da habe ich mich wohl verschrieben.*

ver·schul·det <-, -> *adj* so, dass man Schulden hat *Sie ist hoch ~.*

ver·schwand *prät von* **verschwinden**

ver·schwen·den [fɛɐ̯ˈʃvɛndn̩] <verschwendet, verschwendete, verschwendet> *tr* K ***jd verschwendet etw*** *akk* sinnlos verbrauchen *Geld ~*

ver·schwin·den <verschwindet, verschwand, verschwunden> *itr* <*sein*> **1.** weggehen, sich entfernen *Verschwinde!* **2.** verloren gehen *Meine Uhr ist verschwunden.;* **~d klein** sehr klein *eine ~d kleine Chance*

ver·schwụn·den *part perf von* **verschwinden**

• **ver·sị·chern** <versichert, versicherte, versichert> **I.** *tr* **1.** [K] ***jd versichert** [jdm]* ***etw*** *akk* bestätigen, versprechen *Er versicherte mir, pünktlich zu kommen.* **2.** [K] ***jd versichert etw*** *akk* etw durch eine Versicherung schützen *sein Haus ~* **II.** *refl* [K] ***jd versichert sich*** *akk*, ***dass …*** nachprüfen, ob etw wirklich so ist, wie man denkt *Er versicherte sich, dass alle Türen verschlossen waren.*

• **Ver·sị·cher·ten·kar·te** <-, -n> *die* Ausweiskarte, die zeigt, dass man krankenversichert ist, und die man beim Arzt vorlegt *Haben Sie Ihre ~ dabei?*

• **Ver·sị·che·rung** <-, -en> *die* Vertrag darüber, dass eine Firma gegen eine regelmäßige Zahlung die Kosten übernimmt, wenn man einen Schaden verursacht hat bzw. zu Schaden kommt *eine ~ abschließen* ***Komp:*** *Haftpflicht-, Lebens-, Unfall-, -sgesellschaft*

ver·sö̱h·nen [fɛɐ̯ˈzøːnən] <versöhnt, versöhnte, versöhnt> *refl* [K] ***jd versöhnt sich*** *akk [mit jdm]* einen Streit beenden *Wir haben uns wieder versöhnt.*

ver·sọr·gen <versorgt, versorgte, versorgt> **I.** *tr* **1.** [K] ***jd versorgt jdn/etw*** *akk* sich kümmern um, für das Notwendigste sorgen *das Baby ~, die Blumen ~* **2.** [K] ***jd versorgt jdn/etw*** *akk [mit etw dat]* jdm etw bringen *das Geschäft mit Lebensmitteln ~, den Journalisten mit Informationen ~* **II.** *refl* [K] ***jd versorgt sich*** *akk [mit etw dat]* sich darum kümmern, dass etw da ist *Wir ~ uns selbst mit Getränken.* ***Wobi:*** *Versorgung*

• **ver·spä̱·ten** [fɛɐ̯ˈʃpɛːtn̩] <verspätet, verspätete, verspätet> *refl* [K] ***jd verspätet sich*** *akk* jd kommt zu spät zu etw *Ich habe mich verspätet.*

• **Ver·spä̱·tung** <-, -en> *die* Ankunft zu einem späteren Zeitpunkt als angekündigt *Der Zug traf mit fünf Minuten ~ ein., Alle Züge haben ~.* ***Wobi:*** *verspätet*

ver·spọt·ten <verspottet, verspottete, verspottet> *tr* [K] ***jd verspottet jdn/etw*** *akk* sich über jdn/etw lustig machen *eine ältere Dame ~*

• **ver·sprẹ·chen** <verspricht, versprach, versprochen> **I.** *tr* [K] ***jd verspricht** [jdm]* ***etw*** *akk* fest zusagen; jdm sagen, dass man etw sicher tun wird *Treue/Liebe ~, Ich verspreche dir, die Sache morgen zu erledigen.* **II.** *refl* **1.** [K] ***jd verspricht sich*** *dat* ***etw*** *akk* ***von jdm/etw*** *dat* erwarten *Davon verspreche ich mir nichts!* **2.** [K] ***jd verspricht sich*** *akk* ohne Absicht etw falsch sagen *Verzeihung, ich habe mich versprochen.*

Ver·stạnd [fɛɐ̯ˈʃtant] <-(e)s> *kein pl der* Intellekt, Denkfähigkeit, Vernunft *seinen ~ benutzen;* **ein scharfer ~** sehr klares und genaues Denken *Er hat einen scharfen ~.;* **den ~ verlieren** unüberlegt handeln *Hast du denn den ~ verloren?;* **mehr Glück als ~ haben** *(umg)* sehr viel Glück haben *Bei dem Unfall hatte sie mehr Glück als ~.*

ver·stạ̈n·di·gen [fɛɐ̯ˈʃtɛndɪgn̩] <verständigt, verständigte, verständigt> **I.** *tr* [K] ***jd verständigt jdn** [über etw akk]* informieren *die Eltern über den Unfall ~* **II.** *refl* **1.** *(geh)* [K] ***jd verständigt sich*** *akk [mit jdm]* sich unterhalten *Sie konnten sich gut auf Deutsch ~.* **2.** [K] ***jd verständigt sich*** *akk [mit jdm] [über etw akk]* gemeinsam einen Weg/eine Lösung/… finden *sich über das* *weitere Vorgehen ~* ***Wobi:*** *Verständigung*

ver·stän·dlich [fɛɐ̯ˈʃtɛntlɪç] <verständlicher, verständlichst-> *adj* **1.** so, dass man es verstehen kann *eine leicht ~e Erklärung* **2.** hörbar *durch den Lärm nicht ~ sein;* **jdm etw ~ machen** jdm etw erklären *die Gründe für eine Entscheidung ~ machen;* **sich ~ machen** so sprechen, dass man den Sinn versteht *Sie hat sich mit Händen und Füßen ~ gemacht.* ***Wobi:*** *Verständlichkeit*

• **Ver·ständ·nis** [fɛɐ̯ˈʃtɛntnɪs] <-ses> *kein pl das* das Verstehen *bei jdm ~ suchen, ~ zeigen, Dafür habe ich kein ~.*

• **ver·ste·cken** <versteckt, versteckte, versteckt> **I.** *tr* [K] *jd versteckt etw akk [vor jdm]* etw an einen geheimen Ort bringen *Was versteckst du vor mir?, Er hat etw in seiner Tasche versteckt.* **II.** *refl* [K] *jd versteckt sich [vor jdm] akk* sich an einer Stelle/einem Ort aufhalten, wo man nicht leicht zu finden ist *Der Dieb hat sich versteckt.*

• **ver·ste·hen** <versteht, verstand, verstanden> **I.** *tr* **1.** [K] *jd versteht etw akk* den Sinn erfassen *ein Buch ~, Das kann ich nicht ~.* **2.** [K] *jd versteht jdn/etw akk* hören können *Ich kann dich gut ~. Du musst nicht so laut reden., Ruhe, sonst kann ich nichts ~!* **3.** deuten, interpretieren *Was verstehst du darunter?, Wie ~ Sie seine Bemerkungen?* **4.** [K] *jd versteht jdn* sich in jds Lage/Situation versetzen, mitfühlen *Ich kann sie gut ~. Ich würde es ähnlich machen.* **5.** [K] *jd versteht etw akk von etw dat* etw gut können *etw von Technik ~, nichts von klassischer Musik ~* **II.** *refl* [K] *jd versteht sich akk [irgendwie] [mit jdm]* mit jdm auskommen *Ich verstehe mich prima/schlecht/überhaupt nicht mit meinem neuen Kollegen.;* **etw versteht sich von selbst** etw ist von ohne Erklärung klar *Das versteht sich doch von selbst.*

ver·steu·ern <versteuert, versteuerte, versteuert> *tr* [K] *jd versteuert etw akk* Steuern für etw zahlen *sein Einkommen ~* ***Wobi:*** *Versteuerung*

• **Ver·such** [fɛɐ̯ˈzuːx] <-(e)s, -e> *der* Probe, Experiment *einen ~ machen, der erste ~, Es ist einen ~ wert., Er unternahm keinen ~, uns zu helfen.*

• **ver·su·chen** <versucht, versuchte, versucht> *tr* **1.** [K] *jd versucht, etw akk zu tun* (≈*probieren*) sich bemühen *Er versuchte, sie telefonisch zu erreichen., Versuch doch wenigstens, mich zu verstehen!* **2.** [K] *jd versucht, etw akk zu tun* (≈*ausprobieren*) etw tun, um zu sehen, ob man es kann *~ zu malen*

ver·tau·schen <vertauscht, vertauschte, vertauscht> *tr* [K] *jd vertauscht etw akk* verwechseln *Wir haben unsere Gläser vertauscht., die Regenschirme ~*

ver·tei·di·gen [fɛɐ̯ˈtaidɪgn̩] <verteidigt, verteidigte, verteidigt> *tr* **1.** [K] *jd verteidigt jdn/etw akk* (auch militärisch) gegen Angriffe schützen, in Schutz nehmen *seine Heimat ~, seine Meinung ~* **2.** [K] *jd verteidigt jdn* jdn vor Gericht vertreten *Die Anwältin verteidigt den Angeklagten.* **3.** [K] *jd verteidigt sich akk [mit etw dat] [gegen etw akk]* sich rechtfertigen, für seine Meinung/Position streiten *sich mit Argumenten gegen die Vorwürfe ~* ***Wobi:*** *Verteidigung*

Ver·tei·di·ger(in) <-, -> *der* Jurist, der den Angeklagten vor Gericht vertritt *Er ist mein ~.* ***Komp: Pflicht-***

• **ver·tei·len** <verteilt, verteilte, verteilt> *tr* [K] ***jd verteilt etw*** *akk* [***an jdn***] etw an mehrere Leute weitergeben *Prospekte ~, Bonbons an die Kinder ~*

ver·tip·pen <vertippt, vertippte, vertippt> *refl* [K] ***jd vertippt sich*** *akk* sich auf der Schreibmaschine/am Computer verschreiben *Ich habe mich schon wieder vertippt!*

• **Ver·trag** [fɛɐ̯'tra:k] <-(e)s, -träge> *der* durch Unterschrift gültige Vereinbarung, Abkommen *mit jdm einen ~ abschließen* ***Komp: Arbeits-, Friedens-***

ver·tra·gen <verträgt, vertrug, vertragen> **I.** *tr* **1.** [K] ***jd verträgt etw*** *akk* ertragen, aushalten *Dieses Regenwetter kann ich nicht ~!, keinen Alkohol ~;* **jd kann viel** ~ jd kann viel Alkohol trinken, ohne betrunken zu werden *Er kann viel ~.* **2.** (CH) [K] ***jd verträgt etw*** *akk* austragen, verteilen *Post ~* **II.** *refl* [K] ***jd verträgt sich*** *akk* ***irgendwie*** [***mit jdm***] sich mit jdm verstehen, sich nicht streiten *Sie ~ sich gut., Sie haben sich wieder ~.*

ver·trag·lich [fɛɐ̯'tra:klɪç] <-, -> *adj* auf der Grundlage eines Vertrages *eine ~e Abmachung einhalten, Wir sollten die Sache ~ regeln.*

• **Ver·trau·en** <-s> *kein pl das* fester Glaube an jds Treue/Zuverlässigkeit/Verantwortungsgefühl *jds ~ besitzen, Ich habe volles ~ zu ihm., Ich habe kein ~ in das Auto.;* **jdn ins ~ ziehen** jdm von einer (geheimen) Sache erzählen *Ich habe sie ins ~ gezogen.;* **ein ~ erweckender Mensch** ein Mensch, der so wirkt, als ob man ihm vertrauen könnte *Er ist ein ~ erweckender Mensch.* ***Komp: -sbruch, -ssache***

ver·trau·en <vertraut, vertraute, vertraut> *itr* [K] ***jd vertraut jdm*** das sichere Gefühl haben, dass jd in einer bestimmten Weise handelt *Ich vertraue ihm.*

ver·trau·lich <vertraulicher, vertraulichst-> *adj* geheim, nicht für die Öffentlichkeit bestimmt *eine ~e Angelegenheit, eine Sache ~ behandeln*

ver·trei·ben <vertreibt, vertrieb, vertrieben> *tr* **1.** [K] ***jd vertreibt jdn*** fortschicken, zum Gehen auffordern *die Zivilbevölkerung ~, die Vögel von den Beeren ~* **2.** [K] ***jd vertreibt etw*** *akk* verkaufen *Papierwaren ~;* **sich die Zeit** (**mit etw**) ~ sich mit etw beschäftigen *Ich habe mir die Zeit mit Lesen vertrieben.;* **jdm die Zeit** ~ jdn unterhalten *Sie hat mir die Zeit vertrieben.*

• **ver·tre·ten** <vertritt, vertrat, vertreten> *tr* **1.** [K] ***jd vertritt jdn/etw*** *akk* sich für jdn/etw einsetzen *die Meinung ~, dass …, jdn vor Gericht ~* **2.** [K] ***jd vertritt jdn*** für eine Zeit die Arbeit von jdm machen *Herr Meier vertritt heute die kranke Lehrerin.;* **sich die Beine** ~ *(umg)* ein bisschen herumlaufen *Ich muss mir mal die Beine ~.*

• **Ver·tre·ter(in)** <-s, -> *der* **1.** Mitarbeiter, der die Kunden besucht *Er ist ~ einer großen Versicherung.* **2.** jd, der für eine Zeit die Arbeit von jdm macht *Sie ist die ~in der Direktorin.* ***Wobi: Vertretung***

Ver·trieb [fɛɐ̯'tri:p] <-(e)s, -e> *der* **1.** Verkauf *der ~ von Autos* **2.** Verkaufsabteilung einer Firma *im ~ arbeiten* ***Wobi: -sleiter***

ver·trock·nen <vertrocknet, vertrocknete, vertrocknet> *itr* <sein> kaputt gehen, weil kein Wasser da ist *Du hast die Pflanzen nicht gegossen! Sie sind alle vertrocknet.*

Die Pflanze ist vertrocknet.

ver·un·fal·len <verunfallt, verunfallte, verunfallt> *itr* <*sein*> (CH) bei einem Unfall schwer verletzt oder getötet werden *auf der Autobahn ~*

ver·un·glü·cken <verunglückt, verunglückte, verunglückt> *itr* <*sein*> **1.** (= CH *verunfallen*) durch einen Unfall zu Schaden/ums Leben kommen *bei einem Verkehrsunfall ~, mit dem Flugzeug ~, tödlich ~* **2.** *(umg)* nicht gelingen *Der Kuchen ist mir verunglückt.*

ver·un·si·chern [fɛɐ̯ˈʔʊnzɪçɐn] <verunsichert, verunsicherte, verunsichert> *tr* K ***jd/etw verunsichert jdn*** unsicher machen *Ihr Blick hat mich verunsichert.*

• **ver·ur·sa·chen** [fɛɐ̯ˈʔuːɐ̯zaxn̩] <verursacht, verursachte, verursacht> *tr* K ***jd/etw verursacht etw*** *akk* die Ursache/der Grund für etw sein *Das Medikament verursacht Magenbeschwerden., einen Unfall ~*

• **ver·ur·tei·len** <verurteilt, verurteilte, verurteilt> *tr* **1.** K ***jd verurteilt jdn/etw*** *akk* ablehnen *Unehrlichkeit ~* **2.** K ***jd verurteilt jdn*** [***zu etw*** *dat*] ein Gerichtsurteil sprechen *den Dieb zu einer Haftstrafe ~* ***Wobi:*** *Verurteilung*

ver·viel·fäl·ti·gen [fɛɐ̯ˈfiːlfɛltɪɡn̩] <vervielfältigt, vervielfältigte, vervielfältigt> *tr* K ***jd vervielfältigt etw*** *akk* kopieren, mehr als ein Exemplar herstellen *ein Poster ~* ***Wobi:*** *Vervielfältigung*

ver·voll·stän·di·gen [fɛɐ̯ˈfɔlʃtɛndɪɡn̩] <vervollständigt, vervollständigte, vervollständigt> *tr* K ***jd vervollständigt etw*** *akk* so ergänzen, dass es vollständig ist *die Briefmarkensammlung ~* ***Wobi:*** *Vervollständigung*

ver·wäh·len <verwählt, verwählte, verwählt> *refl* TELKOM K ***jd verwählt sich*** *akk* eine falsche Telefonnummer wählen *Verzeihung, ich habe mich verwählt!*

ver·wal·ten <verwaltet, verwaltete, verwaltet> *tr* K ***jd verwaltet etw*** *akk* alle notwendigen Arbeiten erledigen *ein Haus ~*

• **Ver·wal·tung** <-, -en> *die* **1.** Behörde, Firmenleitung *in der ~ tätig sein* **2.** das Organisieren, das Verwalten *eine aufwändige ~, Ich bin für die ~ zuständig.* ***Komp:*** *-sangelegenheiten, -sapparat, -sausschuss, -sbeamte(r)*

• **ver·wandt** [fɛɐ̯ˈvant] <-, -> **I.** *part perf von* **verwenden II.** *adj* aus der gleichen Familie *Wir sind miteinander ~.* ***Wobi:*** *Verwandtschaft, verwandtschaftlich*

• **Ver·wand·te(r)** <-n, -n> *der/die* Mitglied der Familie *Ich treffe meine ~n immer zu Weihnachten.*

• **ver·wech·seln** <verwechselt, verwechselte, verwechselt> *tr* K ***jd verwechselt jdn/etw*** *akk* [***mit jdm/etw*** *dat*] irrtümlich das eine für das andere halten, jdn für eine andere Person halten *Am Telefon habe ich die Mutter mit der Tochter verwechselt.* ***Wobi:*** *Verwechslung*

ver·wei·gern <verweigert, verweigerte, verweigert> *tr* K ***jd verweigert*** [***jdm***] ***etw*** *akk* jdm etw nicht geben, obwohl es erwartet wird *jdm Hilfe ~, jdm die Antwort ~, den Wehrdienst ~*

Ver·weis [fɛɐ̯ˈvai̯s] <-es, -e> *der* **1.** offizielle Ankündigung/Androhung einer Strafe *einen ~ erhalten, jdm einen ~ erteilen* **2.** schriftlicher Hinweis *ein ~ auf einen anderen Aufsatz zu diesem Thema*

ver·wel·ken <verwelkt, verwelkte, verwelkt> *itr* <*sein*> auf-

V

hören zu blühen *Die Rosen ~ schon.*

- **ver·wẹn·den** <verwendet, verwendete/verwandte, verwendet/verwandt> *tr* [K] ***jd verwendet etw*** *akk* [***zu etw*** *dat*] benutzen *ein Wörterbuch ~* ***Wobi: Verwendung***

ver·wị·ckeln <verwickelt, verwickelte, verwickelt> **I.** *tr* [K] ***jd verwickelt jdn*** [***in etw*** *akk*] jdn in etw hineinziehen, obwohl er es nicht will *jdn in ein Gespräch ~* **II.** *refl* [K] ***jd verwickelt sich*** *akk* [***in etw*** *akk*] hineingeraten *sich in Widersprüche ~*

ver·wịn·kelt <verwinkelter, -> *adj* nicht gerade, klein und sehr eng *~e Straßen und Gassen*

ver·wịrk·li·chen [fɛɐ̯ˈvɪrklɪçn̩] <verwirklicht, verwirklichte, verwirklicht> **I.** *tr* [K] ***jd verwirklicht etw*** *akk* (*≈realisieren*) Wirklichkeit werden lassen *seine Träume ~* **II.** *refl* [K] ***etw verwirklicht sich*** in Erfüllung gehen *Meine Wünsche haben sich verwirklicht.* ***Wobi: Verwirklichung***

ver·wịr·ren [fɛɐ̯ˈvɪrən] <verwirrt, verwirrte, verwirrt> *tr* [K] ***jd/etw verwirrt jdn/etw*** *akk* jdn durcheinander bringen *Die Gebrauchsanleitung ist nicht einfach, sie verwirrt mich eher.*

ver·wịrrt <verwirrter, verwirrtest-> *adj* durcheinander *Ich weiß nicht mehr, was ich glauben soll. Ich bin völlig ~.*

- **ver·wịt·wet** [fɛɐ̯ˈvɪtvət] <-, -> *adj* so, dass der Ehemann/die Ehefrau gestorben ist *Sie ist mit 43 schon ~.*

ver·wöh·nen [fɛɐ̯ˈvøːnən] <verwöhnt, verwöhnte, verwöhnt> *tr* [K] ***jd verwöhnt jdn*** jdm viel Gutes tun, jeden Wunsch von jdm erfüllen *Sie verwöhnt ihren Sohn.*

ver·wöhnt <verwöhnter, verwöhntest-> **I.** *part perf von* **verwöhnen** **II.** *adj* (*pej*) so, dass man jeden Wunsch erfüllt bekommt *ein sehr ~es Kind*

ver·wụn·den <verwundet, verwundete, verwundet> *itr* mit einer Waffe verletzen *In dem Kampf wurden zahlreiche Personen verwundet.*

ver·wụn·det <-, -> *adj* durch eine Waffe verletzt *leicht/schwer ~ sein* ***Wobi: Verwundete(r), Verwundung***

ver·wüs·ten <verwüstet, verwüstete, verwüstet> *tr* [K] ***jd/etw verwüstet etw*** *akk* zerstören, kaputt machen *Der Sturm hat diese Gegend völlig verwüstet.*

Ver·zeich·nis <-ses, -se> *das* **1.** Liste, Register *alle Waren in einem ~ aufführen, In diesem ~ finden Sie alle Buchtitel des Verlages.* **2.** DV bestimmter Ort, an dem man im Computer Daten speichert *ein ~ erstellen/löschen* ***Komp: Inhalts-***

- **ver·zei·hen** [fɛɐ̯ˈtsaiən] <verzeiht, verzieh, verziehen> *tr* **1.** [K] ***jd verzeiht jdm*** [***etw*** *akk*] jdm nicht mehr böse sein *Bitte verzeih mir.* **2.** (*≈entschuldigen*) entschuldigen *V~ Sie, wie komme ich hier zur Straßenbahn?*

- **Ver·zei·hung** <-> *kein pl die* (*≈Entschuldigung*) **jdn um ~ bitten** jdn bitten, dass er/sie wegen etw nicht mehr böse sein soll *Ich möchte dich um ~ bitten, ich habe es nicht böse gemeint.;* **~!** verwendet, um einen Fremden anzusprechen; Entschuldigung! *~! Können Sie mir sagen, wie spät es ist?*

ver·zịch·ten [fɛɐ̯ˈtsɪçtn̩] <verzichtet, verzichtete, verzichtet> *itr* etw, das man gerne hätte/tun würde, nicht nehmen/tun *auf seine*

Erbschaft ~, Darauf kann ich gut ~! ***Wobi:*** *Verzicht*

ver·zieh *prät von* **verzeihen**

ver·zie·hen *part perf von* **verzeihen**

ver·zie·ren <verziert, verzierte, verziert> *tr* K ***jd verziert etw*** *akk* etw z. B. mit einem Muster schöner machen *eine Bluse mit Stickereien ~*

ver·zin·sen <verzinst, verzinste, verzinst> *tr* K ***jd verzinst etw*** *akk* Zinsen zahlen *ein Guthaben mit 5% ~*

ver·zö·gern <verzögert, verzögerte, verzögert> *refl* K ***etw verzögert sich*** später anfangen als erwartet *Der Beginn des Spiels verzögert sich wegen des Regens., Die Ankunft des Zuges verzögert sich um wenige Minuten.*

ver·zol·len <verzollt, verzollte, verzollt> *tr* K ***jd verzollt etw*** *akk* Zoll zahlen, für bestimmte Güter an der Grenze einen Geldbetrag zahlen *Haben Sie etw zu ~?*

ver·zwei·feln <verzweifelt, verzweifelte, verzweifelt> *itr* *<sein>* die Hoffnung verlieren *an einer Aufgabe ~, Es ist zum V~!*

Ver·zweif·lung <-> *kein pl die* Zustand, in dem man sehr traurig ist, weil man glaubt, dass es keine Hoffnung mehr gibt *etw aus ~ tun* ***Komp:*** *-stat*

Ve·te·ri·när [veteri'nɛːɐ̯] <-s, -e> *der* Tierarzt *mit dem Hund zum ~ gehen*

Ve·to ['veːto] <-s, -s> *das* Einspruch *sein ~ gegen etw einlegen* ***Komp:*** *-recht*

via ['viːa] *präp +akk* durch, über *nach Salzburg ~ München fahren*

• **Vi·de·o·ge·rät** <-(e)s, -e> *das* (≈ *Videoapparat, Videorekorder*) Gerät zum Abspielen von Videofilmen *Das ~ ist kaputt.*

• **Vieh** [fiː] <-(e)s> *kein pl das* Bezeichnung für Nutztiere (Schweine, Rinder, Schafe etc.) *~ züchten, ~ schlachten, 20 Stück ~ haben* ***Komp:*** *-futter, -händler, -zucht*

• **viel** [fiːl] <mehr, meist-> *pron* eine große Menge/Anzahl von *~e Freunde haben, Dafür brauche ich ~ Hilfe., V~ Glück!, Er wünschte ihr ~ Glück für die Prüfungen., V~en Dank für die Blumen!;* **ein bisschen ~** verwendet, um auszudrücken, dass man schon genug hat *Das ist ein bisschen ~!;* **noch einmal so ~** die doppelte Menge *Ich möchte bitte noch einmal so ~ davon!;* **sich nicht ~ aus jdm/etw machen** jdn/etw nicht besonders mögen *Sie macht sich nicht ~ aus Kuchen.;* **so ~** verwendet, um eine bestimmte Menge auszudrücken *So ~ für heute!, so ~ essen, wie man will;* **wie ~** verwendet, um nach einer Menge zu fragen *Für wie ~e Personen?, Wie ~ kostet das?;* **zu ~** mehr, als notwendig/gewünscht ist *zu ~ essen*

viel·fach ['fiːlfax] <-, -> *adj* so, dass etw mehrmals vorhanden ist oder sich mehrmals wiederholt *Er ist ~er Millionär.*

• **viel·leicht**[1] [fi'laiçt] *adv* eventuell, nicht sicher *V~ sehen wir uns morgen.*

• **viel·leicht**[2] [fi'laiçt] *PART* **1.** verwendet, um jdn höflich um etw zu bitten *Könnten Sie mir ~ sagen, wie man hier zum Hauptbahnhof kommt?* **2.** verwendet, um eine Aussage zu betonen *Das ist ~ ein unfreundlicher Typ!* **3.** verwendet, um auszudrücken, dass man ärgerlich und ungeduldig ist *Also, ~ bist du jetzt bald fertig, wie lange dauert das denn noch?*

• **vier** ['fiːɐ̯] *num* die Zahl 4 *Wir haben ~ Kinder.*

Vier·tel ['fɪrtl̩] <-s, -> *das* **1.** der vierte Teil von einem Ganzen *Ein ~ der Ferien ist vorbei.* **2.** Stadtteil *in einem vornehmen ~ wohnen;* **~ nach/vor ...** eine Viertelstunde nach/vor der genannten Uhrzeit *Es ist ~ nach zwölf.*

vier·tel ['fɪrtl̩] <-, -> *adj* bezeichnet den vierten Teil einer Menge *beim Kellner einen ~ Liter Weißwein bestellen, Es ist drei ~ zwei.*

vier·tel·jähr·lich ['fɪrtl̩jɛːɐ̯lɪç] <-, -> *adj* jeden dritten Monat *Wir treffen uns ~., eine ~ erscheinende Zeitschrift*

Vier·tel·stun·de [fɪrtl̩'ʃtʊndə] <-, -n> *die* ein Zeitraum von 15 Minuten *In einer ~ bin ich bei dir!* ***Wobi:* *viertelstündlich***

Vil·la ['vɪla] <-, -len> *die* großes, sehr teures Wohnhaus *in einer ~ leben*

Villa

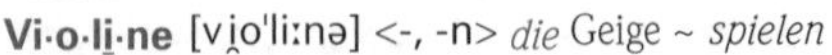

Vi·o·li·ne [vi̯o'liːnə] <-, -n> *die* Geige *~ spielen*

Vi·rus ['viːrʊs] <-, -ren> *das/der* sehr kleines Teilchen, das ansteckende Krankheiten überträgt *an einem ~ erkranken, Der AIDS-~ ist sehr gefährlich.* ***Komp:* *-krankheit, Grippe-***

• **vis-a-vis** [viza'viː] *adv* (CH, SD) *siehe* **gegenüber**

Vi·si·te [vi'ziːtə] <-, -n> *die* Besuch des Arztes bei den Patienten im Krankenhaus *~ machen, Ist gerade ~?*

Vi·si·ten·kar·te <-, -n> *die* kleine Karte, auf der Name, Adresse, Telefon-/Faxnummer, E-Mail-Adresse etc. stehen und die man z.B. Geschäftspartnern gibt *Ich habe seine ~ bekommen.*

Vi·sit·kar·te <-, -n> *die* (ÖSTERR) *siehe* **Visitenkarte**

• **Vi·sum** ['viːzʊm] <-s, Visa/(Visen)> *das* schriftliche Erlaubnis, in ein fremdes Land zu reisen *ein ~ für die USA beantragen* ***Komp:* *Touristen-, Transit-***

Vi·ta·min [vita'miːn] <-s/(-), -e> *das* besonders gesunder Stoff in Nahrungsmitteln *Äpfel haben viele ~e.;* **~ B** *(umg)* gute Beziehungen *eine Stelle durch ~ B bekommen* ***Komp:* *-mangel***

• **Vo·gel** ['foːgl̩] <-s, Vögel> *der* Tier, das fliegen kann *im Winter die Vögel füttern;* **einen ~ haben** (*umg!*) ein bisschen verrückt sein *Du hast wohl einen ~!;* **jdm den ~ zeigen** mit dem Finger an die Stirn zeigen, um auszudrücken, dass man den anderen für verrückt hält *Sie zeigte ihm einen ~.*

Vo·ka·bel [vo'kaːbl̩] <-, -n> *die* Wort in einer Fremdsprache *~n lernen*

• **Volk** [fɔlk] <-(e)s, Völker> *das* **1.** eine große Gruppe von Menschen mit gemeinsamer Sprache, Kultur und Geschichte *das litauische/deutsche/chinesische/... ~, die europäischen Völker* **2.** alle Bürger eines Landes *Der Politiker ist beim ~ beliebt.* **3.** (*pej*) eine bestimmte Gruppe von Menschen *Das ist ein komisches/übles ~!;* **das einfache ~** die Angehörigen der unteren sozialen Schichten *mit dem einfachen ~ reden;* **ein ~ für sich sein** besondere Eigenarten haben *Sie sind ein ~ für sich.*

Volks·be·fra·gung <-, -en> *die* (≈*Referendum*) Umfrage unter den Bürgern zu einem bestimmten politischen Thema *eine ~ durchführen*

• **Volks·schu·le** <-, -en> *die* (ÖSTERR) Schule für die ersten vier Schuljahre *zur ~ gehen*

Volks·hoch·schu·le <-, -n> *die* Schule für Erwachsene *an der ~ einen Computerkurs belegen*

Volkshochschule
Zwischen 1950 und 1960 entstanden die Volkshochschulen als autonome öffentliche Weiterbildungsinstitutionen. Ihr Angebot reicht von Computer- über Sprachkurse bis zu Philosophie- und Tanzkursen. Immer mehr Kurse werden als Berufsweiterbildung anerkannt.

• **voll** [fɔl] <-, -> *adj* **1.** (*↔leer*) gefüllt *eine ~e Milchflasche, Der Raum ist ~ von Menschen., Mit ~em Mund spricht man nicht!* **2.** ganz, vollständig *die ~e Summe zahlen, die ~e Wahrheit sagen, mit ~em Namen unterschreiben* **3.** *(umg)* betrunken *Er ist total ~.;* **jdn (nicht) für ~ nehmen** jdn (nicht) ernst nehmen *Die Mitschüler nahmen ihn anfangs nicht für ~.;* **den Mund ~ nehmen** *(umg)* übertreiben *Nimm den Mund nicht so ~!;* **~ dahinter stehen** von etw/jdm total überzeugt sein *Ich stehe ~ dahinter.* ***Komp: -automatisch, halb-, hoffnungs-, sorgen-***

Voll·bad <-(e)s, -bäder> *das* das Baden in der Badewanne *gern ein ~ nehmen*

Voll·be·schäf·ti·gung <-> *kein pl die* Arbeitsmarkt ohne Arbeitslose *für ~ kämpfen*

• **völ·lig** ['fœlɪç] <-, -> *adj* ganz, total, vollständig *~er Blödsinn!, Das halte ich für ~ ausgeschlossen.*

voll·jäh·rig ['fɔljɛːrɪç] <-, -> *adj* erwachsen *Mit 18 ist man ~.*

volljährig
Volljährig und damit wahlberechtigt ist man in der Schweiz und in Deutschland mit 18, in Österreich mit 19 Jahren.

voll·kom·men [fɔl'kɔmən/'fɔlkɔmən] <vollkommener, vollkommenst-> *adj* **1.** (Betonung auf der zweiten Silbe) ohne Fehler, perfekt *Niemand ist ~.* **2.** (Betonung auf der ersten Silbe) völlig *~ erstaunt sein* ***Wobi:*** *Vollkommenheit*

Voll·macht ['fɔlmaxt] <-, -en> *die* offizielle Erlaubnis, an jds Stelle etw zu tun/zu erhalten *jdm eine ~ ausstellen/erteilen*

• **Voll·milch** <-> *kein pl die* Milch mit 3,5 Prozent Fett *Die Kinder trinken jeden Morgen ein Glas ~.*

• **Voll·mond** <-(e)s> *kein pl der* der Mond, wenn er als runde Scheibe zu sehen ist *bei ~ unruhig schlafen*

Voll·pen·si·on <-> *kein pl die* Unterkunft mit Frühstück, Mittag- und Abendessen *ein Hotel mit ~ buchen*

voll·schlank <-, -> *adj* höflicher Ausdruck für ‚dick' *eine ~e Frau*

voll·stän·dig [fɔlʃtɛndɪç] <-, -> *adj* völlig, ganz *die Aufgabe ~ lösen* ***Wobi:*** *Vollständigkeit*

voll·stre·cken [fɔl'ʃtrɛkn̩] <vollstreckt, vollstreckte, vollstreckt> *tr* [K] *jd vollstreckt etw akk* durchführen, ausführen *ein Urteil ~*

• **voll·ver·si·chert** <-, -> *adj* so, dass die Versicherung den gesamten Schaden bezahlt *Sind Sie ~ oder teilversichert?*

voll·zäh·lig ['fɔlt͡sɛːlɪç] <-, -> *adj* alle, ohne Ausnahme *Wir sind ~ erschienen.*

Vo·lon·tär(in) [volɔn'tɛːɐ̯] <-s, -e> *der* jd, der z. B. bei einer Zeitung oder beim Fernsehen eine Lehre (Volontariat) macht *als ~ in einer Redaktion arbeiten* ***Wobi:*** *Volontariat*

Vo·lu·men [vo'luːmən] <-s, -/-mina> *das* Rauminhalt eines Gegenstandes *Der Topf hat ein ~ von einem Liter.*

• **von** [fɔn] *präp* **1.** *+dat* antwortet auf die Frage ‚wem'/‚wessen?' *ein Geschenk ~ der Mutter, ein Stück ~ der Torte, ein Freund ~ mir* **2.** *+dat* antwortet auf die Frage ‚woher?' *~ Nord nach Süd* **3.** *+dat* antwortet auf die Frage ‚ab wann?' *~ Montag bis Freitag arbeiten, ~ 12 bis 14 Uhr geschlossen haben, V~ heute an rauche ich nicht mehr.* **4.** *+dat* verwendet zur Bezeichnung einer Qualität, einer Größe oder eines Gewichtes *~ hoher Intelligenz sein, ein Brett ~ 2 m Länge, ein Paket ~ 2 kg;* **V~ wegen!** *(umg)* Das stimmt gar nicht! *V~ wegen!*

Die Sache ist ganz anders.; **V~ mir aus!** Ich habe nichts dagegen! *V~ mir aus kannst du mitkommen!;* ~ **Zeit zu Zeit** ab und zu, manchmal *Wir sehen uns ~ Zeit zu Zeit.;* ~ **klein auf** seit der Kindheit *Sie ist ~ klein auf blind.*

vom [vɔm] = *von + dem; siehe* **von**

• **vor** [foːɐ̯] *präp* **1.** *+dat auf die Frage ‚wo?', + akk auf die Frage ‚wohin?'* an der/die Frontseite von etw *Das Auto steht ~ dem Haus., Er stellt sich ~ das Haus., sich ~ dem Kino treffen* **2.** *+dat* verwendet, um einen früheren Zeitpunkt zu beschreiben ~ *drei Jahren, Wir treffen uns nicht ~ drei Uhr., fünf Minuten ~ zehn* **3.** *+dat* verwendet, um die Ursache von etw anzugeben ~ *Freude weinen, ~ Aufregung zittern, ~ Schmerz schreien;* **nach wie** ~ jetzt immer noch *Ich höre diese Musik nach wie ~ am liebsten.;* ~ **allem** besonders *Beachten Sie ~ allem ...!*

Vor·a·bend ['foːɐ̯ʔaːbn̩t] <-s> *kein pl der* **1.** der Abend vor einem Ereignis *am ~ meines Geburtstags* **2.** der frühe Abend *im Fernsehen das ~programm gucken* ***Komp: -programm, -serie***

Vor·ah·nung <-, -en> *die* das intensive Gefühl, das etw (Negatives) passieren wird *eine böse ~ haben*

vo·ran [fo'ran] *adv* zuerst, als erster *Er marschierte allen ~.*

Vor·aus ['foːraus] **im V~** jetzt schon, vorher *im V~ zahlen, sich im V~ für etw bedanken*

• **vo·raus** [fo'raus] *adv* als erster, zuerst *Er ist schon ~!*

vorausgehen

vo·raus|ge·hen [fo'rausgeːən] <geht voraus, ging voraus, vorausgegangen> *itr* <*sein*> als erster irgendwohin gehen, vor den anderen hergehen *Sie ging voraus, und wir folgten ihr.*

vo·raus·ge·setzt *konj* wenn, angenommen *Wir gehen heute schwimmen, ~, es bleibt so heiß.*

vo·raus|schi·cken <schickt voraus, schickte voraus, vorausgeschickt> *tr* **1.** [K] ***jd schickt jdn/etw*** *akk* ***voraus*** jdn/etw irgenwohin schicken, bevor man selbst dorthin kommt *sein Gepäck ~* **2.** [K] ***jd schickt etw*** *akk* ***voraus*** etw sofort zu Beginn sagen *Ich muss gleich ~, dass ...*

vo·raus·seh·bar <-, -> *adj* so, dass man etw erwartet *Es war ~, dass alles so schlimm enden würde.*

vo·raus|set·zen <setzt voraus, setzte voraus, vorausgesetzt> *tr* [K] ***jd setzt etw*** *akk* ***voraus*** erwarten, dass es so ist *Pünktlichkeit setze ich selbstverständlich voraus.*

• **Vo·raus·set·zung** <-, -en> *die* **1.** Bedingung *Alle ~en dafür sind erfüllt., Unter der ~, dass* **2.** Erwartung *von falschen ~en ausgehen*

vo·raus·sicht·lich <-, -> *adj* wahrscheinlich *V~ habe ich keine Zeit zu kommen.*

• **vor·bei** [foːɐ̯'bai] *adv* **1.** so, dass man jdn/etw für ganz kurze Zeit neben sich hat *Hier ~, bitte!* **2.** vergangen *Es ist schon 8 Uhr ~., Das ist jetzt alles ~!*

vor·bei|fah·ren <fährt vorbei, fuhr vorbei, vorbeigefahren> *itr* <*sein*> neben jdm/etw herfahren, ohne anzuhalten *Er fuhr schnell an ihr vorbei., an einer Stadt ~*

vor·bei|ge·hen [foːɐ̯'baigeːən] <geht vorbei, ging vorbei, vorbeigegangen> *itr* <*sein*> **1.** neben jdm/etw hergehen, ohne anzuhalten *an einem Haus ~* **2.** aufhören *Der Schmerz geht sicher* *bald vorbei.;* **im V~** nur kurz *Ich habe sie nur im V~ gesehen.;* **bei jdm ~** jdn besuchen *Ich gehe später mal bei ihm vorbei.*

- **vor·bei|kom·men** <kommt vorbei, kam vorbei, vorbeigekommen> *itr* <*sein*> *(umg)* besuchen *Komm doch einfach mal vorbei!;* **an etw nicht ~** etw Unangenehmes tun müssen *Ich komme wohl nicht daran vorbei, ihn um Hilfe zu bitten.*

vor·bei|las·sen <lässt vorbei, ließ vorbei, vorbeigelassen> *tr* K *jd lässt jdn/etw akk vorbei* überholen lassen *ein Auto ~*

vor·bei|re·den <redet vorbei, redete vorbei, vorbeigeredet> *itr* **aneinander ~** reden, ohne zu verstehen, was der andere meint *Da haben wir wohl mal wieder aneinander vorbeigeredet.;* **an etw ~** über etw sprechen, ohne das Wesentliche zu treffen *am Thema ~*

- **vor|be·rei·ten** <bereitet vor, bereitete vor, vorbereitet> **I.** *tr* K *jd bereitet etw akk vor* im Voraus alles Notwendige für etw tun *ein Fest ~, Essen ~* **II.** *refl* K *jd bereitet sich akk [auf etw akk] vor* alles tun, was für ein späteres Ereignis notwendig ist *sich auf die Prüfungen ~* ***Wobi:** Vorbereitung*

vor|be·stel·len <bestellt vor, bestellte vor, vorbestellt> *tr* K *jd bestellt etw akk vor* reservieren, vorher bestellen *Theaterkarten ~, im Restaurant einen Tisch für zwei Personen ~*

vor·be·straft <-, -> *adj* so, dass man schon eine/mehrere gerichtliche Strafen erhalten hat *mehrfach ~ sein*

vor|beu·gen <beugt vor, beugte vor, vorgebeugt> **I.** *itr* K *jd beugt etw dat vor* sich vor etw schützen, bevor es eintrifft *einer Krankheit ~, einer Gefahr ~* **II.** *tr* K *jd beugt etw/sich akk vor* sich nach vorne bewegen *den Oberkörper ~, Sie beugt sich vor, um besser zu sehen.*

Vor·bild ['foːɐ̯bɪlt] <-(e)s, -er> *das* positives Beispiel *jdn als ~ haben, sich jdn zum ~ nehmen*

vor·bild·lich <vorbildlicher, vorbildlichst-> *adj* sehr gut; so, dass man als positives Beispiel dienen kann *eine ~e Schülerin*

- **vor·de·re(-r, -s)** ['fɔrdərə] <-, vorderst-> *adj* so, dass etw vorn ist *Im ~n Zugteil befindet sich der Speisewagen.*

Vor·der·grund <-(e)s> *kein pl der* (↔*Hintergrund*) das, was am nächsten liegt *Im ~ sehen Sie das Schloss, weiter hinten den Park.;* **sich in den ~ schieben** sich in den Mittelpunkt drängen *Sie schiebt sich immer in den ~.;* **im ~ stehen** besonders wichtig sein *Im ~ steht der Spaß an der Sache!*

Das Mädchen steht im Vordergrund.

vor·ei·lig ['foːɐ̯ʔailɪç] <-, -> *adj* so, dass es zu früh/nicht gut durchdacht ist *~e Schlüsse ziehen, Es war ~ von ihm, das zu versprechen.*

vor·ein·ge·nom·men ['foːɐ̯ʔaingənɔmən] <voreingenommener, voreingenommenst-> *adj* (↔*unvoreingenommen*) so, dass man Vorurteile hat *Sie ist ihm gegenüber ~.*

- **Vor·fahrt** ['foːɐ̯faːɐ̯t] <-> *kein pl die* das Recht, dass man zuerst fahren darf *an der Kreuzung die ~ beachten*

Vor·freu·de <-> *kein pl die* Freude über ein Ereignis in der Zukunft *~ ist die schönste Freude.*

vor|füh·ren <führt vor, führte vor, vorgeführt> *tr* K *jd führt [jdm] etw akk vor* aufführen, präsentieren *einen Film ~, dem Freund ein neues Kleid ~* ***Komp:** Vorführung*

Vor·gang <-(e)s, -gänge> *der* Ereignis, Ablauf *ein merkwürdiger ~*

vor|ge·ben <gibt vor, gab vor, vorgegeben> *tr* **1.** K ***jd gibt etw** akk **vor,*** K ***jd gibt vor, etw** akk **zu tun*** etw Falsches/Unwahres behaupten *Sie gab vor, eine Künstlerin zu sein.* **2.** K ***jd gibt** [**jdm**] **etw** akk **vor*** etw vorher festlegen *Der Zeitplan ist vorgegeben.*

vor|ge·hen <geht vor, ging vor, vorgegangen> *itr* <*sein*> **1.** nach vorn gehen *Die Lehrerin ging zur Tafel vor.* **2.** als Erster irgendwohin gehen und dort auf die anderen warten *Ich gehe schon mal vor.* **3.** wichtiger sein *Diese Sache geht vor.* **4.** geschehen, passieren *Was geht hier vor?* **5. eine Uhr geht vor** eine Uhr geht zu schnell *Meine Uhr geht schon wieder vor., Meine Uhr geht um drei Minuten ~ vor.*

• **vor·ges·tern** ['foːɐ̯gɛstɐn] *adv* der Tag vor gestern *Wir haben uns erst ~ gesehen.;* **von ~ sein** *(umg)* alt/unmodern sein *Das ist doch von ~!*

Vor·ha·ben ['foːɐ̯haːbn̩] <-s, -> *das* Plan, Absicht *sein ursprüngliches ~ ändern*

• **vor|ha·ben** ['foːɐ̯haːbn̩] <hat vor, hatte vor, vorgehabt> *tr* K ***jd hat etw** akk **vor*** etw tun wollen, geplant haben *Haben Sie morgen (schon) etw vor?, eine große Reise ~*

vor·han·den [foːɐ̯'handn̩] <-, -> *adj* so, dass etw da ist *Es sind genügend Vorräte ~.*

Vorhang

• **Vor·hang** ['foːɐ̯haŋ] <-(e)s, -hänge> *der* ein größeres Stück Stoff, das man vor ein Fenster hängt, damit man nicht hineinsehen kann; Gardine *neue Vorhänge für das Wohnzimmer kaufen, den ~ waschen*

• **vor·her** [foːɐ̯'heːɐ̯] *adv* früher, davor *Konntest du das nicht ~ sagen?*

vor·her|sa·gen [foːɐ̯'heːɐ̯zaːgn̩] <sagt vorher, sagte vorher, vorhergesagt> *tr* K ***jd sagt etw** akk **vorher*** ankündigen; sagen, was in der Zukunft passiert *das Wetter ~*

• **vor·hin** [foːɐ̯'hɪn/'foːɐhɪn] *adv* gerade eben, vor kurzer Zeit *Er hat ~ angerufen.*

• **vo·ri·ge(-r, -s)** ['foːrɪgə] <-, -> *adj* vergangen *V~n Monat habe ich das letzte Mal von ihm gehört., V~ Woche waren wir nicht da.*

• **vor|kom·men** <kommt vor, kam vor, vorgekommen> *itr* <*sein*> **1.** K ***etw kommt vor*** geschehen, passieren *Das kommt schon mal vor!* **2.** K ***etw kommt jdm irgendwie vor*** jd vermutet etw; jd hat das Gefühl, dass … *Das kommt mir verdächtig vor., Es kommt mir so vor, als ob sie lügt.*

vor|las·sen <lässt vor, ließ vor, vorgelassen> *tr* K ***jd lässt jdn vor*** nach vorne gehen lassen *die alte Dame in der Schlange ~*

• **vor·läu·fig** ['foːɐ̯lɔyfɪç] <-, -> *adj* vorübergehend, nicht für immer *Das ist nur eine ~e Lösung*

vor·laut ['foːɐ̯laut] <vorlauter, vorlautest-> *adj* so, dass man frech dazwischenredet *ein ~es Kind, Sei nicht so ~!*

vor|le·sen <liest vor, las vor, vorgelesen> *tr* K ***jd liest jdm** [**etw** akk] **vor*** vor Zuhörern laut lesen *den Kindern ein Märchen ~*

Vor·le·sung <-, -en> *die* wissenschaftlicher Vortrag/Unterrichtsform an der Universität *eine ~ über deutsche Literatur halten, in eine ~ gehen* ***Komp: -sverzeichnis***

vor|lie·gen <liegt vor, lag vor, vorgelegen> *itr* da sein, existieren *Ihre Daten liegen uns vor., Da muss ein Irrtum ~.*

Vor·mit·tag ['foːɐ̯mɪtaːk] <-(e)s, -e> *der* Zeitraum vom Morgen bis zum Mittag *am ~ in der Schule sein* **Wobi: vormittags**

- **vorn(e)** [fɔrn(ə)] *adv* **1.** (↔*hinten*) als erster, an der Spitze *~ sein, nach ~ gehen* **2.** am Anfang *~ im Buch nachschauen;* **noch einmal von ~ anfangen** noch einmal beginnen *Ich musste mit der Arbeit noch einmal von ~ anfangen.;* **sich von ~ und hinten bedienen lassen** nichts tun und sich nur bedienen lassen *Er ließ sich von ~ und hinten bedienen.*
- **Vor·na·me** <-ns, -n> *der* Rufname, erster Name *Wie heißen Sie mit ~n?*

vor·nehm ['foːɐ̯neːm] <vornehmer, vornehmst-> *adj* **1.** sehr korrekt, sehr fein *ein ~er Charakter* **2.** teuer und elegant *ein ~es Restaurant/Hotel*

Vor·ort ['foːɐ̯ʔɔrt] <-(e)s, -e> *der* äußerer Stadtteil, Gebiet am Rand einer Stadt *in einem ~ von Wien leben*

- **Vor·rang** <-(e)s> *kein pl der* **1. etw hat ~** etw ist wichtiger als etw anderes *Sicherheit hat im Straßenverkehr ~.* **2.** (ÖSTERR) Vorfahrt *an der Kreuzung den ~ beachten*

Vor·rat ['foːɐ̯raːt] <-(e)s, -räte> *der* Lebensmittel/Dinge, die man für einen späteren Zeitpunkt/schlechte Zeiten aufhebt *einen ~ anlegen, Mein Wein ist fast alle, ich muss meinen ~ auffüllen.*

vor·sätz·lich ['foːɐ̯zɛt͡slɪç] <-, -> *adj* mit Absicht, gewollt *jdn ~ verletzen, etw ~ tun*

- **Vor·schlag** <-(e)s, -schläge> *der* Anregung, Tipp *jdm einen ~ machen*
- **vor|schla·gen** <schlägt vor, schlug vor, vorgeschlagen> *tr* [K] ***jd schlägt etw** akk **vor*** anregen, empfehlen *Ich schlage vor, wir gehen ins Kino., Was schlagen Sie vor?*

vor|schrei·ben <schreibt vor, schrieb vor, vorgeschrieben> *tr* [K] ***jd schreibt jdm etw** akk **vor*** anordnen, befehlen *Er schrieb mir vor, wie ich mich zu verhalten habe.*

- **Vor·schrift** <-, -en> *die* Bestimmung, Anweisung *laut ~, Das verstößt gegen die ~en., Bitte halten Sie sich an die ~en!* **Wobi: vorschriftsmäßig**
- **Vor·sicht** ['foːɐ̯zɪçt] <-> *kein pl die* besondere Aufmerksamkeit, Achtung *~, hier ist es glatt!, ~, Stufe!*

vor·sich·tig ['foːɐ̯zɪçtɪç] <vorsichtiger, vorsichtigst-> *adj* besonders aufmerksam *Sei ~ mit den Gläsern!*

vor|sor·gen <sorgt vor, sorgte vor, vorgesorgt> *itr* für etw Zukünftiges sorgen, sich auf etw vorbereiten *für den Krankheitsfall ~* ***Komp:** Vorsorge*

Vor·spei·se <-, -n> *die* Gericht, das man vor der Hauptspeise isst *Als ~ nehme ich einen Salat.*

- **vor|stel·len** <stellt vor, stellte vor, vorgestellt> **I.** *tr* **1.** [K] ***jd stellt etw** akk **vor*** nach vorn stellen *die Uhr ~* **2.** [K] ***jd stellt** [**jdm**] **jdn/etw** akk **vor*** einführen, bekannt machen *den neuen Mitarbeiter ~, Darf ich Ihnen meine Frau ~?, Der Autor stellt sein neues Buch vor.* **II.** *refl* **1.** [K] ***jd stellt sich** dat **etw** akk [**irgendwie**] **vor*** sich etw in der Fantasie/in Gedanken ausmalen *sich seine Zukunft ~, Stell dir vor, was mir passiert ist!, So anstrengend habe ich mir das nicht vorgestellt!* **2.** [K] ***jd stellt sich** akk [**bei jdm**] **vor*** sich bekannt machen *Darf ich mich ~?, Sie stellte sich bei der Firma vor.*

- **Vo̲r·stel·lung** <-, -en> *die* **1.** Bekanntmachung *die ~ des neuen Regierungsprogramms* **2.** Gedanke *Schon allein bei der ~, ihn zu treffen, wurde ich rot., Du hast manchmal merkwürdige ~en., sich eine ~ von etw machen, Der Bewerber entspricht nicht unseren ~en.* **3.** THEAT FILM Aufführung *eine lange/kurze ~, am Abend in eine ~ gehen*
  ***Komp:** -skraft*

  Vo̲r·stel·lungs·ge·spräch <-(e)s, -e> *das* Gespräch mit dem Personalchef einer Firma, nachdem man sich dort um eine Stelle beworben hat *Sie ist zu einem ~ eingeladen worden., Ich habe morgen ein ~.*

- **Vo̲r·stel·lungs·ter·min** <-s, -e> *der* Gesprächstermin, bei dem man sich irgendwo bekannt macht *ein ~ bei einer Firma haben*
- **Vo̲r·teil** ['fɔrtai̯l] <-s, -e> *der* (↔*Nachteil*) etw, das für jdn sehr gut/günstig ist *Der ~ dieses Verfahrens ist die Schnelligkeit., die Vor- und Nachteile betrachten und gegeneinander abwägen, von ~ sein;* **jdm gegenüber im ~ sein** bessere Bedingungen haben als jd *Damit sind Sie mir gegenüber im ~.*
- **Vo̲r·trag** ['fo:ɐ̯tra:k] <-(e)s, -träge> *der* eine lange Rede über ein bestimmtes Thema *einen wissenschaftlichen ~ halten*
- **Vo̲r·tritt** <-(e)s> *kein pl der* (CH) Vorfahrt *an der Kreuzung den ~ beachten;* **jdm den ~ lassen** jdn zuerst gehen lassen *Er ließ den Damen den ~.*

  vo·rü̲·ber [fo'ry:bɐ] *adv* vorbei *Es ist ~!*

  vo·rü̲·ber·ge·hend <-, -> *adj* für kurze Zeit, im Moment *Das Geschäft ist ~ geschlossen., Sie hält sich nur ~ in den USA auf.*

- **Vo̲r·ur·teil** ['fo:ɐ̯ʔʊrtai̯l] <-, -e> *das* Meinung über jdn/etw, bevor man ihn/es kennt *Das ist ein ~!, ein ~ gegen die Nachbarin haben*

  Vo̲r·ver·kauf <-(e)s, -käufe> *der* Verkauf von Eintrittskarten einige Tage vor der Veranstaltung *Theaterkarten im ~ besorgen/kaufen*
  ***Komp:** -sstelle*

  vo̲r|ver·le·gen <verlegt vor, velegte vor, vorverlegt> *tr* [K] ***jd verlegt etw** akk **vor*** auf einen früheren Zeitpunkt legen *einen Termin ~*

- **Vo̲r·wahl** <-, -en> *die* TELKOM Telefonnummer für eine Stadt oder ein Land *nach der ~ von Berlin fragen, Die ~ von Berlin ist ‚030'.*

Vorwahl
Deutschland: +49
Berlin: (0)30
München: (0)89
Frankfurt (0)69
Österreich: +43
Wien: (0)1
Salzburg: (0)662
Linz: (0)732
Schweiz: +41
Basel: (0)61
Bern: (0)31
Zürich: (0)1
Genf: (0)22
Liechtenstein: +41
Vaduz: (0)75

  Vo̲r·wand ['fo:ɐ̯vant] <-(e)s, -wände> *der* unglaubwürdige Entschuldigung, nicht wirklicher Grund *Unter dem ~, dass sie noch zu tun hätte, sagte sie ab., Er sucht nur nach einem ~.*

- **vor·wärts** ['fo:ɐ̯vɛrts/'fɔrvɛrts] *adv* (↔*rückwärts*) nach vorn, weiter *~! Nun geh schon!, Ein Krebs geht nicht ~, sondern seitwärts., Mit dem Projekt geht es ~.;* **jdn ~ bringen** jdm helfen, Fortschritte zu machen *Seine Hilfe brachte mich ~.;* **in/mit etw ~ kommen** Fortschritte beim Lernen/Bearbeiten von etw machen *in Spanisch gut ~ kommen*

  vor·weg|neh·men [fo:ɐ̯'vɛkne:mən] <nimmt vorweg, nahm vorweg, vorweggenommen> *tr* [K] ***jd nimmt etw** akk **vorweg*** vorher sagen *das Wichtigste ~, die Antwort schon ~*

  vo̲r|wer·fen <wirft vor, warf vor, vorgeworfen> *tr* [K] ***jd wirft jdm etw** akk **vor*** jdm die Schuld an etw geben, tadeln, beschuldigen *jdm seine Fehler ~*

  vo̲r·wie·gend <-, -> *adj* hauptsächlich, in erster Linie *Es war ~*

sonnig.

Vor·wort <-(e)s, -e> *das* der Text an die Leser ganz vorn in einem Buch *das ~ lesen, ein ~ schreiben*

Vor·wurf <-(e)s, -würfe> *der* Beschuldigung *jdm etw zum ~ machen* ***Wobi:*** *vorwurfsvoll*

vor·zei·tig ['foːɐ̯tsai̯tɪç] <-, -> *adj* zu früh, früher als erwartet *die Arbeit ~ beenden*

• **vor|zie·hen** <zieht vor, zog vor, vorgezogen> *tr* **1.** K ***jd zieht etw*** *akk* ***vor*** lieber mögen, bevorzugen *Ich ziehe es vor, heute ins Kino und nicht ins Theater zu gehen.* **2.** K ***jd zieht jdn vor*** besser behandeln *Die Lehrerin zieht immer bestimmte Schüler vor.*

vor·züg·lich [foːɐ̯'tsyːklɪç] <vorzüglicher, vorzüglichst-> *adj* außerordentlich/sehr gut *Das ist eine ~e Idee., ein ~es Essen*

vul·gär [vʊl'gɛːɐ̯] <vulgärer, vulgärst-> *adj* roh, ordinär, sehr unhöflich *eine ~e Sprache haben, sich ~ ausdrücken*

Vul·kan [vʊl'kaːn] <-(e)s, -e> *der* Berg, aus dem eine heiße Flüssigkeit (Lava) und Feuer kommen können *Der ~ ist wieder ausgebrochen., am Fuße des ~s leben*

Vulkan

W, w [veː] <-, -> *das* der 23. Buchstabe des Alphabets *Das Wort ‚Wasser‘ beginnt mit dem Buchstaben ~.*

Wa̲a̲·ge ['vaːgə] <-, -n> *die* **1.** Gerät zum Wiegen *sich auf die ~ stellen* **2.** Sternzeichen *Ich bin ~. Was sind Sie?;* **sich die ~ halten** sich im Gleichgewicht befinden, ausgeglichen sein *Sonnenschein und Regen halten sich die ~.*

• **wa̲a̲·g(e)·recht** ['vaːgərɛçt] <-, -> *adj* (↔*senkrecht*) horizontal, auf einer Linie von links nach rechts befindlich *Das Bild hängt nicht ~.*

• **wạch** [vax] <-, -> *adj* so, dass man nicht schläft *seit sieben Uhr ~ sein, seit 16 Stunden ~ sein*

Wạ·che ['vaxə] <-, -n> *die* **1.** Polizeirevier *Der Polizist nahm den Dieb mit auf die ~.* **2.** das Aufpassen, dass nichts passiert *Er hat heute ~., Sie müssen ~ halten.* **3.** jd, der aufpasst, dass nichts passiert; Posten *Der Soldat löst die ~ ab.*

Wạchs [vaks] <-es> *kein pl das* das Material, aus dem Kerzen sind *Das ~ schmilzt.*

• **wạch·sen¹** ['vaksn̩] <wächst, wuchs, gewachsen> *itr* <sein> **1.** größer oder länger werden *Der Junge ist schon wieder gewachsen., Deine Haare sind gewachsen.* **2.** zunehmen *Sein Reichtum wächst ständig.;* **jdm gewachsen sein** mindestens genau so gut wie jd sein *Sie ist ihren Kollegen gewachsen.;* **einer Sache gewachsen sein** mit einer schwierigen Aufgabe/Situation gut umgehen können *Er ist den Problemen nicht gewachsen.;* **sich etw ~ lassen** länger werden lassen *sich die Haare/einen Bart ~ lassen* ***Wobi: Wachstum***

• **wạch·sen²** ['vaksn̩] <wachst, wachste, gewachst> *tr* [K] ***jd wachst etw*** *akk* mit Wachs einreiben *die Ski ~*

wạ·cke·lig ['vakəlɪç] <wackeliger, wackeligst-> *adj* **1.** so, dass es nicht fest auf dem Boden steht *ein ~er Tisch* **2.** *(umg)* unsicher *eine ~e Angelegenheit*

wạ·ckeln ['vakl̩n] <wackelt, wackelte, gewackelt> *itr* hin und her kippen, nicht sicher stehen *Der Stuhl wackelt.*

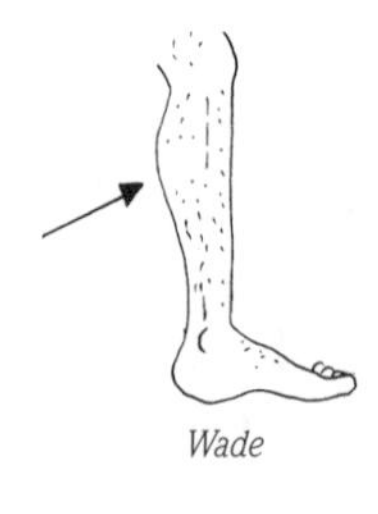

Wade

Wa̲·de ['vaːdə] <-, -n> *die* der untere hintere Teil des Beines *Der Hund hat ihn in die ~ gebissen.*

• **Wạf·fe** ['vafə] <-, -n> *die* Gerät zum Kämpfen *Pistolen und Gewehre sind ~n., einen Stock als ~ benutzen, Er hat den Verkäufer mit einer ~ bedroht.* ***Komp: Atom-, Feuer-, Geheim-, Luft-, Schuss-, -nstillstand***

Wạf·fel ['vafl̩] <-, -n> *die* **1.** süßes Gebäck *~n mit heißen Kirschen und Sahne essen* **2.** süßes Gebäck in Form einer Tüte *Eis in der ~*

• **Wa̲·gen** ['vaːgn̩] <-s, – SD, ÖSTERR, CH Wägen> *der* **1.** Auto *Er stieg in den ~ und fuhr davon.* **2.** Zugwaggon *der dritte ~ hinter der Lokomotive, Das Zugtelefon befindet sich im letzten ~.*

wa̲·gen ['vaːgn̩] <wagt, wagte, gewagt> **I.** *tr* [K] ***jd wagt etw*** *akk* etw Mutiges tun *Er wagte es, dem Befehl nicht zu gehorchen.* **II.** *refl* [K] ***jd wagt sich*** *akk* ***irgendwohin*** Mut haben, irgendwohin zu gehen *Er hatte sich seit Tagen nicht vor die Tür gewagt.;* **Wer nicht wagt, der nicht gewinnt.** wer nichts versucht, erreicht nichts *„Wer nicht wagt, der nicht gewinnt", sagte er sich und setzte sein ganzes Geld.* ***Wobi:*** *Wagnis*

• **Wag·gon** [va'gõ:/va'gɔŋ/va'go:n] <-s, -s/-e> *der* Eisenbahnwagen *Ihr Platz ist gleich im ersten ~.*

• **Wahl** [va:l] <-, -en> *die* **1.** Auswahl, Möglichkeit zur Entscheidung *Er hatte die ~ zwischen Bonn und Berlin.* **2.** POL das Wählen der politischen Vertreter eines Volkes *Die Bürger sind aufgerufen, zur ~ zu gehen., Er erhielt bei der ~ weniger Stimmen als erwartet.* ***Komp:*** *-ergebnis, -vorstand, Betriebsrats-, Bundestags-, Landtags-*

Wahl·be·rech·tig·te(r) <-n, -n> *der/die* jd, der das Recht hat zu wählen *Nur 60% der ~n gingen zur Wahl.*

Wahl·be·tei·li·gung <-> *kein pl die* POL das Verhältnis der Zahl von Personen, die gewählt haben, zu der Zahl von Personen, die wählen dürfen *eine sehr hohe/niedrige ~, Die ~ lag bei 60%.*

• **wäh·len** ['vɛ:lən] <wählt, wählte, gewählt> *tr* **1.** [K] *jd wählt jdn/etw akk* bei einer Wahl seine Stimme abgeben *Wen haben Sie gewählt?, ~ gehen* **2.** [K] *jd wählt etw akk* aussuchen *Möchten Sie Menü eins oder zwei? Sie können ~.* **3.** [K] *jd wählt etw akk* eine Telefonnummer eingeben *die richtige Nummer ~*

Wäh·ler(in) <-s, -> *der* Person, die wählen geht *Die Partei will noch mehr ~ gewinnen.*

Wahn·sinn ['va:nzɪn] <-(e)s> *kein pl der* **1.** MED Irrsinn, Geisteskrankheit *Der ~ hatte den Kranken befallen.* **2.** *(umg)* Verrücktheit, Unsinn *Das ist reiner ~!, Das ist doch ~!;* **~!** (*umg!*) drückt aus, dass einen etw beeindruckt *Und das hast du ganz allein geschafft? ~!*

• **wahn·sin·nig** <wahnsinniger, wahnsinnigst-> *adj* **1.** MED irre, geisteskrank *Er ist im Alter ~ geworden.* **2.** *(umg)* verrückt *Dieser Lärm macht mich noch ~.* **3.** *(umg)* viel *Das macht ~en Spaß.* **4.** *(umg)* besonders, sehr *sich ~ freuen, Das gefällt mir ~ gut., Es ist mir ~ peinlich.*

• **wahr** [va:ɐ̯] <-, -> *adj* echt, wirklich *eine ~e Behauptung;* **nicht ~?** verwendet, um eine Bestätigung zu fordern *Schön hier, nicht ~?*

• **wäh·rend** ['vɛ:rənt] **I.** *präp +gen/umg dat* gerade als (etw stattfindet) *Sie schlief ~ des Lesens ein.* **II.** *konj* **1.** zur gleichen Zeit wie *~ er las, sah sie fern.* **2.** drückt Gegensätze aus *Er schaute gerne fern, ~ sie lieber las.*

• **Wahr·heit** ['va:ɐ̯hai̯t] <-, -en> *die* Richtigkeit, Übereinstimmung mit der Realität *Vor Gericht musste er die ~ über den Unfall sagen.;* **in ~** in Wirklichkeit *In ~ stimmt das gar nicht.*

wahr|neh·men ['va:ɐ̯ne:mən] <nimmt wahr, nahm wahr, wahrgenommen> *tr* **1.** [K] *jd nimmt jdn/etw akk wahr* bemerken, erkennen, realisieren *Er hatte sie in der Menge nicht wahrgenommen.* **2.** [K] *jd nimmt etw akk wahr* nutzen, ausnutzen *Er nahm die Gelegenheit wahr und lud sie zum Essen ein.* **3.** [K] *jd nimmt etw akk wahr* vertreten *Der Anwalt nimmt die Interessen seines Klienten wahr.*

Wahr·sa·ger(in) ['va:ɐ̯za:gɐ] <-s, -> *der* jd, der vorhersagt, was in der Zukunft passieren wird *zum ~ gehen*

- **wahr·schein·lich** [vaːɐ̯ˈʃaɪ̯nlɪç] <wahrscheinlicher, wahrscheinlichst-> *adj* **1.** sicher *Das ist nicht sehr ~.* **2.** vermutlich *Er wird uns ~ verlassen.* ***Wobi:*** *Wahrscheinlichkeit*

Wäh·rung [ˈvɛːrʊŋ] <-, -en> *die* Zahlungsmittel/Geld eines Staates *Die ~ der Europäischen Union ist der Euro., die ~ stabilisieren*

Wäh·rungs·u·ni·on <-, -en> *die* die Einführung einer gemeinsamen Währung in verschiedenen Staaten *sich von der ~ Vorteile erhoffen*

Währungsunion
Die Staaten der Europäischen Union, darunter Deutschland und Österreich, haben seit dem 1.1.1999 eine gemeinsame Währung: den ‚Euro' (1 Euro = 100 ‚Cent'). Euro-Scheine und Cent-Münzen gibt es ab dem Jahr 2002. Ein Euro ist ca. 2 DM bzw. 1,60 sFr oder 14 Schilling wert.

Wahr·zei·chen [ˈvaːɐ̯tsaɪ̯çn̩] <-s, -> *das* Sinnbild, Erkennungssymbol *Das Brandenburger Tor ist das ~ Berlins.*

Wai·se [ˈvaɪ̯zə] <-, -n> *die* Kind ohne Eltern *Durch den Krieg ist sie ~ geworden.* ***Komp:*** *Halb-, Voll-*

Wal [ˈvaːl] <-(e)s, -e> *der* sehr großes Säugetier, das im Meer lebt *Der ~ gehört zu den bedrohten Tierarten.*

- **Wald** [valt] <-(e)s, Wälder> *der* große Fläche mit vielen Bäumen *im ~ spazieren gehen, im ~ Beeren und Pilze sammeln;* **den ~ vor lauter Bäumen nicht sehen** *(umg)* so viele Möglichkeiten haben, dass man die einfachste Lösung nicht erkennt *Er ist so zerstreut, dass er den ~ vor lauter Bäumen nicht sieht.* ***Komp:*** *Laub-, Nadel-, Regen-, Ur-*

Wald·ster·ben <-s> *kein pl das* der Vorgang, dass viele Bäume krank werden *Autoabgase sind eine Ursache des ~s.*

Walk·man [ˈwɔːkmən] <-s, -s> *der* ein kleines Gerät zum Hören von Musikkassetten *beim Joggen einen ~ tragen*

Walkman

wäl·zen [ˈvɛltsn̩] <wälzt, wälzte, gewälzt> **I.** *tr* **1.** [K] ***jd wälzt etw*** *akk* etw mit viel Kraft rollen *Er wälzte den Stein zwei Meter weiter.* **2.** *(umg)* [K] ***jd wälzt etw*** *akk* durchblättern, durchsuchen *Er wälzte Hunderte von Akten, um den Mordfall zu lösen., ein dickes Buch ~* **3.** [K] ***jd wälzt etw*** *akk* **auf jdn** behaupten, dass eine andere Person die Schuld an etw hat *Er wälzte die Schuld auf seinen Kollegen.* **II.** *refl* **1.** [K] ***jd wälzt sich*** *akk* [**hin und her**] sich von einer Seite auf die andere drehen *Er wälzte sich im Schlaf hin und her.* **2.** sich langsam und mit Mühe auf etw zu bewegen *Menschenmengen wälzten sich zum Fußballstadion.*

Wal·zer [ˈvaltsɐ] <-s, -> *der* Tanz im Dreivierteltakt *Das Brautpaar tanzte auf der Hochzeit einen ~., Wiener ~*

- **Wand** [vant] <-, Wände> *die* Mauer *Ein Zimmer hat vier Wände, einen Fußboden und eine Zimmerdecke.;* **gegen eine ~ reden** vergeblich versuchen, jdn von etw zu überzeugen *Mit ihrem Vorschlag redete sie bei ihrem Chef gegen eine ~.;* **Da könnte ich die Wände hochgehen.** *(umg)* drückt aus, dass man sich sehr über etw ärgert *Wenn ich so etwas höre, könnte ich die Wände hochgehen.*

Wan·de·rer, -d(r)e·rin [ˈvandərɐ] <-s, -> *der* jd, der wandert *Die ~ übernachteten auf einer Hütte.*

Wan·der·kar·te <-, -n> *die* Landkarte, auf der Wanderwege eingezeichnet sind *eine ~ ausleihen*

- **wan·dern** [ˈvandɐn] <wandert, wanderte, gewandert> *itr* <*sein*> sehr lange durch die Natur spazieren *durch Wald und Feld ~*

wand·te [ˈvantə] *prät von* **wenden**

Wan·ge [ˈvaŋə] <-, -n> *die* (≈*Backe*) linker und rechter Teil des Gesichtes *Er küsste sie zur Begrüßung auf die ~.*

- **wạnn** [van] *adv* beschreibt einen Zeitpunkt oder fragt nach einem bestimmten Zeitpunkt *W~ kommen Sie?, Ich weiß nicht, ~ sie kommt., Von ~ bis ~ sind Sie im Urlaub?*

Wạn·ze ['vantsə] <-, -n> *die* **1.** ZOOL ein Insekt *Das ganze Bett war voller ~n.* **2.** *(umg)* kleines Mikrofon zum Abhören von Personen *Die Polizei hat eine ~ in der Wohnung installiert.*

Wạp·pen ['vapn̩] <-s, -> *das* Symbol einer Familie, einer Stadt, eines Landes o.Ä. *Die Bundesrepublik Deutschland trägt den Adler im ~.*

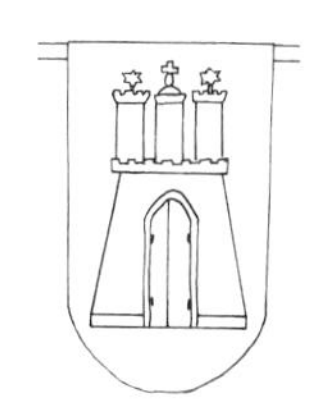

Wappen der Hansestadt Hamburg

war [vaːɐ̯] *prät von* **sein**

wạrb [varp] *prät von* **werben**

- **Wa̲·re** ['vaːrə] <-, -n> *die* das, was verkauft und gekauft wird; Produkte *Die Verkäuferin sortiert die ~ in die Regale., Die bestellte ~ ist noch nicht gekommen., ~ liefern*
- **Wa̲·ren·haus** <-es, -häuser> *das* Kaufhaus *im ~ einkaufen*

wạrf [varf] *prät von* **werfen**

- **wạrm** [varm] <wärmer, wärmst-> *adj* (↔*kalt*) mit angenehmer Temperatur *~e Luft, ~ essen, sich ~ anziehen;* **jdm wird ganz ~ ums Herz, wenn ...** etw ist sehr angenehm/schön für jdn *Bei dem Anblick wird mir ganz ~ ums Herz.*
- **Wạ̈r·me** ['vɛrmə] <-> *kein pl die* **1.** (↔*Kälte*) relativ hohe Temperatur *Der Ofen strahlte eine angenehme ~ ab.* **2.** (↔*Kälte*) Herzlichkeit, Freundlichkeit *menschliche ~ zeigen*

wạ̈r·men ['vɛrmən] <wärmt, wärmte, gewärmt> **I.** *tr* [K] ***etw wärmt etw** akk* warm machen *Die Sonne wärmt den Boden.* **II.** *refl* [K] ***jd wärmt sich** akk* [***irgendwo***] etw tun, damit einem warm wird *sich am Ofen wärmen* **III.** *itr* warm halten *Die Jacke wärmt aber ganz schön!*

Wạ̈rm·fla·sche <-, -n> *die* Flasche aus Gummi, die man mit heißem Wasser füllt, um sich an ihr zu wärmen *eine ~ mit ins Bett nehmen*

Wạrn·blink·an·la·ge <-, -n> *die* blinkende Lichter an Autos, die man bei Gefahr anschaltet, um andere Autofahrer zu warnen *Der Fahrer schaltete die ~ ein, als er den Stau sah.*

Wạrn·drei·eck <-(e)s, -e> *das* ein Schild, das ein Autofahrer z.B. bei einem Unfall mindestens 50 Meter vor dem Auto aufstellen muss, um andere zu warnen *Er stellte das ~ vor der Unfallstelle auf.*

Warndreieck

- **wạr·nen** ['varnən] <warnen, warnte, gewarnt> *tr* [K] ***jd warnt jdn*** [***vor etw** dat*] auf eine Gefahr aufmerksam machen *Ich habe dich gewarnt!*

Wạrn·schild <-(e)s, -er> *das* Verkehrsschild, das auf eine mögliche Gefahr hinweist *ein ~ übersehen*

Wạr·nung <-, -en> *die* das Warnen *eine ~ ernst nehmen*

Wạr·te·hal·le <-, -n> *die* großer Raum auf dem Bahnhof, wo man auf einen Zug warten kann *Er war zu früh am Bahnhof, deshalb ging er erst einmal in die ~.*

- **wạr·ten** ['vartn̩] <wartet, wartete, gewartet> **I.** *itr* nichts tun oder an einem Ort bleiben, bis etw Bestimmtes passiert *auf den Bus ~, Bitte ~ Sie einen Moment!, auf Antwort ~* **II.** *tr* [K] ***jd wartet etw** akk* kontrollieren (und reparieren) *Der Mechaniker wartet das Auto.*

Wạr·te·zim·mer <-s, -> *das* Raum in einer Arztpraxis, wo Patienten warten, bis sie an der Reihe sind *Das ~ ist völlig überfüllt.*

• **war·ụm** [va'rʊm] *adv* fragt nach dem Grund *Er fragt sich, ~ sie ihn verlassen hat., W~ kommst du so spät?*

• **wạs¹** [vas] *pron* **1.** fragt nach einer Sache *W~ ist das?, Können Sie mir sagen, ~ das heißt?* **2.** *(umg)* warum, wieso *W~ stellst du dich denn so an?*

• **wạs²** [vas] *pron (umg)* Kurzform für ‚etwas' *Ich muss dir ~ sagen.*

wạsch·bar <-, -> *adj* so, dass man es waschen kann *ein ~es Jackett*

Wạsch·be·cken <-s, -> *das* ein Becken an der Wand, um sich zu waschen *Er stand am ~ und putzte sich die Zähne.*

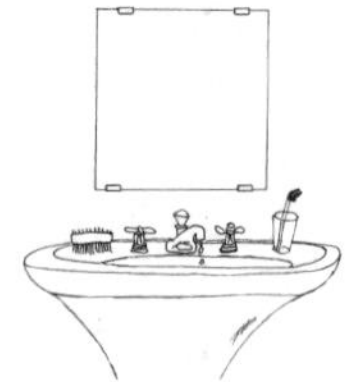

Waschbecken mit Wasserhahn

• **Wạ̈·sche** <-> *kein pl die* **1.** Kleidung, die gewaschen werden soll *Die schmutzige Hose gehört in die ~.* **2.** Kurzform für Unterwäsche *frische ~ anziehen*

• **wạ·schen** ['vaʃn̩] <wäscht, wusch, gewaschen> *tr* K ***jd wäscht etw/ sich*** *akk* etw/sich mit Wasser und Seife o.Ä. reinigen *Er wäscht das Auto., Er wäscht sich zweimal täglich.*

Wạ̈·sche·stän·der <-s, -> *der* ein Gestell, auf dem nasse Wäsche zum Trocknen aufgehängt wird *Er hängt die Wäsche auf den ~.*

Wạ̈·sche·trock·ner <-s, -> *der* elektrisches Gerät, das nasse Wäsche trocknet *Wäsche im ~ trocknen*

Wạsch·ma·schi·ne <-, -n> *die* elektrisches Gerät, das Wäsche wäscht *die ~ voll machen*

Wạsch·mit·tel <-s, -> *das* Reinigungsmittel für Wäsche *Sie gab ~ in die Waschmaschine und drückte den Startknopf.*

Wạsch·stra·ße <-, -n> *die* automatische Anlage, in der Autos gewaschen werden *Er fuhr mit dem Auto durch eine ~.*

Wasserfall

• **Wạs·ser** ['vasɐ] <-s> *kein pl das* **1.** flüssiges Grundelement *Zwei Drittel der Erde sind von ~ bedeckt.* **2.** Mineralwasser *Ein Glas ~, bitte!, Noch zwei ~, bitte!* **3.** See, Fluss, Meer *im Urlaub ans ~ fahren;* **ins ~ fallen** *(umg)* ausfallen, nicht stattfinden *Das Konzert ist ins ~ gefallen.;* **sich über ~ halten** *(umg)* gerade genug Geld haben, um zu leben *Er kann sich mit seinem Geschäft gerade über ~ halten.;* **auch nur mit ~ kochen** *(umg)* etw nicht besser machen als andere *Dieser Angeber kocht auch nur mit ~.*

Wạs·ser·fall <-(e)s, -fälle> *der* Wasser, das sehr tief stürzt *Die Niagara-Fälle sind berühmte Wasserfälle.;* **reden wie ein ~** *(umg)* sehr viel reden *Sie redet wie ein ~.*

Wạs·ser·far·be <-, -n> *die* Farbe, die man mit Wasser flüssig macht *Die Kinder malen mit ~n.*

Wạs·ser·hahn <-(e)s, -hähne> *der* das Ende einer Wasserleitung, das man öffnen und schließen kann *den ~ aufdrehen*

Wạs·ser·stoff ['vasɐʃtɔf] <-(e)s> *kein pl der* chemisches Element, das mit Sauerstoff zusammen Wasser bildet *Wasser besteht aus ~ und Sauerstoff.*

Wạs·ser·waa·ge <-, -n> *die* Werkzeug, das anzeigt, ob etw waagerecht ist *Der Maurer nimmt die ~, um zu prüfen, ob die neue Mauer waagerecht ist.*

Wạtt¹ [vat] <-(e)s> *kein pl das* (≈*Wattenmeer*) Meeresboden, der bei Ebbe ohne Wasser ist *im ~ wandern*

Wạtt² [vat] <-s, -> *das* EL Maßeinheit der elektrischen Leistung *Diese Glühbirne hat 60 ~.*

Wạt·te ['vatə] <-> *kein pl die* weiche, lose zusammenhängende

Watt

Das Watt oder Wattenmeer gibt es nur an der Nordsee. Bei Flut ist es unter Wasser, bei Ebbe geht das Meer bis zu 30 km zurück. Beliebt sind Wattwanderungen: Man geht barfuß oder mit Gummistiefeln ins Watt und kann dort seltene Lebewesen sehen. Das Watt ist durch die Verschmutzung der Nordsee stark bedroht.

Baumwolle *Sie nimmt etw ~, um sich abzuschminken., Der Arzt tupft die Wunde mit ~ ab.;* **jdn in ~ packen** *(umg)* mit jdm zu vorsichtig umgehen *Sie hat ihren Sohn immer in ~ gepackt.*

• **WC** [veːˈtseː] <-s, -s> *das* Toilette *aufs ~ gehen*

we·ben [ˈveːbn̩] <webt, webte, gewebt> *tr* K ***jd webt etw*** *akk* aus einem Faden Stoffe oder Teppiche herstellen *am Webstuhl einen Teppich ~*

Wech·sel [ˈvɛksl̩] <-s, -> *der* Änderung *Es gab einen ~ in der Führungsetage.* ***Komp: Orts-, Wohnungs-***

Wech·sel·be·zie·hung <-, -en> *die* gegenseitige Abhängigkeit *in ~ zueinander stehen*

wech·sel·haft <wechselhafter, wechselhaftest-> *adj* mal so, mal so; immer wieder anders *Der April ist bekannt für sein ~es Wetter.*

Wech·sel·kurs <-es, -e> *der* Preis, zu dem eine Währung in eine andere umgetauscht wird *die ~e in der Zeitung studieren*

• **wech·seln** [ˈvɛksl̩n] <wechselt, wechselte, gewechselt> *tr* **1.** K ***jd wechselt etw*** *akk* in kleinere Einheiten umtauschen *Können Sie mir bitte fünfzig Euro ~?* **2.** K ***jd wechselt etw*** *akk* eine Währung in eine andere umtauschen *Euro in Franken ~, an der Grenze ~* **3.** K ***jd wechselt etw*** *akk* etw Neues für etw Altes nehmen *ein Rad ~;* **das Thema ~** von etw anderem sprechen *Können wir das Thema ~?*

• **we·cken** [ˈvɛkn̩] <weckt, weckte, geweckt> *tr* K ***jd/etw weckt jdn*** aus dem Schlaf holen, jdn wach machen *Die Mutter weckt ihre Kinder jeden Morgen um sieben Uhr.*

• **We·cker** [ˈvɛkɐ] <-s, -> *der* Uhr, die laute Töne produziert, um jdn zu wecken *den ~ auf sieben Uhr stellen;* **jdm auf den ~ gehen** *(umg)* jdn nerven *Er ging ihr ziemlich auf den ~ mit seinen Anrufen.*

Wecker

we·der [ˈveːdɐ] *konj* **~ ... noch ...** nicht das eine und auch nicht das andere *~ in dem einen noch in dem anderen Fall, Sie möchten ~ Zeit noch Geld investieren.*

• **Weg** [veːk] <-(e)s, -e> *der* **1.** sehr kleine Straße, oft nicht für Autos *Der ~ führt über den Hügel bis zum nächsten Wald.* **2.** Strecke, Route *Der ~ führt über Warschau nach Moskau., den kürzesten ~ zum Bahnhof nehmen* **3.** Art und Weise *Es gibt viele ~e, das Problem zu lösen.;* **jdm aus dem ~ gehen** alles tun, dass man jdm nicht begegnet *Er ging seiner geschiedenen Frau aus dem ~.;* **jdm im ~(e) stehen** jdn behindern *Ich will dir nicht im ~ stehen.*

• **weg** [vɛk] *adv* fort *Meine Uhr ist ~!*

• **weg|brin·gen** <bringt weg, brachte weg, weggebracht> *tr* K ***jd bringt etw*** *akk* ***weg*** fort/an einen anderen Ort bringen *die leeren Pfandflaschen ~*

• **we·gen** [ˈveːgn̩] *präp +gen/umg dat* aufgrund von etw *W~ des heftigen Schneefalls/dem heftigen Schneefall kommt es zu Verkehrsstaus., nur des Geldes ~*

• **weg|fah·ren** <fährt weg, fuhr weg, weggefahren> *itr <sein>* **1.** abreisen, einen Ort verlassen *Er ist gerade weggefahren.* **2.** verreisen *Ich fahre für drei Wochen weg.*

weg|ge·ben <gibt weg, gab weg, weggegeben> *tr* **1.** K ***jd gibt etw*** *akk* ***weg*** verschenken *Er würde sein letztes Hemd ~.* **2.**

[K] ***jd gibt jdn weg*** jdm zur Pflege/Erziehung geben *Die Eltern gaben ihr Kind weg., Wir mussten alle Hunde ~.*

• **weg|ge·hen** <geht weg, ging weg, weggegangen> *itr* <*sein*> **1.** fortgehen *Er will von zu Hause ~.* **2.** ausgehen, in eine Kneipe/Disko gehen *Lass uns heute Abend mal wieder ~.*

weg|kom·men <kommt weg, kam weg, weggekommen> *itr* <*sein*> **1.** *(umg)* von irgendwo weggehen können *Tut mir Leid, dass ich so spät bin. Ich bin nicht früher von der Konferenz weggekommen.* **2.** verloren gehen *Ihm ist seine Uhr weggekommen.*

• **weg|las·sen** <lässt weg, ließ weg, weggelassen> *tr* **1.** *(umg)* [K] ***jd lässt jdn weg*** gehen lassen *Ich lasse dich heute nicht mehr weg.* **2.** [K] ***jd lässt etw*** *akk* ***weg*** nicht machen, nicht beachten *Aufgabe drei bis fünf können Sie ~.*

• **weg|neh·men** <nimmt weg, nahm weg, weggenommen> *tr* [K] ***jd nimmt*** [***jdm***] ***etw*** *akk* ***weg*** stehlen, sich etw mit Gewalt von jd anderem nehmen *Die älteren Schüler nahmen ihm einfach sein Fahrrad weg.*

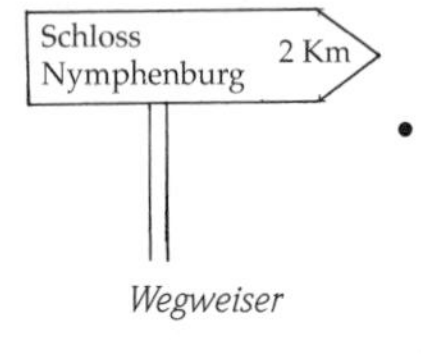

Wegweiser

Weg·wei·ser <-s, -> *der* Schild an einer Straße/an einer Kreuzung, auf dem steht, wohin die Straße führt *Achten Sie einfach auf die ~.*

• **weg|wer·fen** <wirft weg, warf weg, weggeworfen> *tr* [K] ***jd wirft etw*** *akk* ***weg*** irgendwohin werfen *Keine brennenden Zigaretten ~!*

We·he ['veːə] <-, -n> *die* Schmerzen vor und während der Geburt *Die ~n setzten um 10 Uhr ein.*

weh·lei·dig <wehleidiger, wehleidigst-> *adj* **1.** überempfindlich *Sei doch nicht so ~!* **2.** so, dass jd immer sagt, dass es ihm schlecht geht *ein ~er Mensch*

Wehr·dienst <-(e)s> *kein pl der* Dienst in der Armee, der für jeden jungen Mann Pflicht ist; Militärdienst *zum ~ einberufen werden*

Wehr·dienst·ver·wei·ge·rer <-s, -> *der* MIL jd, der es ablehnt, zum Militär zu gehen *~ können in Deutschland auch Zivildienst ableisten.*

weh·ren ['veːrən] <wehrt, wehrte, gewehrt> *refl* [K] ***jd wehrt sich*** *akk* [***gegen etw*** *akk*] sich verteidigen *Er wehrte sich gegen die Angreifer., Er wehrte sich gegen die Vorwürfe.*

Wehr·pflicht <-> *kein pl die* die gesetzliche Pflicht, für eine bestimmte Zeit zur Armee zu gehen *In Deutschland gibt es die allgemeine ~ für Männer.* ***Wobi: Wehrpflichtige(r)***

Wehrpflicht
In Deutschland, Österreich und der Schweiz besteht Wehrpflicht. Das bedeutet, dass alle jungen Männer für eine bestimmte Zeit zum Militär gehen müssen. In Deutschland dauert dieser Wehrdienst zehn Monate, in Österreich acht und in der Schweiz zwölf Monate.

• **weh·tun** <tut weh, tat weh, wehgetan> **I.** *refl* [K] ***jd tut sich*** *dat* ***weh*** sich verletzen, sich Schmerz zufügen *Das Kind hat sich beim Spielen wehgetan.* **II.** *itr* [K] ***etw tut*** [***jdm***] ***weh*** schmerzen *Mein Bauch tut weh., Der Schlag hat wehgetan., Die Kritik hat mir wehgetan.*

Weib·chen ['vaipçən] *das* weibliches Tier *Das Männchen umwirbt das ~.*

• **weib·lich** ['vaiplɪç] <-, -> *adj* **1.** typisch für eine Frau *Sie hat eine sehr ~e Figur.* **2.** zu einer Frau gehörend *das ~e Geschlecht* **3.** LING feminin, mit dem Artikel ‚die' *‚Die Sonne' ist ein ~es Substantiv.* ***Wobi: Weiblichkeit***

• **weich** [vaiç] <weicher, weichst-> *adj* (↔*hart*) so, dass es leicht die Form verändern kann *ein ~er Stoff, etw fühlt sich ~ an, ein ~ gekochtes Ei*

Wei·de ['vai̯də] <-, -n> *die* Wiese, auf der Vieh grast *Kühe auf die ~ treiben* ***Wobi:** weiden*

• **wei·gern** ['vai̯gɐn] <weigert, weigerte, geweigert> *refl* K ***jd weigert sich*** *akk* [***etw*** *akk* ***zu tun***] etw ablehnen, was erwartet wird; etw nicht tun *Er weigerte sich, dem Befehl zu gehorchen.* ***Wobi:** Weigerung*

Weih·nach·ten ['vai̯naxtn̩] <-, -> *das* christliches Fest, an dem die Geburt von Jesus Christus gefeiert wird *~ feiern;* **Frohe ~!** verwendet, um jdm ein schönes Weihnachtsfest zu wünschen *Frohe ~ dir und deiner ganzen Familie!* ***Wobi:** weihnachtlich*

Weih·nachts·baum <-(e)s, -bäume> *der* (≈*Christbaum*) Tanne, die geschmückt und zu Weihnachten aufgestellt wird *die Kerzen am ~ anzünden*

Weih·nachts·mann <-(e)s, -männer> *der* Gestalt mit einem roten Mantel und weißem Bart, die Kindern zu Weihnachten Geschenke bringt *Kommt denn dieses Jahr auch wieder der ~ zu dir?*

• **weil** [vai̯l] *konj* gibt einen Grund an *Er kann nicht kommen, ~ er krank ist.*

Wei·le ['vai̯lə] <-> *kein pl die* eine relativ kurze Zeit, eine Zeit lang *Er wartete schon eine ganze ~ auf sie.*

• **Wein** [vai̯n] <-(e)s, -e> *der* **1.** alkoholisches Getränk, das aus Weintrauben gemacht wird *Zum Essen trank er ein Glas ~., eine Flasche ~ öffnen* **2.** BOT Pflanzenart *wilder ~;* **jdm reinen ~ einschenken** jdm die Wahrheit sagen *Er musste ihr endlich reinen ~ einschenken.* ***Komp:** -flasche, -glas, -rebe, -traube, Rot-, Weiß-*

Wein·berg ['vai̯nbɛrk] <-(e)s, -e> *der* Gebiet, in dem Weintrauben wachsen *Der Winzer arbeitet im ~.*

• **wei·nen** ['vai̯nən] <weint, weinte, geweint> *itr* Tränen verlieren *Sie musste ~, als sie von dem Unglück hörte.*

Wein·pro·be <-, -n> *die* das Probieren verschiedener Weinsorten *zu einer ~ eingeladen sein*

Wei·se ['vai̯zə] <-, -n> *die* Art, Verfahren *Ich mache es auf meine Art und ~.*

wei·se ['vai̯zə] <weiser, weisest-> *adj* sehr klug, vernünftig, reif *im Alter ~ werden* ***Wobi:** Weisheit*

weiß [vai̯s] <-, -> *adj* (↔*schwarz*) so, dass etw die Farbe von Schnee hat *~es Papier;* (**ganz**) **in W~** in weißer Kleidung *Sie heiratete ganz in W~.* ***Wobi:** Weiße(r)*

Weiß·brot <-(e)s, -e> *das* helle Brotart *Ein Baguette ist ein längliches ~.*

Weiß·kohl <-(e)s> *kein pl der* Gemüse; Kohl mit weiß-grünen Blättern, die eine feste Kugel bilden *Es gab Rouladen und ~.*

Weiß·kraut <-(e)s> *kein pl der* (SD, ÖSTERR) Weißkohl; Kraut, aus dem vor allem Sauerkraut hergestellt wird *~ schneiden*

Wei·sung <-, -en> *die* Befehl *~ haben, niemanden eintreten zu lassen*

• **weit** [vai̯t] <weiter, weitest-> **I.** *adj* **1.** räumlich ausgedehnt *Das Gebiet erstreckt sich ~ nach Osten.* **2.** (↔*eng*) locker, groß *ein ~es Kleid, Die Hose ist zu ~.* **II.** *adv* **1.** in einer bestimmten Entfernung *Wie ~ ist es bis Potsdam?, Musst du noch ~ fahren?* **2.** viel *Das Angebot ist ja ~ besser als das andere!* ***Wobi:** Weite, weiten*

Weihnachten
Weihnachten wird vom 24. (Heiliger Abend) bis zum 26. Dezember gefeiert. Am Heiligen Abend macht sich die Familie gegenseitig Geschenke. Die beiden Weihnachtstage (25. und 26.12.) sind offizielle Feiertage. Am ersten Weihnachtstag isst man in vielen Familien eine Gans, in Österreich oft auch einen Karpfen.

Weihnachtsmann

Weißbrot

W

• **wei·ter** ['vaitɐ] I. *adj* zusätzlich, noch mehr *Es besteht keine ~e Gefahr., Gibt es noch ~e Fragen?, ~e Informationen* II. *adv* 1. so, dass etw noch länger dauert *Das ist sehr gut – nur ~ so!* 2. sonst, außerdem *Ich brauche ~ nichts als …*

• **wei·ter|ar·bei·ten** <arbeitet weiter, arbeitete weiter, weitergearbeitet> *itr* mit der Arbeit fortfahren/nicht aufhören *Ich möchte noch eine Stunde ~.*

• **wei·ter|ge·ben** <gibt weiter, gab weiter, weitergegeben> *tr* [K] ***jd gibt etw** akk [an jdn]* ***weiter*** etw von jdm bekommen und dann an eine andere Person geben *Könnten Sie diese Information bitte an Ihre Kollegen ~?*

wei·ter·hin ['vaitɐ'hɪn] *adv* 1. außerdem, zusätzlich *W~ möchte ich auf Punkt 7 hinweisen.* 2. auch in Zukunft *Wir möchten auch ~ mit Ihnen zusammenarbeiten.*

• **wei·ter|ma·chen** <macht weiter, machte weiter, weitergemacht> *itr* fortfahren, etw fortsetzen *Er machte mit seiner Arbeit weiter.*

weit·sich·tig ['vaitzɪçtɪç] <-, -> *adj* 1. MED so, dass man nur weit entfernte Dinge deutlich erkennen kann ~ *sein* 2. so, dass man an alle Dinge denkt, die passieren könnten *Er hat sehr ~ geplant., Das ist sehr ~ gedacht.*

Weit·sprung <-(e)s, -sprünge> *der* Sport, bei dem man versucht, möglichst weit zu springen *Weltmeister im ~*

Wei·zen ['vaitsn̩] <-s> *kein pl der* eine Getreidesorte *Aus ~ macht man Mehl., ~ ernten*

• **wẹl·che**(**-r**, **-s**) *pron* 1. verwendet, um unter vorhandenen Dingen auszuwählen *W~s Kleid soll ich heute anziehen?* 2. (≈*die/der/das*) Relativpronomen *die Frau, ~ ich heute getroffen habe, …*

wẹl·ken ['vɛlkn̩] <welkt, welkte, gewelkt> *itr* <*sein*> verblühen *Die Blumen ~ schon. Es wird Herbst.* ***Wobi: verwelken***

Wẹl·le ['vɛlə] <-, -n> *die* 1. PHYS Schwingung, die sich fortsetzt *elektromagnetische ~n* 2. Bewegung auf dem Meer *Die ~n rauschen., in den ~n schwimmen*

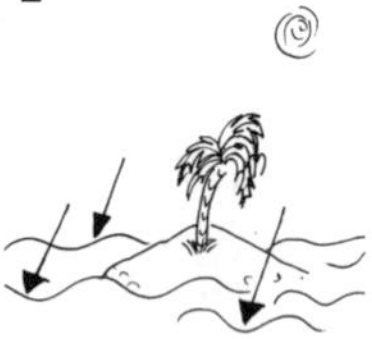

2

Wellen

wẹl·len ['vɛlən] <wellt, wellte, gewellt> *refl* [K] ***etw wellt sich*** sich nach oben und unten biegen *Das nasse Papier beginnt sich zu ~.*

• **Wẹlt** [vɛlt] <-, -en> *die* 1. Erdball, Planet Erde *Sie war schon überall auf der ~.* 2. das Leben auf der Erde *in unserer heutigen ~, die ~ des Mittelalters* 3. ein bestimmter Bereich *die ~ des Sports* ***Komp: -frieden, -reise***

Wẹlt·all <-s> *kein pl das* (≈*Weltraum*) Universum *Der Mensch versucht, das ~ zu erobern.*

Wẹlt·an·schau·ung <-, -en> *die* Ideologie, bestimmte Ansicht über das Leben *Sie hat eine sehr moderne ~.*

wẹlt·be·rühmt <-, -> *adj* auf der ganzen Welt bekannt *Charles Chaplin war ein ~er Schauspieler.*

wẹlt·fremd <-, -> *adj* naiv *Er ist ziemlich ~.*

Wẹlt·krieg <-(e)s, -e> *der* Krieg, an dem viele Länder der Welt beteiligt sind *Im Zweiten ~ sind Millionen von Menschen ums Leben gekommen.*

wẹlt·lich ['vɛltlɪç] <-, -> *adj* (↔*geistlich*) auf die Welt bezogen *~e Probleme*

Welt·macht <-, -mächte> *die* politisch und militärisch sehr wichtiger Staat *die ~ Amerika*

Welt·raum <-(e)s> *kein pl der* (*≈Weltall*) Universum *den ~ erforschen*

Welt·re·kord <-s, -e> *der* weltweit beste Leistung, z.B. in einer Sportart *Er hat einen neuen ~ aufgestellt.*

Welt·si·cher·heits·rat <-(e)s> *kein pl der* POL politisches Gremium der Vereinten Nationen, das versucht, militärische Konflikte weltweit friedlich zu lösen *Der ~ beschloss, die Sanktionen aufzuheben.*

Weltsicherheitsrat
Ständige Mitglieder im Weltsicherheitsrat sind bisher die USA, Russland, Großbritannien, China und Frankreich. Eine Beteiligung anderer Länder wird immer wieder diskutiert. Deutschland hat vorgeschlagen, fünf neue Sitze zu schaffen: für Japan, Deutschland und je einen für einen Staat aus Asien, Afrika und Lateinamerika.

welt·weit <-, -> *adj* auf der ganzen Welt *~e Kommunikation im Internet*

wem [veːm] *pron* fragt nach einer Person, die etw bekommt/besitzt *W~ von euch soll ich das Geld geben?, W~ gehört der Schuh?*

wen [veːn] *pron* fragt nach einer Person *W~ hast du gestern gesehen?, W~ hat die Polizei gefunden?*

Wen·de ['vɛndə] <-, -n> *die* Änderung *eine politische ~;* **seit der** ~ seit der deutschen Wiedervereinigung 1989/der Öffnung des Ostblocks *Seit der ~ hat sich vieles verändert.*

wen·den¹ ['vɛndn̩] <wendet, wandte, gewandt> **I.** *tr* K ***jd wendet etw** akk* in eine bestimmte Richtung drehen *Sie wandte ihre Augen zur Tür.* **II.** *refl* **1.** K ***jd wendet sich** akk* ***an jdn*** ein Gespräch mit jdm suchen *Er wandte sich mit dem Problem an seinen Chef.* **2.** K ***jd wendet sich** akk* ***gegen etw** akk* etw kritisieren, ablehnen *Sie wendet sich gegen den Vorschlag.*

wen·den² ['vɛndn̩] <wendet, wendete, gewendet> *tr* K ***jd wendet etw** akk* umdrehen *Pfannkuchen in der Pfanne ~, Der Bauer wendet das Heu., Der Fahrer wendet den Wagen in der engen Straße.;* **etw drehen und** ~ etw von allen Seiten/aus allen Perspektiven betrachten *Du kannst es drehen und ~, wie du willst, es ändert sich nicht.*

Wen·de·punkt <-(e)s, -e> *der* Situation, in der sich etw wesentlich verändert *Er war an einem ~ seines Lebens angelangt.*

Wen·dung <-, -en> *die* **1.** andere Richtung *Die Dinge nahmen eine neue/tragische ~.* **2.** LING Redensart *‚Jdn durch den Kakao ziehen' ist eine idiomatische ~.*

• **we·nig** ['veːnɪç] <weniger, wenigst-> *adj* (*↔viel*) nur etw, nur ein bisschen *~ trinken, Ich habe zu ~ Geld., Er war heute ~er freundlich als sonst., Es gibt nur ~e Menschen auf der Welt, die so Geige spielen können., Das hilft ~.*

• **we·nigs·tens** ['veːnɪçstn̩s] *adv* zumindest *Wir können es ~ versuchen., Du könntest dich ~ entschuldigen., Sag ~ was!*

• **wenn** [vɛn] *konj* **1.** drückt eine Bedingung aus *W~ es nicht anders geht, dann machen wir es eben so., W~ ich keine Lohnerhöhung bekomme, gehe ich.* **2.** (*≈sobald*) antwortet auf die Frage ‚wann?' *W~ du fertig bist, können wir gehen.*

• **wer** [veːɐ̯] *pron* **1.** fragt nach einer oder mehreren Personen *W~ ruft denn so spät noch an?* **2.** *(umg)* jemand *Da ist ~ für dich am Telefon.*

wer·ben ['vɛrbn̩] <wirbt, warb, geworben> **I.** *tr* K ***jd wirbt jdn*** sich bemühen, jdn als Kunden zu gewinnen *Die Zeitung wirbt neue Leser.* **II.** *itr* **1.** K ***jd wirbt für etw** akk* etw in der Öffentlichkeit sehr gut darstellen, damit es sich gut verkauft; Werbung machen

Sie ~ viel für das neue Waschmittel. **2.** sich um jdn/etw bemühen *Der junge Mann warb lange um die Tochter des Bürgermeisters.*

Wẹr·be·spot <-s, -s> *der* kurze Fernsehwerbung für ein bestimmtes Produkt *Hast du schon den neuen ~ gesehen?*

• **Wẹr·bung** <-> *kein pl die* Reklame *Ich habe die ~ im Fernsehen gesehen., Vor der Sendung kommt ~., Sie machen viel ~ für das neue Auto.* ***Komp: Fernseh-, Radio-***

• **we̲r·den[1]** ['veːɐ̯dn̩] <wird, wurde, geworden> *Vollverb itr <sein>* verwendet, um eine Entwicklung auszudrücken *Er wurde Arzt., Aus der Raupe wurde ein Schmetterling., Aus mir ist nichts geworden., Bist du völlig verrückt geworden?*

• **we̲r·den[2]** ['veːɐ̯dn̩] <wird, wurde, worden> *Hilfsverb itr* zur Bildung von Verbformen *Er wird wahrscheinlich bald kommen., Ich würde dir gerne helfen, habe aber leider keine Zeit., Das Theaterstück ist oft gespielt worden.*

werfen

• **wẹr·fen** ['vɛrfn̩] <wirft, warf, geworfen> *tr* [K] ***jd wirft etw*** *akk* etw mit einer schnellen Armbewegung durch die Luft bewegen *einen Ball 50 m weit ~, Steine ins Wasser ~*

Wẹrft [vɛrft] <-, -en> *die* Fabrik, die Schiffe baut *in Hamburg auf der ~ arbeiten*

• **Wẹrk** [vɛrk] <-(e)s, -e> *das* **1.** Objekt, das ein Künstler gemacht hat *Der Maler betrachtet sein ~.* **2.** Alle Werke eines Schriftstellers *das ~ Goethes kennen* **3.** Fabrik *zur Arbeit ins ~ gehen;* **ans ~ gehen** mit einer Arbeit/Aufgabe beginnen *Das ganze Haus muss noch geputzt werden. Ich mache mich mal ans ~.* ***Komp: -sgelände***

• **Wẹrk·statt** <-, -stätten> *die* Ort, wo z. B. Autos repariert werden *das Auto in die ~ bringen, Mein Wagen ist in der ~.*

Wẹrk·tag <-(e)s, -e> *der* einer der Tage von Montag bis Samstag *an fünf ~en arbeiten* ***Wobi: werktätig***

• **Wẹrk·zeug** <-(e)s, -e> *das* Gerät, mit dem man eine handwerkliche Arbeit ausführt *Hammer und Zange sind ~e.*

• **We̲rt** [veːɐ̯t] <-(e)s, -e> *der* **1.** Qualität, die in Geld gemessen wird *ein Gemälde im ~ von 5.000 Euro versteigern, Das Haus wird im ~ noch steigen.* **2.** Bedeutung, die man einer Sache gibt *Ich lege keinen großen ~ auf seine Meinung., Legen Sie ~ auf mein Urteil?* **3.** ethischer/moralischer Maßstab *sittliche ~e*

• **we̲rt** [veːɐ̯t] <-, -> *adj* so, dass etw einen bestimmten Preis hat *Was ist der Wagen ~?, Diese Briefmarke ist 500 Euro ~.* ***Komp: preis-, sehens-, wünschens-***

• **we̲rt·los** <wertloser, wertlosest-> *adj* (↔*wertvoll*) ohne Wert *Die Kopie ist ~, ich brauche das Original.*

We̲r·tung <-, -en> *die* **1.** Beurteilung *Er wollte keine ~ ihrer Person abgeben.* **2.** SPORT Beurteilung nach Punkten *Unsere Mannschaft liegt in der ~ vorn.* ***Wobi: werten***

we̲rt·voll <wertvoller, wertvollst-> *adj* **1.** (↔*wertlos* ≈*kostbar*) so, dass es großen Wert hat *eine ~e Kette/Armbanduhr* **2.** (↔*wertlos*) hilfreich, nützlich *der Polizei ~e Hinweise geben*

We̲·sen ['veːzn̩] <-s, -> *das* **1.** etw, das lebt *ein menschliches ~, Gibt es außerirdische ~?* **2.** Charakter, Art eines Menschen *ein fröhliches ~ haben* ***Komp: Lebe-***

• **we̲·sent·lich** ['veːzn̩tlɪç] <wesentlicher, wesentlichst-> *adj* **1.**

grundlegend, sehr wichtig *die ~en Grundlagen, über die ~en Dinge des Lebens nachdenken* **2.** viel *Es soll noch ~ wärmer werden.*

• **wes·halb** [vɛsˈhalp] *adv* (≈*warum*) aus welchem Grund? *W~ hast du mich belogen?, Er fragte sich, ~ sie ihn belogen hatte.*

Wes·pe [ˈvɛspə] <-, -n> *die* schwarz-gelb gestreiftes Insekt, das fliegt und stechen kann *Sie ist von einer ~ in den Arm gestochen worden.*

• **wes·sen** [ˈvɛsn̩] *pron* von wem? *Weißt du, ~ Auto das ist?, W~ Kind ist das?*

Wes·si [ˈvɛsi] <-s, -s> *der* (↔*Ossi umg!*) Bewohner der westdeutschen (alten) Bundesländer *Es gibt immer noch viele Missverständnisse zwischen ~s und Ossis.*

• **West** [vɛst] <-> *kein art* Westen *Wind aus ~, Güter aus Ost und ~* ***Komp:*** ***-bahnhof, -deutschland, -europa***

Wes·te [ˈvɛstə] <-, -n> *die* Kleidungsstück ohne Ärmel, das über einem Hemd/einer Bluse und oft unter einem Jackett getragen wird *Zum Anzug trägt er eine graue ~.;* **eine weiße ~ haben** *(umg)* nichts Schlechtes gemacht haben *Der Politiker hat eine weiße ~ – er hat mit dem Skandal nichts zu tun.*

• **Wes·ten** [ˈvɛstn̩] <-s> *kein pl der* **1.** GEOG die Himmelsrichtung, die auf der Karte links ist *Die Sonne geht im ~ unter., nach ~ schauen* **2.** POL Westeuropa und die USA *in den ~ fliehen*

west·lich [ˈvɛstlɪç] <westlicher, westlichst-> **I.** *adj* **1.** GEOG zum Westen gehörend *Es wehen überwiegend ~e Winde.* **2.** POL zu Westeuropa und Nordamerika gehörend *das ~e Verteidigungsbündnis* **II.** *präp +gen* im Westen *~ des Rheins wohnen, W~ von Deutschland liegt Frankreich.*

Wett·be·werb [ˈvɛtbəvɛrp] <-(e)s, -e> *der* **1.** eine Art Kampf, um herauszufinden, wer der/die Beste ist *Beim Mal~ hat sie den ersten Preis gewonnen.* **2.** Konkurrenz *In der Baubranche gibt es einen harten ~., mit jdm in ~ treten* ***Komp:*** ***Mal-, Schönheits-, Schüler-, Schwimm-***

• **Wet·ter** [ˈvɛtɐ] <-s> *kein pl das* Naturerscheinungen wie Regen, Sonne, Kälte, Wärme *schlechtes/gutes/stürmisches ~ haben, Ab morgen soll das ~ schön sein.*

• **Wet·ter·be·richt** <-(e)s, -e> *der* eine Meldung im Radio oder Fernsehen, wie das Wetter wird *Der ~ hat für morgen Sonne angesagt.*

Wett·kampf <-(e)s, -kämpfe> *der* sportlicher Kampf, bei dem der Beste in einer Sportart gesucht wird *Zum olympischen ~ treten Sportler aller Nationen an.* ***Komp:*** ***Schwimm-***

Wett·lauf <-(e)s, -läufe> *der* sportlicher Wettkampf, bei dem man versucht, eine bestimmte Strecke möglichst schnell zu laufen *Die beiden Jungen machten einen ~.*

wet·zen [ˈvɛt͡sn̩] <wetzt, wetzte, gewetzt> **I.** *tr* [K] *jd wetzt etw akk* schärfen *Der Koch wetzt die Messer.* **II.** *itr* <*sein*> (*umg!*) rennen, hasten *Er ist noch schnell zum Kiosk gewetzt, um eine Zeitung zu kaufen.*

• **wich·tig** [ˈvɪçtɪç] <wichtiger, wichtigst-> *adj* so, dass es eine große Bedeutung hat *Er traf eine ~e Entscheidung.;* **sich ~ machen** sich bedeutender zeigen, als man ist; angeben *Er machte sich vor seinen Freunden ~.* ***Wobi:*** ***Wichtigkeit***

1

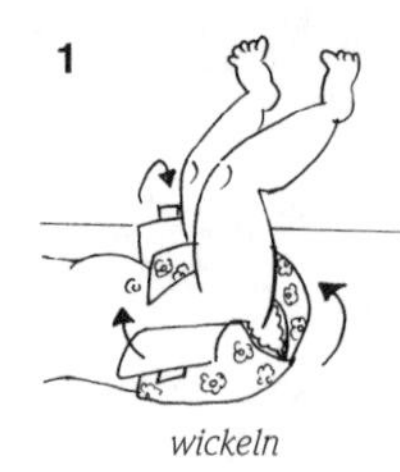

wickeln

wi·ckeln ['vɪkl̩n] <wickelt, wickelte, gewickelt> *tr* **1.** [K] ***jd wickelt jdn*** frische Windeln geben *Die Mutter wickelte den Säugling.* **2.** [K] ***jd wickelt*** [*jdm*] ***etw*** *akk* ***um etw*** *akk* umbinden *Er wickelte ihr ein Tuch um die Stirn.*

Wi·ckel·raum <-(e)s, -räume> *der* Raum in öffentlichen Gebäuden, in dem Eltern ihre Babys wickeln können *Sie ging mit dem Kind in den ~, um die Windel zu wechseln.*

wi·der·le·gen [viːdɐ'leːgn̩] <widerlegt, widerlegte, widerlegt> *tr* **1.** [K] ***jd widerlegt etw*** *akk* beweisen/zeigen, dass etw falsch ist *Er konnte ihre Argumente nicht ~.* **2.** [K] ***jd widerlegt jdn*** beweisen/zeigen, dass jd Unrecht hat *Er widerlegte sie in wesentlichen Punkten.*

wi·der·lich ['viːdɐlɪç] <widerlicher, widerlichst-> *adj* eklig, ekelhaft *ein ~er Kerl*

wi·der·ru·fen [viːdɐ'ruːfn̩] <widerruft, widerrief, widerrufen> *tr* [K] ***jd widerruft etw*** *akk* eine Aussage zurücknehmen *Giordano Bruno weigerte sich, seine Aussagen zu ~.* ***Wobi: Widerruf***

wi·der·set·zen [viːdɐ'zɛt͡sn̩] <widersetzt, widersetzte, widersetzt> *refl* [K] ***jd widersetzt sich*** *akk* [***jdm/etw*** *dat*] Opposition gegen etw einnehmen, gegen etw ankämpfen *Er widersetzte sich dem Befehl.*

• **wi·der·spre·chen** [viːdɐ'ʃprɛçn̩] <widerspricht, widersprach, widersprochen> **I.** *refl* **1.** [K] ***jd widerspricht sich*** *dat* etw anders sagen als vorher *Sie widerspricht sich dauernd.* **2.** [K] ***etw widerspricht sich*** nicht zusammenpassen *Ihre Aussagen ~ sich, sie kann nicht an zwei Orten gleichzeitig gewesen sein.* **II.** *itr* [K] ***jd widerspricht*** [*jdm*] eine andere Meinung haben und laut sagen *Da muss ich ~!* ***Wobi: Widerspruch***

Wi·der·stand ['viːdɐʃtant] <-(e)s> *kein pl der* **1.** öffentlicher Protest *gegen das neue Gesetz/die Regierung ~ leisten* **2.** EL Dichte eines Stoffes, die den Fluss von elektrischem Strom durch diesen Stoff langsamer macht *ein ~ von zwei Ohm*

• **wie** [viː] *adv* **1.** drückt einen Vergleich aus *Ich habe es ~ er gemacht.* **2.** fragt nach der Art und Weise *W~ konnte das passieren?;* **W~ viel?** welche Menge? *W~ viel kostet das?, W~ viele Tage sind es noch?*

• **wie·der** ['viːdɐ] *adv* erneut, nochmals *Er kommt bald ~., Ich mache immer ~ den gleichen Fehler., Er erzählte die Geschichte ~ und ~.*

• **wie·der|be·kom·men** ['viːdɐbəkɔmən] <bekommt wieder, bekam wieder, wiederbekommen> *tr* [K] ***jd bekommt etw*** *akk* ***wieder*** zurückerhalten *Er hat seine verlorene Uhr ~.*

• **wie·der|ge·ben** <gibt wieder, gab wieder, hat wiedergegeben> *tr* [K] ***jd gibt jdm etw*** *akk* ***wieder*** zurückgeben *Bitte gib mir meinen Stift wieder.*

Wie·der·her·stel·lung <-> *kein pl die* Herstellung des Originalzustandes *Die ~ der Beziehung zwischen beiden Ländern wird einige Zeit dauern.*

• **wie·der|ho·len** ['viːdɐhoːlən] <holt wieder, holte wieder, wiedergeholt> *tr* [K] ***jd holt etw*** *akk* ***wieder*** zurückholen *Er holte sich die Bücher wieder, die er seinem Freund geliehen hatte.*

• **wie·der·ho·len** [viːdɐ'hoːlən] <wiederholt, wiederholte, wiederholt> **I.** *tr* [K] ***jd wiederholt etw*** *akk* noch einmal/mehrmals tun *Er wiederholte die Übungen, bis er sie auswendig konnte., Bitte ~ Sie.* **II.** *refl* **1.** K **jd wiederholt sich** *akk* etw mehrmals sagen *Du wiederholst dich mit dieser Geschichte.* **2.** K ***etw wiederholt sich*** noch einmal geschehen *Das Unglück wiederholte sich an der gleichen Stelle.*

Wie·der·ho·lung [vi:dɐ'ho:lʊŋ] <-, -en> *die* **1.** das nochmalige Erklären/das Wiederholen des Gelernten im Unterricht *Als Vorbereitung auf die Klausur machen wir heute eine ~.* **2.** TV das Senden einer Radio- oder Fernsehsendung zum zweiten Mal *Das ist eine ~, das erste Mal wurde der Film vor zwei Jahren gezeigt.* **3.** TV noch mal gezeigter Ausschnitt aus einer Livesendung *Schauen wir uns das Tor noch einmal in der ~ an.*

• **Wie·derhö·ren** ['vi:dɐhø:rən] *das* **Auf ~!** verwendet, um sich am Telefon zu verabschieden *Vielen Dank! Auf ~!*

• **wie·der|kom·men** ['vi:dɐkɔmən] <kommt wieder, kam wieder, wiedergekommen> *itr* <*sein*> noch mal kommen, zurückkommen *Einen Moment, ich komme gleich wieder.*

• **Wie·der·se·hen** ['vi:dɐze:ən] <-, -> *das* Begegnung von Personen, die sich schon einmal getroffen/gekannt haben *ein ~ mit den früheren Schulkameraden;* **Auf ~!** Abschiedsformel *Auf ~ und vielen Dank für alles!*

Wie·der·ver·ei·ni·gung ['vi:dɐfɛɐ̯ʔaɪ̯nɪɡʊŋ] <-, -en> *die* die Handlung, dass man zwei getrennte Dinge, die einmal zusammengehört haben, wieder zu einer Sache zusammenfügt *die ~ der beiden deutschen Staaten*

• **wie·gen¹** ['vi:ɡn̩] <wiegt, wog, gewogen> **I.** *tr* das Gewicht von jdm/etw feststellen *Der Arzt wiegt das Kind.* **II.** *refl* K ***jd wiegt sich*** *akk* auf einer Waage sein Gewicht feststellen *Ich glaube, ich habe zugenommen, ich muss mich mal ~.*

• **wie·gen²** ['vi:ɡn̩] <wiegt, wiegte, gewiegt> *tr* K ***jd wiegt jdn/etw*** *akk* langsam hin und her bewegen *Sie wiegte das Kind in den Schlaf.*

wie·hern ['vi:ɐn] <wiehert, wieherte, gewiehert> *itr* die Laute produzieren, die für ein Pferd typisch sind *Das Pferd wiehert.*

• **Wie·se** ['vi:zə] <-, -n> *die* große Fläche, auf der Gras wächst *~n und Felder*

• **wie·so** [vi'zo:] *adv* (≈*warum*) fragt nach dem Grund *W~ weißt du das?*

wild [vɪlt] <wilder, wildest-> *adj* **1.** im natürlichen/originalen Zustand (ohne Einfluss des Menschen) *~e Rosen, ~e Tiere* **2.** heftig *Die Kinder toben ~ umher.*

Wild·nis ['vɪltnɪs] <-> *kein pl die* unberührte Natur *Tiere in der ~ beobachten*

Wil·le ['vɪlə] <-ns, (-n)> *der* die bewusste Haltung, dass man etw will *seinen ~n durchsetzen, einen starken ~n haben*

• **Will·kom·men** [vɪl'kɔmən] <-s> *kein pl das* Begrüßung *Die Gastgeber sprachen ein herzliches ~ aus., Herzlich ~!*

Wim·per ['vɪmpɐ] <-, -n> *die* eines der feinen Haare an den Augenlidern *lange ~n haben, Sie hat sich die ~n geschminkt.;* **ohne mit der ~ zu zucken** ohne zu zögern, ohne Bedenken *Er hatte sie ohne mit der ~ zu zucken betrogen.*

Wiedervereinigung
Deutschland wurde nach dem II. Weltkrieg (1939–1945) in vier Besatzungszonen aufgeteilt. Die Grenze zwischen der sowjetischen Zone und den Westzonen wurde dann zur festen Grenze zwischen zwei deutschen Staaten: der Bundesrepublik Deutschland (BRD) und der Deutschen Demokratischen Republik (DDR). Seit 1990 sind beide Staaten wiedervereinigt.

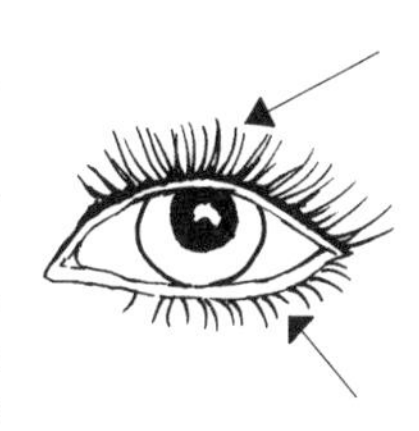

Wimpern

• **Wịnd** [vɪnt] <-(e)s, -e> *der* Bewegung der Luft *Der ~ kommt von Westen.;* **von etw ~ bekommen** *(umg)* etw Geheimes herausfinden *Er hatte von dem Betrug ~ bekommen.*

Wịn·del ['vɪndl̩] <-, -n> *die* ein Tuch, das Babys und Kleinkindern um den Po gewickelt wird, bis sie selbst zur Toilette gehen können *die ~n wechseln*

wịn·dig ['vɪndɪç] <windiger, windigst-> *adj* **1.** so, dass ein starker Wind weht *ein ~er Nachmittag* **2.** *(umg)* zweifelhaft, unglaubwürdig *ein ~er Kerl, eine ~e Ausrede*

Wịnd·po·cken <-> *kein sing pl* Krankheit, bei der rote Bläschen und Flecken auf der Haut erscheinen *Die Kinder haben ~.*

Wịnd·schutz·schei·be <-, -n> *die* das große Fenster auf der Vorderseite eines Autos *die ~ putzen*

Wịn·dung <-, -en> *die* **1.** Kurve, Bogen *Die Straße hat viele ~en.* **2.** Flusskurve *An der nächsten ~ ist eine Sandbank.* **3.** TECH eine Umdrehung in einer Spirale *Die ~en der Spule müssen überprüft werden.*

Wịnk [vɪŋk] <-(e)s, -e> *der* **1.** Hinweis *jdm einen ~ geben* **2.** Zeichen *Er gab mir durch einen ~ zu verstehen, dass ich lieber gehen sollte.*

Wịn·kel ['vɪŋkl̩] <-s, -> *der* **1.** MATH die ‚Ecke', die entsteht, wenn zwei Linien sich treffen *ein 90-Grad-Winkel, spitzer/stumpfer/rechter ~* **2.** Ecke *auch in den hinteren ~n Staub wischen* **3.** Stelle, Ecke, Ort *Sie fand noch einen ~ für das neue Regal.;* **der tote ~** der Bereich, den ein Autofahrer nicht sieht, wenn er in den Außenspiegel schaut *Ich habe das Auto nicht gesehen. Es war genau im toten ~.*

• **wịn·ken** ['vɪŋkn̩] <winkt, winkte, gewinkt/gewunken> **I.** *tr* [K] ***jd winkt jdn zu sich*** *dat* Zeichen geben, dass jd zu einem herkommen soll *Er winkte mich zu sich.* **II.** *itr* **1.** zur Verabschiedung die Hand hin- und herbewegen/etw auf- und abbewegen *Er winkte zum Abschied., Sie winkte mit einem Taschentuch aus dem Zugfenster.* **2.** jdn durch eine Bewegung mit der Hand oder einem Gegenstand dazu bewegen, sich zu nähern *Er winkte dem Taxi., einem Kellner ~ und die Getränke bestellen* **3.** in Aussicht stehen *Dem Gewinner winkt eine Reise nach London.*

Wịn·ter ['vɪntɐ] <-s, -> *der* die Jahreszeit, in der es kalt ist und Schnee fällt *im ~ Schlitten fahren* ***Wobi:*** *winterlich* ***Komp:*** *-fahrplan, -mantel, -stiefel*

Wịn·ter·se·mes·ter <-s, -> *der* Studienhalbjahr an der Universität, das vom Herbst eines Jahres bis zum Frühjahr des nächsten Jahres dauert *im ~ das Studium beginnen*

wịn·zig ['vɪnt͡sɪç] <winziger, winzigst-> *adj* sehr klein *eine ~e Menge von etw, eines der ~en Bauteile eines Uhrwerks*

• **wịr** [viːɐ̯] *pron* Personalpronomen der 1. pers pl *W~ kommen und sie gehen.*

Wịr·bel ['vɪrbl̩] <-s, -> *der* **1.** die Bewegung, bei der etw schnell um einen Mittelpunkt kreist *Das Wasser bildet einen ~.* **2.** ANAT Glied des Rückgrats *Sie hat sich zwei ~ verletzt.* **3.** Stelle, an der das Haar kreisförmig aus der Kopfhaut wächst *einen ~ haben;* **~ machen/verursachen** *(umg)* Aufregung/Unruhe verursachen *Sein Auftritt hat einen ganz schönen ~ verursacht.* ***Komp:*** *-sturm*

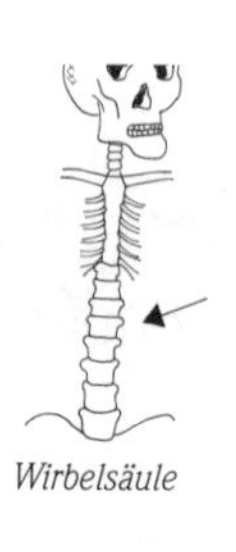

Wirbelsäule

Wịr·bel·säu·le <-, -n> *die* Rückgrat *In der ~ verlaufen alle wichti-*

gen Nervenstränge. ***Komp:*** ***-ngymnastik***

wir·ken ['vɪrkn̩] <wirkt, wirkte, gewirkt> *itr* **1.** eine Wirkung haben *Wirkt die Tablette schon?* **2.** erscheinen *Sie wirkt jünger, als sie ist.* **3.** zur Geltung kommen *Die Blumen ~ hier drüben besser.*

• **wirk·lich** ['vɪrklɪç] <-, -> *adj* **1.** tatsächlich, echt *Das war ~ ein Erfolg., im ~en Leben, Du bist ein ~er Freund.* **2.** verwendet, um eine Aussage zu verstärken; echt *Ich weiß ~ nicht, was ich davon halten soll.*

• **Wirk·lich·keit** <-> *kein pl die* Realität *Ihr Traum vom eigenen Haus wurde ~., In ~ war sie sehr reich.*

wirk·sam ['vɪrkza:m] <wirksamer, wirksamst-> *adj* so, dass es wirkt; mit einem gewollten Ergebnis *ein ~es Medikament*

• **Wir·kung** ['vɪrkʊŋ] <-, -en> *die* Effekt, Einfluss, Reaktion *Die Tabletten hatten eine starke ~., Die Aktion blieb ohne ~.* ***Wobi:*** ***wirkungslos, wirkungsvoll***

wirr [vɪr] <wirrer, wirrst-> *adj* durcheinander, ungeordnet *Sie musste ihre ~en Gedanken erst ordnen., Was für eine ~e Geschichte!*

Wirr·warr ['vɪrvar] <-s> *kein pl der* Durcheinander *Ihr Zimmer war ein einziges ~.*

• **Wirt(in)** [vɪrt] <-(e)s, -e> *der* Gastwirt, Kneipenbesitzer *Der ~ brachte den Gästen das Essen persönlich an den Tisch.*

• **Wirt·schaft** ['vɪrtʃaft] <-, -en> *die* **1.** Gaststätte *abends auf ein Bier in die ~ gehen* **2.** Industrie, Handel und Dienstleistungen *die freie ~, Die ~ boomt/stagniert.*

wi·schen ['vɪʃn̩] <wischt, wischte, gewischt> *tr* [K] ***jd wischt etw*** *akk* reinigen *Sie wischte den Boden mit einem feuchten Lappen.*

• **wis·sen** ['vɪsn̩] <weiß, wusste, gewusst> *tr* **1.** [K] ***jd weiß etw*** *akk* informiert sein, kennen *Mehr weiß ich nicht., Weißt du, wo er ist?, Weißt du seine Telefonnummer?* **2.** [K] ***jd weiß [noch] etw*** *akk* sich erinnern *Weißt du noch, wie es in der Schule war?;* **Wer weiß?** drückt eine Hoffnung oder einen Zweifel aus *Vielleicht kommt sie ja doch zurück. Wer weiß?*

Wis·sen ['vɪsn̩] <-s> *kein pl das* Kenntnisse *Sie hat ein großes ~ auf diesem Gebiet., sein ~ erweitern*

• **Wis·sen·schaft** ['vɪsn̩ʃaft] <-, -en> *die* Bereich der Forschung *Der Professor ist ein Mann der ~.* ***Wobi:*** ***Wissenschaftler, wissenschaftlich*** ***Komp:*** ***Geistes-, Natur-, Literatur-, Sprach-***

Wit·we ['vɪtvə] <-, -n> *die* Frau, deren Ehemann tot ist *Sie ist seit einem Jahr ~.*

Wit·wer ['vɪtvɐ] <-s, -> *der* Mann, dessen Ehefrau tot ist *Er ist seit zehn Jahren ~.*

• **Witz** [vɪts] <-es, -e> *der* eine Art kurze, lustige Geschichte, die man erzählt, um jdn zum Lachen zu bringen *ein guter/schlechter ~, Das soll wohl ein ~ sein!*

• **wo** [vo:] *adv* **1.** fragt nach dem Ort *W~ wohnen Sie?* **2.** beschreibt einen Ort *Das Kino ist dort, ~ auch die große Kirche ist.*

wo·an·ders [vo'ʔandɐs] *adv* an anderer Stelle, an einem/einen anderen Ort *Es ist nicht da, wo du denkst, sondern ~., Lass uns ~ hingehen! Hier gefällt es mir nicht.*

wo·bei [vo'bai̯] *pron* verwendet, um nach einer Handlung zu fragen/um eine Handlung näher zu beschreiben *W~ habt ihr ihn beobachtet?*

Wo·che ['vɔxə] <-, -n> *die* Zeitraum von sieben Tagen und Nächten *Jedes Jahr hat 52 ~n.* ***Wobi: wöchentlich***

Wo·chen·en·de ['vɔxn̩ʔɛndə] <-s, -n> *das* Samstag und Sonntag *Er verbringt seine ~n immer auf dem Land., sich auf das ~ freuen*

Wo·chen·tag <-(e)s, -e> *der* **1.** Arbeitstag *Heute ist ein ganz normaler ~, an dem ich arbeiten muss.* **2.** bestimmter Tag der Woche *An welchen ~en hast du feste Termine?* ***Wobi: wochentags***

• **wo·durch** [vo'dʊrç] *pron* **1.** fragt nach der Ursache *W~ ist das passiert?, Ich verstehe nicht, ~ er sich verdächtig gemacht hat.* **2.** drückt eine Wirkung/ein Ergebnis aus *Sie nahm eine Tablette ein, ~ die Kopfschmerzen gleich abnahmen.*

• **wo·für** [vo'fyːɐ̯] *pron* fragt nach dem Zweck *W~ ist das gut, was du da machst?*

wo·ge·gen [vo'geːgn̩] *adv* gegen was? *W~ ist das Medikament?, Ihr war selber nicht klar, ~ sie etw einzuwenden hatte.*

• **wo·her** [vo'heːɐ̯] *pron* von wo?, welcher Herkunft? *W~ kennst du ihn?, Weißt du, ~ der Neue kommt?*

• **wo·hin** [vo'hɪn] *pron* verwendet, um nach dem Zielort zu fragen *W~ soll ich gehen?, Weißt du, ~ dein Bruder gegangen ist?, Sie flohen in die Wälder, ~ ihnen niemand folgen konnte.*

• **Wohl** [voːl] <-(e)s> *kein pl das* der Zustand, in dem es einem gut geht *Sie macht sich Sorgen um das ~ ihres Mannes.;* **Zum ~!** Trinkspruch, mit dem man dem anderen Gesundheit wünscht *Er hob sein Glas und sagte: „Zum ~!"*

• **wohl** [voːl] **I.** *PART* **1.** wahrscheinlich, vermutlich *Das ist ~ das Beste., Er hatte ~ zu viel getrunken, als er gegen den Baum fuhr.* **2.** zwar, freilich *Ich habe es ~ gewusst, aber was hätte ich machen sollen?* **II.** *adv* gesund *Ich fühle mich nicht ~.*

Wohnblöcke

• **Wohn·block** <-s, -s/-blöcke> *der* (= CH *Block*) großes Mietshaus mit vielen Wohnungen *ein ~ mit hundert Wohnungen*

• **woh·nen** ['voːnən] <wohnt, wohnte, gewohnt> *itr* leben, seinen Wohnsitz haben *Er wohnt noch bei seinen Eltern., in München ~*

Wohn·ge·mein·schaft <-, -en> *die* (≈*WG*) mehrere Personen, die keine Familie sind, sich aber gemeinsam eine Wohnung teilen *Als Student hat er lange Zeit in einer ~ gelebt.*

Wohn·heim <-(e)s, -e> *das* ein Haus mit Appartments, die an Menschen einer bestimmten Gruppe vermietet werden *Viele Studenten leben in relativ billigen ~en.* ***Komp: Studenten-***

Wohn·sitz <-es, -e> *der* Ort, in dem man als Einwohner gemeldet ist *Er hatte seinen ständigen ~ in Berlin., Obdachlose sind ohne festen ~.*

• **Woh·nung** <-, -en> *die* die Zimmer in einem Haus, die zusammen eine Einheit bilden, in der jd lebt *die ~ neu einrichten* ***Komp: -seinrichtung, -smarkt, -ssuche***

Wohn·wa·gen <-s, -/-wägen> *der* ein Wagen, der an das Auto angehängt wird und in dem man wohnen kann *mit dem ~ in Urlaub fahren*

Wolf [vɔlf] <-(e)s, Wölfe> *der* ein Raubtier, das aussieht wie ein großer Hund *Wölfe sind in Europa fast ausgestorben.*

• **Wol·ke** ['vɔlkə] <-, -n> *die* eine große Menge Wasserdampf, die am Himmel zu sehen ist *Ein paar weiße ~n sind am Himmel., dunkle ~n;* **aus allen ~n fallen** *(umg)* sehr erstaunt sein *Sie fiel aus allen ~, als sie von seiner Heirat hörte.* **Wobi:** *wolkenlos* **Komp:** *Gewitter-, Regen-*

Wolke

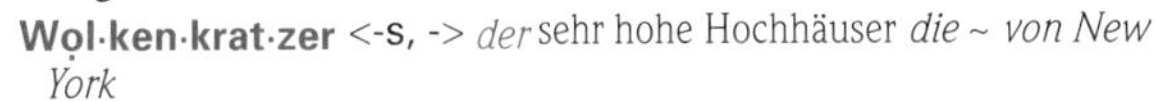

Wol·ken·krat·zer <-s, -> *der* sehr hohe Hochhäuser *die ~ von New York*

wol·kig ['vɔlkɪç] <-, -> *adj* mit Wolken bedeckt *ein ~er Himmel*

• **Wol·le** ['vɔlə] <-, -n> *die* die Fäden, die man aus dem Fell von Schafen macht, um daraus Stoffe herzustellen *ein Pullover aus reiner ~;* **sich mit jdm in die ~ kriegen** *(umg)* mit jdm Streit bekommen *Die beiden haben sich in die ~ gekriegt.*

• **wol·len** ['vɔlən] <will, wollte, gewollt/wollen> *tr* [K] ***jd will etw*** *akk* die Absicht/den Wunsch haben *Was will er von dir?, Wenn du willst, kannst du gehen., Ich will das nicht., Ich wollte kommen.*

wo·mit [vo'mɪt] *pron* **1.** wie?, mit was? *W~ kann ich dienen?* **2.** verwendet, um ein Ergebnis/eine Folge auszudrücken *Die Armee hat die Stadt erobert, ~ ihr Schicksal besiegelt ist.*

wo·nach [vo'na:x] *pron* (nach) was? *W~ suchst du denn?, Ich weiß nicht so genau, ~ ich suchen soll.*

• **Wort**[1] [vɔrt] <-(e)s, Wörter> *das* Einheit aus Buchstaben *Ich kann schon fünf Wörter auf Arabisch!, ein ~ im Wörterbuch nachschlagen*

• **Wort**[2] [vɔrt] <-(e)s, Worte> *das* das, was man sagt *~e der Dankbarkeit finden, Das kann man mit ~en nicht beschreiben., Mir fehlen die ~e.;* **jdn beim ~ nehmen** sich auf jds Aussage verlassen *Er hatte sie beim ~ genommen und kam um sieben zum Kino.;* **für jdn ein gutes ~ einlegen** sich für jdn einsetzen *Er legte für seinen Freund ein gutes ~ beim Chef ein.;* **sein ~ halten** ein Versprechen halten *Sie hat ihr ~ gehalten und ihm tatsächlich geschrieben.;* **sein ~ brechen** ein Versprechen nicht halten *Er hat sein ~ gebrochen und ist nicht erschienen.*

• **Wör·ter·buch** <-(e)s, -bücher> *das* Buch, in dem die Wörter einer Sprache oder von zwei Sprachen alphabetisch angeordnet und erklärt oder übersetzt sind *ein Wort im ~ nachschlagen, einsprachiges ~, zweisprachiges ~* **Komp:** *Fach-, Lerner-*

wört·lich ['vœrtlɪç] *adv* dem eigentlichen Wortsinn entsprechend *Er nahm ihre Äußerungen ~.*

Wort·schatz <-es> *kein pl der* **1.** alle Wörter einer Sprache *ein Wörterbuch mit dem gesamten ~ der deutschen Sprache* **2.** die Kenntnis der Wörter einer Sprache *Sie hat einen großen ~., seinen ~ erweitern, aktiver/passiver ~* **Komp:** *Basis-, Grund-*

wo·zu [vo'tsu:] *adv* **1.** zu welchem Zweck? *W~ soll das gut sein?* **2.** zu was *Er wollte wandern, ~ ich überhaupt keine Lust hatte.*

Wu·cher ['vu:xɐ] <-s> *kein pl der* stark überhöhte Preise *Das ist doch der reinste ~!*

wu·chern ['vu:xɐn] <wuchert, wucherte, gewuchert> *itr* *<sein>* schnell und wild wachsen *Das Unkraut wucherte im Garten.*

wuchs [vu:ks] *prät von* **wachsen**

wund [vʊnt] <wunder, wundest-> *adj* so, dass die Haut entzün-

det ist *sich die Füße ~ laufen;* ~**er Punkt** verletzliche/empfindliche Stelle *Er hat mit seinen Vorwürfen ihren ~en Punkt getroffen.*

• **Wụn·de** ['vʊndə] <-, -n> *die* **1.** Verletzung *Die ~ wollte nicht heilen.* **2.** seelische Verletzung *alte ~n wieder aufreißen*

Wụn·der ['vʊndɐ] <-s, -> *das* **1.** überraschendes, unerwartetes Ereignis *Es muss schon ein ~ geschehen, damit er mal pünktlich ist.* **2.** REL Ereignis, das einer göttlichen Macht zugesprochen wird *Die Auferstehung Jesu war ein ~.;* **sein blaues ~ erleben** *(umg)* eine unangenehme Überraschung erleben *Na, der wird sein blaues ~ erleben, wenn er nach Hause kommt.*

• **wụn·der·bar** ['vʊndɐbaːɐ̯] <wunderbarer, wunderbarst-> *adj* sehr schön, ausgezeichnet *Wir hatten einen ~en Sommer!, Du kommst? Das ist ja ~!*

• **wụn·dern** ['vʊndɐn] <wundert, wunderte, gewundert> **I.** *tr* [K] ***etw wundert jdn*** überraschen *Das wundert mich aber!, Es wundert mich, dass du nicht daran gedacht hast.* **II.** *refl* [K] ***jd wundert sich*** *akk* ***über etw*** *akk* über etw staunen, das anders ist, als man es erwartet hat *Er wunderte sich über die Ruhe, die sie ausstrahlte.*

• **Wụnsch** [vʊnʃ] <-(e)s, Wünsche> *der* **1.** das Gefühl, etw haben oder machen zu wollen; Bedürfnis, Verlangen *Er hatte nur den ~, nach Hause zu fahren und zu schlafen.* **2.** Bitte, Anliegen *Haben Sie noch einen ~?*

• **wụ̈n·schen** ['vʏnʃn̩] <wünscht, wünschte, gewünscht> **I.** *tr* **1.** [K] ***jd wünscht etw*** *akk* erhoffen *Es ist genauso, wie ich es mir gewünscht habe.* **2.** [K] ***jd wünscht etw*** *akk* bitten, fordern *Ich wünsche, nicht gestört zu werden.* **II.** *refl* [K] ***jd wünscht sich*** *dat* ***etw*** *akk* wollen, dass etw geschieht oder dass man etw bekommt *Sie wünschte sich, dass er zurückkommt., Ich wünsche mir ein ein neues Spiel zum Geburtstag.*

wụr·de ['vʊrdə] *prät von* **werden**

Wụ̈r·de ['vʏrdə] <-, (-n)> *die* **1.** der Wert eines Menschen *die ~ des Menschen achten, Die ~ des Menschen ist unantastbar.* **2.** Haltung, innerer Stolz *Er ertrug die Situation mit ~ und Gelassenheit.* **3.** ein Amt mit hohem Ansehen *Der Professor war im Laufe seines Lebens zu hohen ~n gelangt.* ***Komp: Menschen-***

wụ̈r·di·gen ['vʏrdɪgn̩] <würdigt, würdigte, gewürdigt> *tr* [K] ***jd würdigt jdn/etw*** *akk* ehren, anerkennen *Der Präsident würdigte die guten Leistungen des Ministers., gute Leistungen ~*

Wụrf [vʊrf] <-(e)s, Würfe> *der* **1.** das Werfen *Der ~ ging direkt ins Tor.* **2.** ZOOL die jungen Tiere, die ein Muttertier gleichzeitig geboren hat *Unsere Katze hatte einen ~ von vier Jungen.* **3.** *(umg)* Erfolg *Mit dieser CD ist der Band der große ~ gelungen.*

Würfel

Wụ̈r·fel ['vʏrfl̩] <-s, -> *der* **1.** Gegenstand mit sechs gleich großen Flächen *ein ~ mit einem Meter Seitenlänge* **2.** Gegenstand mit sechs gleich großen Flächen, auf denen die Zahlen eins bis sechs symbolisiert sind *Für das Spiel brauchen wir zwei ~.* ***Wobi: würfeln Komp: -spiel***

wụ̈r·gen ['vʏrgn̩] <würgt, würgte, gewürgt> **I.** *tr* [K] ***jd würgt jdn*** jdm die Kehle zudrücken *Er legte die Hände um ihren Hals und würgte sie.* **II.** *itr* mühsam schlucken *Er musste ~; wahrscheinlich* *hatte er etw Schlechtes gegessen.*

Wụrm [vʊrm] <-(e)s, Würmer> *der* kleines, längliches, wirbelloses Tier *einen ~ im Apfel finden;* **Da ist der ~ drin!** *(umg)* das ist überhaupt nicht in Ordnung *Ich kann den Fehler einfach nicht finden, in dieser Rechnung ist der ~ drin!;* **jdm die Würmer aus der Nase ziehen müssen** *(umg)* man muss jdn sehr intensiv befragen, um Auskunft zu bekommen *Von sich aus sagt er dir nichts, dem musst du die Würmer aus der Nase ziehen.* ***Komp: Band-, Regen-***

wụr·men ['vʊrmən] <wurmt, wurmte, gewurmt> *tr* [K] ***etw wurmt jdn*** *(umg)* ärgern *Es wurmte ihn, dass sie alleine ins Kino gegangen war.*

• **Wụrst** [vʊrst] <-, Würste> *die* Nahrungsmittel, das aus Fleisch und Gewürzen hergestellt wird *Er belegt das Brot mit einer Scheibe ~.;* **Das ist mir ~.** *(umg)* Das ist mir egal. *Es ist mir ~, ob sie ins Kino geht oder ob nicht, ich gehe nicht.* ***Komp: -brot, Brat-, Streich-***

Wurst

Wụ̈rst·chen ['vʏrstçən] <-s, -> *das* **1.** kleine, dünne Wurst *Heute gibt es Wiener ~ mit Brot und Salat.* **2.** *(umg pej)* unbedeutender Mensch *ein kleines ~, das sich wichtig macht*

Wụr·zel ['vʊrtsl̩] <-, -n> *die* **1.** BOT Teil einer Pflanze, der in der Erde wächst und der Wasser und Nährstoffe aufnimmt *Die ~n des Baumes gehen drei Meter tief in die Erde.* **2.** MATH **DIE ~ aus x** die Zahl, die man mit sich selbst multiplizieren muss, um x zu erhalten *Die ~ aus fünfundzwanzig ist fünf.* ***Wobi: wurzeln***

wụ̈r·zen ['vʏrtsn̩] <würzt, würzte, gewürzt> *tr* [K] ***jd würzt etw*** *akk* einer Speise durch Gewürze mehr Geschmack geben *scharf gewürztes Essen*

wụ̈r·zig ['vʏrtsɪç] <würziger, würzigst-> *adj* **1.** gut gewürzt, schmackhaft *sehr ~es Essen* **2.** so, dass es gut riecht *~e Waldluft*

wu̲sch [vuːʃ] *prät von* **waschen**

wụss·te ['vʊstə] *prät von* **wissen**

Wu̲st [vuːst] <-(e)s> *kein pl der* unordentlicher Haufen, Durcheinander *Ihr Zimmer war ein einziger ~ von Kleidung.*

wü̲st [vyːst] <wüster, wüstest-> *adj* **1.** öde, verlassen *eine ~e Gegend* **2.** wild, ausschweifend *Er führt ein ~es Leben.*

Wü̲s·te ['vyːstə] <-, -n> *die* heißes, sehr trockenes Gebiet mit sehr wenig Pflanzen *Die Sahara ist eine ~.* ***Komp: -nbewohner***

Wu̲t [vuːt] <-> *kein pl die* Gefühl des Ärgers, Zorn *vor ~ kochen*

• **wü̲·tend** <wütender, wütendst-> *adj* zornig, sehr ärgerlich *auf jdn ~ sein, über etw ~ sein*

X, x [ɪks] <-, -> *das* **1.** der 24. Buchstabe des Alphabets *Das Wort ‚Xylophon' beginnt mit dem Buchstaben ~.*; **jdm ein ~ für ein U vormachen** *(umg)* jdm etw vormachen, jdm eine Unwahrheit als Wahrheit darstellen *Sei auf der Hut! Lass dir kein ~ für ein U vormachen!* **2.** *(umg)* viele *Sie lebt hier schon seit ~ Jahren.*

x-Ach·se <-, -n> *die* Waagerechte im Koordinatensystem *die ~ zeichnen*

X-Bei·ne <-> *kein sing pl* Beine, die in einer x-Form gekrümmt sind *Es gibt ~ und O-Beine.* ***Wobi:** x-beinig*

x-fach <-, -> *adj (umg)* sehr viele *Trotz ~er Ermahnungen zahlt er nicht.*

x-mal *adv (umg)* sehr oft *Ich habe dir schon ~ gesagt …*

x-te <-, -> *adj (umg)* verwendet, um eine große (unbestimmte) Zahl zu bezeichnen *zum ~n Mal wiederholen, dass …*

Xy·lo·phon [ksylo'fo:n] <-s, -e> *das* Musikinstrument mit Holz- oder Metallplättchen, die mit zwei Hölzern geschlagen werden *~ spielen*

Xylophon

Y, y ['ʏpsilɔn] <-, -> *das* der 25. Buchstabe des Alphabets *Das Wort ‚Yuppie' beginnt mit dem Buchstaben ~.*

y-Ach·se <-, -n> *die* senkrechte Achse des Koordinatensystems *die ~ einzeichnen*

Yacht [jaxt] *siehe* **Jacht**

Yoga ['jo:ga] *kein pl siehe* **Joga**

Yup·pie ['jʊpi] <-s, -s> *der (umg pej)* junger Mensch, der viel Wert auf beruflichen Erfolg und einen luxuriösen Lebensstil legt *Bist du unter die ~s gegangen?*

Z

Z, z [t͜sɛt] <-, -> *das* der 26. Buchstabe des Alphabets *Das Wort ‚Zahn' beginnt mit dem Buchstaben ~.*

Za·cke ['t͜sakə] <-, -n> *die* Spitze *die ~n einer Gabel*

zäh [t͜sɛː] <zäher, zähest-> *adj* so, dass es sehr fest ist und man es lange kauen muss *~es Fleisch*

• **Zahl** [t͜saːl] <-, -en> *die* **1.** Menge, Anzahl *Die ~ der Mitarbeiter ist angestiegen.* **2.** eine Grundgröße der Mathematik *die ganzen/negativen/positiven/rationalen ~, die ~ fünf, sich ~en gut/schlecht merken können*

• **zah·len** ['t͜saːlən] <zahlt, zahlte, gezahlt> **I.** *tr* [K] ***jd zahlt etw** akk* das Geld geben, das etw kostet *Sie ~ ihm die Reise nach England.* **II.** *itr* Geld für eine Rechnung geben *Ich möchte bitte ~!, Dieses Mal zahle ich!, Z~ Sie bar, per Scheck oder mit Karte?*

• **zäh·len** ['t͜sɛːlən] <zählt, zählte, gezählt> **I.** *tr* [K] ***jd zählt etw** akk* die Anzahl von etw feststellen *Er zählt sein Geld.* **II.** *itr* die Zahlen in ihrer Reihenfolge aufsagen *Kannst du schon bis zehn ~?, auf Italienisch ~ können;* **auf jdn ~ [können]** sich auf jdn verlassen [können] *Auf ihn kannst du ~!*

Zäh·ler <-s, -> *der* TECH Instrument, das den Verbrauch von etw zählt *Der ~ zeigt zehn Telefoneinheiten an.*

• **zahl·reich** <zahlreicher, zahlreichst-> *adj* viel *Er hat ~e Bücher über dieses Thema geschrieben.*

Zah·lungs·mittel <-s, -> *das* das, womit man zahlt *Geld ist das wichtigste ~., Kreditkarten sind heute weit verbreitete ~.*

Zahl·wort <-(e)s, -wörter> *das* Wort, das eine Zahl bezeichnet *Das Wort ‚fünf' ist ein ~.*

zahm [t͜saːm] <zahmer, zahmst-> *adj* (*wild*) so, dass ein Tier an Menschen gewöhnt ist und keine Angst vor ihnen hat *Sie hat einen ~en Affen.*

• **Zahn** [t͜saːn] <-(e)s, Zähne> *der* einer der weißen, harten Teile im Mund zum Beißen *einen ~ ziehen, die Zähne putzen* ***Komp:** -creme, -pasta, -schmerzen, -seide, -stocher, Backen-, Milch-, Schneide-*

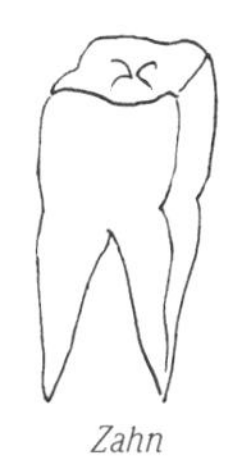

Zahn

Zahn·arzt, -ärz·tin <-(e)s, -ärzte> *der* Arzt, der auf die Behandlung der Zähne spezialisiert ist *zweimal im Jahr zum ~ gehen* ***Komp:** -praxis, -helferin*

• **Zahn·bürs·te** <-, -n> *die* kleine Bürste zum Reinigen der Zähne *sich die Zähne mit ~ und Zahncreme putzen*

Zan·ge ['t͜saŋə] <-, -n> *die* Werkzeug zum Greifen/Festhalten von Gegenständen *mit einer ~ den Nagel aus der Wand ziehen;* **jdn in die ~ nehmen** *(umg)* jdn so intensiv befragen, dass es für ihn unangenehm ist *Der Staatsanwalt hat den Angeklagten in die ~ genommen.*

Zapf·säu·le <-, -n> *die* Behälter an der Tankstelle, aus dem das Benzin kommt *Die neue Tankstelle hat acht ~n.*

Zapfsäule

zap·peln ['t͜sapl̩n] <zappelt, zappelte, gezappelt> *itr* strampeln, hin- und herwackeln *Der Fisch zappelt an der Angel.*

zart [tsa:ɐ̯t] <zarter, zartest-> *adj* fein *ein ~er Duft, ~es Fleisch*

zärt·lich ['tsɛ:ɐ̯tlɪç] <zärtlicher, zärtlichst-> *adj* liebevoll *ein ~er Mensch, ein ~er Kuss* ***Wobi: Zärtlichkeit***

zau·bern ['tsaubɐn] <zaubert, zauberte, gezaubert> **I.** *tr* **1.** [K] ***jd zaubert etw*** *akk* durch übernatürliche Kräfte etw bewirken *Der Zauberer zauberte eine Taube aus dem Hut.* **2.** [K] ***jd zaubert etw*** *akk* aus einfachen Dingen etw Besonderes machen *aus Resten ein wunderbares Essen ~* **II.** *itr* **1.** Magie ausüben *Im Mittelalter glaubte man, Hexen könnten ~.* **2.** Zauberkunststücke zeigen *Zur Freude der Kinder zauberte der Vater auf dem Geburtstag.*

Zaun

Zaun [tsaun] <-(e)s, Zäune> *der* eine Konstruktion aus Holz oder Metall, die ein Grundstück abgrenzt *Der Garten ist durch einen ~ vom Grundstück des Nachbarn getrennt.;* **einen Streit vom ~ brechen** ohne Notwendigkeit einen Streit beginnen *Er wollte unbedingt einen Streit vom ~ brechen, um zu zeigen, dass er stärker ist.* ***Komp: Garten-***

Ze·bra ['tse:bra] <-s, -s> *das* eine Art Pferd mit einem schwarz-weiß gestreiften Fell *Das ~ lebt in Afrika.*

Ze·bra·strei·fen <-s, -> *der* weiße Streifen auf der Straße, die einen Fußgängerüberweg markieren *am ~ anhalten*

Zeh [tse:] <-s, -en> *der* einer der fünf Teile vorne am Fuß *Der Schuh drückt an den ~en.*

Ze·he ['tse:ə] <-, -n> *die* **1.** Zeh *Der Schuh drückt an den ~n.* **2.** Teil der Knoblauchknolle *Für das Rezept braucht man drei ~n.* ***Komp: Knoblauch-***

• **zehn** [tse:n] *num* die Zahl 10 *Der Mensch hat ~ Finger und ~ Zehen.*

Zeh·ner ['tse:nɐ] <-s, -> *der* Geldschein im Wert von 10 Euro/DM/Franken/… *Können Sie mir den Fünfziger in ~ wechseln?*

• **Zei·chen** ['tsaiçn̩] <-s, -> *das* **1.** Hinweis, Signal *Der Polizist gab das ~ zur Weiterfahrt.* **2.** Merkmal, Anzeichen *erste ~ von Erschöpfung zeigen, Das muss ein ~ dafür sein, dass ich heute gewinne.* **3.** Symbol *Dieses ~ steht für ‚Datei speichern'.* ***Komp: -sprache***

Zei·chen·trick·film <-(e)s, -e> *der* Film, der aus gezeichneten Bildern gemacht ist *Viele bekannte ~e wurden von den Walt-Disney-Studios hergestellt.*

• **zeich·nen** ['tsaiçnən] <zeichnet, zeichnete, gezeichnet> *tr* [K] ***jd zeichnet etw*** *akk* eine Zeichnung machen *einen Plan des Hauses ~*

• **Zeich·nung** <-, -en> *die* Bild, das man mit einem Stift gemalt hat; Skizze *Sie machte eine ~ von dem Gebäude., eine ~ anfertigen* ***Komp: Bleistift-, Feder-***

Zei·ge·fin·ger <-s, -> *der* Finger zwischen Daumen und Mittelfinger *Sie schimpfte mit erhobenem ~.*

• **zei·gen** ['tsaign̩] <zeigt, zeigte, gezeigt> **I.** *tr* **1.** präsentieren, vorstellen *Er zeigt den Gästen die Fabrik., An der Grenze muss man den Ausweis ~.* **2.** [K] ***jd zeigt*** |***jdm***| ***etw*** *akk* erklären *Können Sie mir ~, wie das neue Computerprogramm funktioniert?* **II.** *refl* **1.** [K] ***jd zeigt sich*** *akk* ***irgendwie*** seine Gefühle zu erkennen geben *Er zeigte sich dankbar für die Hilfe.* **2.** [K] ***etw zeigt sich*** man findet etw heraus *Es zeigte sich, dass sie Recht hatte.* **III.** *itr* den Finger/

Stock/… auf ein bestimmtes Ziel richten *Er zeigte mit dem Stock auf das Haus.*

Zei·ger ['t͡sai̯gɐ] <-s, -> *der* beweglicher Stift an einer Uhr, der die Zeit angibt *Die ~ der Uhr sind auf fünf stehen geblieben.*

• **Zei·le** ['t͡sai̯lə] <-, -n> *die* Reihe mit Wörtern in einem Text *Der Text hat genau hundert ~n.*

• **Zeit** [t͡sai̯t] <-, -en> *die* **1.** das Verlaufen der Stunden, Tage, Jahre *Wie die ~ vergeht!, Ich habe nur wenig ~.* **2.** Ära, Epoche *Er lebte in der ~ des Barock.* **3.** LING Tempus *Präsens und Perfekt sind grammatische ~en.;* **zur ~** im Moment, diese Tage *Zur ~ haben wir wenig Aufträge., Zur ~ geht es mir eigentlich ganz gut.;* **Es wird ~, dass …** jd muss endlich etw tun *Es wird ~, dass wir losgehen, sonst kommen wir zu spät.;* **sich mit etw ~ lassen** sich mit etw nicht beeilen *Wo bleiben sie nur? Sie lassen sich ganz schön ~.;* **sich für etw ~ nehmen** sich bei einer Sache nicht beeilen *sich für eine Aufgabe genügend ~ nehmen;* **die ~ drängt** man hat für etw nur noch wenig Zeit *Los, beeil dich, die ~ drängt!;* **Ach, du liebe ~!** Um Gottes willen!, Oh, Schreck! *Ach, du liebe ~! Wie siehst du denn aus?* ***Wobi:*** *zeitlich* ***Komp:*** *Arbeits-*

Zeit·al·ter <-s, -> *das* Ära, Epoche *das ~ der Aufklärung*

Zeit·ar·beit <-> *kein pl die* Arbeitsstelle, die man für eine begrenzte Zeit hat *eine ~ vermitteln*

Zeit·druck <-(e)s> *kein pl der* Mangel an Zeit *Er steht unter starkem ~, weil er morgen fertig sein muss.*

Zeit·geist <-es> *kein pl der* das Denken und die Meinungen, die für die Menschen einer bestimmten Zeit typisch sind *sich dem ~ anpassen*

zei·tig ['t͡sai̯tɪç] *adv* früh *Er muss ~ aufstehen, um den Zug nicht zu verpassen.*

Zeit·lu·pe <-> *kein pl die* eine Darstellung im Film, bei der man einen Vorgang sehr viel langsamer sieht, als er in Wirklichkeit ist *Sehen wir uns diese Szene nochmals in der ~ an!*

Zeit·punkt <-(e)s, -e> *der* Augenblick, Moment *Das ist nicht der richtige ~ für eine Diskussion!, Bis zu diesem ~ sollten Sie fertig sein.*

• **Zeit·schrift** ['t͡sai̯tʃrɪft] <-, -en> *die* (≈*Illustrierte*) Heft mit Texten, Fotos und Werbung, das regelmäßig erscheint *Er kaufte sich am Kiosk eine ~.*

Zeitung

• **Zei·tung** ['t͡sai̯tʊŋ] <-, -en> *die* mehrere große Blätter Papier mit den aktuellen Nachrichten, die täglich oder wöchentlich erscheinen *in der S-Bahn die ~ lesen, eine ~ abonnieren* ***Komp:*** *Tages-, Wochen-*

Zel·le ['t͡sɛlə] <-, -n> *die* einfaches Zimmer in einem Gefängnis oder einem Kloster *Der Gefangene wurde in seine ~ zurückgebracht.*

• **Zelt** [t͡sɛlt] <-(e)s, -e> *das* ein sehr kleines ‚Häuschen' aus Stoff, das man selbst aufbaut, um beim Campen darin zu schlafen *Sie übernachten in einem ~ auf dem Campingplatz.* ***Wobi:*** *zelten*

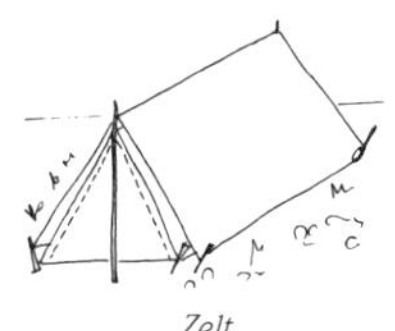
Zelt

Ze·ment [t͡se'mɛnt] <-(e)s> *kein pl der* Stoff aus Kalk zum Bauen *~ und Sand vermischen* ***Wobi:*** *zementieren*

Ze·nit [t͡se'niːt] <-(e)s> *kein pl der* höchster Punkt *Die Sonne steht um zwölf Uhr im ~.*

zen·sie·ren [t͡sɛn'ziːrən] <zensiert, zensierte, zensiert> *tr* **1.**

[K] ***jd zensiert etw*** *akk* beurteilen, benoten *Der Lehrer zensiert die Klassenarbeit.* **2.** [K] ***jd zensiert etw*** *akk* kontrollieren, ob das, was in den Medien gezeigt wird, der gesellschaftlichen Moral oder der gewünschten Politik entspricht *Die Berichte über den Krieg werden zensiert.*

Zen·sur [tsɛn'zu:ɐ] <-, -en> *die* Note, z.B. in der Schule *gute ~en haben*

Zen·ti·me·ter [tsɛnti'me:tɐ] <-s, -> *der* eine Maßeinheit für Längen *Zehn Millimeter sind ein ~.*

• **zent·ral** [tsɛn'tra:l] <zentraler, zentralst-> *adj* **1.** in der Mitte, im Zentrum liegend *in ~er Lage* **2.** entscheidend, am wichtigsten *Die ~e Frage ist doch, wie es weitergeht!*

Zent·ra·lis·mus [tsɛntra'lɪsmʊs] <-> *kein pl der* die Konzentration aller Mächte/Kompetenzen an einer Stelle *~ ist das Gegenteil von Föderalismus.* ***Wobi: zentralistisch***

• **Zent·rum** ['tsɛntrʊm] <-s, -ren> *das* **1.** Mittelpunkt *das ~ der Welt, Sie steht im ~ der Aufmerksamkeit.* **2.** Stadtmitte *Sie wohnt mitten im ~.*

zer·bre·chen <zerbrechen, zerbrach, zerbrochen> **I.** *tr* [K] ***jd zerbricht etw*** *akk* etw aus Glas/Porzellan kaputtmachen *Er hat die Vase zerbrochen.* **II.** *itr* <*sein*> scheitern, kapitulieren *Er ist an seinem Schicksal zerbrochen.*

Ze·re·mo·nie [tseremo'ni:] <-, -n> *die* feierliches Ritual *die ~ beim Staatsbesuch* ***Komp: Hochzeits-***

zer·rei·ben <zerreibt, zerrieb, zerrieben> *tr* [K] ***jd/etw zerreibt etw*** *akk* etw in kleine Teile reiben *Sie zerrieb die Schokolade.*

zer·rei·ßen <zerreißt, zerriss, zerrissen> **I.** *tr* [K] ***jd zerreißt etw*** *akk* etw in kleine Stücke reißen *Vor lauter Wut zerriss er den Brief.* **II.** *refl* **Ich kann mich doch nicht ~!** *(umg)* ich kann nicht so viele verschiedene Dinge gleichzeitig machen *Immer schön der Reihe nach, ich kann mich doch nicht ~!*

I.

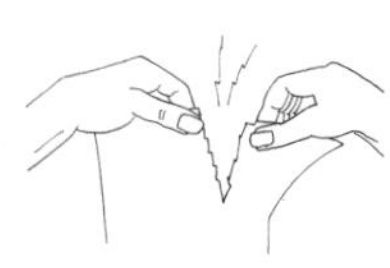

etwas zerreißen

zer·ren ['tsɛrən] <zerrt, zerrte, gezerrt> **I.** *tr* [K] ***jd zerrt jdn/etw*** *akk* heftig ziehen *Er zerrte sie an den Haaren.* **II.** *refl* [K] ***jd zerrt sich*** *dat* ***etw*** *akk* überdehnen *sich einen Muskel ~* ***Wobi: Zerrung***

zer·schnei·den <zerschneidet, zerschnitt, zerschnitten> *tr* [K] ***jd zerschneidet etw*** *akk* etw mit einem scharfen Gegenstand in mehrere Teile teilen *Fleisch mit dem Messer ~*

• **zer·stö·ren** <zerstört, zerstörte, zerstört> *tr* [K] ***jd/etw zerstört etw*** *akk* vernichten *Das Gebäude wurde im Krieg zerstört., Er hat ihr Leben zerstört.*

Zer·stö·rung <-, -en> *die* Vernichtung *die ~ der Stadt im Krieg*

zer·streu·en <zerstreut, zerstreute, zerstreut> *tr* [K] ***jd/etw zerstreut jdn*** auflösen, vertreiben *Das Militär zerstreute die Demonstranten., Er hat ihre Zweifel zerstreut.*

Zer·streu·ung <-> *kein pl die* **1.** Unterhaltung, Ablenkung *Nach der ganzen Arbeit braucht sie ein bisschen ~.* **2.** das Auflösen/Vertreiben einer großen Menschengruppe *Die Polizei bewirkte die ~ der Demonstranten.*

• **Zer·ti·fi·kat** [tsɛrtifi'ka:t] <-(e)s, -e> *das* Bescheinigung, Zeugnis *das ~ Deutsch machen*

• **Zẹt·tel** ['t͡sɛtl̩] <-s, -> *der* kleines Stück Papier *Er nahm einen ~ und schrieb ihr eine kurze Nachricht.* ***Komp:** Einkaufs-, Notiz-*

• **Zeug** [t͡sɔ͜yk] <-(e)s> *kein pl das* **1.** *(umg)* Sachen, Dinge *Wo hast du das ~ denn her?* **2.** *(umg)* Kleidung *Ich muss mein ~ noch waschen.* **3.** *(umg)* Quatsch *Red kein dummes ~!;* **sich ins ~ legen** *(umg)* sich sehr anstrengen *Er hat sich mächtig ins ~ gelegt, um ihr zu gefallen.* ***Komp:** Bett-, Feuer-, Spiel-*

• **Zeu·ge** ['t͡sɔ͜ygə] <-n, -n> *der* jd, der etw beobachtet hat *als ~ aussagen* ***Komp:** Kron-*

zeu·gen ['t͡sɔ͜ygn̩] <zeugt, zeugte, gezeugt> **I.** *tr* [K] *jd (ein Mann) zeugt jdn* ein Kind machen *ein Kind ~* **II.** *itr* [K] *etw zeugt von etw dat* etw über das Wesen von jdm/etw sagen *Das zeugt von einem schlechten Charakter.* ***Wobi:** Zeugung*

• **Zeug·nis** ['t͡sɔ͜yknɪs] <-ses, -se> *das* **1.** ein Dokument mit den Noten, die ein Schüler für seine Leistungen erhalten hat *ein gutes ~ haben, Angst vor dem ~ haben* **2.** Dokument vom Arbeitgeber mit einer Beurteilung der eigenen Arbeit *jdm ein ~ ausstellen*

Zie·ge ['t͡siːgə] <-, -n> *die* ein Tier mit Hörnern, das Milch gibt *Die ~ meckert.*

Zie·gel ['t͡siːgl̩] <-s, -> *der* ein Stein aus Ton, der für den Häuserbau gebraucht wird *Dieses Haus ist aus ~n gebaut und nicht aus Beton.* ***Komp:** Dach-*

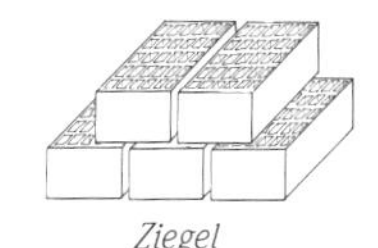

Ziegel

• **zie·hen** ['t͡siːən] <zieht, zog, gezogen> **I.** *tr* **1.** [K] *jd zieht jdn/etw akk* sich bewegen und dabei etw in die gleiche Richtung mitbewegen *Die Pferde ~ die Kutsche., das Surfbrett aus dem Wasser ~* **2.** [K] *jd zieht etw akk* herausholen *Der Zahn muss leider gezogen werden.* **3.** [K] *jd zieht etw akk* Pflanzen züchten *Tomaten im Garten ~* **II.** *itr* **1.** gehen und dabei etw (in die gleiche Richtung) hinter sich her bewegen *Du musst ~, nicht schieben.* **2.** gehen *Die Demonstranten ~ durch die Stadt.* **3.** [K] *jd zieht irgendwohin* jd zieht um *Ich ziehe nach Dresden.;* **Es zieht.** ein Luftzug geht durch ein Zimmer *Bitte mach das Fenster zu, es zieht.*

• **Ziel** [t͡siːl] <-(e)s, -e> *das* **1.** Ort, den man erreichen möchte *Sein ~ war die nächste Stadt.* **2.** Sinn/Zweck eines Handelns *sich hohe ~e setzen, zum ~ gelangen* **3.** SPORT Ende einer Wettkampfstrecke *Der schnellste Läufer erreicht das ~ zuerst.*

ziel·los <-, -> *adv* ohne Ziel *Er schlenderte ~ durch die Straßen.*

Ziel·schei·be <-, -n> *die* Scheibe, die man beim Schießen treffen muss *die ~ treffen*

• **ziem·lich** ['t͡siːmlɪç] <-, -> *adj* relativ viel/groß *mit ~er Sicherheit, eine ~e Enttäuschung, ~ viele Leute*

zie·ren ['t͡siːrən] <ziert, zierte, geziert> **I.** *tr* [K] *etw ziert jdn/etw akk* schmücken *Muster ~ die Wände.* **II.** *refl* [K] *jd ziert sich akk* zögern/sich schämen, etw zu tun *Sie zierte sich, ihn einzuladen.*

zier·lich ['t͡siːɐ̯lɪç] <zierlicher, zierlichst-> *adj* dünn, fein, zerbrechlich *eine ~e Frau*

Zịf·fer ['t͡sɪfɐ] <-, -n> *die* einstellige Zahl *‚2' ist eine arabische ~ und ‚II' eine römische.*

• **Zi·ga·rẹt·te** [t͡siga'rɛtə] <-, -n> *die* kleine längliche Rolle aus Tabak zum Rauchen *Er raucht eine ~e nach der anderen.*

Zigarette

Zi·gạr·re [t͡si'garə] <-, -n> *die* kleine Stange aus Tabak zum Rauchen

Er raucht lieber ~n als Zigaretten.

• **Zim·mer** ['t͡sɪmɐ] <-s, -> *das* ein Raum zum Wohnen *Die Wohnung hat vier ~, eine Küche und ein Bad.* **Komp: -decke, -schlüssel, Bade-, Ess-, Kinder-, Schlaf-, Wohn-**

Zim·mer·mäd·chen <-s, -> *das* eine Frau, die in einem Hotel die Zimmer aufräumt und sauber macht *Das ~ macht jeden Tag die Hotelbetten.*

Zimt [t͡sɪmt] <-(e)s> *kein pl der* ein Gewürz *~ in den Kuchen mischen*

Zimt

Zinn [t͡sɪn] <-(e)s> *kein pl das* sehr weiches, formbares Metall *Spielzeugsoldaten aus ~*

• **Zin·sen** ['t͡sɪnzn̩] <-> *kein sing pl* Geld, das man für das Ausleihen von Geld bezahlen muss oder das man beim Sparen von der Bank bekommt *5% ~ bezahlen/bekommen*

zir·ka ['t͡sɪrka] *adv* (auch: circa) ungefähr *~ 100 Personen*

Zir·kel ['t͡sɪrkl̩] <-s, -> *der* **1.** TECH Gerät zum Zeichnen von Kreisen *mit dem ~ einen Kreis ziehen* **2.** Gruppe von Personen *ein ~ von Gelehrten*

1

Zirkel

Zir·kus ['t͡sɪrkʊs] <-, -se> *der* großes Zelt, in dem Clowns, dressierte Tiere und Artisten auftreten *in den ~ gehen;* **einen ~ machen** *(umg)* sich wegen etw sehr anstellen, sehr empfindlich reagieren *Mach doch nicht so einen ~!*

zi·schen ['t͡sɪʃn̩] <zischt, zischte, gezischt> **I.** *tr* [K] ***jd zischt etw** akk* eine kurze leise, aber heftige Bemerkung machen, weil man sehr ärgerlich ist *„Sei ruhig", zischte er.* **II.** *itr* einen scharfen Laut produzieren *Eine Schlange zischt.*

Zi·tat [t͡si'ta:t] <-(e)s, -e> *das* Stelle aus einem Text; etw, was jd gesagt hat *ein wörtliches ~* **Wobi: zitieren**

• **Zit·ro·ne** [t͡si'tro:nə] <-, -n> *die* eine Frucht mit gelber Schale, die sauer schmeckt *~n auspressen* **Komp: -nbaum, -nsaft**

zit·tern ['t͡sɪtɐn] <zittert, zitterte, gezittert> *itr* [K] ***jd zittert*** jds Körper bewegt sich schnell und heftig *Sie zittert vor Kälte/vor Angst.*

zi·vil [t͡si'vi:l] <-, -> *adj* **1.** bürgerlich, nicht militärisch *Das Familienrecht ist ein ~es Recht., Er hat seine Uniform ausgezogen und ist in Z~ unterwegs.* **2.** (CH) vor dem Gesetz, standesamtlich *~ heiraten* **3.** *(umg)* gut, nicht zu hoch *~e Preise*

Zi·vil·dienst <-(e)s> *kein pl der* Ersatzdienst für den Militärdienst, meist in sozialen Institutionen *Er macht ~ in einem Krankenhaus.*

Zi·vil·dienst·leis·ten·de(r) <-n, -n (-)> *der* jd, der Zivildienst leistet *als ~r im Altersheim arbeiten*

Zi·vi·li·sa·ti·on [t͡siviliza't͡si̯o:n] <-, -en> *die* die Lebensbedingungen eines Kulturkreises *die westliche ~* **Wobi: zivilisieren**

zog [t͡so:k] *prät* **ziehen**

zö·gern ['t͡sø:gɐn] <zögert, zögerte, gezögert> *itr* damit warten, etw zu tun *Wir sollten nicht länger ~ und den Vertrag unterschreiben.*

Zö·li·bat [t͡søli'ba:t] <-(e)s> *kein pl das/der* REL die Tatsache, dass ein katholischer Priester nicht heiraten darf *im ~ leben*

Zoll [t͡sɔl] <-(e)s, Zölle> *der* **1.** Steuer auf Waren, die von einem Land in ein anderes transportiert werden *Sie mussten für die Einfuhr der Ware ~ zahlen.* **2.** Stelle, der man die Steuer für eine Ware gibt,

Zivildienst

Wer nicht zum Militär gehen will, muss in Deutschland 13, in Österreich 12 Monate Zivildienst leisten. Seit 1997 ist dieser Ersatzdienst (statt Militärdienst) auch in der Schweiz möglich. Er dauert hier 12 Monate. Zivildienstleistende, kurz ‚Zivis', arbeiten vor allem im sozialen Bereich, z. B. als Altenpfleger, Fahrer für Behinderte oder Helfer in einer Jugendherberge.

die man exportieren oder importieren will *Nach der Landung müssen wir noch durch den ~.* ***Komp:*** ***-amt, -erklärung***

zọll·frei <-, -> *adj* (↔*zollpflichtig*) so, dass man keinen Zoll bezahlen muss *Sie hatten nur ~e Ware in ihren Koffern.*

Zọll·kon·trol·le <-, -n> *die* Kontrolle, ob Reisende Waren mit sich führen, für die man Zoll bezahlen muss *Die ~n am Flughafen werden immer schärfer.*

Zọll·stock <-(e)s, -stöcke> *der* (≈*Metermaß*) ein Messstab *Der Zimmermann nahm den ~, um den Raum auszumessen.*

• **Zo̱·ne** [ˈt͡soːnə] <-, -n> *die* **1.** Gebiet *eine militärische ~* **2.** bestimmter Bereich, in dem eine Fahrkarte gültig ist *eine Fahrkarte für drei ~n* ***Komp:*** *Fußgänger-, Klima-*

• **Zo̱o̱** [t͡soː] <-s, -s> *der* (≈*Tierpark*) spezieller Park, wo man Tiere aus vielen Ländern besichtigen kann *Wir gehen am Sonntag in den ~.*

Zoom [zuːm] <-s, -s> *das* Fotoobjektiv, mit dem man das Motiv näher heranholen kann *das ~ benutzen*

Zọpf [t͡sɔp͡f] <-(e)s, Zöpfe> *der* **1.** langes Haar, das zu einem Strang geflochten wird *Sie trägt heute einen ~.* **2.** ein Gebäck *einen ~ mit Butter und Marmelade servieren;* **ein alter ~ sein** schon lange bekannt sein *Das ist doch ein alter ~!*

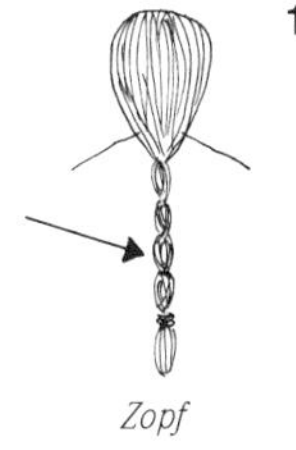

Zopf

• **Zọrn** [t͡sɔrn] <-(e)s> *kein pl der* Wut *in ~ geraten*

• **zọr·nig** [ˈt͡sɔrnɪç] <zorniger, zornigst-> *adj* wütend *Er wird schnell ~., Sie ist ~.*

• **zu̱** [t͡suː] **I.** *präp +dat* **1.** gibt das Ziel einer Bewegung an *Komm, wir gehen ~ mir nach Hause., ~r Schule gehen, ~m Supermarkt fahren, jdn ~m Bahnhof bringen, ~ einem Kongress eingeladen sein* **2.** gibt einen Ort an *~ Hause, ~ Lande und ~ Wasser* **3.** gibt die Art der Fortbewegung an *~ Fuß gehen* **4.** gibt ein Verhältnis an *Wir haben drei ~ eins (3:1) gewonnen.* **5.** gibt einen Zeitpunkt an *~ Beginn der Sendung, ~m Schluss, ~ Ostern* **6.** gibt den Zweck einer Handlung an *Was sollen wir ihr ~m Geburtstag schenken?, Das habe ich nur ~m Spaß gemacht., ~ Ihrer Information* **II.** *adv* **1.** mehr als genug *Die Hose ist ~ groß., Du fährst ~ schnell., Das ist mir ~ viel.* **2.** geschlossen *Ist das Geschäft schon ~?, Die Tür ist ~.* **III.** *konj* stellt eine Verbindung zu einem Infinitiv her *Ich habe noch ~ arbeiten., Ich habe vor, sie am Wochenende ~ besuchen.*

Zu̱·be·hör [ˈt͡suːbəhøːɐ̯] <-(e)s, (-e)> *das* alles, was zu etw gehört oder für etw gebraucht wird *Foto~*

zu̱|bei·ßen <beißt zu, biss zu, zugebissen> *itr* beißen, ohne den Mund wieder zu öffnen *Der Hund hat zugebissen und lässt sie nicht mehr los.*

zu̱|be·rei·ten <bereitet zu, bereitete zu, zubereitet> *tr* [K] ***jd bereitet etw*** *akk* ***zu*** kochen, eine Mahlzeit vorbereiten *das Abendessen ~*

zụ̈ch·ten [ˈt͡sʏçtn̩] <züchtet, züchtete, gezüchtet> *tr* [K] ***jd züchtet etw*** *akk* Tiere oder Pfanzen heranziehen *Rinder ~* ***Wobi:*** ***Zucht***

zụ·cken [ˈt͡sʊkn̩] <zuckt, zuckte, gezuckt> *itr* eine plötzliche nervöse Bewegung machen *Er zuckte nervös zusammen.;* **ohne mit der Wimper zu ~** ohne zu zögern, ohne Bedenken *Er zahlte den hohen Preis, ohne mit der Wimper zu ~.*

Z

• **Zu·cker** ['tsʊkɐ] <-s, (-)> *der* süßer weißer Stoff *Nehmen Sie ~ in den Kaffee?*

zu·cker·krank <-, -> *adj* so, dass man keinen Zucker essen darf; so, dass man Diabetes hat *Viele Menschen werden im Alter ~.*

zu|de·cken <deckt zu, deckte zu, zugedeckt> *tr* K *jd deckt jdn [mit etw dat] zu* eine Decke über jdn legen *Die Mutter deckt ihr Kind mit einer Bettdecke zu.*

zu·dring·lich ['tsuːdrɪŋlɪç] <zudringlicher, zudringlichst-> *adj* aufdringlich, belästigend *Der Mann wurde ~.*

zu·ein·an·der [tsuʔaiˈnandɐ] *adv* einer zum anderen *Sie sind nicht besonders nett ~., Die Farben passen nicht gut ~.*

• **zu·erst** [tsuˈʔeːɐ̯st] *adv* **1.** als erster/erstes *Ich komme ~., Z~ war ich schwimmen, dann war ich einkaufen.* **2.** am Anfang *Z~ habe ich gar nichts verstanden, aber dann wurde mir alles klar.* **3.** zum ersten Mal *Dieses Verfahren wurde ~ in den USA angewandt.*

• **Zu·fall** <-(e)s, -fälle> *der* das Geschehen von Dingen, ohne dass es jd plant oder steuert *die Dinge dem ~ überlassen*

• **zu·fäl·lig** <-, -> *adj* **1.** per Zufall; ohne dass man es geplant hat *eine ~e Begegnung* **2.** *(umg)* eventuell *Haben Sie ~ seine Telefonnummer?*

• **zu·frie·den** [tsuˈfriːdn̩] <zufriedener, zufriedenst-> *adj* so, dass man die Situation, in der man ist, gut findet und keinen weiteren Wunsch hat *ein ~es Lächeln* ***Wobi: Zufriedenheit***

1

Zug

• **Zug** [tsuːk] <-(e)s, Züge> *der* **1.** Eisenbahn *Sie fährt jeden Tag mit dem ~ zur Arbeit., Der ~ hat Verspätung.* **2.** Eigenschaft des Charakters *ein unschöner ~ an jdm* **3.** unangenehmer Wind im Haus *Viele Zimmerpflanzen vertragen keinen ~.* **4.** Atemzug, Luftholen *in tiefen Zügen einatmen* **5.** lange Gruppe von Menschen, die marschieren *Der ~ der Demonstranten setzte sich in Bewegung.* **6.** Ziehen/Weiterrücken einer Figur in einem Spiel *Beim Schachspiel sind Schwarz und Weiß abwechselnd am ~.*

Zu·ga·be ['tsuːgaːbə] <-, -n> *die* ein Musikstück, das nach dem Ende eines Konzerts zusätzlich gespielt wird *Das Publikum klatschte so lange, bis der Sänger eine ~ gab.*

zu|ge·ben <gibt zu, gab zu, zugegeben> *tr* **1.** K *jd gibt etw akk zu* offen sagen, dass man etw getan hat, was nicht richtig war; eingestehen *einen Fehler ~* **2.** K *jd gibt etw akk zu* hinzufügen *Geben Sie einen Esslöffel Zucker zu und rühren Sie den Teig gut um.*

Zü·gel ['tsyːgl̩] <-s, -> *der* Leine, mit der ein Reiter das Pferd lenkt *die ~ locker lassen*

zü·geln ['tsyːgl̩n] <zügelt, zügelte, gezügelt> *itr* <*sein*> (CH) umziehen *Wir ~ am Wochenende.*

Zu·ge·ständ·nis ['tsuːgəʃtɛntnɪs] <-ses, -se> *das* etw, was man selbst nicht will, aber dennoch wegen jdm tut/erlaubt *Er machte ihr einige ~se.*

zu|ge·ste·hen <gesteht zu, gestand zu, zugestanden> *tr* K *jd gesteht jdm etw akk zu* erlauben, geben *Mitarbeitern einen Urlaubstag mehr ~*

zu·gig ['tsuːgɪç] <zugiger, zugigst-> *adj* so, dass Zugluft zu spüren ist *eine ~e Ecke*

zu·gleich [tsuˈglaiç] *adv* **1.** ebenso *Er ist Sänger und Komponist ~.*

2. gleichzeitig, zur gleichen Zeit *Sie lachte und weinte ~.*

zu|grei·fen <greift zu, griff zu, zugegriffen> *itr* **1.** etw packen, etw schnell nehmen *Die Polizei griff sofort zu und verhaftete den Verbrecher.* **2.** schnell kaufen/nehmen *Greifen Sie zu, solange das Angebot besteht!*

zu·guns·ten [tsu'gʊnstn̩] *präp +gen* zum Vorteil/Nutzen von jdm/etw *Er verzichtete ~ seiner Schwester auf das Erbe.*

Zug·vo·gel <-s, -vögel> *der* Vogel, der am Ende des Sommers in wärmere Gebiete fliegt und erst im Frühjahr zurückkehrt *Schwalben sind Zugvögel.*

• **Zu·hau·se** [tsu'hauzə] <-s, -> *das* Ort, wo man lebt; Wohnung *Hast du kein ~?*

zu·hau·se [tsu'hauzə] *adv* (ÖSTERR, CH) dort, wo man wohnt; zu Hause *Er war die meiste Zeit ~.*

• **zu|hö·ren** <hört zu, hörte zu, zugehört> *itr* aufmerksam anhören, was ein anderer sagt *Nun hören Sie mal zu!, Ich höre gut zu!*

Zu·hö·rer(in) <-s, -> *der* jd, der zuhört *Die neue Radiosendung ist sehr beliebt bei den ~n., Sie ist eine gute ~in.*

• **Zu·kunft** ['tsu:kʊnft] <-> *kein pl die* Zeit, die noch kommt/noch nicht gewesen ist *In ~ werde ich so etw nicht mehr machen., Sorgen um die ~* ***Wobi: zukünftig***

zu|las·sen <lässt zu, ließ zu, zugelassen> *tr* **1.** [K] ***jd lässt etw*** *akk* ***zu*** etw geschlossen lassen *Lass die Tür bitte zu!* **2.** [K] ***jd lässt jdn zu*** die Teilnahme erlauben *Der Student wurde vom Prüfungsamt zur Prüfung zugelassen.* **3.** [K] ***jd lässt etw*** *akk* ***zu*** erlauben, dulden *Ich kann nicht ~, dass du so betrogen wirst.* **4.** [K] ***jd lässt etw*** *akk* ***zu*** offiziell anmelden *Ist dein neues Auto schon zugelassen?*

zu·läs·sig ['tsu:lɛsɪç] <-, -> *adj* erlaubt *die ~e Höchstgeschwindigkeit*

Zu·las·sung <-, -en> *die* **1.** KFZ Anmeldung eines Fahrzeugs *Ich habe noch keine ~ für den neuen Wagen.* **2.** Erlaubnis, eine Prüfung zu machen *Antrag auf ~ zur Prüfung*

• **zu·letzt** [tsu'lɛtst] *adv* (↔*zuerst*) als letztes, zum Schluss *Den Kuchen essen wir ~.;* **bis** ~ bis zum Ende *Wir sind noch bis ~ auf der Party geblieben.*

zum [tsʊm] = *zu + dem; siehe* **zu**

• **zu|ma·chen** <macht zu, machte zu, zugemacht> **I.** *tr* [K] ***jd macht etw*** *akk* ***zu*** schließen *Mach die Tür bitte hinter dir zu!* **II.** *itr (umg)* ein Geschäft o.Ä. schließt *Machen Sie schon zu?*

zu·min·dest [tsu'mɪndəst] *adv* wenigstens *Er hätte dir ~ Bescheid sagen können.*

zu·nächst [tsu'nɛ:çst] *adv* vorläufig, als nächstes *Wir wollen ~ einmal die Situation analysieren., Z~ können wir nur warten.*

Zu·na·me ['tsu:na:mə] <-ns, -n> *der* Nachname, Familienname *Sein Vorname ist Karl, sein ~ ist Müller.*

• **Zün·der** ['tsʏndɐ] <-> *kein sing pl* (ÖSTERR) Streichhölzer, Zündhölzer *eine Schachtel ~*

• **Zünd·holz** <-es, -hölzer/ÖSTERR Zünder> *das* (SD, ÖSTERR, CH, ≈*Streichholz*) kleines Stäbchen aus Holz zum Feuermachen *eine Packung Zündhölzer*

Zünd·ker·ze <-, -n> *die* KFZ Teil eines Benzinmotors, das das Benzin-

Zündkerze

Luft-Gemisch zur Explosion bringt und so den Kolben antreibt *die ~n auswechseln*

Zụnd·schlüs·sel <-s, -> *der* KFZ Schlüssel, mit dem ein Fahrzeug gestartet wird *Ich trage den ~ am Schlüsselbund.*

• **zu̲|neh·men** <nimmt zu, nahm zu, zugenommen> **I.** *tr* [K] ***jd nimmt zu*** schwerer werden *Er hat in letzter Zeit zehn Kilo zugenommen.* **II.** *itr* größer/mehr werden *Die Zahl der Gewalttaten nimmt ständig zu.*

Zụn·ge ['t͜sʊŋə] <-, -n> *die* bewegliches Organ im Mund, mit dem man spricht *Ich habe mir an dem heißen Essen die ~ verbrannt.*

zu̲·rech·nungs·fä·hig <-, -> *adj* schuldfähig, bei klarem Verstand *Die Angeklagte war zum Zeitpunkt der Tat nicht ~.*

zu·rẹcht|fin·den [t͜su'rɛçtfɪndn̩] <findet zurecht, fand zurecht, zurechtgefunden> *refl* [K] ***jd findet sich*** *akk* [***irgendwo***] ***zurecht*** sich in einer neuen Situation orientieren *Findest du dich an deinem neuen Arbeitsplatz zurecht?, Er fand sich in der großen Stadt schnell zurecht.*

zu·rẹcht|kom·men <kommt zurecht, kam zurecht, zurechtgekommen> *itr* <*sein*> **1.** sich mit jdm/etw arrangieren *Er kommt mit seinem neuen Chef nicht zurecht.* **2.** mit einer schwierigen Situation fertig werden/klarkommen *Sie kam mit der neuen Situation nur schwer zurecht.*

• **zu·rụ̈ck** [t͜su'rʏk] *adv* wieder dahin, wo man/etw angefangen hat *Einmal Basel und ~, bitte!, Schnell ~!*

• **zu·rụ̈ck|be·kom·men** <bekommt zurück, bekam zurück, zurückbekommen> *tr* [K] ***jd bekommt etw*** *akk* ***zurück*** etw wieder erhalten *Sie hat den Ring ~, den sie verloren hatte., Er hat endlich das Geld ~, das er seinem Freund geliehen hatte.*

zu·rụ̈ck|be·zah·len <bezahlt zurück, bezahlte zurück, zurückbezahlt> *tr* [K] ***jd bezahlt etw*** *akk* ***zurück*** jdm Geld wiedergeben, das man vorher von ihm bekommen hat *Sie muss Geld ~.*

• **zu·rụ̈ck|fah·ren** <fährt zurück, fuhr zurück, zurückgefahren> *itr* <*sein*> [K] ***jd fährt zurück*** wieder dorthin fahren, wo man losgefahren ist; nach Hause fahren *Ich muss morgen wieder ~.*

• **zu·rụ̈ck|ge·ben** <gibt zurück, gab zurück, zurückgegeben> *tr* [K] ***jd gibt etw*** *akk* ***zurück*** jdm das geben, was man vorher von ihm bekommen hat *Kannst du mir bitte mein Buch ~?*

zu·rụ̈ck·hal·tend <zurückhaltender, zurückhaltendst-> *adj* **1.** bescheiden, unaufdringlich *Ihr ~es Wesen machte sie beliebt.* **2.** vorsichtig, beherrscht *Er machte nur eine sehr ~e Äußerung.*

• **zu·rụ̈ck|keh·ren** <kehrt zurück, kehrte zurück, zurückgekehrt> *itr* <*sein*> wiederkommen *Wir müssen ~, bevor es dunkel wird.*

zu·rụ̈ck|las·sen <lässt zurück, ließ zurück, zurückgelassen> *tr* **1.** [K] ***jd lässt etw*** *akk* ***zurück*** etw an einem Ort lassen, den man für immer verlässt *Er ließ einen Abschiedsbrief zurück.* **2.** [K] ***jd lässt jdn zurück*** jdn allein lassen, dadurch dass man stirbt *Er lässt eine Frau und eine Tochter zurück.*

zu·rụ̈ck|tre·ten <tritt zurück, trat zurück, zurückgetreten> *itr* <*sein*> **1.** sich nach hinten bewegen *Sie trat ein paar Schritte zurück.* **2.** POL ein Amt aufgeben *Der Minister trat unerwartet zurück.* **3.** eine

Vereinbarung nicht mehr wollen und aufheben *Der Konzernchef wollte von dem Vertrag ~.*

zu·rück|zah·len *siehe* **zurückbezahlen**

Zu·sa·ge ['tsu:za:gə] <-, -n> *die* (↔*Absage*) Versprechen, Zusicherung *Sie hat die ~ für den Job bekommen.*

• **zu·sam·men** [tsu'zamən] *adv* **1.** gemeinsam *Sie wollten ~ in Urlaub fahren.* **2.** als Summe *Das macht ~ zehn Franken.*

• **zu·sam·men|ar·bei·ten** <arbeitet zusammen, arbeitete zusammen, zusammengearbeitet> *itr* gemeinsam an etw arbeiten *Die Abteilungen sollen enger ~.* ***Wobi: Zusammenarbeit***

zu·sam·men|bre·chen <bricht zusammen, brach zusammen, zusammengebrochen> *itr* <*sein*> **1.** sich plötzlich sehr schwach fühlen und deshalb hinfallen *Die alte Frau ist auf offener Straße zusammengebrochen.* **2.** zum Stillstand kommen *Der Verkehr ist völlig zusammengebrochen.* ***Wobi: Zusammenbruch***

zu·sam·men|fal·len <fällt zusammen, fiel zusammen, zusammengefallen> *itr* <*sein*> **1.** einstürzen *Das alte Haus fiel in sich zusammen.* **2.** zur gleichen Zeit stattfinden *Die beiden Ereignisse fallen zusammen.*

• **zu·sam·men|fas·sen** <fasst zusammen, fasste zusammen, zusammengefasst> *tr* **1.** [K] ***jd fasst etw*** *akk* ***zusammen*** kurz das Wichtigste von einem längeren Text sagen *Der Abteilungsleiter fasste die Ergebnisse noch mal zusammen.* **2.** [K] ***jd fasst jdn/etw*** *akk* ***zusammen*** vereinigen, Einzelteile zu einem größeren Ganzen zusammenfügen *Die einzelnen Mitarbeiter wurden in Gruppen zusammengefasst.* ***Wobi: Zusammenfassung***

zu·sam·men·ge·hö·rig <-, -> *adj* so, dass etw eine Einheit bildet *Er markierte die ~en Teile.*

• **Zu·sam·men·hang** <-(e)s, -hänge> *der* **1.** Verbindung *Gibt es einen ~ zwischen den beiden Fällen?* **2.** Kontext *eine Äußerung aus dem ~ reißen;* **in diesem ~** bei diesem Thema *In diesem ~ möchte ich Sie darauf aufmerksam machen, dass …* ***Wobi: zusammenhanglos***

zu·sam·men|hän·gen <hängt zusammen, hing zusammen, zusammengehangen> *itr* **1.** fest miteinander verbunden sein *Die Glieder einer Kette hängen zusammen.* **2.** miteinander zu tun haben *Wie hängen die beiden Aspekte zusammen?*

zu·sam·men|rei·ßen <reißt zusammen, riss zusammen, zusammengerissen> *refl* [K] ***jd reißt sich*** *akk* ***zusammen*** (≈*zusammennehmen*) sich beherrschen *Er musste sich ~, um nicht laut zu lachen.*

zu·sam·men|schla·gen <schlägt zusammen, schlug zusammen, zusammengeschlagen> *tr* **1.** [K] ***jd schlägt jdn zusammen*** verprügeln *Er hat seinen Rivalen zusammengeschlagen.* **2.** [K] ***jd schlägt etw*** *akk* ***zusammen*** zerstören, kaputtmachen *In seiner Wut schlug er die Wohnzimmereinrichtung zusammen.*

Zu·sam·men·set·zung <-, -en> *die* die Stoffe, aus denen etw besteht *die ~ eines Stoffes analysieren*

zu·sam·men|stel·len <stellt zusammen, stellte zusammen, zusammengestellt> *tr* **1.** [K] ***jd stellt etw*** *akk* ***zusammen*** an einen Ort stellen *Nach dem Konzert mussten die Stühle wieder zu-*

sammengestellt werden. **2.** [K] ***jd stellt etw** akk **zusammen*** festlegen, was es wann gibt *Der Koch stellt die Menüfolge zusammen., die Themen für die Konferenz ~*

• **zu·sam·men|sto·ßen** <stößt zusammen, stieß zusammen, zusammengestoßen> *itr* <*sein*> **1.** gegeneinander fahren *Die beiden Schiffe sind auf offener See zusammengestoßen.* **2.** eine gemeinsame Grenze haben *Die beiden Häuser stoßen auf der Rückseite zusammen.*

Zu·satz ['tsu:zats] <-es, -sätze> *der* **1.** Beigabe *Vitaminpräparate als ~ zum Essen* **2.** Ergänzung *Der Vertrag hat einen ~.*

zu·sätz·lich ['tsu:zɛtslɪç] <-, -> *adj* ergänzend, außerdem *Sie hat einige ~e Fahrstunden genommen., Z~ möchte ich darauf hinweisen, dass ...*

• **zu|schau·en** <schaut zu, schaute zu, zugeschaut> *itr* (≈*zusehen*) beobachten *Er schaute dem Treiben auf der Straße zu.*

Zuschauerin

Zu·schau·er(in) <-, -> *der* jd, der etw bewusst ansieht *Die ~ waren vom Fußballspiel begeistert.*

Zu·schlag <-(e)s, -schläge> *der* **1.** Preiserhöhung *Der ~ beträgt fünfzehn Prozent.* **2.** Geld, das man zusätzlich bezahlen muss *In diesem Zug müssen Sie einen ~ zahlen.*

zu|schlie·ßen <schließt zu, schloss zu, zugeschlossen> **I.** *tr* [K] ***jd schließt etw** akk **zu*** (mit dem Schlüsel) abschließen *Abends um sechs schließt sie den Laden zu.* **II.** *itr* abschließen *Vergiss nicht zuzuschließen, bevor du gehst!*

Zu·schuss ['tsu:ʃʊs] <-es, -schüsse> *der* Geld, mit dem man jdn unterstützt *Die Eltern zahlen ihrem Sohn einen monatlichen ~.*

zu|se·hen <sieht zu, sah zu, zugesehen> *itr* **1.** (≈*zuschauen*) beobachten *Sie sah zu, wie er das Fahrrad reparierte.* **2.** *(umg)* sich um etw kümmern *Er muss ~, wo er die Miete herbekommt.*

zu|si·chern <sichert zu, sicherte zu, zugesichert> *tr* [K] ***jd sichert jdm etw** akk **zu*** garantieren *Der Kommissar sicherte die baldige Aufklärung des Verbrechens zu.*

• **Zu·stand** ['tsu:ʃtant] <-(e)s, -stände> *der* **1.** momentane Qualität; Art und Weise, wie etw gerade ist *Der ~ des Materials ist schlecht., Der ~ der Wohnung ist noch gut.* **2.** MED Befinden *Der ~ des Patienten hat sich normalisiert.;* **Zustände kriegen** *(umg)* sehr wütend werden *Ich bekomme Zustände, wenn ich mir das Chaos ansehe.*

zu·stän·dig ['tsu:ʃtɛndɪç] <-, -> *adj* verantwortlich *Der ~e Sachbearbeiter ist in Urlaub.*

zustimmen

zu|stim·men <stimmt zu, stimmte zu, zugestimmt> *itr* ja sagen zu etw *Er stimmte dem Vorschlag zu.* ***Wobi: Zustimmung***

Zu·tat <-, -en> *die* Bestandteil von etw; Dinge, die man zu etw dazutut *Wir nehmen zum Kochen nur die besten ~en.*

zu·tiefst [tsu'ti:fst] *adv* äußerst, sehr stark *Er fühlte sich ~ verletzt.*

zu|trau·en <traut zu, traute zu, zugetraut> *tr* [K] ***jd traut jdm etw** akk **zu*** glauben, dass jd etw Bestimmtes kann *Das hätte ich dir nie zugetraut!, Das traue ich mir zu.*

zu|tref·fen <trifft zu, traf zu, zugetroffen> *itr* **1.** richtig sein *Meine Vermutung trifft zu.* **2.** gelten *Das trifft besonders auf Sie zu!, Z~des bitte ankreuzen.*

Zu·tritt <-(e)s> *kein pl der* Einlass, Zugang *~ für Unbefugte ver-*

boten!

• **zu·ver·läs·sig** ['tsuːfɛɐ̯lɛsɪç] <zuverlässiger, zuverlässigst-> *adj* so, dass man sich auf jdn/etw verlassen kann; vertrauenswürdig *ein ~er Mitarbeiter* ***Wobi: Zuverlässigkeit***

zu·vor [tsu'foːɐ̯] *adv* vorher, früher, vor einem bestimmten Zeitpunkt *kurz ~, im Jahr ~, am Tag ~*

zu·vor·kom·mend <zuvorkommender, zuvorkommendst-> *adj* hilfsbereit, höflich *ein ~er Mensch*

zu·züg·lich ['tsuːtsyːklɪç] *präp +gen* mit, plus *Z~ Zinsen macht das einen Betrag von 600 Euro.*

Zwang [tsvaŋ] <-(e)s, Zwänge> *der* **1.** Notwendigkeit *Aufgrund finanzieller Zwänge mussten sie ihr Haus verkaufen.* **2.** Druck, der auf jdn ausgeübt wird, damit er etw tut *etw unter ~ tun*

zwang [tsvaŋ] *prät von* **zwingen**

• **zwan·zig** ['tsvantsɪç] *num* die Zahl 20 *Zwei mal zehn macht ~.*

Zwan·zi·ger ['tsvantsɪgɐ] <-s, -> *der* Geldschein im Wert von 20 Euro/DM/Franken *Wechseln Sie mir den Hunderter bitte in fünf ~.*

• **zwar** [tsvaːɐ̯] *adv* **und ~ ...** verwendet, um eine Sache zu betonen/hervorzuheben *Tut's weh? – Ja, und ~ ganz schön!;* **zwar ..., aber ...** verwendet, um eine Aussage einzuschränken *Sie hat ~ zugesagt, aber es kann sein, dass sie erst sehr spät kommt.*

• **Zweck** [tsvɛk] <-(e)s, -e> *der* **1.** Verwendung *Zu welchem ~ brauchen Sie das Holz?* **2.** Sinn, Nutzen *Es hat keinen ~ zu bleiben.* **3.** Ziel, Absicht *sich für einen guten ~ einsetzen*

zweck·los <-, -> *adj* unnütz, sinnlos *Das ist ~.*

zwecks [tsvɛks] *präp +gen (umg)* wegen, um etw zu erreichen *~ Verbesserung der Kommunikation*

Zwei [tsvai] <-, -en> *die* **1.** die Ziffer 2 *eine ~ schreiben* **2.** zweitbeste Schulnote in Deutschland *Sie bekommt in Biologie eine ~.*

• **zwei** [tsvai] *num* die Zahl 2 *Eins und eins macht ~.*

zwei·deu·tig ['tsvaidɔytɪç] <-, -> *adj* obszön *~e Witze*

Zwei·er ['tsvaiɐ] <-s, -> *der* **1.** (SD, ÖSTERR, CH ≈*Zwei*) Ziffer 2 *Der ~ auf dem Schild ist kaum noch lesbar.* **2.** zweitbeste Schulnote in Deutschland *Sie bekommt in Biologie einen ~.*

• **Zwei·fel** ['tsvaifl̩] <-s, -> *der* das Gefühl, dass etw nicht stimmt oder nicht gut ist *Er hatte ~ an dem, was sie sagte., Ich habe ~ daran, dass diese Entscheidung richtig ist.*

• **zwei·feln** ['tsvaifl̩n] <zweifelt, zweifelte, gezweifelt> *itr* das Gefühl haben, dass etw nicht stimmt oder nicht gut ist *Ich zweifle nicht daran.*

Zweig [tsvaik] <-(e)s, -e> *der* kleiner Ast *Sie hat einen ~ vom Baum abgebrochen.;* **auf keinen grünen ~ kommen** *(umg)* keinen finanziellen Erfolg haben *Er kam einfach auf keinen grünen ~.*

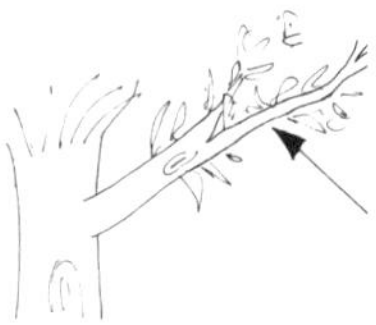

Zweig·stel·le <-, -n> *die* Filiale, Nebenstelle *Die Bank hat ihre ~ geschlossen.*

zwei·hun·dert ['tsvai'hʊndɐt] *num* die Zahl 200 *Der kleine Saal war mit mehr als ~ Zuschauern völlig überfüllt.*

Zweig

zwei·mal ['tsvaimaːl] *adv* noch einmal *Sie ist ~ um den Platz gelaufen.;* **sich etw nicht ~ sagen lassen** etw sofort annehmen *Das Büfett ist eröffnet! – Das lass ich mir nicht ~ sagen!*

zwei·spra·chig ['tsvaiʃpraːxɪç] <-, -> *adj* so, dass man zwei Sprachen spricht *Viele Bewohner von Südtirol sind ~.*

zweit [t͡svait] **zu** ~ als Paar *das Leben zu ~ genießen, Wir sind zu ~.*

zwei·tei·lig ['t͡svaitailɪç] <-, -> *adj* aus zwei Teilen *Es ist ein ~er Kurs: Erst kommt die Einführung, dann der Aufbaukurs.*

Zwẹrg(in) [t͡svɛrk] <-(e)s, -e> *der* **1.** Märchenwesen, das man sich als sehr kleinen, alten Menschen vorstellt *~e leben oft in Höhlen und bewachen Schätze.* **2.** (*pej*) kleiner Mensch *Von Statur war er ein ~.*

• **Zwẹtsch·ge** ['t͡svɛt͡ʃgə] <-, -n> *die* (SD, ÖSTERR, CH) Pflaume *Sie kochte aus den ~n Marmelade.*

zwị·cken ['t͡svɪkn̩] <zwickt, zwickte, gezwickt> *tr* [K] ***jdn zwickt jdn*** die Haut zwischen Daumen und Zeigefinger drücken *Er zwickte sie in den Arm.*

Zwie·back ['t͡sviːbak] <-(e)s, -e/-bäcke> *der* geröstetes, haltbares brotähnliches Gebäck *Sie gibt ihrem kranken Kind ~.*

Zwiebel

• **Zwie·bel** ['t͡sviːbl̩] <-, -n> *die* Gemüse, das einen sehr starken Geschmack hat und beim Schälen die Augen reizt *~n klein hacken*
***Komp:* Gemüse-**

Zwịl·ling ['t͡svɪlɪŋ] <-s, -e> *der* eines von zwei gleichzeitig geborenen Kindern der gleichen Mutter *eineiige/zweieiige ~e, Die beiden Schwestern sehen sich sehr ähnlich, sind sie ~e?*

• **zwịn·gen** ['t͡svɪŋən] <zwingt, zwang, gezwungen> **I.** *tr* [K] ***jdn/etw zwingt jdn zu etw*** *dat* jdn mit (psychischer oder körperlicher) Gewalt dazu bewegen, etw zu tun *Der Gangster zwang die Angestellte, den Safe zu öffnen., Wir waren gezwungen, schnell zu handeln.* **II.** *refl* [K] ***jd zwingt sich*** *akk* ***zu etw*** *dat,* [K] ***jd zwingt sich*** *akk,* ***etw zu tun*** sich gegen den eigenen Willen dazu bringen, etw zu tun *Er musste sich ~, die Suppe zu essen.*

• **zwị·schen** ['t͡svɪʃn̩] *präp* **1.** *+dat auf die Frage ‚wo?‘, +akk auf die Frage ‚wohin?‘* in der Mitte von *Z~ der Tür und der linken Wand steht ein Tisch., einen Tisch ~ die Tür und die linke Wand stellen* **2.** *+dat* kennzeichnet eine Beziehung verschiedener Personen/Dinge *Z~ ihnen gibt es nie Streit., Gibt es einen Zusammenhang ~ den beiden Fällen?* **3.** *+dat* gibt einen Zeitraum an *Z~ Weihnachten und Neujahr bleibt unser Geschäft geschlossen.* **4.** *+dat* von … bis … *Die Bewerber sollten ~ 20 und 30 Jahre alt sein.*

Zwị·schen·fra·ge <-, -n> *die* Frage, die während eines Vortrages gestellt wird *Die Zuschauer durften ~n stellen.*

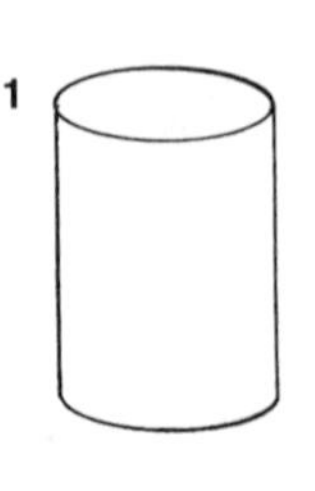

Zwị·schen·lan·dung <-, -en> *die* Flugunterbrechung zwischen dem Ausgangs- und dem Zielflughafen *Die Maschine machte eine ~ in Athen und flog dann weiter.*

zwị·schen·mensch·lich <-, -> *adj* zwischen Menschen *~e Beziehungen*

Zwị·schen·zeit <-, (-en)> *die* **1.** Zeitraum zwischen zwei Ereignissen *Wir treffen uns dann morgen wieder. In der ~ erledige ich alles.* **2.** SPORT Zeit, die die Geschwindigkeit nach einer Teilstrecke zeigt *Nach der ersten Runde hatte er die beste ~.*

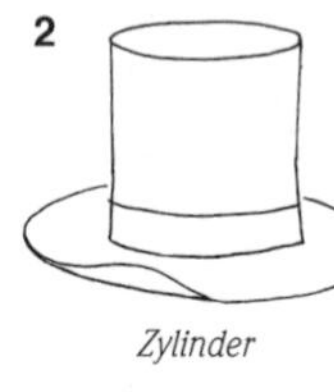

Zylinder

zwịt·schern ['t͡svɪt͡ʃɐn] <zwitschert, zwitscherte, gezwitschert> *itr* leise, helle Töne von sich geben *Die Vögel ~.*

• **zwọ̈lf** [t͡svœlf] *num* die Zahl 12 *~ Uhr (mittags)*

Zy·lịn·der [t͡si'lɪndɐ] <-s, -> *der* **1.** ein Körper mit einem Kreis als Grundfläche *das Volumen eines ~s berechnen* **2.** festlicher schwarzer Herrenhut *Der Bräutigam trägt zur Hochzeit einen ~.*

zy·nisch ['tsy:nɪʃ] <zynischer, zynischst-> *adj* so, dass man auf eine böse Art spottet *Seine ~e Art macht ihn unbeliebt.* ***Wobi:*** *Zyniker, Zynismus*

Deutsche Dialekte

Die deutschsprachigen Staaten, Bundesländer bzw. Kantone, ihre Hauptstädte und Bewohner

Staat/ Bundesland	Hauptstadt	Bewohner/in
Deutschland	**Berlin**	**Berliner/in**
Baden-Württemberg	Stuttgart	Stuttgarter/in
Bayern	München	Münch(e)ner/in
Berlin	Berlin	Berliner/in
Brandenburg	Potsdam	Potsdamer/in
Bremen	Bremen	Bremener/in
Hamburg	Hamburg	Hamburger/in
Hessen	Wiesbaden	Wiesbadener/in
Mecklenburg-Vorpommern	Schwerin	Schweriner/in
Niedersachsen	Hannover	Hannoveraner/in
Nordrhein-Westfalen	Düsseldorf	Düsseldorfer/in
Rheinland-Pfalz	Mainz	Mainzer/in
Saarland	Saarbrücken	Saar-brück(e)ner/in
Sachsen	Dresden	Dresd(e) ner/in
Sachsen- Anhalt	Magdeburg	Magdeburger/in
Schleswig-Holstein	Kiel	Kieler/in
Thüringen	Erfurt	Erfurter/in

Staat/ Bundesland	Hauptstadt	Bewohner/in
Österreich	**Wien**	**Wiener/in**
Burgenland	Eisenstadt	Eisenstädter/in
Kärnten	Klagenfurt	Klagenfurter/in
Nieder-österreich	St. Pölten	St. Pöltner/in
Oberösterreich	Linz	Linzer/in
Salzburg	Salzburg	Salzburger/in
Steiermark	Graz	Grazer/in
Tirol	Innsbruck	Innsbrucker/in
Vorarlberg	Bregenz	Bregenzer/in
Wien	Wien	Wiener/in

Staat/ Kanton	Bewohner/in	Hauptstadt
Schweiz	**Schweizer/in**	**Bern**
Aargau	Aargauer/in	Aarau
Appenzell Au-ßerrhoden	Appenzeller/in/ Außerrhodner/in	Herisau
Appenzell Innerrhoden	Appenzeller/in/ Innerrhodner/in	Appenzell
Basel-Landschaft	Basler/in	Liestal
Basel-Stadt	Basler/in	Basel
Bern	Berner/in	Bern
Freiburg	Freiburger/in	Freiburg
Genf	Genfer/in	Genf
Glarus	Glarner/in	Glarus
Graubünden	Bündner/in	Chur
Jura	Delsberger/in	Delsberg
Neuenburg	Neuenburger/in	Neuenburg
St. Gallen	St. Galler/in	St. Gallen
Schaffhausen	Schaffhauser/in	Schaffhausen
Schwyz	Schwyzer/in	Schwyz
Solothurn	Solothurner/in	Solothurn
Tessin	Tessiner/in	Bellinzona
Thurgau	Thurgauer/in	Frauenfeld
Nidwalden	Nidwaldner/in	Stans
Obwalden	Obwaldner/in	Sarnen
Uri	Urner/in	Altdorf
Waadt	Waadtländer/in	Lausanne
Wallis	Walliser/in	Sitten
Zürich	Zürcher/in	Zürich
Zug	Zuger/in	Zug

Staat	Bewohner/in	Stadt
Liechtenstein	**Liechten-steiner/in**	**Vaduz**

Deutsche Abkürzungen

A	*Österreich, Ampere*
Abb.	*Abbildung*
Abk.	Abkürzung
ABM	*Arbeitsbeschaffungsmaßnahme*
Abs.	*Absender, Absatz*
ADAC	*Allgemeiner Deutscher Automobil-Club*
AG	*Aktiengesellschaft, Arbeitsgruppe*
Akk.	*Akkusativ*
AKW	*Atomkraftwerk*
allg.	*allgemein*
APA	*Austria Presse Agentur* (ÖSTERR)
ASTA	*Allgemeiner Studentenausschuss*
B	*Bundesstraße*
BAföG	*Bundesausbildungsförderungsgesetz*
Bd.	*Band (Buch)*, **Bde.** *Bände*
bes.	*besonders*
Betr.	*Betreff*
BH	*Büstenhalter*
B(h)f.	*Bahnhof*
BRD	*Bundesrepublik Deutschland*
Btx	*Bildschirmtext*
b. w.	*bitte (Seite) wenden*
bzw.	*beziehungsweise*
C	*Celsius*
c	*Cent/Centime*
ca.	*circa (ungefähr)*
CH	*Confoederatio Helvetica (die Schweiz)*
Co.	*Gesellschaft*
c. t.	*cum tempore (mit akademischem Viertel)*
D	*Deutschland*
DaF	*Deutsch als Fremdsprache*
Dat.	*Dativ*
DB	*Deutsche Bahn AG*
DDR	*Deutsche Demokratische Republik*
DGB	*Deutscher Gewerkschaftsbund*
d. h.	*das heißt*
Dipl.-Ing.	*Diplomingenieur*
DM	*Deutsche Mark*
dpa	*Deutsche Presse-Agentur*
Dr.	*Doktor*
Dr. jur.	*Doktor der Rechte*
Dr. med.	*Doktor der Medizin*
Dr. phil.	*Doktor der Philosophie/Philologie*
Dr. rer. nat.	*Doktor der Naturwissenschaften*
Dr. theol.	*Doktor der Theologie*
ebd.	*ebenda*
(E)DV	*(Elektronische) Datenverarbeitung*
€	*Euro*
EC	*Eurocity(zug)*
eidg.	*eidgenössisch*
etc.	*et cetera*
EU	*Europäische Union*
e. V.	*eingetragener Verein*
ev.-luth.	*evangelisch-lutherisch*
ev.-ref.	*evangelisch-reformiert*
evtl.	*eventuell*
F	*Fahrenheit*
Fa.	*Firma*
Fam.	*Familie*
FC	*Fußballclub*
FCKW	*Fluorchlorkohlenwasserstoff(e)*
f.	*und folgende Seite*
fem.	*feminin*
ff.	*und folgende Seiten*
FH	*Fachhochschule*
Fr.	*Frau*
g.	*Groschen*
geb.	*geboren (geborene)*
Gen.	*Genitiv*
Ges.	*Gesellschaft*
gez.	*gezeichnet*
GmbH	*Gesellschaft mit beschränkter Haftung*
H	*Haltestelle*
h	*hora (Stunde)*
Hbf.	*Hauptbahnhof*
hg.	*herausgegeben*
hl.	*heilig*
Hr(n).	*Herr(n)*
Hrsg./ Hg.	*Herausgeber*
i. A.	*im Auftrag*
IC	*Intercity(zug)*
ICE	*Intercityexpress(zug)*
i. d. R.	*in der Regel*
Ing.	*Ingenieur*
inkl.	*inklusive*
IQ	*Intelligenzquotient*
ISBN	*Internationale Standardbuchnummer*
J	*Joule*
JH	*Jugendherberge*
Jh.	*Jahrhundert*

jr./jun.	*junior*
kath.	*katholisch*
Kfz	*Kraftfahrzeug*
KG	*Kommanditgesellschaft*
km/h	*Kilometer pro Stunde*
Kripo	*Kriminalpolizei*
Kto.	*Konto*
Kto.-Nr.	*Kontonummer*
LKW/ Lkw	*Lastkraftwagen*
lt.	*laut*
luth.	*lutherisch*
M.A.	*Magister artium*
mag.	*Magister* (ÖSTERR)
mag. rer. nat.	*Magister der Naturwissenschaften* (ÖSTERR)
mag. phil.	*Magister der Geisteswissenschaften* (ÖSTERR)
mask.	*maskulin*
max.	*maximal*
m. E.	*meines Erachtens*
MEZ	*mitteleuropäische Zeit*
Mio./ Mill.	*Million*
Min./ min	*Minute*
möbl.	*möbliert*
Mrd.	*Milliarde(n)*
m. ü. M.	*Meter über dem Meer*
MwSt.	*Mehrwertsteuer*
N	*Norden*
n. Chr.	*nach Christus*
neutr.	*neutral, Neutrum*
Nom.	*Nominativ*
Nr(n).	*Nummer(n)*
O	*Osten*
o.	*oben*
o. ä.	*oder ähnlich*
o. Ä.	*oder Ähnliche(s)*
ÖAMTC	*Österreichischer Automobil-, Motorrad- und Touringclub*
OB	*Oberbürgermeister*
ÖBB	*Österreichische Bundesbahnen*
ÖGB	*Österreichischer Gewerkschaftsbund*
ÖH	*Österreichische Hochschülerschaft*
OP	*Operationssaal*
öS	*österreichische Schilling*
OSZE	*Organisation für Sicherheit und Zusammenarbeit in Europa*
PC	*Personalcomputer*
Pf	*Pfennig*
PKW/ Pkw	*Personenkraftwagen*
Pl.	*Plural*
Prof.	*Professor*
prot.	*protestantisch*
PS	*Pferdestärke(n)*
Ref.	*Referat (Abteilung)*
rk.	*römisch-katholisch*
S	*Süden, Schilling*
S.	*Seite*
s/Sek.	*Sekunde*
s.(a.)	*siehe (auch)*
SB	*Selbstbedienung*
SBB	*Schweizerische Bundesbahnen*
Sek./sec	*Sekunde*
sFr./sfr	*Schweizer Franken*
s. o.	*siehe oben*
sog.	*so genannte(-r, -s)*
Sr.	*Senior (der Ältere)*
SSV	*Sommerschlussverkauf*
s. t.	*sine tempore (ohne akademisches Viertel, pünktlich)*
St.	*Sankt*
Str.	*Straße*
s. u.	*siehe unten*
Tel.	*Telefon*
TH	*technische Hochschule*
TU	*technische Universität*
TÜV	*Technischer Überwachungsverein*
u. a.	*und andere(s), unter anderem, unter anderen*
u. Ä.	*und Ähnliche(s)*
UFO/Ufo	*unbekanntes Flugobjekt*
usw.	*und so weiter*
u. U.	*unter Umständen*
UV	*Ultraviolett*
v. Chr.	*vor Christus*
vgl.	*vergleiche*
VHS	*Volkshochschule*
W	*Watt* oder *Westen*
WEZ	*westeuropäische Zeit*
WG	*Wohngemeinschaft*
WM	*Weltmeisterschaft*
WSV	*Winterschlussverkauf*
Z.	*Zeile*
z. B.	*zum Beispiel*
z. H.	*zu Händen*
ZMP	*Zentrale Mittelstufenprüfung*
z. T.	*zum Teil*

Zahlen, Wochentage, Monate

Grundzahlen	Ordnungszahlen	Bruchzahlen
0 null		
1 eins	1. erste	$^{1}/_{2}$ ein halb
2 zwei	2. zweite	$^{1}/_{3}$ ein Drittel
3 drei	3. dritte	$^{1}/_{4}$ ein Viertel
4 vier	4. vierte	$^{1}/_{5}$ ein Fünftel
5 fünf	5. fünfte	$^{1}/_{10}$ ein Zehntel
6 sechs	6. sechste	$^{2}/_{3}$ zwei Drittel
7 sieben	7. siebte	$^{3}/_{4}$ drei Viertel
8 acht	8. achte	1½ anderthalb/eineinhalb
9 neun	9. neunte	2½ zweieinhalb
10 zehn	10. zehnte	1,1 eins Komma eins
11 elf	11. elfte	
12 zwölf	12. zwölfte	
13 dreizehn	13. dreizehnte	**Wochentage**
14 vierzehn	14. vierzehnte	Montag
15 fünfzehn	15. fünfzehnte	Dienstag
16 sechzehn	16. sechzehnte	Mittwoch
17 siebzehn	17. siebzehnte	Donnerstag
18 achtzehn	18. achtzehnte	Freitag
19 neunzehn	19. neunzehnte	Samstag, ND: Sonnabend
20 zwanzig	20. zwanzigste	Sonntag
21 einundzwanzig	21. einundzwanzigste	
30 dreißig	30. dreißigste	
40 vierzig	40. vierzigste	**Monate**
50 fünfzig	50. fünfzigste	Januar, ÖSTERR: Jänner
60 sechzig	60. sechzigste	Februar, ÖSTERR: Feber
70 siebzig	70. siebzigste	März
80 achtzig	80. achtzigste	April
90 neunzig	90. neunzigste	Mai
100 (ein)hundert	100. hundertste	Juni
101 hunderteins	101. hunderterste	Juli
102 hundertzwei	102. hundertzweite	August
110 hundertzehn	110. hundertzehnte	September
200 zweihundert	200. zweihundertste	Oktober
1 000 (ein)tausend	1 000. tausendste	November
1 000 000 eine Million	1 000 000. millionste	Dezember

Maße und Gewichte

Längenmaße	Zeichen	Vergleich
Kilometer	km	1000 m
Meter	m	1 m
Dezimeter	dm	0,1 m
Zentimeter	cm	0,01 m
Millimeter	mm	0,001 m

Flächenmaße		
Quadratkilometer	km^2	1 000 000 m^2
Hektar	ha	10 000 m^2
Ar	a	100 m^2
Quadratmeter	m^2	1 m^2
Quadratdezimeter	dm^2	0,01 m^2
Quadratzentimeter	cm^2	0,0001 m^2
Quadratmillimeter	mm^2	0,000 001 m^2

Kubik- und Hohlmaße		
Kubikmeter	m^3	1 m^3
Hektoliter	hl	0,1 m^3
Liter	l	
Kubikzentimeter	cm^3	0,000 001 m^3
Milliliter	ml	0,000 001 m^3

Gewichte		
Tonne	t	1000 kg
Zentner	Ztr.	50 kg
Kilogramm/Kilo	kg	1000 g
Pfund	Pfd.	500 g
Dekagramm/Deka (ÖSTERR)	dag	10 g
Gramm	g	1 g
Milligramm	mg	0,001 g

Wichtige Regeln der deutschen Rechtschreibung

Kurze und lange Silben

Silben, die man kurz spricht, schreibt man
- nur mit einem Vokal: *bis, Bus, Politik*
- mit Doppelkonsonant: *Affe, Fluss, immer.*

Achtung!
- Statt *kk* schreibt man *ck*: *Acker, locken.*
- Ein Vokal vor zwei verschiedenen Konsonanten wird kurz gesprochen: *Eltern, Hund, Katze.*

Silben, die man lang spricht, schreibt man
- nur mit einem Konsonanten: *Blume, malen, Soße*
- mit Doppelvokal: *Saal, Tee, Zoo*
- mit *h: Höhle, Huhn, Sahne*
- mit *e* nach dem langen *i: Batterie, liegen*
- mit Diphthong: *Haus, drei, Leute.*

Zur Schreibung von Umlauten *(ä, ö, ü)*

Ein *a, o* oder *u* wird oft zu *ä, ö* bzw. *ü*: *Band/Bänder, halten/hält, groß/größer, Hochhaus/Hochhäuser, Hut/Hütchen.*

„ss" und „ß"

Nach kurzem Vokal steht *ss*, nach langem Vokal *ß*: *Fluss – Fuß, Gasse – Straße, Boss – groß.*

Achtung!
- Wenn ein Wort mit Großbuchstaben geschrieben wird, dann wird aus *ß ein SS*: *STRASSE.*
- Das Schweizerdeutsch kennt kein *ß*. Es heißt: *Fluss – Fuss, Gasse – Strasse, Boss – gross.*

Konsonanten am Ende eines Wortes oder einer Silbe

Wenn Sie nicht wissen, ob z. B. *Wald* am Ende mit *d* oder *t* geschrieben wird, suchen Sie eine Ableitung des Wortes: *Wald, weil: die Wälder,* also mit *d* am Ende – aber: *Kraft – kräftig,* also mit *t.* Ebenso: *endlich – Ende, Flug – fliegen, Gib her! – geben,* aber: *Tipp – tippen.*

Zur Getrennt- und Zusammenschreibung

Auseinander schreibt man
- Verb + Verb: *kennen lernen, geschenkt bekommen*
- Substantiv + Verb: *Auto fahren, Rad fahren*
- *einander* + Verb: *auseinander gehen, beieinander bleiben*
- Adjektiv + Verb, wenn man das Adjektiv steigern kann: *gut gehen* (weil: *besser gehen*)
- Adjektive auf *-ig, -isch* und *-lich*: *übrig bleiben, kritisch denken, höflich grüßen*
- Wörter mit *sein*: *da sein, aus sein*
- *dahinter/darin/davor* + Verb: *dahinter kommen, dahinter stehen.*

Achtung!
- Die Kurzformen *drin/drunter/drüber/...* + Verb schreibt man zusammen: *drinsitzen.*
- Zusammengesetzte Adverbien kann man zusammen oder getrennt schreiben: *infrage/in Frage kommen, zugrunde/zu Grunde liegen, zuschulden/zu Schulden kommen lassen.*
- Auch *sodass* kann man getrennt schreiben: *so dass.*

Zur Schreibung mit Bindestrich

Mit Bindestrich schreibt man
- Wörter mit Einzelbuchstaben oder Zahlen: *T-Shirt, x-mal, 2-mal, 3-tägig, 15-jährig* – aber: *die 90er Jahre*
- Fremdwörter: das *Make-up,* der *Boogie-Woogie*
- Straßen und Plätze: *Willy-Brandt-Platz, Heinrich-Heine-Allee.*

Zur Groß- und Kleinschreibung

Im Deutschen schreibt man groß
- Namen und Titel: *Albert Einstein, Dritte Welt, Unter den Linden, Alexander der Große*
- Substantive: *Haus, Idee,* das *Gehen,* der *Trimm-dich-Pfad, in Bezug auf, heute Abend*
- die höflichen Anredepronomen: *Sie, Ihr, Ihnen, ...*
- Satzanfänge (auch nach einem Doppelpunkt): *Ich gehe!, Meine Meinung ist: Er hat Recht.*
- Überschriften: *Ein Fall für Zwei, Das Schloss*
- geografische Bezeichnungen auf *-er: der Berliner Winter, die Schweizer Schokolade.*

Zur Zeichensetzung

Ein Punkt steht
- am Ende eines Satzes: *Es regnet nicht mehr.*
- nach einer Abkürzung: *usw., etc.*
- nach einer Ordnungszahl: *der 1. Sieg der Saison.*

Ein Ausrufezeichen steht
- oft hinter einer Aufforderung: *Komm mal her!*
- hinter einem Gruß: *Guten Tag!*
- hinter einem Wunsch: *Alles Gute!*
- hinter einem Ausruf: *Au!*
- manchmal hinter der Anrede in Briefen: *Liebe Laura!*

Ein Komma steht
- zwischen zwei Sätzen: *Ich komme, du gehst.*
- bei Aufzählungen: *Er versprach ihr einen schönen, sonnigen, ruhigen Urlaub.*
- vor oder hinter Nebensätzen: *Ich weiß, dass ...; Sie kommt, weil ...; Wenn du kommst, ...*

Ein Komma kann stehen
- zwischen Hauptsätzen, die mit *und, oder* verbunden sind: *Ich gehe(,) und du bleibst da.*
- bei Infinitivgruppen: *Er plant(,) nach Berlin umzuziehen.; Sie treffen sich, um über alles zu sprechen.*

Zur Worttrennung am Zeilenende

Man trennt Wörter
- an *Silbengrenzen* (so, dass möglichst ein Konsonant an den Anfang der neuen Zeile kommt): *A-bend, Bau-er, De-cke, freund-lich, Goe-the, Hau-be, Hil-fe, Räu-ber, Ru-i-ne, vo-raus, Wes-ten*
- oder an Wortgrenzen: *Hand-ball, Fuß-ball.*
- Manchmal sind beide Regeln gültig: *in-te-res-sant/in-ter-es-sant, ei-nan-der/ein-an-der.*

Nicht trennen kann man
- Wörter mit nur einer Silbe: *Stuhl, Tisch*
- wenn in der neuen Zeile nur ein Buchstabe stehen würde: *Treue,* <u>nicht</u>: *Treu-e.*

Die Konjugation der Verben

	regelmäßiges Verb	unregelmäßiges Verb	Hilfsverben		
Infinitiv	machen	helfen	*haben*	*sein*	*werden*
Präsens					
ich	mache	helfe	*habe*	*bin*	*werde*
du	machst	hilfst	*hast*	*bist*	*wirst*
er/sie/es	macht	hilft	*hat*	*ist*	*wird*
wir	machen	helfen	*haben*	*sind*	*werden*
ihr	macht	helft	*habt*	*seid*	*werdet*
sie/Sie	machen	helfen	*haben*	*sind*	*werden*
Präteritum					
ich	machte	half	*hatte*	*war*	*wurde*
du	machtest	halfst	*hattest*	*warst*	*wurdest*
er/sie/es	machte	half	*hatte*	*war*	*wurde*
wir	machten	halfen	*hatten*	*waren*	*wurden*
ihr	machtet	halft	*hattet*	*wart*	*wurdet*
sie/Sie	machten	halfen	*hatten*	*waren*	*wurden*
Konjunktiv I					
ich	mache	helfe	*habe*	*sei*	*werde*
du	machest	helfest	*habest*	*seist*	*werdest*
er/sie/es	mache	helfe	*habe*	*sei*	*werde*
wir	(machen)	(helfen)	*(haben)*	*seien*	*(werden)*
ihr	machet	helfet	*habet*	*seiet*	*werdet*
sie/Sie	(machen)	(helfen)	*(haben)*	*seien*	*(werden)*
Konjunktiv II – Gegenwart					
ich	würde machen/helfen		*hätte*	*wäre*	*würde*
du	würdest machen/helfen		*hättest*	*wärst*	*würdest*
er/sie/es	würde machen/helfen		*hätte*	*wäre*	*würde*
wir	würden machen/helfen		*hätten*	*wären*	*würden*
ihr	würdet machen/helfen		*hättet*	*wärt*	*würdet*
sie/Sie	würden machen/helfen		*hätten*	*wären*	*würden*
	meist *würde* + *Infinitiv*, aber: Ich *hätte* auch Lust dazu. Ich *wäre* vorsichtig.				
Partizip II	gemacht	geholfen	*gehabt*	*gewesen*	*geworden*
Partizip I	machend	helfend	*habend*	*seiend*	*werdend*
Perfekt	*haben* oder *sein* + Partizip II: Sie *hat* ihm *geholfen*. Sie *sind* zu schnell *gefahren*.				
Plusquamperfekt	*hatte* oder *war* + Partizip II: ich *hatte gehofft* – ich *war* gerade *aufgestanden*				
Futur	*werden* + Infinitiv: Morgen *werde* ich bestimmt *aufräumen*. Achtung: Die Zukunft wird im Deutschen häufig im Präsens ausgedrückt: *Morgen räume* ich bestimmt *auf*.				
Konjunktiv II – Vergangenheit	*hätte* oder *wäre* + Partizip II: Ich *hätte* beinahe im Lotto *gewonnen*. Ich *wäre* gern *gekommen*.				
Passiv	*werden* + *Partizip II*: Ihr *wird geholfen*. Das Buch *wurde* oft *gelesen*. Das Stück ist noch nie *gespielt worden*.				

Unregelmäßige Verben

Infinitiv	Präteritum 3. Person Singular	Partizip II
befehlen	befahl	befohlen
beginnen	begann	begonnen
behalten	behielt	behalten
beißen	biss	gebissen
bekommen	bekam	bekommen
belügen	belog	belogen
beraten	beriet	beraten
beschließen	beschloss	beschlossen
beschreiben	beschrieb	beschrieben
besitzen	besaß	besessen
bestehen	bestand	bestanden
betragen	betrug	betragen
betrügen	betrog	betrogen
beweisen	bewies	bewiesen
bewerben	bewarb	beworben
beziehen	bezog	bezogen
biegen	bog	gebogen
bieten	bot	geboten
binden	band	gebunden
bitten	bat	gebeten
blasen	blies	geblasen
bleiben	blieb	ist geblieben
braten	briet	gebraten
brechen	brach	hat/ist gebrochen
brennen	brannte	gebrannt
bringen	brachte	gebracht
denken	dachte	gedacht
dringen	drang	ist gedrungen
dürfen	durfte	dürfen/ gedurft *Modalverb/ Vollverb*
enthalten	enthielt	enthalten
entlassen	entließ	entlassen
empfehlen	empfahl	empfohlen
entscheiden	entschied	entschieden
entschlie-ßen	entschloss	entschlossen
entspre-chen	entsprach	entsprochen

Infinitiv	Präteritum 3. Person Singular	Partizip II
entstehen	entstand	ist entstanden
erfahren	erfuhr	erfahren
erfinden	erfand	erfunden
erhalten	erhielt	erhalten
erkennen	erkannte	erkannt
erscheinen	erschien	ist erschienen
erschrecken	erschrak	ist erschrocken
erziehen	erzog	erzogen
essen	aß	gegessen
fahren	fuhr	ist gefahren
fallen	fiel	ist gefallen
fangen	fing	gefangen
fechten	focht	gefochten
finden	fand	gefunden
flechten	flocht	geflochten
fliegen	flog	ist geflogen
fliehen	floh	ist geflohen
fließen	floss	ist geflossen
fressen	fraß	gefressen
frieren	fror	hat/ist gefroren
gären	gärte (gor)	hat/ist gegärt/ gegoren
geboren werden	wurde gebo-ren	ist geboren worden
geben	gab	gegeben
gedeihen	gedieh	ist gediehen
gefallen	gefiel	gefallen
gehen	ging	ist gegangen
gelingen	gelang	ist gelungen
gelten	galt	gegolten
genesen	genas	ist genesen
genießen	genoss	genossen
geraten	geriet	ist geraten
geschehen	geschah	ist geschehen
gewinnen	gewann	gewonnen
gießen	goss	gegossen
gleiten	glitt	ist geglitten
graben	grub	gegraben
greifen	griff	gegriffen

Infinitiv	Präteritum 3. Person Singular	Partizip II
haben	hatte	gehabt
halten	hielt	gehalten
hängen	hing	hat/ist gehangen
hauen	haute (hieb)	gehauen
heben	hob	gehoben
heißen	hieß	geheißen
helfen	half	geholfen
kennen	kannte	gekannt
klingen	klang	geklungen
kneifen	kniff	gekniffen
kommen	kam	ist gekommen
können	konnte	können/ gekonnt *Modalverb/ Vollverb*
laden	lud	geladen
laufen	lief	ist gelaufen
lassen	ließ	lassen/ gelassen
leiden	litt	gelitten
leihen	lieh	geliehen
lesen	las	gelesen
liegen	lag	hat/ist gelegen
lügen	log	gelogen
mahlen	mahlte	gemahlen
meiden	mied	gemieden
melken	melkte	gemelkt (gemolken)
messen	maß	gemessen
misslingen	misslang	ist misslungen
missverstehen	missverstand	missverstanden
mögen	mochte	mögen/ gemocht
müssen	musste	müssen/ gemusst *Modalverb/ Vollverb*
nehmen	nahm	genommen
nennen	nannte	genannt
pfeifen	pfiff	gepfiffen
preisen	pries	gepriesen

Infinitiv	Präteritum 3. Person Singular	Partizip II
quellen	quoll (quellte)	ist gequollen (gequellt)
raten	riet	hat/ist geraten
reiben	rieb	gerieben
reißen	riss	gerissen
reiten	ritt	hat/ist geritten
rennen	rannte	ist gerannt
riechen	roch	gerochen
ringen	rang	gerungen
rinnen	rann	hat/ist geronnen
rufen	rief	gerufen
salzen	salzte	gesalzt (gesalzen)
saufen	soff	gesoffen
saugen	saugte (sog)	gesaugt (gesogen)
schaffen	schuf/ schaffte	geschaffen/ geschafft
scheinen	schien	geschienen
schieben	schob	geschoben
schießen	schoss	geschossen
schlafen	schlief	geschlafen
schlagen	schlug	geschlagen
schleichen	schlich	ist geschlichen
schleifen	schliff/ schleifte	geschliffen/ geschleift
schließen	schloss	geschlossen
schlingen	schlang	geschlungen
schmeißen	schmiss	geschmissen
schmelzen	schmolz	hat/ist geschmolzen
schneiden	schnitt	geschnitten
schreiben	schrieb	geschrieben
schreien	schrie	geschrie(e)n
schreiten	schritt	ist geschritten
schweigen	schwieg	geschwiegen
schwimmen	schwamm	hat/ist geschwommen
schwingen	schwang	geschwungen
schwören	schwor	geschworen
sehen	sah	gesehen
sein	war	ist gewesen

Infinitiv	Präteritum 3. Person Singular	Partizip II
senden	sandte (sendete)	gesandt (gesendet)
singen	sang	gesungen
sinken	sank	ist gesunken
sitzen	saß	(hat/ist) gesessen
spinnen	spann	gesponnen
sprechen	sprach	gesprochen
springen	sprang	ist gesprungen
stechen	stach	gestochen
stehen	stand	hat/ist gestanden
stehlen	stahl	gestohlen
steigen	stieg	ist gestiegen
sterben	starb	ist gestorben
stinken	stank	gestunken
stoßen	stieß	gestoßen
streichen	strich	gestrichen
streiten	stritt	gestritten
tragen	trug	getragen
treffen	traf	getroffen
treiben	trieb	getrieben
treten	trat	getreten
trinken	trank	getrunken
tun	tat	getan
überweisen	überwies	überwiesen
unterhalten	unterhielt	unterhalten
unterschei-den	unterschied	unterschieden
unterschrei-ben	unterschrieb	unterschrieben
verbieten	verbot	verboten
verbinden	verband	verbunden
verbringen	verbrachte	verbracht
verderben	verdarb	hat/ist verdorben
vergessen	vergaß	vergessen
vergleichen	verglich	verglichen
verhalten	verhielt	verhalten
verlassen	verließ	verlassen
verlieren	verlor	verloren
verraten	verriet	verraten
verschrei-ben	verschrieb	verschrieben
verschwin-den	verschwand	ist verschwun-den
verspre-chen	versprach	versprochen
verstehen	verstand	verstanden
vertreten	vertrat	vertreten
verzeihen	verzieh	verziehen
wachsen	wuchs	ist gewachsen
waschen	wusch	gewaschen
wenden	wendete/ wandte	gewendet/ gewandt
werben	warb	geworben
werden	wurde	ist worden/ geworden
werfen	warf	geworfen
wiegen	wog/wiegte	gewogen/ gewiegt
winken	winkte	gewunken (gewinkt)
wissen	wusste	gewusst
wollen	wollte	wollen/ gewollt *Modalverb/ Vollverb*
ziehen	zog	gezogen
zwingen	zwang	gezwungen

Der Plural der Substantive

Endung	Beispiele	Hinweis
-, "-	der Apfel/Äpfel, das Andenken/Andenken, die Mutter/Mütter, das Mädchen/Mädchen	die meisten Substantive auf *-el, -en, -er, -chen, -lein* Oft wird *a, o, u* zu *ä, ö, ü*.
-e, "-e	der Stift/Stifte, das Fest/Feste, der Baum/Bäume, die Angst/Ängste	Oft wird *a, o, u* zu *ä, ö, ü*.
-en	die Abbildung/Abbildungen	alle femininen Substantive auf *-heit, -keit, -ion, -schaft, -tät, -ung*.
-er; "-er	das Bild/Bilder, das Haus/Häuser	meist maskulin oder neutral, feminin selten Oft wird *a, o, u* zu *ä, ö, ü*.
-ien	das Material/Materialien	selten
-n	der Bauer/Bauern, das Ende/Enden	
-nen	die Lehrerin/Lehrerinnen	alle femininen Personenbezeichnungen auf *-in*
-s	der Lkw/Lkws, das Auto/Autos, die Oma/Omas	viele Fremdwörter, alle Kurzwörter und viele Wörter auf *-a, -i, -o*
-se	der Bus/Busse, die Kenntnis/Kenntnisse	Substantive mit einer kurz gesprochenen Silbe auf *-s* am Ende (z. B. *-nis*)

Wenn Sie sich nicht sicher sind, schlagen Sie im Wörterbuch nach: Bei jedem Substantiv finden Sie die Pluralform.

Die Deklination der Adjektive

	Singular			Plural
	maskulin	neutral	feminin	
Nominativ	der alte	das alte	die alte	die alten
	ein alter	ein altes	eine alte	alte
	alter	altes	alte	alte
Akkusativ	den alten	das alte	die alte	die alten
	einen alten	ein altes	eine alte	alte
	alten	altes	alte	alte
Dativ	dem alten	dem alten	der alten	den alten
	einem alten	einem alten	einer alten	alten
	altem	altem	alter	alten
Genitiv	des alten	des alten	der alten	der alten
	eines alten	eines alten	einer alten	alter
	alten	alten	alter	alter

Die Deklination der Personalpronomen

	Singular					Plural			Höflichkeitsform Sing./Pl.
	1. Person	**2. Person**	**3. Person maskulin**	**3. Person neutral**	**3. Person feminin**	**1. Person**	**2. Person**	**3. Person**	
Nominativ	ich	du	er	es	sie	wir	ihr	sie	Sie
Akkusativ	mich	dich	ihn	es	sie	uns	euch	sie	Sie
Dativ	mir	dir	ihm	ihm	ihr	uns	euch	ihnen	Ihnen
Genitiv	meiner	deiner	seiner	seiner	ihrer	unser	euer	ihrer	Ihrer

Die Deklination der Artikelwörter

Artikelwörter I

	Singular			Plural
	maskulin	**neutral**	**feminin**	**maskulin/neutral/feminin**
Nominativ	der Mann	das Kind	die Frau	die Männer/Kinder/Frauen
	dieser Mann	dieses Kind	diese Frau	diese Männer/Kinder/Frauen
	welcher Mann?	welches Kind?	welche Frau?	welche Männer/Kinder/Frauen?
Akkusativ	den Mann	das Kind	die Frau	die Männer/Kinder/Frauen
Dativ	dem Mann	dem Kind	der Frau	den Männern/Kindern/Frauen
Genitiv	des Mann(e)s	des Kind(e)s	der Frau	der Männer/Kinder/Frauen

Hinweis 1: Im **Genitiv Singular** hat auch das maskuline und neutrale Substantiv eine Markierung: des Mann(**e**)**s**, des Kind(**e**)**s**. Ausnahmen sind Wörter wie: der Bauer – des Baue**rn**, der Prinz – des Prinz**en**; das Herz – des Herz**ens**.

Hinweis 2: Im **Dativ Plural** bekommen alle Substantive ein *-n*: den Männer**n**, den Kinder**n**, den Fraue**n**.

Artikelwörter II

	Singular			Plural
	maskulin	neutral	feminin	maskulin/neutral/ feminin
Nominativ	ein Bruder	ein Kind	eine Schwester	Kinder/Brüder/ Schwestern
	kein Bruder	kein Kind	keine Schwester	keine Kinder/Brüder/ Schwestern
	mein Bruder	mein Kind	meine Schwester	meine Kinder/Brüder/ Schwestern
	euer Bruder	euer Kind	eure Schwester	eure Kinder/Brüder/ Schwestern
Akkusativ	einen Bruder	ein Kind	eine Schwester	Kinder/Brüder/ Schwestern
	keinen Bruder	kein Kind	keine Schwester	keine Kinder/Brüder/ Schwestern
	meinen Bruder	mein Kind	meine Schwester	meine Kinder/Brüder/ Schwestern
	euren Bruder	euer Kind	eure Schwester	eure Kinder/Brüder/ Schwestern
Dativ	einem Bruder	einem Kind	einer Schwester	Kindern/ Brüdern/ Schwestern
	keinem Bruder	keinem Kind	keiner Schwester	keinen Kindern/ Brüdern/ Schwestern
	meinem Bruder	meinem Kind	meiner Schwester	meinen Kindern/ Brüdern/ Schwestern
	eurem Bruder	eurem Kind	eurer Schwester	euren Kindern/ Brüdern/ Schwestern
Genitiv	eines Bruders	eines Kind(e)s	einer Schwester	(Kinder/Brüder/ Schwestern)
	keines Bruders	keines Kind(e)s	keiner Schwester	(keiner Kinder/Brüder/ Schwestern)
	meines Bruders	meines Kind(e)s	meiner Schwester	meiner Kinder/Brüder/ Schwestern
	eures Bruders	eures Kind(e)s	eurer Schwester	eurer Kinder/Brüder/ Schwestern

Wie beginne und beende ich einen Brief?

Ein formeller Brief:

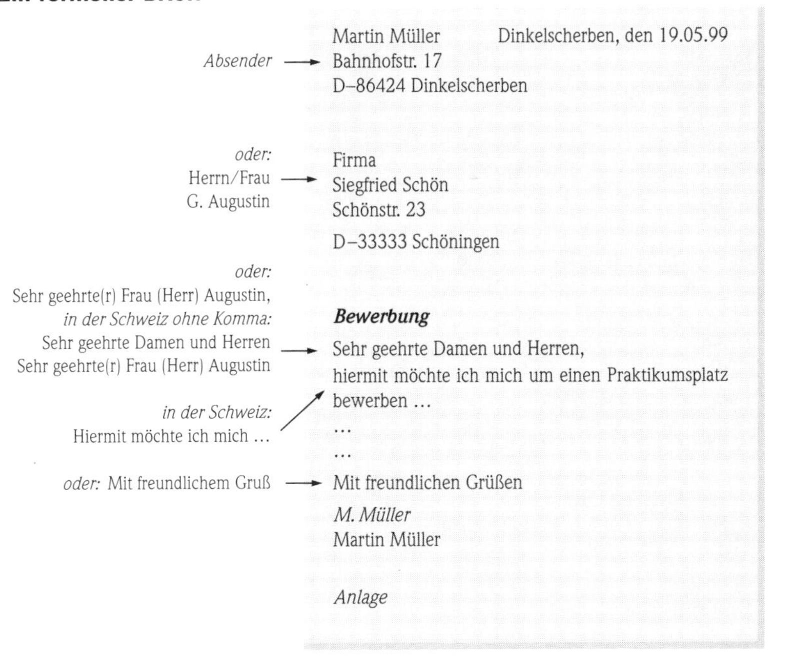

Martin Müller Dinkelscherben, den 19.05.99
Bahnhofstr. 17
D-86424 Dinkelscherben

Firma
Siegfried Schön
Schönstr. 23
D-33333 Schöningen

Bewerbung

Sehr geehrte Damen und Herren,
hiermit möchte ich mich um einen Praktikumsplatz bewerben ...
...
...

Mit freundlichen Grüßen
M. Müller
Martin Müller

Anlage

Ein persönlicher Brief:

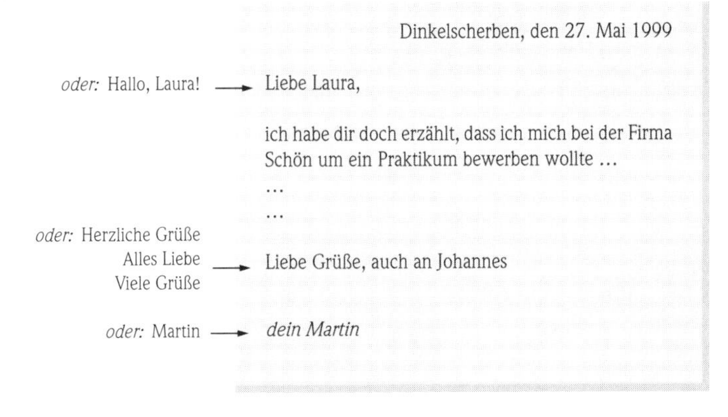

Dinkelscherben, den 27. Mai 1999

Liebe Laura,

ich habe dir doch erzählt, dass ich mich bei der Firma Schön um ein Praktikum bewerben wollte ...
...
...

Liebe Grüße, auch an Johannes

dein Martin

Die Uhrzeit

Wie viel Uhr ist es?/Wie spät ist es?

formell	Uhrzeit	umgangssprachlich
Es ist (genau) …		*Es ist …*
… zwölf Uhr.	12:00	… zwölf./… zwölf Uhr (mittags).
… null Uhr.	24:00	… zwölf./… zwölf Uhr (nachts)./Mitternacht.
… zwölf Uhr fünfzehn.	12:15	… Viertel nach zwölf./
… null Uhr fünfzehn.	00:15	… viertel eins. (SD, CH, ÖSTERR)
… 12 Uhr dreißig.	12:30	… halb eins.
… null Uhr dreißig.	0:30	
… zwölf Uhr fünfundvierzig.	12:45	… Viertel vor eins./
… null Uhr fünfundvierzig.	0:45	… drei viertel eins. (SD, CH, ÖSTERR)
… dreizehn Uhr.	13:00	… eins./… ein Uhr.
… ein Uhr.	1:00	
… dreizehn Uhr zehn.	13:10	… zehn nach eins.
… ein Uhr zehn.	1:10	
… dreizehn Uhr fünfund-zwanzig.	13:25	… fünf vor halb zwei.
… ein Uhr fünfundzwanzig.	1:25	
… dreizehn Uhr vierzig.	13:40	… zehn vor zwei.
… ein Uhr vierzig.	1:50	